FUCILI D'AUTORE

L'Autore

Nobili Ettore Marco è nato a Milano nel 1955.
Di professione giornalista si occupa da tempo di problemi venatori e di armi
sportive e da collezione. Suoi articoli sono apparsi su numerose riviste di settore
quali Diana, Diana Armi, Armi&Pesca, Armi&Tiro, Assoarmieri ed altre.
Ha pubblicato altri libri quali: "Il cacciatore moderno" Edizioni Anthropos,
"Le armi italiane da caccia e da tiro" Ed. Olimpia, "Le armi fini." IGP Editore,
"Cacciare a palla" IGP Editore, "Il grande libro delle incisioni" Editrice Il Volo srl
e "Piccoli calibri" Editrice Il Volo srl.
È consulente presso editori specializzati, costruttori di armi fini nazionali,
aziende faunistiche venatorie per aspetti di marketing e di immagine.
Attualmente è Direttore Responsabile di alcune testate di periodici extra-settore.

The Author

Marco Ettore Nobili was born in Milan on May 19th 1955.
Professional journalist, he has been dealing for quite a long time with hunting issues
and sports and collection shotguns.
His articles appeared on the major magazines of this sector such as: Diana, Diana Armi,
Armi & Pesca, Armi & Tiro, Assoarmieri and others.
He published other books, such as: "Il Cacciatore Moderno" Anthropos Ed., "Le Armi
Italiane da Caccia e da Tiro", Olimpia Ed. "Le Armi Fini" IGP Ed., "Cacciare a Palla" IGP Ed., "Il
Grande Libro delle Incisioni" Il Volo srl Ed., and "Piccoli Calibri" Il Volo srl Ed.
He is a marketing and image consultant for specialized editors, national fine gun makers and
hunting faunal companies.
At present he is the Director in charge of various Magazines in other sectors.

Marco E. Nobili

FUCILI D'AUTORE

Armi da caccia e da collezione

*La produzione passata e presente
di doppiette da caccia e tiro di qualità.
Aspetti tecnici. Incisioni.
Sovrapposti, express, armi miste. Il fucile usato*

ENGLISH TEXT

Seconda edizione

EDITRICE IL VOLO srl

Indice

Index

Prefazione alla seconda edizione

Foreword to the second issue

Pur avendo trattato una vastità di argomenti nella Prima Edizione di questo 'Fucili d'Autore' mi sembrava mancasse qualcosa di più particolareggiato su certi modelli di fucili fini. O forse proprio il desiderio di sottolineare l'attenzione del lettore su questi modelli mi ha indotto al successivo ampliamento oggetto della Seconda Edizione. In primo luogo la doppietta a cani esterni. Quest'arma, limitatamente ai fucili a retrocarica a percussione centrale, incorpora in sé la maggior parte dell'evoluzione del fucile da caccia come oggi lo conosciamo, comprese le sperimentazioni nei vari tipi di chiusure, negli acciarini, nelle forme esterne e nei meccanismi interni. La successiva trasposizione del cane da esterno a interno (hammerless) ha trovato praticamente la strada già tracciata e si è potuti arrivare ai moderni cani interni affinando le esperienze già fatte. Non solo ma i nomi dei prestigiosi armaioli inglesi si erano quasi tutti già affermati proprio con i cani esterni. Così Purdey, Westley Richards, John Dickson, Boss e moltissimi altri si distinguevano nell'allora panorama internazionale con una fine produzione di cani esterni a

Even though a grest deal of subjects have been dealt with in the First Issue of "The Best Guns", I believed that further details on certain fine shotgun types were missing. Or maybe my desire to have the reader focus his attention on these models pushed me to publish this extension, which is the object of the Second Issue. I shall first of all dwell on the external hammer side by side shotgun. This gun, limited to central percussion breechload shotguns, incorporates the greatest part of the evolution of hunting shotguns as we acknowledge them now, including the experimentations of the various types of bolts, locks, exterior shapes and inner mechanisms. The subsequent differentiation from external hammer to internal hammer (hammerless guns) practically found its implementation ready-made, managing to attain the modern internal hammers by refining existing experiences. Besides, the prestigious English Gun Makers had already had a great success with their external hammers. Therefore Purdey, Westley Richards, John Dickson, Boss and many others stood out on the international marketplace due to their fine production of breechload

retrocarica (l'avancarica esula dallo spirito e dal contesto di questo libro). Certo sui cani esterni ci sarebbe moltissimo da scrivere ma ho cercato di condensarne l'evoluzione storica ed i modelli più significativi per dare un'idea generale di questi fucili troppo spesso oggi dimenticati. Il secondo argomento che mi premeva inserire era un capitolo dedicato ai sovrapposti, non a quelli industriali come oggi li vediamo ma di quelli che si pongono come pilastri evolutivi. Ed anche in questo caso per forza di cose dobbiamo risalire ai Costruttori inglesi tralasciando alcuni modelli dei quali ho già trattato in precedenza come il sovrapposto Beretta ed il Merkel. Nella Prima Edizione molti Costruttori inglesi li avevo citati solo superficialmente e quindi colgo ora l'occasione per integrare con maggiori informazioni, sempre care ai collezionisti di queste armi. Analogamente inserisco alcuni aggiornamenti sui produttori ed incisori nazionali nonché quello relativo alle quotazioni dell'usato. Come noterete questa seconda parte non ha la relativa traduzione a fronte in inglese. Questa scelta è stata fatta considerando che esistono in inglese molti più testi specifici

external hammer shotguns (muzzleload shotguns are not included in the spirit and in the context of this book). Obviously, there would be much to write on the topic of external hammer shotguns, but I attempted to condense the historical evolution of the most significant models in order to transmit a general idea on these shotguns which are, unfortunately, very often forgotten nowadays. The second subject which I desired to include was a Chapter on over and under shotguns; not on the industrial ones as we are used to be acquainted with nowadays, but on those which may be considered as evolutional columns. And in this case too, we must go back to the English Gun Makers, leaving out some models I already dealt with in the past such as the Beretta and the Merkel over and under shotguns. In the First Issue I dealt with many English Gun Makers only superficially, therefore I sieze this occasion in order to integrate the previous Issue with further information which is very precious to gun collectors. I am similarly including some updatings on national gun makers and engravers and on second hand guns quotations. As you shall see, this second part does not include an

sulle armi fini, in particolare riferiti alla storia ed alla evoluzione delle armi sportive. Quindi sarebbero state nozioni non strettamente inedite o particolarmente significative e così ho preferito avere più spazio a disposizione per la versione italiana.

Per quanto riguarda invece le nuove incisioni inserite anche il lettore di lingua inglese potrà facilmente capire il nome dell'incisore e il Costruttore dell'arma.

Mi auguro quindi che 'Fucili d'Autore' sia ora ancora più completo e che venga ben accettato dagli appassionati, collezionisti, operatori come lo è stata la precedente Edizione.

MARCO E. NOBILI

English translation. This decision has been taken due to the fact that there are English texts which are far more specific on fine guns, with a special reference to the history and the evolution of sports guns. Therefore, since these notions are not strictly new or particularly significant, I preferred to devote more space to the Italian version. As far as the new engravings included in this section are concerned, English readers may very easily understand the name of the engraver and of the gun maker. Hoping the reader will find the book on "The Best Guns" more exhaustive. I hope it shall be widely accepted by gun enthusiasts, collectors and operators as occurred with the previous issue.

MARCO E. NOBILI

Introduzione

Introduction

Sono ormai diversi anni che la produzione italiana nel settore delle armi di qualità a canne lisce si è saputa imporre sui mercati internazionali.

Sia che si tratti di prodotti di grandi aziende che di piccoli laboratori artigianali le armi sportive nella fascia medio-alta che propriamente di lusso hanno assunto una statura di primo piano. Salvo qualche raro caso i primi anni di questo secolo, così come gli ultimi del secolo scorso, hanno visto dominatori incontrastati nella progettazione e realizzazione delle armi fini produttori inglesi e belgi, ma negli ultimi trent'anni le cose sono cambiate.

Questo cambiamento è stato dovuto in parte alla riduzione, se non quando cessazione, dell'attività produttiva delle più prestigiose Case estere e dall'altra la notevole crescita sia tecnica che artistica dei nostri produttori ed artigiani. Ad esempio nel campo delle incisioni delle armi sportive noi italiani abbiamo avuto recentemente (e abbiamo tuttora) un ruolo di primo piano sia per il nostro buon gusto che per la preparazione dei nostri incisori.

Con l'avvento tecnologico la produzione si è automatizzata nel settore armiero, con l'esclusione

For some years now Italian production of quality smooth-barrelled guns imposed itself on the international market.

Both as far as big companies and small workshops are concerned, middle-high and luxury class sporting guns achieved a significant prominence. Apart from some rare cases,the early years of this century and the late years of the past century saw the British and the Belgians as the undisputed rulers in the planning and realization of fine guns, but over the past 30 years things have changed.

This change is partly due to the reduction and to the dicontinuance of production of the most prestgious foreign Makers and to the significant technical and artistic growth of our home Makers and craftsmen. For example, in the sporting guns engraving sector, Italians recently had (and still have) a prominent role thanks to the good taste and skills of our engravers. With the coming of the technological era, production became automatized in the gun making sector, with the exclusion of workings and finishings on top class guns, which are still being constructed with passion and which still

delle lavorazioni e rifiniture su armi di classe, costruite ancora con passione e che incorporano gli insegnamenti della tradizione di un tempo.

Quindi un'arma fine è qualcosa di più che un semplice oggetto sportivo di estetica gradevole, ma è anche il risultato di paziente e sapiente lavoro dell'armiere, che fa prendere via via forma a legno e metallo fino a farne uno strumento perfetto, impeccabile, sia nel funzionamento che nelle linee.

L'opera poi dell'incisore contribuisce a fare di ogni arma un pezzo unico, un capolavoro a sé stante, talvolta una vera e propria opera d'arte.

Certamente questi risultati non si improvvisano, ma si costruiscono col tempo e con l'assoluta dedizione al proprio lavoro, che deve essere contemporaneamente manuale e di intelletto.

I maestri del passato, ed in particolare gli armaioli inglesi, sono stati e sono tuttora considerati con rispetto, però la maggior parte non si è saputa rinnovare, non ha saputo trasmettere le proprie conoscenze alle nuove generazioni, con il risultato di aver cessato da tempo la produzione oppure di produrre poche unità annue.

Salvo sempre le debite eccezioni. Ad esempio la prestigiose Case inglese Holland & Holland e J. Purdey sono tutt'ora in attività, a degna rappresentanza del settore armiero britannico.

Ma molti altri grandi nomi hanno subìto drastiche riduzioni e sopravvivono più nella fantasia degli appassionati legati al mito che circonda i vari marchi che non per la quantità della produzione attuale. Per il Belgio

incorporate the methods of an old-time tradition.

Therefore, a fine gun is something more than a simple sporting object endowed with pleasant aesthetical characteristics. It is the result of the Maker's skillful and patient work, which allows wood and metal to take shape until they become a perfect and faultless instrument both as performance and line are concerned.

The engraver's work contributes in rendering each shotgun a unique piece, a masterpiece, and sometimes a real work of art. Obviously, these results are not improvisable. They are built up with time and with an absolute devotion to one's job, which has to be manual and intellectual at the same time.

The Masters of the past, and especially British Gun Makers have been, and still are, held in great esteem, but most of them have not been able to change and hand their knowledge down to the new generations, with the result that they had to discontinue production or produce only a few pieces per year. Apart from a few exceptions. For example, the prestigious English Makers Holland & Holland and J. Purdey are still in business, deservingly representing the British gun making sector.

Many other important Makers suffered drastic reductions,and they survive more in the imagination of the enthusiasts bound to the myth connected with the various brands than for the quantity of their present production. As far as Belgium is concerned, it is important to

Doppietta 'fine' per
antonomasia.
Il modello 'Royal-Ejector'
della Holland & Holland
(Londra).

'Fine' side by side shotgun par
excellence.
'Royal-Ejector' model by
Holland & Holland (London).

Piastrina incisa da
G.F. Pedersoli

Side plate engraved
by G.F. Pedersoli

11

occorre ricordare la
Leabeau-Courally, che continua
tuttora con una produzione di
armi sportive di primo livello.
L'Italia ha coltivato e manifestato
un germogliare di armaioli ed
artigiani che magari su piani
diversi propongono armi fini con
un eccellente rapporto
qualità/prezzo, armi ricercate da
collezionisti, amatori e per la
massima parte esportate.
Occorre anche dire che per
propria natura l'arma fine ha un
costo decisamente elevato,
soprattutto quando si parla di
produzione nuova di fabbrica e
quindi il mercato è più conosciuto
all'estero che da noi, in quanto
molte ditte e laboratori
producono in prevalenza per
l'esportazione.
Oltre all'Europa, un mercato
molto ricettivo per la qualità delle
nostre armi è rappresentato dagli
Stati Uniti, dove addirittura
l'immagine di qualche nostro
produttore ha superato quella pur
sempre altissima dei capiscuola
inglesi. È questo un risultato
confortante e che spesso non
viene adeguatamente valutato nel
nostro Paese per mancanza di
sensibilità e di informazione nei
riguardi della produzione armiera
in generale.
Questa è stata una delle
motivazioni principali che mi ha
indotto a realizzare questo
volume, per cercare di presentare
anche se non nella maniera
approfondita che la materia
necessiterebbe, la produzione
attuale delle armi fini "Made in
Italy". Non intende però essere
un mero catalogo illustrato, ma
cercare di mettere in evidenza gli
aspetti più.importanti e
caratterizzanti di ogni singolo
produttore e di cercare di

*mention Lebeau-Courally, which
still produces first-class sporting
guns.*
*Italy cultivated and revealed an
evolution of makers and
craftsmen that propose fine guns
with an excellent quality/price
ratio on different levels.*
*These guns are much sought-
after by collectors and
amateurs, and most of them are
exported.*
*It is also necessary to say that,
due to their nature, fine guns
have decidedly high prices,
especially when dealing with
brand new production, because
the market is far better known
abroad then nationally, since
many firms and workshops
prevailingly produce for export
markets.*
*Apart from Europe, a very
receptive market for our quality
guns is the United States, where
the image of some of our home
makers actually went beyond the
very high image of the English
founders. This is a comforting
result which is not adequately
considered in our country due to
a lack of sensitivity and
information as far as gun
production in general is
concerned.*
*This has been one of the main
motivations for me to realize this
volume; in order to try to
introduce, even if not in depth as
should be the case, the present
production of Italian fine guns.
This book is not intended to be a
mere illustrated catalogue, but its
purpose is an attempt to
emphasize the most important
and characterizing aspects of each
maker and to face and develop
any relevant issue, apart
from considering artistical
aspects.*

Con molti brevetti originali la
doppietta dei F.lli Rizzini è un
valido esempio del grado di
perfezionamento che i costruttori
italiani hanno saputo
raggiungere nella costruzione di
armi liscie di altissimo livello.

*Gun maker: F.lli Rizzini italian
style side by side shotgun.*

Doppietta dei f.lli Piotti di
Gardone Val Trompia - Brescia
(Italy). La Bascula è ricavata dal
pieno da un blocco di acciaio
'Boehler'. Incisione effettuata da
G. Pedersoli.

*Side by side shotgun by F.lli
Piotti, Gardone Val Trompia -
Brescia (Italy). The Action is
made out of a Boehler solid steel
block.
Engraving by G. Pedersoli.*

Sovrapposto di Ivo Fabbri. Si
tratta di un'arma molto robusta
e ben costruita.
Incisione di Medici.

*Over and under shotgun by Ivo
Fabbri. It is a well-constructed
and solid gun.
Engraving by Medici.*

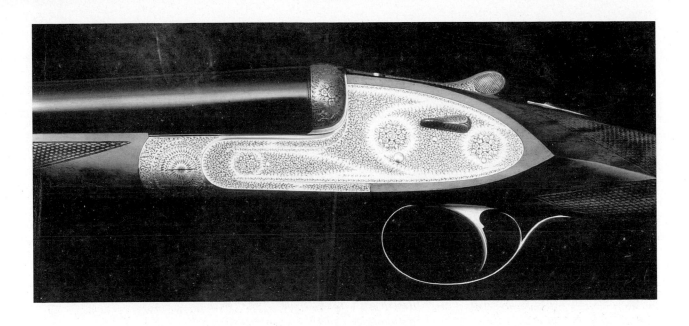

13

affrontare e sviluppare le problematiche contingenti nonché gli aspetti più propriamente artistici.

Accanto alla presentazione della produzione dei nomi più rappresentativi ho ritenuto di dover includere argomenti come la filosofia dell'arma fine, i singoli componenti, la lavorazione nei vari stadi produttivi, le incisioni, in modo da dare al lettore non particolarmente esperto una informazione generale e un tentativo di apprendimento dei termini di valutazione per apprezzare un'arma di qualità. Ma ho voluto, anche se sommariamente, ricordare la produzione dei grandi nomi stranieri, con particolare riferimento agli armaioli inglesi. In questo modo il collezionista o l'appassionato potrà avere un quadro più generale della produzione mondiale di armi di prestigio, nonché di poter valutare e comparare il lavoro degli altri, ed in altri periodici storici, e quello attuale nazionale. In particolare sulle incisioni non mi sono dilungato molto, poiché agli interessati consiglio la consultazione dell'altro mio lavoro: "Il grande libro delle incisioni". Ma oltre a nomi storici che non necessitano di presentazione come Zanotti, Toschi, Beretta, Franchi, Bernardelli che anche se in diversa misura annoverano una produzione di armi fini molti altri nomi si sono nel frattempo imposti e tengono alta la nostra bandiera in tutto il mondo. Eccone alcuni: F.lli Piotti, F.lli Rizzini, F.lli Bertuzzi, Fabbri, Ferlib, Desenzani e tanti altri che incontrerete nel corso del libro. Desidero dedicare questo mio lavoro a tutti coloro che sono

Apart from the presentation of the production of the most representative names, I considered to include topics such as fine gun philosophy, single components, the various production stages and engravings so as to supply the non particularly expert reader with general information and a smattering of the evaluation terms in order to appreciate a quality gun.

My wish has also been that of including, even if briefly, the production of the big foreign makers, especially as far as British gun makers are concerned. In this way both collectors and enthusiasts shall have a more general view of the World production of prestige guns, and they shall have a chance to evaluate and compare the works of different people and different historical periods with our present national production. I have not dwelled much on engravings since I wrote another book on this topic, "Il Grande Libro delle Incisioni" (Modern Engravings Real Book), which I would like to suggest to any interested person.

Apart from historical names which don't need a presentation such as Zanotti, Toschi, Beretta, Franchi and Bernardelli, which include a production of fine guns even if in different quantities, many other names stood out and became prominent in the meantime, making the colours of our flag fly high all over the World.

Among them we find: F.lli Piotti, F.lli Rizzini, F.lli Bertuzzi, Fabbri, Ferlib, Desenzani, and many others that you shall encounter in the course of the book.

I would like to dedicate this work

Produzione recente di doppietta
Rigby.

John Rigby side by side shotgun.
Actual production.

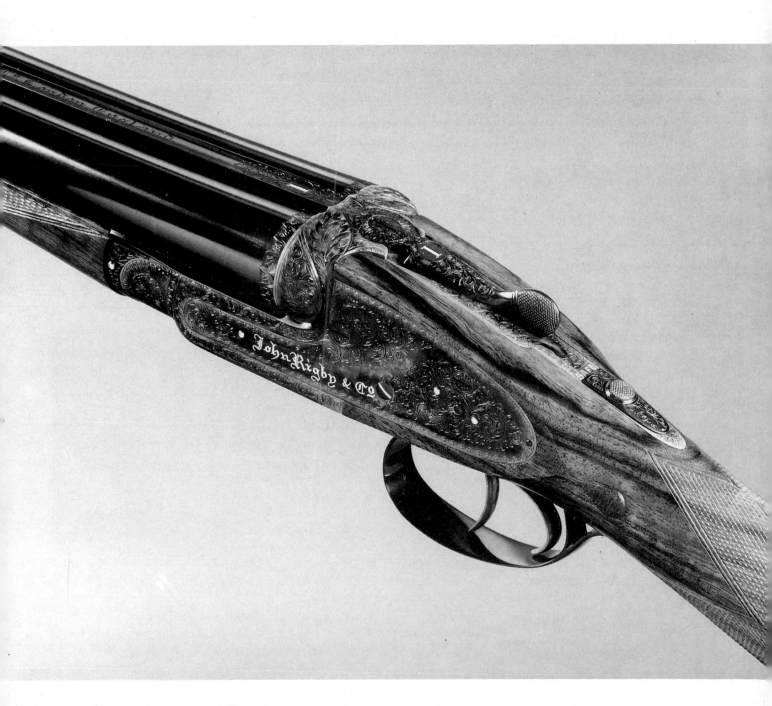

impegnati nel ciclo produttivo delle armi di qualità con l'augurio che il loro lavoro venga apprezzato sempre da un maggior numero di persone e che la posizione che ci siamo duramente conquistata possa col tempo rimanere intatta. Se così non fosse ci sarebbero seri motivi di preoccupazione, poiché nell'era della tecnologia e dell'elettronica l'uomo ha il dovere di conservare il gusto e la capacità delle proprie valutazioni estetiche, di non sacrificare tutta la propria sensibilità sull'altare delle macchine e dei numeri. E nelle armi sportive di pregio, più comunemente definite armi fini, di passione, competenza e umanità ce n'è molta: molta in chi le realizza e in chi le apprezza.

L'Autore

of mine to all those who are engaged in the production cycle of quality guns, with the wish that their work be appreciated by increasingly more people and that the position which has been conquered with great effort may remain unaltered as time goes by.
Failing this, there would be serious reasons to worry because in the electronical and technological era, man has the duty to keep his taste and his aesthetical evaluation capacity. Man cannot give up his sensitivity for machines and numbers. And in the fine sporting guns sector, more commonly defined as best guns sector, passion, competence and humanity may still be found.

The Author

Sovrapposto Ivo Fabbri con incisione particolare di M. Torcoli.

Gun maker: Ivo Fabbri
Engraver: M. Torcoli.

L'arma fine: significato e valutazione

Fine Guns: Significance and evaluation

L'arma fine è il risultato di uno studio e di una applicazione costruttiva che richiede rara abilità. È un'arma sportiva in cui confluiscono intelligenti soluzioni tecniche, funzionalità estrema e rifiniture spesso artistiche.

La vera arma fine non deve essere solo bella da guardare, ma deve essere precisa, sicura e deve assolvere al proprio scopo al pari e meglio di quelle costruite in serie dove l'intervento manuale spesso o è limitato o addirittura assente. Dal punto di vista tecnico ci fu alla fine del secolo scorso in tutta Europa ed in Inghilterra in modo particolare una proliferazione di progetti, invenzioni e l'affinazione di abilità manuali di alta elevatura. C'è chi ritiene che per quanto riguarda i fucili sportivi sia doppiette che sovrapposti (ma in particolare le prime) tutto quello che c'era da inventare è stato inventato in quel periodo e che i prestigiosi armaioli inglesi ci hanno lasciato una scuola tutt'ora insuperata dai quali più o meno i costruttori attuali si rifanno.

E questo in parte è anche vero. L'attuale produzione di armi fini può avvalersi di materiali migliori, più competitivi. I moderni armaioli possono contare sull'ausilio di moderni macchinari e di strumenti di misura e di

Fine guns are the result of studies and constructional applications requiring rare skills. It is a type of sporting gun in which intelligent technical solutions, extreme functionality and artistical finishings combine together. Not only does the real fine gun have to be beautiful and attractive, but it also has to be precise and safe, and it has to perform its functions even better than the mass-produced guns, where manual intervention is either limited or absent.

From a technical point of view, at the end of the past century, Europe, and especially England, experienced a proliperation of projects and inventions, and the improvement of manual skills.

Many believe that as far as sporting side by side and over and under shotguns are concerned (but especially side by side shotguns), all there was to invent has already been invented in that period and that the prestigious English gun makers created a matchless method which today's makers still follow. And this is partly true.

The present production of fine guns can employ better and more competitive materials. Modern gun makers can count on modern machinery and measure and

17

controllo riuscendo a produrre armi quasi perfette ma di rivoluzionario è stato introdotto poco o nulla da oltre un secolo a questa parte. Prendiamo ad esempio le batterie.

Sia che siano tipo Holland o Anson Deeley più o meno tutti gli attuali costruttori o propongono sistemi identici a quelli brevettati da questi pionieri o varianti su questo tema. Anche le chiusure si rifanno tutte a quelle adottate ed inventate in quel periodo. Ecco che nelle doppiette troviamo la doppia Purdey ai ramponi ed eventualmente una terza Greener sul prolungamento della bindella. Più raramente una terza Westley Richards a testa di bambola o una terza Purdey.

Può anche essere vero che il fucile così come è concepito ora non possa ulteriormente essere perfezionato o meglio i perfezionamenti sono molto limitati e non determinanti. Ma l'arma fine ha il proprio fascino proprio nel rispetto della tradizione, nel continuare a essere realizzata secondo gli insegnamenti lasciati dai maestri ormai scomparsi, dalla sapiente ed abile mano dell'uomo che col tempo realizza un oggetto equilibrato nelle forme e nelle prestazioni.

Comunque penso sia innegabile l'affermazione che almeno sotto il profilo delle incisioni ci siano stati molti progressi in questi ultimi decenni, soprattutto nel realizzare scene a soggetto ma anche motivi ornamentali complessi e di vero estro artistico.

Gli incisori inglesi ci hanno insegnato le inglesine, stupendi riccioli ornamentali che ancora attualmente non stancano e sono sinonimo di eleganza e di raffinatezza. Però si sono evolute

control instruments succeeding in the production of guns which are almost perfect, but nothing really revolutionary has been introduced over this the century. Let us consider the locks. Whether they are of the Holland type or of the Anson Deeley type, all present gun makers propose systems which are identical to the ones patented by these pioneers or variations of the very same systems.

Today's locks too, derive from those invented and adopted in that period. And in side by side shotguns we may find a Purdey double bolt on the lumps and a Greener cross-bolt on the rib extension.

More seldom do we find a Westley Richards doll-head third bolt or a Purdey third bolt. Perhaps it is true that shotguns, as they are conceived now, may not be further improved.

But the attractiveness of best guns lies in their traditional heritage, in that they are still realized according to the methods passed down by the early Masters, and in the skillful hand work of man that creates a well-balanced object both in shape and in performance.

Anyhow, I believe that there has been an undeniable progress in engraving over the past few decades, especially in the realization of subject scenes and of complex and artistic ornamental patterns.

English engravers showed us the English scrolls, the beautiful ornamental curls which are still topical and which are a synonym of elegance.

But the chiaroscuro technique evolved, and so did the

Tra i maggiori costruttori belgi si distingue a tutt'oggi la Lebeau-Courally, impegnata da sempre nella realizzazione di armi di altissimo pregio (sopra).

Among top Belgian gun makers, Lebeau-Courally still stands out today as one of the makers engaged from long time in the realization of top-level fine guns.

Un originale sovrapposto belga (Britte) ad apertura laterale.

Gun maker: Britte (Belgium).

Model: side opening over and under.

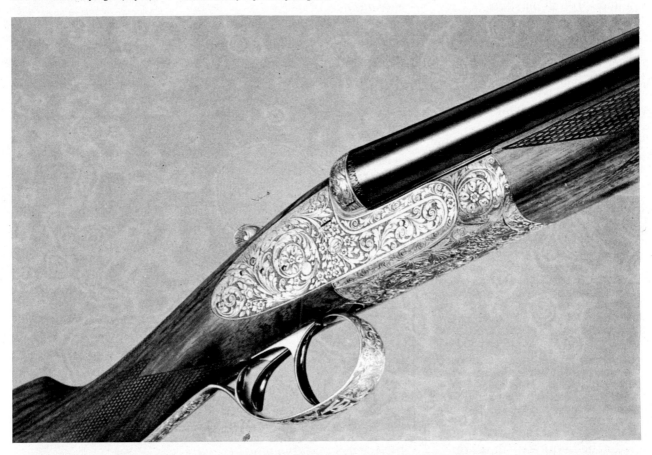

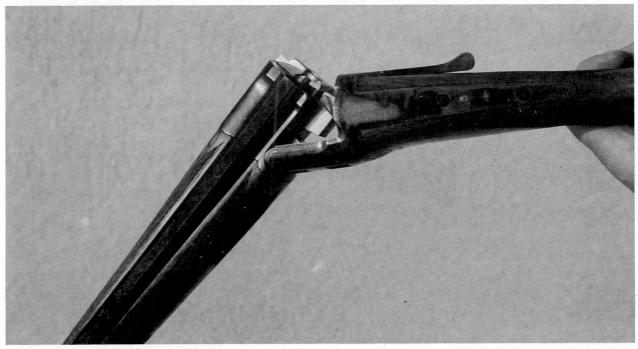

le tecniche dei chiaro-scuri, dell'uso del bulino o del cesello in lavori più sofisticati, ed in questi gli incisori italiani sono sicuramente all'avanguardia. Possedere un'arma fine quindi è come ammirare un quadro, con la differenza che il pregio non è solo estetico ma anche meccanico, artigianale e funzionale.

Vorrei a questo proposito riportare alcune frasi estrapolate da articoli e scritti di alcuni esperti ed appassionati del ramo.

Desidero iniziare con un pensiero di Mario Abbiatico a proposito di come questo grosso personaggio e scrittore intendesse l'arma fine e la doppietta in particolare. "Per me l'arma classica per antonomasia è stata e resterà la doppietta. Affermo questo in un momento in cui automatici e sovrapposti l'hanno relegata in un angolo riservandola ad una minoranza di nostalgici, ai tiratori di piccione o di persone meno abbienti che sono obbligate ad acquistare doppiette di basso costo... Onestamente credo che in queste valutazioni giochi un ruolo non secondario la leggenda e la romantica letteratura che hanno accompagnato la doppietta nel suo evolversi che ha coinciso con le pagine più luminose della storia delle armi sportive, per non dire che ha accompagnata e permessa la caccia così come si è svolta nei decenni a cavallo di questo e dell'altro secolo quando la figura del cacciatore, anche nell'opinione pubblica, non era certo somigliante a quella che si va cercando di dipingere ora.

È infatti sulla doppietta che i più bei nomi dell'archibugeria mondiale hanno 'armeggiato' per parecchi decenni per studiare nuove soluzioni, migliorie, ed

and-graving and the chisel techniques: this is where Italian engravers are surely advanced.

To own a best gun is therefore something very similar to admiring a portrait, with the difference that the preciousness is not only aesthetical but also mechanical and functional.

I would like to quote a few phrases drawn from articles and works of some of the sector's experts.

I would like to start with Mario Abbiatico and with his opinion on best guns, and especially on side by side shotguns: "In my opinion, the classic gun par excellence has always been the side by side shotgun. I state this in a moment in which automatic and over and under shotguns relegated it in a corner leaving it to a minority of nostalgics, pigeon-shooters or less prosperous people who are forced to buy unexpensive side by side shotguns... I honestly believe that the legends and romantic literature which sided side by side shotguns over their evolution play an important role in these evaluations, also because side by side shotgun evolution coincided with the most beautiful pages of sporting gun history, not to mention the fact that they sided and allowed hunting so as it was carried out spanning this century and the past, when the hunter figure, also as far as public opinion is concerned, was not even similar to its present portrait. Infact, it was on the side by side shotgun that the most prestigious harquebusiers in the World worked for various decades in order to study new solutions, improvements and

Doppietta Holland & Holland Royal 1° tipo con batteria 'a pera'.

Holland & Holland 1st Type Royal side by side shotgun with pear-shaped side lock.

Un'arma fine deve essere curata e studiata in ogni particolare. Ecco come si presentano le parti di un'arma prima e dopo le lavorazioni Si tratta di una doppietta della Hartmann & Weiss.

A fine gun always has to be executed with care and studied in every single detail. Parts of a gun before and after working. Hartmann & Weiss side by side shotgun.

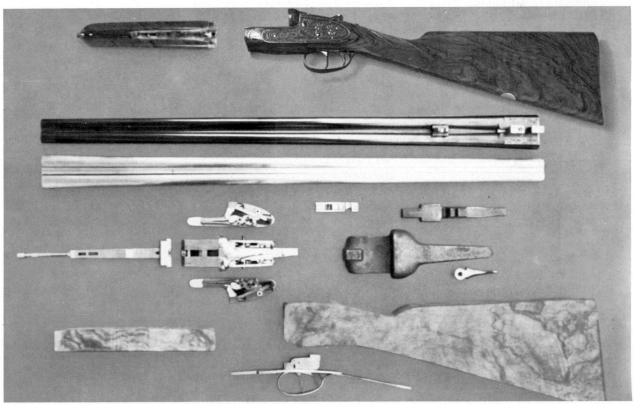

21

accorgimenti tecnici che, pur fra inevitabili parziali insuccessi, hanno consentito di giungere alla moderna produzione di armi sportive che da un punto di vista meccanico non hanno più nulla da inventare.

Fra i tre tipi di armi da caccia, automatico, sovrapposto e doppietta, esiste una differenza notevole di imbracciatura.

A mio parere l'imbracciatura di una doppietta è lungamente la più piacevole e morbida e, vorrei dire, naturale. Le altre mi sembrano più 'legnose' ed artificiali... Il mio punto di vista deriva soltanto da una preferenza istintiva, direi congeniale. Come ho detto, non pretendo che gli altri la pensino come me ma nel mio lavoro di tutti i giorni noto che c'è una leggera ma costante tendenza di inversione nella preferenza sin qui riservata ai tre tipi di arma.

Non è quindi difficile prevedere per la doppietta, almeno a livello di arma fine, un sicuro avvenire. Definita la scelta, resta da dire come deve essere fatta la doppietta per ottenere quei requisiti estetici di linea e proporzioni tali da garantire il miglior risultato.

Diceva Michelangelo che la forma esiste già nella materia e che basta togliere tutto quello che c'è in più per avere la forma perfetta. Ho riassunto a orecchio il suo concetto che mi è sempre piaciuto molto ed anche nell'immaginare una bella doppietta mi piace pensare a questa idea del grande artista del Rinascimento.

Immaginiamola, questa doppietta, davanti a noi, sospesa in aria tenuta da invisibili mani, inclinata a 50/60 gradi, vista di fianco leggermente obliqua, con il calcio rivolto verso il basso. Notiamo la continuità e l'armonia fra il calcio

technical devices. Through inevitable partial failures, the production of modern sporting guns was attained, and, of course, mechanically speaking, there is nothing new to invent.

Among the three types of hunting guns, and namely: automatic, over and under and side by side shotguns, there is a remarkable difference in the gun's holding or fit.

In my opinion, side by side shotgun raising is better and far more pleasant. It is more natural. The other raisings appear to me as being more stiff and 'artificial'... My opinion only derives from an instinctive preference. As I already said, I do not expect other people to think it my way, but in my day to day work I realize that there is a light but steady inversion trend in the preference given till today to these three types of guns.

Therefore it is not difficult to forecast a certain future for side by side shotguns, at least as best guns. Once the choice has been defined, one still has to know what the side by side shotgun has to be like in order to obtain those aesthetical requirements and proportions in its line which grant best results. Michelangelo used to say that there already is a shape in the matter and that it is sufficient to remove any excess in order to have a perfect shape. I only briefly expressed his concept which I always shared, and when I imagine a side by side shotgun too, I like to think of this opinion of the great Renaissance Artist. Let us imagine this side by side shotgun as if it were suspended in the air with an inclination of 50/60 degrees, in a side view, its stock facing downward. We notice the continuity and harmony between

Un esempio di un sovrapposto
fine dalle forme armoniche e
dalle finiture superlative.
È un modello da tiro costruito da
Luciano Bosis su meccanica tipo
Boss ma con acciarini originali
con briglia ricavata dal pieno.

Over and under Boss style of
Luciano Bosis (Italy).

Incisione di G.F. Pedersoli su
automatico Cosmi.

Gun maker: Cosmi
Engraver: G.F. Pedersoli.

Bascula di Express
in bianco della Famars.

Gun maker: Famars (Italy)
Model: Express side by side.

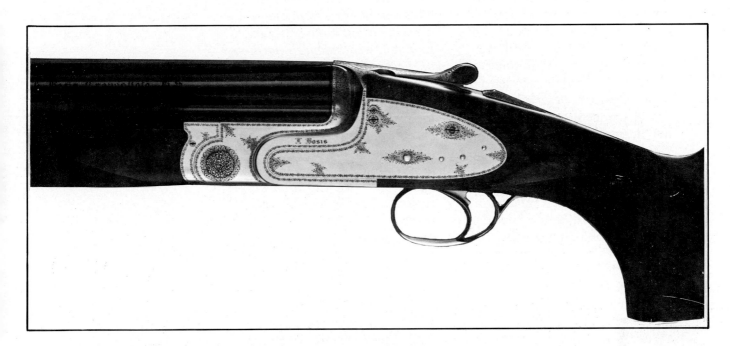

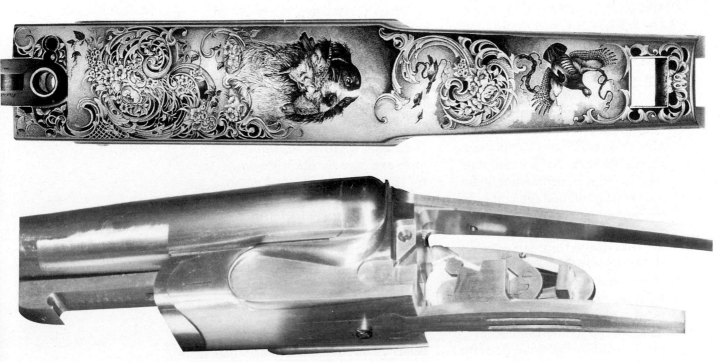

23

all'inglese, dal profilo classico diritto oppure ingentilito da una leggera morbida curva, la bascula e l'asta che si incorporano e si fondono in un'unica massa con il profilo delle canne. L'ideale è che nessuna delle parti prevalga sulle altre, che l'occhio non venga disturbato da nessun particolare e possa scorrere su tutta l'arma trovando in essa un equilibrio di masse, di curve e di profili che nell'insieme richiamano qualcosa di bello in assoluto... Ho letto da qualche parte la descrizione dell'emozione provata dall'autore nel 'degustare' l'apertura di una valigetta contenente una coppia di belle doppiette. Cominciava dall'ammirazione per la bella valigia in cuoio che veniva man mano aprendosi lasciando vedere poco alla volta il contenuto. Le varie parti venivano scoperte lentamente e l'occhio indugiava su di esse quasi per 'centellinare'. Al profano potrà sembrare un'esaltazione ma, valore letterario a parte, queste sensazioni sono verosimili e credibilissime. Certo che ciò presuppone uno sviluppato senso critico estetico specifico ed una reale passione per la doppietta, passione magari 'aromatizzata' dal profumo delle cose, dei tempi e delle persone che ne hanno accompagnato la storia. Per ora abbiamo guardato la doppietta a debita distanza. Avviciniamola e man mano si evidenzieranno tanti altri importanti dettagli come: la proporzione e la forma del ponticello e dei grilletti, poi la manetta di apertura, la perfezione delle conchiglie e l'insieme di curve e controcurve che si fondono in un'unica rincorsa; il profilo e la sezione del calcio e dell'asta che si innestano nelle parti metalliche in modo perfetto

the English stock, which may have a classical straight outline or which may be softened by a slight curve, and its action and forend which merge into one single mass with the outline of the barrels. Ideally, no part should have predominance on the others, and the glance should not be diturbed by any detail when running through the shotgun finding a well-balanced harmony of mass, of curves and of outlines that recall absolute beauty... I read somewhere the description of the emotion experienced by the author in enjoying the opening of a case containing a pair of beautiful side by side shotguns. It started from the the admiration for the beautiful leather case which was slowly opened, revealing, little by little, its contents. The various parts were slowly disclosed, his eyes lingering over them. The profane might believe all this is fanaticism, but apart from the literary value, these sensations are likely and credible. Obviously, this requires a developed specific aesthetical and critical sense and a real passion for side by side shotguns; a passion which has to have the flavour of the things, the times, and the people who have been involved in its history. Until now we took a distant look at a side by side shotgun. By taking a closer look at it, we can distinguish other important details such as: the proportions and the shape of the triggerplate and the triggers, the lock lever, the perfection of the shells and the curves and counter-curves as a whole which merge into one single run; the outline and the section of the stock and forend that fit so perfectly into the metal parts that

quasi da sembrare un tutt'uno; la purezza di certi filetti che partono dalla culatta e si stemperano sulla stessa oppure sui fianchi della bascula.

Possiamo notare la perfezione degli incastri ed il bel colore argento vecchio delle parti metalliche: se riuscita è molto bella anche la finitura 'tartarugata'... Il vestito della doppietta sono però costituiti dall'incisione e dalla venatura del legno. Chi scrive ha un debole per entrambi. Non occorre che l'incisione sia costosa per avere un effetto soddisfacente, anzi! L'importante è che quel poco o tanto che viene eseguito lo sia nello spazio idoneo e che l'esecuzione sia all'altezza della situazione. L'incisione non deve mortificare l'arma ma, bilanciandone ulteriormente le masse, deve evidenziarne la personalità. Un bel bordino per esempio con rosette accurate dà generalmente un risultato soddisfacente specie per il contrasto che si ottiene con la restante superficie tirata a specchio.

Anche i legni sono decisivi: un bel noce con venature calde e contrasto di tonalità su una bella doppietta cade come il calcio sui maccheroni.

Non ci resta che prenderla idealmente in mano, appoggiarla alla spalla, imbracciarla; la sentiremo quasi subito parte di noi stessi senza tema di 'rigetto'. Ho parlato di una doppietta ideale che esiste nella mia mente dato che quella perfetta non esiste e quella più bella è sempre la prossima.

Resta comunque a noi, ora, in qualità di costruttori cercare di realizzarla. Il compito è arduo ed è reso più difficile dalla presente

they almost seem one solid piece; the pureness of certain trimmings that start from the breech and weaken on it or onto the action sides.

We can notice the perfection of the fittings and the beautiful old silver colour of the metal parts: if well-executed, the case hardening finishing is also beautiful... But the "clothes which make the shotgun » are constitued by the engraving and the wood grain.

The author has a weakness for both. It's not necessary to have an expensive engraving in order to have a satisfactory effect!

On the contrary, it is important that whichever amount - great or small — be executed in the adequate spaces and that the execution be suitable. The engraving must not mortify the gun but, by further balancing its mass, it should enhance its personality. For example, an ornamental edging with small, accurate roses generally produces a satisfactory result especially due to the contrast obtainable with the remaining mirror-polished surface.

Wood too, is decisive: a beautiful walnut with a warm grain and a shade contrast on a beautiful side by side shotgun enhances it perfectly. We just have to ideally take it in our hands, bring it to our shoulder, and hold it; we shall feel it right away as a part of ourselves without any fear of 'rejection'. I talked about an ideal side by side shotgun existing in my mind, since a perfect one does not exist and since the best one is always the next.

It is up to us now, as makers, to try to accomplish it. This is a difficult undertaking, which is even more difficult due to the

situazione legata alla scarsità di manodopera specializzata che nell'attuale contesto storico e sociale è stata bruciata sull'altare del consumismo e della fretta."

Tra i più profondi conoscitori di armi fini della penisola è doveroso citare Gianoberto Lupi, che ha scritto numerosi libri sull'evoluzione del fucile da caccia, sull'importanza dei costruttori nazionali in questo settore nonché sulle incisioni.

Riporto uno stralcio di articolo apparso anni fa sul mensile Diana Armi a proposito di come Lupi vede lo studio delle armi che egli considera vera e propria arte.

"Debbo confessare che ho sempre provato delusione ed irritazione ogni volta che vidi considerata l'arte delle armi come sorella minore di quelle universalmente accettate per arti maggiori. Perché in quell'aggettivo 'maggiori', raffiguravo un altro qualificativo sottinteso: 'vere'... 'Arte Minore' quella dell'armaiolo, così definita per ingiusta consuetudine da critici e commentatori d'arte, da sempre. La mia convinzione personale, ma fermissima, si è formata solo negli ultimi dieci anni, ed è la somma di un'esperienza (non oso chiamarla studio) che è iniziata quand'ero giovinetto e che si è protratta per più di trent'anni, durante i quali ho molto osservato, molto udito, molto valutato, molto paragonato, molto vissuto in questa e per questa arte.

Ed oggi ho la chiara sensazione di essere agli inizi di un'amplissima ricerca, di essere davanti ad una valle sconfinata nella quale c'è molta luce che scende dall'alto ad illuminare un terreno ricco di meravigliosi frutti. E ho pure la sicurezza che non sarà lontano il giorno in cui, concordemente,

present situation linked to the lack of specialized labour which in the nowadays consumer's culture and hurry almost disappeared."

Among our Peninsula's most important conoisseurs of fine guns, it is right and proper to quote Gianoberto Lupi, who wrote a number of books on the evolution of hunting shotguns, on the importance of national makers in this sector, and on engravings. I shall quote an article appeared a few years ago on the monthly magazine Diana Armi which explains Lupi's opinion on the guns that he considers works of art. "I have to confess that I have always felt disappointed and irritated each time I saw the art of gunmaking regarded as a minor art as compared with those universally accepted as Major Arts. Because in the adjective 'major' I pictured another unspoken qualifying adjective: "real"... which was missing in 'Minor Art', the art of gunmakers, defined as minor by art critics and commentators as a habit. My personal belief took shape over the past ten years, and it is the result of an experience (I don't dare call it study) which started when I was a young boy and continued for over thirty years during which I have observed, listened, evaluated, compared and lived in this and for this art. Today I have the clear sensation of being at the very beginning of a vast research, of facing a neverending valley in which there is much light coming from above to light up a land rich in amazing fruits. And I am sure that the day is not far when gunmaking art shall be recognized and accepted by the History of

Recente sovrapposto di James
Purdey cal. 28 su meccanica
di Woodward.
Incisione di Giancarlo Pedretti.

Recent James Purdey 28 gauge
over and under shotgun on
Woodward mechanisms.
Engraving by Giancarlo Pedretti.

Vista interna del sovrapposto
Purdey con ramponi laterali.

Internal view of the Purdey over
and under shotgun with side
lumps.

l'arte dell'armaiolo verrà, dalla Storia dell'Arte, riconosciuta ed accettata fra le Arti Belle, ossia Arte vera e maggiore, come le compete e merita...

Mai come nei primi cinquant'anni di questo secolo, lo studio impegnato di critici e storici europei dell'arte delle armi ha risvegliato l'attenzione dei cultori d'armi su un patrimonio umano e artistico eccezionale.

Guidati solo dal loro entusiasmo e decisi, spesso inizialmente senza rendersene conto ma perché sostenuti da passione e cultura, a svelare e manifestare un'arte in cui credevano e che sentivano 'maggiore', essi hanno portato alla luce veri tesori che altrimenti sarebbero giaciuti ignorati e non avrebbero mai parlato di un'altra espressione nobile di 'arte bella'...

Quando i critici d'arte e gli uomini di cultura artistica s'accorgeranno dell'alto patrimonio racchiuso nel mondo delle armi, proveranno un senso di smarrimento e di colpa per aver sempre trascurato i frutti di una dimensione dello spirito dell'uomo.

Il grande armaiolo, ieri come oggi, seppe infondere nella sua opera un qualcosa che trascende la concreta e singolare materialità del suo oggetto, ma che è ben discernibile a chi è preparato a vederlo.

Anche per l'arte armiera è necessaria una seria cultura al suo intendimento, e non so se pecchi di maldicenza, quando affermo che il critico non la tenne alla stessa altezza delle altre Arti Belle solo perché s'accorse che essa era troppo complessa a penetrarsi. E la cultura necessaria non si improvvisa con la visita a qualche Museo o la lettura di alcuni manuali, ma con la appassionata dedizione e ferma volontà di

Art among the Fine Arts as a real and Major Art as it deserves to be.

Never before as in the early fifty years of this century, has the hard study of gunmaking art critics and historians aroused the attention of gun-lovers on such amazing human and artistic wealth. Mainly led by their enthusiasm, and initially very often without even realizing it, since they were supported by passion, culture and belief in this art which they considered as 'major', they disclosed amazing treasures which would have lyed ignored and which would never have had the chance to express another kind of noble 'fine art'...

When art critics and artistic culture people shall become aware of the great wealth held in the gun making world, they shall experience a sense of bewilderment and guilt for having neglected the fruits of one of the dimensions of the human spirit.

Great gun makers, yesterday as today, have been able to infuse something which trascends the concrete and unique materiality of their object into their work, but this is perceivable only by people who are ready to see it.

Gun making art too, requires a serious culture in order to be understood and I do not wish to slander by saying that critics did not consider it at the same level as the other 'Fine Art' only because they realized that it was far too complex to penetrate.

And the necessary culture is not improvisable by visiting a few Museums or reading a few manuals. It is achievable only by means of a keen devotion and a life-lasting will to research and

ricerca e di studio condotta per tutta la vita. Infine è cultura cui non possono essere estranee altre educazioni formatesi nella letteratura, nella storia dell'arte, nella chimica, nella fisica, nella meccanica. L'arte armiera è composita, ma allorché un artista ha creato il suo capolavoro, in questo c'è anche molta poesia umana."

Altro scrittore e giornalista di ottima preparazione è Antonio Granelli. Ecco come vede l'espressione di qualità sull'arma fine.

"Siamo soliti ripetere spesso che l'apparenza inganna, oppure che l'abito non fa il monaco, seguendo l'insegnamento disillusorio di quella sapienza popolare che si esprime per massime argute e sentenziose, e che manifesta l'opinione del comune buon senso. Il concetto è vecchio quanto il mondo, e troviamo la base della sua pessimistica ironia nella alta eccezione del latino 'habitus', usato non solo nei significati di veste e abbigliamento, ma anche di natura, stile, carattere, qualità, e purtroppo anche di apparenza e di atteggiamento ingannevole. Al pari di tutto ciò che copre e che nasconde, l'abito si presta ad essere strumentalizzato: può essere il biglietto da visita di una effettiva qualità interiore, quanto il paravento truffaldino di una condizione o stato non corrispondente.

Anche i fucili hanno un abito, costituito da quell'insieme di forme estetiche di linea e di ornato che non sono strettamente indispensabili, o collegate alla loro natura di utensili ed alla funzionalità puramente meccanica. La ricerca estetica ha

study. And finally, it is a culture to which other educations which arose in literature, history of art, chemistry, physics, and mechanics cannot be extraneous. Gun making art is a composite art, but when an artist has created his masterpiece, you may find much human poetry in it."

Another skillful writer and journalist is Antonio Granelli. This is how he sees the quality expression on a fine gun.

"We usually repeat very often that appearances are deceptive and that men are not always what they seem (translator's note: litterally in Italian: 'in spite of his clothing, he might not be a monk'), following the disillusioned teaching of a popular wisdom which expresses itself in shrewd and sententious maxims and which evinces the opinion of the common good sense. This concept is as old as the World, and we may find the basis of its pessimistic irony in the Latin term 'habitus' which is not only used with the meaning of clothing or dress, but also of nature, style, character, quality and, unluckily, of appearance and deceptive behaviour as well. Similarly to all the things which cover and disguise, clothing lends itself to be taken advantage of: it may be the expression of a true inner quality or the fraudolent cover up of a non-corresponding state or condition.

Shotguns too, have a 'clothing', which is constitued by the overall ornamental and line aesthetical forms which are not strictly essential or connected with their tool nature and with their purely mechanical function. Aesthetic research is deeply rooted into the

29

radici profonde nell'animo umano e presuppone un puro e cosciente gusto del bello.

È la dimostrazione di una spiritualità che si svincola dalla materia e dalla difficoltà della vita. È un tentativo di raggiungere quella nozione di forma pura che trascende dalle pastoie dei mezzi strumentali per volgere ad un appagamento spirituale interiore.

Nel fucile il legame artificioso della tecnica non impedisce di abbinare la freschezza di espressione di una vera arte alla realizzazione di un oggetto di uso concreto e finalità pratiche.

In qualche caso la purezza delle forme e la finezza dell'ornato si uniscono infatti ad una realizzazione meccanica perfetta, in una simbiosi che costituisce un capolavoro di vantaggio reciproco. Ma esistono anche armi perfettamente macchinate, finite e funzionali che ci appaiono fredde e distaccate, come prive di vita propria. Altre ancora nascondono sotto un bell'abito tirato a lucido una meccanica trascurata e dozzinale. Nelle prime la tecnica, pur avanzata, non si è ancora innalzata ad arte, nelle seconde un formale estetismo tenta di coprire la carenza di un'appropriata tecnologia, o la scadente qualità dei materiali.

Possiamo trovarci in questo campo di fronte a sofisticazioni al cui cospetto quelle alimentari appaiono scherzi di bimbi innocenti. Non è tutto oro quel che riluce, come dicevano i nostri avi, ma fortunatamente per noi esistono armi nelle quali convivono due forme di arte egualmente nobili: l'arte applicata che plasma il metallo in macchina perfetta, e l'arte pura dell'inciso."

Sempre in tema di armi fini,

human soul and it requires a pure and conscious aesthetic taste.

It is the demonstration of a spirituality that frees itself of matter and of the difficulties of life. It is an attempt to reach the notion of pure form which trascends the shackles of instrumental means in order to attain an inner spiritual fulfilment.

In shotguns, the artificial technical connection does not prevent the freshness of expression of a real art to combine with the realization of an object having a concrete use and practical purposes. In some cases the pureness of shapes and the fineness of ornamental patterns perfectly combine with a perfect mechanical work, forming a masterpiece of mutual advantage. But there are also perfectly machined, finished and functional guns which appear to us as being cold, distant and lifeless. Or again, other guns which hide neglected and cheap mechanisms behind a beautiful appearance. In the first case, even though the technique is advanced, it has not yet been elevated to art, whilst in the second case, a formal aestheticism attempts to cover a lack in technology or a cheapness in materials.

In this sector, we may find ourselves facing incredible adulterations. As our forefathers used to say, "all that glitters is not gold", but luckily for us, there are guns in which two equally noble forms of art may be found at the same time: applied art, which moulds metal into a perfect machine, and the pure art of engraving."

Fine guns are also being

Sovrapposto SO9 della Beretta
S.p.A. di Gardone Val Trompia -
Brescia (Italy).
Incisione di Angelo Galeazzi.
L'arma appartiene ad una serie
di cinque (Set Of Five) costruite
nel 1990.

*SO9 over and under shotgun by
Beretta S.p.A., Gardone Val
Trompia - Brescia (Italy).
Engraving by Angelo Galeazzi.
This gun belongs to a Set of Five
constructed in 1990.*

Sovrapposto Perazzi con canne a
ramponatura laterale.
Le batterie sono alloggiate sopra
il ponticello e sono estraibili a
mano.
Incisione della 'Creative Art' di
Gardone V.T. (BS).

*Perazzi over and under shotgun
with side lumped barrels.
The locks are housed over the
triggerplate, and are hand
detachable.
Engraving by 'Creative Art',
Gardone V.T. (BS).*

queste vengono costruite pure per l'uso tiravolistico, dove ultimamente i dettami di funzionalità hanno preso il sopravvento sulla ricerca estetica dell'arma. Le doppiette sono state soppiantate dai sovrapposti ed in qualche caso dagli automatici. Quanto ciò sia praticamente giustificato rimane ancora da dimostrare. Ecco in proposito un commento sempre di Granelli. "Chi scrive ha iniziato a frequentare le pedane allorché i sovrapposti erano rari come le mosche bianche e le doppiette non avevano il monogrillo ed i calci erano così piegati come le calciature degli schioppi berberi o come falce in luna calante. Eppure i piccioni, magari non selezionati, cadevano egualmente sotto il piombo ed i piattelli si rompevano piuttosto regolarmente e le coppiole partivano serrate e scandite, nitide, anche senza monogrillo, fonte di tanta gioia e di tanti dolori. Oggi risulta impensabile alla quasi totalità dei tiratori, usare in pedana una doppietta sprovvista di asta a coda di castoro o di monogrillo, di calcio antirinculo in gomma ventilata e di mirino fosforescente, e la mancanza di estrattori automatici, o la presenza di magliette portabretella, costituiscono un orrore da fare impallidire, squalificare l'arma e declassarla ad ignobile catenaccio. Progresso o regresso? Hanno ragione in tutto e per tutto i tiratori odierni, o le comodità hanno creato uno stuolo di monchi, incapaci a scalare grilletto per sparare il secondo colpo, e così inetti da non saper impugnare e trattenere le canne saldamente, senza quella orribile spazzola rappresentata dall'asta a coda di

constructed for clay-pigeon shooting, where functionality dictates lately prevailed on aesthetical research. Side by side shotguns have been replaced by over and under, and sometimes automatic shotguns. I do not know how much this could be practically justifiable, because it is still to be proved. In this connection, this is a Comment of Granelli:
"The writer started to frequent shooting boards at a time in which over and under shotguns were very seldom seen, and in which side by side shotguns did not have a single trigger. At that time, stocks were so bent that they were very similar to those of the Berber muskets and looked like scythes. Nevertheless, clay-pigeons which were often unselected fell under the fire and broke quite regularly, and the fires of both barrels were shot in close succession and were clear and distinct even without a single trigger, causing great joy or great sorrows. Today, almost all the shots believe it is unthinkable to get onto the shooting board and use a side by side shotgun without a beaver-tail forend, a single trigger, a recoilless stock, and a phosphorescent sight, and the lack of automatic ejectors and presence of strap-holder sling swivels are horrifying and declass the gun degrading it to an 'old bus'. Is this progress or regression? Are modern shots right or did today's conveniences create a swarm of 'cripples' which are incapable of changing the trigger in order to fire the second shot? Or are they so incapable of holding the barrels firmly enough without the use of that horrible brush represented by

32

castoro? Il tiro automatico, meccanico, di impostazione, ci ha tolta definitivamente la capacità di poter sparare sciolti, di mira, accompagnando il bersaglio. Nessuno spirito polemico, per carità! Solo una riflessione fra amici: anche chi scrive fa parte da tempo della squadra dei monchi. 'Tempora mutant, et nos mutamos in illis'."

Non è giusto quindi opporsi al cambiamento, però a mio avviso è necessario avere una certa coerenza ed affrontare logicamente gli argomenti. Si riuscirà così a distinguere fra la moda e i cambiamenti positivi, tra il senso comune e le esigenze più puramente tecniche, tra le mediocrità e l'amore per il bello, la capacità di riconoscere ed apprezzare le cose di valore pur senza tuttavia condannare quelle meno nobili, ma saper dare ad ogni cosa la propria collocazione culturale e di mercato. Ritornando sul tema delle armi fini, riporto ora alcune considerazioni di altri giornalisti che ci aiuteranno, insieme alle altre a comprendere meglio il significato ed il ruolo dell'arma di pregio.

È la volta di Filippo Calamai e Mauro Monini che hanno scritto diversi articoli durante le loro visite ad importanti costruttori di armi. In uno di questi scrivevano: "La storia della caccia, per me, comincia con la doppietta e con i setters inglesi. Un tipo di arma ed una razza di cani ai quali sono rimasto fedele tutta la vita.

Sono passati tanti anni, ormai, e credo di non essermi mai pentito della mia scelta giovanile. Una scelta che è stata un programma di tutta una vita: una scelta di costume, ritengo, non soltanto una scelta di funzionalità.

the beaver-tail forend? Automatic, mechanical shooting with a setting in position, deprived us of the possibility of shooting free, of aiming and accompanying the target. But, of course I do not want to polemize. This is only a reflection among friends: from some time, I too am part of the squad of 'cripples'. "Tempora mutant, et nos mutamos in illis'."

Therefore, it is wrong to oppose changes, but in my opinion, it is necessary to be consistent and face a subject logically. In this way, it shall be possible to make a distinction between fashion and positive changes, between common sense and technical requirements, between mediocrity and love for what is beautiful, and distinguish the ability of recognizing and appreciating valuable things without condemning those which are less noble, being able to give things their own cultural and market classification.

Going back to the subject of fine guns, I shall quote a few considerations of other journalists that shall help us to understand the significance and the role of best guns a bit more in depth. Filippo Calamai and Mauro Monini wrote various articles during their visits at important gun makers. In one of these articles we read: "In my opinion, the history of hunting begins with side by side shotguns and English setters. A type of shotgun and a dog breed to which I have always been true in my whole life. Many years went by, and I think I never regretted my early choice. A choice which represented the program of my whole life: a choice of custom, I believe, not only a choice of functionality.

33

La doppietta è l'arma classica che contraddistingue, appunto, un modo di intendere la caccia: un insieme di gusti e di preferenze per un certo tipo di attività venatoria che oggi abbiamo, come tante altre cose, irrimediabilmente perdute. Anche per i cani vale lo stesso discorso, la stessa riflessione. Ho trascorso i miei indimenticabili giorni di caccia con i setters, soddisfatto soltanto, come diceva più di cento anni fa Edzard Lavarck, di vederli correre a testa alta, interrogando il vento. La loro eleganza fa il 'pendant' con l'eleganza di una doppietta inglese, ambedue creazioni di una civiltà e della cultura di un popolo.
Queste preferenze uniscono me ed un mio amico con il quale trascorro le nostre solitarie giornate tra boschi ed abetine di montagna: Mauro Monini. Insieme abbiamo percorso centinaia di chilometri alla ricerca di quella che Mauro definisce la 'filosofia della doppietta'.
Un tempo, questa ricerca aveva itinerari precisi e direi quasi esclusivi: Gran Bretagna e Belgio. Oggi il prestigio e la supremazia delle armi da caccia non sono più limitati a Londra, Birmingham, o a Liegi che pur vantano una secolare tradizione di quei mirabili gioielli che recano i nomi illustri di Boss, Holland, Purdey, Lebeau, Courally, Francotte, Thonon. Brescia e Gardone Val Trompia creano oggi armi da caccia che possono validamente sostenere confronti con chiunque.
In queste 'scorribande' ci segue spesso un'altra persona, anche questa una amicizia antica nel tempo, rimasta inalterata fino ad oggi per affinità di idee e comune sensibilità. Sono le cose che valgono nella vita... Ammesso e

*Side by side shotguns are the classic guns which distinguish a certain way of considering hunting: a body of tastes and preferences for a certain type of hunting activity which today, together with many other things, went irremediably lost. The same reflexion also holds for dogs. I spent unforgettable hunting days with my setters, satisfied, as Edzard Lavarck said more than one hundred years ago, just to see them running, their head held high, searching the wind. Their elegance matches the elegance of an English side by side shotgun; both creations of a civilization and of a population's culture. These preferences join my fiend Mauro Monini, with whom I spend our lonely days among woods and mountain fir-woods, and I. We travelled for hundreds of kilometers together in search of what Mario defines as the 'side by side shotgun philosophy'. Once upon a time, this research had precise and, I would say, almost exclusive itineraries: Great Britain and Belgium. Today, the prestige and supremacy of hunting shotguns is not limited to London, Birmingham, or Liege, even though they boast a centuries-old tradition in those admirable jewels bearing illustrious names such as Boss, Holland, Purdey, Lebeau-Courally, Francotte and Thonon. Brescia and Gardone Val Trompia are nowadays creating hunting shotguns which can bear comparison with anyone.
Very often, during these 'excursions', we are also followed by another person. This too, is a very old friendship which remained unaltered in time till today due to an affinity in opinions and a common*

non concesso che i cacciatori abbiano un'anima (visto il linciaggio morale a cui sono quotidianamente sottoposti), in quell'anima c'è certamente una parte di romanticismo: un sentimento che rende particolarmente disponibili al fascino anche di cose e valori del passato e che, nella fattispecie, porta ad apprezzare, su tutti, quel fucile classico e allo stesso tempo particolare che è la doppietta. Siamo disposti a trascurare l'indubbio vantaggio di un buon rendimento balistico a prezzo conveniente, chiudiamo un occhio sulla mancanza totale di motivi tecnici che possono farci preferire questo tipo di arma e siamo portati a far pazzie pur di appagare i nostri desideri, convinti come siamo di portarci a casa, assieme ad una bella doppietta, una fetta di leggenda.

Si ha un bel dire che il fucile automatico è, come risultati, un'arma ottimale che la tecnologia di oggi consente di produrre in serie a prezzi contenuti, che con un solo fucile e una serie di canne, anzi di soli strozzatori, si può coprire qualunque situazione venatoria. Tutto vero. Ma nei sogni di coloro che 'sentono' e 'intendono' in un certo modo la caccia risplende sempre la mitica doppietta, dalla purezza di linee e dall'equilibrio ineguagliabili.

Ed è ancora confortante, coi tempi che corrono, constatare che questa 'filosofia della doppietta' coinvolge anche i produttori di queste armi che 'sparatori' e 'bruciamacchie' considerano ormai pezzi da museo. Si tratta di artigiani che, nell'era importante della macchina e della catena di montaggio, ricorrono ancora in gran parte al lavoro manuale,

sensitivity. These are the valuable things in life... Assuming that hunters do have a soul (considering the moral lynching which they are daily subjected to), in that soul there certainly is a part of romanticism: a feeling that makes them particularly sensitive to the charm of things and values of the past and that, in the present case, allows them to appreciate, above all, that classical and special gun which is the side by side shotgun. We are willing to neglect the undoubted advantage of a good ballistic performance at a convenient price, we shut our eyes in front of the total lack of technical reasons which could make us prefer this type of gun, and we are ready to go crazy in order to satisfy our desires, convinced as we are that we shall carry home a piece of legend together with our side by side shotgun. It's no use saying that automatic shotguns are, as far as results are concerned, optimal guns which today's technology allows to mass-produce at limited prices, and that with one shotgun only and a series of barrels, or rather of moving chokes, it is possible to cover any hunting situation. This is all true. But in the dreams of those who 'feel' hunting in a certain way, the mythical side by side shotgun is always glittering, with its pureness of line and its matchless balance. And it is still conforting, in this day and age, to notice that this 'side by side shotgun philosophy' involves the makers of this kind of shotgun, which 'underbrush-burners' and other shooters consider as being museum pieces. The makers in question are craftsmen that still have great recourse to manual

cosicché le rifiniture sono più accurate e la scelta dei materiali è influenzata anche da esigenze estetiche…

Coloro che scelgono di produrre un'arma come la doppietta fanno anche la scelta di base ad una concezione della caccia. Una caccia meno distruttiva, più sportiva, più civile." Il lettore che ci ha fin qui seguito potrà essersi fatto un'idea che molto di quello che viene detto da questi appassionati ed estimatori personaggi delle armi fini sia caratterizzato da una mentalità romantica e conservatrice. Questo in parte è vero, però il problema diventa più ampio e cioè se siamo tutti convinti che le scelte che si fanno in nome del progresso siano sempre giuste e a 'misura d'uomo'. Non è mia intenzione influenzare l'opinione altrui in proposito, però mi sembra positivo il tentare di non perdere ideali di bellezza e di capacità artistica che poi sono alla base dell'argomento che stiamo trattando. Infine vorrei riportare alcune considerazioni generiche, delle quali non riporto il nome degli autori perché si possono a mio avviso adattare alla maggior parte delle persone quando si avvicinano ad un'arma fine e quando la ordinano presso un costruttore. "Quello che per noi soprattutto conta è che occorre trovare in ogni arma una 'personalità' di chi la costruisce con le proprie mani. Oggi che salvo poche eccezioni la pianificazione del gusto ha determinato l'annullarsi della personalità, l'industria armiera ci dà dei fucili tecnicamente perfetti ma stilisticamente quasi sempre trattati senza un barlume di entusiasmo; per questo alla maggioranza delle armi moderne manca qualcosa.

work in the machine and assembly line era. Therefore their finishings are more accurate, and the choice of materials is also influenced by aesthetical requirements…

Those who choose to produce side by side shotguns also choose a basic hunting conception. A hunting wich is less destructive and which is more sports-like and civil".

The reader who followed us till now might think that what has been said by these fine gun connoisseurs might be the fruit of a romantic and conservative mentality. This is partly true, but the problem is wider than that. Are we all convinced that the choices we make in the name of progress are always right? My intention is not that of influencing oher people's opinion as far as this issue is concerned, but I believe it is positive to try not to loose those beauty ideals and artistic skills that are at the basis of the subject we are dealing.

And finally, I would like to quote a few general considerations of which I shall not quote the author's names in that they may, in my opinion, suit most of the people who approach a fine gun and order it from a gun maker. "The most important thing, in our opinion, is to find the 'personality' of the gun maker in each gun. Apart from a few exceptions, today the planning of taste has determined a cancelling out of personality. The gun-making industry supplies us with technically perfect shotguns wich stylistically speaking, are not very exciting. This is why most of the modern guns are lacking in something.

Una doppietta della FIAS Sabatti. L'incisione è stata affidata al cesello di Medici. Il soggetto si ispira a Guglielmo Tell.

A FIAS Sabatti side by side shotgun. Chisel-engraving by Medici. Subject inspired by Guglielmo Tell.

Una coppia di armi fini costruite dalla Beretta. Il sovrapposto SO3EELL e la doppietta 451EL.

A pair of fine guns constructed by Beretta. The SO3EELL over and under shotgun and the 451EL side by side shotgun.

Una bascula ricavata dal pieno compresa la codetta. Si tratta di una doppietta dei F.lli Piotti.

A solid action supplied with tang. Side by side shotgun by F.lli Piotti.

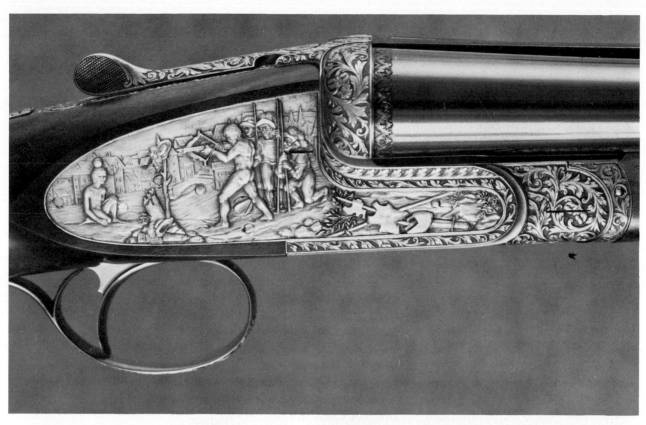

37

C'è perfezione tecnica, molto decorosa ma raramente troviamo quella finizione 'umana', espressione di uno slancio commosso.

In molte armi fini si ravvisa il 'gesto personale' che rappresenta la firma originale dell'autore, non di una serie di macchine perfette ma di un uomo. E questo, alle soglie del duemila, per noi non ha prezzo... Ma dicono che una madre, quando mette al mondo la propria creatura, partecipando dolorosamente, ma attivamente, alla sua nascita, la senta poi molto più sua di quanto non avvenga per quelle che, poverette, per straordinarie circostanze debbono ricorrere ad esempio ad un cesareo e diventano mamme sotto anestesia: si trovano in pratica il figlio bello e fatto. In sedicesimo, ovviamente, ma il paragone calza, credetemi, quando si ordina e si segue da vicino la realizzazione della propria arma fine. In conto è entrare in armeria, guardare la rastrelliera e dire 'voglio quello', magari un costosissimo fuoriserie; tutta un'altra cosa, invece, veder crescere piano piano il 'tuo' fucile. Ti sembra quasi di collaborare alla sua creazione. Lo senti più tuo, insomma."

Credo che da tutte queste testimonianze il lettore non propriamente specializzato si sia fatto una opinione ora più completa ed approfondita di quello che rappresenta il possedere un'arma fine. È questa una creazione praticamente artistica, che non serve solo per sparare ma che deve sparare bene, che non deve essere solo bella o solo elegante o solo precisa ma tutte e tre le cose insieme. E poi un'arma fine rappresenta sempre un buon investimento. Ma di

There is technical perfection, but very seldom do we find that 'human' finishing which is the expression of an outburst of emotion.

Many fine guns reveal the 'personal taste' which represents the original name of the author; not that of a line of prfect machines, but that of a man. And this, to us, as close to the year 2000 as we are, is invaluable... People say that a mother, when she gives birth to her creature by participating actively, even though painfully to his birth, appreciates him more than a mother who, unfortunately, due to extraordinary circumstances, has to have recourse to a Caesarian section and becomes a mother under anaesthesia: she finds her son already made. This comparison is quite fitting when we think of a person who orders and follows very closely the realization of his fine gun.

One thing is going at the armoury, looking at the rack and saying "I want that one", even if it is a specially-made piece. Another is seeing 'your' shotgun slowly taking shape. You almost feel as if you were collaborating to its creation. You feel it more 'yours'."

I believe that through all these statements, the unspecialized reader may have a clearer opinion on the meaning of owning a fine gun. It is a practically artistic creation, which does not only have to shoot, but it has to shoot well; not only does it have to be beautiful or elegant or accurate, but all three together. Moreover, a fine gun is a good investment.

questo avremo modo di parlare più oltre.

But we shall face this subject later on.

Valutiamo l'arma fine

Di armi belle o solo apparentemente belle ce ne sono di diversi tipi. Quando si può parlare di vera arma fine? Qual è la soglia tra il normale fucile ben curato e l'arma di classe? Quando un'arma ha le carte in regola per costituire anche un buon investimento economico?

Ecco alcune domande cruciali alle quali occorre cercare di dare una risposta per avere dei parametri di valutazione. Certamente esistono molte valutazioni soggettive. Una incisione può piacere ad una persona e non piacere ad un'altra, una venatura del legno può piacere oppure no, ad uno piace il calcio all'inglese e ad un altro il semipistola, per taluni l'asta a coda di castoro è una aberrazione per altri indispensabile, il calciolo in gomma può essere gradito o decisamente rifiutato, il fucile molto leggero per alcuni è un pregio e per altri no e così via. Sotto un certo profilo è anche giusto che sia così, poiché come in altri settori ognuno ha i propri gusti e ciò che è bello per alcuni individui può non esserlo per altri. Come fare quindi per tracciare la giusta linea di demarcazione tra un'arma fine ed una normale? Occorre a mio avviso porre dei termini di paragone, tracciare delle linee fisse nonché fare una distinzione all'interno delle stesse armi fini. Una qualità che ciascuna arma fine deve avere è il giusto equilibrio fra precisione meccanica di realizzazione e vestito estetico. Cioè una doppietta pur bella, con incisione di pregio ma che non è costruita con materiali di

Evaluation of fine guns

There are different types of beautiful or apparently beautiful guns. When can we speak about a real fine gun? Where is the threshold between a normal well-made shotgun and a real gun of class? When can a shotgun also be a good investment? There are some crucial questions wich have to be answered in order to obtain evaluation parameters. There are, of course, many subjective evaluations. An engraving may be liked by a person and disliked by another; a type of wood grain may be liked or disliked; one person likes the English stock, another likes the semi pistol-hand gun stock; in somebody's opinion, beaver tail forends are almost an aberration, others think it is essential; the rubber recoil pad may be wanted or refused. Some people like lightweight shotguns, others don't.

Under a certain point of view, this is understandable, since each person has its own taste. What is beautiful to some people isn't beautiful to other people. Therefore, how can a threshold be drawn between a normal gun and a fine gun? In my opinion it is necessary to set some comparison points, draw some guidelines, and make distinctions between the different types of fine guns.

A quality which every fine gun should feature is the right balance between mechanical precision and beauty. For instance, a beautiful side by side shotgun with a fine engraving which is not constructed with first quality materials,

39

prim'ordine oppure l'aggiustaggio fra canne e bascula è molto approssimativo oppure con le chiusure che non lavorano o peggio ancora dagli scarsi risultati balistici rappresenta un infelice compromesso.

Occorre guardarsi da armi tirate a lucido ma che nascondono imperfezioni di lavorazioni e funzionali.

Quindi il primo punto fermo è che l'arma deve essere ben fatta, costruita secondo criteri di perfezione meccanica ed allo stesso tempo snella nelle forme, equilibrata fra le varie parti e con finiture ben eseguite.

Un altro punto fermo che costituisce il limite di demarcazione tra arma più o meno fine ed arma normale è l'intervento manuale. Oggigiorno le industrie sono in grado di produrre fucili completamente meccanizzati, riservando alla sola ispezione finale l'intervento umano. Altre volte possono intervenire controlli ed interventi anche in alcuni cicli produttivi e quindi risulta evidente una certa graduatoria di interventi manuali che incidono sia sui costi che sul risultato finale dell'arma. Un'arma fine non è detto che debba essere costruita interamente a mano, pezzo per pezzo, ma può anche essere realizzata con l'ausilio delle moderne macchine utensili ma valutata attentamente dall'occhio umano nella progettazione, nell'accoppiamento delle varie parti, nell'ottimizzazione delle forme, del grado di finitura delle parti metalliche nonché logicamente nelle fasi di abbellimento come la scelta dei legni, delle esecuzioni delle zigrinature e naturalmente delle incisioni. Quindi l'arma fine è caratterizzata da un prevalente,

or which has a poorly executed mechanical fitting between barrels and action, or locks which do not work, or, even worse, having poor balistic results, is a very sad compromise.

It is necessary to watch out for good-looking guns wich may hide working and functional imperfections.

Therefore, the first requirement that has to be met is that the gun has to be well-made and constructed following mechnical perfection criteria. At the same time, it has to be slender in its shape, and well-balanced in its various parts, with well-executed finishings.

Another requirement which sets the threshold between a normal gun and a fine gun is manual intervention. Nowadays, industries are able to produce totally mechanized shotguns, leaving only the final inspection to human intervention. In other cases, controls and interventions are carried out during the production cycles. Therefore, there evidently is a classification of manual interventions that influence the shotgun's cost and final result. A fine gun doesn't necessarily have to be totally hand-made. It may be realized with the help of modern tool machines, but it has to be carefully supervised by human eyes during design, coupling of the various parts, shaping optimization, control of the finishing degree of the metal parts and, of course, during the enhancing phases such as the choice of woods, the execution of the checkering and of the engravings. Therefore, a fine gun is characterized by a prevailing, even if not total, manual work, standing

Westley Richards

'William Bishop'
Best Quality Sidelock Shotguns
12, 16, 20 and 28 bores

WESTLEY RICHARDS

Pair of 20 bores, hardened coin finish and superb quality engraving of a co-ordinated set of game scenes.

WESTLEY RICHARDS

Westley Richards

Established 1812

Makers of Fine Guns & Rifles

anche se non totale, lavoro manuale distaccandosi in tal modo dalla stretta produzione di serie. Per fare un po' di ordine nell'ampia schiera delle armi fini occorre poi dare ad ognuna una giusta collocazione, poiché ci possono essere belle armi del valore poniamo di dieci milioni ed altre di trenta, cinquanta ed anche di più nel caso di produzioni gemellari o con caratteristiche peculiari. Pur essendo tutte armi fini, personalizzate e curate risulta evidente un difficile accostamento fra di loro, poiché le prime possono essere fini ma non particolarmente eccellenti per vari motivi che vedremo più avanti mentre le altre dei rari capolavori di arte armiera. Propongo quindi una suddivisione, nell'ambito di armi che definiamo fini perché incorporano i due punti fermi sopra descritti, in tre categorie.

1° livello
Armi fini che già prevedono un notevole intervento manuale, con accurate lavorazioni meccaniche, incisioni manuali ornamentali non particolarmente elaborate, materiali sempre di prim'ordine con legni in noce radicata o noce particolarmente selezionata.
La forma dell'arma deve essere equilibrata, filante, le parti metalliche tirate a specchio ed il funzionamento impeccabile. Non vorrei porre un limite di prezzo poiché il prezzo è un parametro troppo arbitrario per definire un livello di questo tipo, però possono rientrare in questo livello i pezzi medio-superiori di industrie di nome, produzione di buoni laboratori artigianali anche con brevetti e progettazioni originali. Molti produttori italiani realizzano armi che rientrano in questo primo livello.

apart, in such a way, from a strict mass-production. In order to classify the wide range of fine guns, it is necessary to give each one the right position because there are many beautiful guns which have a value of, say, 10 million Lire, others of 30 million Lire, and others again of 50 and more in case of "pairs" or especially featured customized shotguns. Even though they are all fine guns which are personalized and very well-executed, it is evident that it is very difficult to set them side by side, because the first ones may be fine but not particularly excellent guns for reasons which shall be dealt with later on, whilst the other guns are rare gun-art works. Therefore I would like to suggest a subdivision in the context of fine guns, because they incorporate the two requirements described above into three different categories.

Level 1
Fine guns that foresee a remarkable amount of manual intervention and accurate mechanisms and working, not particularly elaborate ornamental engravings by hand, first-choice materials and walnut root woods or particularly selected walnut woods. The gun shape must be well-balanced and streamlined. Metal parts have to be mirror-polished, and performance must be impeccable. I would not like to set any price limits, because price is too far an arbitrary parameter to define a level of this kind. Yet, this level may include the medium-high prices quoted by important industries and workshops, including patents and original designs. Many Italian producers realize guns wich may be included in this first level.

42

Vista della meccanica interna di
una classica doppietta
'Self Opening' di J. Purdey.
Le armi di Purdey sono sempre
un punto di riferimento nel
settore dei 'Best Guns'.

*View of the internal mechanisms
of a classic 'Self Opening' side by
side shotgun by J. Purdey.
Purdey's guns have always been
a reference point in the
'Best Guns' sector.*

Doppietta inglese di W.W.
Greener ad acciarini laterali. Nel
grado di finitura 'D.N. 70'.

*English side by side shotgun by
W.W. Greener with side locks.
Finishing degree 'D.N. 70'.*

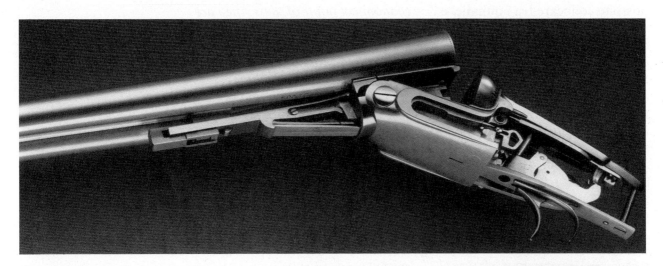

43

2° livello
Armi fini particolarmente curate.
Produzione top di industrie
armiere e dei migliori laboratori
artigianali. Legni sceltissimi, parti
metalliche accuratamente tirate a
specchio e lavorate ad una ad una,
incisioni firmate da maestri ben
quotati, linee che rasentano la
perfezione, assoluta precisione e
resa balistica, finiture extra. Dal
punto di vista economico si
possono collocare fra i quindici e i
venti milioni, anche se come ho
detto il parametro economico non
è indicativo in assoluto.
Sono armi anche da collezione e
nel caso di marche di un certo
rilievo possono crescere nel tempo
la propria valutazione. Rientrano
in questo livello il massimo che le
industrie riescono a realizzare,
almeno quelle nazionali, nonché la
maggior parte della realizzazione
degli artigiani nazionali ed esteri.
Anche molta produzione di
armaioli inglesi e belgi
(o austriaci e tedeschi
per particolari tipi di armi,
prevalentemente basculanti rigate)
rientrano in questo livello.

3° livello
Armi che rasentano il capolavoro,
contraddistinti da marchi di
indiscusso prestigio internazionale,
quasi sempre con soluzioni
meccaniche originali e brevettate.
Rappresenta il massimo livello
raggiungibile nel campo delle armi
fini, quindi materiali migliori in
assoluto, legni in radica di noce
rarissimi, produzioni gemellari
perfette, parti spesso ricavate dal
pieno e comunque frutto di elevata
competenza professionale e
lavorazioni manuali.
Molto prestigiosi nomi di armaioli
inglesi tra la fine del secolo scorso
e la prima metà di questo rientrano

Level 2
*Fine guns wich are particularly
well-executed. Top production of
gun making industries and of the
best workshops. Best woods,
mirror-polished metal parts which
have been worked one by one,
engravings by very well-known
masters, lines which are very close
to perfection, absolute precision
and balistic performance,
extraordinary finishing. Under an
economical point of view, they are
worth between 15 and 20 million
Lire, even though the economical
parameter is not absolutely
indicative. This level includes
collection guns as well, and in the
case of important brands, their
value may increase in time. This
level includes the maximum efforts
realized by industries, or at least,
national industries, and most of
the national and foreign
workshop's production. Most of
the English and Belgian (or also
Austrian and German as far as
special kinds of guns such as rifled
basculating guns are concerned)
gun maker's production is also
included in this level.*

Level 3
*Guns wich are very close to being
masterpieces, distinguished by
indisputed international prestige
brands, which very often feature
original and patented mechanical
solutions. This is the maximum
level attainable as far as fine guns
are concerned.
We find the very best materials,
very rare walnut root woods,
perfect realizations of pairs, solid
parts and very high professional
skills and manual workings.
Some very prestigious English gun
makers between the end of the past
century and the first half of this
century are included in this level,*

in questo livello, anche se non con tutti i modelli. Quindi le doppiette Holland & Holland in finitura 'Royal', le coppie di Purdey, qualche Greener e Westley Richards, sicuramente Boss, alcune cose di Lebeau e così via. Tra gli italiani alcuni rientrano sicuramente anche nel passato, come alcune produzioni Toschi e Zanotti, ma alcuni nomi nazionali possono rientrare di buon merito in questo "Olimpo" dell'arma. A questo proposito però non vorrei fare nomi, poiché può non essere corretto nei confronti degli esclusi ed inoltre un elenco peccherebbe di soggettività.

even though with the exclusion of some models. Therefore, 'Royal' Holland & Holland side by side shotguns, Purdey pairs, some Greener and Westley Richards side by side shotguns, Boss shotguns, some of Lebeau's shotguns, and so on. Among Italian producers, some are of the past, among which we find Toschi and Zanotti. Some of our national gun makers also deserve to be included in this "Olympus", but I shall not name them, since I believe this could be unfair for the excluded ones, without mentioning that such a list could be very subjective.

L'"interpretazione" dell'arma

Potrà sembrare strano trovare un simile termine in un libro che parla di armi, termine più consono ad un tema musicale e psicoanalitico. Eppure l'interpretazione è l'essenza senza la quale un'arma perde la propria identità e che dovrebbe soggiacere all'idea stessa che dell'arma ha il costruttore. Per fare un esempio si può parlare di quadri. Quadri d'autore di varie epoche avranno un comune denominatore fra l'oro, come segni stilistici, prospettive, uso dei colori e così via. Non solo i quadri ma anche altre opere d'arte possono essere catalogate in un particolare periodo di tempo (barocco, rinascimentale, impressionismo etc.) grazie alle forme ed alle scelte di linguaggio proprie volute dare dall'artista. Così pure l'arma deve rispecchiare una cultura, un modo di intendere la vita ed i suoi risvolti pur dovendosi rifare a dei canoni che comunemente vengono accettati come sublimazione dell'estetica e della relativa funzionalità quando l'oggetto

Gun "Interpretation"

It may seem strange to find such a term in a book that deals with guns. This term is more appropriate to a musical or psychoanalytical subject. But interpretation is the essence without which a gun loses its identity, and wich should subject to the idea that the gun maker has of its gun. In order to make an example, we may speak of paintings. Author's paintings of various periods all have a commom denominator, such as stylistic signs, perspectives, the use of colours, and so on. Not only paintings, but also other works of art may be catalogued in a special period of time (Baroque, Renaissance, Impressionism) thanks to the forms and to the choices of expression wanted by the artist. Therefore, guns too should reflect a culture, a way of intending life even if they have to follow canons which are often accepted as aesthetical and functional elevation. The most visible part on a gun of a certain

45

considerato lo si debba pure usare. La parte più visibile di questo discorso su di un'arma di un certo livello sono le finiture, come incisioni, fornimenti, scelte di linee e curve dosate sulla stessa. Non si deve pensare che tali argomenti valgono solo per il passato poiché tutt'ora l'arma rifletta spesso la cultura dominante. Prendiamo come riferimento la produzione austriaca e tedesca di fucili ed express: si noteranno bascule possenti, linee squadrate e piuttosto dure, incisioni quasi naif ma che sprigionano forza. Il tutto a sottolineare l'affidabilità e robustezza delle stesse, con poche concessioni a concetti come dolcezza e morbidezza. Per contro gli inglesi, ben noti per il loro fair play e la loro educazione hanno e continuano a produrre armi più 'gentili', dove la cura del particolare anche non visibile è motivo di distinzione e dove le forme esterne tese all'equilibrio ed alla proporzione si fondono con una funzionalità pronta ma dolce, estremamente qualitativa. Anche i belgi in passato si sono di molto avvicinati agli inglesi pur rimanendo in un ruolo di secondo piano non tanto per le esecuzioni manuali quanto per l'estro creativo che ha quasi sempre finito per ricalcare quello britannico. Insomma più comunemente di quanto non si creda, si trova nell'arma riflessi il modo di pensare ed il livello culturale di un popolo ed in particolare del costruttore che la realizza. Da questo punto di vista diventa difficile stilare dei parametri validi per tutti ai quali un'arma fine deve attenersi proprio perché questi parametri cambiano a seconda di chi la costruisce. Vi sono però delle priorità storiche di coloro che

level are the finishings, such as engravings, accessories, choices of lines and curves in order to form a well-balanced whole. One should not think that such issues are only valid for the past since guns still reflect their dominant culture. Let's take, for example, Austrian and German productions of express shotguns and rifles: the actions are powerful, the lines are squared and quite hard, the engravings are almost naive, but they are filled with strength. All this emphasizes their reliability and soundness, leaving little space to concepts such as gentleness and mildness. However, the English, who are well known for their fair play and their education, continued to produce guns which are more 'gentle', in which the attention and care given to details even when invisible, is a reason of distinction, and where the external shapes, which tend to balance and proportion, merge with a prompt yet gentle, extremely qualitative functionality. The Belgians too, in the past, were very close to the English even though they faded into the background not so much as far as manual executions were concerned, but for their creative skills, which usually in the end, followed the British footsteps. So, even more commonly than what may be believed, guns reflect a cultural behaviour and way of thinking of a nation, and most of all, of the gun maker who realized them. Under this point of view, it is difficult to set valid parameters for everyone which a fine gun has to follow, because these parameters change depending on the different gun makers. But there are some historical priorities concerning those who dealt with

Doppietta 'Renato Zanotti', Bologna. Impostata sulla tradizione romagnola.

Side by side shotgun by 'Renato Zanotti', Bologna. Conceived in the Romagna tradition.

L'acciarino montato su piastra laterale della doppietta 'Renato Zanotti' - Bologna.

Side plate locks of a side by side shotgun by 'Renato Zanotti', Bologna.

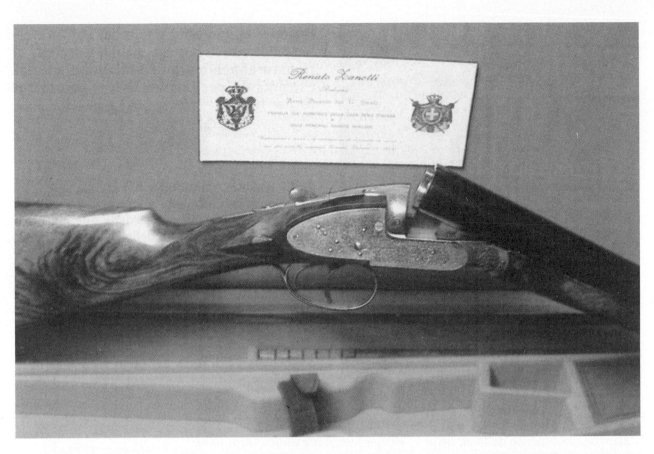

47

più di altri si occuparono dello sviluppo e della produzione in larga quantità di questi fucili (ci riferiamo ora principalmente alle armi basculanti a due canne a retrocarica sia hammerless che a cani esterni) e queste priorità spettano agli inglesi. Quindi i parametri che loro hanno introdotto nel concepire queste armi rimangono quelli di riferimento per i costruttori successivi anche se ognuno può poi personalizzare in certe soluzioni tecniche (come ad esempio l'acciarino o l'ejector) movimenti specifici. La filosofia inglese è visibile in quasi tutti i modelli di fucili di qualità ed è improntata in equilibrio delle forme, natura e destinazione dell'arma (strutturata cioè in base all'uso prevalente a cui ogni arma è destinata), tiratura esterna ed interna curate e quasi plasmate, andamento della guardia ad ampio respiro anteriormente per poi scendere con decisione verso l'impugnatura, monogrillo che riprende l'ovale all'interno della guardia, acciarini sembra ben realizzati con molle giustamente profilate che in fase di chiusura non debbono toccare internamente ma le due lamine debbono essere divise da un costante filo d'aria, apertura facilitata e dolce delle canne, ampia apertura delle canne con bordi degli estrattori inferiori che a canne aperte superano la testa di bascula e così via. Molti altri sono i particolari che denotano l'arma inglese ed oltre a quelli citati vanno aggiunti l'incassatura perfetta fra legno e parti metalliche (con particolare riferimento alle cornici ai bordi degli acciarini laterali) forme aggraziate e filanti di calci ed aste, finiture ricercate con riccioli a bulino introdotti da lunga data, perfezione nelle scritte, verifica

shotgun development and production in large quantities more than others (we are mainly referring to double barrelled basculating breech-loader shotguns both in the hammerless and in the external hammers solutions) and these priorities are of the English. Therefore, the parameters they introduced in the conception of these guns are a reference point for the other gun makers, even though they may personalize them with technical solutions (as, for example with side locks or ejectors) or specific movements. English philosophy may be seen in almost every quality shotgun, and it is set on the balance of shapes, nature and destination of the gun (the specific and prevailing use to which a gun is destined), to the execution with the greatest care for details, external and internal design which are almost moulded, guard with a wide and smooth front line which decidedly slopes down toward the grip, single trigger which follows the oval inside the guard, well-executed side locks with correctly outlined springs which, when closing, should not touch interiorly, but the two Legs spring have to be divided by a constant thread of air, easy and gentle opening of the barrels, with the edges of the lower ejectors that, when the barrels are open, surpass the action head, and so on. There are many other details that denote the gun, and apart from those I just mentioned, I would also like to add a perfect stocking between wood and metal parts (with a special reference to frames and edges of side locks), graceful and streamlined shapes of stocks and forends, sophisticated finishings with hand-graved curls, perfection in the lettering,

nella precisione e nella sicurezza delle canne, bindelle strette e spesso incavate nei due tubi etc. Hanno poi lavorato su doppiette leggere, sotto i 3 Kg. nel cal. 12 da usarsi con appropriate cariche di 28,5 gr. di piombo alle battute ai fagiani o alle pernici non alleggerendo a caso l'arma qua e la ma lavorando in economia di peso in tutte le componenti superflue. In sintesi gli inglesi hanno saputo integrare un uso razionale nella parte meccanica con un gusto per le forme improntate a nobile eleganza e distinzione.

Spesso mi sento chiedere da appassionati del settore se l'attuale produzione inglese sia alla pari di quella trascorsa, da metà del secolo scorso fino alla metà di questo secolo. La mia risposta è che occorre distinguere in alcuni fattori. Il primo e più importante è che quantitativamente la produzione inglese è da tempo terminata poiché non si è avuto il ricambio generazionale degli esperti armaioli essendo crollato in parte il ricco mercato della nobiltà internazionale. L'epoca d'oro dell'arma inglese rimane quindi quella del secolo citato sia sotto il profilo produttivo che creativo. I pochi artigiani e produttori che lavorano attualmente si rifanno agli schemi lasciati dai loro predecessori ma questo non vuol dire che la produzione sia sensibilmente inferiore e da trascurare. Ciò che gli inglesi hanno ormai capitalizzato è la loro filosofia nell'affrontare la costruzione dell'arma ed in questo rimangono per me al vertice pur se poi bisogna scendere nei particolari e valutare prodotto per prodotto. Anche in Inghilterra furono prodotte armi economiche e non solo i 'Best Guns' però pure nelle armi economiche si nota una

precision and safety of barrels, narrow ribs which are often hollowed in the two tubes, and so on. They have also worked on lightweight side by side shotguns, under 3 Kg. in gauge 12, to be used with adequate 28.5 gr. lead shot loads during pheasant or partridge hunting, without making the gun lighter at random here and there but working on an overall weight economy upon all unnecessary components. In short, the English have been able to integrate a rational use in the mechanical part with a good taste in shapes, which feature noble elegance and distinction.

Very often do amateurs ask me if present English production equals the past production ranging from the past mid century to the present mid century. My answer is that it is necessary to make a distinction among a few factors. The first and most important factor is that English production quantitatively discontinued some time ago since a generational exchange of gun makers has not occurred being the rich market of international nobility collapsed. The golden times of English guns remains that of the past century both under a production and a creative point of view. The few craftsmen or gun makers that still work, follow the methods handed down to them by their predecessors, but this does not mean that production is remarkably less or neglectable. The English capitalized their philosophy to face gun construction and in this, in my opinion, they are at the very top, even though one must always go into details in order to evaluate the product.

England did not produce 'Best Guns' only. England also

volontà di fare un prodotto serio, che risponda ai requisiti di funzionalità e sicurezza. Non sempre i contruttori di altre nazionalità, compreso gli italiani, che nelle intenzioni vorrebbero costruire armi di pregio, hanno capito la filosofia che deve sottostare a simili realizzazioni anche se in questi ultimi anni proprio in Italia si sta lavorando a buoni livelli. Ciò che spesso manca, facendo un discorso generico, è proprio l'assenza dell'interpretazione, cioè la non chiara visione di dove si vuol arrivare. L'accostamento stilistico è spesso lasciato al caso o è copiato da armi già esistenti. Questo per me traccia una linea netta fra un fucili di razza ed un altro magari ben realizzato ma anonimo pur se quasi sempre i fucili di grande marca sono caratterizzati da personalità proprie. In questo si unisce la tradizione con la modernità: la tradizione deve sovrastare alla costruzione e prescindere dalla manualità, la modernità può, se ben applicata, portare dei miglioramenti qualitativi nell'arma. Con modernità intendo il progredire nella tecnologia dei materiali, nella maggiore flessibilità delle macchine utensili, nella sofisticazione dei sistemi di controllo etc. Credo che si possa parlare di arte armiera quando sono presenti le due consapevolezze da parte del costruttore di dover unire la massima perfezione meccanica e manuale con uno studio estetico che in questo caso deve richiamarsi al classicismo, alla tradizione. Almeno per quanto riguarda le armi fini comunemente intese.

produced economic guns which reflected the will of producing a serious product, responding to the requirements of functionality and safety.
Not always have other foreign gun makers, including Italians — who wished in their intentions to construct fine guns — understood the philosophy that has to undergo such realizations even though in the past few years Italy has been working at good levels. Generally speaking, what is often missing is interpretation; the vision of what is wanted to be achieved is not clear; stylistic setting is often casual or is copied from existing guns. In my opinion, this sets a clear division between a fine gun and a well-realized yet unknown one, even though leading gunmakers' shotguns are featured by their own personalities.
Tradition and moderness should merge as follows: tradition has to dominate construction and prescind from manuality; modernity may, if well-applied, qualitatively enhance the gun.
By modernity I mean the progress in technology of materials, in the increased flexibility of tool-machines, in the sophistication of control systems, and so on.
I believe it is possible to speak of gun art when the gun maker is aware that he has to merge top mechanical and manual perfection with beauty which, in this case, has to go back to traditional classicism. This, as far as commonly intended fine guns are concerned.

Recente doppietta ad acciarini laterali di produzione Gardonese (BS). Buona impostazione meccanica e finiture.
Il volo di Codoni è stato inciso da Badillini (BS).

Recent side by side shotgun of Gardonese production (BS) with side locks. Good finishings and mechanisms.
Pin-tails flight engraving by Badillini (BS).

Doppietta di J. Purdey di recente produzione.
Ancora oggi nella 'Audley Street' si porta avanti una tradizione armiera secolare.

J. Purdey side by side shotgun of recent production.
Today, 'Audley Street' still brings forth a centuries-old gun maker tradition.

Sovrapposto F.lli Bertuzzi tipo Boss inciso con soggetti ricavati dalla mitologia classica.
Realizzazione a cura della 'Creative Art' di Marcheno (BS).

'Boss' type over and under shotgun by F.lli Bertuzzi, Gardone Val Trompia (BS). The automatic ejectors are mounted onto the tumblers. Engraving by 'Creative Art', Marcheno (BS).

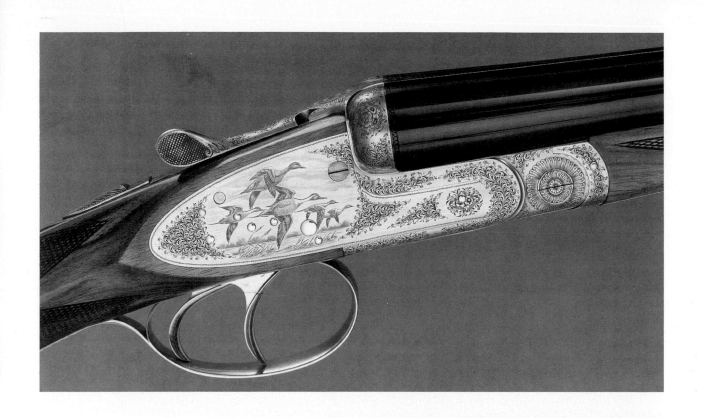

Produzione di armi fini di
Auguste Francotte - Liegi
(Belgio) - Dall'alto: carabina
'Bolt Action', doppietta
monogrillo ad acciarini laterali,
doppietta 'Express' sistema
Anson.

Auguste Francotte fine guns
production - Liege (Belgium) -
From top to bottom: 'Bolt
Action', single trigger side by
side shotgun with side locks,
'Express' Anson system side by
side shotgun.

Scelta e costruzione dell'arma fine

Choice and construction of fine guns

Anson o Holland & Holland?

È del 1861 il primo fucile a percussione centrale realizzato dall'armaiolo inglese G. Daw. Furono quegli anni e quelli immediatamente seguenti di grande fermento nell'evoluzione del fucile da caccia con contributi di armaioli anche francesi e belgi ma soprattutto inglesi.
La grande differenziazione riguardava i fucili a cani esterni e i primi "hammerless", cioè a cani interni. I cani esterni sopravvissero per lungo tempo e tutt'ora hanno il loro seguito di estimatori, mentre per i fucili a cani interni si osservò un nugolo di brevetti originali riguardanti gli acciarini ma anche il sistema di eiezione automatica ed in misura minore l'automatismo di apertura delle canne e delle chiusure. Qui ci occuperemo però solo degli acciarini a cani interni, che usualmente si usano suddividere in due categorie, quelli tipo Anson & Deeley e quelli tipo Holland & Holland.
Questa suddivisione anche se può essere utile a fini pratici nella sostanza è sbagliata, proprio perché ci possono essere sistemi di batterie sia alloggiati nella bascula sia alloggiati su cartelle laterali che differiscono moltissimo dai due

Anson or Holland & Holland?

The first center fire shotgun has been realized in 1861 by the English gun maker G. Daw. Those were the years that immediately followed the great ferment in the hunting shotgun evolution with the contribution of French and Belgian, but most of all, English gun makers. The great differentiation concerned the external hammer shotguns and the first hammerless shotguns. External hammers survived for a long time and still have their followers, while hammerless shotguns had a great deal of original patents concerning locks, automatic ejection systems, and barrel opening and closing devices. In this context, we shall only deal with hammerless shotguns, which are usually subdivided into two categories: the Anson & Deeley type and the Holland & Holland type. Even though this subdivision may be useful, it is quite incorrect since there may be box lock systems which are housed inside the action and side lock systems positioned onto the side plates, wich differ a great deal from the two original projects designed by the inventors that created those systems. On the contrary, as far as locks,

progetti originali degli inventori che hanno siglato col loro nome questi sistemi. Anzi soprattutto per gli acciarini montati su cartelle laterali ogni fabbricante che si rispetti ha apportato modifiche ed innovazioni al tipo Holland & Holland di base, in modo che ognuno possa dire di avere il proprio acciarino originale. Rimanendo nelle armi inglesi abbiamo fra i tanti l'acciarino di Purdey, quello di Boss, quello di Rigby e per citare costruttori italiani più o meno recenti abbiamo l'acciarino Zanotti (per la verità diversi) ma anche il Beretta, il F.lli Rizzini o il Renato Gamba. La lista potrebbe continuare lungamente ma rimane un fatto che per consuetudine si usa definire e suddividere le armi con i due nomi in oggetto. Quindi pur sapendo che la realtà è diversa continuamo nella storia. Anson & Deeley, che furono due gentiluomini inglesi del secolo scorso, inventarono questo sistema di alloggiare le batterie dentro la bascula dell'arma che venivano caricate con l'apertura della stessa. Il primo costruttore a brevettare e a realizzare questo tipo di arma fu Westley Richards, nel 1875. Altri subito seguirono e fra questi anche nomi illustri. Ad esempio W.W. Greener, che rimase fedele a questo sistema per tutte le proprie armi, anche se con variazioni pur di rilievo dal sistema di Anson. È del 1881 il "Facile Princeps" un'arma di Greener ancora in circolazione fra i collezionisti e dotata della famosa chiusura a perno tondo passante sulla prolunga della bindella.

In quel periodo molto creativo per gli armaioli britannici tutti cercavano di brevettare qualcosa e

mounted on the side plates are concerned, each important gun maker modified and innovated the basic Holland & Holland type, so that every one of them has its original hammer system.
Always talking about English production, among other side locks, we find Purdey, Boss and Rigby side locks.
Among Italian gun makers, we find Zanotti, Beretta, F.lli Rizzini, or Renato Gamba side locks.
This list could continue, but subdivisions are usually made among the two above mentioned names.
Therefore, with the awareness that reality is different, let us go on with history.
Anson & Deeley were two English gentlemen who lived during the past century.
They invented the system of housing box locks inside the gun action.
Box locks were loaded with the opening of the barrels.
The first gun maker which patented this type of shotgun was Westley Richards, in 1875.
Other gun makers followed, and among these, some very famous names.
For example, W.W. Greener, who remained loyal to this system for all its guns, even if with variations. The "Princeps" Greener shotgun goes back to 1881, and it is still circulating among collectors. It is suplied with the famous lock supplied with a round through pin on the rib extension.
In that very creative period for English gun makers, everybody was attempting to patent something, and very often one cannot speak about true creations but rather of ideas taken from

Doppiette inglesi
tipo Anson 2
tipo H/H.

Box Lock and Side Lock english guns.

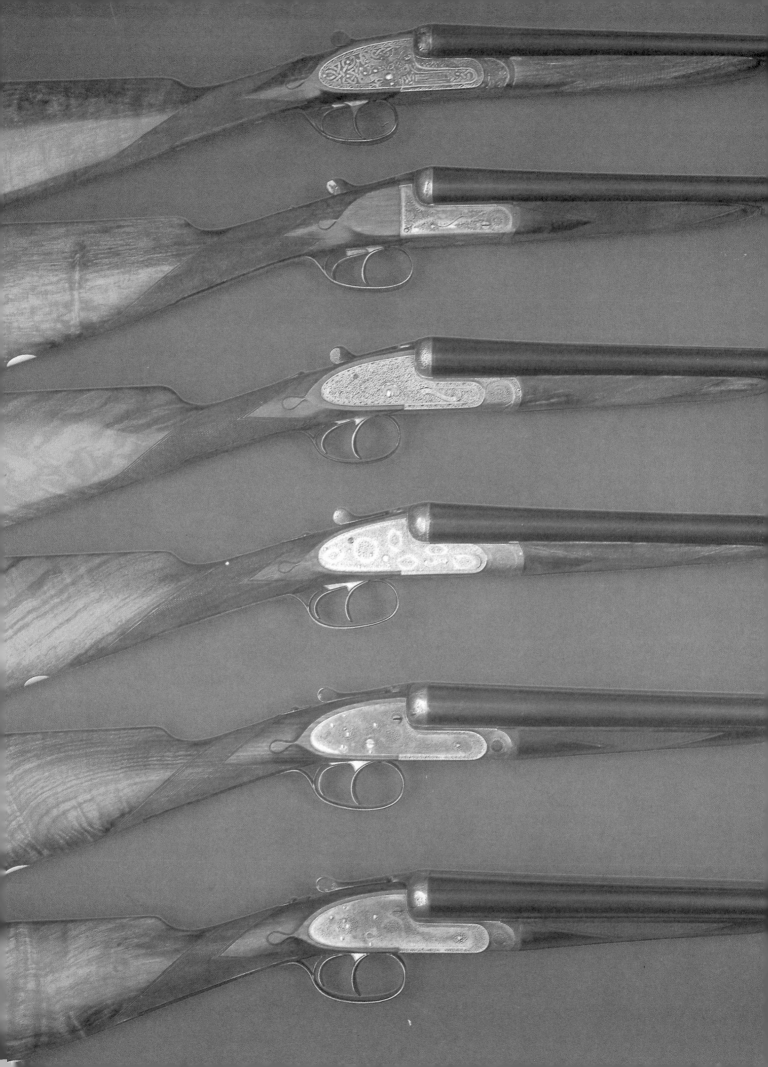

molto spesso non si può parlare di vere e proprie creazioni ma di idee prese da altri e poi sviluppate per proprio conto con originalità. È il caso appunto della batteria Holland & Holland che concettualmente per quanto riguarda la presenza della stanghetta di sicurezza la si può far derivare da quella di W.C. Scott, datata 1878, anche se nell'arma di Scott la stanghetta intercettava la testa del cane mentre nell'Holland la noce. Comunque la presenza della stanghetta di sicurezza fu un "benefit" che fece subito colpo sugli sportivi anche se esistono dubbi sull'effettiva utilità di questo dispositivo. Esistono pure sistemi Anson con stanghetta di sicurezza, però sono atipici, poiché si ritiene che in un Anson sia meno facile che si verifichino degli sganciamenti indesiderati del cane anche a seguito di cadute. Si sono fatti esperimenti sull'efficacia della stanghetta di sicurezza in batterie tipo Holland e non sempre i risultati hanno confermato un funzionamento impeccabile, nel senso che sotto alcune circostanze il cane sfuggiva alla stanghetta e percuoteva comunque l'innesco facendo partire il colpo. Addirittura i più strenui difensori del sistema Anson arrivarono a dire che la stanghetta di sicurezza fosse più un palliativo psicologico che non reale, però è una conclusione logica che un sistema di sicurezza in più contro gli spari accidentali anche se non funzionante sempre e comunque rappresenti una garanzia maggiore rispetto ad un'arma sprovvistane. C'è poi un discorso di scatti. Solitamente negli Anson gli scatti non si tengono leggerissimi sia per

others and developped by each one with originality.
This is the case of the Holland & Holland side lock which, cenceptually, as far as the safety sear presence is concerned, may be referred to the W.C. Scott one dated 1878, even though its sear intercepted the gun cock's head while the Holland's one the nut. Anyhow, the presence of the safety sear represented a "benefit" which immediately impressed sporting enthusiasts, even though the effectiveness of this device is quite doubtful.
Anson-type systems supplied with a safety sear do also exist, but they are quite atypical, because it is believed that Anson shotguns are less subject to undesired and unexpected hammer releases due to falls.
Tests have been carried out on the efficiency of the safety sear of the Holland-type side locks, and not always did the result confirm an impeccable performance.
That is, under certain circumstances, the hammer was released from the sear, firing the shot.
The most strenuous defenders of the Anson system say that the safety sear was more of a psychological palliative than a real solution.
But logically, an extra device against accidental shots, even though it may not work each time, is an increased safety factor compared with guns which are not supplied with it.
Then there is the subject of trigger pulls.
Anson shotguns usually do not have very light trigger pulls, both due to this issue and due to the possibility that the shot may be fired by the other hammer. Good

Schema dell'acciarino
Anson & Deeley.

Anson e Deeley boxlock.

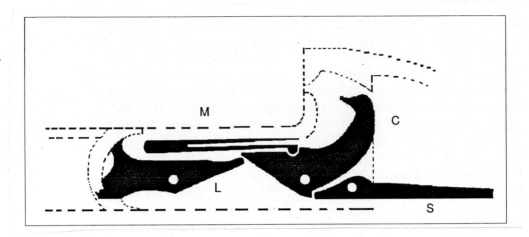

Spaccato di bascula con visibile
il sistema di acciarino
Anson & Deeley.

Greener boxlock.

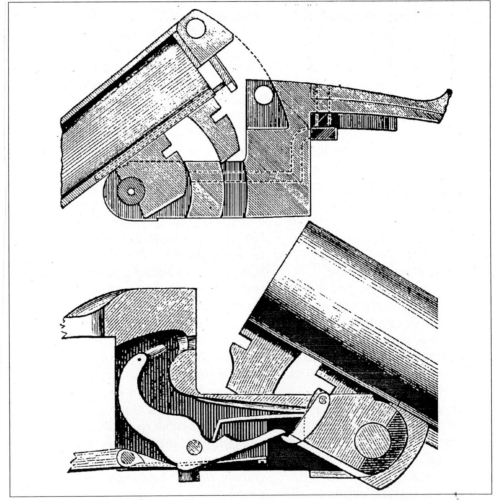

questo discorso sia per la possibilità che il colpo possa far partire anche l'altro cane.

Scatti già buoni su un Anson sono attorno ai 2 Kg. Con armi dotate di acciarini tipo Holland gli scatti possono essere anche più leggeri, benché sia il caso di ricordare che a caccia scatti troppo leggeri non sono l'ideale, ed anzi i gentleman inglesi dell'inizio del secolo preferivano scatti piuttosto duri. Di per sé quindi gli acciarini Holland & Holland e derivati sono più sofisticati di quelli tipo Anson e quindi le armi provviste di questi acciarini solitamente costano di più di quelle a "mezza batteria" (altro modo per definire il fucile Anson). Questa regola ha però numerose eccezioni. Ad esempio Westley Richards ha creato un sistema di batterie alloggiate sempre nella bascula e smontabili a mano la cui realizzazione ben si può equiparare a quelle delle più fini batterie su cartelle, se non di più. Poi occorre distinguere caso per caso, nel senso che vi possono essere fucili tipo Anson molto più fini di armi tipo Holland economiche e mal realizzate.

Certo il sistema Anson essendo più semplice da costruire si presta anche di più ad una lavorazione meccanizzata, permettendo di fare fucili a prezzi contenuti. Invece il sistema a cartelle laterali necessita di un intervento manuale specializzato, come ad esempio l'incassatura dello stesso nel legno del calcio e la lavorazione complessiva. La doppietta Anson ha però altri pregi, come ad esempio la maggiore leggerezza di bascula, che essendo scavata internamente per alloggiare il sistema di batterie viene alleggerita rispetto a quella a batterie laterali. Certo in questo si può ravvedere

trigger pulls on an Anson are around 2 kg. In guns supplied with Holland-type side locks, trigger pulls may also be lighter, even though during hunting a too light a trigger pull is to be avoided.

On the contrary, English gentlemen of the past century preferred hard trigger pulls. Therefore, Holland & Holland side locks and similar, are more sophisticated than the Anson-type ones, so the guns supplied with these side locks are generally more expensive than the Anson-supplied shotguns.

But this rule has various exceptions. For example, Westley Richards created a system of locks housed into the action which are hand detachable and whose realization may be compared to that of the finest side plate box locks, if not better. Then it is necessary to make distinctions case by case because there are Anson-type shotguns which are much finer than some economical Holland-type ones. Of course, since the Anson system is simpler, it suits a mechanized construction better, allowing an unexpensive shotgun production. But the side plates system involves specialized manual intervention, as for example in the execution of lightweight actions which are hollowed internally in order to house the box lock system. In this way, it is possible to notice a weakening of the gun action, even though well-constructed Anson systems do not have reliability problems.

Some end-of the-century Greeners are still being used for hunting with total safety. Holland & Holland shotguns are, on the contrary, very difficult to realize,

Diversi tipi di acciarini montati
su cartelle laterali.
Pur prendendo spunto
dall'acciarino
di Holland & Holland,
ogni costruttore che si ripetti ha
introdotto varianti a volte anche
migliorative.
Notare la presenza della
stanghetta di sicurezza.

Different types of sidelock.

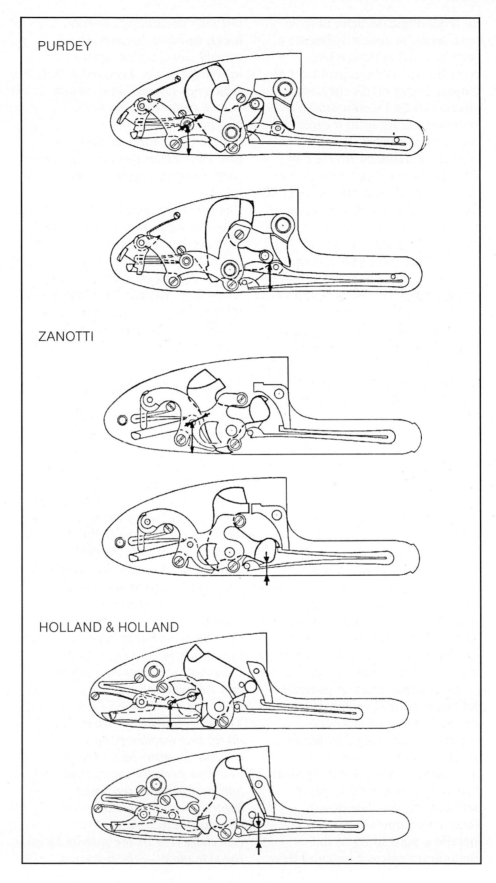

PURDEY

ZANOTTI

HOLLAND & HOLLAND

un indebolimento della bascula però anche se concettualmente è vero nei fatti in Anson ben costruiti non ci sono problemi di tenuta. Prova ne sia che certi Greener di fine secolo scorso vengono ancora usati a caccia in completa sicurezza. Il fucile Holland & Holland invece è più difficile da realizzare non solo per un discorso di acciarini, ma per la fattura complessiva, per la parte meccanica che deve lavorare in un certo modo per rientrare nella schiera delle armi fini. L'Anson da questo punto di vista presenta meno problemi, è più spartano e dà un'affidabilità notevole. Quindi piuttosto che un arma tipo Holland & Holland economica e realizzata non da mani adeguate è meglio optare per un Anson di fine fattura, arma che soprattutto sul terreno di caccia unisce robustezza e leggerezza (se voluta) e può essere usata con meno apprensione.

I legni e il calcio

Oltre alla parte puramente meccanica di bascula, canne ed acciarini il fucile sportivo è composto da una parte altrettanto importante costituita dai legni usati per il calcio e l'asta. Queste parti, soprattutto il calcio, non assolvono solo a compiti estetici, ma anche funzionali sia sotto il profilo di resa balistica generale dell'arma sia sulla solidità della stessa. Per questo motivo è importante che i legni siano di ottima qualità, con fibre compatte, stagionati, ben lavorati e rifiniti. Soprattutto la parte dell'incassatura, cioè dove vengono accoppiate parti in metallo e parti in legno (ad esempio tra calcio e bascula) deve

not only because of the side locks, but also because of the overall construction, and especially of the mechanical part which has to work in a certain way in order to be included among best guns.
Anson-type shotguns have fewer problems under this point of view; they are more severe and highly reliable.
Therefore, rather than choosing an economic Holland & Holland constructed by inadequate hands, it is preferrable to choose a well-made Anson which may be lightweight (if desired) and is especially reliable on hunting grounds.

The woods and the stock

Apart from the purely mechanical part of the action, of the side locks, and of the barrels, the sporting shotgun is composed of an equally important part constitued by the woods used for the stock and the forend.
These parts, and especially the stock, are not only useful for aesthetical purposes, but also for functional reasons for a general ballistic gun performance and solidity.
For this reason it is important that the woods be of a high quality, seasoned, with compact fibres, and well-worked and finished.
The gun stocking — where the metal and wooden parts are coupled — must be perfectly executed both for aesthetical and gun performance purposes.
Infact, should a stocking be poorly executed — especially that of the side locks on the side plate — the beauty of

Prestigioso costruttore inglese
W.W. Greener è stato anche uno
studioso delle armi.

Trade mark of W.W. Greener.

Doppietta Anson di Greener.
Sicura laterale.

Greener box lock.

Bascula della doppietta Greener.
Arma leggera con Ejector.

*Light weight shotgun with
ejector.*

Canne con ramponatura
all'inglese. Notare il foro del
perno tondo per la triplice
chiusura superiore che porta il
nome di Greener.

*English barrels with W.W.
Greener cross bolt.*

61

essere eseguita alla perfezione sia per motivi estetici che di accurato funzionamento dell'arma. Può infatti accadere che se un'incassatura è stata male eseguita, particolarmente quella degli acciarini su piastra laterale, si possa rovinare l'estetica di un'arma fine oppure i legni non perfettamente stagionati subiscono dei movimenti di assestamento nel tempo di un certo rilievo e venga compromesso il buon funzionamento degli scatti o di qualche altro meccanismo.

Si usa anche dire che ciò che fa tirare diritto un fucile è il calcio e che questi deve essere realizzato con le giuste misure per la persona che lo deve imbracciare. Queste sono verità fondamentali che troppo spesso vengono trascurate sia da chi usa le armi sia da chi le vende. Ci si preoccupa di più della venatura del legno o del colore dello stesso che delle misure di lunghezza, piega e vantaggio che sono fondamentali per un buon esito del tiro, anche in funzione del tipo di caccia esercitata e del tipo di terreno frequentato. I costruttori più seri, soprattutto quando si ordina una doppietta fine (ed in questo i maestri inglesi del passato erano molto sensibili) prendono tutti i dati del cliente. Non è sufficiente come spesso accade misurare la lunghezza del calcio sull'avambraccio con termine del dito indice sul grilletto, ma occorre conoscere molte altre notizie di chi poi userà l'arma.

Ad esempio la statura, se usa mirare con un solo occhio o con entrambi, il tipo di impostazione di tiro, se il cliente usa tirare di stoccata o di tiro mirato e naturalmente una verifica pratica sulla persona prima di finire

a fine gun could be impaired.
If the woods used are not perfectly seasoned, they may affect the performance of the trigger pulls or of other mechanisms.
Some people say that what makes a shotgun fire straight is the stock and that it should be realized in the correct dimensions to fit the person that shall have to hold it.
These are the fundamental truths which are very often neglected both from the people who sell the guns and from the people who use them.
We are more concerned with the wood grain or colour than with its length, curving or advantages which are fundamental for a good shooting performance,
also depending on the type of hunting carried out and on the type of hunting ground frequented.
Especially when they are ordered a fine gun (and in this the English Masters of the past were very attentive), the most serious gun makers take all the purchaser's details.
It is not sufficient to measure the length of the stock from the forearm to the finger on the trigger as very often is the case.
It is necessary to know many other details on the person who will be using the gun.
For instance, it is necessary to know the height of a person; to know if this person aims at his target with one eye or with both, his shooting style, and a practical verification is obviously necessary before finishing the gun.
There are some stocks which are available adjustable in the various directions which the purchaser may test in order to determine his various measures.

l'arma. A questo scopo esistono dei calci regolabili nelle varie direzioni che il cliente può provare per determinare a priori tutte le diverse misure. Con la produzione standardizzata odierna si tende ad avere delle misure intermedie che vadano bene un pò per tutti, ma chi ordina un'arma fine ha il grosso vantaggio di personalizzarsi tutti questi parametri, che ripeto non sono assolutamente da sottovalutare quando si voglia possedere un'arma veramente perfetta per se stessi. Ora affronteremo i vari aspetti dei legni per fucili, partendo dalla qualità e lavorazione degli stessi fino ad arrivare alle varie morfologie dei calci e relative misure. Il legno più usato nelle calciature dei fucili basculanti è il noce. Il tipo più fine di noce è quello francese, soprattutto quello radicato con una stagionatura di 50/60 anni. Oggi è sempre più difficile reperire legni con queste caratteristiche, e quei pochi che si trovano hanno dei prezzi da capogiro. Però è fondamentale che un'arma di classe soprattutto se di marca con alta immagine, sia calciata con una radica di noce di prima qualità. Più raramente si usano anche altri legni. Ad esempio l'acero (legno resistente che però non ha trovato grosso utilizzo in campo armiero) ed il faggio, quest'ultimo utilizzato per fucili particolarmente economici.

Qualità e lavorazione del noce

Il noce, originario dell'Asia, cresce un pò dovunque, anche se con caratteristiche leggermente diverse fra di loro a seconda della regione di provenienza. Tra i noci europei oltre quello francese già accennato in precedenza che è quasi sempre

Today's standardized production tends to have intermediate measures with a fit for everybody, but a person who orders a fine gun has the great advantage of tailoring all these parameters upon himself. Now we shall deal with the various aspects of shotgun woods, starting from their quality and working, up to the various stock morphologies and measures.

The most employed wood for basculating shotgun stockings is walnut.

The finest type of walnut is the French walnut, and especially the French root walnut with a seasoning of 50/60 years. Nowadays it is increasingly difficult to find woods featuring these characteristics, and their price is very high.

But it is of fundamental importance that a gun of class, especially if of a high-image brand — be stocked with a high quality root walnut.

Other kinds of woods such as maplewood or beechwood are more seldomly employed.

The first is a strong wood which has not found a wide use in the gunmaking sector; the latter is used for particularly economical shotguns.

Quality and working of walnut wood

Walnut wood, which is imported from Asia, grows practically everywhere, even if with slightly different features depending on its place of origin.

Among European walnut woods, apart from the French walnut wood which is almost always of a warm and pleasant shade, there is the English one,

contraddistinto da un colore di fondo caldo e gradevole c'è quello inglese, leggermente più pesante e meno pregiato del primo. Quello nazionale non è molto quotato a questo scopo. Si importano noci dalla Turchia e dalla Circassia (URSS), ma anche dai paesi dell'est e dall'Iran.

Poi viene il noce americano, il "black walnut" con la produzione migliore sulla costa del Pacifico ed alla qualità "Claro" della California. Salvo rarissime eccezioni, la radica vera e propria del legno non può essere usata per fare calci, perché troppo friabile ed imperfetta.

Un bel calcio di noce radicato deve avere una tonalità calda di base, con venature scure o nere in contrasto. Queste venature possono presentarsi come disegni marmorei o parallele e longitudinali. Questo dipende anche da come viene tagliato il legno, argomento che sarà trattato più avanti. L'importante però è che nella zona dell'impugnatura le fibre assumano un andamento longitudinale, poiché in questa sezione, che è la più debole, le sollecitazioni sono diverse (basta pensare all'effetto del rinculo) ed il legno scavato per alloggiare le parti meccaniche interne. Si usa anche dire che i calci più belli sono anche i più pericolosi, poiché nel tentativo di avere una ricerca cromatica enfatizzata spesso si eludono le norme di resistenza delle fibre con possibili rotture successive. Comunque un attento esame sia dell'armaiolo che del cliente potrà scongiurare un simile inconveniente. Un altro pregio, oltre quello delle venature, è data dalla compattezza delle fibre, chiamata "pasta" o "grana", poiché tanto maggiore questa sarà

which is heavier and slightly less prized.

National walnut wood is not very suitable for this purpose.

Walnut woods are imported from Turkey and from the U.S.S.R., but also from Eastern countries and from Iran.

Then there is the American 'black walnut' wood.

Best production may be found on the Pacific Coast and in California, in the 'Claro' quality.

Apart from a very few exceptions, true root wood cannot be used for the production of stocks because it is too friable and imperfect.

A beautiful walnut root stock has to be of a warm shade with a dark or black wood grain contrast.

This grain may be of a marble-like pattern or longitudinally striped. This depends on the way in which the wood has been cut and we shall deal with this subject later on. Nevertheless, it is important that the fibres be longitudinal in the grip section since it is the weakest section and it is subjected to different kinds of stress; moreover, its wood is hollowed in order to house the mechanical parts.

People say that the most beautiful stocks are the most dangerous ones too, because in an emphasized chromatic research, the rules of fibre resistance are often overlooked.

Anyhow, a careful examination by the gun maker and by the purchaser shall avert such an inconvenience. Apart from the wood grain, another important factor is fibre compactness because the more wood fibres are compact and close, the longer shall the gun last in time besides simplifying the reabsorption of recoils.

Esempio di splendide calciature in noce radicato su una coppia di doppiette Hartmann & Weiss.

High figured stocks walnut. Gun maker: Hartmann & Weiss.

Altri esempi di calci dalle venature eccezionali. Sono armi di Abbiatico & Salvinelli.

High figured stocks walnut. Gun maker: Abbiatico & Salvinelli.

Ecco come si presentano dei gruppi di piante di noci che andranno poi ad abbellire con perfette calciature le armi fini. Del noce viene usata l'essenza più selezionata, poiché la radice vera e propria salvo rare eccezioni non può essere usata in quanto troppo fragile ed imperfetta.

Expert people are examining walnut wood for gun stocking.

tanto maggiore sarà la durata dell'arma ed anche facilitato l'assorbimento del rinculo. Permetterà inoltre una migliore lucidatura e lo si potrà verificare dal risultato della zigrinatura, che se di buona compattezza dovrà risultare nitida, senza peli e porosità. Un bel calcio dovrà essere privo di fenditure, anche piccole, e di nodi che deturpano l'andamento delle venature del legno.

L'astina dovrà essere realizzata con la stessa "grana" di legno del calcio, richiamarne le stesse tonalità di colore e possibilmente le stesse venature. Gli importatori di legni acquistano delle partite di tronchi dai quali ricavano degli abbozzi di diversa qualità sottoposti a trattamento di evaporazione con l'intento di pulire le fibre del legno e di renderlo inorganico. Nonostante questo però è provato che il legno continui a "vivere", giocando a volte brutti scherzi come già accennato.

A tale scopo è importante che il legno abbia il giusto grado di umidità, derivato da una corretta essicazione che nei casi migliori è costituita da un processo naturale. Come però si diceva prima è difficile oggi reperire abbozzi stagionati naturalmente per 50/60 anni e quindi la maggior parte delle volte si "accorcia" questo processo con sistemi artificiali. Una corretta lavorazione dei legni sarà una buona garanzia di resistenza nel sottoporre l'arma a sbalzi di temperatura e di umidità, sbalzi sempre frequenti a chi frequenta i terreni di caccia. Partendo dal tronco è importante che le tavole destinate alle calciature siano tagliate bene. La causa prima della deformazione è

This shall also allow a better polishing, the result of which may be verified by the checkering which should be clear, with no hairs or porosity.

A beautiful stock shall have to be free from any slightest crack and knurl.

The forend shall have to be made out of the same wood, shade, and possibly the same grain as the stock.

Wood importers purchase log lots from which they obtain woods of different qualities and which are subjected to an evaporation treatment with the purpose of cleaning wood fibres and making the wood become inorganic.

But sometimes, wood continues to 'live', causing problems as I already mentioned above.

Wood must have the correct humidity degree which may be achieved by means of the drying process, which in best cases is natural.

But, as I already mentioned ahead, it is difficult to find naturally 50/60 year-seasoned woods and therefore, in most cases this time is shortened artificially.

A correct wood working shall be a good resistance guarantee for the gun in case of temperature and dampness shocks, which are very frequent on hunting grounds.

Starting from the log, it is important that the boards destined to stockings are well-cut.

The main cause for deformation is an incorrect cutting or sawing of the boards.

Wood boards always tend to deform, irrespective of the kind of tree from which they have been drawn and from the lag of time passed from the tree's cutting down.

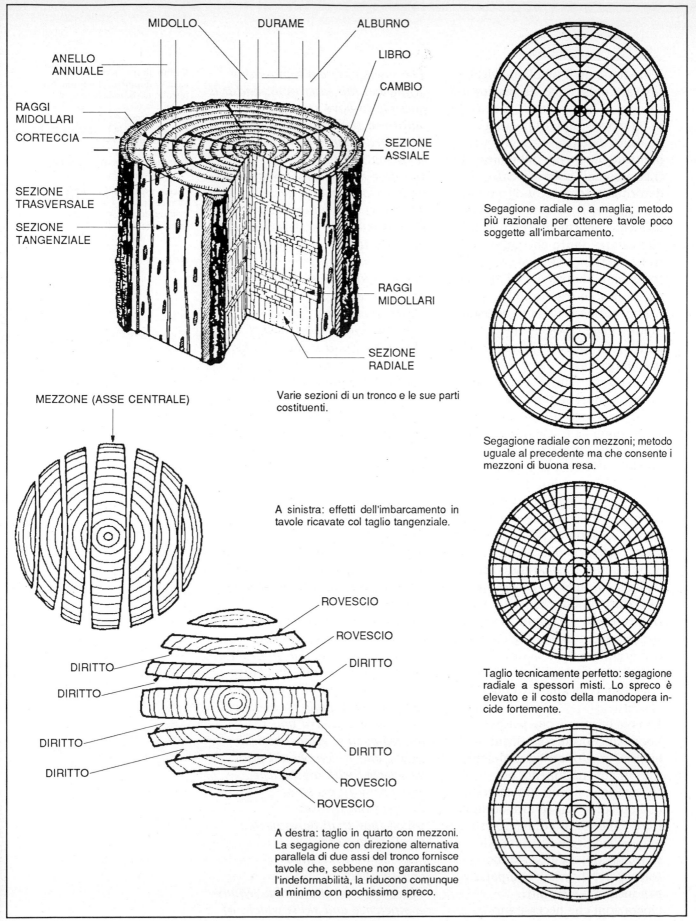

MIDOLLO DURAME ALBURNO

ANELLO
ANNUALE

LIBRO

CAMBIO

RAGGI
MIDOLLARI

CORTECCIA

SEZIONE
ASSIALE

SEZIONE
TRASVERSALE

SEZIONE
TANGENZIALE

RAGGI
MIDOLLARI

SEZIONE
RADIALE

Varie sezioni di un tronco e le sue parti
costituenti.

MEZZONE (ASSE CENTRALE)

A sinistra: effetti dell'imbarcamento in
tavole ricavate col taglio tangenziale.

ROVESCIO

ROVESCIO

DIRITTO

DIRITTO

DIRITTO

DIRITTO

DIRITTO

DIRITTO

ROVESCIO

ROVESCIO

A destra: taglio in quarto con mezzoni.
La segagione con direzione alternativa
parallela di due assi del tronco fornisce
tavole che, sebbene non garantiscano
l'indeformabilità, la riducono comunque
al minimo con pochissimo spreco.

Segagione radiale o a maglia; metodo
più razionale per ottenere tavole poco
soggette all'imbarcamento.

Segagione radiale con mezzoni; metodo
uguale al precedente ma che consente i
mezzoni di buona resa.

Taglio tecnicamente perfetto: segagione
radiale a spessori misti. Lo spreco è
elevato e il costo della manodopera incide fortemente.

Different ways to cut the wood

il modo come il tavolame viene ricavato dal tronco, in pratica il sistema di "segagione". Le tavole di un tronco, appartenenti a qualsiasi essenza, indipendentemente dal tempo trascorso dall'abbattimento, si deformano sempre, molto o poco, ma sempre. Il sistema di segagione influenza enormemente questa alterazione, tanto che dallo stesso tronco sarà possibile avere tavole fortemente deformate ed altre con deformazioni trascurabili.

L'imbarcamento risulta di regola minore nelle tavole molto periferiche, dove l'alburno è preponderante.

Tavole dove sono presenti diversi tessuti legnosi si deformerà di più, per il diverso grado di essicazione.

Il "durame" è il legno mezzano e più vecchio, mentre l'alburno è quello periferico, in formazione e più ricco di vasi linfatici. Ne consegue che le migliori tavole sono quelle del durame, ma molto spesso si usano altri tagli per non avere materiale di scarto in misura abbondante. Desiderando un taglio tecnicamente perfetto per calciature di alta classe si dovrà ricorrere alla segagione radiale a spessori misti dove i tagli seguono con grande fedeltà la direzione radiale. Le figure illustrate renderanno meglio tutti questi concetti.

La conclusione è che per avere dei buoni calci occorrono legni di qualità, stagionati naturalmente, trattati adeguatamente per resistere agli agenti atmosferici, tagliati con competenza, scelti con fibre dal buon gradimento estetico ma anche tali da resistere alle sollecitazioni a cui verranno sottoposte, di grana compatta e ben incassati e rifiniti.

Operazioni che necessitano

The sawing system remarkably influences this alteration, and it is possible to have strongly deformed boards and very slightly deformed boards from the very same log.

Warping is generally lower in the peripheric boards, where alburnum is predominant.

Boards in which different kinds of wood tissues are present shall be subject to a higher deformation due to the different drying levels.

Heartwood is the central and and most seasoned wood, whilst the alburnum wood is the peripheric wood which is in the phase of formation and which is rich in lymphatic vessels.

The best boards are made out of heartwood, but very often other cuts of wood are used with the purpose of not wasting too much material.

In order to obtain a technically perfect cut for top class stockings, it is necessary to have recourse to a combined-thickness radial sawing because this kind of cut faithfully follows the radial direction.

The illustrations clearly demonstrate these concepts.

The conclusion is that in order to have good quality stockings it is necessary to have naturally seasoned and quality woods which are competently cut and treated against atmospherical agents and which should also be selected with aesthetical and strong fibres so as to stand the stresses which they shall be subjected to. The stocking must be well-executed and finished.

These are operations that require competence and skills which, of

Esempi di tre diverse forme di calci su doppietta. La prima è a pistola, la seconda a collo di cigno e la terza all'inglese. La scelta dipende sia dai gusti personali che dall'impiego specifico dell'arma.

Different shapes of gun stock.

Alcuni esempi di finiture a vernice lucida e semiopaca. Il primo calcio all'inglese è sicuramente più elegante, tirato ad olio col sistema a tampone.

Different finishing in gun stock.

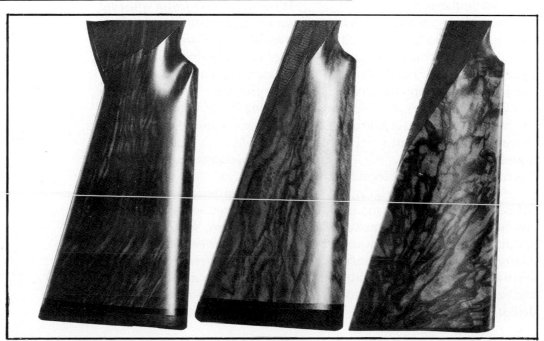

decisamente di competenza e professionalità e che inevitabilmente finiscono per incidere sul costo finale dell'arma fine.

Le finiture dei legni

Per proteggere i legni dagli agenti atmosferici ma anche per conferire loro una durezza superficiale che consenta di non essere facilmente scalfiti o scheggiati questi vengono trattati con diverse sostanze. I prodotti usati possono essere vernici poliesteri lucide o semi-opache, olii o cere. La vernice rende il legno anche impermeabile e gradevole all'aspetto, però di solito le armi fini vengono lucidate ad olio e talvolta a cera. Assumono così una durezza superficiale buona, aumentando il contrasto delle venature del legno e non vengono facilmente scalfiti da rami o rovi quando si va a caccia. Alcuni usano immergere addirittura il calcio in soluzioni oleose in modo che si impregni completamente, mentre altri si limitano ad una finitura più superficiale. Una buona finitura deve comunque portare la superficie del legno ad essere liscia al tatto, coprendo le porosità ed essendo efficace contro umidità ed agenti atmosferici. Per un'arma fine la finitura troppo lucida con vernici vistose non è molto elegante e quindi è sempre preferibile una finitura semi-opaca fatta manualmente ad olio.
Anche le zigrinature dei legni fanno parte della finitura. Gli zigrini debbono essere eseguiti a mano, con cuspidi regolari, piuttosto sottili, grippanti, privi di incertezze ed irregolarità, senza sbavature e con un disegno complessivo atto ad ingraziosire ancor di più la linea dell'arma.

course, influence the gun's final cost.

Wood Finishings

In order to protect the wood from atmospherical agents, and in order to supply it with surface hardness so that it may not be easily scratched or chipped, wood is treated with different substances. The products used may be semi opaque or glossy polyester varnshes, oils or wax polishes. Varnish also enhances the wood and makes it waterproof, but generally fine guns are oil-polished.
In this way, they obtain a good surface hardening, enhancing the contrast in the wood grain, and they are not easily scratched by tree branches or brambles during hunting.
Some people even dip the stock into oily solutions, totally making it become impregnated, while others only execute a more superficial finishing.
Anyhow, a good finish must be smooth to the touch, it has to cover any porosities, and it has to be effective against humidity and atmospherical agents.
For a fine gun, a too glossy a finishing is not very elegant, therefore a manual oil finishing is preferable.
Wood-checkering is part of the finish too.
Checkerings must be hand-executed with regular and thin cusps, without any uncertainties and irregularities, free from slaverings and with an overall pattern which enhances even more the gun's line.

Finiture tradizionali dei calci

Come abbiamo visto i calci ed aste possono essere finiti in diversi modi e con diversi prodotti. La finitura però più classica ed efficace rimane quella tradizionale inglese. Questa consiste in una finitura ad olio con prodotti particolari che vengono assorbiti per il 90% dal legno e solo un 10% rimane in superficie. Questo procedimento, pur se laborioso, consente di ottenere buoni risultati di brillantezza (meno evidente però delle finiture a spruzzo o ceralacca), di enfatizzare le venature del legno e di poter essere sempre ripresa periodicamente dopo l'uso dell'arma. La Ditta inglese CCL è specializzata nella produzione di prodotti per la finitura dei legni e consente all'appassionato generico di realizzarsi da sé una finitura molto valida, sia partendo dal legno grezzo sia sverniciando lo strato già presente. Oppure con una cera adeguata proteggere la verniciatura sul terreno di caccia o ancora eseguire con appositi prodotti dei piccoli ritocchi ad eventuali ammaccature per poi rilucidare la parte interessata. Citerò ora brevemente alcuni prodotti della CCL per eseguire queste operazioni.

Per avere il legno allo stato grezzo o si inizia la lucidatura in fase di costruzione dell'arma oppure occorre sverniciare lo strato esistente. A questo proposito esiste il "Laquer remover", un prodotto che si applica sulla vernice e consente di asportarla con operazioni successive. Quindi occorrerà carteggiare con carta vetrata n. 800 per asportare eventuali asperità e residui di vernice. È meglio eeguire queste

Traditional stock finishings

As we have seen, stocks and forends may be finished in different ways and with different products.
But the most classical and effective finish is the English finishing.
It consists in an oil finish, executed with special products which are 90% absorbed by wood, leaving only a 10% on the surface.
This procedure, even if laborious, allows to reach good glossiness results (which are less evident than in spraying or polishing procedures); it emphasizes wood grain, and it may be repeated after using the gun.
The British firm CCL is specialized in the production of wood-finishing products, thus allowing enthusiasts to carry out their own finishing with very good results, both starting from raw wood and when removing existant laquer.
Besides, by means of a special wax polish, it is possible to protect gun laquering on hunting grounds, and it is possible to carry out touch-ups on possible contusions and repolish the parts in question.
I will briefly talk about some of CCL's products for this kind of operations.
In order to reach the raw wood state, either polishing is carried out during gun construction, or it is necessary to remove the existant laquer coating.
For this purpose there is the "Laquer remover", a product which once applied to the laquer, allows its removal in subsequent operations.
Then it shall be necessary to sandpaper the wood With anno 800 sandpaper in order to remove

operazioni con legni smontati ed in questo caso occorre prestare la massima attenzione ai bordi del legno, in particolare delle cornici che racchiudono gli acciarini laterali poiché un uso improprio della carta vetrata può togliere gli spigoli vivi dal legno recando un danno notevolissimo ed irreparabile all'arma. In queste angolature conviene usare una sottile lima da legno in modo da rispettare gli spigoli. A questo punto qualora il legno non presentasse delle venature interessanti o spiccate si potrà applicare una mano di mordente (Gunstock stain) anche se di solito le armi di un certo pregio montano legni di buone venature. Con il kit della CCL "Traditional oil finish" si hanno a disposizione tre prodotti: un pulitore/lucidatore, un olio rosso ed un indurente. Per prima cosa si passerà una mano di pulitore subito asportata con un panno asciutto per preparare la superficie e quindi si passa al primo trattamento. Questo consiste nel passare diverse mani di olio rosso per circa tre o quattro giorni. Si può applicare l'olio con un pennello alla mattina ed alla sera escludendo la zigrinatura. Se la zigrinatura avesse un colore diverso e la si volesse uniformare, un paio di mani leggere di olio rosso passate con uno spazzolino da denti saranno sufficienti. Al termine del quarto giorno occorrerà far riposare i legni per un paio di giorni in modo da dare la possibilità ai pori di assorbire bene il prodotto. Fino ad ora la superficie non dovrà presentarsi lucida ma solamente dovrà prendere un colore rossastro che consentirà alle venature più chiare di meglio contrastare con quelle

any laquer residues. It is better to carry out these operations on dismounted pieces, and in this case it is important to pay attention to the wood edges, especially those of the frames that house the side locks because an improper use of sandpaper may round off the edges of the wood, causing irreparable damage to the gun.

These corners should be worked with a thin wood-file in order to take care of the edges.

At this point, a coat of Gunstock stain may be applied on the wood if it will be necessary. The CCL "Traditional Oil Finish" kit includes three products: a polisher, a red oil and a hardener. To begin with, a coat of polisher shall have to be passed onto the wood, and it shall have to be immediately removed by means of a dry cloth.

The surface is then ready for the first treatment.

This consists in passing a few coatings of red oil onto the wood for about three to four days.

Oil may be applied with a brush in the morning and in the evening, avoiding the checkering.

Should the checkering be of a different colour, and should one want to uniform it to the rest, a few coatings executed by means of a toothbrush shall be enough.

At the end of the fourth day the wood shall have to rest for a couple of days, allowing the pores to absorb the product properly.

Until then, the surface shall not be glossy, but it shall only be of a reddish colour which shall allow the lighter grain to have a better contrast with the darker grain, and become of a warmer shade.

72

Lucidatore della ditta inglese CCL
che dimostra l'uso dei propri
prodotti.

*Polisher of the English firm CCL
illustrating product application.*

Lucidatura dei calci all'interno
del reparto Beretta.

Gun finishing in Beretta factory.

più scure ed assumere toni più caldi. Si passerà con una lieve carteggiata per asportare eventuali residui solidi di olio e una mano di pulitore per preparare il legno al secondo trattamento. Questo consiste nel passare l'indurente sopra all'olio rosso per meglio solidificarlo. Si passerà con uno straccetto mattina e sera per tre giorni e si lascierà riposare il legno per altri due. A questo punto si sarà ottenuta una superficie idonea per sviluppare una buona lucentezza superficiale. Si passerà prima di tutto una mano di pulitore per poi procedere a mani progressive di olio rosso miscelato con l'indurente. Si versa qualche goccia di olio rosso sul calcio unitamente a qualche goccia di indurente. Dopo circa un paio d'ore la miscela comincerà ad indurirsi e a questo punto occorrerà passare col palmo della mano tirando la vernice. Lasciare quindi asciugare e ripetere l'operazione per tre o quattro volte fino ad ottenere la brillantezza desiderata. In alternativa a questa ultima soluzione si può usare il CCL "Conditioning oil" che è una mistura di olii e cere e che va steso in piccoli veli con uno straccetto e lasciato asciugare. Con questo prodotto dopo tre o quattro mani si otterrà una ottima finitura. Questo olio potrà essere usato per ricondizionare vecchie calciature o per iniziare nuove finiture. Il mio consiglio è però quello di usarlo come terza fase per una finitura tradizionale ad olio come precedentemente descritto. Infine con un'apposita cera (Wax polish) dopo circa cinque o sei giorni che si è terminata la finitura ad olio si

Then the wood shall be lightly sandpapered in order to remove any small oil deposit and treated with a polisher in order to prepare it for the second treatment.
A hardener shall be rubbed onto the red oil to make it solidify.
It shall be wiped over with a cloth in the morning and in the evening for three days, allowing the wood to rest for another couple of days. At this point, the surface is ready for polishing.
A coat of polisher shall be rubbed onto the wood; then progressive coatings of red oil mixed with the hardener shall be applied.
A few drops of red oil are spilled onto the stock with a few drops of hardener.
After a few hours the mixture will start to harden, and at this point, the laquer shall have to be rubbed onto the wood with the palm of one's hand.
It has to be allowed to dry, then the very same operation has to be repeated three or four times until the desired polish level is attained.
As an alternative, the CCL "Conditioning oil", which is a mixture of oils and wax polishes may be used.
It has to be wiped over with a cloth and allowed to dry. An excellent finishing is obtainable after three or four coatings of this product.
This oil may be used for reconditioning old stockings and to begin new finishes.
I personally suggest to employ it at the third phase of a traditional oil finishing as explained above.
A further glossiness shall be attained by means of the application of a thin coat of a special wax (Wax polish) five or

potrà proteggere e dare maggiore brillantezza stendendone un sottile velo e lucidando con un panno. La finitura ad olio pur coprendo i pori del legno li lascia sempre un po' visibili e consente nel tempo di sovrapporre mani migliorative. Un altro metodo per lucidare i calci di armi fini è quello che utilizza il "True Oil". È questo un prodotto americano della Birchwood Casey da applicare in mani ripetute (oltre cento) con carteggiature intermedie. La finitura è lucida e brillante ma occorre un'abilità maggiore rispetto ai prodotti della CCL.

Forme di calci ed aste

Le forme del calcio del fucile possono essere di vario disegno sia in funzione dei gusti personali sia per l'impiego per i quali sono stati destinati. La scelta della forma del calcio è però soggettiva e non esistono regole ferree ma solo alcuni motivi pratici di funzionalità e buon gusto che dovrebbero essere seguiti. Ad esempio su una doppietta classica il calcio più tradizionale è quello all'inglese, mentre se questa è destinata al tiro non è raro che abbia il calcio a collo di cigno. Nei combinati o express, poiché l'arma deve essere impugnata saldamente, si opta per l'impugnatura a pistola, spesso con sagoma a dorso di cinghiale e appoggiaguancia. Quando sulla doppietta si preferisce avere l'asta a coda di castoro, spesso la si accoppia con una impugnatura a mezza pistola. Nei sovrapposti da caccia o tiro, abbastanza diffuso è il calcio con stop-montecarlo. Vediamo adesso quali sono in pratica tali forme seguendo le illustrazioni.

six days after the completion of the oil finishing.
Even though the oil finish covers the wood pores, they are always slightly visible; further coatings may be executed in time.
Another method for the polishing of fine gun stocks is the method employing the "True Oil".
This is an American product by Birchwood Casey, and it has to be repeatedly applied in coatings (over one hundred) with intermediate sandpaperings. This kind of finishing is glossier, but a higher skill level is required for this operation as compared with CCL products.

Stock and Forend shapes

The shapes of gun stocks may vary both depending on personal tastes and on the use for which they are destined. Gun stock selection is subjective and there are no fixed rules to it. It only depends on practicalness and functionality. For example, a classical side by side shotgun usually has the traditional English stock, but if this shotgun is destined to trapshooting it often has a dove-necked stock. In combined or express shotguns, since these guns have to be firmly held, they usually have a pistol-hand stock which is often boar-back shaped and supplied with a cheek-rest.
When side by side shotguns have a beaver-tail forend, the latter is usually coupled with a semi pistol-hand gun stock. In hunting or pigeon shooting over and under shotguns, stop-Montecarlo stocks are very often seen. Let us have a look of the diferent kinds of shapes by following the illustrations.

C1 - Calcio a pistola.
È quello standard per sovrapposti da caccia con specchi laterali. L'impugnatura può essere più o meno grossa a seconda dei costruttori.
Quello illustrato è con misure da skeet.

C2 - Calcio a collo di cigno.
Non particolarmente diffuso, adottato principalmente per doppiette da tiro.

C3 - Calcio con stop-montecarlo.
Adottato principalmente sui sovrapposti da tiro.

C4 - Calcio a pistola.
Altra variante del calcio a pistola. Il modello a dorso di cinghiale ha la parte superiore leggermente convessa.

C5 - Calcio a mezza pistola.
Viene utilizzato sia per sovrapposti che per doppiette. È una soluzione più tradizionale rispetto all'impugnatura a pistola.

C6 - Calcio all'inglese.
È il più elegante e quasi d'obbligo su una doppietta di classe. Utilizzato anche per sovrapposti. È veloce nell'imbracciatura e conferisce all'arma una linea pura e filante soprattutto se il legno utilizzato è di ottima qualità.

Le astine sono per le doppiette o di tipo sottile o a mezza coda di castoro o a coda di castoro. La prima è la preferita dai puristi, mentre quella a coda di castoro avrebbe il compito di far impugnare meglio l'arma nonché di evitare il contatto della mano sinistra con l'acciaio, cosa questa utile quando si debbono sparare colpi in rapida successione come al tiro al piattello o al piccione, per evitare fastidi al tiratore. Per la doppietta da caccia comunque è

C1 - Pistol-hand gun stock.
This is the standard model for hunting over and under shotguns with side mirrors.
The grip may be of different dimensions, depending on the gun maker. The one in the picture is of skeet dimensions.

C2 - Dove-neck stock.
Not particularly common, it is mainly adopted for shooting side by side shotguns.

C3 - Stop-Montecarlo stock.
Mainly adopted on shooting over and under shotguns.

C4 - Pistol-hand gun stock.
Another variant of the pistol-hand gun stock.
The boar-back model has a slightly convex upper part.

C5 - Semi pistol-hand gun stock.
It is employed both for side by side and for over and under shotguns. It is more of a traditional solution compared to the pistol-hand grip.

C6 - English gun stock.
It is the most elegant gun stock of all, and it is almost "de rigueur" on a class shotgun. It is also employed for over and under shotguns. It is quick in the raising and it supplies the gun with a pure and streamlined line, especially if the wood is of an excellent quality.

Side by side shotguns have thin, semi beaver-tail or beaver tail forends. The first are preferred by purists whilst beaver-tail forends have the purpose of givng a better holding and of avoiding the contact of the hand with steel, which is very useful when shooting in quick succession such as in clay-pigeon or pigeon shooting. Anyhow, hunting side by side shotguns are preferable with an English stock and with a thin forend.

Le diverse morfologie delle calciature per armi sportive basculanti (nella pagina a fronte).

Others different shape of gun stock

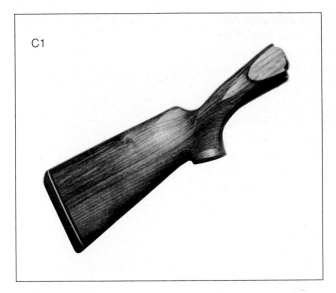

C1

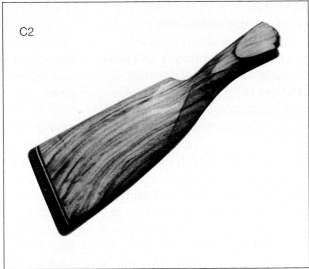

C2

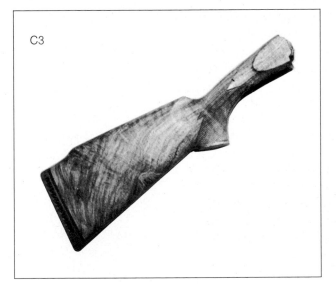

C3

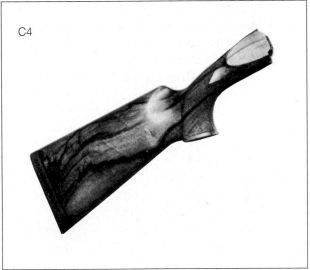

C4

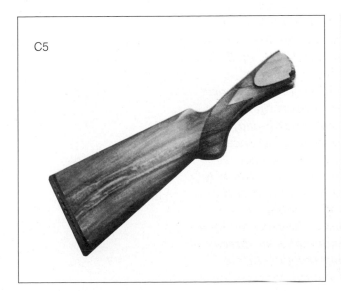

C5

C6

preferibile avere calcio inglese e astina di tipo sottile. Per i sovrapposti esistono diverse soluzioni. Un'astina per un fucile elegante dovrebbe però essere di spessore contenuto, che avvolge bene le canne e che si accoppi anche come forma alla linea del calcio.

Il calcio può essere di tipo pieno o vuoto (internamente).

Quest'ultimo viene principalmente montato su armi economiche, di serie, in quanto ha internamente il tirante di accoppiamento con la bascula permettendone talvolta anche una piccola variazione di piega. Battendo il calcio esteriormente con le dita si capirà comunque se questi sia cavo o pieno. La parte terminale del calcio può essere rifinita a zigrino, con calciolo in bachelite, in gomma ventilato o meno, e in qualche caso particolare in materiale metallico. La forma terminale del calcio, quando finisce il legno zigrinato, è piuttosto concavo, per meglio inserirsi nell'incavo della spalla. Questo è sicuramente la finitura migliore riservata a molte armi fini. Ma anche la presenza di un calciolo di gomma rosso ben messo non è da disdegnare, non solo perché attutisce il colpo di rinculo ma anche perché appoggiando l'arma in terra non rischia di rovinarsi. Meno consigliabili e raffinate le soluzioni del calciolo metallico o di bachelite. Più fini le varianti dei due calciolini alle estremità sia in metallo che in osso o avorio. Negli express e combinati la soluzione migliore è rappresentato dal calciolo in gomma ventilato, a una, due o più ventilazioni in funzione anche della potenza del calibro. È però da ricordare che l'applicazione di

There are various soltions for over and under shotguns. The forend of an elegant shotgun should be quite thin and its shape should match well with the stock line.

The stock may be solid or hollow. Hollow stocks are mainly mounted on economical and mass-produced shotguns since they house the action coupling brace, sometimes allowing a light bending variation.

By tapping the stock with the fingertips, one shall be able to understand whether the stock is solid or hollow.

The terminal part of the stock may be checkered, and the recoil-pad may be made out of bakelite, of ventilated rubber or of metal.

The terminal shape of the stock, at the end of the checkering, is concave in order to fit to the shoulder.

This is surely the best finishing destined to fine guns. But the presence of a red rubber coil-pad too, is not despicable: apart from attenuating recoils, it is useful because the gun does not ruin when it is rested on the ground. The solutions with a metal or bakelite recoil-pad are less refined and recommendable. The variants with the two recoil-pads made out of metal or ivory are finer.

The best solution for express or combined shotguns is the ventilated rubber recoil-pad, which may be ventilated once, twice or various times, also depending on the gauge. But it is important to remember that the application of a ventilated recoil-pad has to be executed by a specialized gun maker or directly when ordering the gun. Infact, the thickness of the rubber recoil-pad

un calciolo ventilato deve essere eseguita da un armiere specializzato oppure all'origine, quando si ordina l'arma. Infatti lo spessore del calciolo in gomma non deve andare ad aggiungersi alla lunghezza del calcio, ma la lunghezza giusta deve già comprendere il calciolo. Quando questo viene applicato successivamente, occorrerà asportare una corrispondente parte del legno. Inoltre lo spigolo superiore dovrebbe essere smussato, per facilitare l'inserimento del calcio alla spalla. Occorre anche ricordare che un calcio ha un suo peso e che l'arma definitiva dovrebbe essere equilibrata. Cioè quando si tiene l'arma sospesa a metà (di solito nella parte anteriore della bascula dove si trova il perno di rotazione delle canne) questa dovrebbe eguagliare i propri pesi sia del gruppo canne che del calcio. Se ciò non avviene occorre farla equilibrare. Se il calcio è la parte più pesante, si può intervenire svuotando un pò di materiale al suo interno.

Funzioni e pieghe del calcio

Abbiamo già detto che il calcio non serve solo per estetica, ma ha altre funzioni importanti. La più evidente è quella di portare le canne all'altezza dell'occhio, quindi di costituire l'impugnatura dell'arma, di sostenerne parte della meccanica, di equilibrare i pesi della stessa, di attutire e distribuire uniformemente sulla spalla l'energia del rinculo.
Per capire meglio questa importante funzione anche per la precisione del tiro si può suddividere in tre parti l'azione del rinculo. La prima parte

does not have to add length to the stock length; the correct length has to include the recoil-pad. When the recoil-pad is added later on, it is necessary to remove the corresponding thickness from the wood. Besides, the upper corner shall have to be rounded off in order to simplify the insertion of the stock onto the shoulder. It is also necessary to keep in mind that stocks have a weight of their own, and that finished guns should be well-balanced.
That is, when the gun is suspended at its mid-point (usually in the front action area where one may find the barrel rotation pin), the barrel unit and the stock should be equal in weight.
Should this not occur, the gun has to be balanced. If the stock is the heaviest part, it is possible to intervene by hollowing out part of the material from its inside.

Stock Functions and Bends

We already said that stocks are not only necessary for aesthetical purposes, but have other important functions.
The most evident one is that of bringing the barrels at an eye-level.
Then they constitute the gun grip, they support the gun's mechanisms, they balance the gun's weights, and they uniformly distribute the recoil energy on the shoulder.
In order to understand this important function better for fire precision, the recoil action may be subdivided into three parts. The first part corresponds to the time spent by the wad and slot unit when running through the barrel,

corrisponde al tempo impiegato dal gruppo borrapallini a percorrere la canna e la seconda quella attigua di uscita dei gas di esplosione. In questi due tempuscoli la rotazione del fucile avviene rispetto al proprio baricentro, e non sul punto di appoggio del calcio alla spalla. Ecco perché è importante che il fucile sia equilibrato altrimenti si avrà una deviazione più o meno pronunciata di spostamento delle canne verso l'alto o verso il basso, a seconda se il fucile è più pesante nella parte del calcio o nel gruppo di canne. La terza fase di rinculo è il proseguimento del moto a causa della spinta accumulata nei primi due stadi, ed è quella rilevata più vistosamente dal cacciatore e che può impennare l'arma. A tale proposito sono importanti i valori di piega e di pitch. Le pieghe del fucile misurate al calcio sono quelle del tallone e del nasello. Un fucile piegato può essere utile quando si spara a selvatici che possono andare verso il basso, come nella caccia alla lepre e al coniglio, mentre quando i tiri sono quasi sempre "montanti", come nel caso del tiro al piattello è bene avere un fucile un po' più diritto. Nei casi promiscui, come nella caccia vagante o nello skeet, ci si attiene sui valori medi. L'angolo di pitch è l'inclinazione del calciolo rispetto alla linea della bindella. Un sistema pratico per verificarlo è appoggiare l'arma su un pavimento ed appoggiare la testa di bascula contro un muro. La distanza tra la parete verticale e la bindella darà un'idea di questa inclinazione, formando un angolo più o meno accentuato. Questo angolo potrà essere di 8/12 gradi e quindi piuttosto ampio quando il tiratore avrà i muscoli pettorali

and the second part to the exit of the explosion gases.
During these two phases, gun rotation occurs in its barycentre and not on the shoulder resting point.
This is why the gun has to be well-balanced, otherwise there shall be a deviation of the barrels upward or downward, depending whether the gun is heavier in the stock or in the barrel-unit.
The third recoil phase is the continuation of the motion caused by the thrust accumulated during the first two phases, and it is the one which is felt the most by the hunter and which may shift the gun.
This is where bending and pitch values are important. Gun bendings measured from the stock are those of the heel and of the comb.
A bended gun may be useful when shooting low at animals such as hairs or rabbits whilst a straighter gun is more useful for high shots such as clay-pigeon shooting.
For general shot hunting or skeet, values have to be kept average.
The pitch angle is the inclination of the recoil-pad in relation to the rib line. A practical way of verifying it is that of resting the action head onto a wall.
The distance between the vertical wall and the rib shall indicate this inclination by forming an angle.
This angle may be of 8/12 degrees, and therefore quite wide when the hunter has wide pectoral muscles, and it shall measure only a few degrees when the hunter has a flat chest.
Another advantage is the left or right deviation depending whether the hunter is left-handed or right-handed, which also varies

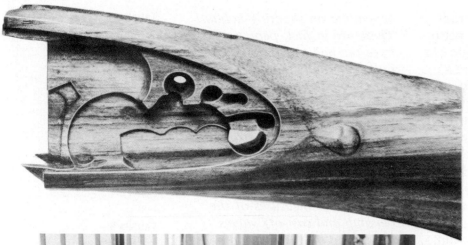

Ecco come si presenta un fianco a una impugnatura di doppietta destinato a ricevere un acciarino laterale sistema Holland & Holland. È questo lavoro molto delicato che richiede mestiere, abilità e sicurezza da parte dell'incassatore.

Side which is ready to receive a Holland & Holland side lock system. This is a very delicate work which has to be executed with great skill by the gun stocker.

Incassatore-calcista al lavoro. Il calcio di un'arma fine viene sempre fatta a mano, con particolare cura all'accoppiamento legno/metallo. L'officina è quella dei F.lli Piotti.

Gun stocker at work. The stock of a fine gun is always hand-made, and special attention is given to the metal-wood coupling. F.lli Piotti workshop.

Le venature del legno si possono manifestare in vari modi. Dall'andamento longitudinale a venature parallele, a disegni marmorei a linee verticali. Dipende anche dal taglio dell'abbozzo.

Wood grain may be displayed in various ways: longitudinal stripings, parallel streakings, marble-like patterns, vertical lines. It also depends on the wood cut.

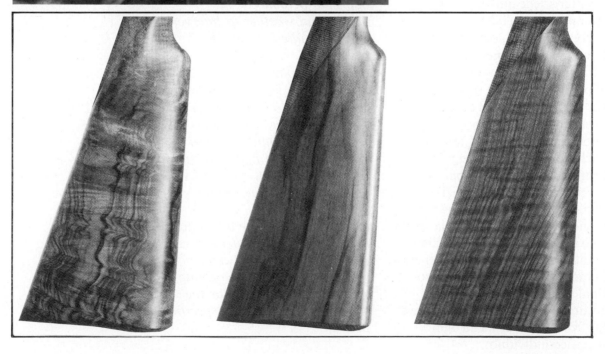

piuttosto ampi, e di pochi gradi quando il tiratore abbia un petto appiattito. Infine il vantaggio è la deviazione a sinistra o destra a seconda se un tiratore è dritto o mancino, e che varia anche in funzione delle abitudini di tiro. Esistono infatti persone che usano tenere l'arma molto esterna, quasi vicina al muscolo del braccio, mentre altri più interna, sui muscoli pettorali. Il primo avrà bisogno di un forte vantaggio, il secondo molto più ridotto o nullo. Le tabelle A e B indicano alcune misure approssimate dei valori di piega e vantaggio considerate le morfologie del tiratore. Come lunghezza del collo si intende la distanza dal centro della pupilla dell'occhio alla parte superiore della spalla dove si appoggia il calcio. La larghezza del petto è invece la distanza fra le attaccature delle braccia. Per determinare empiricamente se un fucile ha le pieghe corrette basta sparare d'imbracciata, senza mirare, alcuni colpi alla placca. Se il centro di queste rosate presentano caratteristiche uniformi, ad esempio troppo bassi o troppo alti, o troppo laterali, occorrerà intervenire sulle pieghe o sul vantaggio. Ritornando all'angolo di pitch, se questo è troppo ridotto per le morfologie del cacciatore, l'arma aumenta il suo impennamento al tiro, ferendo anche in alcuni casi lo zigomo del tiratore. Se invece è troppo accentuato si ha una rotazione del fucile verso il basso, in quanto il calcio tende a poggiare sulla spalla solo in alto. Come si può vedere la dinamica delle componenti in gioco è complessa, e il buon risultato finale dipende da uno studio accurato e approfondito che deve far "calzare" l'arma ad ogni specifico individuo.

depending on shooting habits. There are in fact, people who have the habit of keeping the gun quite externally, close to the arm muscle while others keep it more internally, close to the pectoral muscles.

The first shall need a strong cast-off, the second a reduced cast-off or none at all.

Tables A and B indicate some approximate measures of the bending and cast-off values depending on the morphologies of the shots.

The neck length is measured from the center of the eye pupil to the upper part of the shoulder, at the stock rest.

The width of the chest is the distance between the arm joints.

In order to determine empirically whether a shotgun has the right bendings, one should just hold the gun and shoot a few shots at the target without aiming.

Depending on the shots - uniform, too high, too lateral — one shall be able to understand whether to intervene on the bendings or on the cast-off.

Should the pitch angle be too short for the hunter morphology, the gun has a higher raising during the shot, sometimes wounding the hunter's cheek.

Should it be too high, the gun rotates downward since the stock tends to rest on the shulder only in its upper part.

As may be seen, the dynamics of the components involved is very complex, and a good final result depends on an accurate study which has to tailor the shotgun to every single specific person.

Tabella A

lunghezza del collo cm	pendenza al tallone mm	pendenza al nasello mm
20	63-65	39-40
19	60-62	37-38
18	58-59	35-36
17	57-58	34-35
16	56-57	33-34
15	55-56	32-33
14	53-54	31-32
13	52-53	30-31
12	51-52	29-30
11	50-51	28-29

Tabella B

larghezza del petto cm	vantaggio al tallone mm	vantaggio al becco mm
50-52	20	21
48-49	18	21
46-47	16	19
44-45	14	17
42-43	12	15
40-41	10	13
38-39	8	11
36-37	6	8
34-35	4	6
32-33	2	4

L'incassatore

Esistono delle macchine per fare i calci. Vengono fuori dei calci perfetti, levigati ma anonimi e non idonei all'impiego su armi fini. Il calcio di qualità viene sempre fatto a mano, partendo dall'abbozzo, studiando le venature ed avvicinandosi pian piano alla forma definitiva tenendo conto delle misure del cliente come sopra detto. Ma una parte importante è rivestita dall'incassatore, che talvolta è sempre lo stesso che sbozza il calcio, mentre altre volte può essere una persona diversa. L'incassatore cura il difficile accoppiamento legno-metallo, con particolare attenzione all'inserimento dal gruppo di acciarini-bascula. Nel caso delle batterie laterali (sistema H&H), l'incassatore dovrà scavare in prossimità dell'impugnatura l'alloggiamento per le batterie, in modo che queste una volta montate lavorino liberamente "in aria" senza impedimenti o frizioni negli intagli del legno.

È questo un lavoro difficile, da eseguire con meticolosità, mestiere e pazienza. Un buon incassatore dovrà avere la conoscenza dei vari tipi di noce, del loro diverso comportamento al taglio, del loro grado di essicamento, dell'andamento delle venature e del come affrontarle con lo scalpello. Dovrà inoltre saper sfruttare con intelligenza le zone di maggior bellezza del legno che sta lavorando e la cosa più importante, di far "sposare" alla perfezione le parti del legno con quelle metalliche. Una volta montate devono essere solidali, senza fessure o giochi né evidenti né occulti. L'adattamento di un acciarino laterale nella propria

The Gun Stocker

There are machines for the production of stocks. The stocks they produce are perfect and smooth but anonymous, and they are not suitable for fine guns. A quality stock is always hand-made: the wood-grain is carefully studied and it slowly takes shape keeping the customer's measurements into account as already mentioned above.

A key role is played by the gun stocker who may at times be the same person who made out the stock, while other times a different person.

The gun stocker follows the difficult wood-metal coupling, reserving special care o the insertion of the action-side locks unit. In case of side locks (H&H system), the gun stocker shall have to hollow a housing for the side locks close to the grip so that they work freely with no hinderance or friction in the wood carvings.

This is a difficult work which has to be executed carefully, skilfully and patiently. A good gun stocker shall have to know the different kinds of walnut woods, their behaviour during cutting, their drying degree, their wood-grain and how to wood-chisel them. He shall also have to know how to exploit the most beautiful areas of the wood he is working, enhancing the wood-metal coupling. Once assembled, they shall have to be integral with no slits or clearances. The insertion of a side lock into its housing shall have to be executed in various and repeated operations, always checking the colour (minium) on the metal parts which are being stocked and the pin housings, which always have to carry out a correct male-female

sede deve essere fatto con operazioni ripetute, controllando man mano il colore (minio) spalmato sulle parti in acciaio che si stanno incassando e che le sedi dei perni svolgano un corretto lavoro di maschio e femmina. L'incassatore è una di quelle figure tenute ingiustamente in ombra nel ciclo produttivo di un'arma di valore. Per gli addetti ai lavori però l'incassatore ha una importanza primaria, al pari di quella del ramponatore, del cannoniere e dell'incisore. Anche l'appassionato generico non conosce appieno il lavoro dell'incassatore e si sofferma il più delle volte sulla bizzaria e sul contrasto delle venature del legno o sulla finitura del calcio. Ma come vedremo molti sono gli aspetti che fanno la differenza fra un fucile ben incassato ed un solo curato in maniera sufficiente: aspetti sia funzionali che estetici. Il legno di un fucile attraversa grosso modo tre fasi di lavorazione: l'incassatura, la zigrinatura e la lucidatura. Ognuna delle tre fasi vede degli specialisti diversi pur se alcune volte l'incassatore esegue la lucidatura superficiale. Vediamo ora in dettaglio quali sono le tappe più importanti per calciare un fucile da caccia.

Esame dell'abbozzo

Per costruire un calcio di un fucile da caccia (o da tiro) di tipo fine si parte dal massello di legno di noce che deve presentare alcune caratteristiche di idoneità all'impiego.
Da un lato vi è l'esame estetico delle venature, del loro contrasto, della loro quantità e del loro andamento. Nella parte centrale e

function. Gun stockers are kept behind the scenes in the production cycle of valuable fine guns. But for the "operators", gun stockers are of the utmost importance, very much like gun bolters, gunners and engravers. General enthusiasts do not know the gun stocker's work in depth, and they dwell on the contrast of the wood-grain, or on the stock finishing.
But as we shall see, many are the aspects that make the difference between a well-stocked shotgun and a shotgun which is only just sufficiently cared for: we are talking about aesthetical and functional aspects.
The wood of a shotgun roughly goes through three working phases: stocking, checkering and polishing. Each of these three phases has to be carried out by different specialists, even though gun stockers very often carry out a surface polishing. We shall now deal with the most important stages of a hunting shotgun's stocking.

Examination of the rough draft

In order to construct a fine hunting or shooting shotgun's stock, one must start from the walnut wood block which has to have adequate characteristics for the use to which is destined.
On one side there are the aesthetical requirements of the wood-grain, of its contrasts and patterns.
In the centre or in the terminal parts, the wood grain may feature a vertical interlaced pattern, but in the first part which shall house the action, it is important that the pattern be horizontal so that it shall not

terminale le venature possono essere anche intrecciate con andamenti verticali ma nel primo tratto dove andrà a contenere la bascula è imperativo che la vena del legno sia orizzontale per non rompersi sotto l'effetto del rinculo. Legni molto venati e con occhi di pernice possono essere fragili e l'occhio esperto dell'incassatore saprà consigliare in proposito. Allo stesso modo si dovrà vedere se vi siano carie profonde e passanti: quelle superficiali si possono stuccare ma quelle passanti rendono inservibile l'abbozzo.

Riassumendo il massello di partenza dovrà avere doti sia estetiche che qualitative e per tale ragione sul mercato si trovano abbozzi di prezzo molto variabile: si parte dalle 30/50.000 lire per i legni bianchi privi di venature, alle 300/600.000 lire per quelli discreti per incassare Holland e Anson, alle 700/800.000 per quelli particolarmente scelti fino anche a raddoppiare questa cifra per legni eccezionali. È però un dato di fatto che i bei legni sono sempre più difficili da trovare e che i prezzi sono in costante aumento. Un tempo si usavano legni europei come il noce francese e quello nazionale. Ormai queste essenze sono introvabili e si acquistano partite dalla Turchia, da Paesi dell'est ed anche dall'America.

L'abbozzo poi dovrà presentare un giusto grado di umidità che deve essere compreso fra gli 8° e gli 11°. Il legno dovrà cioè essere stagionato e poiché non è più pensabile trovare abbozzi stagionati naturalmente di 20 o 30 anni fa così si ricorre ad una stagionatura

break under the effect of recoil. Woods featuring a very veined pattern and with BIRD EYE'S WALNUT may be frail, and an expert gun stocker shall be able to make important suggestions. He shall also have to see that there are no deep or through caries: the superficial ones may be plastered but the through ones make the block unusable.

Therefore, the wood block shall have to feature aesthetical and qualitative characteristics.

The market offers blocks of a wide price range: Starting from 30/50.000 Lire for white woods with no wood grain veinings, to 300/600.000 Lire for the woods which are suitable for Holland and Anson type stockings, up to 700/800.000 Lire for the particularly selected ones, doubling this price for the most excellent ones.

But, as a matter of fact, beautiful woods are increasingly more and more difficult to find, and prices are increasingly higher. European woods such as french walnut wood and national walnut wood were once used.

Now they are not available any more and wood is purchased from Turkey, from the Eastern countries, and from the United States.

The wood block shall also have to be of the correct humidity degree, which is between 8 and 11.

The wood shall have to be seasoned because it is impossible to find natural 20-30 year-seasoned wood blocks, therefore seasoning is carried out artificially in ovens and drying-chambers.

The wood is forced to release part

artificiale negli essicatoi e nei forni. In sostanza si "costringe" il legno a cedere parte dell'umidità che contiene per portarlo sui valori voluti. Questo è necessario per non far più muovere il legno una volta incassato. L'inconveniente però può sempre verificarsi poiché come si sa la fibra legnosa tende a modificarsi in funzione delle situazioni climatiche esterne. L'abbozzo di partenza da cui ricavare il calcio dovrà avere delle misure minime che sono le seguenti: spessore 50 mm per calci senza appoggiaguancia e 60 mm per calci con appoggiaguancia (esempio combinati, drilling etc.); lunghezza oltre i 45 cm ed altezza terminale (dove verrà ricavato il calciolo) di 15/16 cm.

Incassatura di calcio ed asta

L'incassatura ha di solito dei modelli di forme di calci standard che deve realizzare: all'inglese, a semipistola, a pistola e così via. Lo stesso dicasi per le misure dei diversi calibri: i piccoli calibri hanno proporzionalmente calci più piccoli rispetto al cal. 12. La maggior parte dei calci per doppiette e sovrapposti fini sono all'inglese e quasi sempre si tratta di armi con acciarini laterali. La prima operazione è quella di posizionare la sagoma del calcio da ottenere sull'abbozzo in modo da far rientrare le venature nella posizione più conveniente immaginandosi il risultato finale. Una volta tracciato con la matita la sagoma orientativa si taglierà con la sega a nastro i contorni e si avrà molto rudimentalmente una forma che si avvicina a quella definitiva avendo eliminato il legno che non servirà. Ricordo che l'incassatura di un fucile viene eseguita prima di

of its dampness in order to reach the desired values. This is necessary for the stableness of the wood once it is stocked. But inconveniences may always occur since wood tends to modify depending on the external climatic situations.

The wood block shall have to have the following minimum dimensions: thickness 50 mm for stocks without cheek piece, and 60 mm for stocks with cheek piece (i.e. combined, drilling, etc.); length: above 45 cm and terminal height (where the recoil-pad shall be executed) 15/16 cm.

Stock and Forend Stocking

Stocking generally has standard stock shapes: the English stock, the semipistol-hand gun stock, the pistol-hand stock, and so on.

This is also true for the measurements of the different gauges: small gauges have stocks which are proportionally smaller than gauge 12.

Most of the gun stocks for fine over and under and side by side shotguns are of the English type, and these kinds of guns usually have side locks.

The first operation is that of positioning the shape of the desired stock onto the wood block so that the wood grain pattern may be exploited in the most convenient way.

Once the shape has been outlined by means of a pencil, the outline shall be roughly cut by means of a belt saw and the wood in excess shall be removed.

The gun stocking is carried out before forwarding the action to the engraver, and the side-plate and guard screws are

Express parallelo della Famars
con canne ancora in bianco.

Express by Famars.

Il giovane incassatore Ugo
Sabatti nel suo laboratorio di Aleno.

Gun stocker at work.

mandare la bascula dell'incisore e quasi sempre le viti che tengono cartelle e guardia sono provvisorie. A questo punto si inizia ad incassare la bascula e le cartelle laterali, però con acciarini smontati. Contemporaneamente anche la guardia: il tutto tenendo presente le pieghe da far assumere al calcio ed il vantaggio laterale. Per scavare il legno nei particolari l'incassatore usa il minio (ossido di piombo), una sostanza rossa che gli permette di verificare quando le parti interne dei meccanismi toccano le parti in legno oppure no.

Una sostanza che serve per fare i riscontri poiché vi sono parti che debbono essere a stretto contatto con l'acciaio ed altre che lo debbono solo sfiorare. Facciamo alcuni esempi pratici. La cartella laterale non deve presentare aria sui bordi così come l'incassatura esterna della codetta di bascula e del sottoguardia. Non si debbono vedere imperfezioni o tentennamenti dell'utensile. Stesso discorso vale per l'asta con la croce e con il bordo metallico dello sgancio a pompa. Le cartelle debbono essere tenute al centro rispetto sottoguardia e codetta ed il profilo intorno le due cartelle deve essere uniforme e dagli spigoli vivi. Internamente la briglia potrà anche appoggiare contro il legno (anche se vi è chi preferisce non farla appoggiare) mentre il cane e la stanghetta di sicurezza non dovranno assolutamente sfregare. Per quanto riguarda le molle a lamina dell'acciarino queste potranno toccare sul perno ma non nella rimanente porzione. Per controllare come è stata eseguita una incassatura su un fucile fine basta togliere un'acciarino e vedere come sono i profili interni. Nel

almost always provisional. At this point the stocking of the action and of the side plates begins, but with dismounted side locks. And also of the guard: always keeping in mind the bendings and the lateral cast-off that the stock has to feature. In order to hollow the wood for the details, the gun stocker uses minium (red lead oxide), a red substance which allows him to verify whether the internal parts of the mechanisms touch the wooden parts or not. This is an important substance for this kind of controls, since there are parts that have to be in close contact with the steel and others that only have to touch it. Here are some practical examples. Side plates do not have to have spaces on their edges, exactly like action and guard bottom tangs. No imperfections should be present. The same is true for the forend and tumblers and with the metal border of the Anson forend. The side plates have to be kept in the centre with respect to the guard bottom and the tang and the profile around the two side plates has to be uniform and sharp-edged. Internally the bridle may rest against the wood (even though some people prefer not to let it rest on it), while the cock and the safety sear absolutely do not have to scrape.

As far as the V-springs of the side locks are concerned, they may touch on the pin, but not in the remaining portion. In order to check the execution of a fine gun stocking, one should remove a side lock and take a look at the internal profiles. In the past, the English and the Belgians were excellent gun stockers. The English used to coat the inner walls of the side locks with a special varnish so that the

Ecco come si presenta l'abbozzo
di noce massello dal quale verrà
ricavato il calcio di un fucile da
caccia o da tiro.

Rough walnut piece of wood for.
gun stock.

Una figura orientativa del calcio
da ottenere viene sovrapposta
all'abbozzo per far rientrare la
parte migliore delle venature.

The first step is the choiche of
better wood grain figure.

89

passato inglesi e belgi incassavano molto bene. Gli inglesi usavano dare una vernicetta impegnante all'interno delle pareti degli acciarini in modo che il legno non assorbisse umidità e non si gonfiasse compromettendo magari il funzionamento dello stesso. Una incassatura veloce la si può ottenere ricavando una scatoletta uniforme tale da ospitare l'acciarino mentre una incassatura più curata prende la forma speculare dell'acciarino. Una volta incassata la bascula si sgrossa il calcio con la lima e con il coltello a due manici ricavando nel contempo i valori di piega e vantaggio. Poi si inizia a carteggiare con carta vetrata grossa passando successivamente a quella più fine. Nel rifinire gli alloggiamenti per le cartelle laterali occorre stare molto attenti a non smangiare con la carta vetrata i bordi e gli spigoli vivi: per questi è meglio usare una lima apposita con pazienza e mano sicura.

Per realizzare calcio ed asta di un fucile tipo Holland & Holland occorare circa una settimana di lavoro mentre per un modello Anson circa tre giorni. Il lavoro dell'incassatore termina con le parti carteggiata a tela fine ma ancora da lucidare. La lucidatura può essere eseguita in diversi modi sia dallo stesso incassatore che da altre persone specializzate.

La zigrinatura

La zigrinatura realizzata manualmente può essere fatta con diversi schemi e diversi spessori delle cuspidi (passo). Si usano due utensili uno per tracciare i bordi esterni più marcati ed un'altro per raschiare la parte centrale da zigrinare. Il passo dello zigrino parte dal valore di 0,8 mm per

wood would not absorb dampness and would not swell.

A quick stocking may be obtained by making a uniform boxlike housing in order to house the side lock, while a better stocking has the specular shape of the side lock.

Once the action has been stocked, the stock has to be rough-shaped by means of a file and a double-handled knife, thus obtaining bending and cast-off values.

Then the wood is sandpapered with thick sand paper at first, and subsequently with thin sand paper.

When finishing the housings of the side plates, it is extremely important to pay attention to the edges and to the corners which should not be rounded-off.

These areas should be finished with a special file and with patience. In order to realize the stock and forend of a Holland & Holland type shotgun, it takes approximately a week's work, while for an Anson type shotgun it takes roughly three days.

The stocker's work ends with the fine-sandpapered parts, which still have to be polished.

Polishing may be carried out in different ways by the very same stocker or by another specialized person.

Checkering

Hand-made checkering may be executed with different schemes and different cusp thicknesses (pitch).

Two tools are used: one for the external and more marked borders, and one for the scraping-off of the central part that has to be checkered.

Parte interna di una incassatura di doppietta ad acciarini laterali. Il lavoro, se ben eseguito, è complesso e richiede molta competenza e bravura da parte di chi lo esegue.

The stocker must have good skill to fit the side lock in the wood.

Asta di sovrapposto incassata ed ancora da finire. Notare la perfezione degli accoppiamenti legno-metallo.

Over and under forend. Note the perfection between wood and metal part.

Anche l'asta viene sgrossata da un massello di legno con venature e colorazione simili a quelle del calcio.

First step in fitting over and under forend.

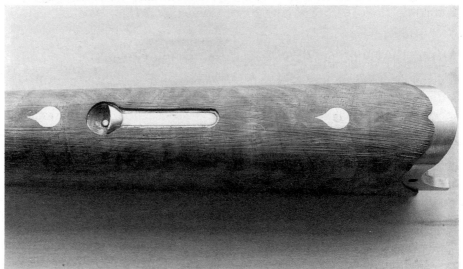

passare a quello più diffuso di 1 mm e quindi i più larghi 1,25; 1,35; 1,45 mm etc. Prima viene tracciato la forma esterna e quindi piano piano si procede al lavoro definitivo.

Vi può essere la zigrinatura uniforme, quella scozzese, la piattina con zigrini, più o meno marcati e così via. La zigrinatrice dovrà stare attenta ad andare diritta e a non uscire dai bordi laterali.

Guardando attentamente una zigrinatura si potrà estrapolare la bravura e la cura di chi l'ha eseguita.

Per eseguire con scrupolo la zigrinatura di calcio ed asta occorrono circa 3/4 ore di lavoro.

Attrezzatura e prospettive

L'attrezzatura di un incassatore è fatta di semplici utensili ma molto specializzati. Per incassare una doppietta ad acciarini laterali occorrono non meno di 30 scalpelli dalle varie forme, sega a nastro, coltello dai due manici, lime da quella da grosso alle più fini e carte vetrate con tele da 120/150 alle 500/800 (extra-fini). Il mestiere dell'incassatore è difficile da apprendcre e deve avere una componente di passione e di predisposizione. Sono pochissimi i giovani che intraprendono questa carriera e in tutta Gardone si contano sulle dita di due mani gli incassatori ad alto livello. Un mestiere che tenderà a scomparire? Questo ce lo dirà solo il tempo, un destino che si accomunerà ai pochi costruttori di armi fini e che già si è verificato in passato per gli inglesi e i belgi.

The checkering pitches start from a value of 0.8 mm up to the commonest pitch of 1 mm, and up to the thicker ones of 1.25, 1.35, 1.45 mm.

The external part is outlined first, and then the final work is carried out.

Checkering may be uniform, Scottish, and so on.

Checkering has to be carried out straight, without going beyond the side edges.

By carefully looking at a checkering, it is possible to figure out the skill of the person who executed it. In order to carry out a good checkering of a stock and forend, it takes 3/4 hours of work.

Tools and Prospects

The tools of a stocker are simple yet very specialized.

In order to carry out the stocking of a side by side shotgun with side locks, a stocker needs not less than 30 different chisels, a belt saw, a double-handled knife, thicker and thinner files, and 120/150 gauge sand papers up to 500/800 gauge sand papers (extra fine).

The job of a stocker is very difficult to learn, and it requires enthusiasm and a bent for it.

Very few are the young people who choose this career, and high-level stockers may be counted on the fingers of two hands in Val Gardone.

Is this a job which will tend to disappear? This may be only discovered in time.

Alcuni dei numerosi utensili usati dall'incassatore.

Some stocker tools.

La zigrinatura inizia con la tracciatura dei bordi esterni e del disegno che si intende adottare.

First step in checkering.

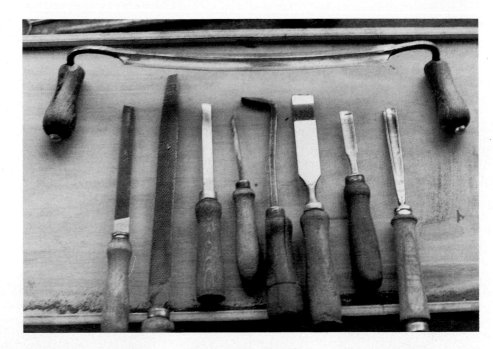

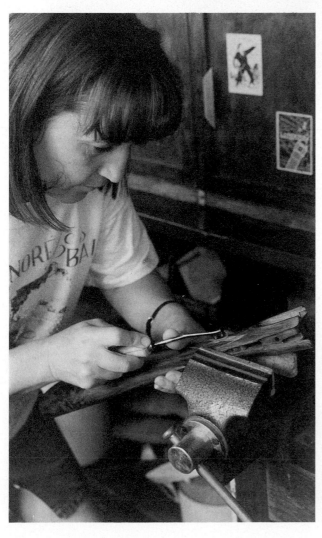

Notare lo scavo nel legno per alloggiare l'acciarino.

Note the wood hollow which is going to house the lock.

Sovrapposto Daytona della S.A.B.

S.A.B. over and over.

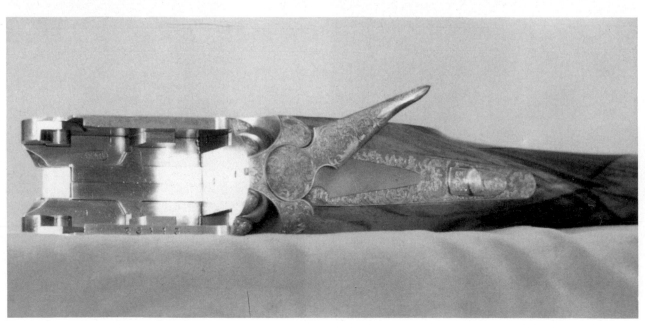

Gli acciarini

In precedenza abbiamo visto la differenziazione fra acciarini alloggiati all'interno della bascula (tipo Anson) e quelli montati su piastra laterale (tipo Holland). Questi due sistemi e derivati rappresentano le batterie a cani interni o "hammerless". Ancora diffuse però le doppiette a cani esterni, sistema che si può trovare più diffusamente sulle doppiette giustapposte ma anche su qualche sovrapposto.

La doppietta a cani esterni si richiama più alla tradizione, un certo concepire l'attività venatoria forse con una dote maggiore di sportività, sicuramente in antitesi con il fucile semiautomatico così in voga oggi. A sentire parlare certi anziani cacciatori ancora legati alla doppietta a cani esterni si apprende che i due cani faciliterebbero anche un allineamento automatico sul bersaglio, invitando l'occhio ad insidiarsi fra queste limitazioni laterali. Poi ancora una maggiore visibilità sull'armamento del cane ed eventuale armamento solo in prossimità della necessità dello sparo. Anche nei cani esterni gli acciarini possono essere a molla avanti o a molla indietro (più diffusi). In questi ultimi la bascula rimane integra e quindi offre tutta la propria robustezza nel tempo. Se gli acciarini sono ben realizzati si possono avere scatti dolci anche in un cani esterni e poi c'è un discorso estetico da tenere in considerazione, come la forma del cane e delle due conchiglie, a volte vere e proprie opere d'arte.

Ma pur essendo un'arma efficace e piacevole è una realtà che l'hammerless dal proprio apparire abbia ottenuto sempre maggiori

Side Locks

We previously dealt with the differences between locks which are housed inside the action (Anson type) and those which are mounted on the side plates (Holland type). These two systems and their derivatives represent the internal cock or hammerless box locks. Side by side shotguns with external cocks are still diffused, and this system may also be found on some over and under shotguns. The external cock side by side shotgun is more traditional, and it recalls a conception of hunting with a greater amount of sporting activity, which is in antithesis with the semiautomatic shotguns which are so common nowadays. When one hears certain old hunters who are still very fond of their external-cock side by side shotgun, talk, one learns that the two cocks simplify an automatic alignment onto the target, inviting the eye in the middle of those two side limitations. And there is a better visibility on the cock arming and arming may be carried out when fire is needed. External gun cocks may be supplied with front spring locks or with back spring locks (most common). In the latter, the action remains intact, thus offering all its soundness in time. If the locks are well-executed, trigger pulls may be light even in an external-cock shotgun. Besides, aesthetically speaking, the cock and the two shells are, at times, real works of art. Even though it is a pleasant and effective gun, as a matter of fact the hammerless shotgun has been increasingly appreciated since its appearance obtaining total leadership as far as over and under shotguns are concerned and remaining an

95

consensi, riscontrando la totale leadership per quanto riguarda i sovrapposti e rimanendo solo come "opzione" su cataloghi di fabbricanti di armi fini ma anche di normali armi da caccia. Numerosi sono però i collezionisti che custodiscono gelosamente i propri modelli di cani esterni, magari delle stesse marche delle prestigiose Case inglesi, belghe o italiane conosciute pure per gli hammerless. Infatti nomi come Holland & Holland, Purdey, Thirifays, Zanotti ecc. hanno costituito nel tempo dei veri capolavori a cani esterni.
L'acciarino montato su cartella laterale può essere del tipo a molla avanti o a molla indietro. Nei normali fucili a pallini solitamente è del tipo a molla avanti, mentre negli express a canne rigate è possibile riscontrarli a molla indietro, per non scavare nei fianchi di bascula che rimangono in tal modo più rigidi. Inoltre possono essere di tipo fisso oppure smontabili a mano. Gli acciarini smontabili a mano consentono una rapida ispezione e pulizia, però occorre l'avvertenza nel rimontarli per non scalfire le cornici del calcio usurando o asportando scheggie di legno. Quelli fissi sono ancorati al legno tramite viti che occorre rimuovere per procedere al loro smontaggio. Per vedere se un'arma è stata rimaneggiata più volte si potrà osservare lo stato dei tagli di queste viti, se sono spannate o ancora con spigoli vivi. Per effettuare queste operazioni esistono appositi cacciaviti che non rischiano di spannare la testa della vite. È sconsigliabilissimo usare cacciaviti generici che sicuramente rovinerebbero l'intaglio. Per un senso estetico e

option in the catalogues of fine gun and hunting gun makers. Many are the collectors who jealously guard their external-cock models which are sometimes of the very same English, Belgian and Italian gun makers who are also known for their hammerless shotguns. Infact, gun makers such as Holland & Holland, Purdey, Thirifays, Zanotti etc., constructed, in time, external-cock models which are works of art. The locks mounted on the side plates may be supplied with a front or back spring. Normal shotguns are usually supplied with front springs while rifled-barrelled express shotguns may also be found with a back spring in order not to have to hollow the action sides which, in this way, remain stiff. Besides, they may be of a fixed type or hand-detachable. Hand-detachable locks allow a quick inspection and cleaning, but it is necessary to be careful during reassembly in order not to scratch the stock frames by wearing or removing wood splinters. The fixed ones are secured to the wood by means of screws that have to be removed when disassembling. By checking the state of the screws — if they are ruined or not, and if the corners are still sharp — it is possible to know whether the gun has been rehandled various times or not. In order to carry out unscrewing operations without ruining the screw head, there are special screwdrivers. It is suggestable never to use normal screwdrivers which would certainly ruin the screw slot. For aesthetical and fineness purposes, screws should be fixed horizontally, and not randomly (including pin and action bottom screws). Hand-detachable locks

Doppietta con acciarini tipo Holland & Holland priva di cartella. Notare la complessità dell'incassatura nel legno. Arma dei F.lli Piotti.

F.lli Piotti side by syde without side lock.

Batteria di sovrapposto Perazzi.

Special lock of Perazzi over and under.

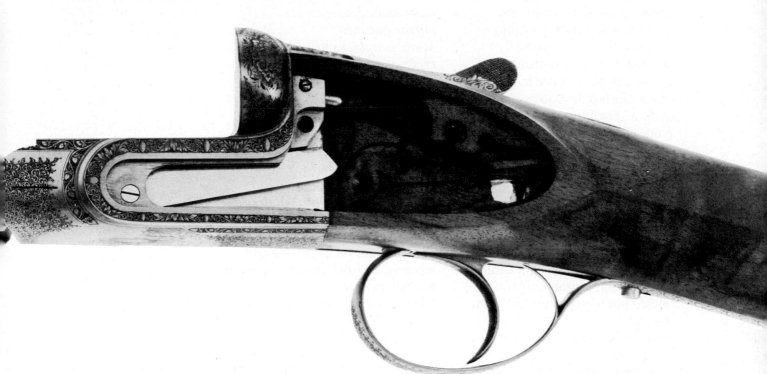

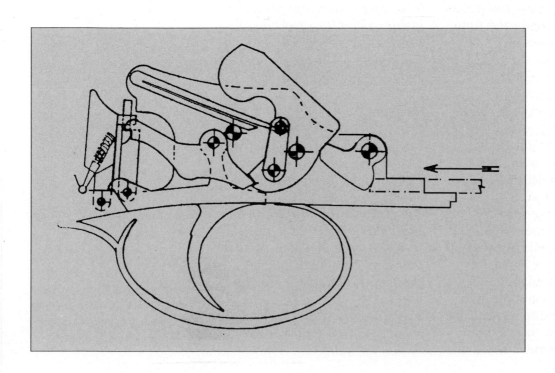

di finezza è bene che le viti degli acciarini siano fissate in senso orizzontale e non a caso (pure quella dei perni del petto di bascula). Gli acciarini smontabili a mano dovrebbero essere anche una garanzia di ineccepibilità di fattura, poiché tutti possono rimuoverli ed esaminarne funzionamento e finitura. A questo proposito tutte le parti dell'acciarino devono essere tirate quasi a specchio, molti non gradiscono la finitura "a bastoncino" (cioè tanti piccoli cerchi di gradevole estetica) poiché è più facile mascherare imperfezioni di lavorazione. Inoltre gli elementi dell'acciarino come il cane e le stanghette devono lavorare con un po' di aria, cioè non perfettamente a contatto tra loro per non causare attriti. Su questo punto però non tutti sono d'accordo, poiché una precisa lavorazione meccanica esige tolleranze ristrette.

Ci sono anche acciarini i cui perni sono ricavati dal pieno, cioè esternamente non si notano perni passanti e viti ma sembrano finte cartelle (es. Zanotti mod. "Thomas"). Questo oltre che a dover effettuare maggiori lavorazioni poiché occorre "sgrossare" i supporti per i perni della cartella permette di effettuare incisioni più pulite ed impedisce l'entrata di polvere o umidità. Dal punto di vista dell'incisione le armi con cartelle laterali presentano maggiore spazio e quindi sono più idonee rispetto ad un Anson. Però sugli Anson vi è la possibilità di mettere le piastre cosiddette "finte", in modo da sembrare degli Holland pur non essendoli. In tal modo ne acquista l'estetica, anche se ancora una volta questa soluzione non trova

should also be a guarantee of their own fine execution since anyone may remove them and examine their state of finishing and functioning.
All the various parts of the locks should be almost mirror-polished.
Many people do not like other types of finishings such as the pleasant finishing with many small circles because it is easier to cover working imperfections in this way.
Besides, lock elements such as the cock and the sears have to work with ease, and not directly in contact with one another in order to avoid causing friction.
However, many do not agree with this opinion, because an exact mechanical work requires limited tolerances.
There are locks whose pins are obtained from a solid piece. Externally, through pins and screws are not noticeable but they look like plates (i.e. "Thomas" Zanotti model).
This, apart from involving a greater amount of workings because it is necessary to work plate pin supports, allows a better engraving quality and avoids the entry of dust and dampness.
From an engraving point of view, side-plate guns are supplied with a greater space and are therefore more suitable compared to an Anson type gun.
But Anson guns have the possibility of application of the so-called "false" plates, so that they may look like Holland shotguns even though they are not.
Therefore, they are aesthetically enhanced, even though this solution is quite controverse.

Cartella con perni ricavati dal pieno (quindi non passanti). Richiede una lavorazione più complessa dei tradizionali acciarini.
Arma di Abbiatico & Salvinelli.

Side plate with full pins (not through pins). It requires a working which is more complex compared to the traditional locks. Shotgun by Abbiatico & Salvinelli.

98

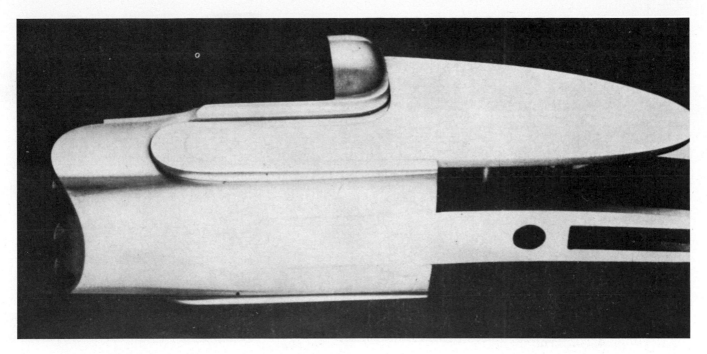

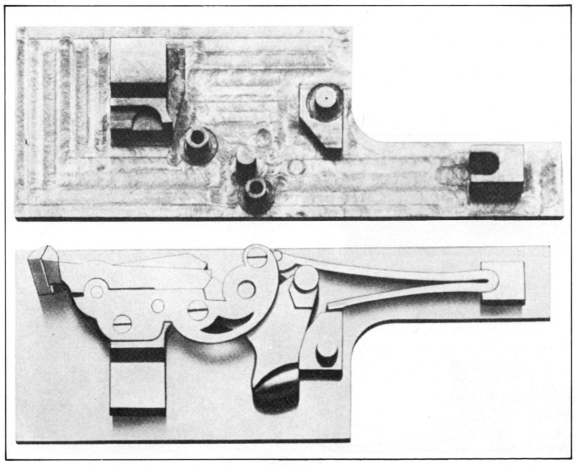

L'acciarino di Holland & Holland nell'hammerless del 1883.

L'acciarino di Scott del 1880. Venne poi ripreso e perfezionato dalla H&H.

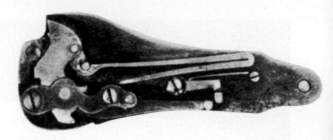

Due acciarini 'classici' della Holland & Holland per il loro "Royal". Dotati di stanghetta intercettatrice (o di sicurezza) sono stati copiati o comunque come esempio da numerosi altri costruttori.

Altro acciarino del secolo scorso. È di un'arma di Charles Lancaster realizzata nel 1895.

L'acciarino di Stephen Grant del tipo o molla indietro.

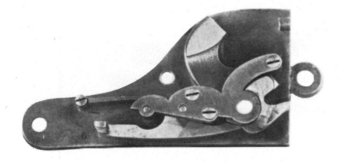

L'acciarino del "self-cocking" di Woodward.

Il primo tipo di acciarini della Westley Richards del 1897.

Acciarino di Westley Richards senza percussore incorporato.

Acciarino più recente di una doppietta di Westley Richards non box-lock ma con piastre laterali. Notare le rifiniture impeccabili.

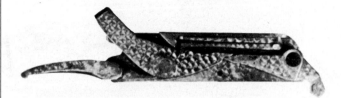

Un acciarino realizzato dal gruppo di Ferlach. Alcune parti sono dorate.

Un acciarino realizzato dal gruppo di Ferlach. Alcune parti sono dorate.

Un acciarino di Fabio Zanotti del 1930.

L'acciarino di Fabiyo Zanotti mod. 34.

Versione di Renato Zanotti.

Versione più recente di Stefano Zanotti.

Due acciarini di Abbiatico e Salvinelli (Famars).

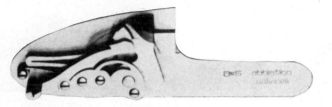

L'acciarino dei F.lli Ponti.

Acciarino Franchi per la doppietta Imperiale Montecarlo.

Acciarino Vincenzo Bernardelli per le doppiette più fini.

Accirino dei F.lli Gamba-Notare la molla a spirale.

Versione brevettata di Renato Gamba per i modelli Ambassador.

L'acciaiarino Beretta per i sovrapposti 'SO'.

Un acciarino Toschi a molla avanti per doppietta a cani esterni.

L'acciarino di Ivo Fabbri.

Acciarino della Ferib per la doppietta mod. "Esposizione".

L'acciarino brevettato dei F.lli Rizzini.

Acciarino montato sulle doppiette di Beschi.

Versione di Angelo Zoli.

Acciarino dei F.lli Bertuzzi. Ne realizzano uno anche con imperniature tipo "Boss".

L'acciarino di Perugini-Visini. Le parti interne sono dorate.

tutti d'accordo. L'Anson con finte piastre rappresenta un "voglio ma non posso" e quindi poiché oggigiorno l'Anson è considerato meno fine dell'Holland è un volere emulare il modello superiore senza per questo eguagliarlo.

Personalmente non sono di questo parere, anzi sia i normali Anson che quelli con finte piastre sono armi se ben fatte molto fini. L'unica finitura che eviterei è quella di mettere dei finti perni, come se effettivamente alloggiassero gli acciarini sulle cartelle. In questo caso si tratta effettivamente di voluta emulazione non sempre di buon gusto.

Esistono anche delle batterie diverse dalle Anson o dalle Holland Holland, come quelle di alcuni sovrapposti montate sopra i grilletti e smontabili a mano (es. Perazzi e Gamba). Solitamente nelle batterie vengono usate molle a V realizzate con acciai specifici in modo che non perdano nel tempo la loro energia di compressione, però vengono usate anche molle a spirali, ugualmente efficaci anche se meno "nobili" e quasi sempre disdegnate dai costruttori di armi fini. Comunque anche il costruire molle per armi è un compito non facile e al pari delle canne ci sono differenze notevoli e "trucchi" più o meno razionali che ormai fanno parte della storia del fucile da caccia. Gli acciarini comunque hanno il compito di percuotere l'innesco della cartuccia e far partire il colpo, quindi è sempre bene avere una percussione rapida, cioè la frazione che intercorre fra quando si preme il grilletto e quando parte il colpo deve essere la più breve possibile, soprattutto se si spara al volo. In questo le batterie si

Many believe that Anson guns with false side plates represent an emulation of the superior Holland-type shotgun without equalling it.

I personally am not of this opinion. I believe that both normal Anson models and the ones with false side plates are very fine guns if well-realized.

The only finishing I would avoid is that of the false pins. In this case they represent a wanted emulation which may not be of good taste.

There are box-locks which differ from the Anson and Holland & Holland types, such as those of some over and under shotguns which are mounted on top of the trigger and are hand-detachable (i.e. Perazzi and Gamba).

Usually box-locks include V-springs made out of special steels which do not lose their compression energy in time, but spiral springs, which are equally effective, are also used even though they are less "noble" and very seldom used by fine gun makers.

Anyhow, the construction of gun springs is not an easy job, and, as for the barrels, there are remarkable differences and "tricks" which are now part of the hunting shotgun's history.

Locks have the function of striking the trigger of the cartridge and of firing the shot.

Therefore it is always better to have a quick strike: that is, the fraction of time between the trigger pull and the fire shot has to be as short as possible, especially when pigeon shooting.

This is where box-locks differ depending on their construction concepts: the more they are sophisticated, the slower thay are. A very quick box-lock is

differenziano fra loro a seconda dei concetti costruttivi: di solito più sono sofisticate e più sono lente. Una batteria velocissima è quella del sovrapposto IAB (ideato da Fabio Zanotti) che ha molle a spirale e percussori diretti comandati dal grilletto. Pubblichiamo comunque una carrellata di acciarini delle Case più famose in modo che il lettore possa farsi un'idea circa le relative differenze.

Le canne

Le canne sono una parte importantissima in un fucile, sia questo da caccia che da tiro. Per alcuni addirittura la parte più importante. È noto che W.W. Greener introdusse il concetto di strozzatura già alla fine del secolo scorso e da allora a livello morfologico le canne sono rimaste più o meno le stesse.
Certo si sono avuti perfezionamenti nei materiali, nei macchinari di lavorazione però le canne ancora tutt'oggi conservano parte di quel misterioso fascino che permea la costruzione del fucile fine. Si dice che due canne uguali non spareranno mai perfettamente nello stesso modo, che anche i costruttori più esperti difficilmente riescono a fare canne tutte al massimo livello. Ma bisogna intendersi sul concetto di sparare bene.
In un fucile a canne lisce le rosate devono essere uniformi alle diverse distanze e specialmente tra i trenta ed i quaranta metri, a seconda della strozzatura, devono "mettere" bene. In pratica nella rosata non si devono notare dei vuoti tali da lasciare passare incolume la preda (o il piattello d'argilla) e devono pure conferire

that of the IAB over and under shotgun (conceived by Fabio Zanotti), which is supplied with spiral springs and direct strikers controlled by the trigger.
We shall deal with various types of locks so that the reader may form his own idea on the various differences.

The barrels

Barrels are a very important part of a shotgun, no matter whether we are dealing with a hunting or a shooting shotgun.
Some people believe they are the most important part. W.W. Greener introduced the choke concept at the end of the past century and since then, barrels remained quite the same from a morphological point of view.
Of course, materials have been perfected, and so have the the tools and the machines, but up till today barrels still have that mysterious fascination linked to fine gun construction.
It is commonly believed that two identical barrels shall never perfectly shoot the same way, and that even the best and most skillful makers almost never succeed in making all their barrels at their top level.
But first it is necessary to be clear on the concept of "shooting well".
In a smooth-barrelled shotgun, shot patterns have to be uniform at the various distances, especially between thirty and fourty metres, depending on the choke, thay have to have a good density of pattern in killing circle. The shot pattern should not have gaps which would let the prey (or the

il giusto grado di penetrazione dei pallini. Altro discorso invece per la precisione e per la sovrapposizione delle rosate in un fucile a due canne e in una doppietta a canne affiancate in particolare. Ma di questo parleremo in seguito.

Per una canna ad anima rigata sparare bene significa avere il doppio attributo della giustezza e della precisione. La precisione, come indica il termine, consiste nel mettere il colpo esattamente nel punto mirato, mentre la giustezza è un concetto legato al binomio arma/munizione e che si riferisce alla necessità di mettere ripetuti colpi sempre nello stesso punto. In altri termini se noi miriamo ad una certa distanza ad un punto preciso e spariamo diversi colpi otterremo una rosata che in teoria dovrebbe essere di un solo buco ma che in pratica può essere circoscritta in un cerchio di diametro variabile e dipendente tra l'altro da diversi fattori. Comunque più è ristretta questa rosata più il fucile è giusto. Errori di precisione possono essere corretti ma errori di giustezza saranno sempre aleatori ed accompagnerà l'arma per tutta la propria esistenza.

Questi concetti andrebbero approfonditi adeguatamente ma ci porterebbero fuori strada, poiché al momento vogliamo concentrare la nostra attenzione prevalentemente sulle armi liscie.

Quindi nelle canne sono importanti il materiale con cui si costruiscono, la precisione di lavorazione della finitura interna ed esterna, la concentricità della circonferenza esterna e dell'anima interna, l'andamento del profilo interno dell'anima, il sistema di accoppiamento delle due canne fra loro, le lavorazioni aggiuntive e protettive come la raddrizzatura,

clay-pigeon) pass unscathed, and the fire shots should have the right degree of penetration.

The argument is different for the precision and the superimposition of the shot patterns in a double-barrelled shotgun, and especially for a side by side shotgun. But we shall deal with this topic later on.

In order to shoot well, a rifled barrel shoud be right and precise. Precision consists in sending the shot exactly in the aimed place while rightness is a concept linked to the dual concept arm/munition which refers to the need of placing repeated shots exactly in the same point.

In other words, if we aim at a precise point from a certain distance and we fire various shots, we shall obtain a shot pattern which should in theory be of one single hole, but which in practice may be circumscribed in a circle having a varying diameter depending on different factors.

The more this shot pattern is restricted, the more the shotgun is right. Precision errors may be corrected but rightness errors shall accompany the gun throughout all its life.

These concepts should be examined in depth, but we would not be dwelling on the topic of smooth guns.

Therefore the material with which they are constructed, the working precision of the internal and external finishings, the concentricity of the external circumference and of the inner centre, the progress of the inner profile of the centre, the coupling system between the two barrels, the additional workings such as straightening,

la convergenza, la saldatura delle bindelle; la brunitura esterna e l'eventuale cromatura interna. È logico che parliamo sempre di un fucile a due canne. Si possono vedere quindi quanti e quali parametri influiscano sul risultato finale delle canne.

Inglesi e belgi sono stati maestri nella lavorazione delle canne (un grande nome è stato quello di Kilby) ed anche nomi di primo piano nazionale come Zanotti e Toschi facevano venire da quei luoghi le canne da montare sui propri fucili.

Attualmente le cose sono cambiate e le maggioli industrie nazionali se le costruiscono in casa, mentre gli artigiani si servono prevalentemente da fornitori esterni per canne che poi "rifiniscono" con accuratezza per proprio conto.

Invece per le canne rigate ci si rivolge ancora al mercato estero, perloppiù a costruttori tedeschi ed austriaci anche se da qualche anno pure in Italia si costruiscono canne rigate. Però l'arma rigata non appartiene in toto alla nostra cultura armiera e venatoria e quindi le cose più fini vengono fatte ancora nei paesi citati.

All'inizio del secolo come al solito gli inglesi emergevano sopra a tutti, sia nella costruzione di carabine ad una canna sia soprattutto nella produzione di express per caccia grossa a due canne rigate affiancate. La difficoltà nella costruzione di questo tipo di arma consisteva nella regolazione delle due canne, che dovevano sparare nello stesso punto ad una data distanza. A questo scopo esistevano dei maestri chiamati barrel regulator che con metodi empirici di prova

convergence, rib welding; external blueing and a possible internal chromium plating are all very important factors for the barrels.

Of course, we are always talking about double-barrelled shotguns. From this, one may realize the quantity and nature of the parameters which influence the final result of the barrels.

The English and the Belgians have been great masters in the construction of barrels (Kilby has been a great name) and important national gun makers such as Zanotti and Toschi had their barrels sent from those countries in order to mount them onto their shotguns.

At present things have changed, and the major national industries construct them in-house, while craftsmen prevailingly purchase them from external suppliers, and they accurately finish them themselves.

Rifled barrels are still mostly purchased abroad, especially from Gremany and Austria, even though Italy began producing them a few years ago.

Anyhow, rifled guns do not belong to our hunting and gun culture, therefore the finest rifled barrels are still being produced in the overmentioned countries.

At the beginning of the century, the English stood out in the construction of single-barrelled rifles and of big-game hunting express side by side rifled shotguns. The difficulty in the construction of this kind of guns consisted in the adjustment of the two barrels which had to shoot at the same point from a certain distance. For this purpose the

ed errore seguivano manualmente e con pazienza la realizzazione di ogni arma.

La famosa Casa inglese Holland & Holland introdusse alcune innovazioni nelle canne per fucili. Alla fine del secolo scorso realizzarono una doppietta cal. 16 che in virtù dei particolari andamenti dei profili interni dell'anima riusciva a sparare in modo alquanto allargato a breve distanza (20 yards) e in modo alquanto ristretto a lunga distanza (40 yards) con penetrazione dei pallini superiore ad un cal. 12. Di primo acchito può sembrare una cosa in contraddizione con se stessa e non possibile da realizzare praticamente, però esistono testimonianze e prove documentate che si possono ottenere simili risultati appunto studiando i profili interni già citati ed il grado di strozzatura finale.

Un'altra innovazione fu quella del fucile Paradox, con l'estremità della canna rigata (nella porzione dove solitamente esiste la strozzutura) in grado di sparare altrettanto bene a palla e pallini. A pallini sparava come un normale fucile dotato di mezza strozzatura o di strozzatura cilindrico-modificata e a palla riusciva a piazzare a 90 metri dieci colpi in un cerchio di meno di dieci centimetri di diametro. Era realizzato in diversi calibri, tra cui il 12 magnum ed il 10 per sparare a palla a grossi animali e fu usato con successo su tigri come su pachidermi africani, con il vantaggio di poter esercitare la caccia minuta. Di queste armi ne è stata sospesa da decenni la produzione ma non c'è dubbio che si trattasse di una soluzione veramente intelligente per l'epoca

realization of every gun was patiently and accurately followed and tested by "barrel regulators", who were masters in this technique.

The famous English Gun Maker Holland & Holland introduced a number of gun barrel innovations.

At the end of the past century, this gun maker realized a 16 gauge side by side shotgun that succeeded in shooting wide shots at a very short distance (20 yards) and narrow shots at a long distance (40 yards) with a shot penetration higher than a 12 gauge.

At first this may seem an impossible contradiction which could not be practically realized. But there is literature and evidence that such results may be attained by studying the overmentioned internal profiles and the final choke degree.

A further innovation concerns the Paradox shotgun, with a rifled barrel end (in the area where the choke may be usually found) which shoots well both with pellets and with bullets.

When employing pellets, it shot like a normal shotgun supplied with a half-choke or modified cylindrical choke, and when employing bullets it succeeded in placing ten shots in a circle of less than 10 centimeters in diameter from a distance of 90 metres. It was realized in different gauges, among which 12 magnum and 10 for big-game bullet-shooting, and it was successfully used on tigers and on African pachyderms, with the advantage of having the possibility of being used also for small game hunting. The production of this kind of gun has been discontinued

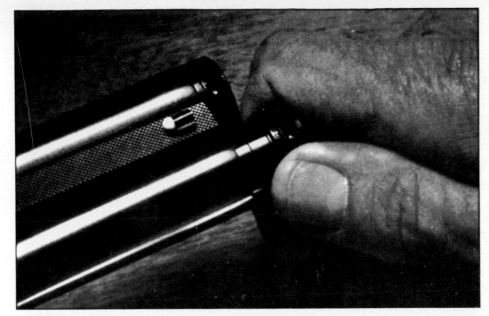

Le strozzature sono molto importanti nel fucile da caccia moderno. Attualmente si costruiscono canne con strozzatori intercambiabili, ma questo sistema, anche se pratico, non ha la precisione e l'affidabilità delle strozzature fisse.

Moving chockes on side by side gun.

Schema di foratura di una canna con punta a cannone.

Way to drill internal part of the barrel.

Nomenclatura delle parti interne di una canna.

Shapes of internal part of the barrel.

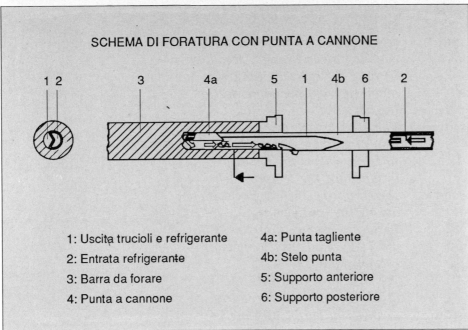

SCHEMA DI FORATURA CON PUNTA A CANNONE

1: Uscita trucioli e refrigerante

2: Entrata refrigerante

3: Barra da forare

4: Punta a cannone

4a: Punta tagliente

4b: Stelo punta

5: Supporto anteriore

6: Supporto posteriore

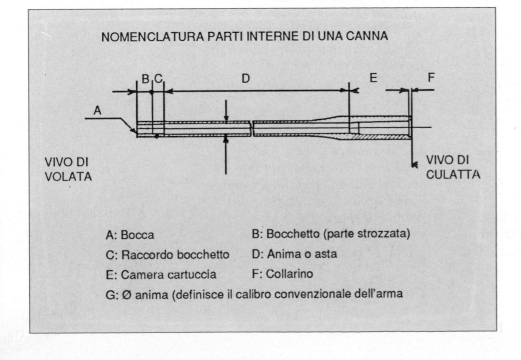

NOMENCLATURA PARTI INTERNE DI UNA CANNA

VIVO DI VOLATA

VIVO DI CULATTA

A: Bocca

B: Bocchetto (parte strozzata)

C: Raccordo bocchetto

D: Anima o asta

E: Camera cartuccia

F: Collarino

G: Ø anima (definisce il calibro convenzionale dell'arma

e che potrebbe funzionare ancora oggi con la caccia al cinghiale. Il nome Paradox, che significa paradosso, sottolinea con sottile ironia la capacità di sparare altrettanto bene sia con munizione spezzettata sia con palla asciutta. Attualmente esistono dei fucili automatici con strozzatori intercambiabili tra cui alcuni rigati, che però nulla hanno a che spartire col Paradox di Holland & Holland, per prima cosa perché l'accoppiamento delle due canne necessitava la stessa competenza di quella necessaria ad accoppiare un express e poi perché la speciale rigatura era ottenuta dal pieno dell'acciaio della canna. Quindi una differenza di finezza incolmabile a testimonianza del fervore e della vitalità del settore che alimentava gli armieri britannici di fine secolo scorso. Inoltre i Paradox sparavano palle di piombo nudo di forma particolare studiate all'uopo.

Chiusa questa breve parentesi vediamo in dettaglio i diversi procedimenti attuali di lavorazione delle canne.

Come si può intuire per costruire una canna si può partire da un tubo grezzo di diametro leggermente superiore alla canna finita e quindi con tornitura esterna e foratura interna procedere alla lavorazione. Rettificatrici e lappatrici faranno il lavoro finale.

Però esiste anche un altro sistema, usato da molte Case tra cui la Beretta nella produzione più recente. Si parte da una barra di acciaio corta e grossa e la si mette sotto una martellatrice. Questa è una speciale macchina

decades ago, but it was undoubtedly an intelligent solution for that period, and it could have proved useful today for boar-hunting.

The name Paradox, underlines with a subtle irony, the ability of shooting both with shot cartridge and with slug cartridge. At present, there are automatic shotguns supplied with interchangeable chokes among which some are rifled, but they have nothing to do with Holland & Holland's Paradox first of all because the coupling of the two barrels required the same competence necessary for the coupling of an express, secondly because the special rifling was obtained from the solid steel of the barrel.

This is therefore an insurmountable difference in fineness which whitnesses the liveliness of the sector which stirred up the British gun makers during the past century.

Besides, Paradox shotguns shot especially made lead bullets of a special shape.

We shall now deal with the different types of procedures involved in barrel working. As may be known by intuition, in order to construct a barrel the starting point is a raw tube of a slightly greater diameter than the finished barrel; then it is externally turned and internally pierced.

Grinding machines and lapping machines finish the job. But there also is another system which is employed by various gun makers among which Beretta in its most recent production. The starting point is a short and thick steel bar which is worked by means of a hammering machine.

molto potente che "allunga", schiacciandola, la barra fino a portarla alla lunghezza voluta. In questo modo le fibre così allungate seguono idealmente la forza esercitata dallo sparo essendo più predisposte all'elasticità. Analogamente si ottengono i profili interni e di strozzatura. Forata la barra con apposite punte la si inserisce su una spina di riferimento e sempre tramite martellatrice si esercita una forte pressione esterna fino a far assumere all'anima interna l'andamento desiderato. C'è ancora chi fora le canne in modo più tradizionale, manualmente, tirandole internamente a piombo e basàndosi sulle capacità e sulle conoscenze personali. Occorre però dire che attualmente le macchine assicurano un grado di precisione nella lavorazione difficilmente eguagliabile con altri sistemi manuali. È pur vero che nella costruzione del fucile, specialmente se fine, fa piacere sapere che l'intervento manuale ed artistico renda un prodotto praticamente esclusivo, però è anche vero che la precisione di tiro ed una corretta lavorazione devono essere punti fermi in qualsiasi arma. Un punto obbligato per ogni canna è la raddrizzatura, che ancora oggi viene fatta manualmente ed affidata ad un operaio specializzato che con occhio esperto sa intervenire su di essa per sopperire ad eventuali imperfezioni. Questo sistema consiste nel traguardare la canna ormai finita con l'occhio e vedere tramite una linea di riferimento che si proietta all'interno della canna la concentricità del riflesso. L'operaio interviene se del caso con piccoli colpi di macchina fino

hammering machine is a very special and powerful machine which presses and "lengthens" the bar up to a desired length. In this way, the lengthened fibres ideally follow the strength exercised by the shot since they are more susceptible to flexibility. The internal profiles and the choke are obtained in the same way.

Once the bar has been pierced by special points, it is inserted on a reference plug and by means of the hammering machine, a strong external pressure is exercised on it until the centre adopts the desired shape.

There are still gun makers which pierce the barrels in a more traditional way: the work is carried out manually, and the barrels are leaded internally.

But it is important to specify that machines actually grant an accuracy degree which is difficultly attainable by means of other manual systems. Even though it is true that in the construction of a fine gun it is a pleasure to know that there has been a manual and artistical intervention which renders the product exclusive, it is also true that shot accuracy and a correct working must be fixed points in any gun.

A must for each barrel is straightening which is carried out manually still today by a skilled worker.

This operation consists in sighting the finished barrel through, checking the concentricity of the reflex of a reference line which is projected inside the barrel. Should it be the case, the worker intervenes with machine strokes until the desired result is obtained. And this

ad ottenere l'esito desiderato. Dicevamo che questo è un passaggio obbligato. Per comprenderne l'importanza lo si può paragonare alla bilanciatura di una gomma quando si va dal gommista. È chiaro che anche senza bilanciarla la gomma funziona ugualmente, però ad una certa velocità produrrà inevitabilmente una fastidiosa vibrazione che trasmetterà al volante del guidatore.

Con la bilanciatura la vibrazione sparisce. Quindi non è che senza raddrizzare i tubi di un fucile questo non sparerà in alcun modo, però con la regolazione fine tramite il traguardo di occhio esperto ci si mette al sicuro da difetti futuri di precisione. Questo per quanto riguarda la singola canna, poiché nell'accoppiamento delle due canne, la convergenza e la regolazione della precisione di tiro vengono realizzate tramite la saldatura e nelle doppiette giustapposte dall'andamento e dall'inclinazione della bindella di mira. Questo perché esiste una differenza nel comportamento allo sparo fra doppietta giustapposta e sovrapposta, per una serie di motivi che vedremo dopo. Esiste poi un altro discorso da fare che non è stato ancora approfondito completamente. E cioè la dilatazione del metallo allo sparo ed al calore di successivi colpi. In Italia un costruttore che ha presentato molto interesse per questo aspetto è stato Ivo Fabbri, affermando che sul fucile c'è ormai più poco da inventare ma sulle canne esiste ancora un margine di sperimentazione e di miglioramento. Ad esempio in una doppietta esiste una parte della canna saldata all'altra offrendo quindi maggior spessore al

operation is of absolute importance.

In order to understand its importance, it could be compared to the equalization of the tyres of a car.

It is clear that a tyre works even when it has not been equalized, but at a certain speed, it shall start to produce vibrations which shall be transmitted to the driver's wheel.

Through an equalization operation, vibtartions disappear. Therefore, even if the barrels have not been straightened, the shotgun shall indeed shoot, but through an expert eye adjustment future accuracy problems shall be avoided.

All this concerns single barrels because when speaking of the coupling of two barrels, convergency and shooting accuracy adjustmentsare carried out through welding, and in side by side shotguns, through the shape and inclination of the aiming rib.

The reason for this is that there is a behavioural difference in shooting between side by side and over and under shotguns of which we shall speak later on.

Another topic we shall deepen is the expansion of metal during fire and during subsequent shots.

In Italy, a gun maker who demonstrated great interest in this subject is Ivo Fabbri, who said that as far as shotguns are concerned, there is very little to invent but that barrels still have a margin of experimentation and improvement. For example, one type of shotgun has one part of a barrel welded to the other thus offering a greater thickness to thermal expansion. The other thinner part shall have a different

La raddrizzatura o livellatura
delle canne è un'operazione
fondamentale per il buon
rendimento e la precisione delle
stesse. Viene tuttora eseguita
manualmente da persone
specializzate unicamente in
questa attività.

*A must for each barrel is
straightening which is carried out
manually still today by a skilled
worker.*

La tiratura esterna delle canne è
particolarmente importante, non
solo a fini estetici, ma anche per
motivi funzionali e di
rendimento.

*External finishing of side by side
barrels.*

dilatamento termico. L'altra parte, più sottile, avrà un comportamento diverso influendo sull'esito del tiro. Per conseguire quindi la massima precisione nel tiro in fase costruttiva occorre tenere presenti anche questi fattori. In taluni fucili da tiro, dove a causa dei ripetuti colpi sparati il metallo delle canne si surriscalda notevolmente, le due canne vengono accoppiate all'estremità della volata senza saldatura ma a mezzo di un manicotto semplicemente "appoggiato", in modo da consentire una dilatazione indipendente fra le stesse.

L'esame dell'integrità e della buona lavorazione di un paio di canne si può fare con diversi metodi empirici. Per quanto riguarda la levigatezza delle superfici esterne si può iniziare prendendo le canne della culatta e osservarne i profili verso la volata. Quindi ripetere con calma l'ispezione dalla parte opposta. Cioè appoggiando per terra il fucile per il calcio prendere in mano la volata delle canne e traguardarne le superfici. In questo modo si possono osservare eventuali rigonfiamenti, avallamenti o imperfezioni di lavorazione. Poi si può effettuare l'esame con un raggio di luce proiettato sulle canne tenute orizzontalmente. Il riflesso (che può essere quello di una semplice finestra) deve essere diritto e continuo lungo tutta la lunghezza della canna. Eventuali imperfezioni ne interromperanno questa continuità. Internamente il primo esame da fare è la ricerca di possibili difetti di cromatura o di corrosione con macchie scure più o meno accentuate. Quindi traguardare le canne dalla culatta tenendo come riferimento una linea esterna che si proietterà nelle

behaviour, influencing shot results. In order to attain maximum shot accuracy levels, these factors must be kept in mind. In some shooting shotguns, the metal of the barrels overheats a great deal due to the repeated shots, therefore the two barrels are coupled at the end of the muzzle by means of a sleeve which simply "rests" on it without being welded in order to allow an independant expansion of the barrels.

The integrity and good-execution test of a pair of barrels may be carried out by means of different empirical methods.

As far as the smoothness of the outer surfaces is concerned, one should observe the profiles of the barrels from the breech to the muzzle.

Then the very same inspection should be carried out on the opposite side by resting the gun stock on the ground and holding the muzzle with onehand. In this way any swelling, hollow or working imperfection may be observed.

Another test may be carried out with the help of a light beam which has to be projected onto the barrels, which have to be kept horizontally.

The reflex (which may simply be that of a window), has to be straight and continuous along the whole length of the barrel. Possible imperfections shall interrupt this continuity.

The first test to be carried out internally is the research of any possible chromium plating defects or corrosion traces.

The barrels should be sighted through from the muzzle, keeping an external line, which shall be projected onto the inner polished surfaces, as

superfici interne lucide. Quando questa linea taglia a metà la canna, si deve proiettare all'interno tenendosi sempre in mezzeria, senza cioè dare un effetto di abbassarsi o alzarsi. In questi due casi la canna non è forata perfettamente o non è stata raddrizzata o ha subito interventi o allargature di anima anomale e non fatte a regola d'arte. Questi esami comunque non assicurano la perfetta concentricità delle superfici esterne con quelle interne, esame che andrebbe fatto con apparecchiature specializzate e non con valutazioni approssimative. Ciò che invece si può facilmente misurare sono la foratura interna dell'anima ed il grado di strozzatura. Solitamente questi due valori sono riportati sull'arma dal fabbricante, ma spesso conviene verificarle soprattutto se trattasi di fucile usato. Di questa ed altre operazioni ne parleremo nell'apposito capitolo relativo all'arma usata.

Materiali

Sono pochi i cacciatori e gli appassionati di armi che indagano o danno peso ai materiali con cui sono costruite canne e bascula. Spesso ci si sofferma di più sulla qualità dei legni o delle incisioni o delle finiture esterne, pensando che la qualità dell'acciaio usato per la costruzione delle parti metalliche sia comunque e sempre buona e adeguata. Ciò non è sempre vero. Soprattutto quando si tratta di armi pseudo fini realizzate in economia e vendute ad un prezzo oltremodo basso il costruttore (spesso artigiano) ripiega su materiali non di primissimo ordine oppure su acciai anche buoni ma che non hanno subìto i dovuti

reference point. When this line marks the middle of the barrel, it has to project inside and in the middle of the barrel without givingg the effect of raising or lowering.
In these two cases the barrel either has not been perfectly pierced or it has not been straightened.
These tests do not grant a perfect concentricity of the external surfaces with the internal ones because it is a test that should be carried out with special equipment and not with rough evaluations. What is easily measurable is the internal piercing of the center and the choke degree.
These values are usually mentioned on the gun by the gun maker, but it is often necessary to verify them, especially if the gun is a second-hand gun. We shall deal with this issue in the 'Used Guns' chapter.

Materials

Very few are the hunters and the gun enthusiasts who are interested in the materials with which the action and the barrels are constructed.
Very often people dwell more on the quality of wood, of the engravings or of the external finishings, believing that the quality of the steel used for the metal parts is always good and adequate. This is not always true. Especially when talking about pseudo-fine guns which are constructed economically and which are sold at a very low price, the gun maker (which is often a craftsman) employs materials which often are not the very best, or steel which is of a good quality but which has not been thermally treated. Guns produced by

115

trattamenti termici, cioè non sono stati bonificati. Se parliamo di armi di nomi prestigiosi quasi sempre è di garanzia di eccellenza anche nella qualità dei materiali impiegati, e questo avviene anche per le industie serie e rispettate per la produzione corrente.

Le armi fini di un tempo riporavano spesso sulle canne l'acciaio con cui venivano realizzate. Si poteva leggere molto spesso nomi come Vickers, Whitworth, Krupp, Cockerill o Poldi. Un acciaio tutt'ora diffuso è il Boehler Antinit, con proprietà anticorrosive a forte tenore di Nichel impiegato dalla Beretta per le proprie armi fini. Questo acciaio ha buone doti anche di elasticità e non necessita di cromatura interna, rendendo più facile all'occorrenza la modifica dei gradi di strozzatura delle canne. Acciai italiani sono il Breda, il Cogne (ora dello stesso gruppo) e il SIAU. Tutti questi nomi possono avere un senso come non averlo. Infatti con qualche eccezione dipende dalla composizione dell'acciaio e soprattutto come dicevamo dei trattamenti termici a cui è stato sottoposto. Solitamente le barre acquistate dai fabblicanti per essere trasformate in canne non sono già bonificate (cioè sottoposte a tempra e rinvenimento) ma semplicemente sottoposte a semplice ricottura di lavorabilità. In questo stato il materiale è più facile da essere lavorato, però presenta delle caratteristiche scarse di resistenza meccanica. Si ottiene una doppia economia: l'acciaio costa di meno ed è più facile da lavorare. Con l'impiego di un simile acciaio dolce, il fabblicante tende a tenere un po' più abbondanti gli spessori di canna, ma pur sempre con una qualità

prestigious gun makers are almost always a guarantee as far as the quality of the materials is concerned too.

Fine guns of the past times very often bore the type of steel with which they were realized on the barrels.

Very often names such as Vickers, Whitworth, Krupp, Cockerill or Poldi could be found. A very common type of steel is now the Boehler Antinit, which has corrosion proof properties and a high tenor of Nickel, which is employed by Beretta for its fine guns.

This steel has good flexibility properties and it does not need an inner chromium plating, simplifying any possible modification of the barrel ckoke degree. Among Italian steels there are Breda, Cogne (now of the same Group) and SIAU.

All these names may have a meaning or they may not.

In fact, apart from a few exceptions, it depends on steel composition and most of all, on the thermic treatments which steel has undergone.

Usually, the bars purchased by gun makers in order to be transformed into barrels have not been previously hardened and tempered. They have generally been subjected to a simple annealing procedure. In this state, the material is simpler to work but it has poor mechanical resistance characteristics. And it offers a double saving: steel is less expensive and it is easier to work. By employing mild steel the gun maker tends to increase the barrel thickness, but the quality remains just sufficient since the barrels shall anyhow be more subject to corrosion and less resistant than the ones made out in hardened and

appena sufficiente in quanto le canne saranno comunque più sensibili alle corrosioni e meno resistenti nel tempo di quelle costruite con acciaio bonificato. Quest'ultimo è più duro da lavorare, soprattutto in operazioni di foratura e richiede più scrupolo ed anche più tempo. Però canne realizzate con un buon acciaio bonificato possono passare diverse generazioni di acquirenti senza problemi di sorta, sempre che si dedichi il giusto tempo nella manutenzione. In Italia si adopera come acciaio comune il C 40 UNI, un acciaio di buona qualità al Carbonio con aggiunta di Mn, Si, P e S. Le caratteristiche fra acciaio semplicemente ricotto e quello bonificato di resistenza a trazione e limite di snervamento è anche del del 20/30% in favore di quest'ultimo. Troviamo poi l'UM6, un acciaio diffuso corrispondente al 30CrMo 4 UNI che possiamo considerare buono sempre che venga sottoposto a regolare bonifica. Un po' superiore è l'UM8, corrispondente alla sigla 40 Cr Mo 4 UNI. E un'acciaio duro, di non facile lavorazione che contiene percentuali di Mn, Si, P e S. Per la produzione corrente la Beretta usa un ottimo trilegato il 40 Ni-Cr-Mo (definito anche Excelsior) che presenta caratteristiche meccaniche elevatissime, come il limite di snervamento vicino a quello di rottura. Questo acciaio ha un carico di rottura di circa 140 Kg/mmq, eccellente sempre rimanendo nel settore di fucili a canna liscia. La Breda usa un acciaio molto simile, come pure la Franchi che per una certa produzione ha impiegato il 25CrMn 4 UNI + Pb, che insieme a caratteristiche di buona

tempered steel. The latter is more difficult to work, especially during piercing operations, and it requires more attention and longer working times. Barrels made out of hardened and tempered steel may be handed down to different generations of purchasers without any problem if maintenance has been carried out properly. In Italy the common steel employed is the C 40 UNI, a good-quality Carbon steel with the addition of Mn, Si, P and S. The difference in characteristics between annealed steel and hardened and tempered steel as far as traction resistance and yield point are concerned is of 20/30%.

Then there is the UM6, a diffused steel which corresponds to 30CrMo 4 UNI which may be considered as good if it undergoes a hardening and tempering procedure.

The UM 8 steel is of a slightly superior quality, and it corresponds to the abbreviation 40CrMo 4 UNI. It is a hard steel which is not easy to work and which contains percentages of Mn, Si, P and S. For present production, Beretta employs the excellent 40 Ni-Cr-Mo (also defined as Excelsior) which is supplied with very high mechanical characteristics, such as the yield point which is very close to the breaking point. This kind of steel has a breaking load of approximately 140 kg/sq mm, which is excellent for smooth-barrelled shotguns. Breda employs a very similar type of steel, and so does Franchi, which, for a certain kind of production employed 25CrMn 4 UNI + Pb, which has both mechanical resistance characteristics and it is easy to work thanks to the

resistenza meccanica unisce doti di più facile lavorabilità con l'aggiunta del Piombo. Vale la pena di ricordare che le canne Franchi sono conosciute in tutto il mondo per la propria bontà e costanza nella distribuzione regolare delle roste dei pallini. Hanno inoltre un buon grado di finitura pure nei fucili di grande serie.

Costruttori europei, specialmente austriaci e tedeschi, prediligono acciai molto simili al Bohler, oppure tollerano acciaio comune al Carbonio però con l'aggiunta di altri componenti come il Mn e il Si ed usato sempre allo stato bonificato. Usato pure l'acciaio CrV, con una composizione di Carbonio, Silicio, Manganese, Cromo e Vanadio. Un buon materiale di concezione moderna. Per le armi rigate si usano materiali più resistenti, considerando le più forti sollecitazioni a cui sono sottoposte le canne quando il proiettile "penetra" nella rigatura. Queste canne non solo debbono disporre di una maggiore resistenza meccanica ed elastica (specialmente a caldo) ma anche una superiore resistenza ai fenomeni di scorrimento viscoso. Queste caratteristiche vengono spesso ottenute con l'aggiunta di Vanadio a leghe di Cr, CrMo, di NiCr, NiCrMo ecc. Alcuni produttori esteri usano il CrMoVW, tra i migliori per questo uso.

Quindi quando si acquista un fucile cercare di sapere con quali materiali è stato costruito e possibilmente anche a quali trattamenti termici è stato sottoposto. In alternativa esistono dei laboratori di analisi metallografica in grado di effettuare prove senza rovinare l'arma e riuscendo a capire la

addition of lead. Franchi barrels are reknown all over the World for their quality and for the steadiness in the regular distribution of the shot patterns of their shots. Besides, they have a good finishing degree in the big series shotguns as well.

European gun makers, especially the Austrian and the Germans, prefer steels which resemble the Boehler, or they tolerate common Carbon steel with the addition of other components such as Mn and Si always using it after having been hardened and tempered.

They also use the CrV steel, with a composition of Carbon, Silicium, Manganese, Chromium and Vanadium.

It is a good material of a modern conception. Rifled guns employ materials which are more resistant, considering the high stresses to which the barrels are subjected when the bullet has to penetrate inside the stripings. Not only do these barrels have to be supplied with a greater mechanical and flexibility resistance (especially when hot), but they also have to have a greater resistance to viscous sliding phenomenons.

These characteristics are often obtained by means of the addition of Vanadium with Cr, CrMo, NiCr, NiCrMo alloys and so on. Some foreign producers employ the CrMoVW, which is among the best alloys for this application. Therefore, when purchasing a shotgun, one should always try to know with which materials it has been constructed, and possibly which thermic treatments it has been subjected to. Anyhow, there are metallographic test labs which carry out tests without ruining the gun and which succeed in knowing

composizione dell'acciaio nonché i valori di resistenza meccanica.

Cromatura

I veri e propri acciai inossidabili non possono essere usati per la costruzione di canne di fucile ed anche quelli anticorrosivi non sono propriamente inossidabili e quindi è sempre buona norma pulire spesso l'anima interna dopo avervi sparato. Il trattamento di cromatura, effettuato tramite un processo elettrolitico è un buon palliativo per la difesa della superficie interna della canna. Viene depositato sulla anima interna uno spessore sottilissimo (pari ad alcuni micron di materiale) che però essendo durissimo, è sufficiente a proteggere le pareti in acciaio.

Spesso si sentono pareri contrastanti circa la cromatura interna delle canne, però la tendenza prevalente dei tecnici è quella che una cromatura ben fatta porti solo benefici nell'uso dell'arma. Fucili fini inglesi e belgi di un tempo non avevano le canne cromate, ed i più tradizionalisti non accettano questa lavorazione supplementare non ritenendola una soluzione qualitativa e (a torto) rendendo più dura la canna influenzerebbe negativamente l'elasticità della stessa ottenendo rosate meno regolari. Questo può essere considerato un pregiudizio del passato in quanto è stato dimostrato che uno stesso paio di canne provate senza e con cromatura non subiva deformazioni nelle rosate. E questo è anche intuibile poiché pochi millesimi di millimetro di materiale depositato tramite processo elettrochimico non può modificare la struttura dell'acciaio della

Chromium plating

Stainless steel cannot be employed for the construction of shotgun barrels and corrosionproof steels are not really stainless therefore it is a good rule to clean the centre of the barrels after having shot.
Chromium plating, carried out by means of an electrolytic process, is a good method to defend the inner surface of the barrels.
A very thin layer (a few microns) is deposited onto the inner centre of the barrel.
This material, which is very hard, is sufficient for the protection of the steel walls.
There are contrasting opinions on the inner chromium plating of the barrels, but engineers believe that it brings fourth many advantages.
Old English and Belgian shotguns did not have chromium plated barrels, and the most traditionalist people do not accept this additional procedure since they do not believe it is a qualitative solution.
They believe that since it hardens the barrel, it may also negatively influence shot patterns.
This may be considered as a prejudice of the past since it has been proved that the same pair of barrels tested with and without chromium plating do not present any difference.
And this is also intuitable because a few thousands of a millimeter of material deposited by means of an electrochemical process cannot modify the structure of the barrel's steel.
Besides, chromium simplifies inner sliding of the plastic components used in the construction of the

canna. Inoltre il cromo facilita anche un certo scorrimento interno soprattutto dei componenti plastici usati nella costruzione delle borre delle cartucce, ottenendo anche lievi aumenti di velocità iniziali dei pallini.

Il problema maggiore consiste nell'effettuare una buona cromatura, cioè un deposito uniforme dello strato di cromo sulle pareti interne, senza cioè avvallamenti o depositi maggiori solo in alcuni punti che in questo caso effettivamente nuocerebbero alla rosata. Quindi non è da escludere che all'inizio del secolo molti costruttori non cromavano perché non conoscevano a fondo questa lavorazione, che ha subito innovazioni e miglioramenti in tempi recenti con l'evolversi della tecnologia industriale. Certo c'è il problema di allargare le strozzature di un paio di canne, poiché per poterlo fare occorre scromare e successivamente ricromare. Questi processi non si debbono eseguire quando la canna non è cromata. Però solitamente non sono operazioni costose, anche se, ancora una volta, devono essere eseguite con cura e da gente specializzata.

C'è la tendenza anche di cromare l'interno di canne rigate. È stato sperimentato che su una mitragliatrice la cui canna durava per 10.000 colpi, sottoposta a cromatura interna la durata aumentava fino a 27.000 colpi, più del doppio. Quindi il fucile fine non deve essere giudicato se ha o meno le canne cromate, anzi attualmente molte ditte costruttrici di armi fini cromano l'interno delle loro canne.

Occorre anche aggiungere che, come già detto a proposito degli acciai anticorrosivi, la cromatura

cartridges, thus obtaining a slight increase in the speed of the shot.

The greatest problem is that of obtaining a good chromium plating, that is, a uniform deposit of the chromium layer onto the inner walls, without any hollow areas or areas where there is too much material because this of course would negatively influence the shot pattern.

Therefore, we cannot exclude that at the beginning of the century, many gun makers did not chromium plate their barrels because they did not know this working method well enough.

Of course, there is the problem of widening the chokes of a pair of barrels because in order to do it one should have to remove the chromium plating and subsequently replate it once again.

These processes do not have to be carried out when the barrel is not chromium plated.

But usually these are not expensive operations even though they have to be carried out by skilled people.

There is a tendency to chromium plate rifled barrels as well.

A test has been carried out on a machine-gun whose barrel-life was of 10.000 shots.

After chromium-plating it lasted up to 27.000 shots: more than twice as much.

Therefore fine guns must not be judged depending whether they have chromium-plated barrels or not; on the conrary, many fine gun makers chromium-plate the inside of their barrels. I also have to add that, as already mentioned for corrosion proof

non esime il possessore dell'arma alla negligenza più assoluta, poiché l'effetto concomitante della erosione e della corrosione (cioè delle elevate temperature che vengono a determinarsi nell'anima al momento dello sparo e degli effetti chimici dei composti delle polveri e degli inneschi della cartuccia) può a lungo andare intaccare anche la cromatura. Quindi è sempre buona norma pulire con solvente e olio per armi l'interno delle canne periodicamente.

Brunitura

La brunitura delle canne può essere fatta in due modi. Se le canne sono saldate a forte, cioè accoppiate fra loro con saldatura a base di ottone, si possono brunire in vasca contenente soda caustica. Se invece sono saldate a stagno, alluminio o leghe derivate si preferisce fare la verniciatura, poiché la soda attaccherebbe i materiali danneggiando la solidità dell'accoppiamento alle bindelle. In ambedue i casi le fasi di lavorazione o meglio di preparazione, sono molteplici. Occorre per prima cosa "tirare" più levigate possibile le superfici delle canne, poiché la brillantezza della brunitura finale molto dipende dallo stato delle canne in bianco. Quindi devono essere sgrassate accuratamente ed ispezionate soprattutto nei recessi che si formano fra bindelle e canne. Attualmente la maggior parte delle bruniture ha un colore nero più o meno lucido, mentre costruttori del passato usavano dare alle armi riflessi marroni o blu. La brunitura protegge l'acciaio dagli agenti atmosferici e dalla ruggine, però essendo un

steels, chromium plating does not free the owner of the gun from normal maintenance, since the effect of corrosion and erosion (high temperatures which are present inside the barrels during shooting and the chemical effect of the gun powders and of the cartridge triggers) may affect chromium-plating.
Therefore it is always a good rule to periodically clean the inside of the barrels with solvent and gun-oils.

Blueing

Barrel blueing may be carried out in two different ways. If the barrels are welded one to the other by means of brass, they may be blued in a bath containing caustic soda.
If they are tin or aluminum welded it is better to varnish them because caustic soda would attack the materials, damaging the solidity of the rib coupling.
In both cases the working phases or the preparation phases are many.
First of all it is necessary to render the surfaces of the barrels as smooth as possible, because the final blueing state depends on the initial state of the barrels.
Therefore thay have to be accurately degreased and carefully inspected especially in the corners between the ribs and the barrels.
At present, most of the blueings are black and shiny while in the past guns had brown or blue reflexes.
Blueing protects the steel from atmospherical agents and rust, but since it is a very thin

deposito molto sottile può a contatto con asperità o rami scalfirsi e rimuoversi. In questo caso è sempre possibile rifare una nuova brunitura, tenendo presente il metodo di saldatura delle canne e ricordandosi che poiché occorre tirar via tutta la brunitura precedente si asporta un po' di materiale, visibile soprattutto in presenza di scritte sulle canne che vengono in tal modo alleggerite.

Accoppiamenti e bindelle

Le canne di una doppietta, parallelo o sovrapposto possono essere accoppiate fra loro con diversi sistemi, anche se ultimamente i sistemi più praticati si sono ridotti a tre. Parliamo ora di doppiette giustapposte. Il primo e più fine è l'accoppiamento demibloc, cioè ogni canna porta sotto la bocca metà rampone ricavato dal pieno che va ad unirsi con la relativa parte speculare dell'altra canna. Questa giunzione può essere fatta a coda di rondine, con spine passanti o semplicemente saldando le due superfici fra loro. Questo è il metodo ora più usato. Guardando i due ramponi a canne finite si vedrà nella mezzeria una sottile riga che indica questo accoppiamento. Questo sistema può essere fatto anche per i sovrapposti, dove solitamente la canna superiore dispone di scanalature per essere saldata a quella inferiore e quest'ultima presenta sotto la bocca i ramponi o altre lavorazioni per il successivo accoppiamento con la bascula. Il secondo sistema di giunzione delle due canne in una doppietta è quello della cosiddetta "ramponatura". In pratica i due ramponi che servono poi per ricavare le chiusure tramite tassello

coating, it may be scratched when coming in contact with branches or other. In this case it is always possible to provide to another blueing, always keeping in mind the type of welding of the barrels and remembering that since it is necessary to remove the whole previous blueing, part of the material shall also be removed leaving any inscriptions somewhat lighter.

Couplings and Ribs

The barrels of a side by side or over and under shotgun may be coupled with different methods even though lately the employed systems are three. Let us now talk about side by side shotguns. The first and finest coupling is the demibloc: each barrel has a half solid bolt under its muzzle which joins with its specular part on the other barrel. This junction may be dove tailed, it may be executed with through plugs or it may simply be welded. This is the most widespread method at present. By looking at the two bolts on the finished barrels, one may observe a small line which indicates this kind of coupling in the middle. This system may also be used in over and under shotguns, where usually the upper barrel is supplied with slots in order to be welded to the bottom one. The bottom barrel is supplied with bolts or other devices under the muzzle, for its further coupling with the action. The second coupling system for the two barrels of a shotgun is the so-called "lump-fitting". The two lumps, which are necessary in order to make out the lockings, are inserted between the two barrels and are welded. This device too, is dove-tailed. Normally, the barrel flats too are welded, and they rest

Accoppiamento monobloc su
sovrapposto. I ramponi della
canna inferiore sono ricavati dal
pieno.

*Over and under with monobloc
barrels.*

Canne grezze per
accoppiamento in demibloc e
relative bindelle. È questo uno
dei sistemi preferiti per la
costruzione di un'arma di classe.

*Chopper lumps side by side
barrels.*

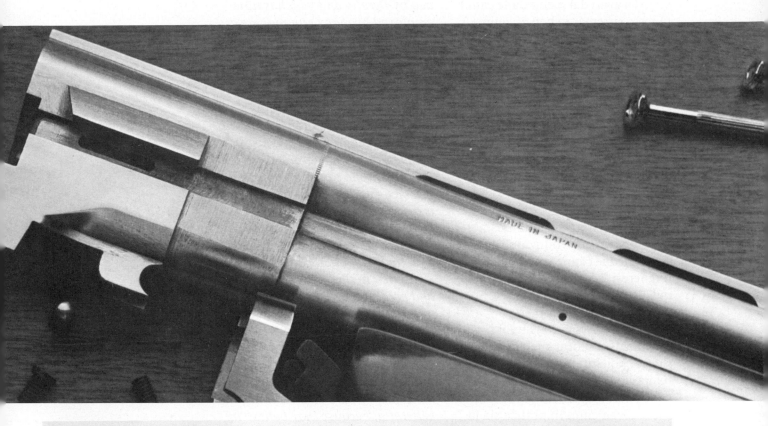

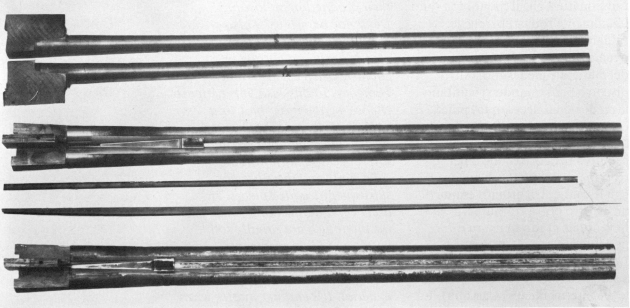

vengono inseriti fra le due canne e saldati. Anche questo incastro viene eseguito a coda di rondine. Di solito vengono saldati anche i piani delle canne che poi vanno ad appoggiarsi sulla tavola della bascula, mentre altre volte questi sono ricavati dal pieno dalle canne. Questo sistema, se ben eseguito, è molto robusto ed anche più economico da produrre del demibloc ed in subordine quella a piani fissi con ramponi inseriti a coda di rondine.

L'unica a mantenere il monobloc anche per le armi di pregio rimane la Beretta, poiché vuole mantenere una propria filosofia produttiva nella quale crede ciecamente. Bisogna anche dire che ci sono canne economiche demibloc specialmente di produzione estera, come alcune canne spagnole o ungheresi, ed in questo caso è meglio optare per un buon monobloc o una doppietta ramponata. Teoricamente il sistema demibloc è anche il più sicuro, poiché i ramponi sono realizzati dal pieno e quindi non ci sono pezzi aggiunti successivamente. In pratica sia la ramponatura che il monobloc sono ugualmente robusti perché le saldature assicurano una presa irremovibile, spesso più resistente del materiale medesimo. Altro discorso però quando si valutano armi di alcuni decenni fa, poiché in questo caso soprattutto le doppiette ramponate possono aver ceduto o per corrosione o per troppo uso nel punto di ancoraggio con le canne. Un attento esame di un esperto potrà stabilire l'eventuale grado di usura e pericolosità.

Le bindelle possono essere saldate a stagno o a forte (ottone) o con leghe intermedie (es. Castolin). La

on the action flat, while at times they are one solid piece with the barrels. This system, if well executed, is very sound and much more economical than the demibloc system. Another system, which has been introduced decades ago by Beretta and which is now employed by many gun makers is the monobloc. A sleeve made out from a single steel block with the lumps or with the bolt systems, houses the extensions of the two barrels which are, in this way, "grafted" into this monobloc. This system is recognizable because at a distance of a few centimeters from the breech one can notice the line between barel and monobloc which is often disguised by a small engraving. This is an all-round system, employed for side by side, over and under and combination shotguns. In this case, the accuracy and precision of execution is more important than the system itself, even though fine guns require the demibloc coupling or the fixed-flat system with dove-tailed lumps. The only gun maker which employs the monobloc system also on fine guns is Beretta, because they believe in their production philosophy. Demibloc barrels exist also on an economical basis, and they are mostly produced abroad in countries such as Spain and Hungary. In this case, it is better to choose a good monobloc or a bolted side by side shotgun. In theory, the demibloc system is the safest because the lumps are solid-body and there are no subsequently added pieces. In practice, both the lump finish and the monobloc are equally sound because welding grants an irremovable hold which is often more resistant than the very same material. It's another matter when

Accoppiamento demibloc di due canne per sovrapposto.

Over and under chopper lump barrels.

Innesto dei tubi su monobloc di culatta.

Monobloc barrels.

Stemma dei F.lli Piotti.

F.lli Piotti trade mark.

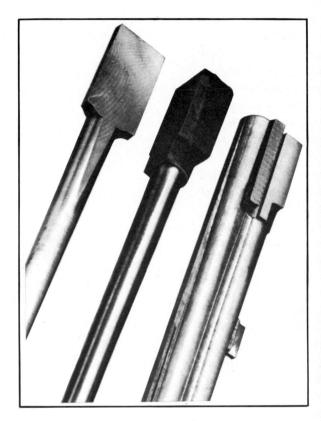

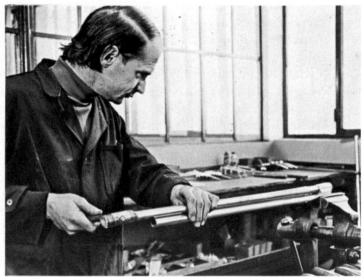

125

saldatura a forte consente come dicevamo la brunitura in vasca però richiede di portare la temperatura di saldatura ad un livello che potrebbe in qualche modo danneggiare la struttura dell'acciaio delle canne. Con lo stagno questo pericolo non si corre, poiché lo stagno ha un punto di fusione inferiore. A volte si può vedere dove le bindelle si uniscono alle canne se la saldatura è eseguita ad ottone o a stagno, perché nel primo caso si vede o intravede il materiale color oro e nel secondo color argento. A livello pratico, quando le saldature sono ben eseguite, al tiratore poco importa se sono fatte con un sistema o con l'altro. Le bindelle col tempo e per diversi motivi possono anche dissaldarsi, magari solo in determinati tratti. Per accertarsene occorre percuotere le canne tenute sospese ad una estremità, con un oggetto metallico ed il suono ottenuto ci potrà dire se vi sono difetti di questo tipo. Canne perfettamente saldate devono suonare cristalline, come una campana, con un "sustain" molto lungo. Se invece si ode un suono di sferragliamento o smorzato è meglio indagare più a fondo. Nel sovrapposto vi sono le due bindelle laterali e quella superiore (facoltativa). Queste possono essere piene o ventilate. Le ventilate oltre che a ridurre il peso dell'arma servono anche come più efficaci scambiatori di calore, permettendo alle canne riscaldate di raffreddarsi più in fretta. Per questo motivo vengono usate prevalentemente nei fucili da pedana, dove si sparano numerosi colpi a breve distanza. In queste armi spesso non vi sono nemmeno le bindelle laterali, ma un unico supporto alla volata per permettere

we speak of guns dating back to various decades ago, because in this case the lump-finished side by side shotguns may have subsided due to corrosion or for too much use in the point of anchorage with the barrels. A careful examination by an expert shall be telling on a possible wear degree and consequent danger. Ribs may be tin or brass welded. They may also be welded with intermediate alloys (i.e. Castolin). Brass-welding allows a bath blueing but it requires a welding temperature which could somehow impair the steel structure of the barrels. Tin does not involve this risk since it has a lower melting point. Sometimes it is possible to see the welding point between ribs and barrels if it is executed with brass or tin because in the first case one may just see the gold coloured material, and in the second, the silver one. In practice, when the welding is well-executed the shooter does not mind whether they are made with one system or the other. For one reason or another ribs may partly unweld in time. In order to check this out, it is necessary to strike the barrels with a metal object, keeping them suspended on one end. The sound that shall be heard shall tell whether there are any defects of this type. Perfectly welded barrels shouls sound ringing, almost like a bell, with a very long "sustain". Should a rattling sound be heard, it is suggestable to investigate more in depth. Over and under shotguns are supplied with two side ribs abd with an upper rib (optional). They may be solid or ventilated. Ventilated ribs, apart from reducing the gun's weight, are also effective heat exchangers which allow the barrels to cool down more quickly. This is the reason why they are prevailingly

dilatazioni indipendenti alle due canne.

Nei giustapposti le bindelle sono solo due. La migliore tradizione britannica vorrebbe la bindella superiore concava e che si insinui fra le due canne, mentre ora c'è la tendenza ad avere una bindella piuttosto elevata e zigrinata antiriflesso. Nelle armi fini invece la bindella dovrebbe essere liscia, per poterne ammirare il grado di lavorazione. Inoltre si potrà notare che la bindella parte con una certa altezza e tende ad abbassarsi più scorre verso la volata. Questo serve per alzare il tiro in quanto la doppietta costituzionalmente tende a portare i colpi in basso.

In linea di massima occorre ottenere un angolo negativo di circa 28° fra la linea ideale mezzana delle canne e l'inclinazione della bindella. Infine le bretelle portacinghia. Queste sul calcio vengono fissate tramite vite mentre sulle canne possono essere saldate direttamente su queste oppure avvitate alle bindelle (tramite supporto nei sovrapposti). A livello di sicurezza è preferibile averla saldata direttamente alla canna, però esteticamente sia l'una che l'altra soluzione non sono ideali. In molte armi fini quindi questi accessori vengono omessi. Un compromesso possibile è quello di usare magliette tipo "Williams", cioè di tipo a sganciamento rapido, dove sull'arma vengono applicati solo i due supporti forati di poco ingombro.

Mirini, incisioni, varie

Il mirino può essere in avorio, in plastica, in ottone o metallico nel caso di arma mista o rigata. Quello in avorio è molto fine anche se fragile, mentre quello in ottone a

employed in shooting-board shotguns, where numerous shots are fired at short distances. These guns are often without side ribs and with one single muzzle support in order to allow an independant expansion of the two barrels. Side by side shotguns are supplied with two ribs. Best British tradition has a grooved upper rib between the barrels while the today there is a trend for checkered and raised non-reflecting ribs. Fine guns should be supplied with a smooth rib in order to be able to admire its working degree. Ribs start at a certain height, and they tend to lower as they run toward the muzzle. This is necessary in order to raise the shot since side by side shotguns constitutionally tend to lower them. It is broadly necessary to obtain a negative angle of approximately 28 degrees between the ideal midline of the barrels and the rib inclination. And finally, we shall deal with belt-straps. They are secured to the stock by means of a screw while on the barrels they may be directly welded onto them or screwed on to the ribs (by means of a support on over and under shotguns). It is safer to have them directly welded onto the barrels, but aesthetically speaking none of the two solutions is ideal, therefore in many fine guns these accessories may not be found. A possible compromise is that of employing "Williams" quick release sling swivels, for which only two non obtrusive pierced supports have to be applied on the gun.

Sights, Engravings and Other

Sights may be made out in ivory, plastic, brass or metal in the case of combination or rifled guns. Ivory sights are very fine even though they are frail, and brass

volte può essere poco visibile.
Contro puntamenti su fondali scuri
(come ad esempio nella caccia nel
bosco o all'alba) molto utili sono i
mirini in plastica rossa trasparente,
anche se esteticamente possono
non piacere. Comunque poiché la
maggior parte dei mirini sono
montati tramite vite filettata, è
possibile una certa
intercambiabilità.

Per quanto riguarda le incisioni
sulle canne, ritengo che una
presenza troppo massiccia,
invadente sia da sconsigliare. Sulle
canne stanno bene il nome del
costruttore rimesso in oro,
eventuali piccoli filetti rimessi in
oro che delimitano il profilo della
canna alla culatta o discrete
inglesine che invitano ad una via di
fuga verso la volata però sempre in
quantità ridotta. Il nome del
costruttore, magari in corsivo, può
essere inscritto anche nella
bindella.

Le varie operazioni di produzione
delle canne di un fucile sono come
abbiamo visto molteplici e tutte
importanti, sia quelle funzionali
che quelle estetiche e protettive. Si
calcola che fra operazioni e
controlli un costruttore impieghi
più di un centinaio di passaggi di
lavorazioni prima di avere le canne
finite. E questo senza parlare dei
problemi relativi all'imbasculatura
(cioè all'accoppiamento
canne-bascula) di competenza di
un altro reparto produttivo.

Strozzature e lunghezza delle canne

È ormai assodato che fra i 60 cm e
gli 80 cm di lunghezza delle canne
di un fucile a pallini non vi sono
significative variazioni di velocità
impresse alla carica di piombo ai
normali fini venatori. Certo polveri

*sights may at times be poorly
visible.*

*When aiming in front dark
backgrounds (as for example in
the woods or during sunrise), red
sights made out of transparent
plastic are very useful even though
they may be aesthetically disliked.
Anyhow, since most of the sights
are mounted by means of a screw,
they may be interexchanged.*

*As far as barrel engravings are
concerned, I believe a too massive
a presence is obtrusive and not
recommendable.*

*Barrels look very fine with a
gold-inlaid gun maker's brand
name, small gold-inlaid borders
that mark the profile from the
barrel to the breech, or discreet
English scrolls running toward the
muzzle, which should always be
executed in an unobtrusive
pattern.*

*The gun maker's name may also
be written in cursive characters on
the rib. The various production
operations of a shotgun's barrels
are, as already mentioned, many
and important.*

*It has been calculated that
including operations and controls,
gun makers have to execute more
than one hundred working phases
before finishing the barrels. And
this, without including the
problems relating to the
barrels/action coupling, which is
cared for by another production
department.*

Chokes and Barrel Lengths

*It has now been proved that
between 60 and 80 cm in length the
barrels of a shotgun do not display
significant speed variations.
Of course, very progressive
powders shall benefit of a longer*

molto progressive beneficieranno di un tempo di canna un pò più lungo mentre polveri vivaci andranno bene in canne più corte. Queste ultime rendono l'arma più maneggevole, soprattutto per i tiri nel bosco e di stoccata, oltre che a far pesare meno la stessa. Quindi per cacce col cane da ferma, in collina, alla beccaccia e simili conviene optare per un fucile poco strozzato con canne lunghe cm 66 o 68 o in alcuni casi anche meno (slug). Mentre per caccia generica, alla lepre, alla migratoria al passo, per un'arma tuttocaccia con strozzature mezza e piena e canne lunghe cm 71 o 72. Una lunghezza di canne maggiore è raro da trovarsi, e parlando sempre del cal. 12 può essere qualche arma specifica per il tiro alle anatre e selvaggina simile. Comunque un fucile "equilibrato" anche esteticamente dovrebbe avere canne lunghe fra i cm 67 e i cm 71. La strozzatura è il restringimento della canna in prossimità della volata che interessa gli ultimi 6/8 cm di questa. La strozzatura viene misurata in decimi di millimetro partendo dalla foratura dell'anima. Questa per un cal. 12 può essere di 18,4 o 18,5, ma anche minore o maggiore a seconda dei casi. Con un apposito calibro si misura il diametro alla volata (interno) e per differenza si deduce il grado di strozzatura. Di solito sull'arma questo valore è riportato, in termini di stellette, decimi o cerchi. Ecco una tabella riassuntiva ed esplicativa delle strozzature. Pubblichiamo una tabella che indica la variazione dei gradi di strozzatura in fusione dei diversi calibri.

Il calibro di un fucile è per denominazione il numero di palle dello stesso diametro dell'anima

barrel time, while lively powders are suitable for shorter barrels. The latter render the gun handier and lighter, which is perfect when hunting in the woods.

When hunting with pointers, in the hills, or during woodcock hunting it is convenient to choose a lightly chocked shotguns with 66 or 68 cm. barrels and, in certain cases even less (slug).

For hunting in general such as hair hunting and migratory game hunting, the suitable gun is an all-round shotgun with half and full choke and 71 or 72 cm. barrels.

Longer barrel lengths are seldom found, and always speaking about gauge 12, they might be specific guns for duck and similar game hunting. Anyhow, a "well-balanced" shotgun should - aesthetically speaking — have a barrel length somewhere in between 67 and 71 cm.

The chocke is the tightening of the barrel close to the muzzle which involves its final 6/8 cms. The choke is measured in tenths of a millimeter starting from the center piercing.

For a gauge 12, it may be of 18.4 or 18.5 but even lower or higher depending on the cases.

By means of a special caliper it is possible to measure the muzzle's internal diameter, and the chocke degree may be subtracted.

This value is usually marked on the gun by means of stars, tenths or circles.

The following is a table summarizing the various chokes: The following is a table which illustrates choke degree variations depending on the different gauges.

A gun's gauge is, for

della canna che si riescono ad ottenere da un'oncia di piombo. Così per un cal. 12 si otterranno dodici sfere di quel diametro, del cal. 20, 20 sfere e così via. Più è alto il numero delle sfere e più queste sono piccole. Nelle tabelle della pagina a fronte sono riportati i diametri interni minimi e massimi riferiti ai calibri, ai quali i costruttori dovrebbero attenersi. Di solito alcuni costruttori si tengono leggermente scarsi nella foratura dell'anima poiché lasciano materiale qualora si dovesse ripulire i tubi internamente dopo un certo uso. Tra i vari costruttori cambiano la lunghezza e la pendenza dei raccordi interni fra camera di scoppio ed anima e fra questa e la strozzatura. Da questi dipendono anche il rinculo dell'arma e la penetrazione delle rosate. Non si può in questo campo stabilire una scala di valori poiché ognuno difende le proprie convinzioni. Occorre poi verificare ogni singola arma e lato pratico. Le strozzature possono essere di tipo fisso o variabile. O meglio le strozzature tradizionali sono ricavate direttamente all'interno dei tubi ma si possono avere anche strozzatori intercambiabili esterni. In questo caso la canna è cilindrica filettata internamente alla volata. Si applicano secondo le esigenze gli strozzatori esterni che vanno avvitati ben stretti. Quella degli strozzatori intercambiabili è una moda recente, resa possibile con il perfezionamento delle macchine utensili in quanto l'accoppiamento richiede tolleranze molto ristrette. Però pur essendo un sistema sbrigativo e che permette di cambiare sul terreno di caccia la strozzatura richiesta non da sicure garanzie nei risultati. Mi spiego meglio. La strozzatura è una parte

denomination, the number of bullets of the same diameter of the centre which may be obtained from an ounce of lead. So, for a gauge 12, twelve spheres of that very same diameter shall be obtained, for gauge 20, 20 spheres, and so on. The higher the number of the spheres, the smaller they shall be. The tables in the opposite page list the minimum and maximum inner diameters with reference to the gauges, which the gun makers should observe.

Some gun makers keep the centre piercing scarce, leaving some extra material in case of cleaning after a certain use. The various gun makers have different lengths and inclinations of the inner junctions between the explosion chamber and the center and between the center and the choke. And from this depend the gun's recoil and the penetration of the shot pattern. In this field it is impossible to set a range of values since everybody sticks to its own convinctions. One must practically verify each gun separately. Chokes may be fixed or variable. Traditional chokes are obtained directly from the interior of the tubes, but there may also be external interexchangeable chokes. In this case the barrel is cylindrical and it is interiorly threaded on the muzzle. Depending on the various cases, the external chokes are applied and tightly screwed. Interexchangeable chokes are a recent innovation, made possible by the optimization of tool machines since this coupling requires very restricted tolerances. Even though it is a quick system which allows choke exchange directly on hunting grounds, it

Valori indicativi in decimi delle strozzature valevoli per il cal. 12

* Simboli	Valore in decimi di mm	Denominazione inglese
+	9-10	Full (f)
+ +	7-8	Improved Modified (I.M.)
+ + +	4-5-6	Modified (M)
+ + + +	2-3	Improved cylinder (I.C.)
CL	0-1	Cylinder o skeet (C. o S.)

N.B.: La strozzatura massima (Full), come sopra indicato, ha valore il cal. 12 in quanto i decimi di strozzatura devono diminuire con il restringersi del calibro. Di conseguenza, ad esempio, il Full di una canna cal. 20 sarà di 7-8 decimi, che corrisponde all'improved modified del cal. 12 e così via di seguito.

* Come simboli, oltre alle crocette, si possono usare delle stellette (*) o dei cerchietti (•).

*N.B. Maximum choke (full) as indicated above has the value of gauge 12 since the choke tenths have to decrease as the gauge decreases. Consequently, for example, the Full of a gauge 20 barrel shall be of 7-8 tenths which corresponds to the Improved Modified of gauge 12, and so on. * Apart from the crosses, other symbols may be stars (*) or circles (•).*

Calibre 12

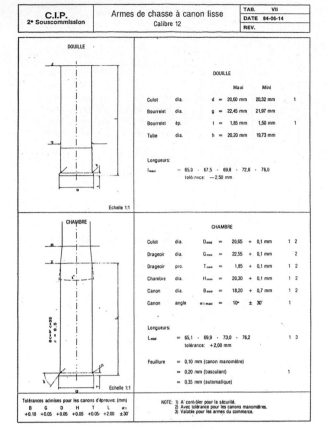

DOUILLE

			Maxi	Mini	
Culot	dia.	d =	20,60 mm	20,32 mm	1
Bourrelet	dia.	g =	22,45 mm	21,97 mm	
Bourrelet	ép.	t =	1,85 mm	1,50 mm	1
Tube	dia.	h =	20,20 mm	19,73 mm	

Longueurs:
l_{maxi} = 65,0 · 67,5 · 69,8 · 72,8 · 76,0
tolérance: −2,50 mm

Echelle 1:1

CHAMBRE

Culot	dia.	D_{mini} =	20,65 + 0,1 mm	1 2
Drageoir	dia.	G_{mini} =	22,55 + 0,1 mm	2
Drageoir	pro.	T_{mini} =	1,85 + 0,1 mm	1 2
Chambre	dia.	H_{mini} =	20,30 + 0,1 mm	1 2
Canon	dia.	B_{mini} =	18,20 + 0,7 mm	1 2
Canon	angle	$\alpha_{1\,maxi}$ =	10° ± 30'	1

Longueurs:
L_{mini} = 65,1 · 69,9 · 73,0 · 76,2   1 3
tolérance: +2,00 mm

Feuillure = 0,10 mm (canon manomètre)
= 0,20 mm (basculant)   1
= 0,35 mm (automatique)

Echelle 1:1

Tolérances admises pour les canons d'épreuve: (mm)
B	G	D	H	T	L	α_1
+0.10	+0.05	+0.05	+0.05	+0.05	+2.00	±30'

NOTE: 1) A' contrôler pour la sécurité.
2) Avec tolérance pour les canons manomètres.
3) Valable pour les armes du commerce.

Calibre 20

DOUILLE

			Maxi	Mini	
Culot	dia.	d =	17,70 mm	17,48 mm	1
Bourrelet	dia.	g =	19,40 mm	19,00 mm	
Bourrelet	ép.	t =	1,55 mm	1,20 mm	1
Tube	dia.	h =	17,35 mm	16,86 mm	

Longueurs:
l_{maxi} = 65,0 · 67,5 · 69,8 · 76,0
tolérance: −2,50 mm

Echelle 1:1

CHAMBRE

Culot	dia.	D_{mini} =	17,75 + 0,1 mm	1 2
Drageoir	dia.	G_{mini} =	19,50 + 0,1 mm	2
Drageoir	pro.	T_{mini} =	1,55 + 0,1 mm	1 2
Chambre	dia.	H_{mini} =	17,40 + 0,1 mm	1 2
Canon	dia.	B_{mini} =	15,70 + 0,5 mm	1 2
Canon	angle	$\alpha_{1\,maxi}$ =	10° ± 30'	1

Longueurs:
L_{mini} = 65,1 · 69,9 · 76,2   1 3
tolérance: +2,00 mm

Feuillure = 0,10 mm (canon manomètre)
= 0,20 mm (basculant)   1
= 0,35 mm (automatique)

Echelle 1:1

Tolérances admises pour les canons d'épreuve: (mm)
B	G	D	H	T	L	α_1
+0.10	+0.05	+0.05	+0.05	+0.05	+2.00	±30'

NOTE: 1) A' contrôler pour la sécurité.
2) Avec tolérance pour les canons manomètres.
3) Valable pour les armes du commerce.

Calibre 24

DOUILLE

			Maxi	Mini	
Culot	dia.	d =	16,75 mm	16,55 mm	1
Bourrelet	dia.	g =	18,45 mm	18,05 mm	
Bourrelet	ép.	t =	1,55 mm	1,20 mm	1
Tube	dia.	h =	16,45 mm	15,95 mm	

Longueurs:
l_{maxi} = 63,5 · 65,0
tolérance: −2,50 mm

Echelle 1:1

CHAMBRE

Culot	dia.	D_{mini} =	16,80 + 0,1 mm	1 2
Drageoir	dia.	G_{mini} =	18,55 + 0,1 mm	2
Drageoir	pro.	T_{mini} =	1,55 + 0,1 mm	1 2
Chambre	dia.	H_{mini} =	16,50 + 0,1 mm	1 2
Canon	dia.	B_{mini} =	14,70 + 0,5 mm	1 2
Canon	angle	$\alpha_{1\,maxi}$ =	10° ± 30'	1

Longueurs:
L_{mini} = 63,6 · 65,1   1 3
tolérance: +2,00 mm

Feuillure = 0,10 mm (canon manomètre)
= 0,20 mm (basculant)   1
= 0,35 mm (automatique)

Echelle 1:1

Tolérances admises pour les canons d'épreuve: (mm)
B	G	D	H	T	L	α_1
+0.10	+0.05	+0.05	+0.05	+0.05	+2.00	±30'

NOTE: 1) A' contrôler pour la sécurité.
2) Avec tolérance pour les canons manomètres.
3) Valable pour les armes du commerce.

Calibre 28

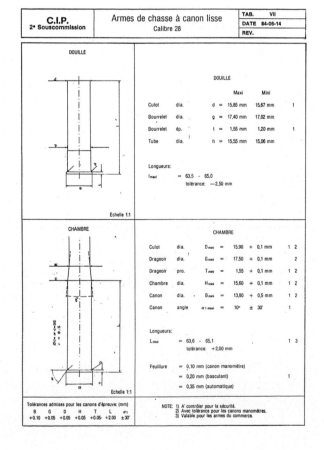

DOUILLE

			Maxi	Mini	
Culot	dia.	d =	15,85 mm	15,67 mm	1
Bourrelet	dia.	g =	17,40 mm	17,02 mm	
Bourrelet	ép.	t =	1,55 mm	1,20 mm	1
Tube	dia.	h =	15,55 mm	15,06 mm	

Longueurs:
l_{maxi} = 63,5 · 65,0
tolérance: −2,50 mm

Echelle 1:1

CHAMBRE

Culot	dia.	D_{mini} =	15,90 + 0,1 mm	1 2
Drageoir	dia.	G_{mini} =	17,50 + 0,1 mm	2
Drageoir	pro.	T_{mini} =	1,55 + 0,1 mm	1 2
Chambre	dia.	H_{mini} =	15,60 + 0,1 mm	1 2
Canon	dia.	B_{mini} =	13,80 + 0,5 mm	1 2
Canon	angle	$\alpha_{1\,maxi}$ =	10° ± 30'	1

Longueurs:
L_{mini} = 63,6 · 65,1   1 3
tolérance: +2,00 mm

Feuillure = 0,10 mm (canon manomètre)
= 0,20 mm (basculant)   1
= 0,35 mm (automatique)

Echelle 1:1

Tolérances admises pour les canons d'épreuve: (mm)
B	G	D	H	T	L	α_1
+0.10	+0.05	+0.05	+0.05	+0.05	+2.00	±30'

NOTE: 1) A' contrôler pour la sécurité.
2) Avec tolérance pour les canons manomètres.
3) Valable pour les armes du commerce.

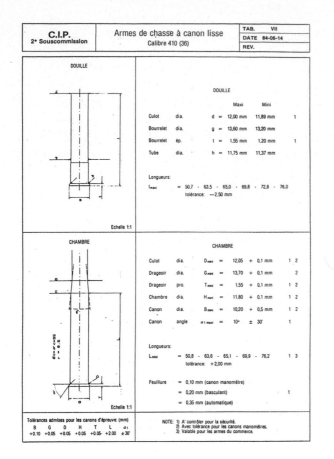

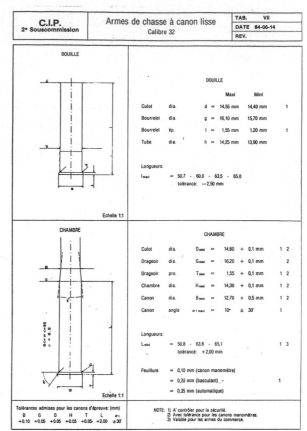

Strozzatura nei piccoli calibri

Grado di strozzatura	Percentuale di pallini del cal. 12 in un i cerchio di 75 cm. di diametro alla distanza di 30 mt.	Valori in decimi di mm. per il cal. 12	calibri				
			20	24	28	32	36
Percentuale di riferimento di ogni calibro rispetto al 12			86%	81%	77%	70%	58%
CYL.	45%	0-1/10°	0-1/10°	0-1/10°	0-1/10°	0-1/10°	0-1/10°
XXXX	55%	2-3/10°	2/10°	2/10°	2/10°	1-2/10°	1/10°
XXX	65%	4-6/10°	4-5/10°	3-4-/10°	3-4-/10°	3-4-/10°	2-3/10°
XX	72%	7-9/10°	6-7/10°	5-6/10°	5-6/10°	4-5/10°	4/10°
X	80%	9-11/10°	8-9/10°	7-8/10°	7-8/10°	6-7/10°	5-6/10°

molto delicata e sensibile delle canna, e se non è perfettamente concentrica e "affiatata" con l'anima interna può dar luogo a rosate non uniformi ed a carenze di precisione di tiro. Oltre che naturalmente ad indebolire la canna all'estremità filettata. Fatto sta che sono in vendita sia doppiette che sovrapposti predisposti agli strozzatori intercambiabili, però credo che la soluzione migliore sia quella di avere strozzature fisse e sperimentate sull'arma. Se si necessita di un'arma con strozzature diverse è bene averne un'altra nella rastrelliera. Però anche alcuni costruttori di armi fini realizzano attualmente simili compromessi.

Mi è capitato di vedere recentemente una doppietta Francotte dotata di strozzatori intercambiabili. Ognuno è libero di scegliere ciò che meglio gli aggrada, però sia dal punto di vista estetico che di affidabilità nel tempo credo che le normali canne con strozzature fisse siano ancora da preferire.

Altro discorso invece per le canne intercambiabili. In questo caso se il lavoro viene fatto a regola d'arte si possono montare su una stessa bascula due o più canne, con valori di strozzatura e lunghezza diversa.

Logicamente i costruttori più accorti tenderanno a fare canne sempre dello stesso peso pur variando queste due caratteristiche, in modo da avere sempre l'arma bilanciata al perno di bascula.

A lato pratico le strozzature variano la percentuale di pallini che compongono una rosata ad una certa distanza. Per definizione si prende come riferimento una distanza di 35 mt.

doesn't guarantee safe results. That is, the choke is a very delicate and sensitive part of the barrel, and should it not be perfectly concentrical and "in harmony" with the inner centre, non uniform shot patterns and a lack in shot precision could occur, apart from a barrel weakening at the threaded end.

Therefore, both side by side and over and under shotguns arranged for interexchangeable chokes may be easily found,
but I personally believe that the best solution is that of having fixed chokes.
Should one need different chokes, it is better to have another gun in the gun-stand.
Some fine gun makers have lately executed this kind of compromise.
I recently saw a Francotte side by side shotgun supplied with interexchangeable chokes.
Each person is free to choose what suits him best,
but I believe that as far as gun beauty and reliability is concerned, fixed chokes are preferrable.
Interexchangeable barrels are another matter. In this case, if the job is carried out properly, one or more barrels having different choke values may be mounted onto the action.
Of course, careful gun makers shall tend to construct different barrels of the same weight even though their values change, so as to always have a well-balanced gun in the action pin area.
Chokes practically vary the percentage of shots which form a shot pattern at a certain distance.
Reference distance is of 35 mt, and the target is round, with a diameter of 75 cm. Assuming a

ed un bersaglio rotondo dal diametro di 75 cm. Assumendo il valore 100% per tutti i pallini contenuti nella cartuccia ecco le percentuali che dovrebbero riscontrarsi sul bersaglio al variare della strozzatura.

100% value for all the shots included inside the cartridge, here are the percentages that should be found on the target when the choke degree is varied. Percentages on the target subsequent to choke variation.

Percentuali sul bersaglio al variare della strozzatura

Tipo	Decimi	Pallini nel bersaglio
Cyl	0-1	45%
+ + + +	2-3	55%
+ + +	4-6	65%
+ +	7-8	72%
+	9-11	80%

Bascula e chiusure

È questo un argomento molto vasto ed affascinante, che da solo potrebbe occupare la stesura di un libro. Quindi cercherò di essere alquanto sintetico e concreto, rimandando il lettore a testi più specializzati e dettagliati.
Come premessa vorrei sottolineare che su diversi aspetti del problema l'evoluzione del fucile da caccia è avvenuta alquanto empiricamente, con contributi dei singoli armaioli e con credenze ed opinioni non uniformi e tutt'ora contrastanti.
Ad esempio il discorso chiusure differenzia molti costruttori fra loro. Ci sono quelli che si affidano alla semplice doppia Purdey ai ramponi, altri che ne aggiungono una terza ed anche una quarta o una quinta.
Ci sono poi i dubbi se tutte queste chiusure lavorano veramente e quante effettivamente servano allo scopo.
La tendenza attuale è quella da avere poche chiusure ma efficienti, coadiuvate da una migliore lavorazione delle parti e dalla migliore qualità degli acciai oggi usati anche su armi economiche.
Ci sono poi chiusure difficili da realizzare, o meglio che richiedono un attento intervento manuale con accrescimento dei costi produttivi.
Vedremo più avanti i diversi tipi di chiusure comunemente adottate (il numero si allargherebbe moltissimo

Action and Locks

This is a vast and interesting subject which could take the whole book to explain.
Therefore I shall try to be brief and concrete, suggesting more specialized and detailed books to the reader who wants to know more.
First of all I would like to underline that under various aspects, shotgun evolution occurred quite empirically with the contribution of single gun makers and with beliefs and opinions which have always been and are at present, in contrast.
For example, locks differ a great deal from gun maker to gun maker.
Many gun makers employ the Purdey double bolt, others a cross bolt, and others add even a fourth or a fith lock.
It is quite doubtful whether all these locks really work and are effective.
The actual trend is that of having a few but efficient locks which are formed by well-executed parts made out of the best quality steels available on the market, which today are being used even on economical shotguns.
Some locks are of difficult execution, and they require a careful manual intervention which, of course, affects production costs.
We shall deal with the different

Due modi diversi di lavorare
la bascula: con utensili a mano
(sistema ormai praticamente
abbandonato) e con moderne
macchine utensili.

*Two different ways of action
work. Hand made and more up
to date with machine tool.*

se prendessimo in esame tutte quelle sperimentate dal secolo scorso) con relativi pro e contro. Ma iniziamo dalla bascula.

La bascula è un po' il cuore del fucile, la parte centrale che accoglie le canne, si unisce al legno e racchiude al proprio interno batterie ed altri organi. Quindi è necessario che questa parte venga realizzata con la massima precisione e con materiali resistenti nel tempo.

Il punto debole della bascula in una doppietta a canne affiancate risiede nel prolungamento ideale della faccia di bascula verso il basso, dove si interseca la faccia stessa con la tavola. In questo punto spesso i costruttori realizzano un rinforzo, lasciando più materiale ai lati in modo da contrastare possibili spaccature.

Sia nel sovrapposto che nella doppietta all'atto dello sparo si sviluppano due forze principali e combinate.

La prime tende a far ruotare la culatta delle canne verso l'alto, con distaccamento dei piani delle canne con i piani di riscontro della bascula.

La seconda tende ad allontanare il gruppo canne dalla faccia di bascula, con un'inerzia orizzontale che segue lo sparo e che tende a staccare la culatta delle canne dal punto di contatto con la bascula.

Poi in una doppietta intervengono anche momenti torsionali, ma di questo ne parleremo quando affronteremo la differenza fra sovrapposto e doppietta.

Quindi le diverse chiusure che tengono uniti il gruppo canne alla bascula devono avere lo scopo principale di contrastare queste due forze. Come vedremo in seguito poche chiusure riescono ad

types of commonly adopted locks (the list would be very lengthy should we consider all the locks experienced during the past century) with their pros and cons. Let's start from the action. The action is like the heart of the shotgun.

It is the mid-part which houses the barels, which joins with the wood and which houses box-locks and other devices in its interior.

Therefore it is necessary that this part be executed with accuracy and with best materials in order to last in time.

The weak point in a side by side shotgun action is the ideal extension of the bottom part of the action front, where the action front intersects the action flat.

Very often gun makers execute a reinforcement in this point, leaving more material on the sides so as to contrast any possible breaking.

Both over and under and side by side shotguns develop two main and combined strengths when shooting.

The first one tends to rotate the barrel breech upward, detaching the barrel flats from the opposite action flats.

The second tends to separate the barrel set from the action front by means of a horizontal inertia which follows the shot and which tends to detach the breech from the barrels in the contact point on the action.

In a side by side shotgun torsional movements occur too, but we shall face this subject when dealing with the differences between over and under and side by side shotguns.

The different locks which join the barrel set to the action have to

Bascula ricavata dal pieno con
lavorazioni successive.

*Solid action with subsequent
workings.*

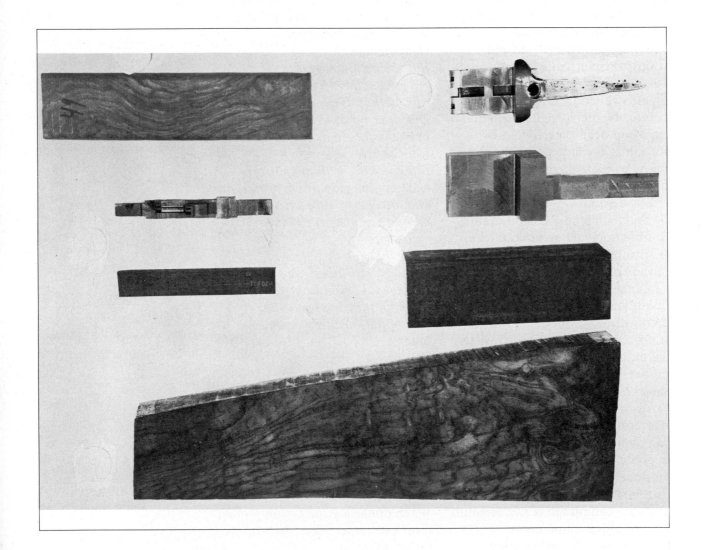

137

assicurare questo compito in piena efficacia.

La bascula viene solitamente ricavata da un blocco forgiato di acciaio ancora di tipo "dolce" per procedere alla lavorazione. Solo dopo le finiture e l'incisione eventuale viene sottoposto ai trattamenti termici di tempra e di cementazione che ne aumentano le caratteristiche meccaniche. Però la bascula può essere ricavata anche da un massello di acciaio pieno, ritenendo questo metodo superiore più fine perché più robusto rispetto alla bascula forgiata.

Questo almeno è quanto comunemente si crede. Parlando però con degli esperti di metallurgia vengono fuori aspetti nuovi ed affascinanti, che meritano di essere approfonditi e riconsiderati.

Se immaginiamo l'acciaio dotato di fibre come ad esempio il legno (giusto per fare un esempio puramente visivo) vediamo di supporre che cosa può succedere a queste durante i diversi tipi di lavorazione.

Il processo di forgiatura consiste nel modificare a caldo le forme di un pezzo di metallo (nel nostro caso l'acciaio del bascula). Dove verrà ricavata la tavola il metallo riceverà uno "schiacciamento" con compressione delle fibre che in qualche modo rimarranno in tensione.

Ricavando la bascula invece da un massello con intagli si spezzeranno le fibre longitudinalmente.

Non si avranno tensioni però ci potrebbe essere un indebolimento proprio dove non sarebbe auspicabile, cioè nel punto di raccordo fra faccia e piani di bascula. Attualmente la sperimentazione ha raggiunto

have the main purpose of contrasting these two strengths. As we shall see later on, only a few types of locks are able to efficiently grant this purpose.

The action is usually made out of a steel forged block which is still mildin order to proceed to its working.

Only after the finishing and the engraving is the steel subjected to the thermic treatments which increase its mechanical characteristics.

But the action may also be made out of a solid piece of steel, and this method is considered superior and finer because it is sounder than the forged action. This is what people believe.

But speaking with metallurgy experts, one may discover new and interesting subjects which ought to be deepened and reconsidered.

If we imagine that steel is supplied with fibres just like wood (to make a visual example), let us see what may happen to them during the various working phases.

The forging process consists in modifying the shape of a piece of metal through a hot process (in this case, the action steel).

At the action flat area, the metal shall be "flattened" and the fibres shall be compressed remaining somewhat in tension.

When obtaining the action from a solid piece, the fibres shall be cut longitudinally.

There shall be no tension, but there could be a weakening exactly where there shouldn't be: in the junction point between action front and action flats. At present microfusion - liquid steel casting

Parti componenti una doppietta di J. Purdey.

Action scheme with a Purdey double-bolt system.

livelli molto alti nel campo della microfusione, cioè della colata di acciaio liquido in conchiglie o stampi di varie forme che consentono di ottenere il pezzo già di dimensioni reali con ottime tolleranze per quanto riguarda la precisione.

Con la microfusione le fibre dell'acciaio assumono naturalmente un equilibrio maggiore e statico (cioè senza tensioni interne) rispetto ai due metodi sopracitati, dando maggiori garanzie di uniformità e quindi di tenuta (oltre che ad un abbassamento dei costi per una riduzione dei passaggi di lavorazione).

Il problema della microfusione è però quello di possibili difetti congeniti per presenza di bolle d'aria o altre imperfezioni che potrebbero portare alla rottura del pezzo senza il minimo preavvertimento.

Contro tale evenienza si usa effettuare sul pezzo grezzo dei controlli ai raggi X, che sarebbero in grado di riconoscere questi difetti.

L'affidabilità di questo sistema è ormai notevole, basti pensare che con questo metodo vengo ricavati molti pezzi destinati alla costruzione di aeroplani ed impieghi spaziali.

Certo non è un campo ancora molto sfruttato nel settore armi però già alcuni costruttori attenti a questi problemi ci stanno pensando proprio per le caratteristiche positive che questo sistema metterebbe in luce.

Pertanto dal punto di vista della morfologia delle fibre dell'acciaio nella realizzazione del bascula di un fucile da caccia o da tiro il primo posto spetterebbe al sistema di

into moulds of different shapes which allow the obtaining of a piece in real dimensions with excellent accuracy tolerances - reached very high experimentation levels.

Through microfusion, steel fibres naturally gain an increased and static balance (with no internal tensions).

Therefore, compared with the two overmentioned methods, it grants a higher uniformity level (apart from decreasing cost due to a reduction of the number of working phases).

The problem of microfusion is that of the possible defects which may arise due to air bubbles or other imperfections which could cause a sudden breaking of the piece.

This is why the raw piece is X-rayed and checked beforehand.

The reliability of this system is remarkable: it is employed for pieces destined to the construction of airplanes and space applications.

Of course, this is a sector which has not been fully exploited in the gun making field yet, but some gun makers are considering this solution due to the positive characteristics it involves.

Therefore, from a point of view of the morphology of steel fibres in the execution of the action of a hunting or shooting shotgun, microfusion should be classified first, followed by forging and by solid-piece action construction.

This, of course, in theory and with the overmentioned premise that there are no definite solutions because there is still space for experimentation.

This field is wide and beautiful,

Ramponatura manuale di un
Express giustapposto.
Officina di A. Francotte.

*Manuale lump fitting of an
Express side by side shotgun.
A Francotte Workshop.*

Batteria brevettata di Perazzi per
il sovrapposto. Estraibile a
mano. Molle a lamina.

*Patented box lock for over and
under shotguns by Perazzi. Hand
detachable locks. V-springs.*

Punzonatura di un marchio di
fabbrica sui piani delle canne.

*Stamping of a brand name on the
barrel flats.*

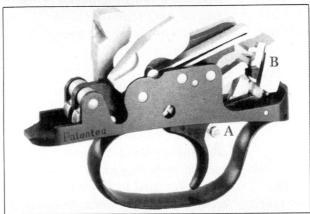

141

microfusione quindi si passa al pezzo forgiato e per ultimo alla bascula ricavata dal pieno. Questo almeno in teoria e con le premesse fatte all'inizio, cioè che non sono pareri definitivi ma che anzi abbisognerebbero di una più approfondita ricerca sperimentazione.

Il campo comunque è suggestivo ed ampio dove però la scienza è chiamata sostituire l'empirismo. Un tempo i costruttori usavano forgiarsi ancor manualmente le bascule (almeno quelli più noti ricavando successivamente le mortise dove andavano ad alloggiarsi i ramponi delle canne. Ora tutto è più industrializzato ed una volta determinato il tipo di acciaio esistono delle produzioni in grande serie delle bascule poi adattate alle diverse esigenze e quindi finiture.

Già il fatto "tirare" il metallo esternamente lucido è un compito non facile e che se fatto manualmente richiede abilità all'artigiano. Infatti bascule finite a "specchio" solo con qualche filetto ornamentale possono essere più pregevoli di altre piene di incisioni ma grezze come tiratura. Le finiture esterne possono essere diverse, anche realizzate industrialmente.

Si va dalla lucidatura alla cromatura, dalla sabbiatura alla tempera tartaruga. Quest'ultimo sistema era un tempo praticato in vasca con dentro ossa di cavallo ed alri componenti più o meno segreti.

In questo procedimento gli inglesi erano maestri, tradizione che è quasi completamente persa oggigiorno. Si ovvia con una tartaruga chimica, più sbiadita nei colori e più delicata nell'impregnare il metallo. Con

but science should replace empirism.

Long ago, the most famous gun makers used to forge their actions manually, subsequently obtaining the mortise which housed the barrel lumps.

At present, everything is more industrialized, and once the type of steel is determined, there are mass production series of actions which may suit the different requirements and finishings.

The fact of polishing the metal externally is not simple, especially if it has to be executed by hand by a craftsman.

Infact, mirror-finished actions with just a few ornamental stripes may be finer than others overcrowded with engravings which are not mirror polished.

External finishings may differ, even when industrially executed.

They may be polished or chromium plated, they may be sanded or hardened.

The latter used to be carried out in a bath containing horse bones and other secret ingredients.

The English were the masters in this procedure, a tradition which has gone lost nowadays.

This has been replaced by a chemical hardening, which is more faded in the colours and more delicate in impregnating the metal.

With the traditional bath system it was possible to change the colours of the final result by modifying the components or their percentage or arrangement inside the bath.

An suggestive detail is that nobody could foresee the final result, and that even though various actions could be hardened in the very same bath,

Bascula di sovrapposto
'Sodia' di Ferlach (Austria).
Consiste in una triplice Greener
raddoppiata.
Incisione di Badillini (Giam).

*Action of a 'Sodia' over and
under shotgun by Ferlach
(Austria). It consist of a doubled
triple Greener cross-bolt.
Engraving by Badillini (Giam).*

sistema tradizionale della vasca si potevano cambiare i colori del risultato finale modificando i componenti o la percentuale di essi o la disposizione delle ossa all'interno della vasca. Un particolare suggestivo è che nessuno sapeva l'esito finale e quindi pur con bascule tartarugate nella stessa vasca non si avevano risultati completamente uguali. I toni variavano dal marrone al blu, dal rosa al giallo con un effetto estetico accattivante. In alcune doppiette inglesi o belghe si vedono anche tempere a tartaruga molto delicate, quasi impercettibili. Recentemente la Beretta è ritornata al sistema tradizionale per la finitura delle bascule dei propri sovrapposti express serie "S" ed "SO".

Va però detto che la tempera tartaruga non porta l'acciaio alla stessa durezza della tempera e cementazione tradizionali, con una differenza che può oscillare del 20/30% a favore di quest'ultima.

Per finire l'argomento bascule, si notano a volte delle persone che hanno un tipo di sudorazione che fa subito annerire l'acciaio della bascula.

Contro tale fenomeno bisogna intervenire tempestivamente con un pulizia e lubrificazione della stessa ed a volte non è nemmeno sufficiente. Alcuni costruttori usano proteggere le pareti esterne della bascula con una vernice particolare e trasparente che isola il metallo dagli agenti esterni.

Questa può essere una valida soluzione, importante è non lasciare arrugginire la parte esterna della bascula soprattutto se è rifinita con pregevoli incisioni. Lo stesso vale

results were never completely alike.

Shades varied from brown to blue, from pink to yellow, with an attractive effect.

Some English or Belgian side by side shotguns have very delicate hardenings which are almost unperceivable.

Beretta recently went back to the traditional system for the action finishing of its "S" and "SO" express over and under shotguns.

Anyhow, it must be said that hardening does not harden steel as much as traditional hardening and tempering, with a difference of 20/30%.

In order to complete the subject of actions, at times there are people who have a prespiration that blackens the action steel. It is necessary to act prmptly against this phenomenon by cleaning and lubricating the action. And sometimes even this is not enough.

Some gun makers protect the external walls of the actions with a special varnish that isolates the metal from external agents. This could be a reasonable solution, bt it is important not to let the external part of the action rust, especially if it is finely engraved.

This is also true for the ring which very frequently forms around the percussion pin holes in the action front which may, in time, affect the metal.

Some shotguns are supplied with percussion-pin holder grains, which are replaceable should it be necessary.

The presence of the grains is not an idex of fineness of the gun; many fine guns are not supplied with them. Anyhow, when the action is made out of excellent

per l'alone che quasi sempre si crea intorno ai fori dei percussori nella faccia di bascula e che a lungo andare può intaccare il metallo considerando l'erosività dell'innesco della cartuccia. Alcuni fucili sono dotati di grani portapercussori, sostituibili qualora necessitasse. La presenza dei grani non è però indice automatico di finezza dell'arma: molte armi fini di grande pregio ne sono prive. Comunque con bascula di buon materiale e sottoposta a cementazione, anche il fenomeno dell'alone intorno ai fori dei percussori dovrebbe essere di gran lunga attenuato.

Per quanto riguarda il discorso ramponature e chiusure occorre distinguere fra sovrapposti e doppiette a canne affiancate. Iniziamo dai primi. Il sovrapposto probabilmente più conosciuto ed imitato è il BOSS, scaturito dall'estro e dalle capacità di John Robertson nel 1909, collaboratore di questa prestigiosa Casa. Chi fosse costui lo vedremo nel capitolo dedicato alle armi inglesi, mentre ora ci occuperemo in linea generale delle caratteristiche tecniche relative alle chiusure. L'idea si dice che Robertson l'abbia avuta vedendo il sovrapposto del francese Pidault, il primo vero esemplare di arma a ramponi laterali. Però questo non è certo e può benissimo essere che Robertson fosse all'oscuro di quest'arma e che il progetto fosse tutto suo. Ad ogni buon conto ci sono delle differenze sostanziali tra l'arma di Pidault e quella di Boss. Quest'ultima è un capolavoro di arte armiera che rimane tutt'ora come esempio per i posteri che in più riprese hanno tentato inutilmente di copiarla. Nel sovrapposto Boss il gruppo canne è ancorato alla bascula tramite due

material and it has been case-hardened, the phenomenon of the marks around the holes is reduced.

As far as lump fittings and locks are concerned, a distinction should be made between over and under and side by side shotguns. We shall start with the first case. Probably, the most famous and emulated over and under shotgun is the BOSS, conceived in 1909 by John Robertson, who was a collaborator of this prestigious gun maker.

We shall talk about him in the English guns chapter. Now, we shall deal with the technical features related with locks. It is believed that Robertson had this idea because he saw the over and under shotgun by the french gun maker Pidault, the first shotgun with side lumps.

But this may not be true, and it could be that Robertson didn't know anything about this gun and conceived the whole system on his own.

Anyhow, there are remarkable differences between the Pidault and the Boss guns. The latter is a work of gun-making art, and it is still an example for the descendants who repeatedly tried to copy it.

In the Boss over and under shotgun, the barrel set is secured to the action by means of two side semi-pins which act on two special shoulders on the action.

This accurate lump fitting becomes integral with its opposite part when the shotgun is closed, and it avoids a breech detachment from the barrels on the action front. Besides, under the midpoint of the lower barrel there is a forked plug which penetrates in two side cavities avoiding a

semiperni laterali che agiscono su due apposite spalle ricavate nella bascula. Questa ramponatura arcuata diventa solidale con il proprio contrasto quando si chiude il fucile ed impedisce il distaccamento della culatta delle canne dalla faccia di bascula.

Inoltre sotto la metà della canna inferiore si inserisce un tassello biforcuto che penetra in due cavità laterali e che impedisce il movimento rotativo delle stesse. A volte esiste un'altra chiusura sul prolungamento della bindella che però data la conformazione è più estetica che effettiva. Le canne vengono inserite e trattenute in bascula tramite due riporti laterali che vanno ad alloggiare nelle rispettive sedi ricavate nel perno che ruota insieme alle canne.

Questo sovrapposto con modifiche più o meno accentuate è stato ripreso da molti altri costruttori, da Lebeau Courally a Franchi (anni trenta), da Francotte ed in tempi più recenti a Perazzi, da Fabbri a Zanotti a innumerevoli altri.

La ramponatura laterale richiede tempi maggiori di lavorazione e quindi queste armi hanno quasi sempre prezzi elevati, però la robustezza ed il buon funzionamento del concetto di questo sistema sono proverbiali e tra i più validi. Nel Boss il catenaccio biforcuto si inserisce un po' in basso rispetto ad una situazione ideale, che vorrebbe la chiusura fra bascula e canne la più alta possibile dal piano del perno di bascula per essere maggiormente efficace con minimo sforzo.

Lo stesso dicasi per la distanza del secondo rampone in una doppietta sempre misurata dal perno di bascula. Occorre tenere presente questo principio fisico per valutare l'efficacia di una chiusura. D'altra

rotational movement of the barrels.

At times, there is a further lock on the rib extension which is more aesthetical than effective. Barrels are inserted and maintained inside the action by means of two side devices which are housed in their respective housings inside the pin which rotates with the barrels.

This over and under shotgun has been constructed — with various modifications - by many gun makers such as Lebeau-Courally (in the thirties), Francotte, and in recent times by Perazzi, Fabbri, Zanotti and many others.

Side lump-fitting requires greater working times,therefore these guns are usually sold at very high prices, but their soundness and the performance of their system are among the best. In the Boss shotgun, the forked bolt is inserted lower compared to an ideal position which should be that of having the lock between the action and the barrels as high as possible with reference to the action pin flat in order to be as effective as possible with a least effort.

This is also true for the distance of the second lump of a side by side shotgun, measured from the action pin.

It is necessary to bear this physical principle in mind in order to assess the efficiency of a lock.

On the other hand, in over and under shotguns, the rotation thrust upward is less than in side by side shotguns, because the "U" action deeply houses the barrels, structurally favouring the union of the two elements (action/barrels). Then there are the lump-fited over and under shotguns too. That is, their lumps are obtained under the

Schema di ramponatura laterale (tipo Boss) su sovrapposto Perazzi.

Side-bolting (Boss-type) scheme on an over and under Perazzi shotgun.

Schema della bascula a doppia chiusura Purdey ai ramponi.

Action with double Purdey bolt.

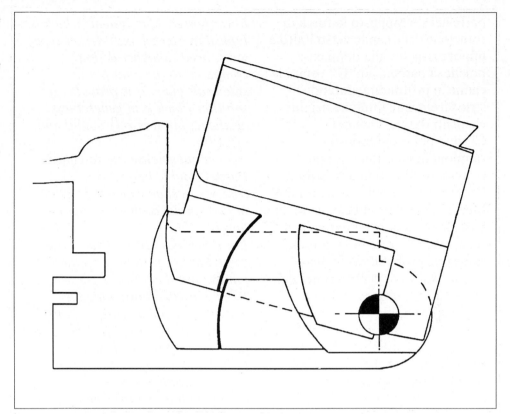

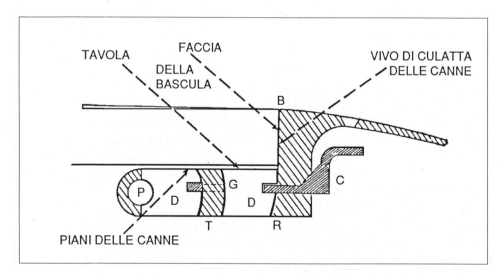

TAVOLA   FACCIA   VIVO DI CULATTA
DELLA   DELLE CANNE
BASCULA

B

P   D   G   D   C

T   R

PIANI DELLE CANNE

147

parte nel sovrapposto la forza di rotazione delle canne verso l'alto è minore rispetto alla doppietta poiché la bascula ad "U" ospita le canne in profondità aiutando strutturalmente l'unione dei due elementi (bascula-canne).

Ci sono poi i sovrapposti ramponati, cioè con i ramponi ricavati sotto la canna inferiore. Questo sistema tipico delle armi di Merkel e derivate abbisogna di una bascula più alta rispetto quella a semiperni od orecchioni laterali, soluzione probabilmente meno estetica sotto un profilo generale, ma molto robusta ed efficace.

In questi ramponi viene di solito ricavata la cosiddetta duplice Purdey, cioè una slitta trasversale che si inserisce nelle due apposite cavità ricavate nei ramponi. Però non è sempre così. Infatti in alcune armi di Merkel i due ramponi sono interi e tutta la chiusura viene affidata duplice Kersten, che prende il nome dall'inventore di questo sistema e che consiste in un perno tondo che si inserisce in due chiavistelli ricavati dal pieno della canna superiore. In pratica un duplice Greener riportata però sul sovrapposto. Queste doppie mensole che si inseriscono in apposite cavità della bascula assicurano buona chiusura nei confronti delle due forze che si generano al momento dello sparo e che abbiamo già visto.

Per ulteriore sicurezza la duplice Purdey ai ramponi viene aggiunta in armi combinate od express, per le maggiori pressioni che si generano con le cartucce a palla. Di questo sistema se ne trovano diverse varianti, sempre ramponati con tassello superiore che chiude su due mensole a sbalzo, oppure tipo Kersten però senza perno tondo ma con tassello squadrato.

lower barrel. This system, which is typical in Merkel and Merkel-type guns, needs a higher action compared to the semi-pin or side-shaft guns. It is probably a solution which is in general less aesthetic, but it is very sound and effective.

These lumps house the so-called Purdey double bolt: it is a transversal slide which is inserted in two special cavities inside the lumps.

But this is not always true. Infact, some Merkel guns have whole lumps, and the lock system is a Kersten double-bolt, which is named after the inventor of this system which consists in a round pin which is inserted into two bolts housed in the upper barrel. It is practically a Greener double-bolt on an over and under shotgun.

These double shelves that are inserted in special action cavities grant a good locking with reference to the thrusts that are generated during shooting.

Purdey double-bolts are added for further safety purposes in combined or express guns, counteracting against the greater pressures which are generated by slug cartridges.

There are different variants of this system: lump-fitted with an upper plug which closes onto two shelves, of the Kersten type without a round pin and with a squared plug, and so on.

But Greener cross-bolts are surely among the most effective locks when it comes to counteracting the thrust that tends to detach the barrels from the rib, because it firmly holds the barrels breech by means of its bolt. From this point of view, the other types of locks are quite risky.

Ricordo però che la Greener è sicuramente fra l chiusure più efficaci quando si tratta di contrastare la forza che tende a fare staccare le canne dalla bascula, proprio perché trattiene con il catenaccio la culatta delle canne. Da questo punto di vista le altre chiusure sono piuttosto aleatorie.

Tra i sovrapposti che adottano chiusure di altro tipo occorre ricordare il Beretta ed anche lo Zanotti.

Il sovrapposto Beretta serie SO adotta due orecchioni laterali (cioè due semiperni che vanno ad alloggiare in apposite guide nella bascula) con l'aggiunta di due mensole di contrasto con catenaccio trasversale ricavate dal pieno della canna superiore.

Questo sistema permette di tenere la bascula più bassa rispetto al sistema dei ramponi, poiché la canna inferiore è libera da queste protuberanze. Inoltre il sovrapposto Beretta ha la particolarità di avere due spalle di contrasto fra bascula e canne, che almeno nelle intenzioni dovrebbe contrastare l'allontanamento del gruppo panne dalla faccia di bascula. Parlando però con tecnici della Beretta si apprende che questa conformazione di chiusura dei sovrapposti è particolarmente efficace. Infatti già con i soli due orecchioni e le due spalle laterali la chiusura è assicurata, poiché si è provato a sparare senza le due mensole superiori e l'arma non ha mostrato cedimenti durante lo sparo. La fiducia in questa informazione è confermata anche dal fatto che di recente la Beretta ha iniziato la costruzione di potenti express a canne sovrapposte (due canne rigate di grosso calibro fra cui il 30-06 e il

Among the over and under shotguns which adopt other types of locks are Beretta and Zanotti. Beretta SO over and under shotguns are supplied with two side shafts (two side lumps which are housed in special slots in the action) with the addition of two contrast shelves with a transversal lock which are one piece with the upper barrel.

This system allows a lower action in comparison to the lump-system since the lower barrel is free from any protuberance.

Besides, Beretta over and under shotguns have two contrast shoulders between the action and the barrels, which should contrast the shifting of the barrel set from the action front.

By talking with Beretta's engineers, we learn that this lock setting is particularly effective in over and under shotguns.

In fact, the locking is already granted by the two side shafts and the two shoulders, since the gun had been tested without the two upper shelves, and it didn't evidence any sign of collapsing during shooting.

This information is trustworthy also because it is confirmed by the fact that Beretta recently started to construct powerful over and under express shotguns (two rifled big gauge barrels among which the 30-06 and the 9.3x74R) by keeping their lock system unaltered.

Besides, Beretta over and under shotguns have been winning medals on shooting grounds all over the World, proving to be technologically perfect shotguns.

In the more commercial "S" and "S680" series, the two upper shelves have been replaced by two conical pins which are housed

9,3x74R) mantenendo inalterate le chiusure. Non solo ma sono ormai tanti anni che i sovrapposti Beretta mietono medaglie sui campi di tiro di tutto il mondo risultando fucili tecnologicamente perfetti.

Nella serie più commerciale "S" ed "S680" le due mensole superiori sono state sostituite da due perni tronco-conici che vanno ad alloggiare in due fori ricavati nelle canne. Le spine si inseriscono quando si chiude l'arma. Questa è una soluzione decisamente più estetica, poiché non esiste il catenaccio superiore trasversale che sporge quando si apre l'arma, però da un punto di vista funzionale e di stabilità credo che quest'ultima soluzione sia ancora preferibile. Comunque il primo sistema può essere ricavato a mezzo macchine, mentre il catenaccio che chiude su mensole bisogna ancora di un aggiustaggio manuale.

Il sovrapposto disegnato da Fabio Zanotti e poi realizzato industrialmente dalla IAB ha due grossi ramponi rettangolari passanti e chiusura tramite slitta nel rampone posteriore. La bascula piuttosto alta abbraccia le canne per molto della loro altezza. Anche quest'arma risulta eccezionalmente solida, pur se deve essere realizzata con scrupolo e tolleranze ristrette. I due grossi ramponi passanti nella bascula esercitano un efficace accoppiamento con la bascula tale da garantire le chiusure per diverse decine di migliaia di colpi.

Passando alle chiusure delle doppiette a canne affiancate le soluzioni sono ancora maggiori. Pure in questo caso ci limiteremo a vederne le principali. Occorre premettere che al di là del sistema adottato le chiusure delle doppiette e più corettamente il fine

inside two cavities in the barrels. The plugs are inserted when the gun is locked.

This is decidedly a more aesthetical solution because there is no upper transversal lock which protudes when the gun is opened. From a functional point of view, I believe this last solution is preferrable. Anyhow, the first system may be obtained by means of machines, while the lock which closes onto the shelves needs a manual adjustment.

The over and under shotgun designed by Fabio Zanotti and industrially constructed by IAB, has two big rectangular through-side locks, and it locks by means of a slide on the back lock. The tall action follows the barrels for quite a length.

This shotgun too, is remarkably sound even though it has to be realized with skill and limited tolerances.

The two big locks that pass through the action carry out an effective coupling with the action so as to grant lockings for various tenths of thousands of shots. Solutions are even more when we talk about side by side shotgun locks. In this case, we shall only view the main ones. I would like to point out that the fine assembly of the barrel set and of the action is a very delicate operation which only a few skilled gun makers are able to carry out competently, and which goes beyond the locking system adopted in side by side shotguns.

Besides, this is an operation in which human intervention is still irreplaceable. Of course, there are unexpensive side by side shotguns which are totally machined, but these are only shooting objects which do not display fine or

aggiustaggio (imbasculatura) fra gruppo canne e bascula sono operazioni molto delicate, che solo pochi ed abili armaioli sanno eseguire con la giusta competenza. Inoltre è questa una operazione dove la mano dell'uomo è ancora insostituibile. Certo esistono doppiette di basso costo solo macchinate, ma per chi se ne intende un poco di costruzione di armi queste sono solo oggetti per sparare, ma nulla hanno né di fine né tantomeno di artistico. Credo che per chi voglia stare su armi economiche sia meglio preferire il sovrapposto alla doppietta, poiché nel sovrapposto i sistemi adottati anche se completamente macchinati possono essere più efficaci e meglio realizzati. Praticamente quasi tutte le doppiette vengono imbasculate inserendo i due ramponi delle canne nelle relative mortise della bascula. Nei due ramponi vengono praticate due cavità dove andranno ad inserirsi due tasselli della slitta che hanno un movimento orizzontale comandato dalla chiave di apertura dell'arma. Questo sistema viene chiamato chiusura "doppia Purdey" (dal geniale costruttore inglese) e può essere integrata da una terza: utile nei modelli Anson, in quanto questi come abbiamo visto hanno la tavola di bascula internamente vuota per ospitare il sistema degli acciarini. Comunque è tendenza comune costruire doppiette con la sola doppia Purdey (sia Anson che Holland) poiché l'alta qualità dei materiali oggi disponibili e una buona accuratezza di imbasculatura garantiscono chiusure molto affidabili. Questa è però la tendenza attuale concettualmente non molto condivisa da alcuni teorici dell'arte

artistical features. I believe that people who want to choose something economical should choose over and under shotguns rather than side by side shotguns because the systems adopted in over and under shotguns may be more effective and well-realized even though they are totally machined.
Practically all side by side shotguns are action-fitted by inserting the two barrel locks inside the relative action mortises. The two locks are supplied with two cavities which shall house the two slide plugs which have a horizontal movement controlled by the gun top open lever. This system is called Purdey double-bolt system (named after the ingenious English gun maker) and it may be integrated by a third bolt which is useful in the Anson models, since they have a hollow action flat in order to house the lock system.
Anyhow, the construction of shotguns (Anson and Holland) with a Purdey double-bolt system is common, because the high quality standard of the materials available today and the action-fitting accuracy grant reliable locks.
This is the present trend which isn't conceptually shared by various gun making art theoreticians, because the Purdey double-bolt system, even if well realized, has the only function of securing the barrels to the action flat.
But it is useless when it comes to counteracting against the detachment of the breech from the barrels from the action flat. But side by side shotguns are now constructed with triple-compass revolution locks, a system which

armiera, poiché la doppia Purdey anche se ben realizzata ha il solo compito di tenere salde le canne alla tavola di bascula. Ma non serve a nulla quando si tratta di contrastare il distaccamento della culatta delle canne dalla faccia di bascula. Occorre però dire che le doppiette vengono ora costruite con ramponi a triplice giro di compasso, un sistema che pur non essendo in sé una chiusura aiuta sensibilmente a realizzare un efficace accoppiamento canne-bascula. Vedremo poi il perché. Quindi la doppia Purdey è la chiusura ormai universalmente adottata, anche se si possono trovare doppiette con sistemi diversi, come ad esempio la doppietta a quattro ramponi realizzata dalla Fabarm o quelle ad apertura delle canne in senso orizzontale.

Ci sono molti dubbi anche a proposito della terza chiusura, ed a questo proposito pure gli armieri inglesi della fine del secolo scorso erano tutt'altro che d'accordo, ed ognuno difendeva le proprie soluzioni.

La terza chiusura per essere efficace deve lavorare effettivamente, soprattutto per "saldare" canne e bascula durante lo sparo che altrimenti tenderebbero a distaccarsi. La chiusura probabilmente più efficace è tutt'ora la terza Greener a perno tondo. Un prolungamento della bindella con foro trasversale entra in un recesso ricavato nella bascula e viene agganciato da un perno mobile comandato dalla chiave di apertura. Anche se molti costruttori hanno adottato la terza Greener nelle loro armi pochi sono quelli che la fanno lavorare veramente.

Per prima cosa Greener realizzava

helps in the realization of an effective barrel set-action coupling.

Therefore, the Purdey double-bolt system is the universally adopted lock type, even though different systems may indeed be found, such as the four-lock side by side shotgun constructed by Fabarm and the horizontal barrel locking system.

There are many doubts on the third bolt too, and the English gun makers of the past century were quite contrary to it, each one defending its own solutions.

In order to be effective, third bolts have to "weld" barrels and action together during the shot. The most effective lock of this kind is probably the Greener cross-bolt.

An extension of the rib with a transversal hole enters in a cavity in the action and is hooked by a mobile pin which is controlled by the top open lever. Even though many gun makers adopted Greener cross-bolts for their guns, only very few make them work properly.

First of all, Greener realized a double tapered pin, so that it worked progressively in the coupling with the rib and with the action hole.

The pin has to be of an adequate diameter (6 mm) because should it be too small, it could collapse with time and "weld" the action and the barrels together, preventing the barrels from opening. The round pin has to work inside the rib with all its circumference, and in order to check this, it is sufficient to carry out the carbon black test, in which the pin has to be blackened and the gun locked. When the gun shall be reopened, you shall see

Diversi tipi di terze chiusure.

Different types of cross-bolts.

Chiusura (o meglio ramponatura) a triplice giro di compasso introdotta dalla Casa Zanotti all'inizio del secolo.

Triple compass turn locking (lump fitting) introduced by Zanotti at the beginning of the century.

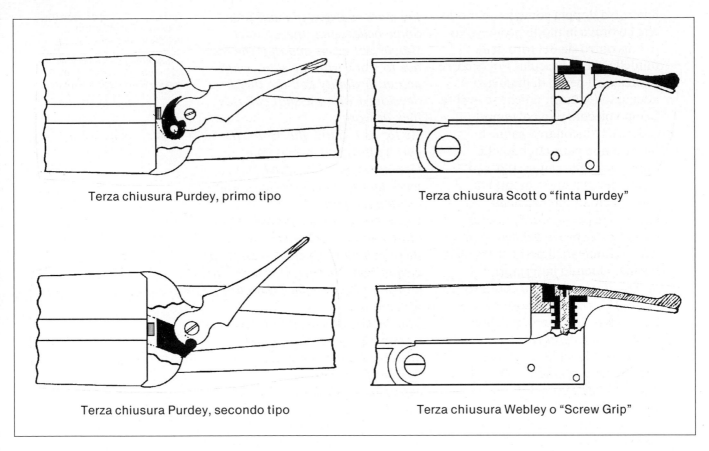

Terza chiusura Purdey, primo tipo

Terza chiusura Scott o "finta Purdey"

Terza chiusura Purdey, secondo tipo

Terza chiusura Webley o "Screw Grip"

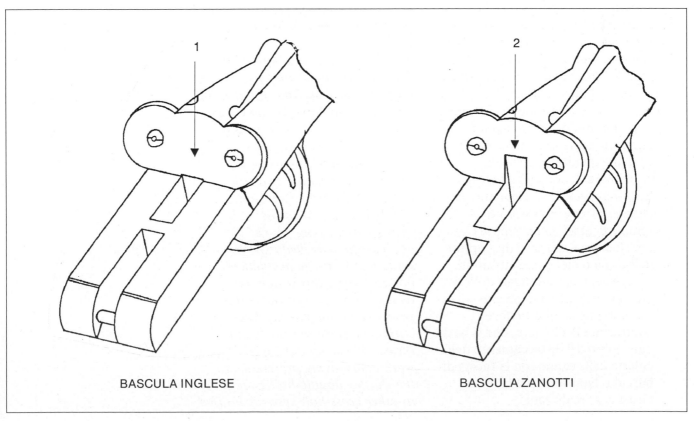

BASCULA INGLESE

BASCULA ZANOTTI

il perno a doppia conicità, in modo che lavorava in modo progressivo nel riscontro sia del foro della bindella che di bascula. Poi occorre realizzare il perno di diametro adeguato (6 mm.), poiché se lo si fa troppo piccolo può col tempo cedere ed "incollare" canne e bascula non permettendo più l'apertura delle canne. Il perno tondo deve lavorare in tutta la propria circonferenza nella bindella, e per accertare questo basta fare la prova del nero-fumo. Cioè affumicare il perno e chiudere l'arma. Quando la si riaprirà si noterà dove c'è stato il contatto fra perno e foro. Alcuni sostengono che questo contatto non debba avvenire, ma debba però esserci un filo d'aria. La chiusura lavorerà con lo sparo, quando l'elasticità della bascula e comunque le forze che si sviluppano durante lo sparo chiameranno in causa questa chiusura. Per quanto è dato di saperne questa però non è la corretta interpretazione della terza Greener, che invece deve lavorare sempre, semplicemente quando si chiude l'arma. La terza con perno quadro è più complessa da realizzare e teoricamente inferiore al perno tondo. Infatti è più facile aggiustare una superficie tonda che non una quadrata, anche in relazione alla conicità di cui accennavamo. Praticamente questa chiusura viene intesa come semplice tassello che tiene le canne per sicurezza, nel caso di scoppio dell'arma o inconvenienti simili. Invece negli intendimenti di W.W. Greener e degli armaioli che l'hanno intesa, questa deve contrastare la tendenza che si ha ad ogni colpo del distaccamento della culatta delle canne con la faccia di bascula. Non solo, ma la terza Greener se realizzata

the mark between pin and hole. Some believe that this contact should not occur and that the lock has to work with the shot, when action flexibility and the thrust developed with the shot call this lock at work.
As far as I know, this is not the correct interpretation of the Greener cross-bolt, which has to work all the time, especially when locking the gun.
Cross-bolts with a squared pin are more complex to realize and theorically less efficient than with a round pin. In fact, it is easier to adjust a round surface than a squared one.
This lock is practically intended as a simple plug which keeps the barrels together for safety purposes - in case of gun explosion or similar.
But W.W. Greener intended this bolt to counteract against the tendency of detachment of the breech from the barrels and from the action at each shot. And not only this.
When Greener cross-bolts are correctly executed, they are one of the very few locks that grant this important function. Some German and Austrian gun makers adopt Kersten locks (two Greener cross-bolts) in side by side shotguns by creating two side holes in the barrel extension.
This is carried out in the construction of big gauge double-rifle-barrelled express shotguns. From an aesthetical point of view, this system is tended to be set g of the action front even though it has been criticized. Since the two main thrusts which act during the shot work apart giving preference to the Purdey double-bolt system or to other cross-bolt systems housed

Differenze di ramponatura fra doppietta Zanotti e armi precedenti (inglesi).

Lump fitting differences betwenn a Zanotti side by side shotgun and previous English shotguns.

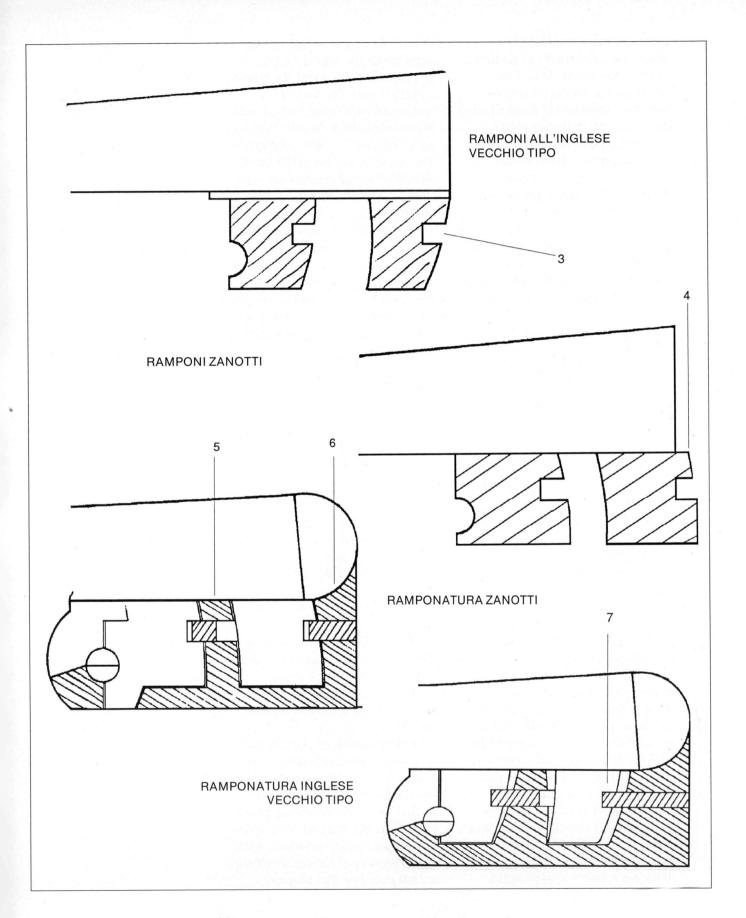

RAMPONI ALL'INGLESE
VECCHIO TIPO

3

4

RAMPONI ZANOTTI

5

6

RAMPONATURA ZANOTTI

7

RAMPONATURA INGLESE
VECCHIO TIPO

correttamente, è una delle pochissime chiusure che assicura questa importante funzione. Alcuni costruttori tedeschi ed austriaci adottano la Kersten (cioè due Greener) nelle doppiette, ricavando i due fori dal pieno nel prolungamento delle canne lateralmente. Questo nella costruzione di fini express a due canne rigate in grossi calibri. Dal punto di vista estetico però si tende ad accantonare questo sistema, preferendo come dicevamo la sola doppia Purdey oppure altre triplici ricavate all'interno della bascula e che non si notano a fucile chiuso. Abbiamo parlato prima della ramponatura a triplice giro di compasso. Questo sistema ormai universalmente diffuso fu presentato per la prima volta su una doppietta Zanotti nel 1906. Quindi si deve a questa unica e prolifica famiglia di armaioli italiani un sistema di ramponatura che a livello concettuale e pratico come portata può essere tranquillamente paragonato alla doppia Purdey. Ma vediamo nel dettaglio in cosa consiste. Le armi Zanotti sono famose per la lunghezza dei loro ramponi, particolarmente quello posteriore che in tal modo aumentano i punti di contatto fra canne e bascula aumentandone nel contempo la solidità. Fino ad allora i ramponi erano più esigui e con forme diverse a seconda dei costruttori. Addirittura molto era lo spazio lasciato dai ramponi e i traversini ed il secondo rampone terminava sotto il profilo della culatta delle canne. Invece la ramponatura Zanotti prevedeva un contatto uniforme dei fianchi dei ramponi con le mortise, contatto reso possibile solo da un sapiente lavoro di lima e relativo aggiustaggio.

inside the action which cannot be seen when the gun is locked. I previously mentioned the triple compass-turn locking. This universally-diffused system was introduced on a Zanotti side by side shotgun in 1906. Therefore this locking system which may practically and conceptually be compared with Purdey double-bolt systems exists thanks to this prolific Italian gun-making family.

But let us see what it consists of. Zanotti shotguns are famous for the length of their locks, especially of the back one; they supply more points of contact between action and barrels, increasing gun soundness.

Up to then, locks were smaller and had different shapes depending on the gun makers. Much was the space left over by the locks, and the second lock usually ended under the profile of the barrel set breech.

But Zanotti's locks provided a uniform contact of the lock sides with the mortises; a contact which was made possible only by a skillful work of file and adjustment.

When unlocking the gun, the side surfaces of the two locks have to be uniformly grey, without any prominences or striations, which are symptoms which indicate that the contact between the two surfaces occurs only in a few points.

The back profile of the second lock has to perfectly adhere to the action tackle with a rotational movement as the gun is being locked. Also the profiling of the curves, or the radii of the curves have to be "compass-like", with their fulcrum at the center of the action pin. For this purpose,

Aprendo l'arma le superfici laterali dei due ramponi devono essere uniformemente grigie, prive di pennacchi o striature, sintomi che mostrano che il contatto fra le due pareti avviene solo in pochi punti. Poi il profilo posteriore del secondo rampone deve aderire perfettamente al traversino di bascula, con movimento rotatorio man mano l'arma viene chiusa. In questo modo avviene l'aiuto alle chiusure di cui parlavo sopra. Ma anche la profilatura delle curve, o meglio i raggi dei profili dei ramponi, sia anteriore che posteriori, devono essere a "giro di compasso", con fulcro al centro del perno di bascula. Gli Zanotti usavano un compasso costruito allo scopo per tracciare sul rampone la sagoma di come doveva venire. In tal modo, una volta chiusa l'arma, lo stesso disegno dei ramponi si oppone ad un momento rotatorio delle canne, cosa che non avveniva con le precedenti ramponature inglesi. Ci fu poi uno spostamento del termine del secondo rampone da sotto il profilo della culatta delle canne ad una posizione più arretrata. In questo modo si rese necessario apportare un ulteriore scavo nella parte inferiore della faccia di bascula per poter chiudere le canne. In tal modo però si arretrò il punto di chiusura con il tassello rispetto alla fine della culatta delle canne, realizzando migliore chiusura con meno sforzo. Questi concetti verranno compresi meglio dal lettore guardando le relative illustrazioni.
Non solo ma questo arretramento del rampone permette al tassello di contrastare con maggiore efficacia, aiutato in questo da tutta la parte superiore della bascula e non solo dal proprio spessore come avveniva

Zanotti used a special compass in order to outline the shape of the lock. In such way, once the gun is locked, the very same lock design follows a rotational movement of the barrels;
this did not occur with the previous English locks. Later on the end of the second lock was shifted from underneath the barrel breech profile to a more backward position.
This made it necessary to create a further hollow in the lower part of the action front in order to be able to lock the barrels.
So, the locking point was shifted backward too, creating an improved locking with a lesser effort.
These concepts shall be better understood by the reader when looking at the relevant illustrations.
This backward lock position allows the plug to counteract with a greater efficiency,
helped in this by the upper part of the action and not only by its own thickness as used to happen with the previous English action-fitting.
Therefore Zanotti have a great merit for having having greatly contributed with improvements in the difficult sector of action-fitting.
Another diffused lock is the Westley Richards cross bolt or doll-head bolt.
In this case too, it is a question of realizing a semicircular form onto the rib extension which has to fit into a hollow inside the action.
This lock too, counteracts the backward overturning of the action front even though it has been criticized.
Since the two main thrusts which act during the shot work

157

con imbasculatura inglese precedente. Quindi è un grosso merito quello degli Zanotti che sono riusciti ad apportare sostanziali miglioramenti nel difficile campo della imbasculatura delle doppiette. Continuando nell'esame delle chiusure, un'altra piuttosto diffusa è la terza di Westley Richards o a testa di bambola. Anche in questo caso si tratta di realizzare sul prolungamento della bindella una sagoma semicircolare (o con spalle più pronunciate secondo i casi) che va ad inserirsi in un incavo relativo nella bascula. Anche questa chiusura si oppone al rovesciamento all'indietro dalla faccia di bascula pur non essendo priva da critiche. Infatti poiché le due forze principali che agiscono al momento dello sparo lavorano simultaneamente esiste una tendenza a "sfilarsi" delle canne nella rotazione della chiusura. Ecco che rispunta la predominanza della triplice Greener, l'unica che riesca ad eliminare questo inconveniente. Per la verità non si sa esattamente quanto ciò sia vero, però alcuni costruttori hanno integrato questa terza chiusura con una quarta, consistente in un tassello che trattiene la testa di bambola nel proprio alloggiamento o addirittura aggiungendo a questa un perno passante tondo o quadrato tipo Greener. Comunque rimane un fatto che la terza Westley Richards gode di buona credibilità, considerato che anche le più fini fabbriche inglesi del secolo scorso l'adottarono per la realizzazione di numerosi "express" a due canne rigate di grosso calibro. Come dicevo questa chiusura è andata soggetta a diverse interpretazioni e conformazioni come ad esempio la

simultaneously, there is a tendency in the barrels, to "slip out" during locking rotation.
And this is where the predominance of the Greener cross-bolt has its reasons: it is the only one that manages to eliminate this inconvenience.
To say the truth, we don't know up to what extent this might be true, but some gun makers integrated this cross-bolt with a fourth lock consisting in a plug that keeps the doll-head in its housing or even adding a round or squared through pin to the doll head.
Anyhow, as a matter of fact, Westley Richards cross bolts have a good credibility if we consider that the finest English gun makers of the past century adopted them for the construction of big gauge double-barrelled rifled express shotguns.
This lock-system too was subjected to different interpretations, such as the Varriale four-lock system which consisted in a quite insuccessful coupling between the doll-head bolt system and the Greener cross-bolt.
Somebody made an attempt to perfect this system by introducing numerous locks in order to counteract the torsional movements of the two barrels in side by side shotguns, but these movements are already counteracted by the lower locks.
The other cross-bolts which are only necessary to keep the barrels locked (reinforcement of the Purdey double bolt) are different. Among them we may find Holland and Holland's, Purdey's and Scott's

quadruplice Varriale, che consisteva in un poco felice accoppiamento fra la triplice a testa di bambola e la terza di Greener. Qualcuno tentò di perfezionare od introdurre queste numerose chiusure per contrastare i movimenti torsionali delle due canne delle doppiette giustapposte, ma queste sono già efficacemente contrastate dai ramponi inferiori. Le altre terze chiusure che però servono solo a tenere abbassate le canne (rinforzando l'eventuale duplice Purdey ma non contrastando l'allontanamento delle stesse dalla faccia di bascula) sono diverse, tra cui la terza Holland e Holland, la terza Purdey e la Scott. Queste terze chiusure hanno il pregio di essere invisibili ad arma chiusa e quindi più estetiche anche se meno efficaci delle due già esaminate. La terza di Holland e Holland consiste in una mensola ricavata dal pieno fra le due canne ed arrotondata anteriormente. Questa entra nella bascula e un catenaccio di contrasto la tiene abbassata. Gli estrattori la coprono a canne aperte. Quindi non si avranno intralci alle dita in fase di caricamento.

Questa terza chiusura non è però la più alta possibile rispetto al punto superiore delle canne, ed in questo la Purdey è più efficace (da questo punto di vista anche della terza Greener). La prima versione della terza Purdey consisteva sempre in un tenone sporgente dal vivo di culatta in mezzo alle canne e sopra agli estrattori che inserendosi nella mortisa di bascula veniva "chiuso" da un nottolino d'acciaio girevole intorno ad un asse e comandato dalla chiave di ehiusura. Questo sistema fu poi perfezionato dalla triplice Purdey detta del 2° tipo, in

cross bolts. These cross bolts have the advantage of being invisible when the gun is locked, and therefore they are more aesthetical even though they are less efficient than the ones examined.

Holland and Holland's cross bolt consists in a shelf between the two barrels which is rounded in front. It enters the action and a contrast lock keeps it lowered.

The ejectors cover it when barrels are unlocked.

Therefore there shall be no finger obtrusion during loading operations.

This cross-bolt is not the highest one with respect to the upper point of the barrels, and in this Purdey cross bolts are more effective (under this point of view, even more than Greener cross-bolts).

The first version of Purdey's cross bolts consisted in a lock which protuded from the breech in the middle of the barrels and over the ejectors which had to be inserted into the action mortise which "locked" by means of a steel pawl which pivoted around an axis and which was controlled by the locking lever.

This system was perfected by the so-called 2nd type Purdey cross-bolt which replaced the pawl with a crossways sliding plug which went back and forth.

This is a finer cross-bolt system compared to the transversal-siding plug.

This latter system is called false Purdey or Scott cross-bolt.

Another quite effective cross-bolt which is difficult to realize and therefore is not very common is the Webley cross-bolt.

pratica al nottolino fu preferito un tassello scorrevole obliquamente con movimento di avanti-indietro guardando dalla faccia di bascula. Questo è un sistema più fine di terza chiusura anche rispetto al tassello che scorre trasversalmente rispetto all'osservatore.

Quest'ultimo sistema è infatti chiamato finta Purdey o triplice Scott. Un'altra triplice piuttosto efficace ma di difficile realizzazione e quindi scarsamente diffusa è la Webley. La bindella ha un prolungamento la cui estremità è abbassata a gradino sul quale appoggia la testa di una grossa vite calettata sull'asse della chiave.

Questo sistema lo si può trovare su qualche fucile di Lebeau-Courally che all'inizio del secolo collaborava attivamente con la ditta Webley. Esaminando il lavoro di una terza chiusura occorre anche prendere in considerazione la dilatazione del metallo all'atto dello sparo e la flessione elastica della tavola di bascula. In questa prospettiva una terza ben realizzata può aiutare a contrastare la flessione della bascula sempre che il tassello lavori a contatto con la mensola.

Su questo tema ed ancora una volta senza un accordo univoco tra i vari costruttori occorre considerare l'eventuale spazio che dovrebbe esserci ad arma chiusa fra la parte superiore della tavola di bascula ed i piani delle canne. In altre parole se le due superfici parallele del piano di bascula e dei piani delle canne devono essere a contatto in tutta la loro lunghezza oppure debba esistere un filo d'aria per permettere una eventuale dilatazione o comunque assestamento dopo un certo tempo. Sono stati fatti controlli su diverse armi fini di varie nazionalità e si è constatato che questo particolare

The gun rib has an extension whose end is lowered and has a step on which the head of a big screw keyed on the key axis rests.

This system may be found on some Lebeau-Courally shotguns. When examining the functioning of a cross-bolt, it is necessary to take the metal expansion during shot and the flexibility of the action flat into consideration. Under this point of view, a well-executed cross-bolt may help in counteracting the action bending assuming that the plug is working in contact with the shelf.

In this regard, and once again without a homogeneous agreement among gun makers, it is necessary to consider the possible space that should be present between the upper part of the action flat and the barrel flats when the gun is locked.

In other words, the question is whether the two parallel surfaces of the action flat and of the barrels flat have to be in contact throughout their whole length or whether there should be a space in order to allow any possible expansion or adjustment.

Fine guns of various nationalities have been examined, and it has been ascertained that this detail is not executed by everybody in the same way.

On the contrary, it may change in similar guns constructed by the very same gun maker.

Some realize a full contact, others allow a very small tolerance between the two flats, and others again leave a space only in the back part, close to the action front.

non è seguito o rispettato da tutti nello stesso modo. Anzi può cambiare in armi simili dello stesso costruttore. Alcuni realizzano un contatto pieno, altri lasciano una piccolissima tolleranza fra i due piani ed altri lasciano il filo d'aria solo nella parte posteriore, cioè verso la faccia di bascula. Parlando con alcuni armaioli che tutt'oggi si occupano di armi fini sembra che l'interpretazione più diffusa e corrente sia quest'ultima, cioè quella di tenere un filo d'aria (della misura di qualche decimo di millimetro) nella sola parte posteriore dei piani. Questo per permettere un successivo assestamento all'arma ed alle sue chiusure.

Un'altra triplice chiusura concettualmente molto interessante è la Rigby-Bissel, introdotta dalla casa di Dublino nel lontano 1879 su una doppietta a chiave laterale. Si tratta di un piano inclinato con movimento di sali-scendi che contrasta un'estensione piatta della bindella superiore. La stessa chiave laterale o serpentina pur non essendo molto diffusa ha un suo seguito di estimatori ed è comunque sinonimo di armi fini ed eleganti. La troviamo in alcuni modelli di fucili inglesi così come in una parte di produzione nazionale da Zanotti a Toschi a Desenzani. Può agire sia su il tassello della doppia Purdey ma può essere spostabile anche lateralmente con movimento del tassello circolare con ramponi rivolti all'interno. Non a tutti piace però l'assenza della chiave tradizionale superiore che sembra portar via qualcosa all'estetica ormai acquisita della doppietta giustapposta.

Per quanto riguarda il dimensionamento della bascula non ci sono regole fisse da seguire.

Speaking with some gun makers which deal in fine gun construction, it appears that the commonest and most diffused interpretation is that of keeping a space in the order of a few tenths of a millimeter in the back portion of the flats.

This is done in order to allow an adjustment of the gun and of the locks.

Another very interesting cross-bolt is the Rigby-Bissel, ame attention as the external ones, which is not always true, especially in the action and locks working.

which was introduced by the Dublin gun maker in 1879 on a side key side by side shotgun.

It is composed of an inclined plain supplied with a latch which contrasts a flat extension of the upper rib.

Even though it is quite uncommon, side keys have their followers and estimaters and is a synonym of fine and elegant guns.

We may find it in some English guns and in some national guns such as Zanotti, Toschi and Desenzani.

It may act both on the Purdey double-bolt system and sideways with a movement of the circular plug with inward locks.

But not everybody likes the absence of the traditional upper key which seems to take something away from the traditional side by side shotgun aesthetics.

As far as the action dimensions are concerned, there are no fixed rules to follow.

Actions with a length above 50 mm offer a greater side supporting surface for the locks

Bascule lunghe, oltre i 50 mm, offrono una maggiore superficie d'appoggio laterale ai ramponi e contribuiscono ad allontanare i due punti misurati dal perno cerniera al secondo tassello dei ramponi rendendo la chiusura più effiace. Per contro una bascula lunga è più predisposta alla flessione ed occorre considerare anche le altre due dimensioni, cioè lo spessore della tavola e la larghezza pella stessa.

La tendenza attuale è quella di avere bascule lunghe mm 46-48 anche se ne esistono di più lunghe e più corte. Lo spessore di un Anson si aggira sui 20 mm e larghezza dei piani di bascula in una doppietta in cal. 12 può essere compresa fra i 40 mm e i 46 mm. Il dimensionamento della bascula è un problema però che seppur centrale non è di facile comprensione o definizione tramite leggi precise. Infatti molto dipende per la sicurezza dell'arma e per la durata delle chiusure dalla qualità del materiale impiegato, dai trattamenti termici a cui vengono sottoposti, dalla bontà di realizzazione e di progetto della ramponatura e eventuali chiusure aggiuntive, dalle dimensioni degli stessi ramponi ed infine dei tre parametri sopra considerati. Inoltre dipende anche dal tipo di arma: le doppiette a cani esterni a molla indietro e con triplice Greener hanno tutta la bascula solida e la stessa si può dimensionare con misure più contenute, soprattutto nello spessore della tavola. Come si sa la triplice Greener a perno tondo, se ben realizzata, contrasta il rovesciamento all'indietro della faccia di bascula e di conseguenza anche in parte alla flessione della tavola. Nelle doppiette ad acciarini laterali a molla avanti la bascula è

and they contribute to the distancing of the two points measured from the hinge pin to the second lock plug, making the locking more effective.

But a lengthier action is more subject to bending, and it is necessary to also consider the other two dimensions, that is, the thickness of the flat and its width.

The present trend is that of having 46-48 mm actions, even though longer or shorter ones may be found.

The thickness of an Anson is around 20 mm and the width of the action flats in a 12 gauge side by side shotgun is somewhere in between 40 and 46 mm.

The dimensioning of the action is an issue which is not easily comprehendable or defined by exact rules.

In fact, much of the gun's security and duration of the locks depends on the material employed, on the thermic treatments to which they are subjected, on the reliability of the locking project, on the lock dimensions and on the three above-mentioned parameters.

Besides, it also depends on the type of gun: external-cock rear-spring side by side shotguns supplied with a Greener cross-bolt have a full solid action which may be dimensioned with more limited measurements, especially as far as the action thickness is concerned.

As everybody knows, round-pin Greener cross-bolts contrast the backward movement of the action front and partially also its plain bending when well-executed.

In side-lock side by side shotguns supplied with a front spring, the action is hollowed on the sided in

Diverso sistema di leve
che viene a crearsi
con la ramponatura Zanotti.

Leverage system created by
means of the Zanotti lump
fitting.

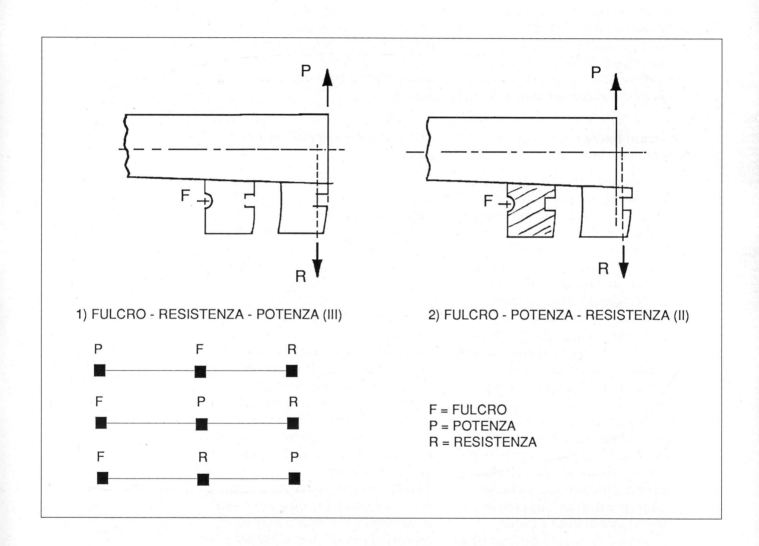

1) FULCRO - RESISTENZA - POTENZA (III)

2) FULCRO - POTENZA - RESISTENZA (II)

F = FULCRO
P = POTENZA
R = RESISTENZA

scavata sui fianchi per alloggiare parte delle batterie mentre nella doppietta Anson gli spacchi ricavati all'interno della bascula per alloggiare le batterie sono più consistenti.

Quindi per quanto riguarda le misure di una bascula occorre considerare il tipo di arma in questione e tutti gli altri parametri che abbiamo già visto. Sembra comunque assodato che una bascula tendenzialmente lunga con ramponi molto sviluppati consenta una maggiore durata alle chiusure pur dovendo trovare un giusto equilibrio anche per motivi estetici.

Alcuni particolari di lavorazione nell'arma fine

L'arma fine come abbiamo visto deve essere ben realizzata sia fuori che dentro. In altre parole le parti non visibili debbono essere curate con la stessa attenzione di quelle esterne, cosa questa non sempre seguita da tutti, particolarmente nelle lavorazioni interne alla bascula e negli acciarini. Quest'ultimo, a qualsiasi principio s'ispiri, montato su piastra laterale è segno della competenza e dell'abilità dell'azzaliniere ma anche dell'armaiolo che lo monta. Un bel acciarino nobilita l'arma, una bell'arma ma con acciarino scadente è ben poca cosa. È un po' lo stesso discorso dell'incisione: una bella incisione su un fucile scadente è di gran lunga meno importante di una incisione normale o di un solo bordino su un fucile meccanicamente ben lavorato. Mentre però l'incisione è immediatamente visibile l'acciarino non lo è: l'acquirente dovrò accertarsene sempre nel valutare la finezza dell'arma. In questo caso potrebbe calzare il

order to house part of the box-locks while in Anson-type side by side shotguns the action housings for the box-locks are bigger.
Therefore, as far as action dimensions are concerned, it is necessary to consider each type of gun separately, and all the overmentioned parameters too.
Anyhow, it is almost certain that a lengthier action with big bolts allows a greater lock life even though an aesthetical balance has to be found.

Some working details in fine guns

As we already mentioned, fine guns have to be well realized both outside and inside.
In other words, the parts which are not visible have to be cared for with the same attention as the external ones, which is not always true, especially in the action and locks working.
Locks of any kind, when they are mounted on side plates are an evidence of the skill of their constructor, but also of the gun maker which assembles them.
A beautiful lock enhances the gun, but a beautiful gun with a poor lock loses its beauty.
This is also true for engravings: a beautiful engraving on a poor gun is less important than a normal engraving or only just a border on a mechanically beautiful shotgun.
But while engravings are immediately visible, locks are not: purchasers must verify them right away in order to assess gun fineness.

164

proverbio: dimmi che acciarino monti (o meglio fammelo vedere) e ti dirò chi sei (come lavori o il grado di finezza dell'arma). Ogni parte costituente l'acciarino deve essere ben rifinita e tirata a mano. La molla deve avere una profilatura corretta, cioè quando è chiusa le due lamine non debbono toccare fra loro ma un filo d'aria uniforme le deve separare. Il cane dovrà quasi aderire alla cartella, con soli due o tre decimi di mm. di tolleranza da questa. Il cane deve ben appoggiare nel suo fermo anteriore di fine corsa e le teste delle viti non debbono essere spannate o imperfette. È preferibile che fra dente di scatto e stanghetta di scatto si realizzi l'angolo retto (90°) o il più vicino possibile a questo, per avere scatti morbidi e sicuri allo stesso tempo senza sfregature fra le due parti. Una buona molla, e questo vale sia per gli hammerless che soprattutto peri cani esterni, deve presentare un punto iniziale di resistenza all'atto dell'armamento per poi diminuire (la resistenza) progressivamente mano mano che la si carica fino a raggiungere la monta del cane. Spesso molle mal concepite o economiche funzionano al contrario, cioè diventano più dure man mano che le si comprimono. Verificare che a fucile montato con cani in monta e sparando a vuoto la cartella non tenda ad alzarsi. Questo è verificabile passando con l'unghia nella parte anteriore della bascula dove questa riceve l'acciarino: non si deve notare lo scalino che indicherebbe che la cartella è di poco fuoriuscita.

Un altro particolare importante è la centratura delle cartelle rispetto all'impugnatura del calcio. Tenendo come riferimento le linee

Each part of the lock should be well finished and hand polished. The spring has to have a correct profile, that is, when closed, the two plates should not touch but should be uniformly and very thinly distanced.

The cock almost has to adhere to the plate, with only a few tenths of a mm. of distancing.

The cock has to rest well in its front stop, and the screws must not be ruined or imperfect.

It is preferrable to have a right angle (90 degrees) between stop and release lever in order to have safe and soft releases without a friction between the two parts.

A good spring - and this is true both for hammerless and for external-hammer shotguns - must have an initial resistance point during arming, and then it should decrease progressively during loading.

Very often, badly conceived or cheap springs work the opposite way round, that is the more they are compressed, the more they get hard.

Check the plate, which shouldn't tend to raise by shooting without a cartridge.

This is assessable by passing one's fingernail in the front part of the action where the lock is housed: there should be no protuderance indicating that the plate slightly moved.

Another important detail is the centering of the side plates with reference to the stock grip.

By keeping the action and guard tangs as a reference point, the side plate midpoint has to appear at the centre of this line.

It is very often possible to see side plates which tend to go upwards

della codetta di bascula e della guardia la mezzeria delle cartelle deve apparire al centro di questa linea. Si notano invece spesso cartelle che tendono "a salire" o "a scendere", difetto congenito dell'arma che può essere attribuita al costruttore ma anche all'incassatore. Il profilo del legno interno alla cartella (cornicetta) deve essere uniforme sia nella parte superiore che inferiore. L'altezza di questa cornice viene data dallo scalino fra cartella e fine del sottobascula. Per quanto riguarda la bascula questa può avere la sola duplice chiusura ai ramponi o un'eventuale terza chisuura superiore. Può avere i grani portapercussori, può essere tartarugata o finita color acciaio. In questo caso sono più visibili le lavorazioni di finitura e gli spigoli dei piani e della faccia. Tutti gli spigoli debbono essere "vivi" e per ottenere questo risultato è preferibile la finitura a pietra al posto di quella a tela abrasiva. La faccia di bascula non deve mai fare un angolo retto con i piani di bascula ma un angolo acuto. La facia deve essere leggermente inclinata in avanti rispetto ai piani e formare un angolo di circa 4° rispetto ai 90°. In altri termini l'angolo che verrebbe a crearsi fra i piani di bascula e la faccia dovrebbe essere di circa 86° (nella doppietta). I grani portapercussori non dovrebbero essere a filo con la faccia di bascula ma leggermente arretrarti (circa un decimo di mm). Questo perché sparando ripetutamente tenderebbero a scaldarsi e quindi deformandosi leggermente avrebbero lo spazio per poi diventare a filo con la stessa. Le canne devono "battere" in culatta in chiusura. Questo significa che tutta la culatta delle

or downwards, a defect which may be attributed either to the gun stocker or to the gun maker.
The wood profile around the side plate (frame) has to be u iform both in its upper and in its lower parts.
The height of this frame is given by the step between the side plate and the end of the action bottom.
As far as the action is concerned, the latter may have one double bolt on the locks or a possible third upper bolt.
It could have striker-holder grains, it may be hardened or finished in a steel colour.
In this case the finishing and the corners of the flats and of the front are more visible. All the corners have to be sharp, and in order to obtain this result, a stone finishing is better than an abrasive cloth finishing.
The action front never has to form a right angle with the action flats, but an acute angle.
The action front has to be slightly tilted forwards with respect to the flats in order to form an angle of aproximately 4 degrees with respect to the 90 degrees.
In other words, the angle between the action flats and the action front should be of about 86 degrees
(in side by side shotguns).
The striker-holder grains should not be edge-wise with the action front, but slightly backward (about one tenth of a millimeter), because during repeated shooting, they tend to heat and therefore they have to have the space to expand.
The barrels have to touch the breech during locking.
This means that the whole breech has to uniformly rest against the

Linea completa e filante di una doppietta giustapposta mod. 'Venus' della Famars.

Complete and streamlined line of a side shotgun mod. 'Venus' by Famars.

166

stesse ad arma chiusa deve uniformemente appoggiarsi contro la faccia di bascula. Dopo un certo uso dell'arma si notano sulla faccia di bascula i segni del profilo delle canne e a volte anche quelli degli estrattori. Una leggera impronta uniforme lungo tutti i bordi di appoggio delle canne è sintomo di buona aderenza dellc stesse. Quando si chiudono le canne devono fare un suono cupo, quasi sordo ed appoggiare prima le culatte dei piani (sul fatto di appoggiare i piani interamente o solo nella parte anteriore non esisterebbe uniformità di vedute nemmeno fra esperti). Il fucile deve essere morbido nell'apertura sia della chiave che delle canne. Per fare questo la scorciatoia principale è quella di tenere stretta la ramponatura ma questo è facile verificarla con la prova del nerofumo o del rifiuto d'olio. Si può vedere cosí dove il rampone appoggia (se appoggia) nelle sue superfici esterne con le relative mortise.

A questo proposito va però detto che gl inglesi non hanno mai dato eccessiva importanza alla ramponatura se non al solo aderire dell'interno del secondo rampone sul traversino di bascula. La scuola italiana e belga si è però uniformata alla ramponatura a tre giri di compasso e una buona ramponatura è sempre segno distintivo di raffinatezza dell'arma. Come ho già detto in precedenza la forma dela guardia è molto importante, perché una guardia impostata male, troppo grossa o squadrata è segno di cattivo gusto e penalizzerebbe un'arma che voglia essere di classe. Le viti debbono avere i tali netti e tutti allineati a 180° rispetto a chi guarda tenendo l'arma con le

action front when the gun is locked.

After extended gun use the marks of the barrel and ejector profiles may be noted on the action front.

A light uniform mark along all the barrel support edges means barrels adhere correctly.

When barrels are being locked, they have to produce a low and almost dull sound and the first resting should be on the flats beeches.

Guns have to have a smooth lever and barrels unlocking.

In order to check this, keep the locks tight and verify it by means of oil refusal or gas blackening.

You may then notice where the support point of the lock is (if it rests) on the external surfaces and relative mortises.

The English never gave an excessive importance to locking apart from the inner adhesion of the second lock on the action tackle.

Italian and Belgian schools followed the triple compass turn locking system, and a good locking system is always a point of distinction in fine guns.

As I previously mentioned, the shape of the guard is very important because a badly formed guard which is too big or squared is of bad taste and it would penalize a gun of h has to be executed with great skill by the gun stocker.

Side by side shotgun class.

Screws have to have sharp slots and they should all be aligned at 180 degrees with respect to the person that is looking at them keeping the barrels parallel to the ground

167

canne parallele al terreno (gli inglesi tendono ad avere i tagli piuttosto grossi). I perni degli acciarini passanti non devono avere giochi o vuoti d'aria nelle loro sedi ed apparire circolari. La chiave d'apertura deve essere proporzionata alle linee dell'arma al pari della guardia. L'inserimento del sottoguardia nel petto di bascula deve essere molto curato e quasi non si debbono vedere le linee di giunzione. Infine l'incassatura deve essere perfetta soprattutto nel punto di giunzione con le cartelle. Il bordino deve avere gli spigoli vivi e fra cartella e legno non si deve scorgere aria o rientranza. I gambi degli estrattori debbono scorrere senza forzare o ballare nelle loro sedi. La bindella, come i grilletti, è preferibile che siano lisci o tirati a mano. In linea generale ricordarsi che nelle parti metalliche bruniture, tartarugature, dorature ecc. servono più a nascondere imperfezioni che non a impreziosire. L'arma in bianco da più fedelmente il grado di finezza e di perfezione di lavorazione del costruttore. Un vero biglietto da visita. Inutile aggiungere che le canne debbono essere accoppiate e saldate alla stessa altezza (in modo cioè da non vederne una più alta dell'altra) e che i ramponi debbono essere perfettamente allineati.

(the English tend to have big slots).
The pins of the locks do not have to have play or clearance areas in their housings and they have to be circular.
The top open lever and the guard have to be proportionate with the gun line.
The insertion of the trigger bridge in the action bottom has to be very well executed and junction lines should almost not be seen.
Gun stocking has to be perfect, especially in the junction point with the side plates.
The border has to have sharp edges, and there should be no play or clearance between the side plates and the wood.
Ejector levers should slide without forcing but they should not teeter in their housings. The rib and the triggers should be smooth.
In general it has to be remembered that blueings, hardenings, gold-platings of the metal parts are more necessary to cover defects than to enhance the gun.
Plain guns are a loyal evidence of the fineness and perfection degree attained by the gun maker with his work.
It is useless to say that the barrels have to be coupled and welded at the same height and that locks have to be perfectly aligned.

L'express
e le armi miste

Express
and combined guns

Per arma mista si intende un'arma dotata sia di canna liscia (una o più) che di canna rigata (una o più). Generalmente il combinato ne ha una per tipo. Il drilling due liscie ed una rigata ed il vierling due liscie e due rigate. Però vi possono essere anche altre combinazioni. Ad esempio il combinato ha canne sovrapposte, però se ne possono trovare anche con canne affiancate. I drilling possono avere due canne rigate ed una liscia. Il vierling può avere molteplici combinazioni. Però queste ultime sono armi rare e prodotte prevalentemente da alcuni costruttori molto specializzati, come ad esempio gli artigiani di Ferlach e quelli di Suhl. Anche i drilling provengono in maggior parte dall'Austria o dalle Germanie, però ne esistono esemplari molto fini inglesi e di altre nazionalità.

Gli express a due canne rigate possono essere a canne affiancate o sovrapposte. Quelli inglesi prestigiosi che tutti conosciamo e che portano nomi altisonanti come Holland Holland, Rigby, Westley Richards ecc. erano praticamente tutti a canne affiancate. Il problema di queste armi come abbiamo già visto è quello della regolazione delle due canne. A tal fine i costruttori inglesi avevano i

An express gun may be both a smooth-barelled gun or a rifled-barrelled gun (both having a single barrel our double barrels).
Combined shotguns usually have one barrel of each kind. Drilling shotguns have two smooth barrels and a rifled one and vierling shotguns two smooth barrels and two rifled ones.
But there may also be other combinations.
For example, combined shotguns have over and under barrels, but side by side systems may be also found.
Drilling shotguns may have two rifled barrels and a smooth barrel.
Vierling shotguns may be executed in different combinations.
But the latter are very rare guns which are prevailingly produced by very specialized gun makers such as Ferlach and Suhl craftsmen.
Drilling shotguns are generally constructed in Austria, or in Germany, but very fine English types may also be found.
Express shotguns supplied with two rifled barrels may be over and under or side by side.
The prestigious express shotguns that we all know and that bear prestigious names such as Holland Holland, Rigby, Westley

169

"master barrel regulator", maestri armieri molto esperti in questa attività.

La regolazione di ogni arma veniva fatta sul campo, cioè a lato pratico. Montato il fucile in bianco ed imbasculato si inserivano alla volata dei distanziatori provvisori che permettevano di trovare la giusta posizione per sovrapporre le rosate delle due canne a 100 yards. Ugualmente con tacca di mira e mirino. Si usava quindi il metodo di prova ed errore, finché l'arma non sparasse con le tolleranze richieste che in linea di massima erano di 20 cm. Cioè rosate di dieci colpi sparate con tutte e due le canne dovevano stare in un cerchio di 20 cm.di diametro a 91 mt. A dire il vero molti ottenevano valori migliori, anche dimezzati.

Comunque l'acquirente aveva la certezza che giustezza e precisione erano state verificate a lato pratico e che non dovevano scendere sotto una determinata soglia ricavata dal normale uso in caccia grossa. Poiché spesso gli express erano camerati in potenti e grossi calibri, dovevano essere armi particolarmente robuste e ben costruite. Ne esistono sia con batterie Anson che Holland c Holland, queste ultime anche smontabili a mano. Con il diminuire della caccia grossa questa produzione è praticamente cessata o comunque molto ridotta, almeno in Inghilterra. A livello collezionistico si possono trovare sul mercato dei pezzi interessanti, anche perché solitamente sono armi che non hanno lavorato molto, certamente non come un normale fucile a pallini.

Per avere una produzione recente occorre andare su costruttori

Richards, etc. were practically all supplied with side by side barrels. The problem of these guns, as we already discussed, is the adjustment of the two barrels.

This is why English gun makers had "master barrel regulators", gun making masters who were very skillful in this activity.

Gun regulation was carried out on the spot, that is, practically. Once the gun was mounted and stocked, temporary spacers which allowed the finding of the correct position in order to superimpose shot patterns at a distance of 100 Yards were inserted inside the muzzle. The very same operation was carried out with the sight and the sight notch.

Then the test and error method was employed until the gun would shoot with the required tolerance, which usually was of about 20 cm. That is, shot patterns of ten fires shot with both barrels had to fit into a circle of 20 cm. of diameter from a 91 mt. distance. To say the truth, many could reach better values, down to half of this value.

Anyhow, the purchaser had the certainty that the rightness and accuracy of the gun had been verified practically, and that they should not go below a certain threshold.

Since express shotguns were normally constructed in big gauges, they had to be well-constructed and sound guns. They may be found both with Anson and with Holland & Holland hand-detachable box-locks.

With the reduction of big game hunting, this production practically ceased or is very limited in England. Interesting

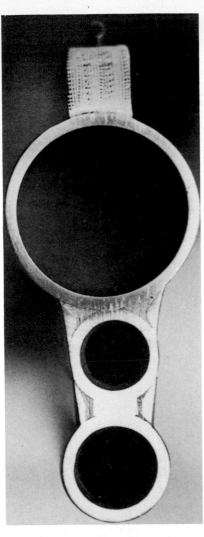

Classico drilling a due canne liscie giustapposte e rigata sottostante. È una recente realizzazione della ditta italiana MAPIZ di Zanardini.

Classic drilling supplied with two smooth barrels and one rifled barrel. It is a recent realization of the Italian gun maker MAPIZ of Zanardini.

Volata di un drilling ad una canna liscia e due rigate. Sono armi di difficile realizzazione (a sinistra).

Muzzle of a drillling with one smooth barrel and two rifled ones. These are difficult guns to realize (left).

Un potente express di produzione belga. Notare l'imponenza e l'accuratezza di realizzazione. (M. Thys) sotto.

A powerful Belgian express shotgun. Note the impressiveness and the accuracy of realization. (M. Thys) below.

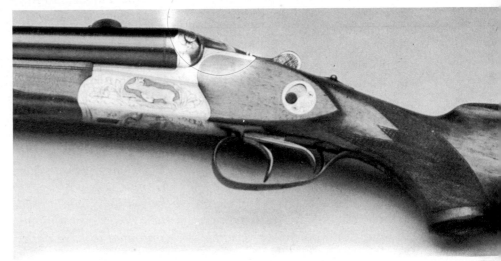

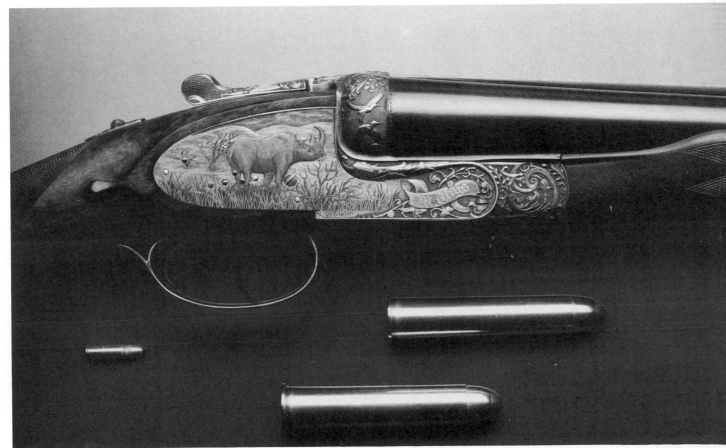

belgi, tedeschi, austriaci e di recente anche nazionali. Diverse fabbriche come Beretta, Famars, Zanotti, Mapiz ed altre hanno in produzione express più o meno fini a canne sia affiancate che sovrapposte. Ritornando ai modelli inglesi la parola Express fu introdotta da James Purdey, per la similitudine con i treni volendo conferire a queste armi una immagine di potenza e velocità. Quando ci fu il passaggio dalla polvere nera a quella senza fumo alcuni grossi calibri furono leggermente ristretti al collarino pur conservando ambedue le numerazioni. Es. 500/450 significa che il primo numero indica il calibro precedente con polvere nera ed il secondo l'attuale con polvere moderna. Per questa ragione si possono trovare ancora armi in buonissimo stato ma privi di munizioni, poiché da decenni non più prodotte. Ultimamente c'è però una certa tendenza soprattutto dei collezionisti ad interessarsi a questo tipo di armi ed alcune piccole Aziende mettono a disposizione dei ricaricatori bossoli in ottone dai quali poter ricavare le cartucce dei vari calibri per gli express. Il lettore potrà consultare la tabella con i valori balistici di molti calibri express. Ricordo come curiosità che per tanti anni la cartuccia più potente per uso sportivo è stata la 600 Nitro Express, ma ha dovuto cedere il passo da quando Roy Weatherby ha introdotto la sua 460 W.M. Comunque la 600 N.E. la si può trovare camerata in qualche express, mentre la seconda richiederebbe un'arma troppo pesante e robusta per essere sparata in un fucile basculante. (Anche se qualche raro costruttore propone express

pieces may be found on the market for collections, also because they are usually guns which have not been subjected to a heavy work. In order to consider a more recent production, one must consider Belgian, German, Austrian and national gun makers.
Various gun makers such as Beretta, Famars, Piotti, Mapiz and others have express side by side and over and under shotguns in their production.
If we go back to English models, the term Express was introduced by James Purdey for its similitude with trains, wanting to confer an image of speed and of power to these guns.
When passing from black powder to smokeless powder, some big gauges were lightly reduced at their collar even though they continued to have both numberings.
I.e. 500/450 means that the first number is the previous guauge with black powder, and the second one, the one with modern powder.
For this reason, very well-preserved guns may be found without munitions, because their production had been discontinued decades ago.
But lately there is a trend, among collectors, to have an interest in these types of guns and some small gun makers have brass cartridge cases of various gauges for express shotguns.
The reader may consult the table with the ballistic values of many express gauges. I remember that many years ago the most powerful cartridge for sporting applications was the Nitro Express 600, but it lost its place since Roy Weatherby introduced its 460 W.M. Anyhow,

Bascula di Express
di J. Purdey

*Action from J. Purdey
Express.*

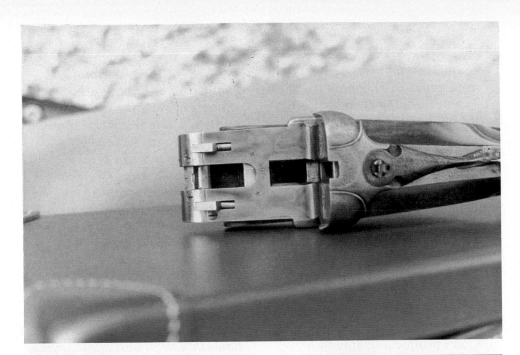

173

in questo calibro). Di express comunque ne vengono fatti di tutti i calibri e ne esistono anche di "miniaturizzati" in cal. 22LR. Possono essere provvisti di ottica di mira (quasi sempre montata ad incastro) ed di canne lisce supplementari. Le canne lisce permettono di effettuare anche cacce minori, però di solito essendo più leggere vanno a discapito della bilanciatura dell'arma. Quindi più un ripiego che una soluzione definitiva. Possono essere dotati di estrattori automatici oppure esserne privi. Con i primi c'è sempre la possibilità che a causa delle notevoli pressioni delle cartucce metalliche si registri qualche imperfezione nel funzionamento. Quindi l'assenza di estrattori in express o combinati a volte è da preferire.

Negli express a canne affiancate di solito la bascula viene rinforzata nel punto critico, cioè nell'angolo fra tavola e faccia. Quelli che montano batterie laterali possono avere gli acciarini con molla indietro, per non scavare materiale sui fianchi di bascula. Certo tutto questo va a svantaggio del peso (che di solito oscilla fra i 4 e 5 Kg. ed a volte anche più) però occorre ricordare che il peso favorisce anche un certo assorbimento del rinculo. Quindi tutto deve essere strutturato con una certa logica. Oggi la meccanizzazione è intervenuta anche sugli express, specialmente sui modelli sovrapposti. In calibri intermedi infatti registrano una certa diffusione per la rinata caccia al cinghiale, oppure al cervo in battuta, dove serve un'arma maneggevole da destreggiare nella boscaglia. A livello pratico funzionano bene, però gli express

the N.E. 600 may be found chambered in some express shotguns, while the second requires a too heavy and sound a gun in order to be shot by a basculating shotgun. (Even though some rare gun makers propose express shotguns in this gauge). Express shotguns are produced in a wide range of gauges, including some which are miniaturized in a 22LR gauge. They may also be supplied with a sight optics (usually always trap-mounted) and with additional smooth barrels. Smooth barrels also allow smaller game hunting but since they are lighter, gun balance is affected. Therefore it's more of a makeshift solution than a definite solution.

They may be supplied with automatic ejectors and they may be without. With automatic ejectors there is always the possibility that there might be some working imperfections due to the remarkable pressure of the metal cartridges.

Therefore, the absence of ejectors in express or combined shotguns is preferrable.

In side by side express shotguns the action is usually reinforced in the critical point, that is the corner between flat and front. The ones supplied with side box locks may have backward-spring locks in order to have unhollowed action sides. Of course, this is a disadvantage for the weight of the gun (which usually ranges between 4 and 5 kg. and sometimes even more) but it is necessary to remember that weight favours recoil absorbtion. Therefore express guns have to be logically structured.

455 EELL

Recente Express della Pietro
Beretta S.p.A. con canne
Demibloc e costruito in diversi
calibri. Mod. 455 EELL.

*Recent Express by Pietro Beretta
S.p.A. with Demibloc barrels
constructed in different gauges.
Mod. 455 EELL.*

Possibili combinazioni delle
canne nelle armi miste.

*Possible barrel combinations in
combined shotguns.*

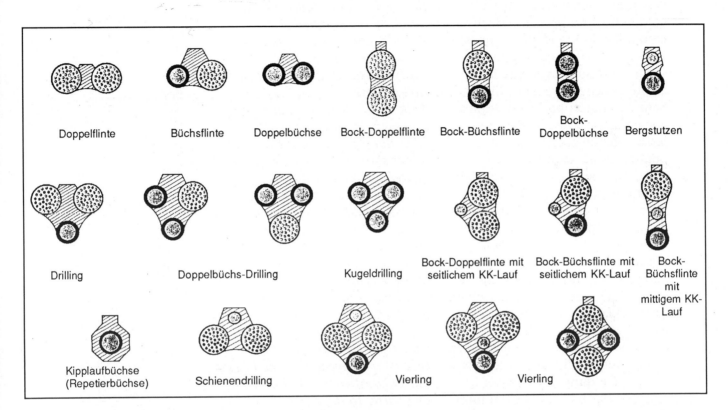

Doppelflinte — Büchsflinte — Doppelbüchse — Bock-Doppelflinte — Bock-Büchsflinte — Bock-Doppelbüchse — Bergstutzen

Drilling — Doppelbüchs-Drilling — Kugeldrilling — Bock-Doppelflinte mit seitlichem KK-Lauf — Bock-Büchsflinte mit seitlichem KK-Lauf — Bock-Büchsflinte mit mittigem KK-Lauf

Kipplaufbüchse (Repetierbüchse) — Schienendrilling — Vierling — Vierling

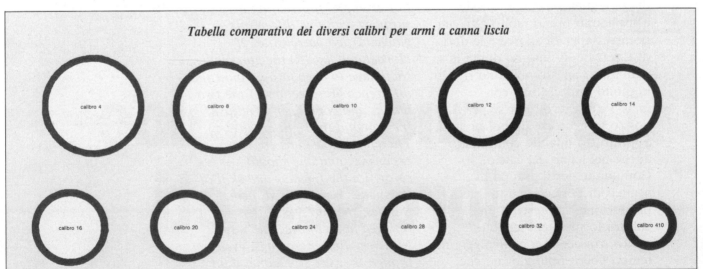

Tabella comparativa dei diversi calibri per armi a canna liscia

calibro 4 — calibro 8 — calibro 10 — calibro 12 — calibro 14

calibro 16 — calibro 20 — calibro 24 — calibro 28 — calibro 32 — calibro 410

175

a canne affiancate di tipo inglese e di tipo fine in genere richiedono molta competenza e "know how" da parte di chi li produce. Un express fatto male è peggio di doppietta liscia fatta male.

Sul tema armi miste vale lo stesso discorso. Se si escludono i combinati sovrapposti sono rimasti in pochi a saper costruire correttamente le armi miste e credo che il gruppo di Ferlach si erga a livello mondiale. In questo caso la difficoltà consiste nel saper unire sapientemente le canne di genere e calibri diversi. Senza contare i problemi, legate alle chiusure e alle batterie (è logico che un fucile a tre o quattro canne debba avere altrettanti percussori con relativi sistemi di scatto). Anche il numero dei grilletti può variare da modello a modello, così come il tipo di sensibilizzazione degli scatti e di commutazione tra le varie canne. Basti pensare che se un vierling è dotato di due canne rigate di calibro diverso fra loro (es. 22 Hornet e 8x68R) il costruttore deve aver tenuto conto della diversità di traiettoria delle due palle e quindi dovrà aver regolato l'arma e la tacca di mira di conseguenza. Perciò queste armi hanno prezzi molto alti, ma occorre saper riconoscere le doti di finezza e di ingegno di chi le sa realizzare. Spesso poi sono rifinite in modo impeccabile, con incisioni pregevoli pur se per il nostro gusto forse un po' pesanti. Soprattutto quando continuano anche nel legno del calcio.

Comunque per il gruppo di armieri di Ferlach questa produzione rappresenta una cultura locale a cui tengono molto, riuscendo a coinvolgere nel tempo libero i più giovani che

Mechanization of course intervened on express guns too, especially on over and under models. In the intermediate gauges they register quite a large diffusion thanks to the reflourished boar or deer hunting, where a handy gun is needed. Also side by side express shotguns of the English type or of a general fine type require skill and "know how" by the gun maker.

A badly-constructed express is even worse than a badly-constructed smooth side by side shotgun.

Talking of combined guns, the argument is the same. With the exclusion of combined over and under shotguns, very few are the makers who know how to correctly construct combined shotguns and I believe the Ferlach group stands out worldwide. In this case the difficulty lies in knowingly siding barrels of different gauges and types. And, of course it includes lock and box-lock issues.

The number of triggers too, may vary from type to type, so as the type of sensitiveness of the trigger pulls and of commutation from one barrel to the other.

For example, if a vierling is supplied with two differently gauged rifled barrels (i.e. 22 Hornet and 8x68R) the gun maker shall have to keep into account the difference in trajectory of the two bullets and consequently adjust the gun and the sight notch.

Therefore these guns are very expensive, and one should recognize the fineness and skill of the maker who realized them. Besides, they are very often finished in an impeccable way, with very fine engravings, even though they are sometimes a bit

Di express ne vengono costruiti anche di piccolo calibro. Ecco un significativo esempio fra un'arma in cal. 22LR ed una nel cal. 600 N.E.

Express shotguns are also produced in small gauges. This is a significant example of a 22LR gauge gun and a 600 N.E. gauge gun.

così daranno continuità alle esperienze dei loro genitori. Questo almeno fin quando ci sarà qualcuno che acquisterà le loro armi che in massima parte sono ancora oggi acquistate da cacciatori. Pertanto il futuro della caccia avrà un peso determinante sul destino di questi e di tutti gli armieri in genere. Non solo, ma il sopravvivere di coloro che ancora si impegnano a costruire armi fini sarà in relazione al gusto e ad una certa preparazione culturale dei cacciatori: a giudicare dal cacciatore medio ma anche da una certa parte di quelli benestanti queste qualità stanno ormai scomparendo. Si preferiscono armi più economiche ma ugualmente affidabili e idonee allo scopo cui servono, non badando molto all'estetica, all'originalità di progetto, alle incisioni, alla linea complessiva.

Per finire il discorso sugli express è doveroso citare anche il fucile "Paradox" della Holland & Holland, fucile ad anima liscia con una rigatura solo nella parte terminale. Quest'arma, da diversi decenni non più prodotta, aveva il pregio di sparare bene sia le cartucce a pallini che quelle a palla asciutta. Addirittura a]la distanza delle solite 100 yards sparava praticamente con la stessa precisione di un express a due canne rigate. Ulteriori informazioni sul Paradox si possono trovare nel capitolo sulla costruzione delle canne.

too heavy for our taste, especially when they continue on the stock wood. Anyhow, for the Ferlach gun making group, this production represents a local culture which they love dearly and they manage to involve the youngest ones in their free time giving continuity to the experiences of their fathers. All this until there shall be somebody who shall purchase their guns. Therefore the future of hunting shall be determining for the fate of this and other gun makers. Not only this: the survival of those who are still engaged in the construction of fine guns shall be related to the taste and culture of the hunters: in average hunters but also in well-off hunters these two qualities are disappearing. The trend is that of preferring guns which are more economical and equally reliable but which do not offer the same project originality, engravings and line.

Talking about express shotguns, it is right and proper to name the "Paradox" Holland & Holland shotgun, which is a smooth-core shotgun rifled only in its terminal part. This gun, whose production was discontinued decades ago, shot well both with slug cartridges and with shots. At a 100 Yards distance it shot with the same precision as a double-barrelled rifled express shotgun. You shall find further information on Paradox shotguns in the chapter on barrel construction.

Holland & Holland doppietta Paradox cal. 12

Un aspetto pratico e conveniente sotto diversi profili è sempre stato quello di poter usare una sola arma per le diverse forme di

Holland & Holland gauge 12 Paradox side by side shotgun

A practical and convenient aspect under various points of view has always been that of being able to use one gun only for the different

Doppietta Paradox
di Holland & Holland nel cal. 12.

*12 gauge Paradox side by syde
shotgun by Holland & Holland.*

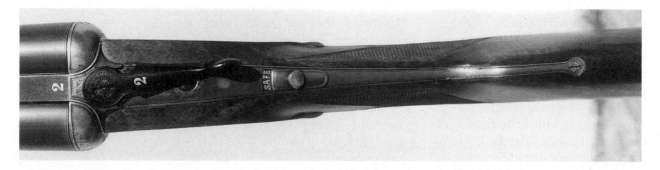

caccia praticabili. Cioè poter avere un solo fucile per cacciare piccoli uccelli, fagiani, lepri, anatre ma anche all'occorrenza grossi ungulati o animali africani o asiatici come tigri e leoni. Esiste una tale arma? La doppietta giustapposta Paradox della Holland & Holland risponde appunto a questi scopi. Ma come spesso accade con simili armi si tratta di raggiungere dei compromessi rispetto ad armi specifiche. Basti pensare alla differenza di peso fra un superleggero da stoccata ai beccacini ed un express per caccia grossa. Anche i vari drilling con canne miste liscie e rigate hanno nell'intenzione di poter coprire cacce minute e caccia grossa e spesso tutte queste armi sono di difficile realizzazione e di costo elevato per l'assemblaggio e la regolazione al tiro dei diversi calibri. Comunque rispetto a fucili a tre o quattro canne (drilling e vierling) questa Paradox è quella che più si avvicina alla classica doppietta da caccia giustapposta, con la sola aggiunta delle mire metalliche e di un peso un po' maggiorato per sparare in tranquillità e per assorbire parte del rinculo delle palle asciutte.

Calibri e canne

La Holland & Holland realizzò quest'arma intorno al 1885 ma l'idea di base non fu dei tecnici dell'Azienda ma del col. Fosbery che cedette loro il brevetto. Infatti troviamo puntualmente incisa sulle canne del modello provato la dicitura "Fosbery Patent". Ma di cosa si trattava questa invenzione? Semplicemente di rigare la parte terminale di un fucile a canne liscie in modo che sparando una

types of hunting. That is, to have one shotgun only in order to hunt small birds, pheasants, hairs, ducks and also big ungulates or African and Asian game such as tigers or lions. Does such a gun exist? Paradox side by side shotguns by Holland & Holland respond to such purposes. But as often is the case with such types of guns, it is a matter of reaching some compromises compared to specific guns. Just think of the difference in weight between an ultralight shotgun for snipe hunting and a big-game hunting express. The various drillings with combined smooth and rifled barrels too have the intention of covering both small-game hunting and big-game hunting purposes, and very often these guns are very difficult to execute and very expensive due to their assembly and to the shot adjustment of the different gauges. Anyhow, compared to shotguns supplied with three or four barrels (drillings and vierlings), Paradox shotguns are the closest ones to the classic side by side hunting shotguns with the only addition of metal sights and of some extra weight for the reabsorbtion of the recoil of slug cartridges.

Gauges and barrels

Holland & Holland realized this gun around 1885 but the basic idea did not arise from the Gun Maker's technicians but from Col. Fosbery who supplied them with the patent. Infact the barrels bear the name "Fosbery Patent". But what was this invention about? It simply concerned the rifling of the terminal part of a smooth-barrelled shotgun so that when shooting a conic cartridge,

palla conica questa potesse avere una rotazione attorno al proprio asse guadagnando in stabilità e precisione. Furono però fatti numerosi esperimenti prima di arrivare alla versione definitiva e ci si può immaginare il lavoro empirico necessario per raggiungere risultati soddisfacenti sparando con i diversi tipi di munizioni. Quante righe occorre fare, di che lunghezza, di quale inclinazione, di quale profondità e così via? È interessante quindi verificare a lato pratico il risultato di quelle ricerche ed è ciò che vogliamo fare con questo esemplare di Paradox ancora perfettamente integro giunto nelle nostre mani. La foratura interna dei tubi è stata effettuata con un valore di 18,7 mm. mentre la strozzatura in volata è di 17,6 mm. per entrambe le canne. Ciò significa che la differenza è di 9/10° quindi una piena strozzatura. La rigatura interessa circa gli ultimi 6 cm. delle canne e sono state effettuate sette riguature destrorse che iniziano con un invito nella parte posteriore per diventare più pronunciate in volata. Queste rigature hanno uno spessore di 5 mm. mentre gli spazi fra una riga e l'altra misurano 4 mm. In totale le canne pesano Kg. 1.650 e sono dotate di tacca di mira con due fogliette abbattibili tarate alla distanza di 50 e 100 yarde. Occorre però precisare che la Holland & Holland consegnava con l'arma anche le apposite cartucce con punta conica studiate per il tiro ottimale e con quelle munizioni la precisazione era davvero considerevole. Le medie dei tiri prevedevano una decina di colpi sparati dalle due canne in circa 7/8 cm. a 50 yarde e di una

the latter could have a rotation around its axis improving stableness and precision.
Many experiments were carried out before arriving to the final version, and one can just imagine the work which is necessary in order to reach satisfactory results, shooting with the various types of munitions (the number of lines necessary, the length of the lines, the inclination of the lines, etc.). Therefore it is interesting to practically verify the result of such researches, and this is what we wish to do with this still perfectly unimpaired Paradox shotgun in our hands. The inner piercing of the tubes has been executed with a value of 18.7 mm while the muzzle choke is of 17.6 mm for both barrels.
This means that the difference is of 9/10 degrees, and therefore it is a full choke.
The rifling is executed on the last 6 cms. of the barrels and seven lines have been executed from left to right which start lightly in the back and become more evident in the front.
These lines have a thickness of 5 mm, and the spaces between one line and the other are of 4 mm.
The overall weight of the barrels is of 1.650 Kg.
and they are supplied with a sight notch with two pull-down leafs gauged at a distance of 50 and 100 Yards.
But I would like to point out that Holland & Holland delivered its shotgun with the special cone-shaped cartridges necessary for an optimal shot.
With those munitions precision was really considerable. Shot averages foresaw about ten shots fired from the two barrels in

decina di cm. a 100 yarde. Quindi risultati più che soddisfacenti e che ottennero i migliori riscontri e consensi dalla stampa specializzata di allora. Il tiro a pallini veniva effettuato alle distanze convenzionali con sufficiente distribuzione di rosata simili a quelle sparate da normali doppiette lisce con metà strozzatura. Di Paradox ne vennero costruiti oltre al cal. 12 anche in cal. 16 e in cal. 20. Taluni lo richiesero però nel più grosso cal. 10 per poter sparare palle più pesanti ad animali di grossa mole. Per ultimare la descizione sulle canne va detto che queste sono lunghe cm 71, accoppiate a piani fissi con ramponi saldati a coda di rondine, bindella concava e lisia nel tratto intermedio che sale verso la volata per ospitare il mirino metallico. Il mirino è molto fine ed idoneo per puntamenti di precisione. Sulla canna destra vi è riportato l'indirizzo 98, New Bond Street, London.

Bascula e ramponatura

La bascula ha dimensioni leggermente più abbondanti rispetto ad un cal. 12 normale ed ha piani lunghi mm. 52. La larghezza al traversino è di 53 mm. mentre l'altezza della tavola di 20 mm. La finitura è tartarugata con sottile bordino di contorno. La tempra tartaruga, leggera ma ancora presente era di quel tipo a sfumature delicate come solo gli inglesi seppero fare così bene e del cui procedimento sembrano essere scomparse le tracce. I seni di bascula sono ben rotondi e sviluppati e pur non essendo così massicci come in un express rigato richiama alla

approximately 7/8 cm. from 50 Yards and ten from 100 Yards. These were therefore very satisfactory results which were welcomed by the specialized press of that time. Cartridge shots were executed at conventional distances with a sufficient distribution of the shot pattern similar to those fired by normal smooth side by side shotguns with half a choke. Apart from 12 gauge, Paradox shotguns were also produced in 16 gauge and 20 gauge. Some hunters also requested it in 10 gauge. In order to complete barrel description, they are 71 cm long and they are coupled on fixed plains with dove-tail welded bolts, grooved and smooth rib in the intermediate part which rises toward the muzzle and houses the metal sight. The sight is very fine and precise. On the right barrel there is the inscription of the address: 98, New Bond Street, London.

Action and Lump fitting

The action is slightly bigger than a normal 12 gauge and its flats are 52 cm. long. The tackle width is of 53 mm., while the height of the flat is of 20 mm. The finishing is hardened with a thin contour border.
The hardening is light, but still present and it is of the type that only the English were able to execute, with delicate shades, and whose procedure seems to have been lost.
The standing breeches are round and quite developped, and even though they are not as massive as in a rifled express, they recall the gun's power. It is useless to underline the impeccable

Come per gli expressi si è prolungata la codetta di bascula fino a sopra il nasello del calcio.

The action tang has been extended over the stock nib as in express shotguns.

Bascula ben dimensionata finita
a tempera tartaruga.

*Well-dimensioned action with a
hardened finish.*

memoria la potenza dell'arma. Inutile sottolineare le rifiniture impeccabili delle lavorazioni anche interne alla bascula poiché si sa che gli inglesi furono maestri soprattutto nella cura dei dettagli anche estetici. Estrattori automatici e monogrillo sono i tipici di Holland & Holland, quest'ultimo a funzionamento inerziale. Esemplare la conformazione della guardia con il singolo grilletto che riprende l'ovale della linea esterna e ben si armonizza con questa. Salvo qualche rara eccezione al giorno d'oggi non siamo più abituati a così sottili finezze. La finitura sobria di questo Paradox sta ad indicare che anche allora c'era chi preferiva la validità intrinseca dell'arma senza fronzoli estetici ed in questo caso la Ditta costruttrice si impegnava ugualmente nella realizzazione con le stesse attenzioni e gli stessi scrupoli adottati per i modelli più di lusso. Per quanto riguarda la ramponatura questa segue lo stile inglese ad un solo giro di compasso, cioè la sola parte interna del secondo rampone toccherà contro il traversino di bascula una volta chiusa l'arma. Va però notato che il secondo rampone è di generose proporzioni, quasi il doppio rispetto ad armi inglesi destinate al solo tipo a pallini. Evidentemente la robustezza del secondo rampone influisce sulla tenuta delle chiusure nel tempo. Ciò anche in considerazione del fatto che l'arma non dispone di alcuna terza chiusura superiore e quindi il tutto viene affidato alla doppia Purdey ai ramponi. Ciò dimostra che questa doppia chiusura è da sola efficace anche con cariche forti se ben realizzata e con l'uso

finishings of the inner action workings because we all know that the English were masters in the care of details.
The automatic and single trigger ejectors are of the typical Holland & Holland inertial type.
The guard conformation and the single trigger which recalls the oval of the external line and harmonizes with it are beautiful.
Apart from a few rare exceptions, we are not used to such fineness today.
The sober finishing of this Paradox shotgun indicates that even at that time there were people who preferred the intrinsic value of the gun without aesthetical frills, and in this case the Gun Maker adopted the same care and attention as for the luxury models.
As far as the lump fitting is concerned, it is of the English single-compass turn type, that is, only the inner part of the second lump touches the action tackle once the gun is locked.
But it has to be noted that the second lump is quite big (almost twice as big as the English cartridge shotguns).
The soundness of the second lump apparently influences the tightness of the locks in time, also because the gun is not supplied with an upper cross-bolt, so the locking is carried out by the Purdey double-bolt on the lumps.
This proves that this double bolting system is effective on its own even with strong loadings if well-executed and made out with first-choice materials.
The serial number of this side by

Sulle canne è stata inserita una doppia tacca di mira a fogliette abbattibili per il tiro a 50 e 100 yarde.

The barrel has been supplied with a double sight slot with pull-down leafs for 50 and 100 yards shots.

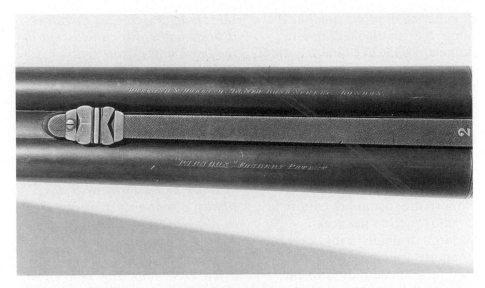

I ramponi sono di dimensioni più generose rispetto al fucile a pallini.

Lumps are bigger than in normal shotguns.

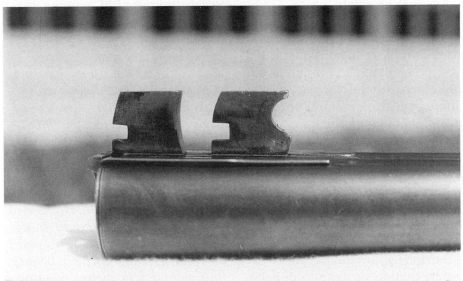

Volata delle canne del Paradox. Si notano le tenui rigature.

Paradox barrel muzzle. A light rifling may be noticed.

di materiali di prima qualità. Il numero di matricola di questa doppietta è 15625 e quindi è stata costruita presumibilmente agli inizi di questo secolo. Sono ormai diverse decine di anni che le versioni Paradox non vengono più prodotte.

Acciarino

Nonostante stiamo per entrare in un nuovo secolo per vedere acciarini di simile fattura occorre smontare armi inglesi di molti anni fa. È un dato di fatto che salvo qualche debita e rara eccezione l'arte azzaliniera così prospera a cavallo del Novecento si sia di molto ridimensionata. I costrutatori attuali puntano di più sulla meccanizzazione con limitazione della mano d'opera e quelli italiani in particolare hanno sempre trascurato la perfezione dell'acciarino trattandosi di parte interna dell'arma e quindi poco visibile. Così anche tutti coloro che dicono di montare acciarini tipo Holland & Holland dovrebbero guardarsi con attenzione gli originali e poi vedere quanto sia rimasto di bello e di buono nei loro. Si potrebbe pensare che questa sia una critica anche troppo severa nei confronti degli attuali costruttori e che dopo tutto è importante che l'acciarino compia onestamente il proprio dovere. Questo è vero su armi comuni ma su fucili che vogliono appellarsi delle dominazioni "di lusso" o "fini" la prova dell'acciarino è fondamentale per vedere le capacità dell'armaiolo. Facciamo qualche esempio pratico. Si veda ad esempio la perfezione del mollone: quando l'acciarino è carico una sottile fessura costante divide le due

side shotgun is 15625, therefore it presumably was constructed at the beginning of this century. Paradox versions have not been produced for decades now.

Locks

Even though we are almost at the beginning of a new century, in order to see locks of a similar execution it is necessary to disassemble old English guns.
As a matter of fact, apart from a few exceptions, this kind of art which flourished in between the past and present century is now reduced.
Nowadays' gun makers focus more on mechanization, limiting manual work, and Italian gun makers in particular always neglected lock perfection since it is an internal part of the gun, and therefore is not visible.
All those who say that they supply their guns with Holland & Holland type locks should study the original locks carefully, and see what remains of their beauty and goodness in theirs.
Somebody may think I am criticizing present gun makers too severely, and that after all it is important that locks carry out their function honestly enough.
If this is true on common guns it is not in the case of "fine" or "class" guns, where locks are an element that defines the gun maker's skill.
Let us pass to a practical example.
The accuracy of the spring: when the lock is loaded, a constant and thin slot subdivides the two leafs which never come in

Tipici acciarini di Holland &
Holland con cane armato e
disarmato.

*Typical Holland & Holland locks
with armed and unarmed gun cock.*

lamine che in nessun punto vengono in contatto fra loro. Poi ancora l'ampio arretramento del cane che assume in tal modo una corsa maggiore per battere con forza sul percussore. Il cane abbattuto si appoggia ampiamente contro il fermo anteriore e si nota il percorso uniforme del cane che non appoggia contro la cartella ma è distanziato da questa da pochi decimi di mililimetro. Si osservi poi la fattura complessiva, la tiratura delle varie parti e la morfologia generale improntata ad eleganza e compostezza. Insomma un insieme di doti tecniche ed estetiche che fanno di questi acciarini, come nella quasi maggior parte delle armi inglesi prodotte fino a pochi decenni fa dei piccoli capolavori meccanici. Ma non si creda che tanta arte fosse comune nemmeno nelle officine degli artigiani britannici. Infatti ogni costruttore ci teneva ad avere un proprio acciarino come imperniatura e sistema percussivo ma poi si rivolgeva a ditte esterne specializzate solo in questo settore. Anche su questi acciarini troviamo la scritta Joseph Brazier-Ashes che appare in molti armi inglesi. Altre ditte che producevano acciarini furono J. Standton ed E. Chilton. Quest'ultima incorporò verso la fine del secolo scorso la ditta di Brazier. Continuò però a produrre acciarini sia con la firma Chilton che Joseh Brazier che all'epoca godeva ancora di fama e tradizione. Per quanto riguarda gli scatti questo Paradox ha dei valori di Kg. 1,4 sulla prima canna e di 1,8 Kg sulla seconda. Ci sembrano scatti equilibrati e giusti anche per il tiro a palla di precisione in considerazione del peso complessivo dell'arma.

contact with one another.
Then again, the wide backing of the cock which obtains, in such way, a greater stroke in order to strike the striker with a greater strength.
The cock widely rests on the back stop and the uniform cock stroke which does not rest onto the side plate but has a distance from it of a few tenths of a millimeter may be observed.
Then the overall execution, the finishing of the various parts and the general morphology based on elegance have to be observed.
That is, a whole of technical and aesthetical features which render these locks small works of mechanical art such as those produced by English gun makers up to a few decades ago.
But one should not think that such kind of art was common in all English workshops.
In fact, each gun maker had its own lock system and its own striker system, but they were mostly produced by specialized firms.
We very often find the inscription Joseph Brazier-Ashes on the locks of a great deal of English guns.
Other lock makers were J. Standton and E. Chilton.
Chilton incorporated Brazier at the end of the past century, but they continued to produce both Chilton and Joseph Brazier locks.
As far as trigger pulls are concerned, this Paradox shotgun is featured by values of 1.4 Kg. on the first barrel and 1.8 Kg. on the second.
We feel these are right and well-balanced trigger pulls even for precision cartridge shots, considering the weight of the gun.

Legni

Il calcio, in noce scelta, ha venature longitudinali per meglio sopportare le forze generate dal riculo dello sparo. È di tipica fattura inglese con gocce laterali finite a spigolo ed incassatura perfetta. Guardia lunga, parti di minuteria metallica nere, ha la codetta di bascula che prosegue fino ad oltre il nasello del calcio. È questa una soluzione che di solito veiene praticata negli express, per meglio saldare parti metalliche e legno del calcio e nel caso di una doppietta nel cal. 12 può essere eccessivo come accorgimento. Probabilmente però è un particolare di natura estetica, per dare una maggiore impronta di aggressività al Paradox e per avvicinarlo maggiormente alla doppietta rigata.

Considerazioni finali

Introdotta dalla prestigiosa Casa inglese Holland & Holland oltre un secolo fa su brevetto del col. Fosbery, la doppietta Paradox ha la particolarità di avere il tratto terminale delle due canne rigato. La rigatura interessa gli ultimi sei cm. dei tubi e serve per imprimere il movimento rotatorio intorno al proprio asse ad una palla asciutta appositamente realizzata allo scopo. Abbiamo voluto provare questo Paradox con le comuni Brenneke che si usano per la caccia al cinghiale ma i risultati ottenuti non sono stati soddisfacenti poiché le Brenneke, con le loro rigature incorporate sono state studiate per essere sparate in canne completamente lisce e quindi in questo caso i due concetti vengono a sovrapporsi. Rimarchevole però la precisazione

Woods

The stock, which is made out of selected walnut wood, has a longitudinal grain in order to better stand the stress generated by recoil.
It is of a typically English execution, with side drops and a perfect gun stocking.
Long guard, black hardware parts, action tang which runs over the stock nib. This is a solution which is generally adopted in express shotguns in order to better weld metal parts and stock wood together, and in a 12 gauge side by side shotgun it may even be too much.
But it is probably a detail of aesthetical nature, in order to give more aggressiveness to the Paradox shotgun and make it more similar to rifled shotguns.

Final Considerations

Introduced by the prestigious English Gun Maker Holland & Holland more than one century ago under Col. Fosbery's patent, the Paradox side by side shotgun has a rifled terminal part of its barrels.
The rifling is executed on the terminal 6 cms. of the tubes and it is necessary in order to impress a rotational movement around its axis to a special cartridge.
We tested this Paradox with common Brennekes employed for boar hunting but the results have not been satisfactory because Brenneke cartridges, with their streakings, are especially conceived for smooth barrels.
But gun precision is remarkable since by shooting two fires with

dell'arma poiché sparando due colpi di prima canna a 30 m. sono finiti nello stesso foro. Sparando a pallini si ottengono delle rosat discretamente uniforme e raccolte, anche se leggermente spostate lateralmente rispetto al punto mirato. Sufficienti però per un corrente uso venatorio.

Occorrerebbe effettuare delle prove più dettagliate con le palle disponibili in commercio e possibilmente non rigate come la palla Winchester, la sferica o la Gualandi. Disponendo però di un Paradox originale come questo la migliore soluzione sarebbe quella di farsi fare delle palle in piombo dalla forma e dal peso uguali a quelle prodotte specificatamente per quest'arma dalla Holland & Holland, in modo da poter utilizzare al massimo la precisione intrinseca di questa interessante doppietta che consente tiri di buona precisione per uso caccia su selvatici di una certa mole (comie appunto il cinghiale), fino a 120/130 mt. Al di là di queste precisazioni la fattura di quest'arma è esemplare, dall'acciarino al calcio, dalle canne alla bascula. Tutto lascia intravedere la competenza degli armaioli britannici a cavallo del secolo scorso che hanno detto l'ultima parola in fatto di armi da caccia di tipo fine. Il concetto del Paradox potrebbe però essere ripreso anche da qualche costruttore attuale. Alcuni producono degli strozzatori rigati da applicare su canne a strozzatori intercambiali e li chiamano Paradox, ma il nome è un'usurpazione bella e propria perché un conto è rigare uno strozzatore e montarlo su un automatico e un conto è riuscire a rigare dal pieno le canne di una doppietta con le caratteristiche più

the first barrel from 30 mt. they hit the same hole.
By shooting with cartridges, shot patterns are uniform and circumscribed even if slightly shifted on the side compared to the aimed spot. They are anyhow sufficient for hunting use.
Detailed tests should be carried out with the bullets available on the marketplace such as the Winchester, spherical and Gualandi bullets.

But an original Paradox shotgun like this one should be employed with especially-made lead bullets having the same weight and shape as those especially produced by Holland & Holland for it so as to best exploit the intrinsic precision which is built in this interesting gun which allows shot precision on quite big animals (such as the boar) from 120/130 mt.
The execution of this gun is excellent, from the lock to the stock, from the barrels to the action.
The skill and competence of British gun makers may well be seen in this gun.
The concept of Paradox shotguns may be employed by nowadays' gun makers too.
Some gun makers produce rifled chokes that are to be applied onto the barrels and interexchangeable chokes which they call "Paradox", but this name is truly usurped because one thing is to rifle a choke and mount it onto the barrels, one thing is to be able to rifle the barrels of a side by side shotgun in the most convenient way as Holland & Holland has been able to do.
This is therefore an example everybody can see, and it is

Nella pagina a fronte, uno splendido express dell'armaiolo belga Marcel Thys nel calibro più potente del mondo: il 460. Weatherby Magnum.

In the opposite page, a beautiful express shotgun by the Belgian gun maker Marcel Thys in the most powerful gauge in the World, the 460 Weatherby Magnum.

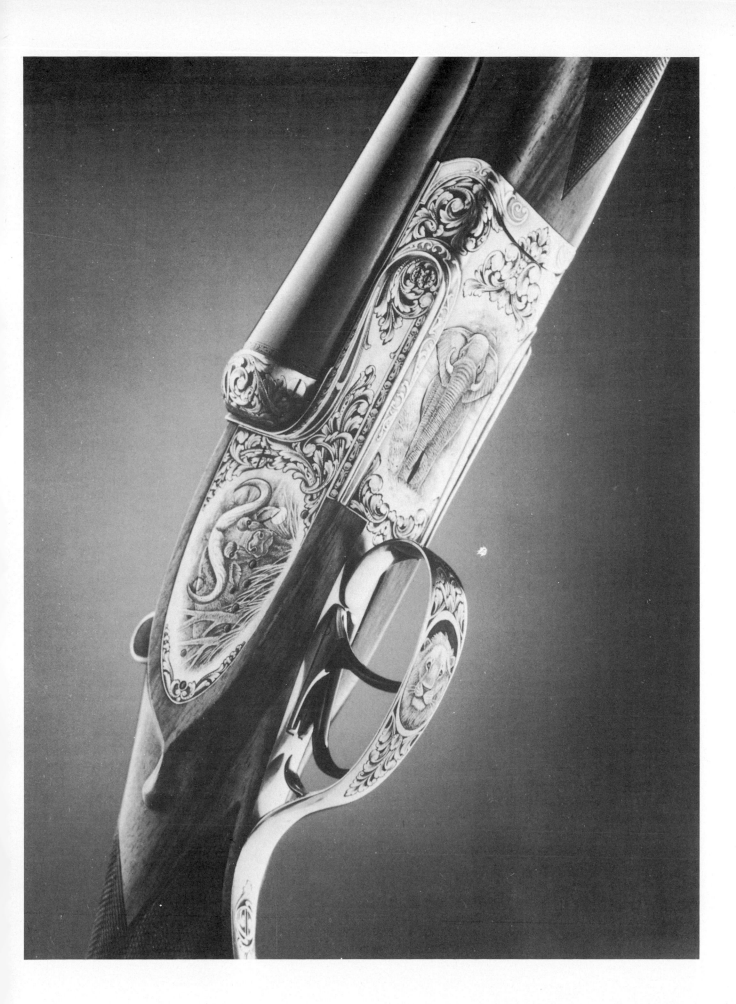

conveniente come è riuscita a fare la Holland & Holland. Quindi un esempio sotto gli occhi di tutti ed una sfida da raccogliere per i nostri migliori artigiani.

"Lo Slug"

Potremmo definire lo "slug" il parente povero dell'express, doppietta o sovrapposto a canne cilindriche, di solito corte, dotate di tacca di mira e mirino per il tiro a palla asciutta e tarati a 50 mt. Ne esistono pure di quest'arma versioni fini, magari provviste di canne di ricambio. Anche in questo caso occorrerà prestare attenzione al bilanciamento dell'arma con tutte e due le paia di canne. Troppo spesso questo particolare viene trascurato dai costruttori. Cioè l'arma deve sempre essere bilanciata sul perno cerniera con i due o più tipi di canna.

Se varia la lunghezza fra una canna e l'altra occorrerà mantenere lo stesso peso lavorando sugli spessori. Questo non è difficile da realizzarsi a monte, cioè dal costruttore. Risulta più difficile correre ai ripari a cose fatte. Sparando con gli slug occorrerà provare diversi tipi di palle, poiché ci saranno comportamenti diversi fra palle morfologicamente diverse ed a volte anche con i pesi diversi. Una volta tarata l'arma con un tipo di munizione, adoperare sempre quella per non avere risultati aleatori al momento pratico. Le doppiette slug possono essere usate anche per cacce alla beccaccia o col cane da ferma, però per la caccia al cinghiale ed ad altra selvaggina di simile mole è di gran lunga preferibile e più sportivo usare l'arma rigata.

a challenge for our best craftsmen.

The Slug

We could define the slug as the "poor relative" of the express. It may be side by side or over and under; it has cylindrical barrels which are usually short and supplied with sight slot and sight for slug cartridge shot, gauged at 50 mt.
This gun also exists in fine versions, sometimes supplied with extra barrels.
In this case too, it shall be necessary to pay attention to the balancing of the gun with both sets of barrels.
This detail is far too often overlooked by gun makers.
The gun always has to be balanced on the hinge pin with both types of barrels.
If the lenghth between one barrel and the other varies, it shall be necessary to keep the same weight by working on the thicknesses.
The gun maker does not have any difficulty to carry this out.
But it is a difficult adjustment to carry out afterwards.
Different types of bullets shall have to be tested with slugs, since there shall be different behaviours with morphologically different bullets.
Once the gun has been gauged with a type of munition, that very same munition shall always have to be used in order to avoid uncertain results.
Slug side by side shotguns may be employed for woodcock hunting or for hunting with a pointer, but for boar hunting or similar, rifled shotguns are far better.

Stupendo Express di J. Purdey nel poderoso calibro 600 Nitro Express. Animali rimessi in oro.

Beautiful Express by J. Purdey in the powerful 600 gauge Nitro Express. Gold-inlaid animals.

·600 NITRO EXPRESS
JAMES PURDEY & SONS,
LTD.
GUN & RIFLE MAKERS
AUDLEY HOUSE,
SOUTH AUDLEY STREET,
LONDON W.1

Un express molto fine della Hartmann & Weiss. Notare il rinforzo della bascula e gli acciarini a molla indietro.

A very fine Hartmann & Weiss express shotgun. Note the action reinforcement and the backward spring locks.

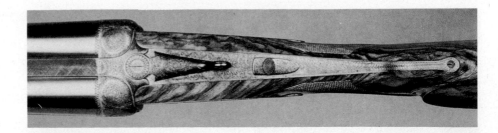

Un raro esempio di express "Made in Italy": è un'arma di Perugini & Visini con due canne rigate intercambiali (375/H Magnum e 7x65R).

A rare example of an express made in Italy, a gun by Perugini & Visini with two rifled interchangeable barrels (375 H&H Magnum and 7x65R).

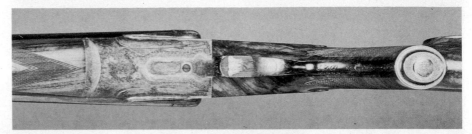

Rigatura della parte terminale della canna della doppietta "Paradox" della Holland & Holland. Sparava altrettanto bene a pallini che a palla asciutta.

Rifling in the terminal part of the barrels of a "Paradox" shotgun by Holland & Holland. It shot well both with shot cartridges and with slug cartidges.

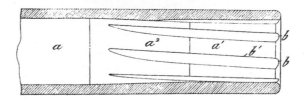

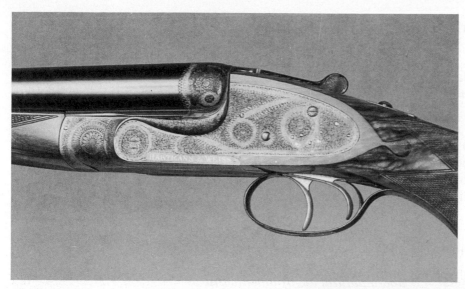

Un monocanna basculante a canna rigata prodotto dal gruppo Ferlach.

A basculating single barrel rifled shotgun by the Ferlach group.

Un express con batterie Anson ed un paio di canne liscie di ricambio del cal. 12. È un'arma polivalente purché ben realizzata e bilanciata.
Di produzione francese (Chapuis).

An express with Anson box-locks and a pair of extra smooth barrels in gauge 12. It is an all-round gun if well-realized and well-balanced. French production (Chapuis).

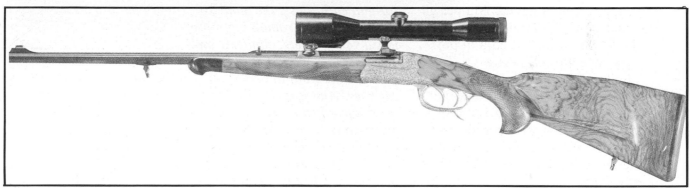

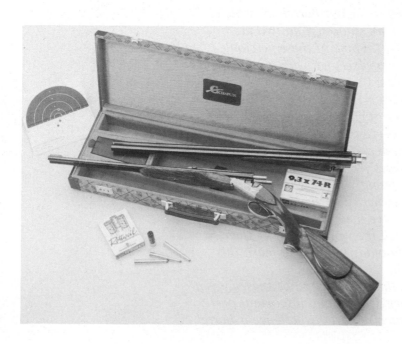

Express Anton Sodia - Ferlach cal. 458 Winch. Magnum

Attualmente in Austria (Ferlach) vengono realizzate armi rigate basculanti di qualità elevata. Esaminiamo più in dettaglio un express parallelo di A. Sodia come esempio di questa produzione. Ferlach è una ridente località situata in una delle tanti valli austriache e costeggiata da vastissimi boschi e ripide montagne. Una località che tiene al proprio turismo offrendo prodotti tipici ed un ambiente a contatto con la natura. Ma per gli appassionati di armi il nome Ferlach è anche qualcosa di più, una valle dove in stretta similitudine alla nostra Gardone si coltiva ancora la pluriennale tradizione armiera. Ed è una tradizione alquanto specializzata ed apprezzata in tutto il mondo vertendo principalmente su fucili misti basculanti ed express di tutti i tipi e forme. Si parte dal monocolpo Kipplauf per passare a combinati sovrapposti o doppiette, quindi express, drilling e vierling (quattro canne con due liscie e due rigate di calibro diverso fra loro). Alcune di queste versioni si possono avere anche a cani esterni. Non esiste una vera e propria industria ma un pool di artigiani che vogliono conservare una propria identità. Queste persone riescono a tramandare di padre in figlio i segreti del proprio mestiere e tutt'ora a differenza di ciò che avviene in molte altre parti riescono a coinvolgere i ragazzi più giovani che al termine della giornata scolastica si recano in officina per apprendere gradualmente il lavoro. Nel costruire queste armi una parte molto delicata e che abbisogna di

Anton Sodia Express - Ferlach 458 Winch. Magnum

High quality basculating rifled shotguns are at present produced in Austria (Ferlach). We shall examine a parallel A. Sodia express in detail as an example of this production. Ferlach is a pleasant town located in one of the many Austrian valleys, flanked by vast woods and steep mountains. A town which attaches great importance to tourism and which offers typical local products and a natural environment. But for gun enthusiasts the name of this town means something more: it is a valley where, similarly to our Val Gardone, a long lasting gun-making tradition still survives. And it is a specialized tradition which is very much appreciated worldwide: mainly combined basculating shotguns and express shotguns of any type and shape. Starting from the single shot Kipplauf shotgun to over and under combined shotguns or side by side shotguns, express, drilling and vierling shotguns (four barrels of which two are smooth, and two are rifled). Some of these versions may be executed with external cocks.

There is no industry, but rather a pool of craftsmen which want to preserve their own identity.

These people pass down their secrets from father to son, and differently from what happens anywhere else they manage to involve their young folks who reach the workshop after their schoolday in order to learn this job.

In the construction of these guns a very delicate and important part which requires experience is barrel

Express Anton Sodia (Ferlach)
nel cal. 458 Winch. Magnum.
Notare la doppia Kersten ai lati
delle canne.

*Anton Sodia Express (Ferlach)
in the 458 Winchester magnum
gauge. Note the Kersten
double-bolt on the side of the
barrels.*

Variante di express di grosso
calibro con la triplice chiusura
Greener.

*Big gauge express shotgun with a
Greener cross-bolt.*

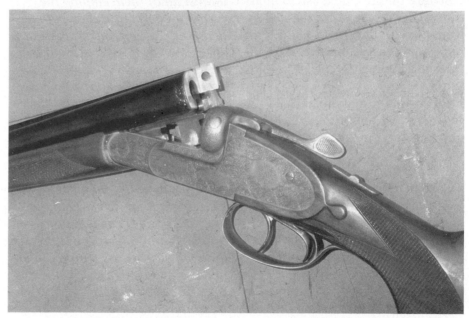

197

grande esperienza è la realizzazione delle canne, non solo come realizzazione della singola canna rigata ma soprattutto del loro accoppiamento e relativa regolazione al tiro. Basti pensare alla difficoltà di saldare fra loro quattro canne, come avviene nei vierling, di cui due liscie e due rigate e cercare di fare sparare nel giusto modo calibri diversi con diverse traiettorie. E a Ferlach si sono specializzati così tanto che ormai quasi tutti i costruttori, compresi gli inglesi, che vogliano realizzare express paralleli di alta qualità ordinano le canne già accoppiate qui in Austria. Per costruire queste canne usano quasi tutti il metodo della forgiatura tramite martellatura a freddo impiegando acciai particolarmente resistenti come il Boehler Rasant e simili.

Fra i vari nomi più o meno conosciuti ed importanti che operano a Ferlach occorre ricordare Ludwig Borovnik a Johann Fanzoj, Josef Hambrusch e Gottfried Juch, Benedikt Winkler e Wilfried Glanznig. Ve ne sono poi alcuni altri e tra costoro anche il costruttore dell'express che esaminiamo in questo articolo: Anton Sodia. Quest'arma fu una delle ultime realizzate da Anton Sodia, una decina di anni fa circa, poiché da allora non è più in attività. Occorre però dire che queste armi austriache si assomigliano esteticamente fra loro partendo da bascule praticamente uguali sia per i sovrapposti che per le doppiette. Certo vi possono essere differenze nelle finiture e nelle incisioni, nei legni e nei calibri ma in ogni caso la più economica arma prodotta a Ferlach è sempre un'arma di alto contenuto

execution, not only as far as the rifling of the single barrel is concerned, but also as far as their coupling and shot adjustment is concerned. Just think of the difficulty of welding four barrels to one another - as may occur in vierlings - of which two are smooth and two are rifled and of trying to make them all shoot well with different gauges and different trajectories. And in Ferlach they are so skilled in this that all gun makers, including the English, wishing to construct parallel express shotguns order ready-coupled barrels in Austria. In order to construct these barrels, almost all of them employ the cold-hammering forging method and they use particularly resistant steels such as Boehler Rasant and similar. Among the most well-known names operating in Ferlach we shall mention Ludwig Borovnik, Johann Franzoj, Josef Hambrusch, Gottfried Juch, Benedikt Winkler and Wilfried Glanznig. There are many others among which the gun maker whose express shotgun we are going to examine in this article: Anton Sodia. This is one of the latest guns constructed by Anton Sodia about a decade ago, because since then, production was discontinued.

But these guns are aesthetically very similar to one another, starting from the actions which are the same in over and under and side by side shotguns. There are of course differences in the finishings and in the engravings, in the woods and in the gauges, but in any case the most economical gun produced in Ferlach is always a gun with a high technological and manual content, and always starts with a high price level.

tecnologico e manuale e parte già
con prezzi elevati.

Linea dell'arma e canne

La linea complessiva trasmette
subito una sensazione di potenza,
sottolineata dal vigoroso
ampliamento delle culatte delle
canne e dalll forma del calcio di
tipica scuola tedesca.
L'allargamento delle due canne in
prossimità della bascula si è reso
necessario per ospitare le due
chisure a perno tondo, una per
ogni canna. Nonostante questo
però l'arma non la si può definire
tozza e pur essendo camerata nel
potente 458 W.M. il peso
complessivo è stato contenuto in
soli 3,9 Kg. Quindi un express
anche maneggevole e che il
costruttore è riuscito a bilanciare
nonostante il peso delle canne sul
perno cerniera. Le canne sono
lunghe cm. 62, ricavate da acciaio
Boehler Rasant ed accoppiate in
demibloc. Ogni canna è rigata
internamente con sei rigature ad
andamento destrorso e piuttosto
pronunciate. La bindella parte con
un profilo piano e superiormente
arabescata antiriflesso per circa
metà della lunghezza delle canne.
Quindi viene abbassata in mezzo a
queste ultime per poi riprendersi
con la rampa in volata, sulla quale
è inserito il mirino. Questa rampa
non è però parte integrante della
bindella ma ha anche funzione di
cuneo distanziatore inserito ancora
con arma in bianco dopo le prove
di tiro. Sulla bindella è stata
inserita un'unica tacca di mira a V
tarata a 100 mt. Le canne sono
saldate molto probabilmente a
stagno e sono incise con inglesine
sia in culatta sia in volata. La
brunitura è nera lucida con scritte
rimesse in oro del costruttore e

Gun line and barrels

*The overall line immediately
transmits a sensation of power,
underlined by the strong widening
of the barrel breeches and by the
typical German stock.*
*The widening of the set of barrels
near the action is required in
order to house the two round-pin
locks, one for each barrel.*
*In spite of this, the gun cannot
be defined as squat, and even
though it is chambered in the
powerful 458 W.M., overall
weight has been limited to 3.9
Kg.*
*Therefore this express is handy,
and its gun maker has been able
to balance it in spite of the
weight of the barrels onto the
hinge pin. The barrels are 62 cm.
in length and they are made out
of a Boehler Rasant steel. They
are demibloc-coupled. Each
barrel is rifled in the inside with
six streaks going from left to
right. The rib starts with a flat
outline and is arabesqued in
order to be non reflecting along
half the barrel length. Then it
lowers in the middle of the
barrels and it continues onto the
muzzle ramp, into which the sight
is inserted.*
*This ramp is not an integral part
of the rib. It also has the
function of distancing the barrels
after the shot tests. The rib has
been supplied with a sight slot
gauged at 100 mt. The barrels are
very probably tin-welded and are
engraved with English scrolls
both on the breech and on the
muzzle. Blueing is of a brilliant
black with gold-inlaid inscriptions
of the name and town of
production. The breech
is supplied with two extensions
for the two upper locks which*

della località. In culatta sono poi stati ricavati dal pieno i due prolungamenti per le due chiusure superiori che vanno ad alloggiare nelle relative sedi della bascula. Le canne sono tirate esteriormente a mano e rifinite in maniera impeccabile.

Bascula e chiusure

Sono questi due argomenti che meriterebbero più spazio per vedere come gli austriaci abbiano affrontato il problema robustezza e chiusura di un'arma così potente che genera pressioni anche quattro o cinque volte superiori al normale fucile del 12 a pallini. Vedremo comunque di sintetizzare. I piani della bascula sono lunghi mm. 56 e la stessa è larga al traversino mm. 40. Valori non eccessivi anche se per la robustezza complessiva il costruttore ha lavorato su altri particolari. Per prima cosa la bascula è temperata e cementata con finitura argento vecchio, quindi le batterie montate su piastre laterali sono del tipo a molla indietro, lasciando intatti i fianchi di bascula. Poi ha tenuto i ramponi delle canne, soprattutto il primo, molto lunghi e passanti (il secondo solo parzialmente). Da notare che i ramponi non seguono il concetto dei tre giri di compasso con il secondo rampone allungato stile Zanotti che entra nella faccia di bascula ma sono solo a due giri stile inglese. Inoltre sono anche più stretti di una comune doppietta a pallini. E questo è interessante da notare poiché anche nella letteratura delle armi molto si è parlato della forma e della lunghezza dei ramponi ma quasi mai dello spessore che debbono avere. In questo caso lo spessore è inferiore almeno di un paio di mm.

which are housed inside their relative housings in the action.
The barrels are hand finished in an impeccable fashion.

Action and Locks

These two subjects should be studied more in depth in order to see how Austrians faced the problem of soundness and locking in such a powerful gun which generates pressures which are four to five times greater than the normal pressures generated by 12-pellet shotguns. We shall try to summarize this aspect.
The action flats are 56 mm. long and the action width is of 40 mm.
These are quite limited values, but the gun maker worked on other details in order to obtain overall gun soundness.
First of all, the action is tempered and hardened with an ancient silver finish. Box-locks are mounted on the side plates and are of the backward-spring type.
Barrel through-lumps (and especially the first one) are very long.
These lumps do not follow the triple compass turn concept; they are of the double compass turn English-style type.
Besides, they are narrower than in a common side by side shotgun.
This is very interesting also because gun literature dealt a lot with the shape and length of the lumps, but very seldom did it deal with lump thickness.
In this case thickness is a few mm. smaller than usual and I believe it has been limited in

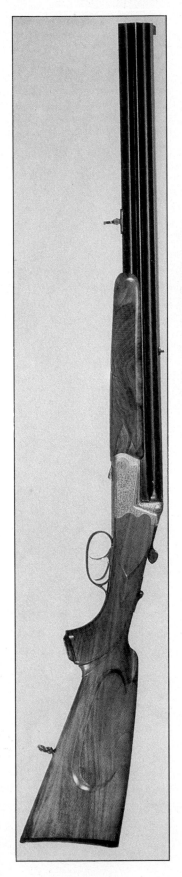

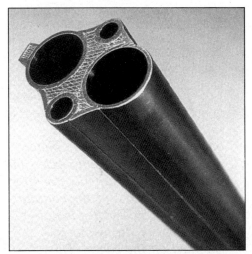

Vierling di produzione Ferlach (Austria). Due canne liscie più due canne rigate.

Vierling made in Ferlach (Austria). Two smooth barrels plus two rifled ones.

Culatta delle canne del vierling. I due calibri rigati sono diversi fra loro.

Vierling barrel breech. The two rifled gauges differ from one another.

La particolare volata dell'arma.

The special gun muzzle.

di quello standard ed io credo che sia stato tenuto scarso per aumentare la superficie della tavola di bascula. Analogamente non sono stati introdotti i tre giri di compasso con rampone posteriore spostato più indietro perché si è preferito aggiungere altre due chiusure superiori per meglio tenere salde canne e bascula al momento dello sparo. Complessivamente quindi questo express dispone di quattro chiusure: le due classiche Purdey ai ramponi più le doppie Kersten con perno tondo sul prolungamento delle canne. E la dimostrazione che questo abbinamento sia uno dei migliori che si possa attuare su un fucile basculante lo dimostra il fatto che l'arma è stata provata ad una pressione di ben 3.000 atmosfere senza contare che già sul fucile a pallini la terza Greener (da cui è derivata la doppia Kersten) è fra le chiusure più efficaci per contrastare l'allontanamento delle canne dalla bascula al momento dello sparo. Sulla faccia di bascula sono stati inseriti i due grani portapercussori dorati, così come dorati sono i grilletti, gli acciarini e le leve d'armamento degli stessi.

Acciarini, legni, incisioni

Gli acciarini sono sul sistema Holland & Holland con doppia stanghetta di sicurezza del tipo a molla indietro a lamina. Le cartelle internamente sono finite a bastoncino con perni passanti. L'incassatura nel legno è ben eseguita ed il bordino di contorno delle cartelle non prevede la goccia ma prosegue rotondo anche alle estremità. Questa soluzione, sicuramente meno estetica dell'altra viene però eseguita da tutti i costruttori austriaci. La

order to have a greater action flat surface. Similarly, the triple compass turn concept has not been introduced because two upper locks were added in order to better hold the barels and the action during shooting. Therefore this express shotgun is supplied with four locks: two classical Purdeys at the lumps and Kersten round-pin double-bolts on the barrel extension. And the proof that this system is one of the best obtainable on a basculating shotgun is evidenced by the fact that this gun has been tested at a pressure of 3.000 atmospheres, without mentioning that Greener cross-bolts (from which Kerner double-bolts derived) are among the most effective locking systems in order to counteract the distancing of the barrels from the action during shooting. The action front is supplied with two gold plated striker-holder grains, and the triggers, the locks and the arming levers are gold plated too.

Locks, woods, engravings

Locks on the Holland & Holland system are supplied with a double safety sear system with a backward V-spring. Side plates are finished with small circles and have through-pins. Gun stocking is well-executed and the contour edge of the side plates is not supplied with drops but is rounded on the edges. This solution, which is surely less aesthetical than the other, is executed by all the Austrian gun makers. The action tang continues beyond the stock nib in order to have a sounder wood-metal coupling.
The stock, supplied with a

Express 'A. Sodia' (Ferlach) cal. 458 W.M. con acciarini smontabili a mano.

'A. Sodia' Express (Ferlach) gauge 458 W.M. with hand detachable side lock.

codetta di bascula prosegue fino a oltre il nasello del calcio per avere un più solido accoppiamento legno-metallo. Il calcio con impugnatura a pistola e guangiolo semicircolare è in noce radicato con calciolo in gomma di serie. Le incisioni sono di tipo tradizionale con ornati sulle cartelle di stile belga e qualche inglesina di contorno. L'incisione non è firmata. L'arma è dotata di estrattori automatici e di sicura che agisce sui grilletti. Gli scatti sono medi (circa Kg. 1,5) ed uguali per ambedue i grilletti. I legni sono finiti ad olio con zigrini a passo fine.

Considerazioni finali

Ci troviamo di fronte ad un express molto fine e che in pochi ormai riescono a costruire interamente, a livello mondiale. I costruttori di Ferlach (Austria) sono tra questi e sono abilissimi nella costruzione e nell'accoppiamento delle canne rigate. Questa abilità la si può toccare con mano in questa doppietta rigata di Anton Sodia con canne accoppiate in demibloc in acciaio Boehler Rasant. L'arma dispone di ben quattro chiusure, una doppia Purdey ai ramponi integrata da una doppia Kersten superiore. Per avere queste due chiusure superiori si è dovuto ricavare dei prolungamenti dal pieno delle canne ai fianchi esterni rispetto alle camere di cartuccia con inserimento di un perno tondo trasversale. Questo ha comportato un allargamento sia delle culatte delle canne che dei seni di bascula che conferiscono all'arma una linea originale ed aggressiva. Nonostante la potenza del calibro il peso complessivo non è necessario, essendo contenuto in Kg. 3,900. Tutte le superfici metalliche sono

pistol-hand grip and semicircular cheekrest is made out of walnut wood with a rubber recoil pad. The engravings are of a traditional type, with Belgian-style ornamental patterns on the side plates and some contour English-scrolls. The engraving is not signed. The gun is supplied with automatic ejectors and with a safe which acts on the triggers. Trigger pulls are medium (approximately 1.5 Kg) and equal for both triggers. Wood is oil-finished with a fine checkering.

Final Considerations

We find ourselves in front of a very fine express shotgun which only very few gun makers in the World are now able to construct entirely. Ferlach (Austria) gun makers are among these, and they are very skilled in the construction and coupling of rifled barrels.
This skill may be clearly seen in this A. Sodia express shotgun. The gun is supplied with four locks, a Purdey double-bolt on the lumps and an upper Kersten double-bolt.
In order to supply the gun with these two upper locking systems, extensions of going from the barrels to the external sides with respect to the cartridge chambers had to be provided, with the insertion of a transversal round pin.
This involved a widening of the barrel breeches and of the action standing breeches which supply the gun with an aggressive and original line. In spite of the gauge power, overall weight is limited to 3.900 Kg. All the metal surfaces are accurately finished

Express Pietro Beretta ed
acciarini laterali nel cal. 470 N.E.

*Pietro Beretta Express
and side locks in the 470 N.E. gauge.*

Petto di bascula di express
Beretta.

*Action bottom of a Beretta
Express.*

accuratamente lavorate e si denota una grande competenza manuale fin nei minimi dettagli. Le batterie montane su piastre laterali sono del tipo Holland & Holland a molla indietro, internamente dorate e smontabili a mano. Le incisioni sono ad ornato di stampo classico non troppo elaborate ma che come per altre soluzioni estetiche rispecchiano il gusto austro-tedesco. D'altra parte in un'arma simile si è cercato più che soluzioni estetiche di offrire il massimo della robustezza e dell'affidabilità ed in questo la doppietta di Sodia si erge ad esempio in campo mondiale. Attualmente ad ordinare un'arma del genere occorare aspettare un paio d'anni per averla e con un prezzo di alcune decine di milioni.

and a great manual competence may be noted even in the smallest details. The mountain box-locks on the side plates are of the Holland & Holland type, with a backward spring, gold-plated in their inside, and hand-detachable. The engravings are of a classical ornamental pattern type. They are not too elaborate, and they reflect the Austrian-German taste. Anyhow, in this gun rather than offering aesthetical solutions, the gunmaker focused on gun soundness and reliability, and for this reason Sodia shotguns are an example to follow worldwide. At present, when ordering a gun of this type it is necessary to wait for a couple of years before delivery, and it is sold for a price of a few tens of million Lire.

Alcuni calibri per "express"

9,3x74R

Cartuccia introdotta all'inizio del secolo e che rappresenta la risposta europea ai grossi calibri inglesi.
Viene camerata sia in express, che in carabine e combinati.
Viene tutt'ora caricata dalla RWS ed impiegata
sia per cacce africane
sia per i grossi mammiferi europei ed americani come l'alce, il grizzly e l'orso polare.

375 Holland & Holland Magnum

Realizzata da questa prestigiosa Casa nel 1912 è diventata subito una cartuccia popolare compresi i tempi attuali dove la troviamo camerata sia in armi basculanti che in carabine. Può essere usata su tutta la selvaggina africana ed indiana, anche pericolosa. Alcuni la ritengono un po' insicura per

Some "express" gauges

9.3x74R

Cartridge which was introduced at the beginning of this century, and which represents the European response to the big English gauges. It is chambered both in express shotguns and in combined and rifled shotguns. At present it is loaded by RWS and employed both for African game hunting and for European and American big game hunting such as moose, grizzly and polar bear hunting.

375 Holland & Holland Magnum

Realized by this prestigious Gun Maker in 1912, it became a very popular cartridge. It is still very popular today too, and we find it chambered in basculating shotguns and in rifles. It may be employed on African and Indian game. Some people believe it is a bit unsafe for elephant hunting,

Acciarino a molla indietro che viene di solito montato sugli express. Lo si preferisce al tipo a molla avanti perché la bascula non viene scavata rimanendo integra.

Backward spring lock which is usually mounted on express shotguns. It is preferred to the forward spring lock type because the action does not need to be hollowed.

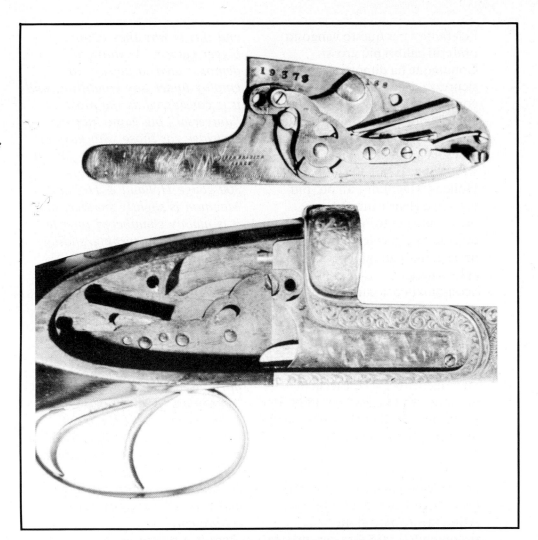

Express Pietro Beretta SS06 in cal. 375 H&H Magnum.

Pietro Beretta SSO6 Express in the 375 H&H Magnum gauge.

207

l'elefante e per questo vengono preferiti calibri più grossi. Comunque ha dimostrato buona sicurezza d'impiego in ogni condizione e viene considerata come la più "universale" cartuccia da caccia grossa per chi deve usare una sola arma per ogni specie di selvaggina. Il cal. 300 Holland & Holland Magnum è un po' più piccolo e viene camerato prevalentemente in carabine ad otturatore girevole/scorrevole ed impiegato su animali pericolosi a pelle tenera.
Sconsigliata per pachidermi e grossi bufali.

450/3 e 1/4″ Nitro Express

Fu il famoso John Rigby ad introdurre questa cartuccia in versione "smokeless" nel 1898. Per molti anni fu una delle cartucce più usate in Africa poiché molto affidabile con qualsiasi tipo di selvaggina. È una cartuccia di notevole lunghezza e non è raro trovarla tutt'ora in attività. Attualmente però si sta riscoprendo l'interesse per un'atra cartuccia di Rigby e precisamente il potente 416 Rigby.

458 Winchester Magnum

Cartuccia relativamente moderna realizzata dall'americana Winchester nel 1956, come alternativa ai calibri inglesi alla crescente popolarità che ebbero i calibri Weatherby Magnum.
È versatile,
può sparare diversi tipi di proiettili con pesi diversi e viene camerata indifferentemente in carabine ed express. Per le cacce africane e polari ha sostituito i più vecchi calibri inglesi. È una cartuccia sicura e molto potente, anche per l'elefante.

and this is why they choose bigger gauges. Anyhow, it demonstrated to be safe to employ under any condition, and it is considered as the most "universal" big game hunting cartridge for those who have to use only one type of gun for all the different types of game. 300 gauge Holland & Holland Magnum is slightly smaller, and it is mainly chambered in rifles supplied with a turning/sliding breech-block for dangerous soft-skin animals hunting. It is not suggestable for pachyderms and big buffalos.

450/3 and 1/4″ Nitro Express

Very famous John Rigby introduced this cartridge in its "smokeless" version in 1898. It has been one of the most employed cartridges in Africa for many years since it was reliable with any kind of game. It is quite a lengthy cartridge, and it is still being used. At present, there is a return to another Rigby cartridge, the powerful 416 Rigby.

458 Winchester Magnum

Relatively modern cartridge realized by the American Winchester Company in 1956 as an alternative to the English gauges and to the increasingly interesting Weatherby Magnum gauges. It is versatile, it may shoot various types of bullets featured by different weights and it is chambered both in rifles and in express shotguns. It replaced the old English gauges in African and Polar game hunting. It is a safe and powerful cartridge, for elephants too.

Express mod. "India" in finitura Royal della Holland & Holland. La Casa inglese si è sempre distinta a livello mondiale nella realizzazione di questo tipo di arma.

"India" model express shotgun with a Royal finish by Holland & Holland. This English gun maker stands out worldwide in the realization of this type of gun.

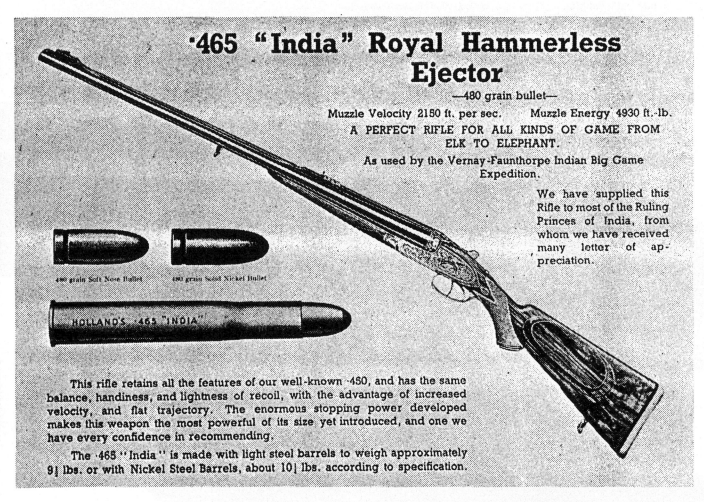

·465 "India" Royal Hammerless Ejector

—480 grain bullet—

Muzzle Velocity 2150 ft. per sec.   Muzzle Energy 4930 ft.-lb.

A PERFECT RIFLE FOR ALL KINDS OF GAME FROM ELK TO ELEPHANT.

As used by the Vernay-Faunthorpe Indian Big Game Expedition.

We have supplied this Rifle to most of the Ruling Princes of India, from whom we have received many letter of appreciation.

480 grain Soft Nose Bullet   480 grain Solid Nickel Bullet

HOLLAND'S ·465 "INDIA"

This rifle retains all the features of our well-known ·480, and has the same balance, handiness, and lightness of recoil, with the advantage of increased velocity, and flat trajectory. The enormous stopping power developed makes this weapon the most powerful of its size yet introduced, and one we have every confidence in recommending.

The ·465 "India" is made with light steel barrels to weigh approximately 9¼ lbs. or with Nickel Steel Barrels, about 10¼ lbs. according to specification.

Caricare e sparare con un express come questo in cal. 600 N.E. riesce sempre a suscitare una forte emozione. Gli express, nei calibri adeguati sono ottime armi da impiegare nella moderna caccia al cinghiale.

To load and shoot with an express such as this 600 N.E. gauge is always an emotion. Express shotguns in the suitable gauges are excellent guns to be employed in modern boar hunting.

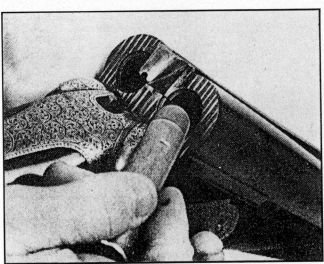

209

Express su sistema Anson e
Deeley della Lebeau-Courally.
Estrattori automatici. Canne
Demibloc. Mod. 'Ardebbes'.

*Express on Anson and Deeley
system by Lebeay-Courally.
Automatic ejectors. Demibloc
barrels. 'Ardennes' model.*

Express con batterie laterali.
Canne Demibloc. Bascula
rinforzata. Modello
'Saint-Hubert' della
Lebeau-Courally - Liegi (Belgio).

*Express with side locks.
Demibloc barrels. Reinforced
action. 'Saint-Hubert' model by
Lebeau-Courally - Liege
(Belgium).*

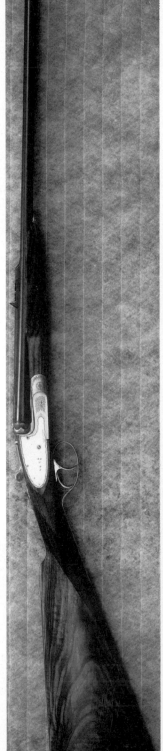

Express F.lli Piotti cal. 9,3x74R.

Express by F.lli Piotti, gauge 9.3x74R.

Express e doppiette a canne lisce di produzione inglese.

English Express and shot guns.

500/465 Nitro Express

Anche questa cartuccia fu introdotta dalla Holland & Holland all'inizio del secolo quando il diffuso cal. 4.50 N.E. venne considerato militare e quindi non più usabile per scopi venatori sia in India che in Sudan.
Il .465 acquistò una buona diffusione in Africa e fu considerata una cartuccia "tuttofare", dall'elefante al bufalo al leone.
Molto simile alla 375 H&H. Magnum ne fu in larga misura contrastata da quest'ultima.

500/645 Nitro Express

This cartridge too, was introduced by Holland & Holland at the beginning of this century when the diffused 4.50 gauge N.E. became an army cartridge which could not therefore be employed for hunting both in India and in Sudan. The 465 became widely diffused in Africa and it was considered as an "all-round" cartridge from the buffalo to the elephant to the lion. Very similar to the 375 H&H Magnum, it was greatly contrasted by the latter.

470 Nitro Express

Cartuccia del 1907 disegnata da J. Lang.
Ebbe subito una buona accoglienza a tal punto che fu considerata un po' come calibro "standard" per le armi inglesi. Venne usata indifferentemente dai cacciatori di elefanti come di tigri. Paragonata alle cartucce attuali la si può paragonare alla 458 W.M. Risulta eccessiva per selvaggina europea e nord-americana.

470 Nitro Express

A cartridge dating back to 1907 designed by J. Lang. It was immediately welcomed and considered as a "standard" gauge for English guns. It was used both by elephant and tiger hunters. Should we compare it with present cartridges, it may be compared to the 458 W.M. It is a too powerful a cartridge for European and North American game hunting.

475 N.E. - 475 N° 2 N.E.

La prima fu introdotta attorno al 1905 ed usata sia in express che in carabine ed otturatore. Fu impiegata su animali pericolosi a pelle tenera ma anche su elevanti per tiri ravvicinati. La seconda fu presentata da Jeffery nel successivo 1906 ed ha un bossolo molto lungo, di circa 4 pollici e mezzo. Si può paragonare anche questa come prestazioni all'attuale 458 W.M. ed è indicata per le cacce africane più impegnative. Occorre citare anche la 476 N.E. studiata dalla Westley Richards per le proprie armi ma che non ebbe eccessiva diffusione.

475 N.E. - 475 N.2 N.E.

The 475 N.E. was introduced around 1905, and was employed both in express shotguns and in breech-block rifles. It was employed on dangerous soft-skin animals, but also on elephants in close-range shots. The 475 N.2 N.E. was introduced by Jeffery in 1906 and it has a very long cartridge case (about 4 1/2 inches). It may be compared to the present 458 W.M. and it is suitable for African game hunting. Westley Richards also studied the 476 N.E. for its guns, but it did not experiencw a great diffusion.

500/3″ Nitro Express

Fu introdotta come cartuccia a polvere nera nel 1880 e passata alla fine del secolo scorso come polvere senza fumo.
È stata molto popolare sia per le cacce africane che indiane e preferita dai cacciatori di professione. Sicura contro animali pericolosi la 500 N.E. è sempre stata efficace anche contro i pachidermi.

577/3″ Nitro Express

Come la precedente, nacque nel 1880 come cartuccia per polvere nera ed un bossolo lungo 2″ e 3/4. Passò poi ad essere caricata con polvere infume e il bossolo venne portato a 3″. Si è guadagnata una reputazione come cartuccia da elefanti, da taluni preferita anche alla 600 N.E. perché sarebbe dotata di maggiore penetrazione. Le armi di questo calibro sono per forza pesanti, anche per assorbire parte del rinculo comunque sensibile.

600 Nitro Express

Potentissima cartuccia introdotta da Jeffery nel 1903. È stata nel catalogo della Eley-Kynoch fino al 1962 ma oggi qualche costruttore di express la ripropone. È una cartuccia mitica, probabilmente troppo potente anche per gli elefanti. Conserva però tutto il fascino della caccia grossa, soprattutto quando viene camerata in un fine express.

500/3″ Nitro Express

It was introduced as a black powder cartridge in 1880 and it passed to smokeless powder at the end of the past century. It experienced a great popularity both for Indian and for African game hunting and it was preferred by professional hunters. Safe with dangerous animals, the 500 N.E. has always been effective even against pachyderms.

577/3″ Nitro Express

Similarly to the previous one, it was introduced in 1880 as a black powder cartridge with a cartridge case having a length of 2 and 3/4. Then it was loaded with smokeless powder and the cartridge case was brought to a length of 3″. It earned itself a reputation as a cartridge for elephants, which some hunters preferred to the 600 N.E. because it was supplied with a greater penetration. The guns of this gauge are heavy, also in order to absorb part of the recoil.

600 Nitro Express

Very powerful cartridge introduced by Jeffery in 1903. It has been present in the Eley-Kynoch catalogue up till 1962, but it is still being reproposed by some gun makers. It is a mythical cartridge, probably even too powerful for elephants. It still holds the myth of big game hunting, especially when it is chambered into a fine express shotgun.

Incisione di Firmo Fracassi.

Engraver: Firmo Fracassi.

I Gemelli

Pair

A volte capita di trovare su qualche arma magari non nuovissima il numero 1 o 2 inciso sulla bindella. Questo significa che apparteneva ad una coppia di gemelli, cioè di armi il più possibile uguali costruite in un discreto numero di diversi decenni fa ed ora molto rari (oppure anche che l'arma disponeva di due o più canne di ricambio). I gemelli servivano principalmente nelle battute di caccia, quando i cacciatori si usavano circondare di un aiutante che gli passava il secondo fucile per sparare in rapida successione sui numerosi selvatici scovati dai battitori. Era un modo cioè per non perdere tempo, per non ricaricare subito la doppietta vuota ma passare alla gemella e continuare così a sparare. Allo stesso modo potevano essere usate in valle, quando i passaggi delle anatre si susseguono a ritmo incalzante ed una sola doppietta non era sufficiente a far fronte alla situazione.
Oggi salvo rare eccezioni queste situazioni venatorie non si riscontrano più, così come sono scomparsi gli aiutanti del cacciatore. Non solo ma colui che abbisogna di un maggiore volume di fuoco può passare all'arma semiautomatica con costi minori.

You may sometimes happen to see old guns which bear a number 1 or 2 on their rib.
This means they belonged to a set of twins, that is, guns which were constructed as similar as possible to one another a few decades ago and which are now very rare (otherwise it meant that the gun had two or more exchange barrels).
Twins were mainly used during shooting parties, when the hunters used to be sided by a helper who passed them over the second shotgun in order to shoot at the game the beaters found in a quick succession.
This was made not to lose time; in order to do not have to reload the empty shotgun right away. They passed over to the second one and went on shooting. At the same way they could be used in the valleys, when duck passages succeeded to one another and one only shotgun was not enough to face the situation.
Apart from a few rare exceptions, these kinds of hunting situations are not typical any longer, and hunting helpers have now disappeared. And not only this.
Any hunter needing a greater fire volume may pass on to a semiautomatic shotgun with lesser costs.

Quindi le armi gemelle rimangono a simboleggiare un certo modo di praticare lo sport venatorio nonché una certa sensibilità verso ciò che di fine e di difficile esiste nel costruire due fucili praticamente uguali.

Si potrebbe pensare che anche oggi nell'era dell'automazione e del computer due prodotti meccanici possono essere identici, forse a maggior ragione. Ma i veri gemelli non sono il frutto di due eguaglianze puramente meccaniche, ma di uno studio a monte, di una accurata scelta di materiali e naturalmente della conoscenza delle misure del cliente.

Per prima cosa i legni. Per quanto possibile i legni debbono avere venature simili, un simile colore e stagionatura. A tal fine si usa prendere dei blocchi di legno della stessa pianta, per avere la stessa "granatura" e quindi stagionatura. Anche per tale motivo la costruzione di una coppia di gemelli viene a costare di più della semplice somma del prezzo unitario delle singole armi, richiedendo peraltro un tempo maggiore nella realizzazione.

Un altro fattore imperativo è il peso. Indipendentemente dal grado di strozzatura delle canne le due doppiette dovranno avere lo stesso peso ed equilibrio. Questo è possibile solo se lo si prevede a monte dal costruttore. Riguardo le strozzature ci possono essere gemelli con strozzature uguali oppure strozzature diverse. Nel primo caso se le armi saranno usate prevalentemente in battuta o in valle le strozzature uguali ed appropriate al tipo di caccia si imporranno. Se invece per un uso più promiscuo e "moderno" di una coppia di gemelli si vuole

Therefore twin shotguns symbolize a certain way of practicing hunting and a certain sensitivity regarding the difficulty and fineness of constructing two practically identical shotguns. One may think that today, in the automation and technological era, two mechanical products might be even more identical. But real twins are not the fruit of two mechanical identicalnesses but rather of an upstream study, an accurate choice of materials, and naturally, of the knowledge of the purchaser's size.

We shall first of all talk about the woods.

Woods have to be as similar as possible in their grain, colour and seasoning.

This is why the wood is selected from the same block, in order to have the same grain and seasoning.

This is also why a twin set of guns is usually more expensive than the simple sum of the unit price of the single guns, requiring longer working times.

Another important factor is weight. The two side by side shotguns shall have to have the same weight and balance no matter what the choke degree of the barrels might be. As far as chokes are concerned, there may be twin sets of shotguns with equal or different choke degrees. In the first case, the guns shall be mainly used in shooting parties or during valley hunting. In the second case, they shall be used for a more "modern" and all-round type of hunting in which one shotgun shall be destined to long range shots such as hair or acquatics hunting, and the other to hunting with a pointer or closer-range shots, depending on

Una coppia di gemelli di doppiette Anson dei F.lli Piotti.

A set of pair Anson shotguns by F.lli Piotti.

Gemelli Zanotti. Notare
l'estrema similitudine delle fibre
dei legni delle calciature.

*Zanotti twin shotguns. Note the
remarkable similarity of the
stock woodgrain.*

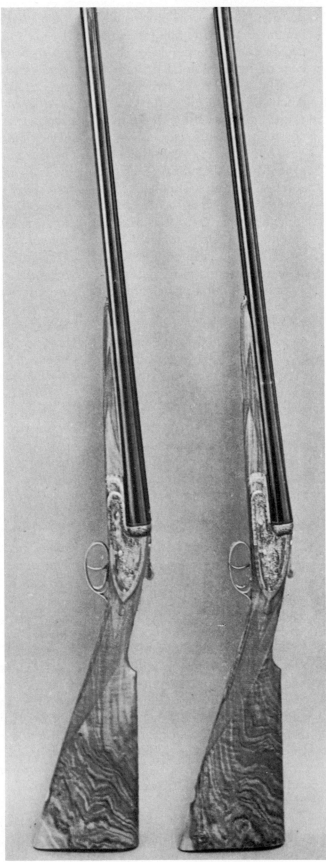

destinare uno per tiri piuttosto lunghi come caccia alla lepre o ad acquatici e l'altra per cacce col cane da ferma si potrà ordinare valori di strozzature diverse.

Anche il peso degli scatti dovrà essere uniforme fra le due armi e possibilmente pure le incisioni.

Vengono chiamati gemelli anche serie di fucili di calibro diverso e con pesi e caratteristiche diversi ma credo impropriamente, poiché come abbiamo detto la filosofia di base di una coppia di gemelli deve essere la perfetta intercambiabilità delle due armi da parte del possessore e quindi il fattore peso è determinante. Logicamente sono sottintese misure identiche per piega, vantaggio, pitch e così via.

Oggi due armi simili si possono ritenere superflue, però è fuori dubbio che rappresentano ancora con fascino le cacce del passato nonché le capacità degli armaioli che le hanno costruite. Quindi sono quasi sempre armi fini, di valore e che rappresentano sempre una specie di "sfida" per il costruttore che si cimenta in questa impresa.

Ci sono state anche armi gemelle in quantità superiore a due, come tre, quattro e perfino cinque armi simili. Questo naturalmente richiede ancora maggiori difficoltà costruttive . Invece ci son set di fucili con una o due bascule e più paia di canne intercambiabili.

Anche questo è un sistema di versatilità dell'arma ed una soluzione accettabile se ben realizzata. La coppia di gemelli rimane però ai vertici di una simile filosofia costruttiva e di apprezzamento dell'arma di classe.

their choke degree. The trigger weight too, shall have to be uniform between the two guns, and the engravings also.

Sets of different shotguns having a different gaugings, weight and characteristics are also denominated "twins", but I believe quite unproperly because as I already mentioned, the basic philosophy of a set of twins is that of being perfectly interexchangeable, and therefore weight is a determining factor. Obviously, measurements such as bending, cast-off, pitch and so on are also important.

Nowadays a set of identical shotguns may be considered as useless, but as a matter of fact they still represent the myth of the hunting days of the past, and the skill of the gun makers that constructed them. Therefore, they are almost always fine guns, and they are a challenge for the gun maker that has to manufacture them.

There have been twin sets of guns composed of more than simply two shotguns: by three, four and sometime five similar guns.

This naturally involves greater difficulties in their construction.

There are also shotgun sets with one or two actions and various barrel sets.

This too, is a "versatile" gun system, and it is acceptable if well-realized.

Twin sets of shotguns remain at the top of such a manufacturing philosophy and they are very appreciable guns of class.

Coppia di gemelli in cassetta
doppia. Realizzazione della
Hartmann & Weiss.

*Set of twin shotguns in a double
case. Realized by Hartmann &
Weiss.*

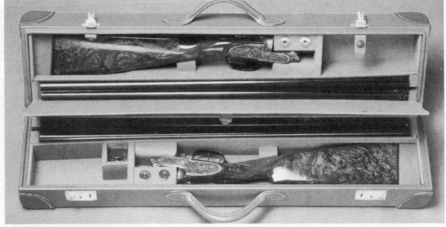

La lavorazione dei gemelli deve
avvenire contemporaneamente
con stesso peso, bilanciamento e
stesse caratteristiche.

*Working of twin shotguns has to
occur simultaneously with the
same weight, balancing and
characteristics.*

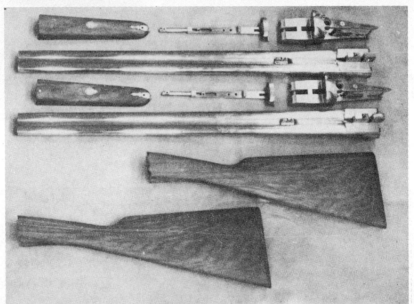

Due doppiette Perazzi DHO.

Two DHO Perazzi shotguns.

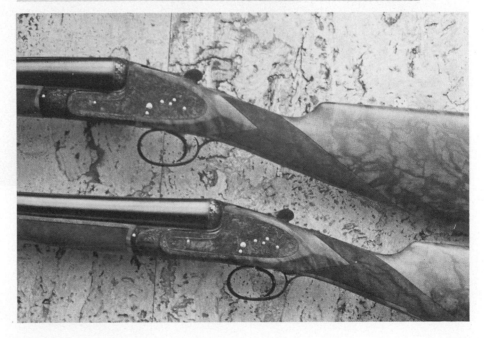

Una splendida trilogia inglese
firmata "J. Roberts e Nun".

*A beautiful English set of three
by "J. Roberts and Nun".*

Coppia di doppiette
'self-opening' di J. Purdey.

*Pair of 'self opening' side by
side shotguns by J. Purdey.*

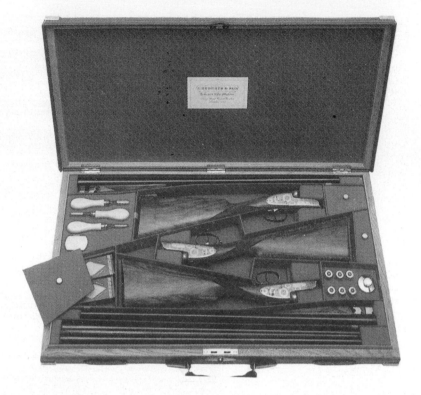

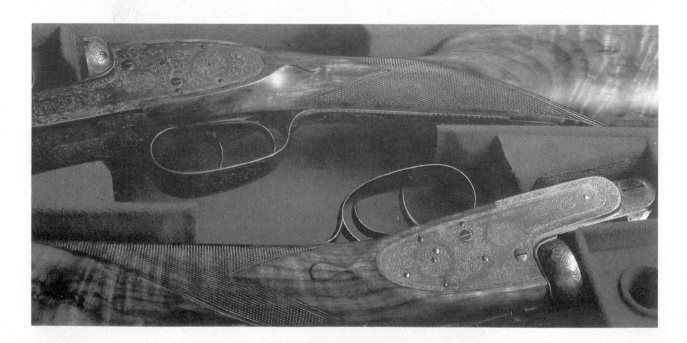

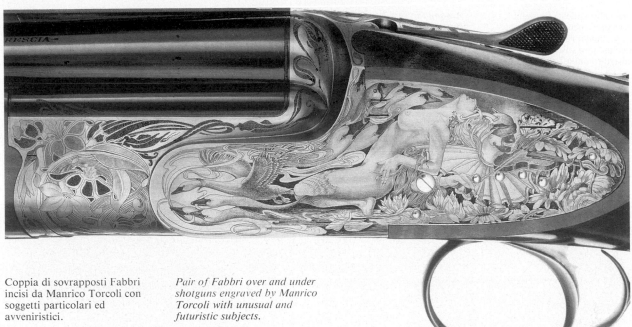

Coppia di sovrapposti Fabbri incisi da Manrico Torcoli con soggetti particolari ed avveniristici.

Pair of Fabbri over and under shotguns engraved by Manrico Torcoli with unusual and futuristic subjects.

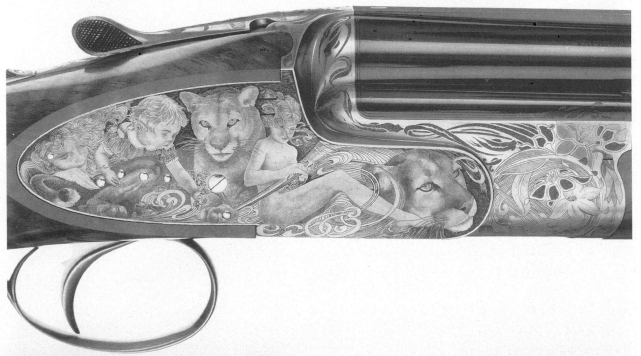

Fra i sovrapposti finissimi spiccano quelli di ispirazione Boss, cioè a ramponi laterali. Eccone uno splendido esempio costruito dalla Lebeau-Courally.

Among the very fine side by side shotguns Boss-type side-lump shotguns stand out. This is a beautiful Boss-type shotgun by Lebeau-Courally.

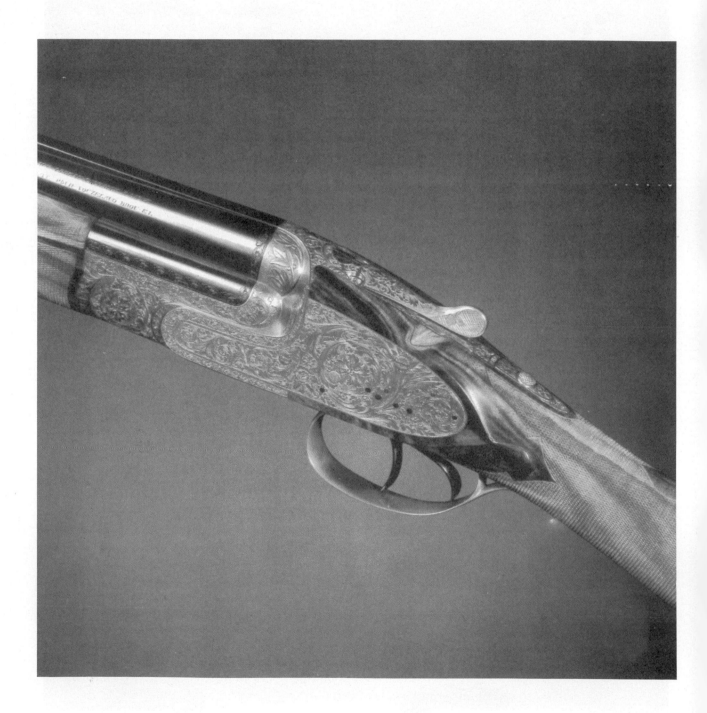

Sovrapposto o doppietta giustapposta?

Over and under or side by side shotguns?

Vediamo ora le differenze sostanziali fra il sovrapposto e la doppietta giustapposta. Innanzitutto il nome. Sovrapposto già di per sé indica il tipo di arma, mentre le parole doppietta e parallelo possono essere usate sia per il sovrapposto che per il giustapposto. Infatti ambedue hanno due canne (doppiette) ed ambedue le hanno parallele (a dire il vero soprattutto il giustapposto le ha leggermente convergenti). Quindi il sovrapposto (*over and under* per gli inglesi) è presto definito mentre per correttezza l'altro tipo di arma dovrebbe essere definita doppietta a canne affiancate o giustapposte. Per comodità la chiameremo d'ora in poi semplicemente doppietta, visto che abbiamo già fatto i doverosi "distinguo".
La più pura tradizione tramandata dall'Inghilterra vuole l'arma da caccia a canne affiancate benché gli stessi inglesi abbiano realizzato sovrapposti di grande valore. Però anche in questi si può intravedere la tendenza a farli sembrare più doppiette possibili, tenendo le bascule basse ed in alcuni casi aprendole lateralmente come se fosse una semplice doppietta girata. Sovrapposti come Boss, Woodward ma anche Holland & Holland (non più costruiti

Let us now see the differences between over and under and side by side shotguns. We shall start from their name. Over and under already stands for the type of gun it represents, while the terms side by side and parallel may be used both for over and under and for side by side shotguns. Infact, they are both double-barrelled, and their barrels are both parallel (juxtaposed shotguns have them slightly convergent).
Therefore over and under shotguns are immediately defined, while the other type should be defined as juxtaposed or side by side shotguns.
We shall call it side by side shotgun, as we made this distinction.
The purest tradition, which was handed down to us from England, has side by side barrels even though the English realized over and under shotguns of great value as well.
But even in over and under shotguns one may notice a tendency to make them look like side by side shotguns as much as possible, keeping low actions, and in some cases opening them on their side as if they were turned over side by side shotguns. Over and under shotguns such as Boss, Woodward, and Holland &

223

attualmente) rimangono dei capolavori a sé stanti, affiancati poi da altre produzioni come Francotte, Lebeau e per altri versi Browning, Merkel ecc. Questi sono sovrapposti di alta classe, dove molto è originale e dove l'intervento e le capacità del singolo armaiolo sono ancora determinanti.

È però un dato di fatto che il sovrapposto abbia da diversi anni surclassato la doppietta dapprima sui campi di tiro ma anche sul terreno di caccia, sia per ragioni tecniche che funzionali che vedremo dopo. Quanto poi la moda abbia fatto il resto non saprei dire, ma sicuramente ha svolto un ruolo determinante, così come è accaduto con il semiautomatico.

Rimangono comunque i puristi della doppietta se possono non disdegnare il sovrapposto solo se di tipo molto fine. Si può dire tuttavia che il sovrapposto sia tecnicamente più perfetto e che la scelta della doppietta sia dettata solo da amore per il passato? Forse non è proprio così, comunque scendiamo più nel dettaglio fra i due tipi di armi. È un dato incontrovertibile che mentre nel sovrapposto la linea di mira è esattamente al centro delle due canne, nella doppietta queste rimangono in posizione laterale rispetto alla bindella. Quindi già all'imbraccio che al puntamento almeno a livello concettuale il sovrapposto ha una predisposizione naturale alla precisione, senza la necessità di toccare le canne che già si trovano allineate sul bersaglio. Questo non vuol dire che il sovrapposto tiri sempre diritto e la doppietta no, poiché la precisione e la giustezza sono fattori legati anche ad altri

Holland (not in production any longer) remain works of art, sided by other productions such as Francotte, Lebeau, and also by Browning, Merkel and so on for other aspects.

These are high-class over and under shotguns in which one may find originality and the determining touch of each single gun maker.

But as a matter of fact, over and under shotguns outclassed side by side shotguns in the past few years, at first on shooting grounds, then on hunting grounds, due to technical and functional reasons that we shall see later on.

I do not know what role fashion may have played, but surely it did have a determining role as it did in the case of semiautomatic shotguns.

Side by side shotgun purists still remain, even though they do not disdain over and under shotguns, but only if they are very fine. Anyhow, can it be said that over and under shotguns are technically more perfect and that the choice of side by side shotguns is only dictated by a love for the past? This may not be the answer, anyhow let us get into more detail between the two types of guns.

While in over and under shotguns the sight line is exactly in the middle of the two barrels, in side by side shotguns they are in a side position with respect to the rib.

Therefore at a concept level, over and under shotguns have a natural inclination to precision without the need of having to touch the barrels which are already aligned with the target. This does not mean that over and under

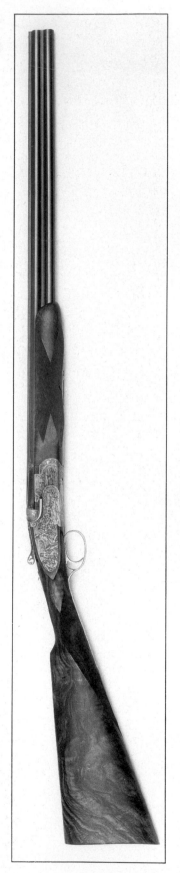

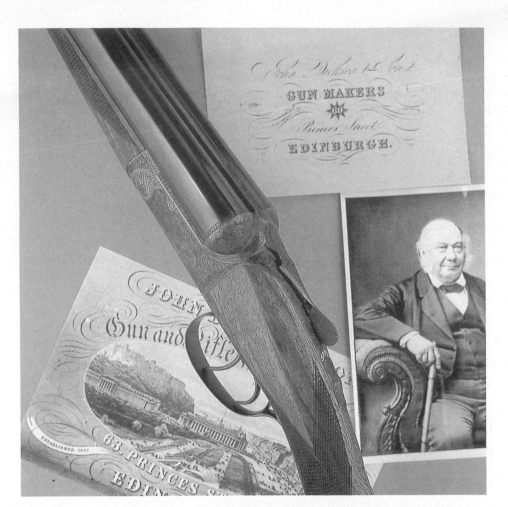

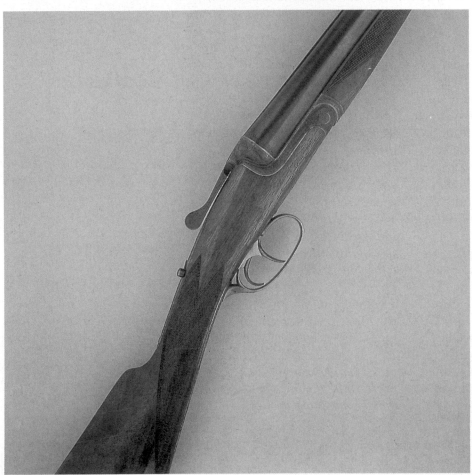

Due doppiette scozzesi
di estrema eleganza.

elementi. Comunque di questi aspetti ne ho già parlato a proposito delle canne. Questa asimmetria delle canne rispetto alla linea di mira deve essere corretta nella doppietta facendo assumere alle canne un andamento convergente. Ciò significa che le rosate si sovrapporranno solo ad una determinata distanza, mentre prima, e soprattutto dopo, tenderanno ad avere traiettorie diverse. Come è intuibile prima del punto di incontro viaggeranno dall'esterno verso l'interno, mentre una volta che si sono incrociate tenderanno progressivamente ad allontanarsi. Questo fatto con il normale tiro a pallini dove le distanze di impiego raramente superano la quarantina di metri è più teorica che pratica, però si manifesta con una certa accentuazione quando si spara a palla. Anche in questo caso dipende molto però dall'abilità del costruttore. Non dimentichiamoci che gli express a due canne rigate affiancate venivano regolati (ed in questo gli inglesi sono stati dei veri maestri) al tiro a 100 yards (91 m.), distanza alla quale le due rosate dovevano sovrapporsi. Però queste armi disponevano di tacche di mira anche per tiri a distanze maggiori. Certo questo tipo di arma non è propriamente quella dotata di maggiore precisione intrinseca, come ad esempio la carabina ad otturatore girevole/scorrevole, però presenta altri vantaggi. Per prima cosa gli express vengono impiegati su animali di una certa mole e quindi non è necessaria una precisione misurata coi millimetri e poi il fatto di disporre di due colpi sicuri ed in rapida successione la fanno preferire nella caccia ad animali pericolosi e sui pachidermi.

shotguns always shoot straight and that side by side shotguns do not, because the precision and rightness are factors linked to other elements.
Anyhow, I already dealt with barrels.
This asymmetry of the barrels with respect to the aiming line has to be corrected in side by side shotguns by making the barrels assume a convergent run.
This means that the shot patterns overlap only at a certain distance while before and especially after a certain distance, they shall tend to have different trajectories.
As may be imagined, before the meeting point they shall run from the outside toward the inside, while once they cross they shall tend to get distant.
This fact, with the normal pellet shot in which distances very seldom exceed 40 meters, is more theorical than practical, but it is more evident when shooting with a slug cartridge.
Even in this case it depends on the gun maker's skills. We must not forget that rifled double barrelled express shotguns were regulated (and in this the English were true masters) on a 100 yards distance.
But these guns were supplied with sight slots for greater range shots.
This, of course, is not the most intrinsecally accurate gun such as the sliding/pivoting breech-block rifle, but is has other advantages.
First of all, express shotguns are employed on big animals and therefore precision to the millimeter is unnecessary, and the fact of having two safe shots in a quick sequence renders it preferrable during pachyderm or dangerous game hunting.

Tipico sovrapposto di scuola tedesca. È un modello lusso della Merkel con doppia chiusura Kersten ed acciarini montati su piastre laterali. Se ben realizzata si tratta di un'arma incrollabile.

Typical German over and under shotgun. It is a Merkel luxury model with a double Kersten lock and side locks mounted onto the side plates. If well executed, it is a neverending gun.

Sovrapposto Boss con perno cerniera girevole.

Boss over and under.

Al di là delle differenze tecniche la doppietta rimane la regina indiscussa dell'eleganza e della maneggevolezza. Nella foto un modello fuori serie di doppietta a serpentina laterale costruita dai F.lli Piotti.

Beyond any technical difference, side by side shotguns remain the undispited queens of elegance and handiness. A specially made side by side shotgun by F.lli Piotti.

Bascula del sovrapposto Beretta
SO9. Profilo basso e cartelle
senza perni passanti. Incisione
della 'Creative Art' di
Marcheno.

Nella doppietta i due ramponi
non sono allineati con il centro
delle canne ma sono per così dire
'fuori asse'. Al momento dello
sparo si avranno dei momenti
rotatori delle stesse. Questo
problema non si verifica con il
sovrapposto. Arma dei F.lli
Piotti incisa da G. Pedersoli.

*Action of the SO9 over and
under shotgun by Beretta. Low
profile and side plates without
through pins. Engraving by
'Creative Art', Marcheno.*

*In side by side shotguns, the two
lumps are not aligned with the
centre of the barrels, but they
are 'out of axis'. During
shooting, they rotate. This
problem does not occur with
over and under shotguns. Gun
by F.lli Piotti engraved by G.
Pedersoli.*

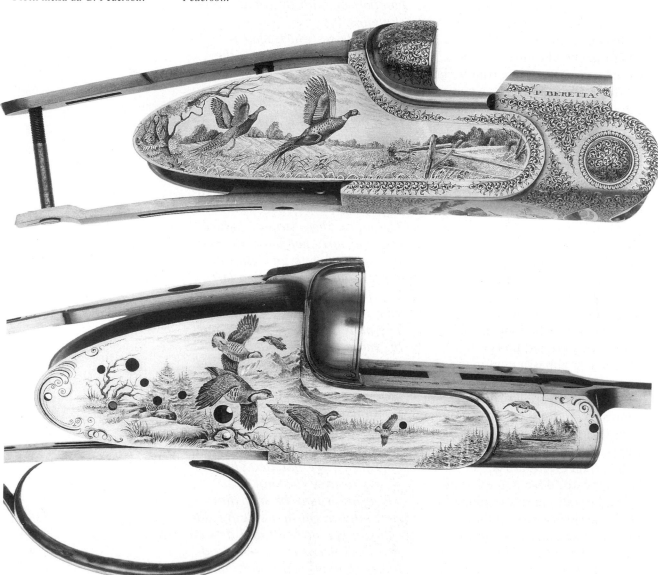

Ma presentano pure i vantaggi della normale doppietta, cioè vengono bene d'imbracciata per tiri istintivi, in terreni coperti e a distanze ravvicinate. Quindi questi sono pregi che si possono attribuire anche alla doppietta a pallini nei confronti del sovrapposto.

Altre forze che tendono ad accentuare spostamenti laterali sono la dilatazione del metallo delle canne, più sensibile in periferia che al centro dove le canne sono accoppiate tramite la bindella. Poi il fatto che i ramponi siano centrali fra le due canne e quindi fuori dall'asse delle stesse. Queste forze inducono scarti laterali e torsionali, cioè la canna destra tende a tirare a destra e la sinistra a sinistra, ma anche tendono a tirare basso rispetto al punto mirato, basso quanto più sia pesante la carica di pallini. Per questi motivi come dicevamo le canne devono avere una certa convergenza, ma anche un certo alzo. Infatti se si esamina l'andamento della bindella si vedrà che parte ad una certa altezza e si abbassa man mano che va verso la volata. Questo permette di alzare il tiro nonché di centrarlo. Pertanto si può dire che la regolazione al tiro di una doppietta sia più difficile e delicato da effettuare che non nel sovrapposto, dove non esistono scarti laterali ma tutt'al più solo sull'asse verticale. A questo bisogna aggiungere la risposta al rinculo. Essendo nel sovrapposto l'asse di tiro sullo stesso piano di quello di mira (e quindi del calcio) non si avranno spostamenti laterali e l'arma rimarrà stabile nell'effettuare il secondo colpo. Invece si ha una certa tendenza allo scarto laterale nella doppietta,

But they also have some advantages that may be found in side by side shotguns.
They are easy to fit for instinctive shots on covered grounds and at close-range distances.
Therefore these are the advantages that may be attributed to side by side shotguns in comparison with over and under shotguns.
Other stresses which tend to evidence side shiftings are the expansion of the barrel metal, which is more sensitive peripherically rather than in the centre where the barrels are coupled by means of the rib.
Then, the fact that the lumps are centrally positioned between the two barrels and therefore out of their axis.
Therefore, these stresses induce side and torsional shiftings, and the right tends to go right and the left barrel tends to go left, but they also tend to shoot lower than aimed.
The more the fire is heavy, and the more the shot shall lower.
For these reasons barrels should have a certain convergency, but also a certain raising. Infact, by examining the rib run, one may notice that it starts at a certain hight and that it lowers as it approaches the muzzle. This allows to raise the shot.
Therefore it may be said that shot adjustment in a side by side shotgun is a difficult and delicate work compared to an over and under shotgun which does not have side shifts but only vertical axis shifts. To this we should add recoil responses. Since the shot axis is on the same plain as the aim axis in over and under shotguns, there shall be no side

Attualmente uno dei sovrapposti più apprezzati del 'Made in Italy' è quello costruito da Ivo Fabbri. Incisione di Angelo Galeazzi.

One of the most appreciated over and under shotgun types made in Italy is, at present, the one constructed by Ivo Fabbri. Engraving by Angelo Galeazzi.

Sovrapposto tipo Boss inciso con soggetti ricavati dalla mitologia classica. Realizzazione a cura della 'Creative Art' di Gardone V.T. (BS).

Boss type over and under shotgun engraved with classic mythological subjects by 'Creative Art', Gardone V.T. (BS).

231

poiché le due canne sono al di fuori del punto di appoggio del calcio proseguendo all'indietro nella linea di mira. Questa è una delle ragioni principali poiché nelle discipline tiravolistiche il sovrapposto ha sostituito la doppietta, che conservava ancora una certa diffusione nella sola specialità del tiro al piccione ormai vietata in Italia. Sul terreno di caccia invece la doppietta conserva ancora numerose preferenze, sia perché solitamente non si tirano ripetuti colpi come nel tiro al piattello sia perché le due canne favoriscono un certo allineamento naturale sul bersaglio. Volendo fare i pignoli occorre aggiungere che nei veloci scarti laterali la doppietta è più "penetrante" del sovrapposto perché offre meno superficie alla resistenza dell'aria. Questo pure in presenza del vento.

Per tiri di stoccata quindi una doppietta leggera, ben bilanciata, con canne non troppo lunghe, strozzature modeste e misure adatte al cacciatore rimane la favorita rispetto al sovrapposto con analoghe caratteristiche.

Inoltre la doppietta, soprattutto se di tipo Anson & Deeley può essere più facilmente costruita leggera, più veloce da aprire per la sostituzione delle cartucce o per la ricarica poiché dovrà compiere la rotazione di un solo fondello anziché di due come nel sovrapposto, anche se quest'ultimo può essere considerato concettualmente più moderno e con alcuni vantaggi sotto un profilo tecnico e di impostazione.

A parte le marche di sovrapposti già citati che fanno un caso a parte questo tipo di arma si dispone meglio ad una lavorazione

shiftings and the gun shall remain stable during the second shot. On the contrary there is a certain tendency to side shiftings in side by side shotguns, because the two barrels are outside the support point of the stock and they run backward in the sight line.

This is one of the main reasons why over and under shotguns replaced side by side shotguns in clay-pigeon shooting disciplines. On hunting grounds, side by side shotguns still have numerous preferences, both because repeated shots are not usually fired and because the two barrels favour a certain natural alignment on the target.

Side by side shotguns are also more "penetrating" than over and under shotguns because they offer less surface to air resistance, and this is true also in the presence of wind.

Therefore, for thrust shots a light, well-balanced side by side shotgun with not exceedingly lengthy barrels, modest chokes and of a size fit to the hunter is favoured with respect to an over and under shotgun having the same characteristics.

Besides, side by side shotguns, especially if of the Anson & Deeley type may be more easily lightweight constructed and they are easier to unlock for cartridge replacement or reloading because only one knob shall have to be rotated instead of two like in over and under shotguns, even though the latter mey be considered as conceptually more modern under a technical and positional point of view.

Beside the over and under shotgun makers we already mentioned and which stand out as a case of their own, this ure possibilità

Il sovrapposto ideato da James Woodward rimane insieme a quello di Boss fra i più fini mai realizzati.

The over and under shotgun conceived by James Woodward remains, together with the Boss shotgun, among the finest sthotguns ever realized.

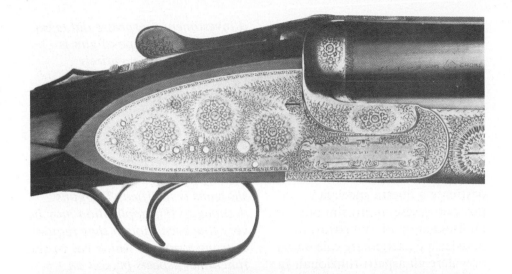

Particolare della cartella e della tiratura della testa del sovrapposto Woodward.

Detail of the side plates and of the head shape of the Woodward over and under shotgun.

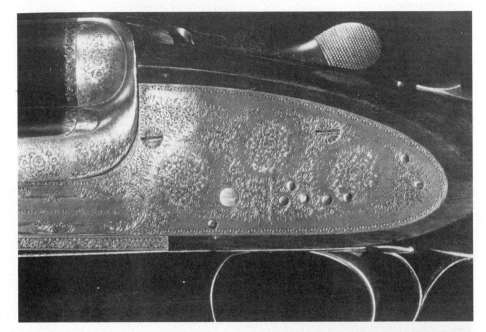

La ditta James Purdey e Sons continua tuttora a costruire il sovrapposto di Woodward.

James Purdey and Sons still continues to produce Woodward over and under shotguns.

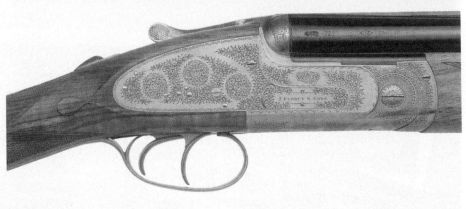

233

interamente meccanizzata. Per questo motivo a livello di economicità è meglio preferire un sovrapposto a una doppietta, la quale sia per i problemi visti sia per una corretta imbasculatura abbisogna ancora di un apporto manuale. Per il tiro invece credo che la diffusione del sovrapposto sia giustificata, peraltro armi destinate a questa specialità possono essere molto fini pur abbisognando di una struttura massiccia e particolare tale da far prevalere gli aspetti funzionali su quelli estetici.

d'investimento, espresse dal tasso di crescita degli type of gun is more subject to an entirely mechanical working. For this reason it is better to prefer an unexpensive over and under shotgun than an unexpensive side by side shotgun. As far as shooting is concerned, I believe the diffusion of over and under shotguns is justified. The guns destined to this application may be very fine even though they require a strong structure which has to see functional aspects prevail on aesthetical aspects.

Coppia di doppiette Woodward in cassetta originale.

Pair of Woodward side by side shotguns in their original case.

Il banco di prova

Proof House

Alla fine del secolo scorso ed all'inizio di questo non esisteva nessun organismo ufficiale che in qualche modo controllasse la qualità e la sicurezza delle armi prodotte in Italia. Così regnava l'anarchia assoluta ed ogni costruttore faceva valutazioni personali su quanto robuste dovessero essere le armi da egli stesso prodotte.

Potevano esserci armi buone ma da ciò che viene tramandato molte erano quelle che addirittura non funzionavano. Fu solo nel 1910 che un Regio Decreto stabilì alcune norme di prove tecniche atte a stabilire un limite sotto il quale l'arma non era idonea all'uso. Però la prova non fu obbligatoria, ma rappresentava un "biglietto da visita" seppur importante per i costruttori che desideravano sottoporre i propri prodotti al Banco.

Fu solo nel 1924 che la prova del Banco divenne obbligatoria per tutti, garantendo in tal modo l'acquirente di avvenuti controlli di funzionamento e di integrità. Il Banco Nazionale di Prova vide così la luce all'inizio del novecento come un consorzio costituito fra i comuni di Brescia, di Gardone Valtrompia e la Camera di Commercio di Brescia. Anche se con aggiornamenti tecnici e

At the end of the past century and the beginning of the present one no official institution existed which controlled the quality and security of guns produced in Italy. Thus, complete anarchy reigned in this country where each manufacturer produced guns according to its own evaluation as to their strenght and efficiency. They might have been good guns - but what has been transmitted to us is that many didn't work at all. It wasn't until 1910 that a Royal Decree established some basic regulations that defined certain requirements of efficiency the gun makers had to adhere to by testing their guns before putting them on the market. Unfortunately, the testing was not exactly compulsory. It only represented a certain "prestige", making it possible for the manufacturer to submit its products to the Proof House.

It was not until 1924 that the Proof House test actually became compulsory for all gun makers, thus guaranteeing the purchasers that efficiency and quality controls had been carried out. Thus the National Proof House was formally established at the beginning of the 20th century in the form of a Consortium between the Commune of Brescia,

organizzativi per restare al passo coi tempi, la funzione del Banco Nazionale di Prova di Gardone Val Trompia è quello che troviamo operante ai nostri giorni e che esamina tutta la produzione armiera del nostro Paese sia che debba essere esportata che venduta sul mercato interno. Logicamente non poteva bastare per un commercio internazionale che solo un Paese avesse un Banco di Prova e così si raggiunse una convenzione internazionale alla quale aderirono altri Paesi costruttori come la Spagna, l'Inghilterra, la Germania, la Francia, il Belgio, la Cecoslovacchia, il Cile, l'Austria ed altri. Il tipo di prove a cui sono sottoposte le armi sono praticamente molto simili tra i Paesi convenzionati.

Vediamo ora più in dettaglio in che cosa consistono queste prove. I vari costruttori mandano al Banco i fucili praticamente finiti, non tanto a livello estetico quanto a livello funzionale. Devono cioè essere in grado di sparare ed avere tutti i componenti costitutivi. Così in una doppietta basculante dovranno esserci il calcio, l'asta, le canne, la bascula con batterie e le chiusure già operative. In pratica il fucile come andrà poi nelle mani del cacciatore. Il Banco esaminerà per prima cosa l'insieme dell'arma, per appurare che sia tutto a posto e quindi procederà a delle operazioni più dettagliate. Limitandoci alle armi basculanti a canne liscie si misurerà la lunghezza della camera di scoppio, le strozzature, il peso delle canne fino ad arrivare alla prova di sparo vera e propria. Si sparano un paio di colpi per ogni canna con delle cartucce speciali con l'ausilio di macchine

Gardone Val Trompia and the Chamber of Commerce of Brescia. Even though technical and organizational adjustments had been made in order to be in step with time, the function of the National Proof House of Gardone Val Trompia is still operating today, examining Italy's entire gun production for foreign and national markets. Obviously, one Proof House in one single country was not enough for international trade, so an agreement was signed between the following members: Spain, England, Germany, France, belgium, Checoslovakia, Chile, Austria, and others. The testing rules for these countries are similar for all members.

Let us now take a closer and more detailed look at these tests. The various gun makers send their finished guns to the Proof House, paying more attention to their functional quality rather than their aesthetical finish. In essence, they must be in a condition as to shoot and must contain all their essential components. Thus, a basculating side by side shotgun must contain its stock, forend, barrels and action with operating locks. In fact, the gun must be ready for the hunter to use. First of all the Proof House will examine the gun to see that everything is in good order and ready for use. Further more detailed inspections are then made: in the case of smooth-barrelled basculating guns, the Proof House shall measure the length of the fire chamber, the chokes, the weight of the barrels and shall actually test the shooting. A few shots are fired from each barrel by employing special cartridges with the help of special shatter-proof

altrettanto speciali e dotate di vetri infrangibili in modo da assicurare all'operatore la perfetta incolumità in caso di scoppio dell'arma. Per le doppiette del cal. 12 le cartucce sparate generano una pressione di 900 atmosfere mentre le armi camerate in 12 magnum di 1200 atmosfere. Ormai però ci sono diversi costruttori che richiedono la prova superiore delle 1200 atmosfere anche per armi comuni del cal. 12 poiché in queste è sempre possibile sparare cartucce demimagnum che sviluppano alte pressioni. Una cartuccia normale genera una pressione che può oscillare fra le 500 e 600 atmosfere circa, con picchi più alti per caricamenti speciali. Già con la prova a 900 atmosfere si sta sopra di un buon margine di sicurezza che mette al riparo da spiacevoli sorprese. Certo questo non è sufficiente per garantire la necessaria sicurezza nel caso di cartucce caricate con dosi eccessive o doppie, oppure nel caso di elementi estranei all'interno delle canne. Sono casi non ponderabili e quindi rimane alla corretta attenzione di chi poi userà l'arma il non incorrere in simili pericoli. Altrettanto il Banco di Prova non esegue esami metallurgici sulla struttura dell'acciaio e quindi non si può escludere che eventuali imperfezioni che possono aver retto la prova forzata di palesarsi successivamente. Anche questo è un caso possibile, però statisticamente molto raro. Un altro aspetto non contemplato dalle prove del Banco è la precisione dell'arma (a meno che non lo richieda espressamente) o la taratura sia in armi lisce che rigate. Quindi un fucile che abbia superato le prove del Banco non è

machines for the user's total protection in case of accidental gun failures. For gauge 12 side by side shotguns, the employed cartridges generate a pressure of 900 atmospheres, while 12 magnum gauges generate 1200 atmospheres.

Anyhow, there are gun makers which request tests exceeding 1200 atmospheres even for standard 12 gauge guns, because one can always use demimagnum cartridges trat develop high pressures. A normal cartridge generates a pressure ranging from 500 to 600 atmospheres, reaching higher peaks when used with special loads. The use of 900 atmospheres for testing purposes involves a safe security margin, protecting the hunter against unpleasant surprises. These tests do not, of course, guarantee absolute safety in case of excessive amounts or double doses of powder are loaded into the barrel. These might be unponderable cases, therefore gun users must pay great attention not to incur avoidable accidents. Besides, the Proof House does not carry out metallurgic tests on the steel employed, therefore one cannot exclude that although the tests were passed, later deficiencies might not come up later on. Even though this is a possibility, I must say it is quite rare. Another aspect which is not included among the Proof House tests unless expressly requested by the gun maker, is the precision of the smooth barrels as well as of the rifled barrels. Therefore, a shotgun which passed the Proof House tests does not necessarily shoot straight or work properly. As far as safety is concerned, the certificate issued by the Proof House only states

Simboli adottati dal Banco Nazionale di Prova in Gardone V.T. per indicare l'anno della prova
(Prima del 1954 l'anno era indicato in cifre arabe complete)

X	1954	XX9	1973
XI	1955	XXX	1974
XII	1956	AA	1975
XIII	1957	AB	1976
XIV	1958	AC	1977
XV	1959	AD	1978
XVI	1960	AE	1979
XVII	1961	AF	1980
XVIII	1962	AH	1981
XIX	1963	AI	1982
XX	1964	AL	1983
XXI	1965	AM	1984
XXII	1966	AN	1985
XXIII	1967	AP	1986
XXIV	1968	AS	1987
XXV	1969	AT	1988
XXVI	1970	AU	1989
XX7	1971	AZ	1990
XXI	1972	BA	1991

ITALIA
Banco nazionale di Prova delle Armi da Fuoco Portatili Gardone Valtrompia

Specie della prova	Fac-simile marchi	Parti dell'arma su cui sono apposti
Prova provvisoria su canne sciolte o accoppiate	PSF	canna
Canne basculate (senza calcio)	PSF	canna e bascula
Canne di rimonta in bianco / Canne di rimonta finite	PSF / PSF FINITO }	canna
Fucili non rigati a retrocarica: Montati in bianco / Finiti completamente	PSF / PSF FINITO }	canna e bascula
Armi lunghe rigate	PSF	canna, castello, otturatore
Armi sottoposte a prova superiore	PSF	canna e bascula
Armi corte	PSF	canna, fusto, otturatore o cilindro
Armi provate con polvere nera	PN	canna e codettone
Punzone di riprova	R	canna e parti del congegno di chiusura

AUSTRIA
Banchi di Prova di Vienna e Ferlach

	VIENNA	FERLACH
Prova provvisoria delle canne		
Prova obbligatoria e definitiva con polvere nera. Vale per tutte le armi		
Prova obbligatoria e definitiva con polvere senza fumo per tutte le armi destinate all'impiego di cartucce a polvere senza fumo.		
Prova superiore facoltativa dei fucili da caccia a canne lisce.		

CECOSLOVACCHIA
Banco di prova di Praga

Prova degli apparecchi la cui sorgente d'energia è la polvere da sparo, come i congegni d'allarme di calibro superiore a 7 millimetri, gli attrezzi fissachiodi e le pistole da mattazione.
Prova delle loro canne e della loro chiusura quando questi pezzi sono presentati separatamente

1

Prova delle armi ad aria compressa, a molla e a gas.

2

Prova delle canne non finite dei fucili da caccia.

3

Prova dei fucili da caccia a canne lisce, delle pistole a canna liscia per cartucce a pallini, delle carabine e delle pistole Flobert o da sala, oppure delle canne e dei congegni di chiusura di queste armi presentati separatamente.

4

Prova delle armi rigate: carabine da caccia e di piccolo calibro, delle pistole e dei revolver (salvo le pistole per cartucce a pallini), della canna e del congegno di chiusura di queste armi presentati separatamente.

5

Prova delle cartucce, delle cariche, dei proiettili, dei bossoli e degli inneschi presentati separatamente. Il marchio è applicato sull'ultimo imballaggio interno.

Osservazioni

- I fucili a canne miste (lisce e rigate) portano i punzoni n. 4 e n. 5.

- Gli apparecchi per prove balistiche portano il punzone della categoria dell'arma alla quale corrispondono.

- L'altezza dei punzoni n. 3 e n. 4 è sempre di 5 millimetri. Quella dei punzoni n. 1, 2 e 5 può variare da 3 a 5 millimetri, secondo lo spazio disponibile sull'arma.

CILE
Banco di prova di Santiago del Cile

Punzone unico per tutte le armi

BELGIO
Banco di Prova di Liegi

Fucili lisci ad avancarica	**Prova obbligatoria**	ordinaria	canna	
			vitone di culatta	
		superiore	canna	
			vitone di culatta	
Fucili lisci a retrocarica	**Prova provvisoria facoltativa della canna**			
	Prova obbligatoria	canna	ordinaria	
		congegno di chiusura	superiore	
Carabine da sala	**Prova con polvere nera**		canna	
			congegno di chiusura	
	Prova con polvere senza fumo		canna	
			congegno di chiusura	
Fucili e carabine a canna rigata	**Prova obbligatoria**		canna	
			congegno di chiusura	

I pezzi sottoposti al trattamento di tempera dura possono essere punzonati così

Carabine da sala	**Prova con polvere nera**		canna-castello	
			tamburo	
	Prova con polvere senza fumo		canna - castello - tamburo	
Pistole automatiche	**Prova con polvere senza fumo**		canna	
			parti sottoposte alla prova	
Carabine da sala	**Prova con polvere nera**		canna	
			parti sottoposte alla prova	
	Prova con polvere senza fumo		canna	
			parti sottoposte alla prova	
Armi straniere			canna	
			parti sottoposte alla prova	
Armi da guerra			canna	
			parti sottoposte alla prova	

SPAGNA, Banco di Prova di EIBAR

Punzone distintivo del Banco di Prova di Eibar, applicato su tutte le armi.	Prova facoltativa alla polvere viva dei fucili a canne liscie.	Prova dei revolver
Prova delle armi ad avancarica.	Prova rinforzata supplementare facoltativa alla polvere viva dei fucili a canne liscie.	Prova delle pistole automatiche.
Prova provvisoria delle canne.	Prova dei fucili e delle carabine a canna rigata.	Prova delle armi straniere che portano punzoni non riconosciuti dalla Convenzione Internazionale.
Prova definitiva con polvere nera dei fucili a canne lliscie.	Prova delle carabine da sala.	Punzone applicato su tutte le armi di dimensioni normali che impiegano munizioni comuni.
	Prova delle pistole non automatiche.	FE

FRANCIA

Banco di Prova di Parigi

Prova ordinaria con polvere nera delle armi finite.

Prova ordinaria con polvere senza fumo delle armi finite.

Prova superiore con polvere senza fumo delle armi finite.

Punzone supplementare usato a indicare le armi in stato di finimento completo ("état de livraison").

Prova delle armi lunghe a canna rigata.

Prova delle armi corte.

Prove facoltative

Prova ordinaria delle canne assiemate e finite.

Doppia prova delle canne assiemate e finite.

Tripla prova delle canne assiemate e finite.

Banco di Prova di Saint-Etienne

Prova ordinaria con polvere nera delle armi finite.

Prova ordinaria con polvere senza fumo delle armi finite.

Prova superiore con polvere senza fumo delle armi finite.

Punzone supplementare usato per indicare le armi provate in stato di finimento completo ("état de livraison").

Punzone applicato sulle armi riprovate con polvere nera.

Punzone applicato sulle armi riprovate con polvere senza fumo.

Prova delle armi lunghe a canna rigata.

Prova delle armi corte.

Punzone applicato sulle armi lunghe a canna rigata di fabbricazione straniera.

Punzone applicato sulle armi corte di fabbricazione straniera.

Punzone per prove di omologazione del tipo (Prova su modello).

Prove facoltative

Prova ordinaria delle canne assiemate e finite.

Doppia prova delle canne assiemate e finite.

Tripla prova delle canne assiemate e finite.

REPUBBLICA FEDERALE TEDESCA (Germania Occidentale)
(secondo la Legge Federale sulle armi, Bundeswaffengesetz, del 26 novembre 1968

Prova provvisoria dei fucili da caccia a canna liscia e dei fucili a canna doppia o tripla (fucili combinati). 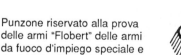 M

Prova definitiva con polvere senza fumo. Vale per tutte le armi. N

Prova definitiva con polvere nera. Vale per tutte le armi. SP

Prova facoltativa per attrezzi che utilizzano cartucce caricate a polvere da sparo e FB

Punzone di riprova J

Punzone riservato alla prova delle armi "Flobert" delle armi da fuoco d'impiego speciale e degli altri apparecchi di tiro.

Marchio per armi da fuoco in cui l'energia cinetica non è superiore a 0,75 kpm (art. 9). F

Armi per la propulsione dei cui proiettili è usata una miscela fluida infiammabile o gassosa, o una carica propellente. L

Apparecchi destinati alla prova di munizioni a carica forzata. V

Punzoni distintivi dei differenti Banchi di Prova Tedeschi

Ulm   Hannover   Kiel

Monaco   Colonia   Berlino

UNGHERIA
Banco di Prova di Budapest

Prova provvisoria facoltativa

Prova definitiva per le armi finite o in bianco. N

Riprova. R

INGHILTERRA

Banco di Prova di Londra

Prova provvisoria della canna.

Prova definitiva delle armi destinate all'impiego di munizioni caricate con polvere senza fumo:

- sul meccanismo

- sulla canna

Prova definitiva delle armi dedstinate alla sola polvere nera.

NOT NITRO

Prova speciale rinforzata.

Riprova.

Banco di Prova di Birmingham

Prova provvisoria della canna.

Prova definitiva delle armi destinate all'impiego di munizioni caricate con polvere senza fumo.

BNP

Prova definitiva delle armi destinate alla sola polvere nera.

BP
BLACK POWDER

Prova speciale rinforzata.

SP

Riprova.

R

Osservazioni
(valide per i marchi di entrambi i Banchi)

La pressione di servizio per la quale l'arma è stata provata è espressa in tonnellate per pollice quadrato ed è punzonata sulla canna. Esempio: 3 tons.
Il calibro nominale e la profondità della camera sono ugualmente punzonati sulla canna. Esempio: 12 - 2 1/2".

JUGOSLAVIA, Banco di Prova di Kragujevac

Prova ordinaria con polvere nera su armi finite.

Prova ordinaria con polvere senza fumo su armi finite.

Prova superiore con polvere senza fumo su armi finite.

Punzone supplementare usato per indicare le armi provate in stato di finimento completo ("etat de livraison").

Riprova con polvere nera.

Riprova con polvere senza fumo.

Prova provvisoria ordinaria delle canne provviste di parti accessorie.

Doppia prova provvisoria delle canne provviste di parti accessorie.

Tripla prova provvisoria delle canne provviste di parti accessorie.

Prova provvisoria facoltativa delle canne grezze di forgiatura.

Punzone di prova.

Punzone di prova impresso sulle parti componenti il congegno di chiusura.

Punzone internazionale impresso sugli apparecchi di prova.

Punzone di prova per le armi di fabbricazione straniera.

Punzone usato per indicare che le canne sono ben assiemate.

Punzone del collaudatore.

REPUBBLICA DEMOCRATICA TEDESCA (Germania Occidentale)
Banco di Prova di Suhl

Prova normale di armi ed apparecchi da sparo sui quali si utilizza per il funzionamento una miscela liquida o gassosa o una carica di lancio o una carica a salve.

Prova rinforzata di armi destinate all'impiego di munizioni a pressione maggiorata.

Prova normale di armi ed apparecchi da sparo idonei al tiro di munizioni in cartuccia con pressione normale.

Prova dopo riparazione per sostituzione di parti essenziali.

R

Data della prova (mese e anno) esp. a lato: aprile 1974.

474

detto che spari diritto e che spari bene. A livello di sicurezza il certificato che viene rilasciato dal Banco attesta pur senza alcuna forma di garanzia o di responsabilità futura che l'arma ha superato positivamente la prova forzata alla pressione indicata sullo stesso. Per i calibri inferiori al 12 la prova standard si effettua con pressioni di 1000 atmosfere. Il Banco provvede poi ad imprimere i relativi punzoni sulle canne e sulla bascula, punzoni che sono diversi da nazione a nazione e che riporto in una tabella a parte. I punzoni riguardano l'avvenuta prova forzata e l'anno di effettuazione. Per indicare l'anno un tempo si ricorreva ai normali numeri, sostituiti poi con delle lettere codificate a cui corrispondono le diverse annate. Sulle canne dovrebbero essere impressi anche il grado di strozzatura e il peso delle stesse.

Quando si acquista un'arma usata è sempre bene osservare attentamente la presenza di tutti questi punzoni, anche se si tratta di arma di provenienza straniera che dovrà recare i marchi relativi al Paese d'origine. Questo esame serve anche per verificare l'originalità ad esempio del gruppo canne, poiché è possibile che ad un fucile importato siano state rifatte le canne che a loro volta saranno state provate al Banco ma che porteranno impressi i punzoni nazionali e non quelli del Paese d'origine. Anche sapere il peso originario delle canne è importante, poiché se ad un successivo esame le canne pesassero di meno ciò costituirà un dato chiaro che le stesse sono state toccate, o a livello di strozzature o di anima o di altre

that the gun was subjected to the performed tests, but it is no guarantee for further use.
It only states that it has been tested for the pressure indicated on the gun.
For guns with a gauge inferior to gauge 12, standard tests are carried out with a pressure of 1000 atmospheres.
The Proof House then proceeds to print the proper proof-marks on the barrels and on the action. These proof-marks differ from country to country and will be illustrated in a different table. The proof-marks indicate the performed tests and their year of execution.
Previously, the year was indicated by means of a normal numbering. Later on, normal numbering was replaced by a letter code. The choke degree and weight should also be indicated onto the barrels. When purchasing a gun it is always adviseable to pay attention to the different proof-marks even when the gun comes from another country, because they always have to bear the prook-marks of their country of origin.
This inspection is also necessary in order to verify the originality of the barrel set, because it could happen that the barrels of the imported gun might have been tested and proof-marked by the Proof House in the past, and therefore bear the proof-marks of the local country and not those of the country of origin. It is also important to know the original weight of the barrels because a later inspection could be telling, should the weight be less than stated: the barrels might have been modified somehow, or the choke or the bore might have been changed, or some operation which

operazioni non visibili ad occhio nudo.

Concludendo, le prove del Banco ed i relativi punzoni sono un aspetto molto importante sia per una attestazione di avvenuta prova forzata sia per un "curriculum", da valutare a posteriori, della vita del fucile. Sarebbe anzi auspicabile che le prove fossero estese pure ad altri aspetti, come esami metallografici e di precisione intrinseca, anche se ciò comportasse un onere maggiore che cadrebbe sul prezzo finale dell'arma.

is not visible during inspection might have been executed.

In conclusion, Proof House tests and proof-marks are extremely important, not only to define the tests performed but also to supply the gun with its "curriculum" for future use.

It would be adviseable to carry out the tests on other gun parts too.

For instance, metal and intrinsic precision tests would enhance the gun's history even though they might increase the gun's price.

Foratura interna delle canne di fucili inglesi nel cal. 12. I numeri 12-12/1, 13 e 13/1 vengono solitamente inscritti sui piani delle canne.

Inside bores of english barrels.

13	→	da 18,03 mm. e 18,25 mm
13/1	→	da 18,26 mm. e 18,51 mm
12	→	da 18,52 mm. e 18,77 mm
12/1	→	da 18,78 mm. e 19,05 mm

Giovane incisore della ditta
inglese J. Purdey (Londra) al
lavoro con il bulino.

*Young engraver of the English
Gun Maker J. Purdey (London)
at work with a hand-graver.*

244

Le incisioni

Engravings

Nell'arma da caccia fine le incisioni ricoprono un ruolo importante, pur se non determinante. O meglio il grado di finezza di un'arma non può essere valutato solo dal grado di finezza o di laboriosità dell'incisione. Ci possono essere armi eccezionali con incisioni discrete ed armi appariscenti ed incise che valgono poco. Quindi l'obiettivo a cui ogni costruttore dovrebbe tendere è quello di raggiungere un giusto equilibrio fra parte meccanica e parte ornamentale.

Una senza l'altra non raggiungerebbe lo scopo, non avendo senso. Dovendo scegliere fra le due è preferibile un'arma ben costruita con materiali di prim'ordine e poco o niente incisa che viceversa. Anzi ci sono delle finiture "a specchio" delle superfici metalliche della bascula magari con qualche filetto di delimitazione che sono molto eleganti ed ugualmente difficili da realizzare, poiché tirare manualmente le superfici dell'acciaio ad un tale grado di levigatezza richiede abilità e pazienza, quasi come per eseguire una incisione. Le incisioni possono essere fatte a bulino, a punta e martello o cesellate. Si possono suddividere fra motivi ornamentali come inglesine,

Engravings play a very important if not a decisive role in fine hunting guns.

One cannot judge or evaluate a gun only by the fineness of its engravings.

There might be beautiful guns with poor engravings, as well as superbly engraved guns which are poorly constructed.

Therefore gun makers should aim at a right balance between the mechanical and ornamental aspects of the gun.

One without the other does not make sense.

If one must choose, it is better for him to choose a well constructed gun with little engraving rather than the opposite.

There are mirror-finished guns in which the metal surfaces of the action just have a few ornamental lines which are very elegant and difficult to execute.

Manual mirror finish is very difficult to execute and requires a lot of patience and skill.

It is almost as difficult as engraving. Engravings may be carried out by means of a hand graver, a scrider and small hammer or by chisel. We can subdivide ornamental patterns into English scrolls, edgings, scallops, floral or landscape

245

filettature, festoni, disegni floreali e paesaggi, scene di caccia, animali, argomenti mitologici o storici. In Italia un personaggio che ha contribuito a valorizzare il lavoro dei nostri incisori e che si è prodigato per raccogliere materiale e divulgare notizie ed informazioni su questo argomento è stato Mario Abbiatico, prematuramente scomparso alcuni anni fa. Personalmente ho pubblicato su questo argomento "Il grande libro delle incisioni" dove tratto dell'incisione creativa e dei profili dei maggiori incisori italiani ed esteri. Quindi non mi dilungherò più di tanto su questo argomento, facendo invece parlare le immagini che meglio trasmettono le capacità di questi animatori dell'acciaio.

Le incisioni dovrebbero sottolineare ed esaltare le qualità intrinseche dell'arma, non appesantirle con motivi troppo complessi e "quantitativi" più che "qualitativi". Le incisioni con filetti semplici di contorno o con inglesine saranno sempre quelle più classiche ed universali. Le scene di caccia, le raffigurazioni di animali e di figure umane sono di difficile attuazione e non sempre riescono bene. Incisioni approssimative in questo senso sono sicuramente criticabili, meglio preferire una onesta e ben fatta inglesina. Quelle ben realizzate debbono avere anche dei costi proporzionati, anche se talvolta si nota una certa eccedenza dai soggetti legati al mondo venatorio. Scene storiche, uomini politici, argomenti mitologici hanno poco a che vedere con un fucile da caccia o da tiro e si possono considerare più come documenti particolari che non armi standard da tenere

designs, hunting scenes, animals, mythological or historic scenes. In Italy it was Mario Abbatico who was most influential in contributing to enhance the work of our engravers and who collected material and divulged information on his research.

Unfortunately, he died just a few years ago.

I have personally published a book on this subject, "The Engravings Real Book", in which I deal with the creative engravings of major Italian and foreign artists.

Therefore I shall not dwell on this subject but I shall let the images speak for themselves. Engravings should underline and enhance the gun's intrinsic value, and not overburden it with far too complex ornamental patterns.

It is a matter of quality rather than quantity.

Engravings with simple lines or English scrolls will always be the most classic and universal.

Hunting scenes, animals and human figures are very difficult to execute and results are not always satisfactory.

Approximate engravings are surely criticizable, therefore it is far better to prefer a simple and honest English scroll pattern. Well-executed engravings must also have an appropriate cost, even though at times subject are not quite linked to the hunting worls.

Historic scenes, political characters, mythological themes have very little to do with hunting or shooting guns, and should therefore be considered as historical or

L'incisione può essere fatta a punta e martello o a bulino con l'uso della lente.
Incisore M. Terzi su doppietta Franchi Imperiale Montecarlo.

Engravings may be carried out by means of a scrider and a small hammer or by means of a hand-graver with the use of a magnifying lens.
Engraver M. Terzi on a Franchi Imperiale Montecarlo side by side shotgun.

in collezione ma da usare anche al momento opportuno.

Gli stili di incisione

Prima condizione rispettare l'arma

Accenno subito alla ormai da tutti nota "inglesina" (*fine scroll* - per gli inglesi) che, come dice la parola, è stata ideata, perfezionata e poi variata in tanti modi proprio dai maestri inglesi nella seconda metà del secolo scorso.
È nata e si è sviluppata proprio parallelamente alla nascita ed allo sviluppo delle armi sportive così come ancor oggi le intendiamo.
L'idea base dell'inglesina è quella di una spirale, che inizialmente ebbe forma regolare ma venne poi eseguita anche con forma schiacciata, oblunga o con sviluppo irregolare della spirale stessa.
All'interno della spirale vengono eseguite delle "puntatine" che concorrono a completare l'idea del movimento avvolgente. Le spirali, o ricciolini, vengono eseguite in diverse grandezze e la disposizione di esse, che nascono e si rincorrono l'una con l'altra, magari scomparendo sotto altre e ricomparendo più avanti, può creare degli effetti piacevolissimi accentuati anche dall'uso dell'ombreggiatura. Le spirali si possono ottenere sia con la punta che con il mulino mentre l'ombreggiatura può ottenersi sia con l'ombreggiatura che con i primi due.
Anche le "puntatine interne" si possono eseguire in numerose maniere. Si può dire che c'e la puntatina semplice, la puntatina doppia, la triplice puntatina ecc. ma questa non e una

collection pieces to be used only in suitable moments.

Engraving Styles

The first condition is to respect the gun.

First of all I would like to mention the well-known "Fine Scroll" or English scroll which originated and has been perfected with various variations by the English Masters in the second half of the past century.
It arose and developped rarallel to the development of sporting shotguns as we know them today.
The basic idea of the English scroll is the spiral which started out in a regular form and which was then developed into various variations such as flattened or oblong scrolls, with iregularly developed spirals.
Dots which give movement to the pattern may be noticed within the spirals.
The spirals or curls are executed in different sizes.
They may seem to be running into each other, over each other, they disappear only to appear from another spot thus giving beautiful effects, by means of different shading techniques.
Spirals may be engraved by means of a scrider and a small hammer or by means of a hand graver, while shading may be obtained either by means of a shading tool or by a scrider and a small hammer.
The internal patterns too can be

248

Bascula con rimesso in oro,
morsa e atttrezzi dell'incisione.
L'incisore oggi è una figura che
si colloca a metà strada fra
artista e artigiano.

*Gold inlaid action and engraver
tools. The engraver is a figure
which nowadays is considered
somewhere between the artist
and the craftsman.*

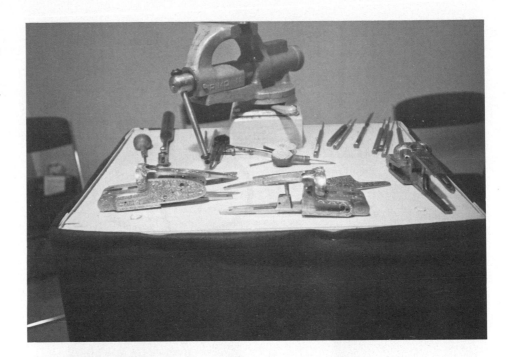

La prima regola dell'incisione è
che questa deve rispettare
l'arma. Dovrebbe quindi
adattarsi al tipo di arma nonché
all'uso a cui è destinata. Un
lavoro da studiare a monte
tramite disegni e schizzi. La
predisposizione al disegno è una
dote fondamentale per un
incisore.

*The first rule an engraver should
follow is gun respect. He should
therefore adapt himself to the
type of gun and to its use. It is a
work that has to be studied and
drawn. This is why a bent for
drawing is of fundamental
importance for an engraver.*

249

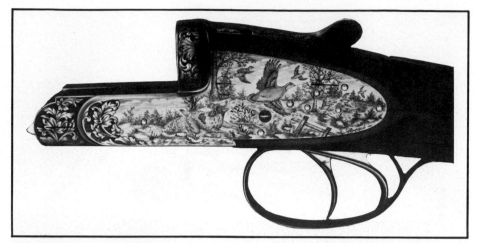

Scene di caccia con rimesso in oro. L'esecuzione è di Bregoli su doppietta di Antonio Zoli.

Gold-inlaid hunting scene by Bregoli on an Antonio Zoli side by side shotgun.

La classica inglesina, quando ben realizzata, è uno schema intramontabile per ornare un'arma fine.
Incisione di steduto (Creative Art) su sovrapposto di Ivo Fabbri.

When well executed, English scrolls are a classical pattern for a fine gun's decoration. Engraving by Steduto (Creative Art) on an over and under shotgun by Ivo Fabbri.

Un ovale può essere racchiuso da ornato originale.
Incisore: G. Pedersoli.

An oval may be contoured by an original ornamental pattern. Engraver: G. Pedersoli.

Composizione di nastri, bouquet
di fiori ed inglesina su doppietta
L. Bosis (Brescia).
Incisione: M. Terzi.

*Pattern with bows, flower
bouquets and English scrolls on
a side by side shotgun by L.
Bosis (Brescia).
Engraver: M. Terzi.*

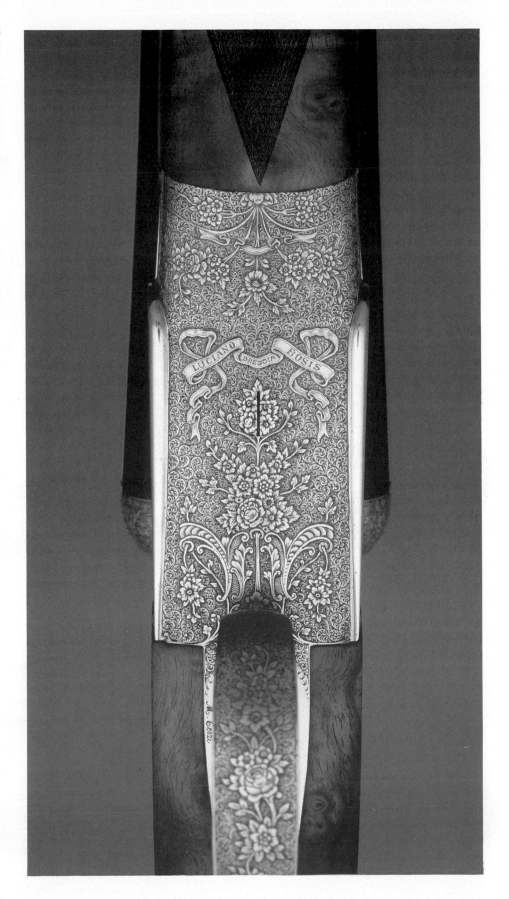

251

Ovale con contorno di inglesina. Incisione di Steduto (Creative Art) su sovrapposto Beretta.

Oval with an English scroll contour. Engraving by Steduto (Creative Art) on an over and under shotgun by Beretta.

Le due cartelle di sovrapposto incise a scene di caccia.

Two side plates of an over and under shotgun engraved with hunting scenes.

252

Sovrapposti Beretta della serie
'Set of Five' incisi da Angelo
Galeazzi.

*Beretta over and under shotgun
of a 'Set of Five' engraved by
Angelo Galeazzi.*

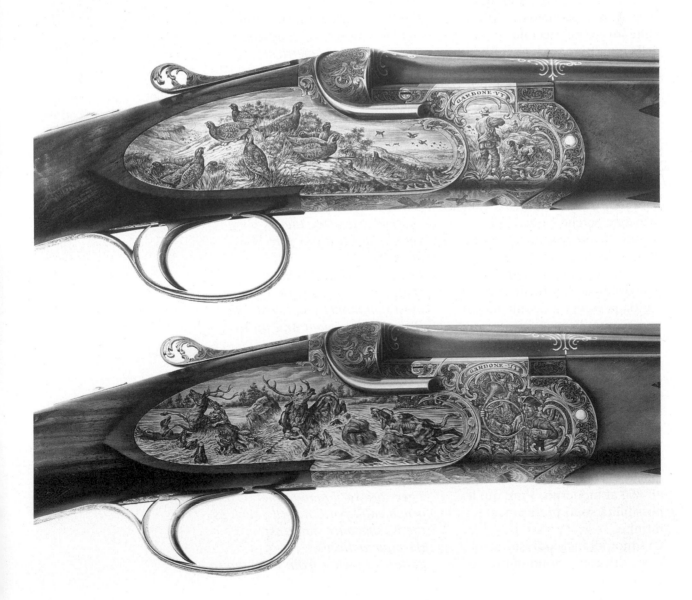

classificazione completa essendo infinite le variazioni ed il modo di intendere le puntatine stesse.

L'incisione con inglesina può riempire da sola, se opportunamente predisposta, la bascula e numerose armi decorate in tal modo con la sola variante di lasciare degli spazi vuoti e di inserire in mezzo alle varie spirali, intrecciandoli con esse, festoni, bouquets di fiori oppure nastri od altri motivi ornamentali.

A volte l'inglesina, così come del resto qualsiasi altro ornato, serve a fare da "cornice" a scene di caccia, paesaggi, o comunque soggetti non geometrici. Altre volte invece nel ricciolo, in luogo delle puntatine, vengono eseguiti dei motivi floreali o delle spirali più piccole in modo comunque da creare sempre il tipico movimento avvolgente. Il ricciolo stesso, o spirale, può essere eseguito semplice oppure doppio e così via. Ma meglio di tante spiegazioni valgono le figure che seguono. Ho dato molto rilievo a questo stile di incisione perché è quello più comunemente usato, che resiste nel tempo da sempre e che incontra il gusto della grande maggioranza. Un fucile con una inglesina eseguita decentemente sarà sempre bene accetto, commerciabilissimo e, quello che più conta, la decorazione avrà adempiuto alla sua funzione, cosa che non sempre avviene con le altre incisioni.

Altro sistema è quello che utilizza motivi ornamentali di vari stili che vanno da quello rinascimentale a quello barocco, dallo stile impero all'800 al moderno. Pure qui le possibilità sono praticamente infinite.

Ci sono poi incisioni ispirate a scene di caccia. Sono piuttosto

obtained in various ways.

There is the simple scrolling technique, the double and triple scrolling technique.

But there are very many ways of doing this, and many variations too.

If properly patterned, English scrolls may fully cover the action and numerous other gun parts leaving some empty spaces in order to include spirals, scallops, flower bouquets, ribbons, as well as any other ornamental pattern.

At times, English scrolls form the frame for hunting scenes, landscapes or other non geometrical designs.

At times, instead of curls or dots, one may insert flower patterns or smaller spirals in order to create a typical envelopping movement.

The curl itself may be drawn in a simple or double fashion.

But the reader should rather observe and study the various illustrations for himself.

I emphasized this kind of engraving style because it is the most commonly employed one.

It is always elegant and up to date.

A shotgun engraved with English scrolls is always very welcomed and marketable.

And what is even more important, the decoration is very adequate and fulfills its function, which is not always the case with other ornamental patterns.

There are very many other ornamental pattern styles such as the Renaissance patterns, Baroque patterns, patterns ranging from the Empire

Coppia di doppiette Franchi
'Imperiale Montecarlo' incise da
F. Medici. Notare le diverse
tecniche ed in particolare il
lavoro di cesello. Opere uniche.

*Pair of Franchi 'Imperiale
Montecarlo' side by side
shotguns engraved by F. Medici.
Note the different techniques
and especially the chisel-work.
Unique works.*

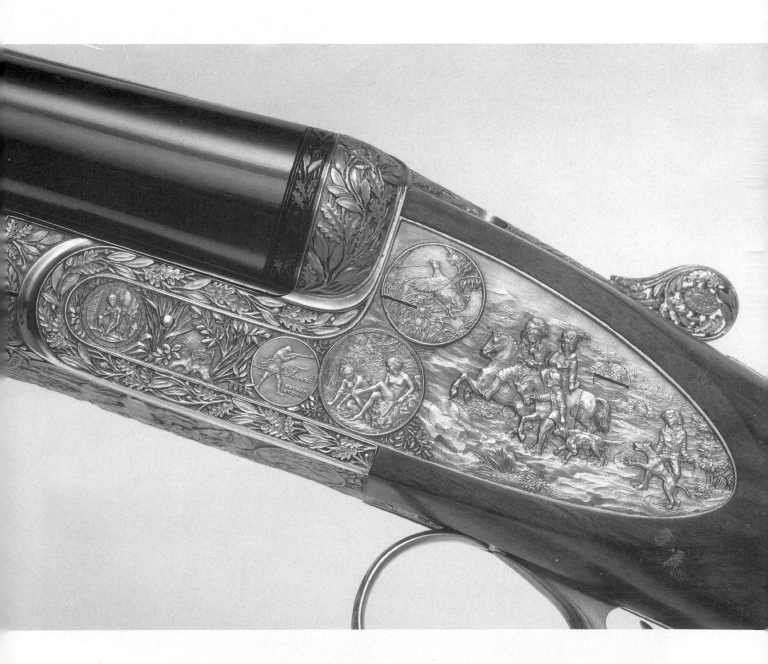

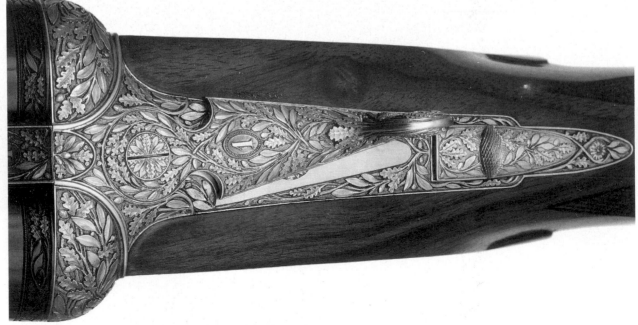

Incisioni di M. Torcoli
su sovrapposto Fabbri.

Gun maker: Ivo Fabbri
Engraver: Manrico Torcoli.

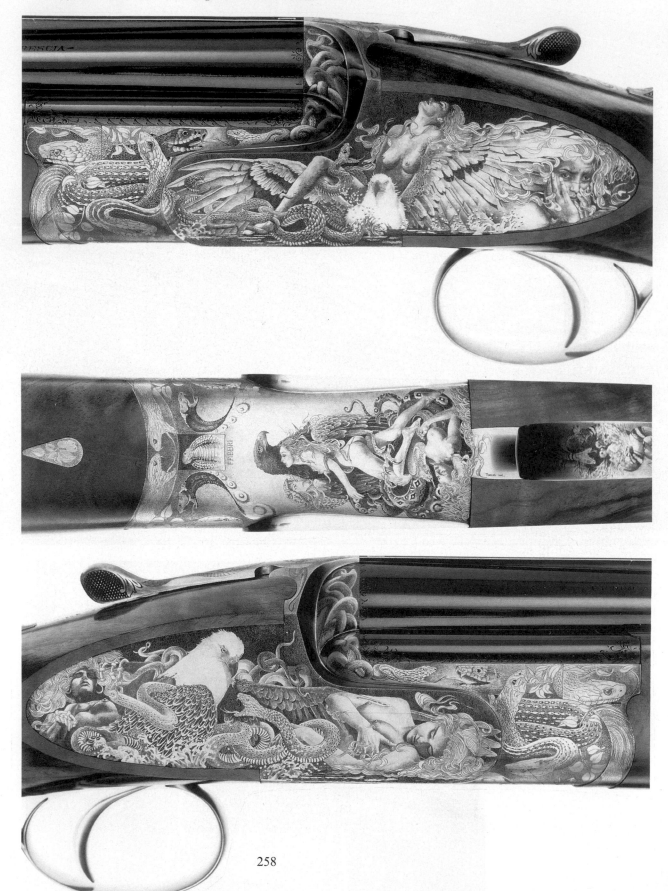

258

Incisione di M. Terzi su
doppietta S.I.A.C.E.
di A. Boniotti.

*Engraving by M. Terzi on a
S.I.A.C.E. side by side shotgun
by A. Boniotti.*

Incisione
di Geoffroy R. Gournet
(U.S.A.)
su fucile Parker.

Engraving by
Geoffroy R. Gournet (U.S.A.)
on a Parker shotgun.

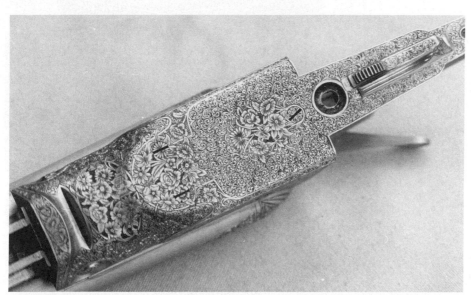

Incisione di A. Galeazzi su
sovrapposto Fabbri. Il soggetto
si richiama al West americano.

Engraving by A. Galeazzi on a
Fabbri over and under shotgun.
West American subject.

261

diffuse anche se una buona esecuzione è abbastanza difficile e costosa: se non è buona è assolutamente sconsigliabile. Le figure di animali, così come quella dell'uomo, sono piuttosto difficili da realizzare ed ecco che qui vale in particolare il discorso fatto a proposito del disegno.

L'esecuzione, per esempio, di un cane non deve solo dare l'idea dell'animale ma deve farcelo vedere lì davanti vivo e vegeto, non statico. Sia che venga rappresentato in azione od in ferma, di fianco od in prospettiva, mezzo girato od accucciato deve dare l'idea delle giuste proporzioni, deve avere una sua personalità e deve infine essere chiaramente individuabile di primo acchito la razza (cioè non deve essere soltanto "un cane").

Ma qui il discorso si allargherebbe ed uscirebbe dai limiti imposti.

Altre incisioni sono ispirate alla raffigurazione di maschere grottesche, di facce ghignanti, draghi, serpenti, meduse, animali stilizzati, putti, solitamente inseriti in un ornato barocco che in un certo senso li unisce e li divide.

Quasi sempre un'incisione in questo stile è eseguita con la tecnica del cesello o perlomeno dell'incisione scavata.

Spesso si usano soggetti di carattere mitologico ed hanno sovente per oggetto Diana, dea dei cacciatori; ritratta in azione di caccia oppure attorniata dalle proprie ninfe in fase di riposo durante la battuta.

Possiamo parlare ancora di incisioni con scene raffiguranti battaglie famose legate a fatti e personaggi storici.

Ho lasciato per ultimo lo stile di incisione, anzi non è neanche il caso di chiamarlo stile ma soltanto

to the '800s up to modern styles.

Here too, the possibilities are unlimited.

There also are engravings inspired by hunting scenes. They are quite diffused even though a good execution is quite difficult and expensive: a cheap one is highly unadviseable.

Animal and human subjects are very difficult to engrave, therefore they too, are quite unadviseable unless they are very well done.

For example, an engraved dog should look alive and in movement, and not be static.

Whether the dog is engraved in movement, in perspective, half-turned or lying down, it must always have the correct proportions; one should see its personality, be able to tell his race at first glance.

Other engravings are inspired by grotesque masks, sneering faces, dragons, serpents, meduses, stylized animals, angels, all inserted into a framework of baroque patterns which in a certain sense untes and divides them.

Such engravings are almost always executed by means of a chisel.

Mythological scenes are very often portrayed, especially the goddess Diana - the goddess of hunters.

She may be portrayed in the action of hunting or surrounded by her nymphs while resting.

We could also mention engravings of famous battles with famous historical characters.

Si trovano spesso su armi fini
soggetti legati alla mitologia ed
alla storia della caccia
(incisione: Creative Art).

*Very often, fine guns display
hunting historical and
mythological subjects
(engraving: Creative Art).*

263

forma di incisione, che sembra il più dimesso ed il meno impegnativo che consiste nella semplice filettatura dei profili e le classiche rosette sui perni e sulle viti principali (o più grosse).

Se lo scopo dell'incisione su un fucile è quello di valorizzarlo e di farne risaltare le bellezze meccaniche e di linee oltre all'equilibrio delle masse, se è vero questo, forse la filettatura è uno dei mezzi più idonei allo scopo.

Non è poi nemmeno da pensare che fare una filettatura sia la cosa più semplice di questo mondo: perché il solco resta lì, al pulito, ed anche un occhio non iniziato può facilmente rilevarne eventuali irregolarità. Lo stesso discorso vale per una incisione con bordino.

In ogni caso è meglio una incisione di questo tipo (filetto e rosette) che una incisione che copra in modo grossolano tutta la superficie metallica del fucile. Sarebbe meglio allora il fucile del tutto liscio.

Una incisione poco costosa non deve esserlo perché eseguita male ma, deve esserlo in proporzione alla superficie coperta. Ogni incisore deve avere uno standard qualitativo, possibilmente il massimo in conformità alle doti potenziali e lavorare sempre su quel piano.

Solo un cenno per quanto riguarda le iscrizioni sulle armi sportive per la cui realizzazione si fa uso, a seconda dei casi, delle tecniche già descritte.

Avremo così iscrizioni a punta, iscrizioni a bulino, iscrizioni rimesse in oro od altro metallo nobile, iscrizioni cesellate. Quanto allo stile ed ai caratteri la varietà è infinita in quanto si passa dal corsivo, al "bastoncino", dal

The last style I am going to deal with is the engraving style.

It is the least difficult to execute for it consists of simple lines, outlines and profiles and classic rosettes on pins and screws.

Since the objective of engraving is to enhance gun mechanical beauty as well as its mass balance - simple edgings are one of the most suitable ways to achieve this.

One should not believe that a simple edging is easy to do because the groove is perfectly visible, and any imperfection or irregularity may be observed by any untrained eye.

In any case this type of simple engraving is far better than an overburdened and obtrusive gun engraving.

Engravers too, should have their own quality standards and always do their best.

I would briefly like to deal with inscriptions on sporting shotguns which are carried out by means of the very same techniques described above.

We may hand-graved inscriptions, scrider and small hammer engraved inscriptions, chiselled inscriptions.

They may be gold-inlaid or inlaid with any other precious metal.

As far as the different lettering styles are concerned, they may range from Italic to ancient Gothic, from modern print to any other kind of style.

This also stands for numbers: Arabic or Roman figures may be employed, but new figures are very often invented.

As far as precision is

Canto di cedrone inciso su petto
di bascula di sovrapposto
Perazzi da Badillini.

*Singing wood grouse engraved
by Badillini (Giam) on the action
bottom of a Perazzi over and
under shotgun.*

Incisione sul coltello
di Firmo Fracassi.

Engraver: Firmo Fracassi.

265

gotico antico al moderno e via via fino alle varie forme più recenti di scrittura o addirittura inventate dall'incisore. Lo stesso vale per i numeri, solitamente in caratteri arabi o romani, ma per i quali si sconfina sovente in qualcosa di nuovo. Per quanto riguarda la precisione nella scrittura gli incisori inglesi rimangono insuperati come proporzioni e regolarità nei tratteggi.

Considerazioni di carattere generale sull'incisore

Occorre dire che, a livello artistico, ogni incisore è sorretto da una serie di svariati accorgimenti e di metodi di esecuzione, frutto della sua personale esperienza, diversi da quelli dei suoi colleghi. Questo concorre, con altri fattori importanti, ad ottenere risultati ugualmente validi ma completamente, o molto, diversi. Voglio dire che, così come avviene per tutte le altre espressioni artistiche (pittura, scultura, architettura, musica, ecc.) dal risultato si può stabilire l'incisore così come da un quadro si può conoscere il pittore. In due parole si può dire che ogni incisore ha una "tecnica personale" dovuta sia alle doti naturali che all'esperienza acquisita nel disegno e nell'incisione.
Sarà abbastanza facile avere la conferma di tutto questo confrontando per esempio le incisioni a bulino di Galeazzi con quelle di Fracassi. Senza entrare in un esame critico e senza nemmeno voler far paragoni (non si potrebbero in ogni caso fare anche perché da un lavoro all'altro c'è una disparità di tempo impiegato e di prezzo indicativo concordato

concerned, English engravers remain unbeatable in terms of proportions and regularity.

General Considerations on Engravers

Artistically speaking, each engraver has his own tricks and methods which distinguish him from other collegues.
Based on personal experience, the results are completely different but equally valid.
As may be the case with other forms of art such as painting, sculpture,
architecture, music, etc.,
where one can immediately tell the author, the same is with engravers.
Thus one can easily say that every engraver has his own technique based on personal talent as well as on acquired experience in drawing and engraving.
This can easily be confirmed by comparing the engravings of Galeazzi and Fracassi.
We shall not discuss their differences,
but we can tell they are immediately recognizable.
Galeazzi has
a tendency to soften the contrasts and the shades, while
Fracassi emphasizes the contrasts in order to obtain a certain effect.
Galeazzi's results are obtained with relatively less engravings, Fracassi spends more time working on details.
The result is that both reached an engraving level which was never reached before in sporting shotguns engraving techniques.

266

Volo di pernici rosse e di starne
incise da G. Pedersoli
su doppiette dei F.lli Piotti.

*Flight of partridges and Greek
partridges engraved
by G. Pedersoli on F.lli Piotti
side by side shotguns.*

267

Il disegno è molto importante
nell'economia dell'incisione.
Eccone alcuni di Galeazzi e
Bregoli (bulino).

Drawings are very important in
the engraving process. Some
drawings by Galeazzi and
Bregoli (handgraver).

Sovrapposto J. Purdey e Sons
(Londra)
inciso da Ken Hunt.

Gun Maker: James Purdey e Sons
(London).
Engraver: Ken Hunt.

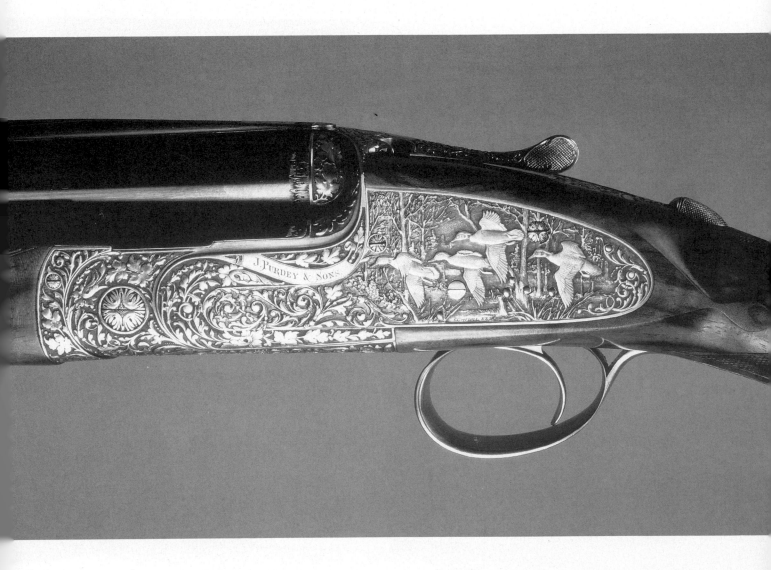

269

Semplici ma eleganti incisioni realizzate su sovrapposti Beretta.

Simple yet elegant engravings on Beretta over and under shotguns.

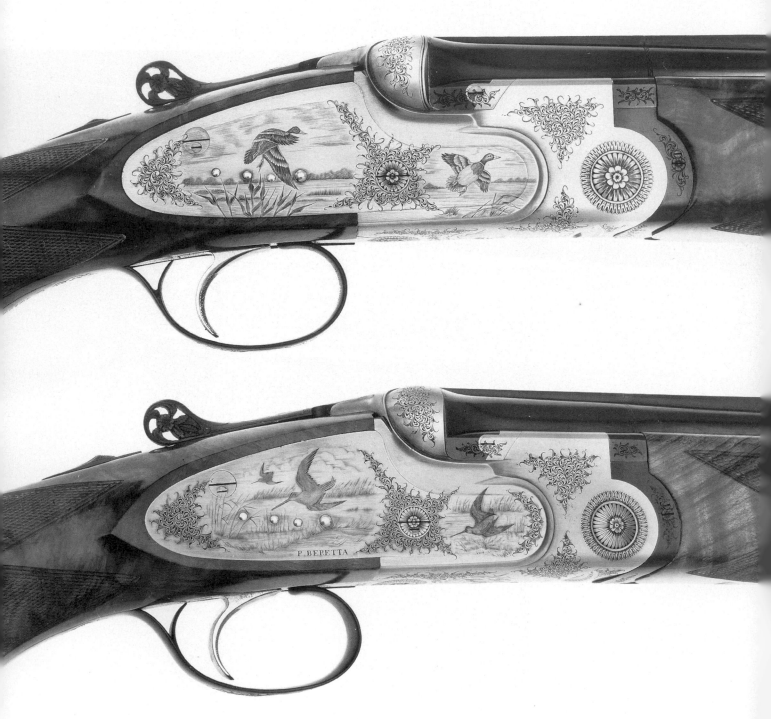

271

prima dell'inizio del lavoro) è subito evidente che il primo è tutto teso a smorzare i contrasti e ad uniformare i toni mentre il secondo punta proprio sul contrasto esasperato per ottenere l'effetto voluto. Il primo l'ottiene con pochi colpi (pochi relativamente) mentre il secondo insiste normalmente di più sui dettagli. Risultato: entrambi raggiungono per vie diverse un livello mai prima raggiunto nell'incisione su armi sportive. Ci sono arrivati per vie completamente diverse e con la personale e costante applicazione, sperimentazione, non prive di insuccessi, e con il continuo rimasticamento di quanto già appreso e delle esperienze artistiche ormai acquisite, sempre tesi ad allargare le loro possibilità. Il tutto sorretto da una grande passione l'arte.

Tuttora sono orientati verso la ricerca di qualcosa di meglio e di nuovo e la parola fine non è stata detta anche se quello che ormai hanno realizzato non sarà facile da superare ma resterà, come pietra di paragone, per coloro che in futuro, speriamolo, si dedicheranno a questa arte con il necessario amore e con l'altrettanta necessaria umiltà oltre ovviamente all'indispensabile bagaglio di doti naturali senza delle quali ci saranno dei limiti invalicabili. Abbiamo fatto questi due nomi perché la loro opera li pone immediatamente in primo piano senza per questo voler fare graduatorie o paragoni antipatici. In Italia abbiamo molti altri bravi incisori anche se non tutti, nel momento della maturità artistica, hanno avuto la possibilità di cimentarsi in opere che li impegnassero al massimo.

They both hit their goal in a totally different way, dedicating themselves to continuous experimentation and continuous repetition of research, always going for their optimim.

All these sacrifices are of course motivated by a great enthusiasm for this art. They are always striving for even better results, trying to find new artistic expressions. Their work will always remain as a basis of comparison for those who hopefully shall devote themselves to this art with their same love, humbleness and talent. We mentioned these two artists at the top of the list without meaning to belittle others who are equally talented.

There are other fine artists in Italy, although not all of them had the same opportunity to express their talent in their maturity, and not all of them had the same opportunity of executing important jobs.

Sovrapposto, doppietta, express della James Purdey e Sons. (Londra) di attuale costruzione.

Over and under, side by side and express from James Purdey and Sons. LTD - London. Actual production.

TAVOLA I/PLATE I

Drilling della Sauer e Sons (Germany).

Gun maker: Sauer e Sons (Germany).
Model: Drilling 3000 Lux.

Doppietta ed express
di Auguste Francotte (Belgio)
di attuale produzione.

Auguste Francotte (Belgium)
side by side and express.
Actual production.

TAVOLA II/PLATE II

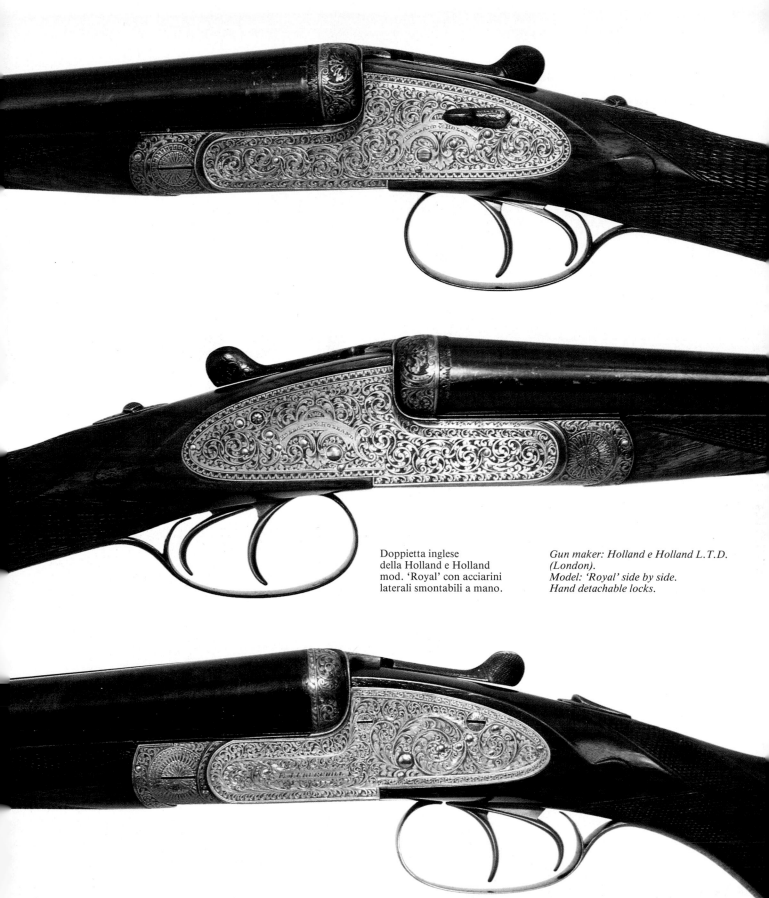

Doppietta inglese
della Holland e Holland
mod. 'Royal' con acciarini
laterali smontabili a mano.

*Gun maker: Holland e Holland L.T.D.
(London).
Model: 'Royal' side by side.
Hand detachable locks.*

Doppietta inglese di E.J.
Churchill con acciarini laterali.

*Gun maker: E.J. Churchill (London).
Model: Premier XXV. Side by side.*

Tavola III/Plate III

Sovrapposto e doppiette
di attuale produzione
della "Lebeau - Courally" -
Liegi (Belgio).

*Gun maker: 'Lebeau-Courally' -
Liege (Belgium).
Models: Over and under, side
by side.*

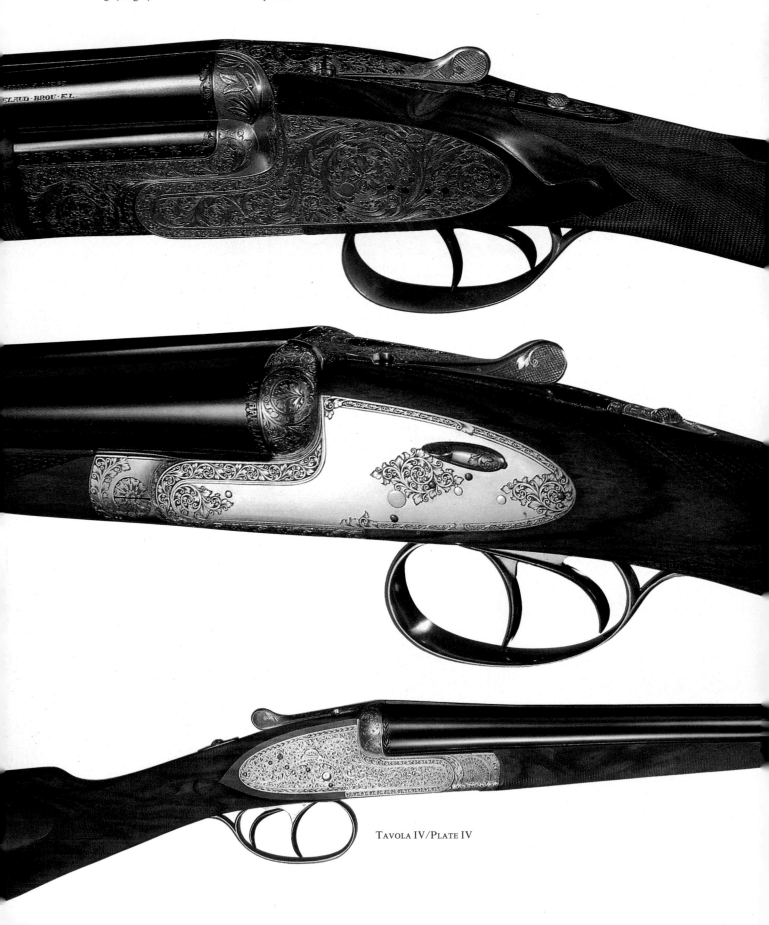

Tavola IV/Plate IV

Sovrapposto Beretta SO6 EELL.
Con animali rimessi in oro ed ornato.

Gun maker: Pietro Beretta S.p.A.
Gardone V.T. (Italy).
Model: over and under SO6 EELL.
Custom engravings.

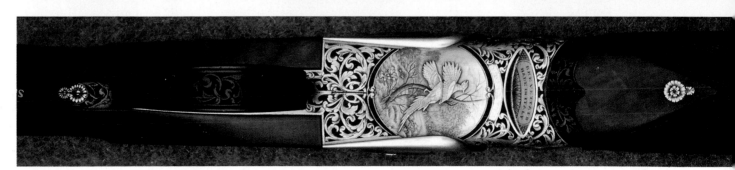

TAVOLA V/PLATE V

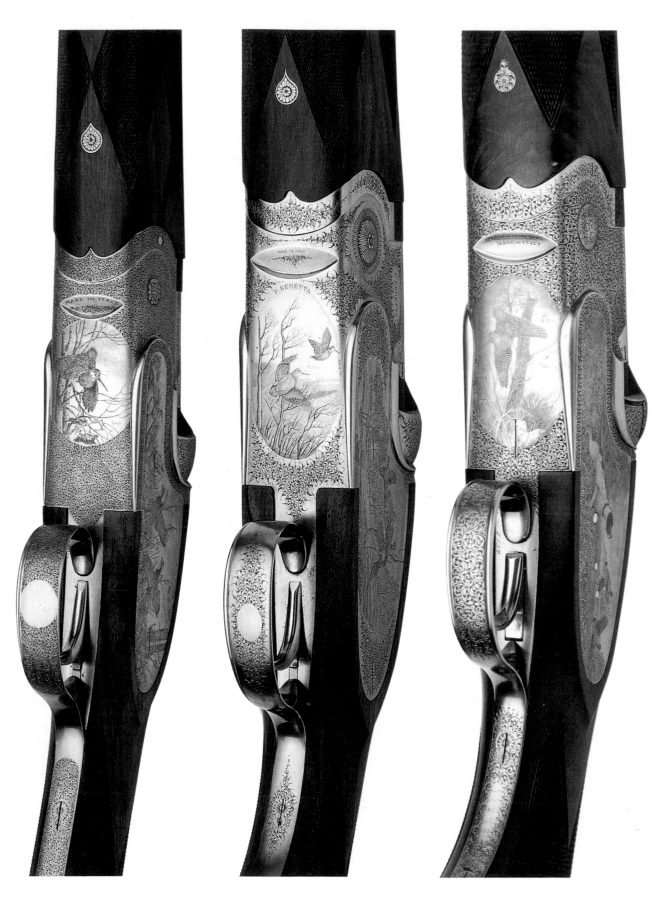

Tavola VI/Plate VI

Sovrapposti Beretta SO9.
Incisioni con beccacce in ovale
contornate da inglesina.

Gun maker: Pietro Beretta S.p.A.
Gardone V.T. (Italy).
Models: Over and under SO9 -
Custom engravings.

Sovrapposti Beretta.
Il primo in alto è il modello SO6
finito a semplice tempera tartaruga.
Gli altri due sono SO9.

Gun maker: Pietro Beretta
S.p.A. - Gardone V.T. (Italy).
Model: First SO6. Second and
third SO9. Custom engravings.

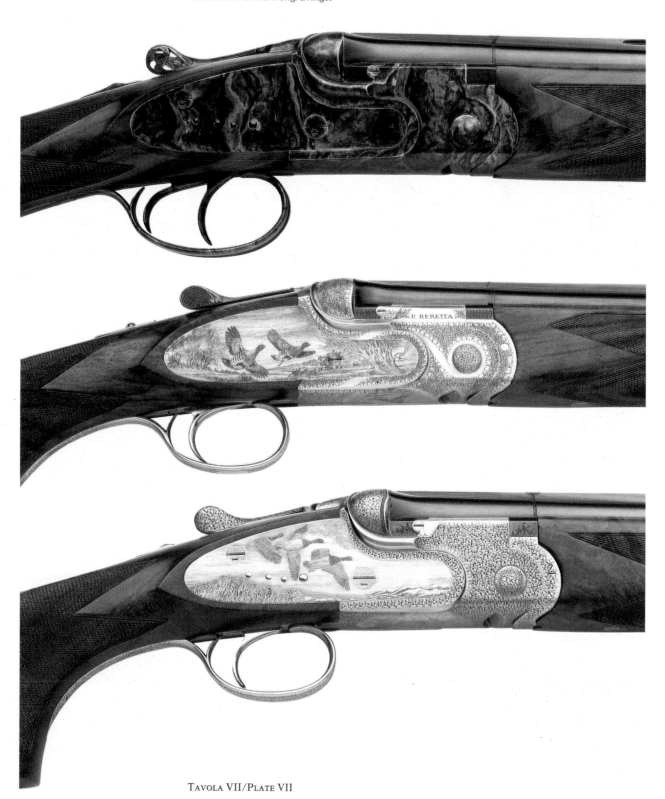

TAVOLA VII/PLATE VII

Sovrapposti Beretta SO9.
Incisioni su richiesa.

Gun maker: Pietro Beretta S.p.A.
Gardone V.T. (Italy),
Models: SO9 over and under.
Custom engravings.

Express Beretta 455 EELL
di grosso calibro.

Gun maker: Pietro Beretta S.p.A.
Gardone V.T. (Italy).
Model: 455 EELL.
Big bore double express.

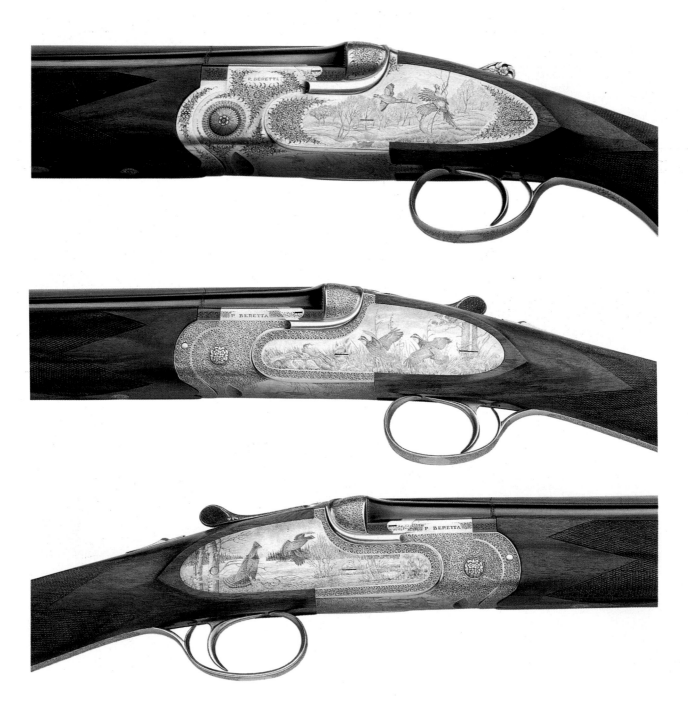

Tavola VIII/Plate VIII

Sovrapposti Beretta SO9
con incisioni a scena di caccia
contornate da inglesina fine.

Gun maker: Pietro Beretta S.p.A.
Gardone V.T. (Italy).
Models: Over and under SO9.
Custom engravings.

Tavola IX/Plate IX

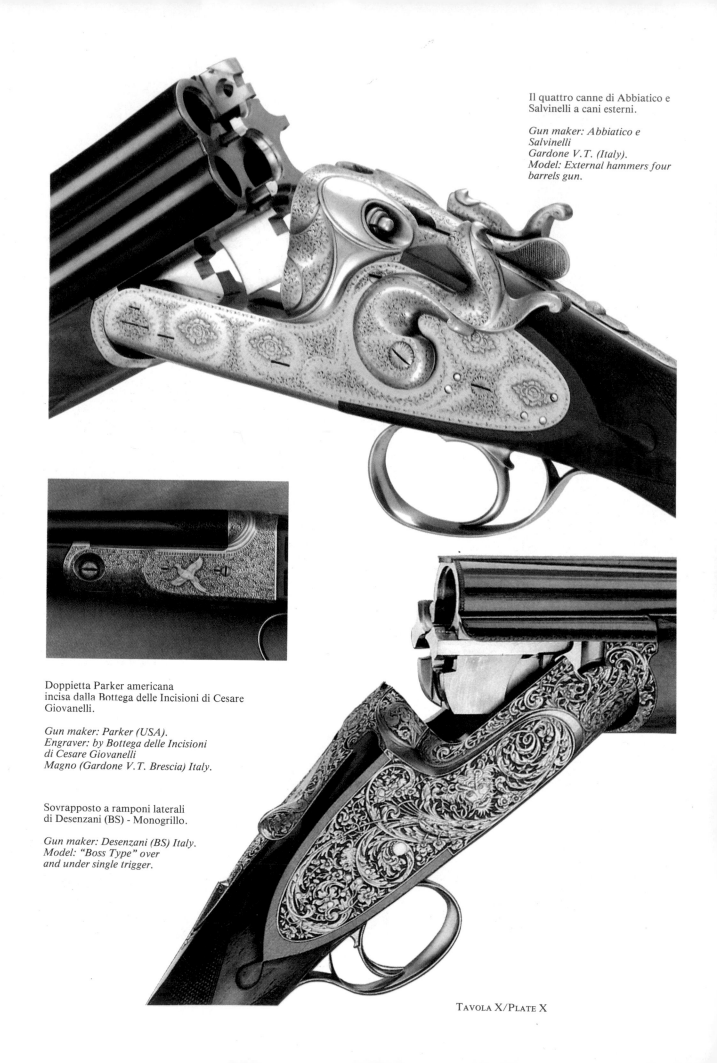

Il quattro canne di Abbiatico e Salvinelli a cani esterni.

Gun maker: Abbiatico e Salvinelli Gardone V.T. (Italy). Model: External hammers four barrels gun.

Doppietta Parker americana incisa dalla Bottega delle Incisioni di Cesare Giovanelli.

Gun maker: Parker (USA). Engraver: by Bottega delle Incisioni di Cesare Giovanelli Magno (Gardone V.T. Brescia) Italy.

Sovrapposto a ramponi laterali di Desenzani (BS) - Monogrillo.

Gun maker: Desenzani (BS) Italy. Model: "Boss Type" over and under single trigger.

Tavola X/Plate X

Express Renato Gamba cal. 458
W.M. Mod. Maxim '2'.
Incisore: M. Torcoli.

Gun maker: Renato Gamba.
Model: Express Maxim '2' cal.
458 W.M. Engraver: M. Torcoli.

Sovrapposto cal. 12 'S.A.B.'
Renato Gamba Mod. Daytona
'Cristoforo Colombo' (1492-1992).
Inciso da Angelo Galeazzi.

Gun maker: S.A.B. - Renato Gamba.
Model: Daytona 'Cristopher
Columbus' (1492- 1992) over e
under cal. 12.
Engraver: Angelo Galeazzi.

TAVOLA XII/PLATE XII

Doppietta 'Imperiale Montecarlo'
della Luigi Franchi S.p.A.
di Brescia in esecuzione
'K5' incisa da F. Medici.

Gun maker: Luigi Franchi S.p.A.
(BS) - Italy
Engraver: F. Medici.
Model: Side by side 'Imperiale
Montecarlo' K5.

Doppietta a serpentina laterale
di Desenzani (BS).
Incisione di Angelo Galeazzi.

Gun maker: Desenzani (BS)
Italy.
Engraver: Angelo Galeazzi.

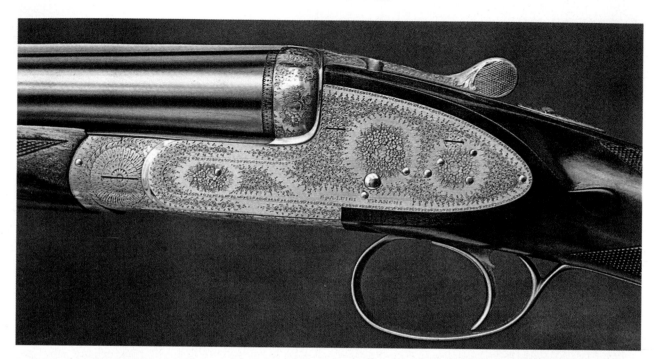

Tavola XII/Plate XII

Sovrapposto 'Tipo Boss' di
Luciano Bosis di Travagliato (BS).
Incisioni di G. Pedretti.

Gun maker: Luciano Bosis.
Travagliato (BS) - Italy.
Models: "Boss Type" over and
under.
Engraver: Giancarlo Pedretti.

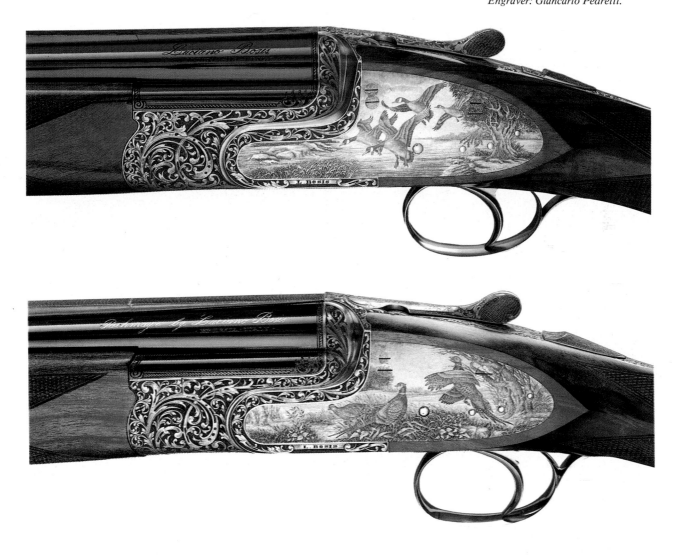

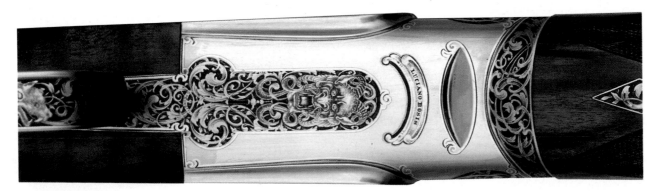

TAVOLA XIII/PLATE XIII

Sovrapposto Perazzi 'Extra Gold'.
Incisione di Peli (Creative Art).

Gun maker: Perazzi (Italy).
Model: 'Extra Gold' over and under.
Engraver: Peli (Creative Art.).
Marcheno (BS) - Italy.

Sovrapposti di Ivo Fabbri (BS).
L'ultimo in basso è stato inciso
da F. Medici e Badillini (inglesina).

Gun maker: Ivo Fabbri - Brescia (Italy).
Model: side lock over and under.
Engravers: (only the bottom).
F. Medici - Badillini (English scrolls).

TAVOLA XIV/PLATE XIV

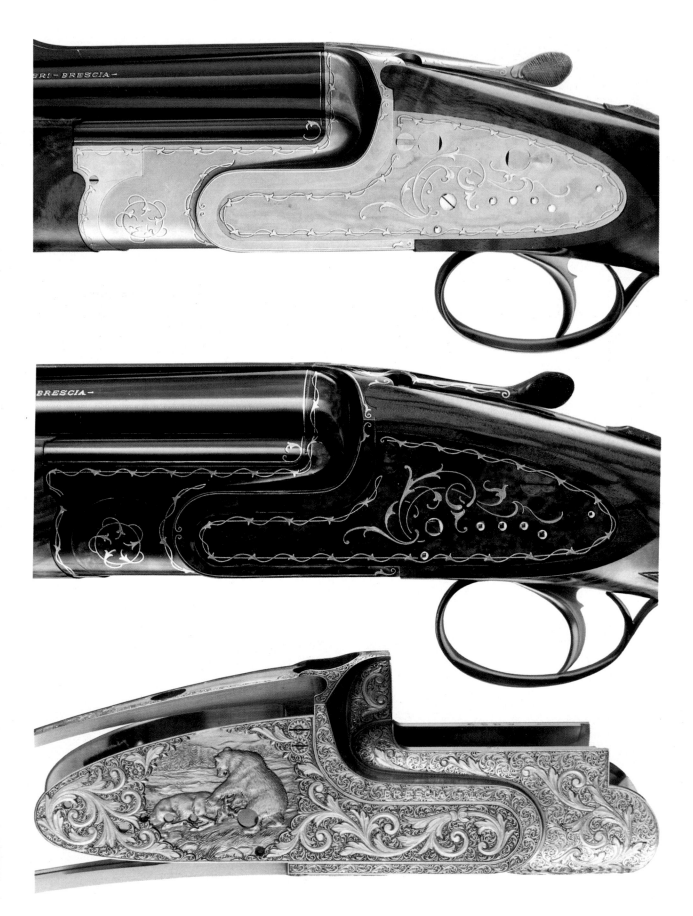

Tavola XV/Plate XV

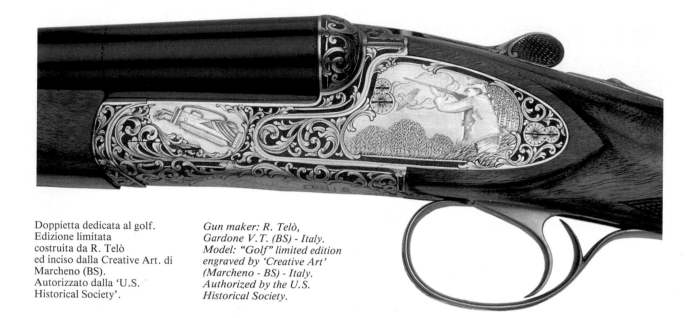

Doppietta dedicata al golf.
Edizione limitata
costruita da R. Telò
ed inciso dalla Creative Art. di
Marcheno (BS).
Autorizzato dalla 'U.S.
Historical Society'.

Gun maker: R. Telò,
Gardone V.T. (BS) - Italy.
Model: "Golf" limited edition
engraved by 'Creative Art'
(Marcheno - BS) - Italy.
Authorized by the U.S.
Historical Society.

 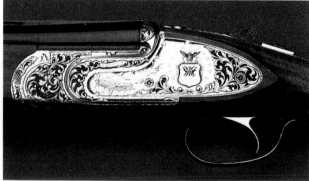

Sovrapporto dei F.lli Bertuzzi.
dedicato al generale americano
Charles E. Yeager.
Autorizzato dalla 'U.S.
Historical Society'
Edizione limitata.

Gun maker: F.lli Bertuzzi.
Gardone V.T. (Italy).
Model: limited edition brigadier
generale Charles E. "Chuck" Yeager.
Authorized by the U.S.
Historical Society.

Come nasce una incisione

Per le incisioni minori o di media qualità è chiaro che ogni fabbricante di armi ha ormai una sua linea con modelli, illustrati in catalogo, che prevedono esattamente come l'incisione dovrà essere fatta.

Per le incisioni invece di maggiore impegno la gestazione è molto più laboriosa.

L'idea generale può venire data addirittura dal cliente ma è poi il fabbricante e soprattutto l'incisore che devono fare il lavoro di adattamento e di concretizzazione dell'idea.

Si comincia infatti con la ricerca di materiale adatto, l'effettuazione di alcuni disegni di prova per individuare la posizione migliore, l'adattamento della scena e del motivo ornamentale in funzione delle superfici disponibili tenendo conto della loro forma irregolare e dei vari perni e viti e parti staccate che vi ritroviamo.

Talvolta si esegue addirittura una vera e propria progettazione in scala più grande: quello che si chiama "lo studio".

Particolare cura deve essere posta nell'ideazione di scene (sia di caccia che di battaglie).

Pur tenendo conto della particolare ed asimmetrica disposizione delle superfici da lavorare, l'incisione dovrà risultare bilanciata ed in ogni caso far risaltare e non mortificare la bellezza delle linee e delle curve d'acciaio dell'arma.

Specialmente nella scelta delle battaglie bisogna già prevedere quale potrà essere il risultato una volta eseguita l'incisione sull'acciaio. Vedendo una scena a colori si può ritenerla valida ma non bisogna dimenticare che poi i

Engraving realization

For minor engravings or medium quality engravings, all gun makers have their own catalogues which are illustrated with the different variety of engravings they offer. When dealing with major engravings, their preparation is far more complex.

At times, it is the purchaser who brings his own ideas to the gun maker, but in any case there must be cooperation between the gun maker and the engraver in order to give the proper suggestions to the purchaser.

First of all, the material to be employed must be selected.

Then some drawings are submitted to the purchaser in order to decide their positioning on the gun.

The final decision is made by taking into account all the different scenes and ornamental patterns which shall be engraved onto the gun.

Gun surface is irregular, if we consider all the pins and screws involved.

At times such proposals are executed in a larger scale, so that the purchaser may see all the details; this is called "the study".

Special care must be given to hunting or battle scened.

Although the gun surface is asymmetrical, all this must be taken into consideration in order to enhance the beauty of the lines and curves of steel.

Should a battle scene be chosen, one must consider the final engraving result and its effect on the finished gun.

Although a scene may be very attractive in colours, one must not forget that the final engraving on steel shall be in black, various

Incisione di M. Statnik su
sovrapposto Beretta SO3EELL.

*Engravings by the in-house
department of Beretta on a
SO3EELL over and under shotgun.*

Leopardo rimesso in oro inciso
da G. Pedretti.

*Gold inlaid leopard engraved by
G. Pedretti.*

Spesso una incisione nasce da uno studio di disegni. Questo è stato realizzato da G. Steduto (Creative Art) per commemorare i 500 anni dalla scoperta dell'America col viaggio di C. Colombo.

Engravings very often arise from a study in drawings. This one has been realized by G. Steduto (Creative Art) in order to commemorate 500 years of the discovery of America by C. Columbus.

Incisione di Stefano Pedretti.

Engraver: Stefano Pedretti.

1492-1992

275

colori ottenibili nell'acciaio saranno il nero, i vari grigi ed il bianco. La scelta deve poi cadere su scene con corpi umani o di animali in posizioni che diano l'idea del movimento, della vigoria. L'esecuzione in posizione statica, ancorché ottima, non soddisfa completamente. La scena dovrà poi avere un senso di compiutezza e possibilmente un riferimento storico ben preciso. Naturalmente vengono eseguite figurazioni di pura fantasia le quali non devono tuttavia esulare da questi canoni fondamentali.

Prospettive

Fino a qualche anno fa l'incisione su armi sportive era andata perdendo di mordente e, salvo qualche esecuzione richiesta magari specificamente dal cliente per qualcosa di particolare, non si andava più in là di lavori che, seppure sicuramente validi, chiamerei "di routine".
L'essere riusciti a smuovere le acque (e si è visto che, raggiunti certi risultati, diciamo pure "successi", aumentava l'interesse dei potenziali acquirenti italiani ed esteri che a loro volta contribuivano ad accrescere l'entusiasmo degli esecutori come in una propulsione a catena) è stato, mi sembra, importante.
Ora il problema è di mantenere e ravvivare questo entusiasmo ma soprattutto è di trovare guardando un poco avanti, gli eredi degli attuali incisori. In effetti è successo che, da quasi un decennio, sono pochi i giovani che si sono accostati a questa arte con la seria intenzione di percorrere la lunga strada che porta ad esecuzioni di un certo rilievo. Se non troviamo giovani che

shades of grey, and white. Wnem deciding upon human or animal characters, one must not forget that these subjects must never be in a static position but rather in a dynamic one.
Static positions are not very satisfactory.
The whole scene should have a sense of completeness to it, and possibly an exact historic reference.
At times, of course, imaginary subjects may be chosen, and in this case too, they should follow the overmentioned qualities.

Perspectives

Up to a few years ago, engravings on sporting guns had lost their verve, except for a few engravings which were specifically requested by the purchasers who wanted a particularly fine piece of work - otherwise, engravings were quite of a routine order.
Somehow, a certain amount of renewed enthusiasm was again activated and arose the interest of Italian and foreign purchasers, who started purchasing sporting guns again.
The problem now is to keep this newly acquired enthusiasm alive, and especially to awake the enthusiasm of today's engravers' successors.
Unfortunately, during this past decade, very few artists devoted themselves to this art acquiring the skills of their masters.
If such devoted young men will not be found, there is a possibility that this art might get lost.
We should mention the School of Cesare Giovanelli of Magno (Gardone V.T.) which has

Pernici rosse e starne sono soggetti molto richiesti su armi da caccia.
Lavoro di G. Pedersoli su doppiette F.lli Piotti.

Partridges and Greek partridges are very demanded subjects on hunting guns. Work by G. Pedersoli on F.lli Piotti side by side shotguns.

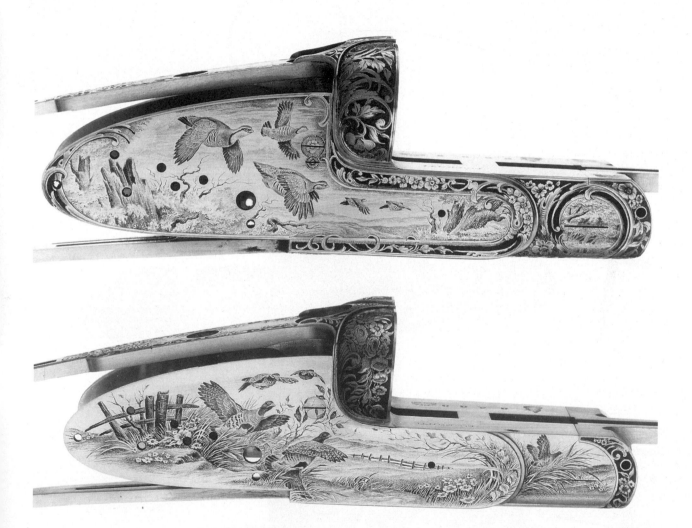

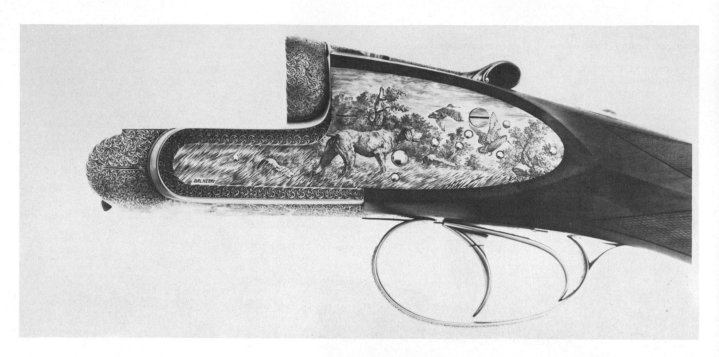

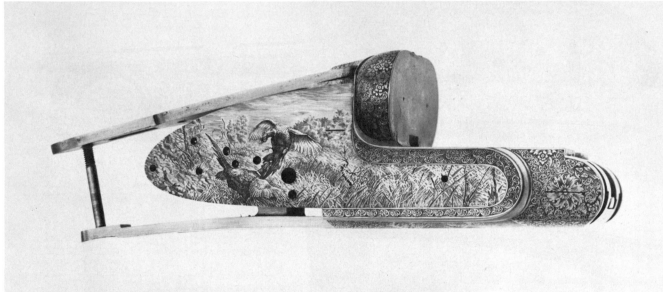

Variante su anatre in palude. Doppietta Antonio Zoli Vulcano Record Extra Lusso.

278

Sopra e sotto, incisioni a scene di caccia eseguite da Balneari su doppietta dei F.lli Piotti.

Above and below. Hunting scenes by Balneari on a F.lli Piotti side by side shotgun.

Anche gli acquatici e l'ambiente palustre vengono sovente raffigurati sui fucili da caccia. Incisore: G. Pedersoli. Costruttore: F.lli Piotti.

Aquatics and marshlands are often portrayed on hunting shotguns. Engraver: G. Pedersoli. Gun Maker: F.lli Piotti.

Variante su anatre in palude. Doppietta Antonio Zoli Vulcano Record Extra Lusso.

Mallards in a marsh. Side by side shotgun by Antonio Zoli Vulcano. Record Extra Lusso.

Incisione di Firmo Fracassi.

Engraver: Firmo Fracassi.

279

intendono prendere questa strada, la stessa andrà scomparendo per via naturale. Occorre citare a questo proposito la scuola di Cesare Giovanelli di Magno (Gardone V.T.) che realizza corsi per giovani incisori.

Del resto il fenomeno, preoccupante, è comune anche alle altre specializzazioni artigiane armaiole come mi sembra sia comune a tutte le attività artigianali che richiedono un lungo tirocinio.

L'evolversi della situazione sociale e qualche iniziativa presa in loco potranno, speriamolo vivamente, invertire questa tendenza.

Tradizionalmente gli incisori sono diventati tali crescendo vicino alla classica figura del Maestro che pure sta scomparendo. Per i futuri incisori sarebbe auspicabile che, prima di iniziare ad apprendere la specifica tecnica dell'incisione su armi, frequentassero una Scuola d'Arte in modo da affrontare questa specializzazione già con un bagaglio di cultura artistica e con nozioni di tecnica di incisione in generale, non limitata quindi a quella dell'incisione su armi.

Oppure il tutto potrebbe avvenire contemporaneamente. In entrambi i casi i futuri artisti, a parità di doti naturali e di volontà, potrebbero arrivare prima e più in alto che con il sistema tradizionale.

Sarà anche interessante vedere nei prossimi anni se l'incisione su armi sportive saprà trovare altra forma di espressione con tecniche, soggetti ed idee nuove. Ammesso che ciò sia possibile ed augurabile. Vediamo ora chi sono i Maestri incisori tutt'ora operanti. Già Abbiatico ha citato nel suo articolo due capiscuola come Fracassi e Galeazzi; il primo ha

courses for young engravers. Unfortunately, this phenomenon is present in almost every craftsman specialization, such as for gunsmiths.

They too, must face a very long apprenticeship. Progress in local situations and local promotion could possibly invert this sad tendency.

In the past, engravers developped their skills while working for their Master, but this figure too, is now disappearing.

For future engravers it would be adviseable to have them study in an Art Academy, so as to be able to face engraving with a certain artistic and cultural background. The actual study of art and engraving at the same time would be ideal.

In any case, future engravers could reach their goal even quicker than through the old traditional system if they start with the same talent and will.

It will be interesting to see whether sporting shotgun engravings shall find new forms of expression and new technologies in the future years, hoping this possibility shall still exists.

let us now see who the present Master Engravers are.

We already mentioned Abbatico, who mentioned two founders in his article: Fracassi and Galeazzi. Fracassi developed the dot technique, while Galeazzi is more traditional in his work.

They both have a very well-developed imagination, and they both are excellent engravers.

Some of our national masterpieces bear their signature. To these two artists we should add Medici, who has a

Caccia nel bosco col cane.
Notare la ricchezza dei
particolari. Incisione di G.
Pedersoli su doppiette dei F.lli
Piotti.

Hunting in the wood with dog.
Note the richness in details.
Engraving by G. Pedersoli on
F.lli Piotti side by side shotguns.

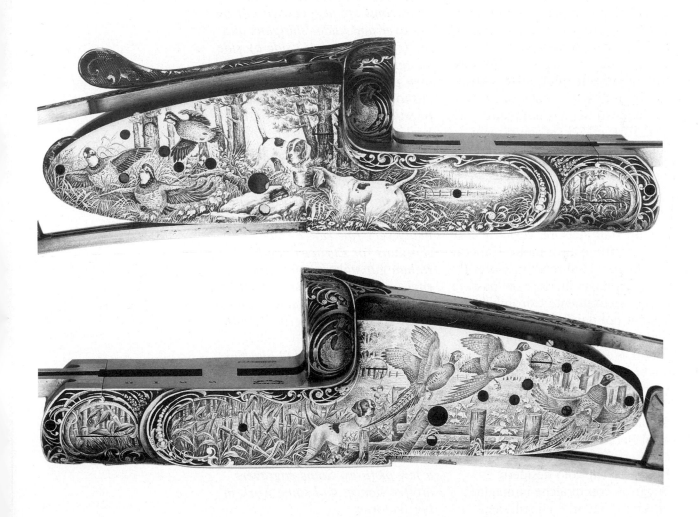

281

sviluppato un sistema di incisione a punti ed il secondo quello più tradizionale delle linee. Ambedue sono molto fantasiosi, bravissimi disegnatori ed hanno firmato fra le armi più prestigiose prodotte in Italia. Ma a loro occorre aggiungerne altri come Medici, dal tocco raffinato che ha lavorato molto su doppiette Franchi Imperiale Montecarlo ma anche per tantissimi altri costruttori. Quindi Timpini per numerosi anni è stato il coordinatore del reparto incisori della Beretta, che comprende una trentina di persone tutte altamente qualificate. Oltre alle armi di serie si incidono i sovrapposti SO e le doppiette 451EELL e 452, sia con disegni standard che a soggetto richiesto dal cliente. Ogni incisore firma il proprio lavoro. Mentre questo è ora una pratica quasi d'obbligo, un tempo erano poche le armi firmate dall'incisore, cosicché ci si può imbattere armi molto fini non riuscendo a risalire all'incisore. Il più prestigioso incisore del passato è stato sicuramente Corombelle, seguito poi dai figli che hanno realizzato moltissime doppiette fini di produzione europea ma anche italiana, come alcuni sovrapposti Beretta, doppiette Zanotti e Toschi. Da citare pure Slatnick, che ha introdotto sulle armi Beretta degli ornati originali ed interessanti.

In questo capitolo desidero integrare con qualche immagine ulteriore i lavori e gli stili degli incisori nostrani, sia che questi lavorino all'interno delle maggiori Aziende sia all'esterno come liberi professionisti. Andando avanti con i nomi occorre citare Pedersoli Gianfranco, Iora (scomparso), Galeazzi Fausto, Giovanelli Attilio e Cesare, Bonomi e

very refined touch and who worked on Franchi Imperiale Montecarlo side by side shotguns, and for other prominent gun makers.
Timpini has been the coordinator of the Beretta factory engraving division for many years.
Beretta's engraving division included a group of very qualified engravers. Beside mass produced shotguns, standard and custom engravings are also carried out on SO over and under shotguns and on 451EELL and 452 side by side shotguns. each engraver signs his own piece of work.
Although this is quite a usual practice today, it was not in the past, therefore one could find a very fine old gun without having the possibility of knowing who engraved it. The finest engraver of the past is surely Corombelle and his sons. They engraved many very fine side by side shotguns for European and Italian gunmakers. They also engraved some over and under shotguns for Beretta and some side by side shotguns for Zanotti and Toschi.
We should also mention Slatnick, who introduced some very interesting ornamental patterns on Beretta guns.
In this chapter I would also like to integrate the works of our national engravers with the aid of a few pictures. Some engravers are free-lance, and some work in big factories.
Among the various artists we shall quote Gianfranco Pedersoli, Iora, Fausto Galeazzi, Attilio and cesare Giovanelli, Bonomi and Bergoli. And also Cremini, Fabbrizioli, Lancelotti, Guerini, Lancini, Pasolini, Patelli, Aldo Rizzini, Sabatti, Revera,

Coppia di Pointer in ferma con
contorno di inglesina.
Incisore: Peli (Creative Art).

*Setting pointers with English
scroll contour.
Engraver: Peli (Creative Art).*

283

Disegno di Daniele Cortini della Bottega Incisioni di Cesare Giovanelli.

Drawing by Daniele Cortini - Bottega Incisioni of Cesare Giovanelli.

Disegno di Elena Gassi della Bottega Incisioni di Cesare Giovanelli.

Drawing by Elena Gassi - Bottega Incisioni of Cesare Giovanelli.

286

Sovrapposto F.lli Bertuzzi
commemorativo di C. Colombo
inciso dalla Creative Art.

Gun Maker: F.lli Bertuzzi
Engraver: Creative Art.

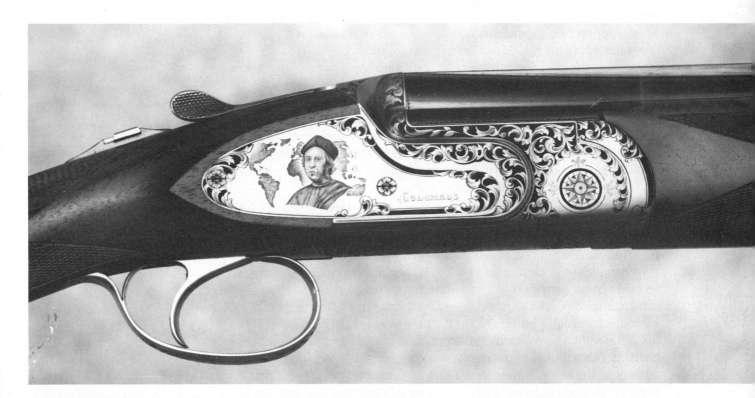

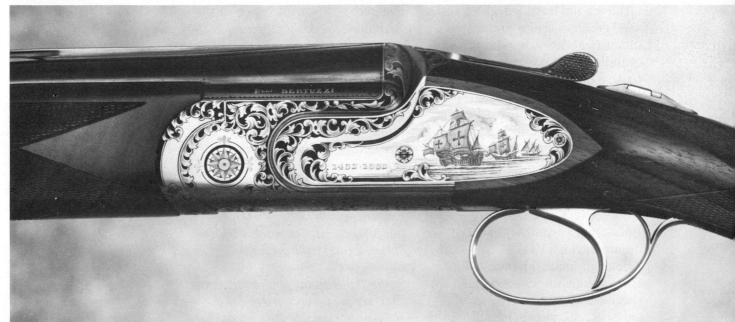

Bregoli. Quindi Cremini, Fabbrizioli, Lancelotti, Guerini, Lancini, Pasolini, Patelli, Rizzini Aldo, Sabatti, Revera, Severin, Piotti Amore, Gamba Arturo, Bernardelli Pietro, Bolis, Campana, Torcoli, Zanetti Venanzio, Zanelli Adelina e tanti altri.

Mi perdoneranno gli incisori non citati ma come ho già detto il lettore che desideri approfondire questo aspetto potrà trovare nel mio libro sulle incisioni ampia documentazione.

Fra gli incisori più giovani ma già molto affermati vanno citati i partecipanti della "Creative Art" di Marcheno (BS) che sono: Fausti Giacomo, Peli Valerio, Talenti Ugo, Steduto Giovanni e Piardi Armando.

Le armi vengono incise prima di essere mandate ai trattamenti termici, come tempra o cementazione poiché logicamente l'acciaio è più lavorabile. Occorre far notare che una volta incisa la bascula e sottoposta ai trattamenti termici la stessa incisione viene a perdere un poco della propria nitidezza nei tratti e degli spigoli vivi. Questa perdita può essere quantificabile intorno ad un quindici/venti per cento, d'altra parte è questo un fenomeno che non si può evitare. Esistono pure degli incisori esteri famosi anche se come ho già detto la scuola italiana è attualmente la più quotata a livello internazionale. Fra gli incisoli stranieri occorre citare Winston Churchill, Guy Coheleach, Ken C. Hunt, Eric Boessler, Lynton McKenzie ed innumerevoli altri.

Anche gli incisori hanno le loro specializzazioni, ci sono quelli specializzati nelle inglesine, altri nei paesaggi, altri nel cesello, altri

Severin, Amore Piotti, Arturo Gamba, Pietro bernardelli, Bolis, Campana, Torcoli, Venanzio Zanetti, Adelina Zanelli, and many others.

The unmentioned engravers should pardon me, but should the reader be interested in more detailed information, he should consult my book on engravings.

Among the younger engravers already in carreer, the ones belonging to the "Creative Art" group should be mentioned: Giacomo Fausti, Valerio Peli, Ugo Talenti, Giovanni Steduto and Armando Piardi.

Guns are engraved before they are sent out for thermic treatments because steel is much more pliable at that stage.

Once the engraving is done, it loses some of its clearness during thermic treatment; especially in the corners and edges.

One could say that engravings lose, in this way, approximately 20% of their clearness, but this is to be expected and cannot be avoided.

Although the Italian School is the most prominent today, there are many foreign schools.

Among foreign engravers we shall mention WinstonChurchill, Guy Coheleach, Ken C. Hunt, Eric Boessler, Lynton McKenzie, and many others.

Each engraver has his own speciality - some are specialized in English scrolls, others orefer landscapes, others work with the chisel, others still prefer inlay-work.

Some "all-round" engravers, but they are just a minority.

It is quite possible to

Incisione su coltelli raffiguranti i 'Big Five' africani. Lavoro della 'Creative Art'.

Knife engravings portraying Africa's 'Big Five'. Work by 'Creative Art'.

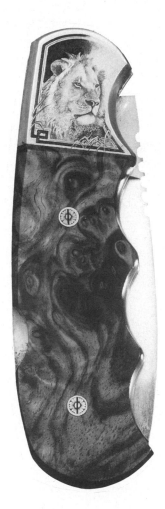

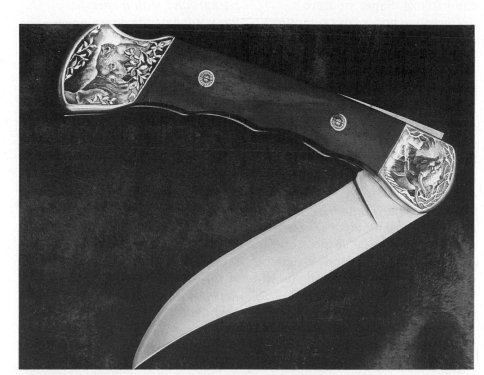

nei rimessi e così via. Ci sono anche quelli che sono bravi in tutto, ma sono la minoranza. Quindi non è escluso che intorno ad una incisione ci possano aver lavorato due o più incisori, ciascuno per la propria parte di competenza. Saper valutare un'incisione non è cosa semplice né cosa da tutti, occorre avere una preparazione sia artistica in senso generale che più specifica delle tecniche di incisione.

Il profano si sofferma sull'immagine o su una figura senza entrare nei dettagli, mentre l'esperto deve guardare a tutte e due le cose: vedere il lavoro d'insieme e vedere i particolari, la sicurezza della "mano" dell'incisore, il modo di condurre ed affilare l'utensile, le incertezze e gli errori sempre possibili e spesso mimetizzati. Quindi esistono molti livelli di incisioni, così come esistono molti livelli di prezzi delle incisioni. Certamente molta dipende dal "nome" e dall'immagine che l'incisore ha in un determinato periodo (fattore legato anche alla moda) ma in genere sui più bravi sono quasi tutti d'accordo. Occorre poi suddividere i gusti personali dalle capacità tecniche di incisione. Ad esempio le incisioni austriache e tedesche sono a volte troppo pesanti per il nostro gusto però da un punto di vista tenico sono valide.

find engravings carried out by a "pool" of engravers, each one for his own specialization.

The evaluation of an engraving is not a simple matter - one requires a particular artistic background with a specific knowledge of the engraving technique.

Profane observers only look at the finished scene, and do not get into detail.

Experts, on the other hand, observe both aspects: they observe the finished product, they study the details, they keep the artist's skill and the technique used into account, they control any possible error and how it has been camouflaged.

Thus there are various engraving levels and various price levels.

A lot, of course, depends on the name and fame the artist has over a certain period, because fashion is also one of the aspects to be considered.

Best engravers are definitely universally recognized.

One should actually divide personal taste from the technical engraving skills.

For example: Austrian and German engravings are usually too heavy-handed for our taste, but they are valid under a technical point of view.

Simpatico ornato elegante su coltello. Incisione realizzata dalla 'Creative Art'.

Elegant ornamental pattern on a knife.
Engraving by 'Creative Art'.

Cinghiale e capriolo incisi su coltello da C. Cremini.

Boar and roe engraved on a knife by Firmo Fracassi.

291

Altri animali africani incisi su
coltelli da Firmo Fracassi.

*Other African animals engraved
on knives by Firmo Fracassi.*

Ingrandimento di incisione di Firmo Fracassi su coltello. Fracassi incide con la tecnica del punto, a bulino, con estrema cura dei dettagli. Un vero capolavoro della moderna incisione.

Enlargement of a knife engraving by Firmo Fracassi. Fracassi engraves by means of the dot technique by hand-graver, with a great care in details. A true masterpiece of modern engraving.

293

Calcografia da incisione su piastra di G. Pedersoli.

Copper-plate engraving print by G. Pedersoli.

Calcografia da incisione su piastra. Bottega Incisioni di C. Giovanelli.

Copper-plate engraving print. Bottega Incisione of C. Giovanelli.

Gli accessori

The accessories

L'arma di classe abbisogna di accessori di classe. O comunque di accessori utili per un'adeguata manutenzione, per dispensarle le cure necessarie ad una perfetta conservazione nel tempo.
Di solito i fucili realizzati con materiali ottimi già di per sé hanno vita più duratura rispetto ad armi dozzinali, però questo non deve dispensare il possessore da una periodica manutenzione. Soprattutto se le armi vengono usate anche a caccia o al tiro. Ma è giusto usare armi di valore per battute di caccia o è preferibile tenerle in rastrelliera? Le armi si possono senz'altro usare, avendone però una cura ed un'attenzione superiore rispetto ai normali fucili.
Ad esempio se piove conviene non usarle, nel passare fra boschi e ramaglie proteggerle da possibili sfregature. Non usare mai l'arma come bastone di appoggio e non lasciarla cadere o coricarla su terreno roccioso. Cercare di non far prendere colpi alle canne, poiché eventuali ammaccature infliggerebbero una penalizzazione pesante ad un'arma fine.
Quindi se l'arma la si usa con criterio e la si pulisce ogni volta prima di riporla si conserverà nel migliore dei modi, conserverà la propria originalità e non si

A high-class gun requires high-class accessories. In any case, it requires the accessories necessary for its maintenance so that one may find its gun in perfect shape for the future. In general, guns which are made out with good materials have quite a long life as compared to guns made out of second-rate materials. This does not releave the owner from taking good care of it, avoiding maintenance, especially when the gun is used for shooting and hunting purposes.
But is it right to employ guns of value for hunting parties or is it preferrable to keep them in a rifle rack? One can surely use one's good guns for hunting, as long as they are kept in perfect order and they are given a better attention than an ordinary gun. For instance, it is better not to use a fine gun when it is raining, and guns should always be protected against any scratches when walking through the woods and brushwoods. Don't ever use your gun as a walking stick, and be careful not to let it fall. Never load it on a rocky ground. Protect your gun from possible dents and scratches on the barrels, which could seriously damage a fine gun. Therefore, if a gun is used with care and it is polished and cleaned

svaluterà eccessivamente. Ogni tanto può rendersi necessaria qualche opera di rinfresco, come rifare la lucidatura dei legni, magari la brunitura o la pulizia interna delle canne o delle batterie.

Comunque se queste operazioni vengono effettuate da mani competenti contribuiranno a rinnovare l'estetica senza nulla togliere al valore dell'arma. Viceversa si potrebbero rovinare irreversibilmente.

Per il trasporto è necessaria una valigetta di pelle o cuoio che potrà servire anche come custodia perenne. La custodia classica tradizionale inglese è quella in legno di quercia rivestita in pelle e foderata in velluto. Questo dovrebbe essere l'abito "ufficiale" per un fucile fine e dovrebbe accompagnare l'arma per tutta la sua esistenza. Ci sono poi dei kit di pulizia molto fini con bacchette in legni pregiati ed accessori di classe, come cartucce salvapercussori, cacciaviti per eventuali piccoli lavori nonché prodotti per la cura e la manutenzione sia dei legni che delle parti metalliche.

Diverse sono le Aziende specializzate nella costruzione di accessori per armi: la scelta deve essere sempre improntata al massimo gusto per rispettare e valorizzare l'arma fine.

each time after use before replacing it into the rack, it will preserve its own originality and it shall not lose its value.

Every once in a while it should be adjusted by carrying out operations such as the repolishing of the wooden parts, blueing, or the cleaning of the inner part of the barrels.

If these operations are carried out by competent people, the gun shall be renewed without losing its value.

If not, the gun could be irreversably damaged. Gun transportation must be carried out by means of a leather or hide case which could also be used as its usual case. Traditional English cases are made out of oak wood covered in leather and lined in velvet. This should be the gun's official habitat and it should accompany the gun for the rest of its existence. There are some fine cleaning kits containing sticks in precious wood and high-class accessories such as cartridge safe hinge pins, screwdrivers for any possible small adjustments, as well as products for wood and metal part maintenance.

Many are the companies specialized in the production of accessories. The choice must always be subjected to good taste, so as to respect and enhance fine guns.

Per smontare le batterie ed altre viti del fucile occorre munirsi di appositi cacciaviti realizzati appositamente per questi usi. Ecco, nella pagina a fronte, un set dalla Beretta.

In order to disassemble box-locks and gun screws, very special screwdrivers are required for this purpose. On the opposite page. A kit proposed by Beretta.

Esistono Ditte specializzate nella costruzione degli accessori raffinati. Questi oltre che eleganti si rilevano utili e duraturi per la regolare manutenzione dell'arma nel tempo.

There are specialized companies that produce refined accessories. Besides being elegant, they are also useful and necessary for gun maintenance.

Questa ditta inglese realizza kit di accessori per la pulizia di tipo fine nonché cere e polish per il trattamento dei legni dell'arma.

This English Firm produces kits and accessories for fine gun polishing and waxing.

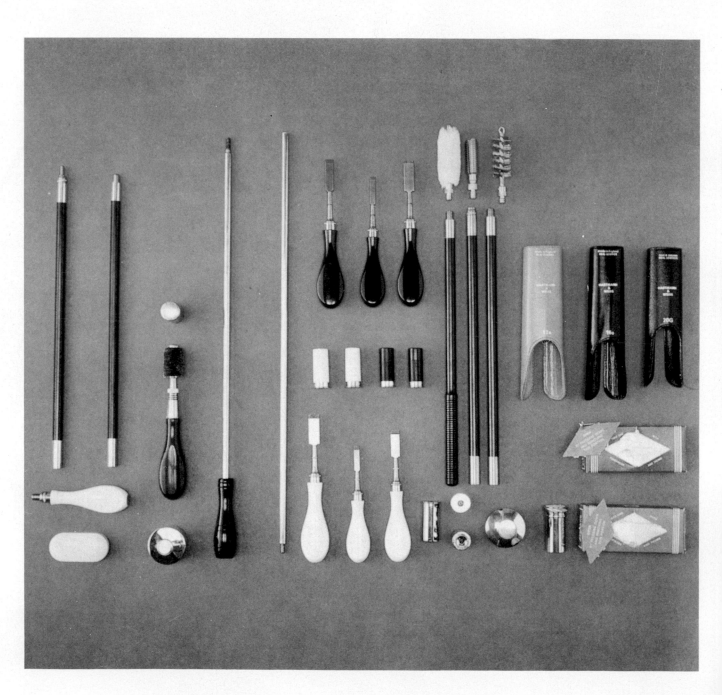

Anche se non molto eleganti le
valigette in ABS sono protettile e
sicure per il trasporto dell'arma.
Alcune sono realizzate in
materiale antincendio e
dispongono delle chiusure a
combinazione.

*Although they are not very
elegant, ABS cases are very
protective and are safe during
gun transport. Some of them are
made out of fireproof materials
and are supplied with
combination locks.*

299

Valigetta appositamente
realizzata dalla Beretta per
contenere un express con i
relativi accessori. Dotato di
canne liscie intercambiabili: il
modo migliore per trasportare e
conservare un'arma di classe.

*A special case produced by
Beretta for an express shotgun
and its accessories. It contains
interexchangeable smooth
barrels. This is the best way to
transport and preserve fine guns.*

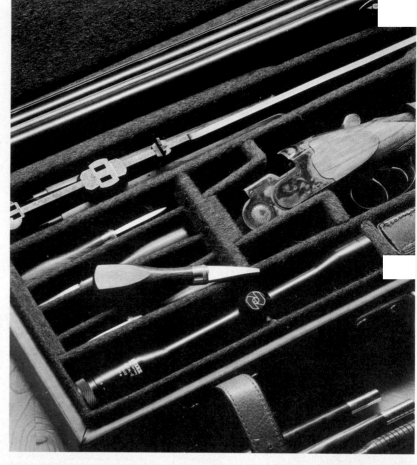

Prodotti per il trattamento dei
legni delle armi proposte dalla C.C.L.

*Some of the products proposed
for gun wood treatment by C.C.L.*

Gli accessori possono essere
contenuti nella valigetta
portafucile oppure conservanti
separatamente.

*The accessories may be
contained inside the shotgun
case or apart.*

Incisioni su coltello di Firmo Fracassi.

Engraver: Firmo Fracassi.

Il fucile usato

Used Guns

Acquistare un fucile usato, soprattutto se di tipo fine e quindi di un certo prezzo, può essere sempre un rischio per chi è completamente digiuno circa la costruzione delle armi. Vedremo ora una serie di accorgimenti per valutare un'arma usata, senza voler insegnare nulla ai già esperti e pur con qualche inevitabile lacuna.

Il primo colpo d'occhio va logicamente alle finiture, partendo dai legni di calcio ed asta e quindi allo stato di brunitura della canne e della pregevolezza delle incisioni. Iniziamo quindi con l'esaminare questi aspetti chiamiamoli "superficiali", imortanti ma parziali, nel senso che poi occorrerà entrare più nel dettaglio nella meccanica dell'arma.

Second-hand guns, especially if very fine, are risky to buy, especially for a person who is not very well informed on guns. It may prove to be a costly error. Let us examine a series of precautions to take when evaluating a second-hand gun. Of course, we are not trying to instruct gun connoisseurs, and our methods shall surely present some gaps. One should first of all observe the finishings, starting from the stock and forend woods up to the blueing state of the barrels as well as the preciousness of engravings. We shall therefore examine the exterior or "surface" aspects of the gun. These aspects are important, but later on we shall have to pay attention to the details in mechanisms.

Legni

Woods

Lo stato dei legni è spesso un primo indizio di come sia stata conservata l'arma. Vedere se la forma del calcio sia in sintonia con il tipo di arma per la possibilità che il calcio sia stato rifatto.

Oltre a questo verificare che ci sia una intonazione di colore e di venature fra calcio ed asta. Esaminare poi con attenzione l'incassatura del legno alla bascula

The condition of the wooden parts is very often indicative of the state in which the gun was kept. One should observe the shape of the stock to see whether it harmonizes with the type of gun or whether it has been remade.
Then one should check whether the wood grain and colour is matching between the stock and forend. Then action gun stocking should be carefully examined, and

e alle cartelle se presenti. In caso di calcio rifatto può essere possibile che si noti qualche imperfezione nell'incassatura. Inoltre se un fucile ha diversi decenni sulle spalle il legno dovrà essere al pari, cioè un calcio nuovo (salvo rarissime eccezioni) su un'arma di cinquanta o cento anni fa può mettere in sospetto. In ogni caso se lo stato dei legni non fosse in buone condizioni si potrà sempre dargli una rinfrescata, purché non ci siano fratture o asportazioni di materiale. Il tipo di venatura e la compattezza dell'insieme darà un'idea sul valore del legno, ricordando che le venature debbono essere orizzontali rispetto alla bascula per contrastare le forze del rinculo. Legni con fibre verticali o con troppi occhi di pernice potrebbero risultare fragili con l'andar del tempo. Verificare inoltre se il calcio sia di tipo cavo o pieno (quest'ultimo d'obbligo per armi fini) e se pieno se sia stato svuotato per bilanciare l'arma. Per fare questo se l'arma è provvista di calciolo in gomma basterà rimuoverlo. Se invece è finito a legno e zigrinato vedere alla luce se sia stato messo al centro un tassello poi cammuffato, indice di uno svuotamento del legno (oppure di riempimento con piombo nel caso le canne siano più pesanti del calcio). Questa operazione di bilanciamento di per sé non è da considerarsi come un difetto, a patto che il lavoro si sia fatto bene ed il calcio non svuotato al limite della pericolosità. Anche lo stato dello zigrino nell'impugnatura può essere indice di usura. Per sentire se il calcio sia pieno o vuoto si potrà anche battere con le nocche delle dita esternamente e sentire il

the side plates too, if present. Should the gun stock have been remade, there could be stocking imperfections which could be noticed. Besides, if the gun is quite old, the wooden part shall display its age as well. At times, even though this does not occur very often, a new stock could have been added to a 50 or more -year old gun: this should make one suspect of its originalness. Should the wooden part be in bad shape, it may be repolished if there are no fractures or missing parts. The type of wood grain and compactness may give you an idea as to the value of the wood. One must always remember that wood grain should be horizontal to the action, in order to contrast gun recoil. Vertical fibre woods or bird's-eye woods result as being too frail in time. One should also check whether the stock is hollow or full-bodied. In case of a fine gun it necessarily has to be of the second type. If it is of a full-bodied type, check whether it has been hollowed for gun-balance. In order to do this, remove the rubber recoil pad fronthe gun (if any). If it is wood-finished and checkered, check whether there is a plug in its centre which might have been camouflaged, which means wood either has been hollowed or filled (with lead in case barels are heavier than the stock). This balancing procedure does not necessarily have to be considered as a defect, as long as the work has been well executed and that the stock has not been unsafely hollowed. The state of the checkering too, may be an index of its wear. In order to know whether the stock is full-bodied or hollow, just knock on it in order

Il mercato delle armi fini usate è vasto ed interessante. Occorrerà però valutare le singole armi nei dettagli per mettersi al riparo da acquisti incauti. Doppietta di W.W. Jeffery.

The market of used fine guns is interesting and vast. Anyhow, it is important to consider each gun in detail in order to avoid incautious purchases. Side by side shotgun by W.W. Jeffery.

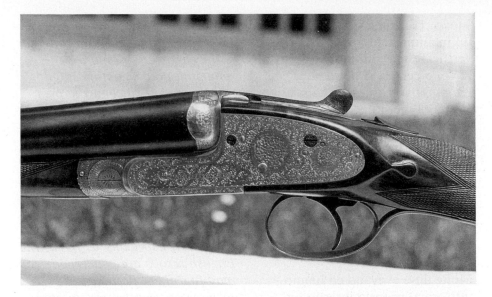

L'incisione potrà essere in alcuni punti usurata se l'arma è stata molto usata. Anche i tagli delle viti ci diranno le manomissioni incaute apportate nel tempo.

The engraving may be worn in some areas if the gun has been used a great deal. Even the screw cuts shall indicate any past incautious tampering.

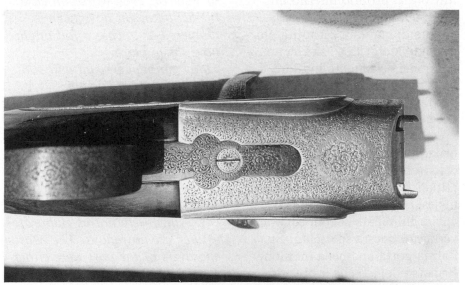

L'incassatura ci potrà rivelare se il calcio è originale oppure rifatto nonché il grado di finezza dell'arma.

The wood fitting shall reveal whether the stock is original or remade and it shall indicate its fineness degree.

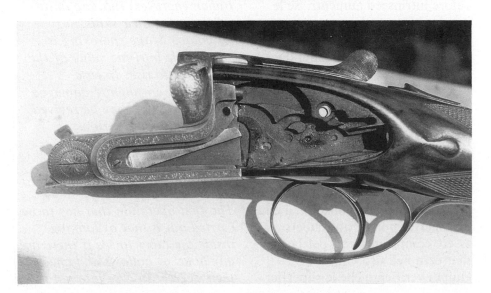

suono. La prima cosa da vedere se un'incisione è di pregio è verificare se è firmata dall'artista. A volte però la firma manca (un tempo salvo casi rari non si usava firmare l'incisione) e questo di per sé non può essere sintomo di cattiva qualità dell'incisione. Con una lente vedere se gli spigoli vivi delle incisioni (es. inglesine od ornati) sono ancora presenti oppure appiattiti dall'usura dello sfregamento della mano o peggio da rimaneggiamenti della bascula o cadute.

Molte ditte avevano ed hanno tutt'ora al proprio interno un gruppo di incisori, e quindi la qualità di questa è garantita più dal marchio della Casa che non dal nome del singolo incisore. La valorizzazione delle incisioni è però un aspetto degli ultimi decenni, poiché prima si viaggiava prevalentemente ad inglesine ed ornati pure raffinati ma non così elaborati come le migliori incisioni attuali. Maestri incisori furono inglesi e belgi, ma attualmente anche gli italiani si collocano al vertice di questa specialità. Se l'arma porta una bella incisione firmata è logico che il proprio valore intrinseco aumenti. Se le incisioni fossero leggermente danneggiate od opacizzate è pure possibile riprenderle affidandosi ad un buon professionista.

Canne

La prima operazione da fare è vedere l'interno dei tubi, se presentano carie e di che entità. Se queste fossero troppo allargate o profonde è meglio consultarsi con un esperto, poiché potrebbero essere compromettenti per la sicurezza nell'uso.
Quindi verificare che le superfici

to hear the sound it produces. One of the first things to look for is the engraver's signature. Sometimes the signature might not be present since in the past - apart from a few exceptions - engravers did not usually sign their works.
This does not mean the gun is not valuable. One may inspect the edges and corners with a magnifying lens in order to see whether they are in a good condition. Especially as far as the English scrolls are concerned, you may find them flattened in case of wear or, even worse, in case the action might have been tampered or in case a fall might have taken place.
Many gun makers had and still have in-house engraving departments or engraving groups. In this way, gun quality is based on the gun maker's name rather than on the engraver's name. Engraving value has become increasingly important over the past 10 years because in the past engravings were not as elaborate as they are nowadays. The Master engravers of the past were either English or Belgian, but today Italian engravers too, are quite reknown for their skills.
Of course, if the engraving is signed, the intrinsic value of the gun tends to rise. In case engravings are slightly damaged or opaque, they may be revived by calling upon a serious craftsman.

Barrels

The first operation that has to be carried out is that of looking inside the tubes to see if there are any holes or hollows and check their degree. In case internal holes

Prima di acquistare un'arma
usata è sempre bene esaminarne
gli acciarini per vedere il loro
stato di conservazione e come
furono realizzati. Solitamente
nei fucili inglesi anche vecchi gli
acciarini sono sempre ben fatti.

*Before purchasing a used gun, it
is always better to examine the
locks, their state of preservation
and their execution. English
shotguns, even if old, usually
have well made locks.*

Acciarino di Jeffery con cane
armato. Notare la perfezione dei
profili della molla a lamina.

*Jeffery side lock with armed
cock. Note the perfection of the
V-spring profiles.*

esterne non presentino gonfiature, sia guardandole dalla culatta alla volata sia viceversa. Inoltre tenendo le canne orizzontali e facendo cadere su di esse un fascio di luce (che potrebbe essere anche quello di una finestra) questa deve riflettersi come una riga orizzontale su tutta la superficie. Se si interrompe o se si vedono linee parallele sono indice di non perfetta tiratura o presenza di gonfiature.

Girare poi le canne e vedere se portano impressi i marchi di fabbrica, quelli del Banco di Prova ed eventualmente dei valori di strozzatura, dell'acciaio con cui sono state costruite, del peso e in alcuni casi l'anno o il simbolo corrispondente di costruzione. Quindi a volte ci sono numerosi dati utili che possono essere anche parzialmente verificati. Ad esempio il peso. Supponiamo che sia riportato un peso di 1 Kg. e 300 grammi. Basterà prendere una bilancia di buona precisione con la divisione in 10 grammi e pesarle. Se il valore coincide con il peso segnatovi sopra ci sono buone possibilità che siano ancora originali e non toccate, alesate o modificate nelle strozzature.

Vedremo dopo perché può non esservi la certezza. Per assicurarsi che le strozzature non siano state toccate si può acquistare un calibro conico di decine di migliaia di lire di costo ma che riesce a dare una certezza dei valori effettivi. Sulle canne di solito è pure riportato il valore di foratura che mediamente può variare a seconda dei fabbricanti per il cal. 12 da 18,2 a 18,7. Con il calibro si misura alla volata il valore corrispondente e per differenza con il valore di foratura si avranno i decimi di strozzatura.

are too deep or extended, it is better to consult an expert because gun use could be dangerous.

Then it is important to verify that the surfaces from the breech to the muzzle and back do not have swellings.

By holding the barrels horizontally in the light, a perfect horizontal line should be reflected onto the entire surface.

In case there are any interruptions or the reflection includes two parallel lines, one is in the presence of swellings or imperfections.

The barrels should then be turned over in order to see if there are any gun maker marks, proof-marks or choke degree marks.

Therefore, one may find many marks which are precious in order to verify the gun's origin. For instance, weight: let us assume that the notified weight has been said to be 1.300 Kgs.

One should then weigh it again on a perfect scale with a tolerance of 10 gr.

If the two weights correspond, then one can assume the barrels are original and have not been modified, touched or modified in the choke.

We shall see later on why one can never bee too sure. In order to be perfectly sure that the chokes have not been touched, one could purchase a conical gauge for a few thousand Lire which helps in fine gun evaluation.

Barrels often bear the bore of the gun which may range for a 12 gauge, from a 18.2 to an 18 depending on the gun maker. By means of the gauge, one may

Facciamo un esempio pratico. Ammettiamo che un paio di canne siano state forate a 18,5. Misuriamo la prima canna e leggiamo sul calibro un valore di 18. Ciò significa che la strozzatura ha un valore di cinque decimi corrispondente a tre stelle. Con tale sistema si è in grado di verificare da un lato se le strozzature originali sono state toccate e dall'altro conoscere i decimi reali di strozzatura. Infatti i fabbricanti lavorano sempre con un margine di tolleranza e a volte capita di trovare delle sorprese anche notevoli.

Esistono pure dei calibri tipo passa-non passa, per misurare l'interno dell'anima. Infatti su molti fucili d'epoca è possibile che qualche proprietario abbia fatto pulire l'anima togliendo con questa operazione uno o due decimi (cioè allargandola). Anche in questo caso il fatto può non essere gravissimo, però è sempre meglio saperlo con esattezza anche per dare un giusto valore commerciale all'arma in esame.

Per verificare poi lo spessore delle canne ed eventuali dissaldature delle bindelle si può tenerle sospese con una mano per il solo rampone anteriore come appoggio (in modo che le canne risultino libere di vibrare) quindi con l'altra percuoterle in tutta la loro lunghezza con un oggetto metallico, tipo forbici o chiavi. Si sentirà un suono che cambierà di intensità, nei punti più spessi sarà più alto (cioè più cristallino) mentre in quelli meno spessi diventerà più cupo. Per ragioni di sicurezza è bene che lo spessore minimo delle pareti di una canna non sia mai inferiore a 3/10° di mm.

Nel caso di bindelle distaccate si

measure the muzzle, its corresponding value and by means of bore value one may calculate the choke tenths.

Let us make a practical example. Let us assume that a set of barrels has been drilled at 18.5. We then measure the first barrel and obtain a result of 18. This means that the choke has a value of 5/10ths, corresponding to 3 stars.

By means of this system we can assess two things: first of all that the original chokes have been touched or manipulated. Secondly, the actual choke tenths.

As a matter of fact, gun makers always work with a tolerance margin and at times one may find some very strange surprises.

There are pass-through gauges which measure the inside of the bore.

As a matter of fact, in the case of ancient guns, the owner might have wanted to clean the bore, thus eliminating some one or two tenths - thus enlarging the opening.

It might not be particularly dangerous, but it is always better to know it so as to have a more accurate assessment of the gun.

In order to verify the thickness of the barrels or any possible unweldings of the rib, one could hold the gun in the air in one hand by the front bolt so that the barrels are free to vibrate, and strike the barrel with a metal object (either keys or scissors) or simply shake the barrels.

One will hear a noise that shall change in intensity.

sentirà uno sferragliamento poco piacevole. Se le canne sono perfettamente integre dovranno suonare come una campana, con sustain ed in pezzo unico, senza cioè interferenze.

Prima dicevamo della possibilità che anche un paio di canne perfette potrebbero non essere quelle originali. È possibile infatti che il fucile sia stato ritubato, cioè tenuto buono il monobloc di culatta ed inseriti due tubi nuovi. Se inizialmente l'arma disponeva di canne accoppiate in demibloc oppure ramponate ed ora presentasse a circa sette/otto centimetri dalla culatta una linea di giunzione (camuffata magari da una incisione) significa che le canne sono state ritubate. È pure possibile che le canne siano state rifatte di sana pianta, ramponi compresi.

In questo caso se l'arma è di provenienza inglese o belga o comunque estera e sui piani delle canne non presentasse il marchio del Banco di Prova del Paese d'origine può esserci un forte sospetto che queste non siano le originali (anzi quasi sicuramente). Questo può accadere più spesso con un'arma dotata di due paia di canne uno dei quali costruito successivamente non dal fabbricante originale. Se una eventuale ritubatura è stata fatta correttamente dal punto di vista funzionale l'arma non può avere subito danni, però da un punto di vista commerciale il valore deve diminuire di parecchio.

Tenere presente che di solito i costruttori per un paio di canne supplementari o in sostituzione richiedono circa dal 30% al 50% del valore complessivo dell'arma (incisioni escluse). Logicamente si dovrà controllare se le canne sono

It shall be higher in the thicker parts and dimmer in the lighter parts.

For safety reasons, barrel walls should never be below 3/10 of a mm. In case the rib is detached, one shall hear a rattling noise.

If the barrels are in prime condition, they should sound like bells, without any interfearance. As we mentioned above, even a set of perfect barrels could happen not to be the original ones. There is a possibility that the gun may have been retubed meaning that the monobloc has been maintained with its breech, and only new tubes have been inserted.

If the gun was originally supplied with lump-fitted or demibloc-coupled barrels, and it now displays (even though it might be camouflaged by an engraving) a junction line of 7 to 8 cms. from the breech, this means the barrels have been retubed. It could also mean that the barrels have simply been replaced, lumps included.

In case the gun is either English or Belgian, or comes from any other country, and if the barrels don't bear the proof-marks of the country of origin, then one can assume they are not original. This may occur more easily with guns having two sets of barrels of which one was made later and by another gun maker. If retubing has been correctly executed, gun functionality cannot have been damaged. But under a commercial point of view, value remarkably decreases.

One should take into consideration that gun makers demand a 30 to a 50% increase for a pair of supplementary

Calibro di comune reperibilità
per misurare le strozzature delle
canne. L'operazione è semplice,
e ognuno potrà eseguirla
autonomamente.

A commonly available gauge for
the measurement of barrel
chokes. The operation is very
simple, and anyone can carry it
out.

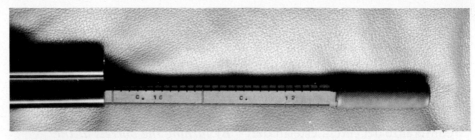

Sui piani della bascula che su
quelli delle canne sono riportati
dati molto importanti, come il
peso delle canne, i marchi di
fabbrica, quelli del Banco di
Prova, l'anno di costruzione ecc.

Both action and barrel flats bear
very important gun data such as
barrel weight, gun maker brand
names, proof-marks, year of
construction, etc.

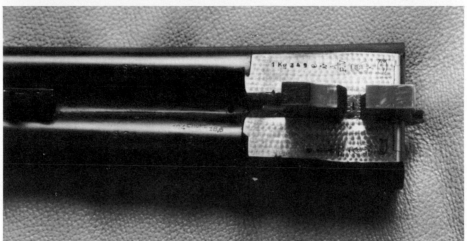

Si può pesare un paio di canne
con una comune bilancia
sensibile alle variazioni di 25
grammi.

A set of barrels may be weighed
by means of a scale with a
tolerance of 25 gr.

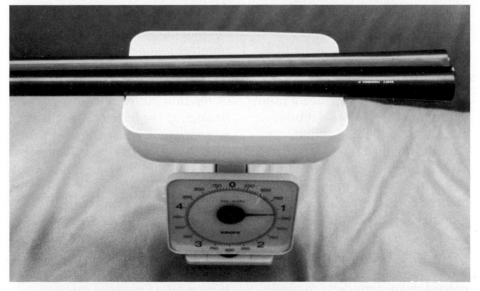

Metodo per verificare gli
spessori delle canne ed eventuali
dissaldature delle bindelle.

Method used to verify the
thickness of the barrels and any
possible rib unweldings.

311

state accoppiate in demibloc, monobloc o ramponate e possibilmente con che materiale sia stata effettuata la saldatura delle canne.

Girando le canne alla volata si dovrà vedere che le due circonferenze dei cerchi esterni dei tubi si uniscano quasi a toccarsi. Se fra loro ci fosse spazio coperto da saldatura o camuffato in qualche modo è probabile che siano state accorciate. Di questo però ce ne si può accorgere anche con la misurazione delle strozzature.

La prova finale sarebbe meglio effettuarla sparando qualche colpo alla placca per verificare la sicurezza delle canne, il comportamento compessivo dell'arma allo sparo (sul rinculo influiscono anche i raccordi interni fra anima e camera ed anima e strozzatura) nonché la precisione e la distribuzione delle rosate. Inoltre se sulle canne sono riportate scritte come l'acciaio con cui sono scostruite oppure il nome del fabbricante queste debbono essere ben leggibili. Se sono appena leggibili o con fatica significa che le canne sono state ribrunite, e quindi prima tirate in bianco, con asportazione di un po' di materiale (da verificare anche con la prova del peso).

Con un po' di pazienza si riuscirà a fare una diagnosi abbastanza precisa dello stato delle canne, parte molto importante soprattutto se, giustamente, si intende usare l'arma con la dovuta sicurezza.

barrels, without considering the engravings. Of course, one shall have to check whether the barrels have been demibloc or monobloc coupled or lump-fitted and possibly what material has been used for barrel welding.

By turning the barrels at the muzzle, one shall have to check whether the two external rings of the tubes almost touch each other. If one finds the space between the two has been welded or camouflaged, it is very likely that the barrels have been shortened. This may also be checked by simply measuring the chokes.

The final test would be to simply shoot at a target to test the safety of the gun and see how the barrels behave during the shot (factors which also influence gun recoil are the internal links between bore and chamber and between bore and choke) and the precision and distribution of the shot patterns.

Besides, if the barrels bears inscriptions such as the steel with which they have been produced or the barrel-maker name, these must be clear and legible. If these markings are illegible, it means the barrels have been repolished and some material has been shaved off, which again, influences the weight.

With a bit of patience one can make a realistic diagnosis of the state of the barrels. This is particularly important if the gun is to be used safely.

Acciarini

Gli acciarini sono la parte più difficile da esaminare per un profano. Prima cosa perché nel caso di un Anson o di un Holland occorre procedere alla rimozione di qualche vite per accedere all'acciarino, operazione non consigliabile da effettuare a colui che non ha dimestichezza con piccole lavorazioni meccaniche. Esternamente si possono saggiare il peso degli scatti, il suono nell'armamento dell'acciarino, la centralità della percussione sul bossolo sparato e nel caso di presenza dell'ejector, il buon funzionamento di quest'ultimo. Un sintomo importante può essere quello dello stato delle viti che tengono gli acciarini o il calcio alla bascula. Se queste sono un po' spannate vuol dire che il fucile ha subito vari maneggiamenti non troppo felici. Gli acciarini possono comunque essere fatti vedere ad un armiere esperto per maggiore tranquillità.

Anche gli acciarini possono essere riparati, come far sostituire perni o viti o in alcuni casi dorare le parti per una migliore conservazione nel tempo. Anzi si possono trovare su armi di pregio di tipo a cartelle laterali degli acciarini già dorati, in questo caso quasi sempre le singole parti si saranno conservate meglio anche contro polvere o agenti atmosferici. Molte armi di questo tipo dispongono di acciarini smontabili a mano, precauzione che si usava un tempo per una più rapida pulizia e manutenzione. Infatti nelle cacce africane o indiane l'arma poteva essere sottoposta ad intemperie di sabbia o di pioggia e con tale sistema il cacciatore poteva provvedere sul

Locks

Locks are the most difficult part to examine for a profane. First of all because in the case of an Anson or a Holland it is necessary to remove a few screws in order to have an access to the lock. This operation is unadviseable for an unexperienced person. Externally, one can test the weight of the shots, the sound of the lock arming, the centering of the sriker on the fired shell and, in case there is an ejector, its performance. Another important aspect to be considered is the state or condition of the screws that keep the locks in place or that secure the stock to the action. If these screws seem a bit skim, then it means that the gun has been somewhat mishandled. In any case, gun locks should be submitted to examination by an expert gun maker for safety purposes.

Gun locks may, of course, be repaired. Pins and screws may be replaced and in some cases they may be gold-plated in order to preserve them longer. One can easily find ready gold-plated locks on side plate shotguns of a very fine type. In this case locks have a better resistance against dust and atmospherical agents. Many guns of this type have hand-detachable locks. This was done in the past in order to clean the guns more rapidly. As a matter of fact, in African or Indian hunts the gun could have been subjected to sand storms or rain, and with this system the hunter could more easily clean and inspect the functions of the locks. This possiblity also exists for the very powerful double-barrelled rifled express shotguns.

But there is also another side to

luogo alla pulizia ed ispezione del corretto funzionamento delle batterie. Questa possibilità veniva prevista anche per i potenti express a doppia canna rigata. Esiste però un rovescio della medaglia, che è quello che continuando a smontare e rimontare gli acciarini si possano scheggiare o usurare i profili del legno del calcio che lo racchiudono.

Quindi nel caso si possedesse un'arma con batterie smontabili limitarsi allo smontaggio in caso di reale necessità e rimontarle con la dovuta cura e senza fretta. Infine controllare lo stato dei percussori ed esaminando una cartuccia sparata fare attenzione che la percussione nell'innesco del bossolo sia chiara, mediamente marcata e centrata.

Bascula

La bascula di una doppietta a due canne affiancate ha il proprio punto critico di rottura nel raccordo fra tavola e faccia dibascula. Guardando l'illustrazione relativa si potrà individuare meglio questo punto. Quindi su una doppietta usata porgere l'attenzione su questo particolare per cercare eventuali tracce di fratture in corso. Questa evenienza è rara, però sparando cartucce molto forti in armi non proprio recenti e leggere a lungo andare potrebbe anche verificarsi. Di solito per rifare una chiusura viene cambiato il perno anteriore con uno di diametro leggermente maggiore e quindi adattati i tasselli o anche questi sostituiti. I sovrapposti sono meno soggetti a questi problemi soprattutto quelli a semiperni laterali. Infatti le due canne del sovrapposto lavorano

this matter; if one continuously disassembles and assembles the gun locks, they will eventually become scratched and the profiles of the stock wood that encloses them would suffer from this. Therefore, if one really needs to dismount the locks, one should do it when really necessary, and replace them with great care. And last, but not least, one should carefully examine the state of the strikers by examining a fired cartridge and paying attention if the percussion in the shell trigger is clear, averagely marked and centered.

Action

The action of a double barrelled side by side shotgun has its own critical breaking point at the junction point between the firing table and the action front. If one examines the illustration with care, this becomes clear. Therefore, in the case of a second-hand side by side imento ad imprese in grado di negoziare i pacchetti azionari o le shotgun, check this particular area out for any possible trace of fracture. This is not exactly a very common occurrence, but if very powerful cartridges are used in an unappropriate gun which is too light - in that case it could happen. Usually, in order to remake a lock, one changes the front pin with one having a slightly larger diameter, then the plugs are adapted or replaced. Over and under shotguns are less subject to hese problems, especially those with side semipins. Infact the two barrels of an over and under shotgun work on the same axis and the lower

L'esame degli acciarini specialmente se sono montati su cartelle laterali, non è difficile attuazione. Lo stato e la tiratura degli acciarini ci diranno molto sull'usura e sulla finezza dell'arma.

Lock inspection is not easy, especially if they are mounted onto side plates. The state and finish of the locks shall tell the story of their use and of gun fineness.

Zona critica di una bascula di doppietta. Con l'usura nel tempo oppure con un uso improprio dell'arma si potrebbero verificare fratture in questo punto.

Critical area of a side by side shotgun action. Wear in time or improper gun use may cause fractures in this point.

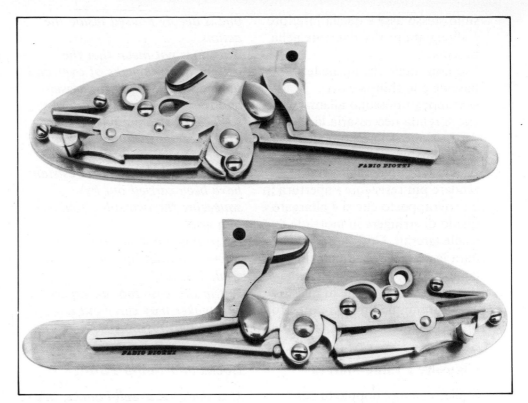

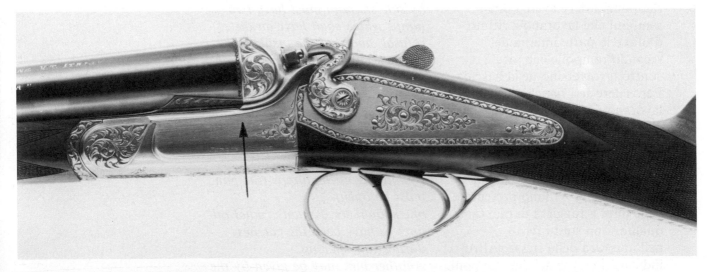

315

sullo stesso asse e quella inferiore è alloggiata profondamente nella bascula.

Ciò non toglie che anche le bascule e le chiusure dei sovrapposti possano allentarsi e che si renda neccessaria la sostituzione del perno o altri accorgimenti.

Alcuni tentativi maldestri di rendere più resistente l'apertura in un sovrapposto che si è allargato è quello di stringere in morsa le due spalle laterali. Così facendo si darà la sensazione di una chiusura come nuova, pur essendo realtà tutt'altra cosa. Anche in questo caso comunque l'armiere esperto potrà fare una diagnosi precisa.

Chiusure e ramponatura

Si dice che una doppietta ben ramponata deve avere i due ramponi che lavorano a rifiuto d'olio e la parte interna del secondo rampone che tocchi contro il traversino della bascula. Per vedere se i fianchi dei ramponi lavorano a rifiuto d'olio nei loro alloggiamenti nella bascula occorrerà lubrificare le due parti quindi aprire la doppietta a scatti. Guardando poi i ramponi con arma aperta dovranno presentare delle linee a raggiera di olio tante quante sono stati i fermi nell'apertura della stessa. Altro indizio è l'esame dei due ramponi. Se questi presentano pennacchi irregolari significa che fanno contatto nella sede solo in quel punto; mentre il rampone che lavora tutto deve avere superfici uniformemente grigie. Inoltre per vedere se i due ramponi "ballano" nelle loro sedi occorrerà smontare l'asta e aprire piano piano l'arma facendola scuotere nel contempo. Si sentiranno così i ramponi

one is deeply housed inside the action.

This does not mean that the actions and the locks of over and under shotguns will not loosen and therefore require the replacement of the pin or other. Some very unfortunate attempts to make the opening of an over and under shotgun more resistant have been carried out by squeezing the two side shoulders in a grip.

By so doing one has the impression that the lock is new, while it is not.

But in this case too, an expert gun maker may carry out a precise diagnosis.

Locks and Lump Fitting

It is said that a well-lumped side by side shotgun must have two lumps which shall have an oil refusal, and that the inside part of the second lump should touch against the action tackle.
In order to check whether the lump sides work on an oil-refusal basis in their action housings, lubrify the two parts and hence open the shotgun in catches.
By looking at the lumps (the gun must be open)
one should see as many radial oil lines as have been the catches during gun opening.
Another hint may be given by the inspection of the lumps.
If these present irregular trails it means that they have a contact with their housing only in that point, while the lumps which work as a whole must have uniformly grey surfaces. Besides, in order to see if the two lumps move about in their housing, one should dismount the forend and slowly open the gun while shaking

316

scialacquare oppure no. Per esperienza ho incontrato nella media poche doppiette la cui ramponatura sia stata fatta a regola d'arte. Comunque una ramponatura perfetta assicura molta più vita al fucile e fa lavorare meglio le chiusure, anche se queste sono rappresentate dalla sola duplice Purdey. In casi di chiusure supplementari occorrerà verificare se pure queste lavorano. Si può stringere la bascula in morsa e con le due mani fare forza alle due estremità sul calcio e sulla volata delle canne. Osservare poi se la faccia di bascula si stacca dalla culatta delle canne. Oppure chiudere l'arma, toliere l'astina, tenerla per le canne e scuoterla. Anche in questo caso fare attenzione che non ci siano movimenti fra canne e bascula. Infatti la faccia della bascula deve aderire perfettamente alla culatta delle canne. Una doppietta assettata bene e con le chiusure a posto nel chiuderla deve fare un suono cupo, tipico delle armi di una certa classe. C'è poi da vedere se la chiave d'apertura una volta chiuso il fucile stia esattamente nel mezzo, oppure spostata a destra o sinistra. Alcuni costruttori inglesi consegnano i fucili nuovi con la chiave già spostata a sinistra, però la norma vorrebbe che fosse leggermente spostata a destra, in modo che sparati un po' di colpi di "rodaggio" i tenoni avanzino di più sui ramponi assestando la chiusura. Per vedere se le triplici chiusure, sia di tipo Greener che Scott o Purdey, lavorano, si può fare la prova del nerofumo. Cioè annerire con una candela la parte di metallo che dovrebbe entrare in contatto con la rispettiva sede, chiudere l'arma e sparare.

it lightly. It then shall be possible to actually hear them shake. I personally found very few side by side shotguns whose lump fitting was very well executed. Anyhow, a perfect lump fitting allows the gun to have a much longer life span, also allowing the locks to work much better. But this may be almost only found in Purdeys. In case there are supplementary locks, one should verify their performance. One can block the action in a vice, and with both hands force the two extremities on the stock and muzzle of the barrels. One should then observe whether the action detaches from the barrel breech. One could also close the gun, pull the pin out, hold the gun by the barrel and shake it. There should be no movement between the barrel and the action. As a matter of fact the action front must perfectly adhere to the barrel breech. A well-preserved side by side shotgun with good locks should produce a deep and hollow sound when it is being closed. This sound is typical in guns of class. Then one should check whether the top open lever is exactly in the middle or tends to go right or left once the gun is locked. Some English gun makers deliver theirguns with the lever already set on the left hand side, but it is adviseable that it be lightly shifted on the right hand side so that after having shot a few starting fires, the tenons have a greater progress onto the lumps, settling, in this way, the locking. In order to check whether the cross-bolts -either Greener or Scott and Purdey - work, the fire mark test may be carried out. Blacken the metal part that should be entering in contact with its housing with a

Vedere poi dove è avvenuto il contatto. Si scoprirà che poche sono le triplici chiusure che lavorano, specialmente quelle tipo Greener. A questo proposito alcuni Autori affermano che solo Greener e pochissimi altri facevano lavorare veramente questa terza chiusura, poiché molti non solo non l'avrebbero capita ma non tengono conto delle diverse conicità del perno passante, che servono meglio a chiudere nel proprio alloggiamento. Per sistemare alla meno peggio la ramponatura di una doppietta si potrà intervenire col martello sul rampone posteriore, palliativo logicamente non troppo onesto e duraturo da effettuarsi sull'arma. Come si può vedere molti sono gli aspetti su cui soffermarsi e molte sono le possibili manipolazioni fatte sui fucili.

Mentre certe cose possono essere riparate senza infierire troppo sull'originalità dell'arma, altre magari occulte ne danneggiano quasi irreparabilmente il pregio e la funzionalità meccanica. Ecco perché nell'acquisto di armi fini di valore occorre essere certi dello stato d'uso e degli interventi a cui eventualmente siano state sottoposte nel corso della loro esistenza.

candle. Lock the gun and shoot. Then check if the contact took place. One shall discover that very few are the cross-bolts which work, especially those of the Greener type. Some Authors feel that only Greener and a few other makers offer perfectly working cross-bolts because many gun makers did not understand them and did not keep the different conicalnesses of the through pin into account.

In order to roughly settle the lump fitting of a side by side shotgun, one may intervene on the back lump by means of a hammer. This of course is a not very honest and lasting operation. As may be seen, there are many aspects that must be taken into consideration and many are the manipulations a shotgun can undergo.

While many adjustments may be carried out without really affecting the originality of the gun, other occult changes may ruin a precious gun for ever. Not only do they impair the mechanical functions of the gun, but they also affect its value. This is why, when purchasing fine and valuable guns, one must be very sure of their state of use and of any possible interventions which they have been subjected to in the course of their existence.

Quotazioni di armi usate

Used gun quotations

Debbo confessare che sono stato indeciso fino all'ultimo se inserire o meno questo capitolo poiché non vi è nulla di più difficile e se si vuole opinabile della valutazione commerciale di un'arma usata fine o da collezione.

Per prima cosa perché questi oggetti del desiderio possono in taluni casi uscire da un normale prezzario commerciale in quanto chi desidera acquistare un particolare modello di una particolare marca spesso è disposto a spendere di più o a prescindere dallo stato di efficienza meccanica e d'uso. Questo per quanto riguarda alcuni nomi che da anni hanno smesso di produrre per i quali la rarità può portare al rialzo commerciale come avviene per certi quadri d'autore o automobili d'epoca. Colui che invece si accosta al settore volendo fare un acquisto insieme passionale e razionale si preoccuperà di conoscere anche le condizioni generali dell'arma che ne determineranno di conseguenza il prezzo. Insomma si naviga in mezzo ad un mare di variabilità e di soggettività dove è impossibile tracciare quotazioni per tipo e marca di fucile.

Ad esempio due doppiette della stessa marca possono

I must confess that I was quite uncertain whether to include this chapter because a fine or collection gun evaluation is quite questionable.

First of all because these desired objects often digress from official market prices, since the people who want to buy a particular model of a particular brand are very often willing to spend more without taking mechanical and usage efficiency into consideration. This often happens in the case of guns constructed by gun makers which don't exist any longer, and thus the rarity of the gun causes the price to increase as often happens with paintings or antique cars. Any purchaser who, on the other hand, is interested to buy a gun motivated by enthusiasm and rationality, shall certainly want to know about the general conditions of the gun, which shall consequently determine its price. As a matter of fact, one finds oneself within a situation of variationand subjectivity, where it is almost impossible to quote a definite price according to the make and type of gun.

For example, two side by side shotguns of the same brand may greatly differ due to the quality of the engraving. One of the guns

differenziarsi per il grado di incisione, magari una monta canne demibloc e l'altra no, i legni possono essere in un caso molto belli e nell'altro di meno, su una si potranno notare tracce di manomissione o restauro poco accorto: variabili che potranno fare una differenza anche del 50% fra due armi. Quindi non avrebbe senso dire che il tal modello della tal marca lo si può quotare una cifra fissa poiché oltre che a incorrere in un fastidioso errore si rischia di dare parametri non corrispondenti al vero. Da questa prospettiva questo capitolo non avrebbe ragione d'esistere, però sono scaturite altre considerazioni che mi hanno indotto a scriverlo. La prima è che su questo argomento non vi è quasi letteratura e quindi molte trattative sono lasciate alla legge della domanda e dell'offerta, trattativa molto privata e soggettiva senza nessun appello oggettivo. E questo credo che non sia confortante per chi deve investire una certa somma per l'acquisto di un fucile fine. Si può vedere la cosa anche dal punto di vista del venditore. Se un appassionato mette in vendita un'arma che ritiene di estremo interesse e ben tenuta ha diritto di chiedere una certa cifra e dovrebbe avere un parametro di riferimento che oggettivizzi la richiesta. Qualche cosa all'estero è stato pubblicato circa la valutazione di armi fini e da collezione, quotazioni che si riferiscono però a modelli ben specifici (e quindi non generici ma riferiti all'arma presa di volta in volta in esame) ed in questo caso si può tenere questa quotazioni chiamiamole internazionali come punto di riferimento.

might have demibloc barrels, the other not.
The woods employed might be very beautiful in one case and less in the other. One could display traces of tampering or of unsuccessful restorations which are variables which could even make a 50% difference between two guns.
Therefore it would be incorrect to quote a price for a definite model, as one can easily fall into error due to wrong parameters which do not correspond to reality. Under this point of view, this chapter could actually be considered useless, but other considerations arose which led me to include it anyhow.
The first one is that there is almost no literature on this subject and therefore many negotiations are left to demand and offer. Such negotiations are private and subjective without any objective appeal. This is not a very comforting situation for a purchaser who will have to invest money on the purchase of a fine gun. But one should also consider the situation from the vendor's point of view. If a gun enthusiast sell A well-preserved gun he considers of extreme interest on the market, he has the right to ask for a certain price, and he should have a point of reference as to objectivize his request. A few publications based on the evaluation of fine guns have been published abroad.
These quotations only refer to very specific models (and therefore not to general models but to the gun which is from time to time taken into consideration) and in this case these international quotations may be used as a reference point. These quotations

Lo Zar di Russia Nicola II durante una battuta di caccia con coppia di doppiette "box lock" Lebeau-Courally.

Russian Tzar Nicholas II during a hunting party with a pair of Lebeau-Courally side by side shotguns of the "box lock" type.

321

È possibile però che queste vadano reinterpretate in funzione delle condizioni di mercato e come sempre del tipo di gusti e di disponibilità di certe armi che variano da Paese a Paese. Faccio un esempio. L'arma a cani esterni può essere richiesta da noi e poco richiesta in Inghilterra. Si tenderà a valutarla più da noi che in quel Paese. Se consideriamo certe quotazioni di armi fini italiane sul mercato americano ci accorgiamo che negli USA le nostre armi sono vendute a prezzi sensibilmente maggiori che da noi, per diverse ragioni tra cui le spese che l'importatore deve sostenere per trasporto, documenti, tasse margini supplementari di natura commerciale e così via. Va però detto che molti nostri artigiani godono di una buona fama all'estero più che da noi e quindi le loro quotazioni sui mercati esteri sono maggiori che su quello interno, anzi a volte superano i nomi prestigiosi inglesi che invece da noi li riteniamo più interessanti.

Occorre anche dire che il fatto di avere in Casa questi produttori che spesso accettano commissioni dai privati contribuisce a tenere calmierati i prezzi di vendita, poiché come in ogni attività commerciale meno passaggi ci sono fra produttore e consumatore e più ne beneficia il prezzo di vendita. Come capita anche per le automobili è logico che acquistando un usato da un commerciante lo si potrà pagare di più che da un privato così come se si venderà un'arma da privato a negoziante si realizzerà qualcosa di meno che venderla direttamente ad un altro privato. Questi margini sono giustificati purché siano contenuti in una percentuale

should be re-evaluated depending on market conditions, and on the taste and availability of certain guns since they vary from country to country.

For example, external cock guns may be demanded in Italy but not in England.

It shall therefore have a higher quotation in Italy than in England. Some Italian fine guns have a higher quotation in the United States than in our home market due to import and transport costs, documents, taxes, business margins, etc. Our local craftsmen are far better reknown abroad than in our very same country, and this explains why the price of their guns is higher abroad than in our home market. As a matter of fact, they are sometimes even higher than those of the famous English guns, which instead are very interesting for Italian collectors.

I also have to mention that the fact of having such good local artists who very often work privately contributes to keep selling prices at a reasonable level, because as in every business activity, the lesser are the transations and passages between producer and consumer, the greater are the benefits in price. This is also true in the case of an automobile purchase: the price of a second-hand car shall logically be higher by a dealer than by a private owner.

This is the same in gun trade. When buying a gun from a private owner, gun cost shall be discussed and shall surely result to be lower. These margins are justified as long as they do not exceed 10-15%. One must also say that very few gun makers are experts in fine guns and therefore,

del 10/15% e non oltre. Va però anche detto che sono pochi gli armieri intenditori di armi fini e quindi una volta che ritirano un'arma spesso la rivendono nelle stesse condizioni non essendo in grado di valutarne entuali difetti migliorabili. Questo significa salvo le sempre debiti eccezioni non si hanno maggiori garanzie acquistando un'arma fine da un negoziante rispetto ad un privato. Il fatto che l'arma disponga della valigetta originale è importante soprattutto per pezzi di pregio inglesi e belgi non recentissimi, anzi per taluni casi la stessa valigetta viene quotata molto, tra il 10% e il 20% del valore dell'arma a seconda dei casi. Questo anche perché dentro la valigetta dovrebbe esserci l'etichetta originale della Casa che già di sé costituisce interesse collezionistico. Come dicevo esistono difficoltà oggettive nel quotare armi usate o in collezione quindi i valori che citerò fra poco sono da considerarsi medi e non vincolabili. Questi valori sono per l'appunto una media fra una quotazione internazionale, la nostra realtà di mercato e un condensato di appunti di diverse trattative di compra-vendita a cui ho avuto modo di assistere. Vorrei però fare alcune premesse. Prendendo in considerazione un buon usato di un modello industriale tutt'ora a listino dell'Azienda produttrice si potrà considerare un deprezzamento compreso fra il 30% e il 40% del prezzo nuovo. Però occorre sempre considerare se l'arma è strettamente di serie o ha qualche particolarità in più, come incisione extra, canne supplementari intercambiabili e così via. In questo caso la quotazione crescerà

if they find a fine gun they resell it in the same conditions, without being able to detect improvable defects.
This means - with some exceptions of course, that you don't have a better guarantee by buying a fine gun from a dealer than from a private owner.
The fact that the gun has its own original case is very important, especially in the case of precious English or Belgian shotguns of a not very recent make.
Original gun cases can be evaluated somwhere aroud 10-20% of the gun price depending, of course, on the object in question. The reason for this is that original cases should bear the original gun maker's name in their inside, and this renders them a very important collector's item.
As I stated previously, there are objective difficulties in quoting used guns or collection guns, and the prices I shall quote later on are based on an average and are not definite or binding. These quotations are an average of the international quotations, of our home-market quotations, and a summary of the different pieces of information on transactions I happened to assist. I would like to make some preliminary remarks: taking a good second-hand industrial model which is still being produced into consideration, one may calculate a 30-40% depreciation on the gun maker's new price list. One should, of course, always consider whether it is strictly mass produced or whether it has some extras to it such as more engravings, extra interexchangeable barrels, and so on. In this case prices shall be

in proporzione. Si pone spesso l'interrogativo se l'usato cresca proporzionalmente con l'incremento del prezzo del nuovo. Ritengo giusto che questo avvenga, salvo quando il modello venga messo fuori produzione. Questo fatto è però importante da conoscere nei dettagli, sapere cioè per quale motivo l'arma non viene più prodotta. Se è un motivo di miglioramento si capisce che il modello vecchio conserverà più o meno le quotazioni di quando esce dalla produzione ma può capitare che non venga più prodotto perché troppo costoso da realizzare e poco competitivo nel prezzo. In questo caso paradossalmente il prezzo tenderà a lievitare come se fosse un prodotto in produzione perché il valore intrinseco dell'arma rimane e spesso si valorizza quando ci sia di mezzo la mano d'opera specializzata.

Per le armi fini e di lusso queste regole non valgono, perché molto dipende dalla marca, dal modello, dalle incisioni, dallo stato di conservazione e dall'interesse collezionistico. Facciamo un esempio. Chi avesse acquistato diversi anni fa fucili romagnoli come Zanotti, Toschi ma anche di altre marche bresciane come Franchi ecc. attualmente varranno molto di più di quando si pagarono allora, specialmente se sono modelli particolari e curati. Ma lo stesso vale per armi belghe ed inglesi, anzi alcuni modelli di queste ultime hanno prezzi da capogiro perché uniscono doti di artigianato armiero ad idee creative non più riproducibili poiché legate ad un contesto storico e alla stessa evoluzione del fucile da caccia. Non è però detto che le armi più vecchie debbono costare di più di quelle recenti,

proportionally higher. One often wonders if the price of used guns increases proportionally with the price of new guns.

I find this is justifiable, as long as the gun is still being produced.

If not, it would be important to know the reason why gun production has been discontinued.

If the answer is that the gun needs further improvements, the price of the old model shall remain unvaried, but sometimes production has been discontinued due to the fact that it is too expensive to produce and scarcely competitive in price.

In this case, paradoxally, the price shall tend to rise as if it were a gun still in production, because the intrinsic value of the gun remains and is often revalued if skilled work is involved.

These rules do not apply to fine or luxury guns because much depends on the brand, the model, the engravings, the state and condition of the gun, and the interest of the collector.

Let us take an example: a person who purchased Romagna guns such as Zanotti, Toschi or other Brescia guns such as Franchi etc.

a few years ago shall see their price rise in time, especially if they are fine models.

The very same thing applies to English and Belgian guns.

Some of the English models have exhorbitant prices in that they combine very special gun craftsmanship talents with creative ideas which are no longer reproduceable because they are linked to a historical context and to the hunting shotgun evolution. But this does not mean that old guns should be more expensive than the recent ones, particularly

324

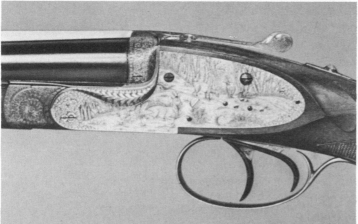

Coppia di doppiette Francotte. La prima in alto ha acciarini smontabili amano mentre quella sotto è un express con acciarino su piastra laterale a molla indietro.

A pair of Francotte side by side shotguns. The one above has hand-detachable gun locks, while the one below is an Express shotgun supplied with backward-spring gun locks on the side plates.

La doppietta di Westley Richards con acciarini smontabili a mano dal petto di bascula.

A Westley Richards side by side shotgun with hand-detachable gun locks.

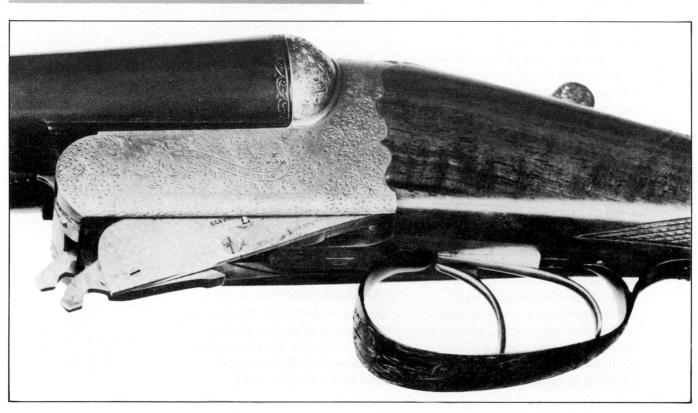

325

soprattutto se il discorso del vecchio si accompagna anche ad un certo stato evidente di usura o di restauri maldestri nel tempo. Poiché ci si imbatte spesso in armi di pregio ma molto usate è bene dire che le quotazioni debbono calare anche drasticamente, sebbene il possessore dell'arma che deve essere venduta si appelli al buon nome della marca e faccia riferimento a quanti soldi ci vorrebbero per acquistarla nuova. Questo è un discorso che non regge, poiché abbiamo già detto nel definire l'arma fine che le due doti estetiche e di funzionalità meccanica debbono andare sempre di pari passo. È escluso da questo discorso il valore collezionistico. È logico che se troviamo da acquistare un sovrappoto Boss originale o una doppietta Westley Richards con acciarini smontabili dalla bascula il valore sarà comunque molto elevato in quanto lo stato dell'efficienza meccanica passa in secondo piano anche perché non credo che si possa acquistare simili testimonianze storiche per andare a caccia o al tiro.

Ma proseguiamo con esempi concreti. Cosa può valere una doppietta belga Lebeau Courally o Francotte con acciarini laterali, costruita una trentina di anni fa, con incisioni leggere ad inglesine ed impiegata a caccia con evidenti segni di usura? Si può considerare una quotazione compresa fra i 7 e i 10 milioni in funzione dell'usura. Se le canne sono intaccate internamente in maniera evidente, chiusure da riassestare e legni molto ammaccati la quotazione scenderà drasticamente, poiché si deve considerare che si acquista praticamente solo bascula ed acciarini in quanto per fare un

if the older gun shows a definite state of obvious wear or contains clumsy restorations.
Since one very often finds himself facing mistreated guns, I should also mention the fact that their price must obviously be reduced, even though the owner of the gun might discuss the good name of the gun maker and the present quotation of a new one.
This is an unnecessary discussion because as we already mentioned above, guns must be aesthetically and functionally balanced.
The collector's value level is, in this case, not valid.
Of course, should we find an original Boss over and under shotgun or an original Westley Richards side by side shotgun supplied with detachable locks, quotations would, in this case, be very high since mechanical efficiency would in this case have a lesser importance.
The purchase of such a historic object in fact, would not be carried out to go hunting or shooting.
But let us go on with concrete examples.
What could be the value of a Belgian side by side shotgun by Lebeau Couraly or Francotte supplied with side locks, produced about 30 years ago, and engraved with light English scrolls and which is noticeably worn? One could consider a quotation ranging from 7 to 10 million Lire, depending on its condition.
If the barrels are obviously inernally damaged, the locks need to be repaired and the wood is damaged or dented, in this case the price should, of course, be lower.
In such a case one must consider that one is actually buying an action and some gun locks,

L'inglese Eley è una delle più prestigiose case produttrici di munizioni.

The English firm Eley is one of the most prestigious munition producers.

Doppietta dei F.lli Rizzini di Magno (Bs). Un'arma molto ricercata anche sul mercato dell'usato.

Side by side shotgun by F.lli Rizzini, Magno (Bs). A gun in great demand, even on the market of used guns.

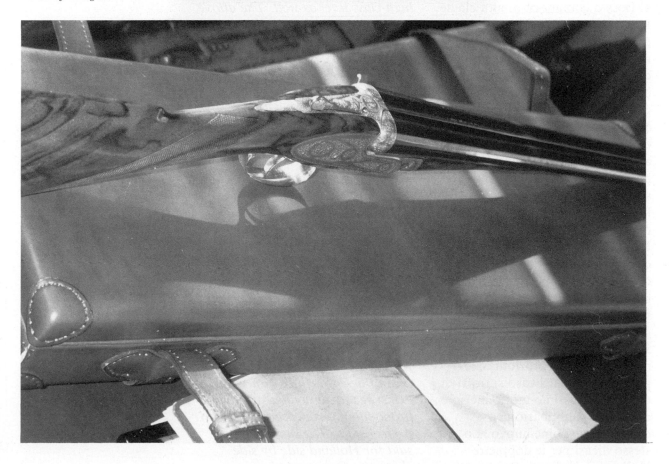

restauro perfetto occorrerà rifare un paio di canne nuove e sostituire i legni. Quindi il fucile nelle condizioni sopra descritte potrà valere due o tre milioni sempre che bascula ed acciarini siano molto belli. Ai vertici della valutazione delle armi fini si può porre il sovrapposto Boss. Quelli originali, cioè usciti dalle mani di John Robertson ed immediatamente seguenti sembra siano molto pochi non raggiungendo neanche il centinaio di esemplari. Le quotazioni qui sono molto alte, si parla di 60/70 milioni ed anche più. C'è chi arriva a dire anche il doppio, comunque è un problema di pochissimi data l'esiguità numerica di queste armi. Ci sono però numerosi sovrapposti ispirati al Boss o comunque di alta classe. Le armi sopra considerate debbono essere come nuove o usate pochissimo e bene, complete di custodia originale. Sono comunque armi che saranno destinate a lievitare col tempo. Molto alte di quotazione anche le doppiette Westley Richards con acciarini smontabili da sotto la bascula. Quindi abbiamo nella scala valori le doppiette hammmerless ad acciarini laterali di Purdey e di Holland & Holland. Molto ricercata è la doppietta Purdey in cal. 20. Per le doppiette in cal. 12 di ambedue le marche molto dipende dal tipo di finiture e dallo stato di usura generale.

Le doppiette Purdey tengono molto bene le quotazioni, che possono salire nel caso si tratti di un fucile finissimo molto inciso e di recente fabbricazione o quantomeno come nuovo. Lo stesso dicasi per le doppiette Holland & Holland. Poi occorrerà

because in order to really restore it one would have to replace the barrels and remake the wooden parts. In this case the gun could probably cost from 2 to 3 million Lire, if we consider the beauty of the action and of the gun locks. At the top of the evaluation line of fine guns one should mention Boss over and under shotguns. I mean the original ones, made by John Richardson. The fact is that there are less than 100 pieces of this type. Quotations, in this case are obviously very high. We are talking of prices which range from 60 to 70 million Lire, or more. Some collectors quote even higher prices, and sometimes even twice as much. There are some very beautiful shotguns which are Boss-inspired or which are of a high-class level as well. The above mentioned guns have to be as new, and must be supplied with their original case. These guns will, in time, reach increasingly higher quotations. Very high quotations have been also reached by Westley Richards side by side shotguns supplied with detachable locks under the gun action. Then we shall find Purdey and Holland & Holland hammerless side-lock side by side shotguns. 20 gauge side by side shotguns by Purdey are very sought after. For the 12 gauge side by side shotguns of both gun makers, much depends on their type of finishing and on their general conditions.

Purdey side by side shotguns maintain their quotations very well, but could increase in price in case of a very refined gun with extravagant engravings of modern production, or in case of a gun in perfect state. The same can be said for Holland side by side shotguns. One would have to

vedere se avranno gli acciarini smontabili a mano, l'apertura automatica o assistita, la valigetta originale così via. C'è la tendenza a super valutare queste armi anche quando siano molto usate però a mio avviso questo non è conveniente. Infatti anche una doppietta Holland o Purdey con le canne andate o con le chiusure da rifare o con altre usure marcate deve subire la drastica riduzione di quotazione al pari di altre marche. Per quanto riguarda gli express, specialmente gli Holland Holland, anche in questo caso a mio parere spesso sono sopravvalutati. Soprattutto quando si tratta di calibri ormai in disuso per le quali le munizioni non sono più reperibili o sono di scarsa reperibilità. Così mentre un express Holland & Holland di calibro attuale come il 375 H&H Magnum può superare i 30 milioni, quelli con calibri strani anche se in ottimo stato occorrerà dimezzarli. Il valore sopra indicato sempre per un'arma finitura "Royal". Andando sui cani esterni i prezzi scendono di molto.

Sia armi di Purdey che di altri costruttori inglesi di inizio secolo a cani esterni hanno quotazioni piuttosto basse, a partire dal milione fino a quattro, massimo sei per modelli particolari e più rari. Le armi tipo Anson partono dal milione fino ai 6 milioni, sia inglesi che belghe purché di marca.

Per quanto riguarda armi di artigiani che ancora producono l'usato dovrebbe seguire la regola di una riduzione di circa il 30/40% del prezzo nuovo del listino al pubblico. Non è però sempre così, in quanto a volte si preferisce spendere qualcosa di più

examine whether the gun locks are hand-detachable, whether the opening is automatic, whether the case is original, etc. There is a tendency to overevaluate these guns even when they are worn and used and I feel this is not a convenient situation. As a matter of fact, even a Holland or Purdey side by side shotgun with useless barrels and ruined locks and other defects should have a lower price. As far as express shotguns are concerned, and especially Holland & Holland's, I find them very often overpriced. Particularly when the gauges are obsolete and munitions are difficult if not impossible to find. Therefore, since a Holland & Holland express shotgun of a present gauge such as the 375 H&H Magnum may cost more than 30million Lire, it shall be necessary to reduce the price of the guns with a strange gauge by half, even though they are still in a good condition. The above mentioned prices refer to "Royal" finished shotguns. In external-cock shotguns prices remarkably decrease.

External-cock shotguns produced at the beginning of the century by Purdey or other English gun makers have quite low quotations, starting from one million up to four million Lire, reaching even six million Lire for the rarest models, as long as the guns are English or Belgian and are produced by a reknown gun maker.

As far as guns made by craftsmen who are still producing those particular models are concerned, the rule should be that of having a 30/40% reduction on the new price list to the public. But this is not always the case, because at times one prefers to spend a little

per non dover aspettare i lunghi tempi di consegna farsi realizzare un'arma nuova.

Chi produce fretta consegna entro 6/8 mesi ma in alcuni casi si può aspettare anche più di un anno.

Quindi l'usato in perfette condizioni o l'arma inusata può essere venduta praticamente quasi a prezzo del nuovo.

Occorre poi valutare il discorso delle incisioni.

Diciamo che per incidere una doppietta con cartelle laterali occorre spendere una cifra superiore al milione e mezzo per una incisione non particolarmente elaborata eseguita da un incisore non conosciuto.

Per certe firme più prestigiose questa cifra può raddoppiare ed anche quintuplicare per chi è molto esigente. Quindi nel valutare un'arma nazionale occorrerà tenere presente questo aspetto. Torno a ripetere che le cifre che ho indicate sono medie e molto generiche, poiché ogni arma va valutata a sé. Inoltre sono stato in certi casi piuttosto cauto nelle cifre, perché ritengo che quotare troppo l'usato di certe marche non sia molto conveniente per chi debba acquistare, infatti tutt'ora si realizzano armi molto ben fatte a prezzi spesso inferiori dell'usato di marche prestigiose. Basta darsi un po' da fare e contattare i vari artigiani per vedere che si può produrre bene a costi interessanti.

Per questo motivo la sopravvalutazione dell'usato salvo i casi già citati può essere artificiosa.

Ci sarà comunque una inevitabile tendenza all'aumento di queste armi, sia perché i costi aumentano di anno in anno sia perché diminuirà la mano d'opera specializzata in grado di produrre ai migliori livelli. Quindi il fucile fatto a mano rimane un

levels are increasingly fewer. more in order not to have to wait for long delivery times. There are gun makers who work very quickly and whose delivery times take from 6 to 8 months, but in most of the cases one has to wait for more than a year.

Therefore, well preserved used guns or the new ones could be almost sold at the same price. One should then evaluate the engravings, Let us say that a simple engraving on a side-plate side by side shotgun made by an unknown engraver is worth about 1.500.000 Lire. Engravings made by prestigious and well-known engravers are worth twice as much to five times as much.

Therefore, in order to evaluate a gun of a national make, one should consider all these aspects. I keep repeating that these quotations are average and general, because each gun must be evaluated separately. I tried to be careful in quoting prices because I believe a too high a price quotation of worn and used guns of certain brands are not convenient for the purchaser. As a mater of fact, there are new guns made today which are far better than some used guns made by prestigious gun makers. One should look around and search best occasions, contact the various craftsmen to see which of them is producing good guns at an interesting price.

For this reason, the over evaluation of used guns, apart from very special cases, is to be considered artificial.

Anyhow, there shall be a tendency to a price increase of these guns, since costs increase year by year and also because skilled craftsmen who are able to produce at best

Fine doppietta tipicamente romagnola: porta la firma di Renato Zanotti.

A very fine Romagna side by side shotgun which bears the signature of Renato Zanotti.

Doppietta Bertuzzi incisa da D. Moretti su soggetti rinascimentali.

Gun maker: F.lli Bertuzzi. Engraver: D. Moretti.

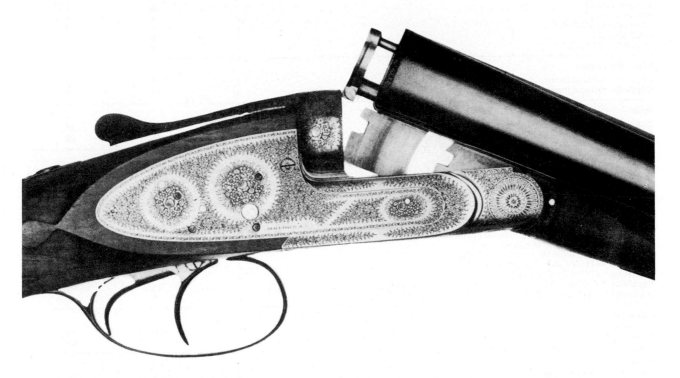

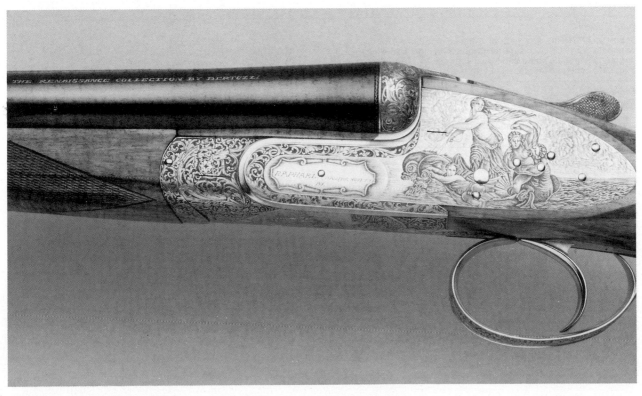

331

I prezzi indicati sono da considerarsi x000.000 (milioni di lire)

Tipo di arma - Descrizione	Condizioni		
	1	2	3
Pietro Beretta			
Sovrapposto SO1	1	2	3
Sovrapposto SO2	2	3	4,5
Sovrapposto SO3	3	4	6
Sovrapposto SO3EELL	4	6	9
Doppietta 451	3	5	8
Doppietta 451EELL	4	6	9
Pietro Bernardelli			
Doppietta Holland liscia	1,5	3	5,5
Doppietta Holland incisa	2	4	6
Boss			
Doppietta acciarini laterali (monogrillo +30%)	12	20	30
Sovrapposto (monogrillo +30%)	35	45	70
Cogswell & Harrison			
Doppietta VICTOR acciarini laterali (monogrillo +10%)	5	7	10
Doppietta PRIMAC acc. lat. smontabili a mano	3,5	5	7,5
Doppietta AMBASSADOR acciarini laterali	2	3,5	5
Churchill			
Doppietta PREMIER Quality (mon. +10%)	8	11	16
Doppietta FIELD Model (come Premier ma meno rifinita)	4	6	9
Doppietta UTILITY Model (Anson)	2	3,5	5
Sovrapposto PREMIER Model (mon. +10%)	7	11	16
Doppietta PREMIER XXV. Acciarini laterali	8	12	18
Doppietta HERCULES XXV (Anson)	4	6	9
Doppietta IMPERIAL XXV (come Premier ma non self-opening)	8	11	15
Doppietta REGAL XXV (come Hercules ma non self opening)	3	4	6
Fabbri Ivo			
Sovrapposto tipo Boss ad acciarini laterali. Finitura standard	18	30	40
Doppietta ad acciarini laterali. Fin. standard	15	20	25
Ferlach			
Express ad acciarini laterali. Dopp. o sovrapp.	4	6	10
Express Anson	2	4	6
Luigi Franchi			
Doppietta LITTORIO. Acc. laterali. Canne demibloc +20%	2	3,5	5
Doppietta CONDOR. Acc. laterali. Canne demibloc +20%	1,5	3	4,5
Doppietta Imperiale Montecarlo. Acc. Laterali	2	5	8
Doppietta Imperiale Montecarlo Extra	6	10	15
Francotte			
Doppietta Anson varie finiture	2	3	4,5
Doppietta Anson. Finte piastre laterali (Mod. 20, 30 etc.)	2,5	4	5,5
Doppietta acciarini laterali (mod. 120, 328 etc.)	5	9	12
Sovrapposto tipo Boss	12	20	28
F.lli Rizzini			
Doppietta R1E acciarini laterali. Finitura standard	8,5	12	20
Doppietta R2E - Anson. Finitura standard	6	8	10
F.lli Bertuzzi			
Doppietta Venere. Acciarini laterali. Finitura standard	5	7	10
Doppietta tipo Anson (canne demibloc +20%)	1,5	3	5
Sovrapposto tipo BOSS - Finitura standard	8	10	15
Doppietta a cani esterni. Finitura standard	4,5	7	9
Sovrapposto tipo Boss a cani esterni	8	14	19
W.W. Greener			
Doppietta Anson - Tipo Jubilèe (DH35)	1	2	3
Doppietta Anson - Tipo Sovereign (DH40)	1,5	3	4
Doppietta Anson - Tipo Crown (DH75)	2	3,5	6
Doppietta Anson - Tipo FarKiller (estr. aut. +20%)	0,9	1,8	2,8
Doppietta Anson - Tipo Empire (De Luxe +10%)	0,8	1,2	2
Holland & Holland			
Doppietta Royal Model (monogrillo +10%)	8	15	25
Doppietta De Luxe - Acciarini laterali	10	16	28

Tipo di arma - Descrizione		Condizioni		
		1	2	3

Holland & Holland (continua)

		1	2	3
Doppietta Badmington Model. Come Royal ma non self opening.		7	9	14
Doppietta Riviera Model. 2 paia di canne		8	10	15
Doppietta Dominion. Acciarini laterali		3	4	6
Doppietta Royal. Cartelle a "pera"		4	6	9
Doppietta Nortwood Game (Anson)		3	4	6
Sovrapposto Royal (monogrillo + 10%)	Fino al '50	8	15	25
	Dopo il '50	12	18	30

N.B.: Per i calibri 20 aggiungere + 20%. Calibro 28 + 40%. Calibro 410 + 60%.

Holland & Holland (continua)

		1	2	3
Express Royal. Vari calibri	Fino al '45	8	15	25
	Dopo il '48	6	12	20
Express N. 2. Come Royal ma meno rifinito	Fino al '45	5	10	15
	Dopo il '48	4	8	12
Express De Luxe. Come Royal ma più inciso	Fino al '45	10	20	30
	Dopo il '48	8	15	25
Carabina bolt action. Best Quality. Tipo Mauser o Enfield	Fino al '45	3	5	7
	Dopo il '48	2	4	6
Carabina bolt action De Luxe. Incisa		4	7	10

Lebeau-Courally

	1	2	3
Doppietta Anson. Estrattori automatici	3,5	5	8
Doppietta ad acciarini laterali. Recente. Self opening + 15%	7,5	12	18
Doppiette ad acciarini laterali fino al 1988	6	9	14
Sovrapposto tipo Boss ad acciarini laterali	8,5	15	25
Express ad acciarini laterali. Vari calibri	15	18	25

Merkel

	1	2	3
Sovrapposto 201 E (monogrillo + 10%)	1,2	2	3
Sovrapposto 202 E	1,2	2,5	3,5
Sovrapposto 303 E - batterie laterali	3	4	7
Doppietta 147 E - Tipo Anson	0,6	1,2	1,8
Doppietta 47S - Acciarini laterali (mon. + 20%)	2	3	4

Piotti

	1	2	3
Doppietta Piuma - Anson (tipo Lusso + 15%)	1,5	3	4
Doppietta King 1-Acc. laterali. Canne demibloc	3,5	6	9
Doppietta Montecarlo - Acciarini laterali	3	4	6
Doppietta Lunik - Acciarini laterali	5	8	12
Doppietta King Extra Lusso. Incisione elaborata	6	10	15

James Purdey & Sons

	1	2	3
Doppietta self-opening. Best quality (standard finish)	16	20	30
Sovrapposto tipo Woodward (Mon. + 10%)	14	18	28
Express Double Rifle. Vari calibri	18	25	30
Carabina tipo Mauser Bolt-Action Sporter	3	5	7
Doppietta cani esterni. Canne in acciaio	3	4,5	6

John Rigby

	1	2	3
Doppietta acciarini laterali. Tipo Regal	8	10	16
Doppietta Anson - Tipo Chatsworth	3	4	6
Express Best Quality. Acciarni laterali	12	18	25
Express Anson	5	8	15
Express 3th quality. Come Best ma meno rifinito	4	9	12
Carabina bolt action tipo Mauser. Cal. 416 R.	2	4	5,5

Westley Richards

	1	2	3
Doppietta Best Quality ad acciarini laterali	5,5	7	12
Doppietta De Luxe. Acciarini laterali smontabili a mano	10	12	18
Doppietta Anson De Luxe con acciarini smontabili a mano	8	10	16
Doppietta Anson mod. E (estrattori aut. + 20%)	2,5	4	5,5
Sovrapposto Ovundo. Batterie smont. a mano	13	18	25
Express "Box lock". Acciarini smont. a mano	8	15	20
Carabina bolt action tipo Mauser	3	5	7

W&C. Scott.

	1	2	3
Doppietta Anson. Tipo Chatsworth De Luxe	3,5	5	7
Doppietta Anson. Tipo Bowood	3	4	5

Woodward

	1	2	3
Doppietta ad acciarini laterali. Best Quality	9	15	22
Sovrapposto acc. laterali. Prima della 2ª Guerra M.	18	30	45

buon investimento, sia economico che soprattutto di passione e di apprezzamento verso coloro che ancora si impegnano in simili realizzazioni.

Therefore a hand-made gun shall always be a very good investment both under an economical point of view and under an appreciational point of view.

Valutazioni orientative armi usate 1991/92

Indicative evaluations of used guns 1991/92

Condizioni dei fucili

Guns condition

1) Condizioni non buone anche se l'arma può sparare con margine di sicurezza. Eventuali parti non originali (calcio rifatto, ribrunitura, incisioni leggermente consumate etc.). Canne con leggere camolature interna. Parte meccanica funzionante.
2) Condizioni buone. Brunitura 80%, legni originali, incisioni non consumate. Canne internamente non toccate e prive di corrosioni anche minime. Arma usata ma con criterio, senza segni di manomissioni o di usura. Chiusure integre.
3) Condizioni ottime. Arma come nuova e totalmente originale. Deve aver sparato poco (o solo per prova), dotata preferibilmente di custodia originale. Questa condizione è quella che solitamente interessa il collezionista di alto livello.

1) Not very good conditions even though the gun can shoot with a margin of safety. Some parts are not original (i.e. remade stock, reblued gun, slightly worn engravings, etc.) Slightly ruined barrels in the inside. The mechanical part is functional.
2) Good conditions. 80% blueing, original wood, engravings in good condition. The barrels are intact in their inside and do not present any corrosion marks. The gun has been used with great care. No signs of mishandling or tampering. It looks intact.
3) Excellent conditions. The gun is like new and totally original. It was probably used very litle, or possibly only for testing. It is supplied with its original case. These are the conditions which attract a high level collector's interest.

Il collezionismo

Collections

Colezionare armi fini non è certo un hobby economico. Dipende però il livello a cui uno intende porsi e non è detto che con un budget relativamente contenuto si possa esercitare del collezionismo. D'altra parte molto spesso mi capita di vedere appassionati o cacciatori

Collecting fine guns is by no means an economic hobby. It depends, of course, on the level or limit the collector has set for himself.
I might as well say that with a relatively low budget one could at least start a small collection.
On the other hand, I have at times seen wealthy enthusiasts or

benestanti con un certo numero di fucili ma male assortiti e con nessun valore collezionistico. Ecco perché con gli stessi soldi si sarebbe potuto avere meno armi ma più importanti e quindi la competenza da parte del collezionista è essenziale per iniziare questo affascinante hobby. La stessa cosa però si può dire per tutte le altre attività di collezionismo, dalle monete ai quadri, dai francobolli alle auto. Come per le armi occorre competenza specifica ed una certa quantità di denaro da spendere. Oltre all'aspetto economico, pur importante, la motivazione essenziale che dovrebbe muovere il collezionista è quella di avere oggetti validi, rari, di ricercarli con passione e di capirli, al di là del loro valore commerciale. Si può iniziare il collezionismo anche con mezzi ridotti, se si sanno effettuare le giuste scelte guardando ai contenuti di ciò che si acquista. Il campo dei fucili da caccia non è facile, perché affidandosi al solo nome (marca) del prodotto non si è sempre garantiti dalla qualità intrinseca e più ancora trattandosi quasi sempre di fucili usati del loro stato di conservazione e di originalità. C'è chi crede di avere fucili che valgono grosse somme solo perché pensano che quella tal marca sia importante (ad esempio nel caso di vedove che ereditano i fucili dal marito) o perché consigliati da amici o armieri poco competenti. È difficile spiegare a costoro che magari le armi sono state usate troppo e male, che le canne sono fortemente intaccate, che le chiusure sono al limite della sicurezza o che hanno qualche altro difetto che fanno fortemente penalizzare l'arma esaminata. I

hunters with badly assorted guns of little if no collection value at all.

This is why it would be adviseable to have a lesser quantity of guns for the same amount of money. It is essential to really be competent and understanding before starting a collection.

This of course it also true for other types of collections as well; from coins to paintings, from stamps to cars.

One needs specific competence and a certain amount of money. Apart from the basic financial expenditure, it is essential for the collector to look for valuable and rare objects, to look for them with enthusiasm and devotion, and to be informed as to their real value besides their economic value.

This is why one may start a collection with a small fund as long as one knows how to make good choices and knows what he is doing.

The field of hunting guns is not an easy one, because if one chooses only on the basis of the gun maker's name this is not a guarantee of its intrinsic value, since when one finds fine guns he is never sure of their originality and good mainenance. Some people think they posess excellent guns basing this idea on the gun maker's name - which is often the case of widows who inherit guns from their husbands, or are badly advised by friends or uncompetent gun makers.

It is very difficult to explain to such people that their guns have been badly used and mistreated, that the barrels are badly damaged, and that the locks are not safe any more, or that there

primi passi del collezionismo possono essere compiuti anche con dei baratti (permute) con eventuali aggiunte di denaro per poter aver dei pezzi di maggior valore rispetto a quelli che già si possiedono. È bene cercare di orientarsi sempre al meglio e per salvaguardare i propri investimenti. I collezionisti che non hanno problemi economici non hanno che l'imbarazzo della scelta: coppie di Purdey, di Boss, di Westley Richards e armi nuove di alto artigianato italiano incise da incisori di nome. Ma vediamo come si può iniziare del collezionismo senza poter partire con grosse somme come quelle che servirebbero ad acquistare i prodotti citati o equivalenti. Ad esempio si può iniziare con dei fucili a cani esterni: non è difficile reperire qualche buon pezzo ben conservato di costruzione inglese antecedenti al 1900 che incorporano sempre le stesse qualità degli hammerless posteriori (acciarini, basculatura etc.) ma che sono commercialmente più accessibili. Si può poi affiancare qualche Anson sia inglese che soprattutto belga. Dico soprattutto perché si possono trovare dei fucili validi realizzati intorno alla meccanica Anson & Deeley di produzione belga a prezzi decisamente bassi. Sono però armi di concezione prettamente artigianale e nettamente superiori a fucili nuovi dello stesso prezzo ma realizzati industrialmente. In qualche caso si potrà ovviare a qualche difetto come rifare i legni, riprendere le incisioni, rifare le canne etc. senza deprezzare ma anzi aumentando il discreto valore nel tempo. A questo punto quando si avranno due o tre fucili di questo tipo si

are other defects which definitely penalize the gun. The first steps for a collector could be of replacing the guns they have with something better with an additional amount of money, and thus improve their posessions.
It is always recommendable to reach for the best one can afford, in order to protect one's investment.
Collectors having unlimited funds only have to choose:
Purdey, Boss, Westley Richards sets of two, and new guns of highly qualified Italian gun makers engraved by famous engravers.
let us examine how one can start a collection without having to disburse very large sums of money.
One could, for instance, start with external-cock guns.
It is not very difficult to find some English examples constructed before 1900 which all have the attributes of hammerless shotguns (locks, action fitting, etc) which are economically more accessible. One can later add an English or Belgian Anson.
One can easily find very valid guns of a Belgian make with an Anson and Deeley mechanism at a relatively low price.
These craft-workmanship produced guns are definitely superior to similarly-priced mass-produced contemporary guns.
In some cases one could settle some of the defects such as remaking the wooden parts, refreshing the engravings, remaking the barrels, etc. without depreciating the gun but rather enhancing and revaluing it.

Doppietta dei F.lli Piotti. Armi con un buon rapporto qualità/prezzo. Setter in ferma inciso da G. Pedersoli.

Side by side shotgun by F.lli Piotti. Guns with a good quality/price ratio. Pointing setter engraved by G. Pedersoli.

Doppietta J. Purdey e Sons con animali rimessi in oro.

Best quality J. Purdey e Sons side by side, self opening shotgun.

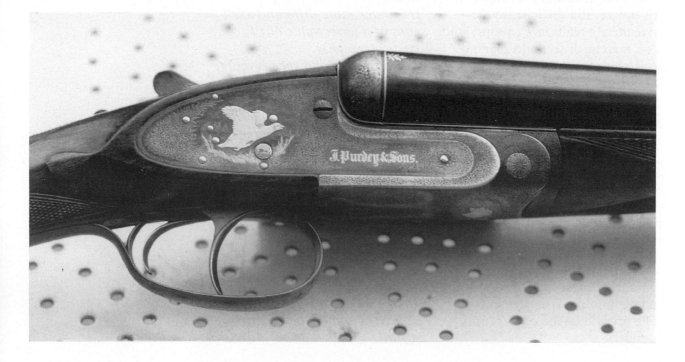

potranno rivendere e fare il primo passo verso una doppietta fine ad acciarini laterali che costituirà l'inizio di una collezione di valore. Non starò qui a ripetere le caratteristiche da esaminare nell'acquisto di un fucile usato perché già trattate nel relativo capitolo però raccomando quando si acquista un'arma di valore elevato di volere tutte le garanzie di originalità e di esaminare che non siano state fatte operazioni maldestre o contraffazioni che farebbero perdere irrimediabilmente valore alla stessa. Preferire armi con custodie originali e veramente ben tenute nei calibri ancora in uso e richiesti. In questo specifico settore i migliori investimenti sono rappresentati da armi inglesi seguite dalle belga e da italiane in tempi recenti salvo qualche debita eccezione. Armi di questo tipo, se ben tenute e di marche notoriamente conosciute, costituiranno un valido investimento e non creeranno problemi quando le si volessero rivendere. Più difficile invece rivendere e realizzare i propri soldi con marche di secondo piano o con armi di media qualità. In questo caso vale il proverbio "Chi può spende meglio spende". Un'altra strada sicuramente consigliabile è quella di ordinare un'arma direttamente al fabbricante (quasi sempre artigiano) scegliendo misure, qualità dei legni e valore dell'incisione da effettuare. Anche in questo caso però è bene orientarsi su produttori già affermati e che danno serie garanzie di alta qualità. Spetterà ad ognuno poi spendere in base alle proprie tasche ed ai propri desideri.

At this point, when one owns about three of such guns, one could sell them, thus making a first step toward the purchase of a fine side by side shotgun with side locks, which would then be the first step toward a valuable collection.
I do not wish to repeat all I previously mentioned on examining every detail before purchasing a gun, but watch out for clumsy repairs or for some sort of falsifications, which would immediately lead to a loss in value of the newly acquired gun.
One should always prefer a gun in its original case, in good condition and with preforming gauges.
In this specific collection sector, it is adviseable to concentrate on English, Belgian and recent Italian guns with obvious exceptions.
The above described guns are a safe investment and should not be a problem as to their sale in the future.
It is much more difficult to sell guns of a lesser value or of mediocre quality.
The proverb "who spends more spends best" is suitable in this case.
The other alternative is, of course, to order a gun from a gun maker who is usually a craftsman.
In this case, you may select the size, the quality of the wood to be employed, the value of the engraving.
In this case too, it is better to select known gun-makers who always grant quality workmanship.
In this way, any collector shall be able to obtain the best he can afford.

I produttori internazionali

International gun makers

I costruttori inglesi

Molto ci sarebbe da dire intorno agli armaioli inglesi a partire dalla metà del secolo scorso per l'impegno che hanno saputo profondere nella costruzione del fucile da caccia ma anche per un certo stile ed una concezione estetica che hanno certamente fatto scuola.

In sintesi ingegnosi artisti armaioli che ebbero presente un certo senso del bello e dell'eleganza, delle proporzioni delle forme, della capacità di dare "personalità" alle proprie armi. Ma in questo contesto non riuscirò a trattare con la giusta profondità di particolari tutta la storia e l'evoluzione del fucile da caccia così come è stato sviluppato dagli armaioli britannici sia per comprensibili motivi di spazio sia perché in parte è stato fatto. Esistono dei testi in lingua inglese che trattano della storia di alcune casate armiere fra le più prestigiose, come Holland & Holland e Purdey, esistono due libri di W.W. Greener sulle principali evoluzioni del fucile da caccia moderno a cavallo fra Ottocento e Novecento e poi esistono volumi di Gianoberto Lupi editi dall'Editoriale Olimpia che ad iniziare dai "Grandi Fucili da caccia" fino a "Il fucile da

English gun makers

There surely is much to say about English gun makers which, from the middle of the past century devoted themselves to the construction of very high quality hunting shotguns endowed with a unique aesthetical conception and style which contributed in making them leaders in this field.

They were genial gun making artists who had a certain sense of beauty and elegance, a definite sense of proportion and form and a great skill in endowing their guns with personality.

Unfortunately, it is impossible to go into details or to completely survey their history since space is short and, by the way, there is plenty of literature on this subject.

There are English books which relate to the history of some of the most prestigious gun makers such as Holland & Holland and Purdey, and there are also two books by W.W. Greener wich deal with the evolution of modern hunting shotguns which survey the 1800s and the 1900s.

Books on this subject have also been written by Gianoberto Lupi and published by Olimpia, starting from "Grandi

caccia a percussione centrale dal 1800 a oggi" mettono a disposizione il lettore desideroso di approfondire anche aspetti tecnici dettagliati una vasta letteratura ben realizzata. Quindi mi limiterò a fare una sintesi piuttosto generica toccando i nomi più significativi ed esaminando armi che hanno in qualche modo rappresentato svolte importanti tutt'ora guardate con ammirazione anche dai produttori attuali. Prima di entrare nel vivo dell'argomento è necessario fare un paio di premesse. La prima è che da un punto di vista storico sarebbe necessario parlare degli armaioli francesi, poiché anche se la letteratura e le fonti disponibili non sono eccessivamente chiare in materia sembra che molte delle idee sviluppate poi dagli inglesi fossero già state "pensate" da armaioli francesi ma anche di altre nazioni. Ad esempio il sovrapposto di Pidault a ramponi laterali che avrebbe anticipato quello di Boss, ma anche il fucile a retrocarica "hammerless" presentato dall'armiere inglese DAW nel 1864 si hanno notizie che fosse stato anticipato da produttori francesi ed anche prussiani. Però mentre è giusto riconoscere storicamente queste precedenze, testimonianze visive della produzione francese dell'epoca sono alquanto scarse. Non solo ma in molti casi non si è nemmeno sicuri che gli armaioli inglesi fossero a conoscenza di queste soluzioni. Almeno se non in tutti in molti casi. Quindi per tali ragioni ci concentreremo solo su alcune produzioni inglesi che sono rimaste come "simboli" di un'epoca d'oro del fucile da caccia e tiro di tipo fine e che costituiscono tutt'ora oggetti ricercati e da collezione.

La seconda premessa è che tale

Fucili da Caccia" up to "Il Fucile da Caccia a Percussione Centrale dal 1800 a oggi".
This literature should be enough to give detailed information to any collector in terms of mechanical aspects and other information.
I shall therefore dwell only in general on some of the major gun makers which contributed to the gun-making history, and which are still greatly admired.
Before getting to the core of the matter I would like to make some preliminary remarks.
Under a historical point of view, one should mention the French gun makers who apparently were the originators of many inventions which have been taken up by the British.
For instance, Pidault over and under shotguns with side lumps were made before the ones made by Boss.
Even the hammerless breech-loader shotgun presented by the English gun maker DAW in 1864 had French forebearers in France and probably in Prussia as well. Although it is historically correct to mention these precursors, it is difficult to find any actual evidence of the French production of that period.
At times one wonders whether the English gun makers were aware of their French precursors or not, at least in some cases.
Therefore it would be wise to concentrate on the English gun makers, which remained the symbols of the golden age of hunting and fine shotguns and which still are the very object of the collector's attention today.
The second remark is that such stir and contribution by the English gun makers ceased

Piastra incisa dalla figlia del famoso incisore H. Corombelle illustrante la caccia in barchino alle anatre a fine '800 in Inghilterra.

Plate engraved by the daughter of engraver H. Corombelle illustrating a mallard punt-hunting scene at the end of the nineteenth century in England.

fermento e contributi degli armieri inglesi sono ormai cessati da alcuni decenni, con qualche rara eccezione come Holland & Holland, Boss, Purdey ecc. che però in molti casi desiderano portare avanti la loro immagine prestigiosa pur non facendo più un discorso puramente commerciale e di competizione quantitativa. Bisogna anche dire che armieri si diventa col tempo e la passione e i valenti maestri inglesi che hanno reso celebri certi nomi sono ormai scomparsi (es. John Robertson di casa Boss) ed è venuto a mancare il ricambio generazionale anche in fatto di competenze. Questo in parte è anche da attribuirsi alle mutate condizioni di mercato. Da una parte la diminuzione della nobiltà a livello mondiale (principi e re erano degli ottimi clienti per questa produzione) e dall'altra anche la caccia grossa sia africana che asiatica si è di molto ridimensionata.

Tra i più importanti maestri armaioli britannici spicca la figura di Joe Manton, alla cui opera sono formati nomi che sarebbero diventati famosi più avanti, come Greener e numerosi altri. Il segreto, se così si può definirlo, che Manton profuse ai propri allievi fu quello di non accontentarsi di essere semplici armaioli, di saper lavorare bene con le mani o di conoscere i principi fisici e meccanici su cui si basano i funzionamenti delle armi da fuoco, ma di andare oltre e cercare di sviluppare la propria individualità, propria abilità personale, la propria originalità per presentare con l'arma anche una parte di se stessi, del proprio modo di ragionare e di risolvere i problemi. E questo credo sia un insegnamento oltremodo saggio e

roughly about 10 years ago, with a few rare exceptions such as Holland & Holland, Boss, Purdey, etc.

In many instances these gun makers wish to carry their prestigious image fourh without falling into a competition based on quantity or on commercial factors.

One must also say that gun makers developed their art in time and with great enthusiasm. Many of the English masters are no longer alive, such as John Robertson of Boss - and there is a lack of young successors having the same skills of their masters. Part of this situation is due to the difference in today's market conditions.

Two are the elements which must be considered: first of all the reduction of nobility at a worldwide level — princes and kings were among the best customers — and secondly, big African or Asian hunts scaled down considerably.

Among the major British gun making masters we shall name Joe Manton who contributed in the formation of various other gun makers such as Greener and many others.

The secret Manton handed down to his pupils was that of never being satisfied of simply being a gun maker, of knowing the physical and mechanical principles on which fire guns are based, but to go beyond all this trying to develop one's own personality, one's own ability and originality; to endow each gun with one's own taste and personality, and find new solutions to any problem.
I believe this is an excellent and clever type

La caccia in Inghilterra ha
tradizioni nobili che rispecchiano
anche la classe delle armi ivi
prodotte.

*English hunting has noble
traditions which also reflect the
class of their guns.*

343

motivante, che i migliori allievi di Joe Manton hanno saputo raccogliere e mettere a buon frutto. Occorre dire che ai tempi era abbastanza facile inventare qualcosa di nuovo su un fucile, più facile di quanto non possa essere ora, perché si era solo all'inizio e si doveva esplorare una terra vergine. Questo però non va a diminuire il valore degli inglesi perché occorre riconoscere che quasi tutto nel moderno fucile da caccia a due canne è stato da loro scoperto e creato ed ancora oggi i produttori internazionali ancora in attività si rifanno o meno palesemente ai concetti ed alle soluzioni di allora. Non solo ma vorrei spezzare una ulteriore lancia a favore di quella mentalità di lavorare anche rispetto alla attuale. Oggi ci sono macchine e materiali che permettono dal punto di vista costruttivo e della precisione di costruire fucili forse più perfetti, però si registra un appiattimento di idee creative. Ad esempio il modo di lavorare di molte ditte produttrici di armi (con qualche rara eccezione) è quello di avvalersi di fornitori esterni. Chi per le canne, chi per gli acciarini, chi per le saldature, chi per le finiture, chi per i calci ci si rivolge a ditte specializzate in ognuna di queste attività. Poi il costruttore rifinisce ed adatta le parti alle proprie esigenze, però non ha creato nulla. Un tempo anche nomi prestigiosi dell'archibugeria nazionale si producevano tutto o quasi da soli, come Zanotti, Toschi, Beretta ecc. Ora per ragioni di costi ma anche di capacità (sono infatti ormai pochissimi gli armieri in grado di costruirsi da soli tutto il fucile) si tende a produrre bene ma senza più far funzionare l'estro e

of motivation, which Manton's pupils later applied to their work. It should be stated, however, that we are speaking of an era in which gun making was only just beginning, and it was much easier to be original then than it is today.

This, of course, does not diminish the value of English gun makers because one must admit that everything one may find in a modern hunting double-barrelled shotgun today is the fruit of their work.

Today's international gun makers always refer to their findings and solutions.

I would also like to say something about their working mentality. Today we might have machines that make guns with a great mechanical precision, but one must admit there is a lack of creative thinking. For instance: many of today's gun makers purchase parts from other sources. Barrels, locks, welding, stock or other details — everything seems to come from specialized factories. Gun makers then gather all the various parts and assemble them according to their own specifications, but they do not create anything at all. In the past times gun makers created their own spare parts and everything was produced in-house, as in the case of Zanotti, Toschi, Beretta, etc. Today, due to the very high costs, but also due to a lack in creativity, very few are the gun makers which are able to construct all the gun parts. There seems to be a lack of talent, inspiration and originality. It could also be that today's market no longer requires such qualities from a gun maker. Nowadays,

344

Immagine di scuola di tiro di fine secolo scorso di proprietà di J. Lang.

Picture of a shooting school dating back to the end of the past century. Owned by J. Lang.

Primo Hammerless ad acciarini laterali della Holland e Holland (circa 1885).

Holland & Holland first model side lock shotgun (about 1885).

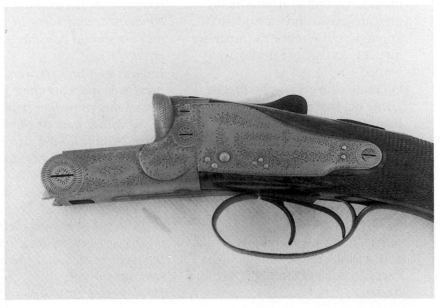

l'originalità. Può anche essere vero che il mercato non richieda queste qualità da un produttore di oggi; sono più importanti gli aspetti funzionali, il prestigio della marca, l'estetica superficiale, le incisioni ma mancano l'apprezzamento dell'arma nel proprio insieme, delle soluzioni meccaniche che propone negli acciarini, nella bascula, negli estrattori, nel modo di apertura delle canne e così via. Ecco perché l'epoca degli armaioli inglesi rimane un'epoca d'oro per l'arma fine, poiché sapeva unire tutte queste doti, passate oggi in secondo piano. Però se sono passate in secondo piano per i costruttori non è detto che lo siano per certi amatori dell'arma fine, cacciatori legati alla qualità di ciò che fanno, esperti o appassionati che al di là delle mode sanno valutare con i propri mezzi un'arma, non solo come oggetto freddo atto a sparare ma soprattutto come testimonianza e risultato di secoli di storia e dell'abilità del costruttore. Infatti le armi inglesi e belghe ormai non più recentissime sono oggetto di collezione con prezzi tutt'altro che modici. Quindi la ricettività del mercato esiste ancora e questo a mio avviso dovrebbe far meditare qualche costruttore dei nostri giorni.

Gli inglesi furono molto precisi anche nel marcare le loro armi. Prevalentemente la marca era inscritta nella parte iniziale della bindella ma più raramente anche sulle canne. Ad esempio sulla produzione di oltre mezzo secolo fa nomi con Holland & Holland, Grant, Scott ed altri incidevano sulla canna sinistra il nome, sulla destra l'indirizzo e sulla bindella l'acciaio con cui era realizzate le stesse.

important aspects are: functionality, brand name prestige, superficial aesthetics, and engravings, but there is a lack in gun appreciation in its whole, in the mechanical solutions proposed as far as locks, action, ejectors, barrel opening, and so on are concerned.

This is the reason why the English gun making age remains the golden age as far as fine guns are concerned; because it united all these aspects which are considered less important today.

But even though for gun makers these aspects lost importance, they did not in the case of fine gun amateurs who are still interested in fine details and high quality, and of experts and enthusiasts who consider guns not as cold shooting objects, but as an example of historical development and appreciate the skills and artistry of the gun makers who produced them. In fact, Belgian and English guns of a not recent make are collection objects and their prices are not at all low.

Therefore, the market is quite receptive as far as these guns are concerned, and some of our gun makers should consider this attentively.

English gun makers were very precise in marking their guns. The brand was prevailingly inscribed in the initial part of the rib, and more seldom on the barrels. For instance, as far as the production of half a century ago is concerned, gun makers such as Holland & Holland, Grant, Scott, and others, engraved their name on the left barrel, their address on the right barrel, and the employed steel on the rib.

Purdey used to write everything

Fine doppietta di Stephan Grant. Notare il lettering usato per il marchio: elegante ed efficace allo stesso tempo.

Fine side by side shotgun by Stephen Grant. Notice the brand name lettering: elegant and efficient at the same time.

Doppietta di C. Hunt con quadruplice chiusura tipo Varriale. Soluzione tecnica alquanto rara per i costruttori inglesi.

Below, a side by side shotgun by C. Hunt with a Varriale-type quadruple-bolt. A rather rare technical solution for English gun makers.

Doppietta che reca una delle firme più prestigiose in campo mondiale: quella di Boss.

Side by side shotgun made by one of the World's best gun makers: Boss.

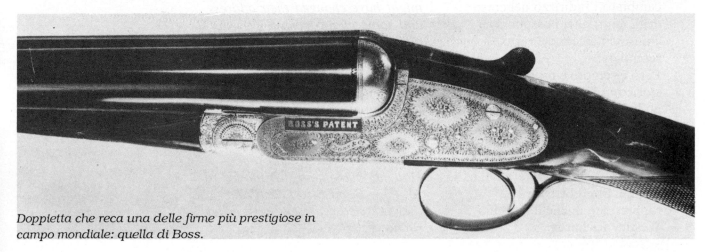

Doppietta che reca una delle firme più prestigiose in campo mondiale: quella di Boss.

Purdey usava scrivere tutto sulla bindella, con lettere piccole in carattere latino e leggermente inclinate. Anche John Rigby, il famoso costruttore di Dublino usava questo sistema, adottando però caratteri gotici alti qualche millimetro, stessa firma era posta ai lati dell'acciarino. Sempre sulla bascula o sugli acciarini venivano incisi marche dei costruttori, quasi sempre con carattere molto elegante maiuscolo-maiuscoletto di gusto latino con una piccola inclinazione sulla destra. L'effetto è nitido, elegante, pulito e visibile. Evidentemente chi usava il bulino sapeva come muovere la mano, visto che oggi quasi nessuno è in grado di riportare manualmente quelle scritte. Le lettere corrono dalla culatta verso la bocca (tenendo le canne per le culatte con la sinistra e la volata con la destra), in senso inverso di come per consuetudine le poniamo noi ed i belgi.

Riporto una tabella pubblicata una decina di anni fa sulla rivista Diana Armi e pazientemente compilata da G. Lupi sugli indirizzi di numerosi costruttori inglesi dell'epoca della loro maggiore produzione.

Come avverte anche l'Autore di questa lista gli stessi possono avere cambiato l'indirizzo nel corso degli anni, altri possono aver chiuso ed essere del tutto scomparsi.

Però è sempre è un documento storico utile avere a disposizione gli indirizzi originali di questi costruttori. A titolo di aggiornamento vorrei solo precisare che la ditta Holland & Holland si è ora trasferita al n. 33 di New Bond Street e che rappresenta anche il marchio Westley Richards.

on the rib, with small letterings, employing slightly slanting latin characters. Also John Rigby, the famous gun maker from Dublin, employed this system using gothic characters a few mm. high, and the signature was executed on the side of the locks. The brand names of the gun makers were engraved on the action and on the locks, and they were almost always executed in a very elegant latin style which was slanting on the right.

The effect is clear, elegant, pure and visible. It is obvious that whoever knew how to use a hand-graver, was also skillful in writing these inscriptions. Almost nobody is able to write those inscriptions today. The leters went from the breech to the mouth — we and the Belgians do the exact opposite. You may observe this by holding the barrel by the breech in your left hand, and the barrel muzzle in your right hand.

I included a table which was published some 10 years ago by a magazine called "Diana Armi" and which had been patiently compiled by G.Lupi with all the addresses of the many "gold age" English gun makers.

As Lupi indicated, some of them might have changed their address, and some might have discontinued production or died.

In any case, it is an important historical document containing the original addresses of the famous gun makers of the past.

I would also like to add that Holland & Holland just moved to 33, New Bond Street, and that they are also representing Westley Richards.

Doppietta molto originale con acciarini estraibili a mano alloggiati nella bascula (variante del sistema Anson). È la tipica arma di Westley Richard. Notare la chiusura a testa di bambola ricavata dal prolungamento della bindella.

A very original side by side shotgun with hand-detachable locks housed in the action (variation of the Anson system). Typical Westley Richards shotgun. Note the doll-head closing obtained in the rib extension.

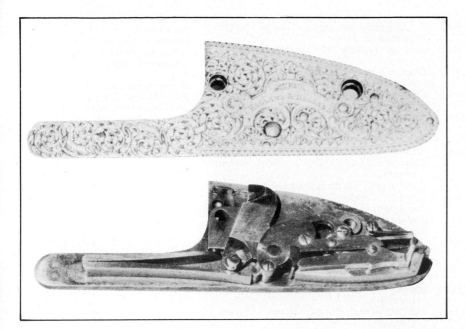

Acciarino su piastra laterale con doppia stanghetta di sicurezza introdotta dalla Holland & Holland. È stato poi universalmente diffuso e copiato e contraddistingue le armi più fini.

A lock mounted on a side plate supplied with a double safety tang. Introduced by Holland & Holland. It has been universally diffused and copied, and it distinguished the finest guns.

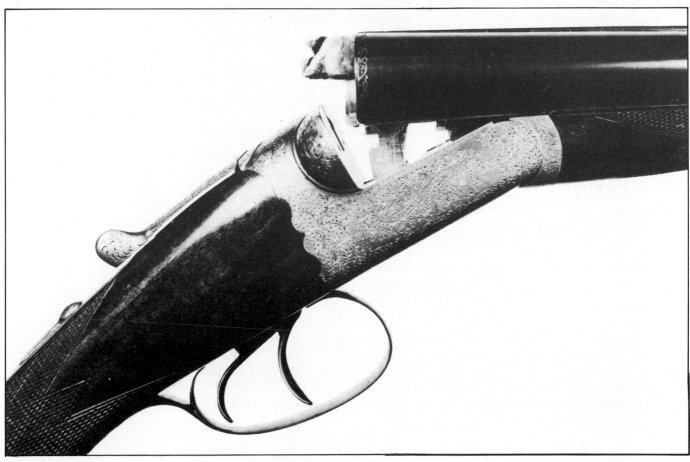

Alden & Smith, 55, Parliament Street, Westminster. London.

Robert Anderson, 6, King Street, Westminster. London.

T.& C. Ashton, Swallow Walk, Goodman's Fields. London

Alexander Atkins, 44 Colbath Square, Clerkenwell. London.

E. Baker & Son, 24, Whitechapel Road. London.

J.E. Barnett, 134, Minories. London.

William Andrews Beckwith, 58, Skinner Street Snowhill. London.

J.A. Blake, 253, Wapping, High Street. London.

John Blanch, 29, Gracechurch Street. London.

Isaac Blissett, 69, Leadenhall Street. London.

William Bond, 59, Lombard Street. London.

E.&W. Bond, 45, Cornhill. London.

Charles Boswell, 126, Strand, London.

Thomas Boss, 73, St. James's Street, London. (oppure)

Thomas Boss, 13, Dover Street - (oppure) 41, Albermarle Street.

Frederick Bowstead, 6, Little Alie Street, London.

Robert Braggs, 37, High Holborn, London.

W. Child, 280, Strand, London.

E.J. Churchill, 8, Agar Street, London. (oppure) Leicester Square.

E.J. Churchill, 8, Agar Street, London. (oppure) 32, Orange Street.

John Egg, I, Colonnade, Pall Mall, London.

Joseph Egg, I, Piccadilly, London.

Charles Fisher, 8, Pince's Street, Leicester Square, London.

A. Forsyth & Co., 8, Leicester Street, London.

Gameson & William, 67, Threadneedle Street, London.

Jos Garratt, rufford's Buildings, London.

William Golding, 199, Oxford Street, London.

William Golding, I, Duke Street, London.

Stephen Grant, 67A, St. Jame's Street, London.

W.W. Greener, St. Mary's row, Birmingham (oppure) 68, Haymarket, W.W. Greener, (oppure) 29, Pall Mall, London. (oppure) 40, Pall Mall. London.

Gye & Moncrieff, 60, St.James's Street, London.

Gye & Moncrieff (oppure) 44, Dover Street, London.

Charles Grierson, 10, New Bond Street, London.

Joseph Gulley, 254, Oxford Street, London.

Collinson Hall, 52, Upper Mary-le-bone Street London.

Holland-Holland, 98, New Bond Street, London.

James Harding & Son, 82, Blackman Street, London.

John Hill, 76, Tooley Street, London.

Richard Jackson, 19, Princes's Street, London.

Jane Jackson, 28, Wigmore Street, London.

T. Jackson, 17, Upper George Street, London.

Lacy & Witton, 13, Camomile Street, London.

Charles Lancaster, 151, New Bond Street (oppure) 27, South Audley Street.

Charles Lancaster, (oppure) II, Panton Street (oppure) Mount Street, London.

Joseph Lang, 7, Haymarket, London. (oppure) 22, Cockspur Street (oppure)

Joseph Lang, 88, Wigmore Street, London.

Alexander Lindsay, 28, Couvertry Street, London.

William Ling, 16, Church Street, London.

Edward London, 51, London Wall, London.

J. Manton & Son, 6, Dover Street, London.

William Mills, 120, Hight Holborn, London.

Charles Moore, 77, St. James's street, London.

William Moore & Grey, 43, Old Bond Street, London.

William Moore, 78, Edgeware Road, London.

T.J. Mortimer, 34, St. James's Street, London.

Samuel Nock, 43, Regent Circus, London.

W.R. Pape, Collingwood Stret, Newcastle on Tyne.

William Parker, 233, High Holborn, London.

Thomas Potts, 70, Minories, London.

R. Ellis Pritchett, 37, Chamber's Street, London.

John Probin, 46 Lisle Street, London.

James Purdey, 314 1/2 Oxford Street, London (oppure)

James Purdey 57-58 South Audley Street, London.

John Rigby & Co. St. James's Street, London, W.I. (oppure)

John Rigby & Co. 32, King Street, London (oppure)

John Rigby & Co. 28, Sackville Street, London.

T. Reynolds, 47, Grear Prescott Street, London.

Westley Richards, 170, New Bond Street, London (oppure)

Westley Richards, Conduit Street, London.

T. Ridley, 22, Chamber's Street, London.

Isaac Riviere, 315, Oxford Street, London.

J.W. Sherwood, 12, Wellclose Square, London.

S.&C. Smith, 64, Princes Street, London.

Thomas Stevens, 43, High Holborn, London.

Herry Tatham, 37, Charing-cross, London.

Webley & Scott, 78, Shaftesbury Avenue, London.

George Wilbraham, 123, Leadenhall Street, London.

John Wilkes, Gerrard Street, London (oppure) 79, Beak Street, London.

James Wilkinson & Son, 27, Pall Mall, London.

William Wilson, 154, Minories, London.

James Woodward, 64 St. James's Street, London.

Robert Wright, 44, Grear Prescott Street, London.

Marchi dei vari banchi di prova inglesi nei diversi anni: qui a sinistra, quelli precedenti al 1904, in basso a sinistra quelli secondo le norme del 1954.

Brands of the various English Proof Houses: left: the ones previous to 1904, below, left: those that refer to the 1954 rules.

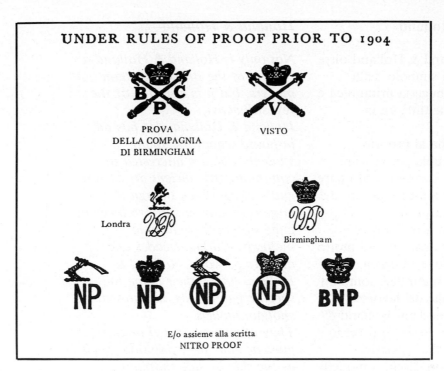

UNDER RULES OF PROOF PRIOR TO 1904

PROVA
DELLA COMPAGNIA
DI BIRMINGHAM

VISTO

Londra

Birmingham

E/o assieme alla scritta
NITRO PROOF

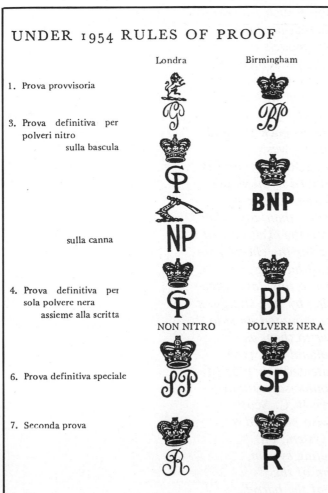

UNDER 1954 RULES OF PROOF

	Londra	Birmingham
1. Prova provvisoria		
3. Prova definitiva per polveri nitro		
sulla bascula		BNP
sulla canna	NP	
4. Prova definitiva per sola polvere nera assieme alla scritta	NON NITRO	BP POLVERE NERA
6. Prova definitiva speciale		SP
7. Seconda prova		R

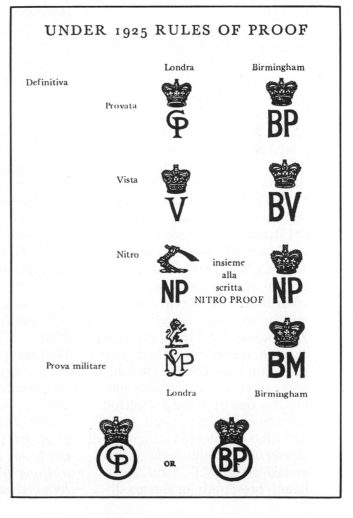

UNDER 1925 RULES OF PROOF

		Londra	Birmingham
Definitiva	Provata	CP	BP
	Vista	V	BV
	Nitro	NP insieme alla scritta NITRO PROOF	NP
	Prova militare	NP	BM
		Londra	Birmingham

CP or BP

Holland & Holland

La Casa Holland & Holland oltre a costituire un simbolo della migliore archibugeria britannica è una delle poche tutt'ora in attività.

Non solo ma ha al proprio interno una scuola per giovani allievi, per chi desideri continuare con passione l'antico mestiere del costruttore di armi fini.

Pur avendo un grosso nome produce ancora con sistemi molto tradizionali, dove è ancora l'abilità della mano dell'uomo ad avere la gestione del lavoro.

Nel corso dei decenni Holland & Holland hanno legato il proprio nome a particolari specifici dell'arma, a munizioni, a modelli di fucili.

Si è spesso cimentata anche in opere uniche o per fini espositivi, come una serie di doppiette dedicate al Regno Unito, doppiette di grosso calibro ed a cani esterni, modelli commemorativi o ispirati a qualche soggetto.

Ad esempio una recente doppietta ispirata alla preistoria.

Si cominciano ad avere notizie circa la produzine dei fondatori e poi dei nipoti dal 1860 e non è esagerato affermare che questa Azienda ha contribuito forse più di ogni altra (se escludiamo i contributi di W.W. Greener intorno alle strozzature) all'espandersi del fucile da caccia.

Tuttora, quando si parla di una doppietta con acciarini montati su lastre laterali la si definisce con batterie tipo Holland & Holland. Loro brevettarono questo acciarino con doppia stanghetta di sicurezza portando avanti quello precedente di W.C. Scott. Poi hanno brevettato un sistema di

Holland & Holland

Not only is Holland & Holland a symbol of the British best gun makers, but it is also one of the few still active.

Holland & Holland also has an in-house school for young students who are interested in continuing this ancient art of fine gun making. Even though it is a large company, it still produces its guns with very traditional methods. During decades and decades of work, Holland & Holland linked their name to specific gun details, munitions, shotgun models.

They often constructed unique guns or guns for exhibitions such as the side by side shotguns dedicated to the British Kingdom, heavy bore external-hammer commemorative models or inspired by a special subject. For instance, they recently produced a side by side shotgun with a prehistoric subject.

Their history dates back to 1860, when the company was established by its founder, and it was later continued by nephews and grandchildren. This firm contributed, more than any other gun maker (with the exclusion of W.W. Greener for the chokes) to the expansion of hunting shotguns. Even to this day, when we speak of side by side shotguns with gun locks mounted on side plates, we refer to them as Holland & Holland lock type guns. They patented this type of lock with a double safety tang developping the W.C. Scott model. They also patented a single trigger system, an automatic ejecting system, a rifling system of the terminal part of the barrel

Marchio della Holland e
Holland.

Holland & Holland trade-mark.

Show Room della Holland e
Holland a Londra, al n. 33 di
Bruton Street.

*Holland & Holland Show
Room, 33 Bruton Street,
London.*

By appointment to H.R.H. The Duke of Edinburgh, Rifle Makers

HOLLAND & HOLLAND
LIMITED

353

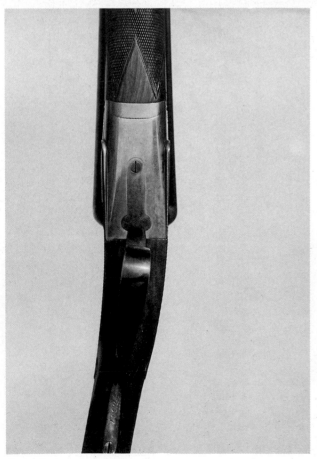

La famosa doppietta Holland &
Holland Royal di fine secolo
scorso nella valigetta originale.

The famous Royal side by side
shotgun by Holland & Holland
dating back to the end of the
past century in its original case.

Particolare versione di una
doppietta Holland e Holland per
imbracciare con la spalla destra
e mira con occhio sinistro.

Custom made Holland e
Holland side by side.

Una delle cinque doppiette che
la Holland & Holland ha voluto
dedicare alle simbologie del
Regno Unito.

One of the five side by side
shotguns that Holland &
Holland devoted to the United
Kingdom's symbologies.

La doppietta Paradox come
appariva in un catalogo degli
anni '10. Aveva il tratto finale
della canna rigato e sparava
bene sia pallini che a palla
asciutta.

A Paradox side by side shotgun
as it appeared in a 1910
catalogue. It had rifled barrel
ends, and its performance was
excellent both with cartridges
and with slug cartridges.

Catalogo Holland & Holland del
1912. Carabina ad otturatore
girevole/scorrevole nel popolare
calibro 375 Holland & Holland
Magnum (qui a destra).

Holland & Holland catalogue
dating back to 1912. Bolt action
rifle in the popular 375
Holland & Holland
Magnum (right).

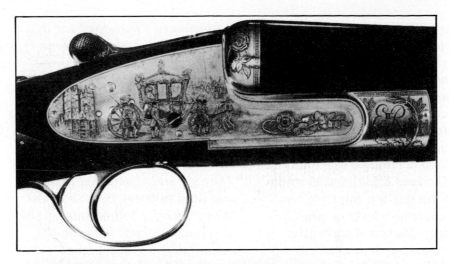

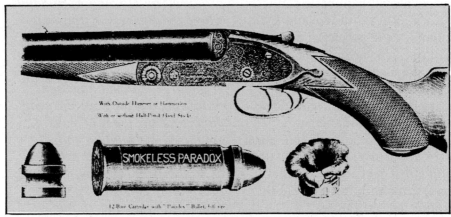

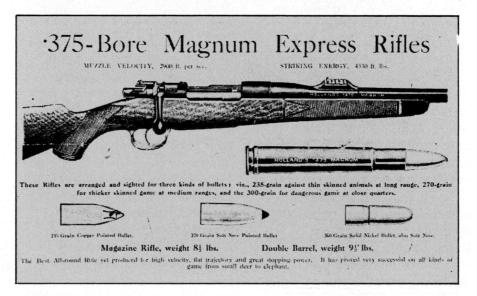

monogrilletto, di estrattori automatici, un sistema di rigatura della parte terminale della canna definita "Paradox" per l'uso misto palla/pallini.

Nel campo delle armi rigate hanno legato il loro nome a diverse cartucce, tra le quali la 375 Holland & Holland Magnum e la 300 Holland & Holland Magnum vengono tutt'ora camerate ed impiegate in armi di grosso calibro. Quando si parla della doppietta fine si deve far riferimento all'hammerless in finitura "Royal" di Holland & Holland, dove la finezza delle finiture e delle lavorazioni si accompagna a proporzioni estetiche delle parti molto caratteristiche e di estrema classe. La Holland & Holland ha prodotto nel corso degli anni quasi tutti i tipi di armi per caccia e tiro, doppiette a cani esterni ed interni, express, monocanna basculanti, carabine ad otturatore girevole/scorrevole ed anche un sovrapposto dalla linea originalissima con un evidente rinforzo "a pipa" sulla bascula. I modelli di doppiette "Royal" della fine del secolo scorso avevano batterie laterali di foggia diversa dalle attuali, con profilatura posteriore più abbassata. Esistono in commercio ancora moltissime di queste armi, più o meno recenti, più o meno in buono stato e costituiscono sempre oggetti dal notevole valore intrinseco. Recentemente la Holland & Holland ha iniziato la produzione di una doppietta "boxlock" cioè con batterie alloggiate nella bascula. Questo modello lo ha chiamato "The Chevalier" in omaggio all'emblema del cacciatore-cavaliere con cane che la rappresenta.

denominated "Paradox" for a combined bullet/slug cartridge use.

As far as rifled guns are concerned, they designed different types of cartridges among which the 375 Holland & Holland Magnum and the 300 Holland & Holland Magnum.

They are still chambered today and used in heavy bore shotguns. When we refer to fine side by side shotguns, we must mention the hammerless Royal shotguns produced by Holland & Holland, where the fineness of finishings and of the workings go hand in hand with aesthetical proportions in all details.

Holland & Holland has been producing, throughout the years, almost all the types of guns employed for hunting and shooting: internal and external cock shotguns, express shotguns, basculating single-barrelled shotguns, revolving/sliding breech-block rifles, and also a very original over and under shotgun model with a "pipe-type" reinforcement onto the action.

"Royal" side by side shotguns made over the past century had side locks of various styles which are different from today's in that their back profile was much lower.

Very many of these guns are still available, and they always constitute objects having a remarkable intrinsic value. Holland & Holland recently started the production of a "box lock" side by side shotgun, whose box-locks are housed inside the action.

The name of this shotgun is "The Chevalier", so called after emblem of the hunter-chevalier with the dog that represents it.

Doppietta Holland & Holland con bascula tartarugata ad osso ed acciarini smontabili a mano.

Holland & Holland side by shotgun with bone-hardened action and hand-detachable locks.

Catalogo Holland e Holland del 1950. Carabina a palla con alcune innovazioni come il caricatore in lega leggera.

Holland & Holland catalogue dating back to 1950. Slug cartridge rifle with various innovations such as the light-alloy charger.

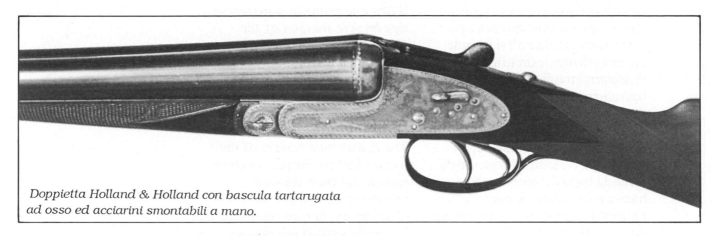

Doppietta Holland & Holland con bascula tartarugata ad osso ed acciarini smontabili a mano.

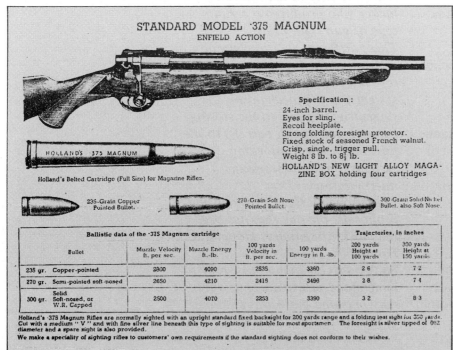

STANDARD MODEL ·375 MAGNUM
ENFIELD ACTION

Specification :
24-inch barrel.
Eyes for sling.
Recoil heelplate.
Strong folding foresight protector.
Fixed stock of seasoned French walnut.
Crisp, single, trigger pull.
Weight 8 lb. to 8¼ lb.
HOLLAND'S NEW LIGHT ALLOY MAGAZINE BOX holding four cartridges

Holland's Belted Cartridge (Full Size) for Magazine Rifles.

235-Grain Copper Pointed Bullet.

270-Grain Soft Nose Pointed Bullet.

300-Grain Solid Nickel Bullet, also Soft Nose.

Ballistic data of the ·375 Magnum cartridge					Trajectories, in inches	
Bullet	Muzzle Velocity ft. per sec.	Muzzle Energy ft.-lb.	100 yards Velocity in ft. per sec.	100 yards Energy in ft.-lb.	200 yards Height at 100 yards	300 yards Height at 150 yards
235 gr. Copper-pointed	2800	4090	2535	3360	2 6	7 2
270 gr. Semi-pointed soft-nosed	2650	4210	2415	3496	2 8	7 4
300 gr. Solid Soft-nosed, or W.R. Capped	2500	4070	2253	3390	3 2	8 3

Holland's ·375 Magnum Rifles are normally sighted with an upright standard fixed backsight for 200 yards range and a folding leaf sight for 300 yards. Cut with a medium " V " and with fine silver line beneath this type of sighting is suitable for most sportsmen.   The foresight is silver tipped of ·062 diameter and a spare sight is also provided.

We make a speciality of sighting rifles to customers' own requirements if the standard sighting does not conform to their wishes.

Doppietta Holland & Holland "Royal" 1911

Quest'arma inglese a canne giustapposte costituisce un punto di riferimento importante non solo per il prestigio del Costruttore ma soprattutto per essere la doppietta ad acciarini laterali che più di ogni altra ha ispirato armaioli di diversi Paesi che ne hanno ripreso la meccanica ed in parte le forme. Quando per comodità si definisce una doppietta giustapposta tipo "Holland & Holland" si intende più propriamente un'arma dotata di acciarini montati su cartelle laterali anche se nella maggior parte dei casi si tratta quasi sempre di copie più o meno fedeli dell'acciarino di Holland & Holland. I costruttori inglesi dalla seconda metà del secolo scorso hanno compiuto ricerche e ritrovato soluzioni meccaniche tali da poter subito identificare l'armaiolo che proponeva l'arma. Queste diverse soluzioni si riferivano principalmente agli acciarini ma si estendevano anche al sistema dell'estrazione automatica dei bossoli, al funzionamento dell'eventuale monogrillo, alle chiusure fra canne e bascula, all'eventuale sistema di apertura assistita oltre che ad interpretazioni estetiche. Ma di tutte queste scuole e proposte quella che di gran lunga ha influenzato il settore armiero dell'arma importante è stato e rimane tutt'ora il modello della Holland & Holland. Certo non è facile capire fino in fondo il motivo di un tale successo ma verosimilmente si può presumere che vi siano motivi legati all'affidabilità meccanica nel sistema di funzionamento e ad un più semplice approccio costruttivo

Holland & Holland Royal side by side shotgun — 1911

This British gun with juxtaposed barrels is a very important point of reference, not only for the gun maker's prestige, but also because it is the side-lock side by side shotgun which inspired, above all others, gun makers of different countries, which copied its mechanisms and shape.
When one refers to a juxtaposed side by side shotgun of the Holland & Holland type, one means a gun with locks mounted on side plates, and they are usually rather faithful (or even not) copies of the Holland & Holland locks.
The British gun makers of the second half of the past century carried out such detailed researches and found out such excellent mechanical solutions that it is quite easy to tell the gun maker who produced a certain type of gun right away.
These different solutions usually referred to the locks, but they also referred to automatic ejection systems, to the mechanisms in single trigger guns, to the closing between action and barrels, to the possible assisted unlocking systems, and to aesthetical interpretations.
But among all these methods and proposals, the one that has been the most influential is Holland & Holland's.
Such a success may not be easy to understand or explain, but one may presume there are reasons connected to their reliable mechanical design and performance, and to their simpler contruction approach as opposed to more sophisticated systems.

Doppietta di Holland & Holland in versione "Royal". Incisione tipica inglese con riccioli a medie volute. L'arma monta il famoso acciarino laterale H/H con doppia stanghetta di sicurezza.

Sul manettino per smontare manualmente le batterie è riportata la scritta "Holland's Patent".

Holland & Holland Royal side by side shotgun. Typical English engraving with medium-sized curls. The gun is supplied with the famous H&H side lock with a double safety tang.

On the handle to hand-detachthe locks, there is the following inscription: "Holland's patent".

359

rispetto a sistemi più sofisticati. In particolare la molla dell'acciarino relativamente corta ed il sistema degli estrattori automatici con martelletti montati sulla croce. Certo vi sono anche costruttori che hanno ripreso il self-opener di Purdey o la doppietta di Boss, così come ve ne sono altri che ripropongono acciarini del tutto diversi e relativamente inediti ma la stragrande maggioranza delle doppiette fini reperibili sul mercato si richiamano all'abbinamento acciarino-ejector di Holland & Holland.

Quasi sempre l'acciarino montato su cartella offre rispetto al sistema Anson e Deeley una garanzia supplementare contro lo sparo accidentale, garanzia offerta dalla cosiddetta doppia stanghetta di sicurezza. Questa è costituita da una stanghetta che intercetta il cane qualora si dovesse sganciare senza che venga premuto il grilletto, come appunto nel caso di urto accidentale o di caduta dell'arma. Nell'acciarino di Holland & Holland la doppia stanghetta di sicurezza intercetta una tacca creata allo scopo e ricavata nella noce del cane e questo consente oltre al vantaggio già citato di tenere gli scatti morbidi senza eccessive preoccupazioni di sicurezza. Ma il fatto che un'arma sia dotata di acciarini tipo Holland & Holland non la pone di per sé nell'Olimpo delle armi fini perché tutto sta nel vedere la correttezza e la scrupolosità delle lavorazioni e della giusta interpretazione geometrica e di imperniature che caratterizza l'acciarino originale. Questo però vale per tutto l'insieme dell'arma ed occorre dire che pur essendo la doppietta Holland la più copiata incorpora in

The lock spring is relatively short, and the automatic ejecting system is supplied with hammers mounted on a tumbler. There are, of course, other gun makers which emulate Purdey's self opener or the Boss side by side shotgun, and there are other gun makers who propose totally different locks which are almost unknown, but the majority of gun makers which make fine guns employ Holland & Holland's lock-ejector system. In most cases, when locks are mounted on side plates, they offer a definite guarantee against any accidental shot, as opposed to the Anson & Deeley system.

This guarantee against accidental shots is due to a double safety tang which intercepts the gun cock, which could at times go off even if the trigger has not been touched, as could happen in case the gun accidentally falls. In Holland & Holland locks the double safety tang intercepts a special notch housed in the cock bolt knob. This allows a softer shot without worrying about safety. The very fact that a gun is supplied with locks of the Holland & Holland type does not place the gun at the top of the fine guns list because everything depends upon the exactness and scrupulousness of the workmanship and on the correct geometric interpretation, as well as on the correct hinging which are typical of the original gun lock. This is true for the whole gun, and one should add that even if Holland & Holland shotguns are the most copied, they incorporate a fascination which derives from their overall aesthetical design and from the quality of their internal and external finishings which render them unique still today. This is particularly true for the gun

sé un fascino derivato dalle linee estetiche complessive e dalla qualità delle lavorazioni interne ed esterne che la rende ancora oggi unica. Questo almeno per l'amatore più puro soprattutto quando ci si trova di fronte ad un'arma come quella illustrata, realizzata nell'epopea d'oro dell'archibugeria britannica. Si tratta di un'arma finita il 5 maggio 1911 facente parte di una tripla del cal. 16. Sul petto di bascula si legge "Royal Hammerless Ejector" mentre sulle canne come di consueto è riportato nome ed indirizzo del Costruttore. In questo caso un bulino esperto ha riportato la seguente dicitura: "Holland & Holland - 98 New Bond Street, London". Il grado di finitura "Royal" prevede una precisione con riccioli di medie volute estesi sulla guardia e sulla codetta di bascula. La doppietta in questione è estremamente ben conservata e l'incisione, di squisita fattura, non mostra il minimo segno di usura ma anzi mette in mostra una gentile profondità dei tratti ed una ecomiabile abilità dell'incisore. Non è però dotata di apertura assistita, come invece è facile trovare in armi costruite in epoca posteriore.

Il fatto che sia costruita nel cal. 16 permette di verificare che tutta l'arma è stata opportunamente dimensionata per questo calibro, cosa che la rende perfettamente equilibrata nell'insieme sia estetico che funzionale. Capita infatti di vedere in armi pseudofini di altre marche che quando vengono realizzati calibri intermedi tipo il 16 o il 24 il Costruttore parte dal calibro superiore (in questo caso il cal. 12 ed il 20) per poi cercare di amalgamare il tutto riducendo qua e là alcune misure ma producendo

illustrated in this page which was made during the Golden Age of British gun making.
This gun's construction was finished on the 5th of May, 1911, and it belonged to a set of three of the 16 gauge type.
The action bottom bears the inscription: "Royal Hammerless Ejector" and the barrels bear the engraving of the name and address of the gun maker.
In this particular case, an expert engraver wrote the following inscription: "Holland & Holland - 98, New Bond Street, London".
The "Royal" finishing degree foresees a definite precision with medium-size curls, which are extended onto the guard and onto the action end.
This particular side by side shotgun is very well-preserved, and the engraving, which is exquisitely executed, is not at all worn, but on the contrary, it displays a refined dexterity by an undoubtedly skilled engraver.
It lacks an assisted opening, which is very easy to find in later shotguns.
The fact that is has been constructed in 16 gauge allows to verify that the gun has been suitably dimensioned for this particular gauge.
This renders the gun perfectly well-balanced both under aesthetical and functional aspects.
At times, in pseudo-fine guns of other brands, it is possible to see that when intermediate gauges such as 16 or 24 are realized, the gun maker starts with the superior gauge (in this case, gauges 12 and 20). Then the gun maker tries to uniform them by reducing a few

un pessimo risultato. L'occhio indagatore non tarderà a scoprire contrasti nelle proporzioni come ad esempio fra altezza di bascula e diametro delle canne oppure nella chiave d'apertura o nella guardia. Comunque l'equilibrio d'insieme e delle forme di questa doppietta di Holland & Holland appaga l'occhio più esigente in ogni particolare a partire dalla tiratura dei fianchi e dei seni di bascula per finire alla ramponatura delle canne ed all'astina. I dimensionamenti della bascula sono i seguenti: lunghezza dei piani mm. 50, larghezza al traversino mm. 40, altezza della tavola mm. 20. Il peso complessivo dell'arma è di Kg. 2.680. Le canne sono lunghe cm. 70 ed hanno un valore di strozzatura di 4/10° e 6/10°. Ricordo che man mano che si scende nella scala dei calibri anche le strozzature debbono essere ridotte in proporzione rispetto ai valori uguali del cal. 12. Una leggera tartarugatura è visibile sui piani, quella tempera tipica inglese non invadente così rara da vedersi su armi di oggi. La bindella, concava, è arabescata a mano con riportato in oro il numero 3 che sta ad indicare l'appartenenza dell'arma ad una tripla (ve ne sarebbero cioè altre due gemelle). L'accoppiamento delle canne e dei relativi tenoni è stato effettuato con il sistema dei piani fissi ed incastro a coda di rondine, un sistema dal punto di vista funzionale, se ben eseguito, del tutto paragonabile a quello del demibloc. E che il lavoro di Holland & Holland sia stato eseguito dalla perfezione lo dimostra lo stato praticamente nuovo dell'arma a distanza di ottant'anni pur essendo stata

sizes here and there, but he only achieves in obtaining a very poor result.
A very observing person would immediately notice the contrast in proportions, such as the difference in the height of the action and in the diameter of the barrel, or in the top lever or guard.
In any case, the overall balance of this side by side shotgun by Holland & Holland is an obvious delight for connoisseurs, especially as far as the finishing of the sides and of the action standing breeches are concerned, including the barrel lump fittings and forend.
Action sizes are as follows: flats length 50 mm, nib width 40 mm, height of the table 20 mm, overall gun weight 2.680 Kg. The barrels are 70 cms.
long and they have a choke value of 4/10 degrees and 6/10 degrees. I would like to remind the reader that as one lowers the range of the gauges, the chokes too have to be reduced proportionally with respect to the same values of 12 gauge.
A light hardening is visible on the flats.
This is a typical English temper which is absolutely non obtrusive, and which is very seldom found on today's guns.
The grooved rib is hand-arabesqued with a gold-inlaid number 3 which stands for the gun's belonging to a set of three (it has other two twin guns).
The coupling of the barrels and of their relative tenons has been executed with the "fixed-plain" system and with a dovetail joint. This system could be compared to a demibloc system if

Petto di bascula riccamente inciso. La tiratura prevede nastri leggermente larghi e cordoni.

Richly engraved action bottom. Its finishing foresees thick ribbons and cordons.

La bascula ha i piani leggermente tartarugati.

Its action has slightly hardened flats.

Particolare dell'asta.

Forend detail.

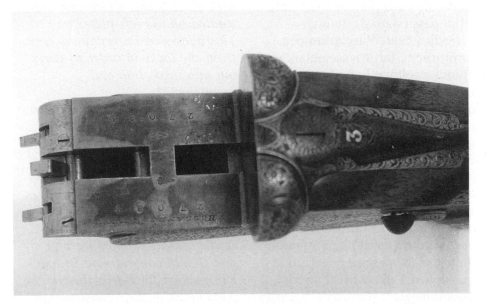

usata come normale arma da caccia.

La ramponatura è quella tipica inglese, cioè con secondo rampone a filo della culatta delle canne e con appoggio al traversino della parte interna di questo. Un'altra caratteristica che molto spesso si trova nelle armi di Holland & Holland è la possibilità di smontare gli acciarini a mano per mezzo dell'apposita vite passante con estremità per la presa e la rotazione sporgente dalla cartella sinistra. Questo consente un accesso immediato dalle batterie per l'ispezione e la manutenzione. Consente però più comunemente all'appassionato di smontare periodicamente l'acciarino per rimirarne la fattura esemplare e quindi ricollocarlo nella sua sede. Occorre prestare attenzione in questa operazione per non rischiare con l'uso intenso di questa pratica di smangiare i bordi dell'incassatura del calcio poiché in questo caso si rischia di danneggiare impropriamente un aspetto importante della finezza dell'arma. Ed in fatto di acciarini occorre dare merito agli armaioli inglesi di avere sempre curato la meticolosità di costruzione ed assemblaggio a partire dalla giusta lavorazione della molla e dal dolce funzionamento dell'insieme pur mantenendo minime tolleranze. Ancora oggi un'arma come questo Royal di Holland & Holland si erge ad esempio della più alta tradizione costruttiva dell'arma di classe, fascino aumentato dalla consapevolezza di trovarsi di fronte ad un originale tanto copiato ma che ancora nessuno è stato in grado di capirne completamente l'essenza. Gli scatti sono tarati su valori tendenzialmente leggeri e

well-executed. One can definitely see the work that has been carried out by Holland & Holland: even though the gun is now 80 years old, it is still practically new, in spite it has been used as a normal hunting shotgun.

Its lump fitting is typically English, with the second lump edging the barrel breech, and resting onto the tackle.

Another feature which may be often be found in Holland & Holland guns is the possibility to hand-detach the locks by means of a special through pin supplied with a catch and which may be rotated on the left plate.

This allows an immediate access from the locks in order to carry out gun inspection and maintenance.

It also allows gun enthusiasts to periodically dismount the lock and admire its finishings.

It is necessary to carry this operation out with much care in order not to ruin the stock edges because gun fineness could be impaired.

As far as locks are concerned, one should congratulate British gun makers for having been very meticulous in their construction and assembly, including the correct spring working and the overall performance in spite of the very strict tolerances.

Still today, a gun like this Holland & Holland Royal shotgun stands out as an example of the highest gun making tradition. This fascination is increased by the awareness of finding oneself in front of an original which has been copied a lot, but of which nobody understood the essence yet. The

precisamente di Kg. 1,2 per la prima canna e di 1,6 Kg. per la seconda. Il cal. 16, pur se oggi così impietosamente dimenticato, sottolinea ancor meglio la maneggevolezza della doppietta giustapposta e trova il suo giusto connubbio con cariche di gr. 28 di piombo che unito alla leggerezza complessiva la rende a mio avviso la scelta più classica ed idonea per cacce tradizionali col cane da ferma specialmente in terreni collinosi.

Boss

Altra Casa che affonda le proprie radici nella seconda metà del secolo scorso e che è sinonimo di grande finezza. Il padre di Boss, il fondatore, proveniva anch'egli dalla scuola di Manton a conferma della prolificità intellettuale ed artistica del grande Maestro.
Per generazioni e con la collaborazione di provetti artisti armaioli la produzione Boss è arrivata ai nostri giorni anche se attualmente esiste solo per onor di firma e non paragonabile a quella del periodo d'oro. Di Boss si possono trovare fini doppiette, un modello originalissimo di doppietta a tre canne affiancate ma soprattutto questo nome è diventato sinonimo di sovrapposto inglese, anzi il sovrapposto fine per antonomasia al quale più e meno palesemente si sono rifatti tanti altri costruttori anche moderni. L'inventore del sovrapposto di Casa Boss fu John Robertson, eccezionale armaiolo che lavorò in gioventù presso alcune grandi fabbriche tra cui quella di Purdey e che si unì già in età piuttosto avanzata alla Casa Boss. Il sovrapposto di Robertson

trigger pulls are gauged on light values and precisely on 1.2 Kg. for the first barrel and 1.6 Kg. for the second one. Although the 16 gauge has been practically forgotten nowadays, it emphasizes the handiness of juxtaposed shotguns, and it is perfect with 28 gr. lead loads, which added to the overall lightweight of the gun, renders it the most classical and suitable choice for traditional hunting with a pointer, especially if used on hill grounds.

Boss

This is another gun maker which has its roots in the second half of the past century, and which is a synonym of great fineness. The father of Boss, the founder, also came from Manton's school. This fact confirms the intellectual and artistic expression of the great Master.
For generations now, and with the cooperation of skilled gun making artists, Boss production reached our present days, although they actually exist as a "signature", and their guns are not comparable to the ones of their "Golden Age". One may find fine side by side shotguns by Boss, a very original model with three side by side barrels, but this name is, most of all, a synonym of English over and under shotguns. Boss over and under shotguns are still copied today by many gun makers. The inventor of the Boss over and under shotgun model was John Robertson. He was a very skilled gun maker, and he worked for various factories - among which we may find Purdey, during his youth. He started working for Boss in his maturity. The over and under

ha la particolarità di avere i cosiddetti "ramponi laterali", concetto che alcuni scrivono all'introduzione del francese Pidault ma sulla cui precedenza ideativa non ci sono prove sicure. O meglio non si è certi che Robertson fosse al corrente del sovrapposto di Pidault. Comunque anche se lo fosse stato il sovrapposto di Robertson fu così diverso e più ingegnoso e sofisticato che nulla toglie al genio di questo armaiolo. Il sovrapposto Boss è forse l'arma che attualmente detiene il primato di valore fra le armi da collezione, considerando che ne furono costruite poche decine. Cioè quelle uscite dalle mani dello stesso Robertson. Dicevo che molti hanno ripreso e copiato questo modello ma pochi lo hanno saputo fare come l'originale, per la difficoltà che comporta la lavorazione dell'insieme. Quindi quando qualche costruttore definisce una propria arma "tipo Boss" si riferisce prevalentemente al sistema di ramponatura laterale e di chiusura, ma basta guardare nel dettaglio la versione originale del Boss per vedere che tutta l'arma è un capolavoro non limitandosi a questi particolari meccanici. Il nome Boss si pone dunque nell'Olimpo dei grandi costruttori e rimarrà nella storia per la finezza delle armi e per la genialità del sovrapposto realizzato da questa Casa.

James Purdey

Le armi di James Purdey al pari di quelle di Holland & Holland hanno sempre rappresentato il massimo a livello internazionale quando si parla di armi fini, soprattutto dal punto di vista dell'immagine.

shotgun model by Robertson is famous for its side lumps, which some people attribute to the French Pidault, but this cannot be definitely verified.
Or better, nobody knows whether Robertson knew Pidault's over and under shotgun or not.
In any case, even if he did, Robertson's over and under shotgun is so different and so much more sophisticated and genial as compared to Pidault's, that any kind of discussion would be useless.
The Boss over and under shotgun model is probably the leading over and under model today, considering that only a few tens of these guns were constructed by Robertson himself. As I stated above, many are the gun makers which copied this model, but only very few managed to produce a copy as good as the original, due to the difficulty of its construction. Therefore, if a gun maker defines his own gun as a "Boss-type" gun, he mainly refers to the side lump fitting system and to the locking system. But if you just look at the original Boss in detail, you shall see for yourself that the whole gun is a masterpiece. Thus, Boss can be placed on top of the great gun makers list, and it shall be remembered in gun making history for the fineness of its guns and for the genial over and under shotgun constructed by this gun maker.

James Purdey

James Purdey shotguns, as Holland & Holland's, have always been referred to as the best fine guns in the World, especially under an image point of view.
No matter whether we are talking about external hammer or

Il sovrapposto più famoso del mondo: il Boss a ramponi laterali realizzato da John Robertson all'inizio di questo secolo.

The most famous over and under shotgun in the World: the Boss side lump shotgun realized by John Robertson at the beginning of this century.

Boss serial number

Anno	Numero di matricola
1830	680
1850	1.400
1857	1.680
1900	4.700

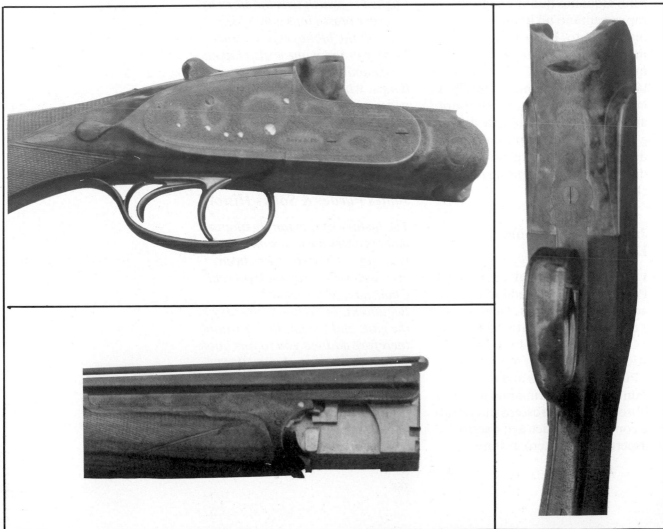

Sia che si tratti di doppiette a cani esterni o hammerless con o senza apertura automatica la finezza di un Purdey è scontata, al di là dello stato della propria concezione meccanica.

James Purdey realizzò intorno al 1880 il fucile ideato e brevettato da Frederick Beesley che prevedeva l'armamento del cane dell'acciarino con l'apertura delle canne. Quindi come ogni Casa che si rispetti anche Purdey si avvale di un proprio acciarino originale, che si discosta da quello diffuso da Holland & Holland. Anzi un tempo si rivolgevano alla Ditta Purdey i cacciatori ed i tiratori che con il fucile dovevano sparare molti colpi, questo a conferma della funzionalità ma anche della robustezza di queste armi. A livello collezionistico le doppiette Purdey sono alquanto quotate e quindi rappresentano un buon investimento. Esiste un libro in lingua inglese che narra la storia di questa prestigiosa Casa (consultare bibliografia). Il nome di Purdey è anche legato alla duplice chiusura ai ramponi universalmente diffusa e ad una triplice sul prolungamento della bindella trattata più diffusamente nel capitolo relativo chiusure.

James Purdey & Sons - La storia

La storia della famiglia di armaioli Purdey è ricca di aneddoti e risale ad oltre due secoli fa. Questa storia è ottimamente narrata dal presente "Chairmain" della ditta, Mr. Richard Beaumont, nel libro: "Purdey's the guns and the family". Quindi rimando a questo libro coloro che fossero interessati a conoscere nei dettagli questo aspetto. Mi limiterò a citare

hammerless side by side shotguns, with or without an automatic locking system, Purdey's fineness is granted. Around 1880, James Purdey constructed a gun which had been designed and patented by Fredrick Beesley, which foresaw the lock cock arming by means of the opening of the barrels. Therefore, as all fine gun makers of respect, Purdey has its own original locking system which is totally different from Holland & Holland's. As a matter of fact, many hunters or shooters who needed a heavy-duty gun called upon Purdey. This means that Purdey's guns were considered as functional and sound. Purdey shotguns have excellent quotations as far as collectors are concerned, therefore they represent a sound investment. There is a book — in English — which tells the story of this very prestigious gun maker (consult the bibliography). The Purdey brand name is also linked to the dounle-bolting system on the lumps, which is universally widespread, and to a cross-bolt on the rib extension, which is dealt with in more depth in the chapter on locks.

James Purdey & Sons - History

The history of this family of gun makers dates back to some 200 years ago. Their story has been very-well written by their present Chairman, Mr. Richard Beaumont, in his book "Purdey's, the guns and the family". I would therefore address you to this book should you want to know more about this family. I sall only refer to some major points of their history. This firm was established in 1814, and the first Purdey who devoted himself to the gun making

Un petto di bascula inciso da
Lynton McKenzie su doppietta di
Purdey e, destra, la stessa
doppietta vista di fianco.

An action bottom engraved by
Lynton McKenzie on a Purdey
side by side shotgun. Right: the
very same shotgun seen from the
side.

Mr. Richard Beaumont, attuale
Chairman dell'Azienda.

Mr. Richard Beaumont, present
Chairman on the Company.

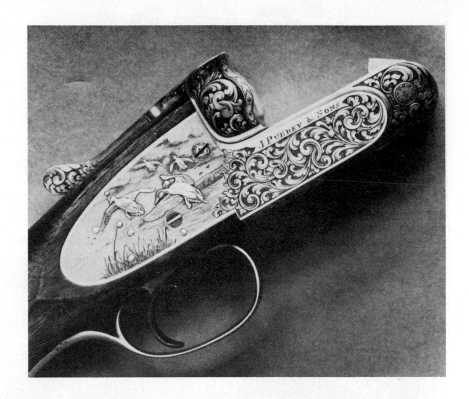

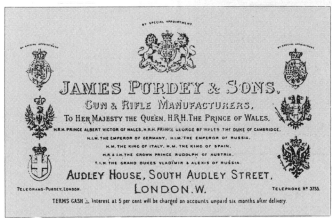

369

James Purdey & Sons, Ltd.

❧ ❧

Audley House, South Audley Street,

LONDON, W.1.

❧

La famosa Audley House
costruita da James Purdey The
Younger.

*The famous Audley House, built
by James Purdey the Younger.*

371

soltanto le tappe più importanti. La ditta fu fondata nel 1814 anche se il primo Purdey che si dedicò all'attività di armiere nacque nel 1732. Si trattava di James Purdey che iniziò l'attività in una piccola officina in Princess Street a Londra e che fu padre di sette figli. Lavorò per circa tre anni come incassatore da Manton per passare poi come direttore alla Forsyth Gun Company in Piccadilly Circus dove lavorò fino al 1814.

Era un uomo abile e capace è fece parlare bene di sé da parte di molti addetti ai lavori e dallo stesso Joseph Manton.

E fu proprio quest'ultimo che diede, seppur indirettamente, l'opportunità a James Purdey di iniziare per proprio conto l'attività armiera ad alti livelli.

Infatti nel 1826, quando l'officina di Manton in Oxford Street chiuse per motivi finanziari James Purdey la rilevò appoggiato in questo da Lord Henry Bentick, un suo affezionato cliente. Nel 1863 James Purdey morì e continuò la propria attività il figlio. Poiché si chiamava anch'esso James Purdey, fu aggiunto al nome l'appellativo "The Younger" per distinguerlo dal padre. E fu proprio James Purdey "The Younger" (il giovane) che diede un grosso impulso alla Ditta fino a costruire il sontuoso edificio al n. 57 e 59 di South Audley Street dove ancora oggi risiede. Questa sede fu chiamata "Audley House" e contiene la famosa "Long Room", punto di incontro e di visita degli appassionati di tutto il mondo. Nel 1880 per merito di un facoltoso dipendente, Frederick Beesley, fu creata la famosa doppietta ad acciarini laterali self opening che diede molto lustro alla Casa e che viene ancora oggi

art was born in 1732. James Purdey started his business in a small workshop in London, in Princess Street. He had 7 children. he started out as a gun stocker at Manton's working there for three years. After that, he worked by the Forsyth Gun Company in Piccadilly Circus as a Director, and stayed there until 1874. He was a very skilled and capable man, and people had a very good opinion of him, includin Joseph Manton. Joseph Manton himself, even though in an indirect way, gave James Purdey the opportunity to start his own gun making business. As a matter of fact, in 1826 when the Manton workshop in Oxford Street had to discontinue production due to financial difficulties, James Purdey took it over with the help of Lord Henry Bentick, a very close friend and customer of his.

James Purdey died in 1853, and his son followed his footsteps. Since he too was named James, he was known as James the Younger to distinguish him from his father. And it was James the Younger who gave a new impulse to the Firm, by building a sumptuous building in 57/59 South Audley Steet, which still is their headquarters. This building is known as the "Audley House" and it contains its very famous "Long Room", a meeting point for collectors from all the World. In 1880, thanks to a wealthy cooperator, Frederick Beesley, they created the very-well known side by side shotgun with self opening side locks which contributed to the fame of this gun maker and which is still being produced to this day.

James "The Younger" died in 1909, and business continued under the leadership of Athol

Bascula di doppietta self opening in fase di lavorazione ed ultimata.

Action of a self-opening side by side shotgun during working phase and in its finished state.

Acciarino Purdey/Beesley con descrizione delle parti.

Purdey-Beesley lock with a description of the parts.

Il petto di bascula della doppietta può essere scelto con filetti laterali oppure liscia.

The action bottom of a side by side shotgun may be with side borders or plain.

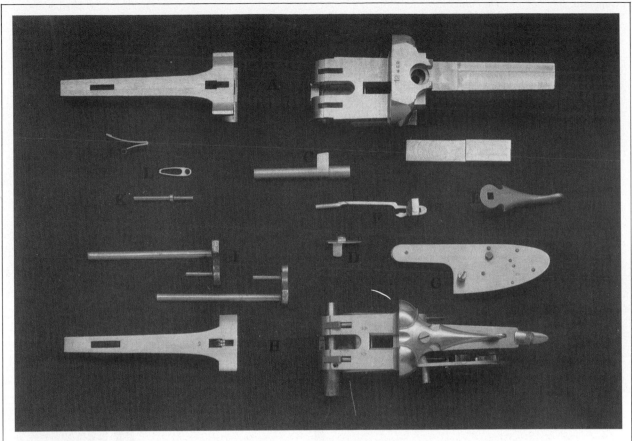

A Action and forend forgings roughly machined for actioning. From this state it is all hand craftsmanship.

B Bolt.

C Spindle.

D Safety thumb piece.

E Lever.

F Safety slide.

G Side lock.

H Action and forend complete with one lock removed. In this state it is ready for stocking. It should be noted that the gun goes to Definitive Proof at this state. The View mark can be seen on the flats of the action. The other definitive marks are impressed on the flats of the barrels.

I Extractors machined ready for fitting.

J Lever spring.

K Striker blank ready for fitting.

L Safety spring.

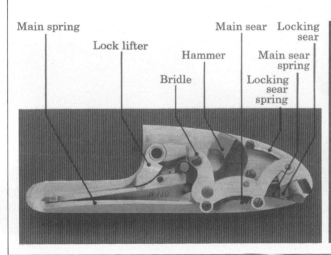

Main spring
Lock lifter
Bridle
Hammer
Main sear
Locking sear
Main sear spring
Locking sear spring

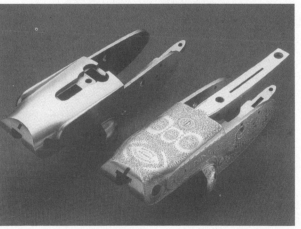

Sovrapposto
Purdey su meccanica
Woodward.

The Purdey
(Woodward type)
over and under.

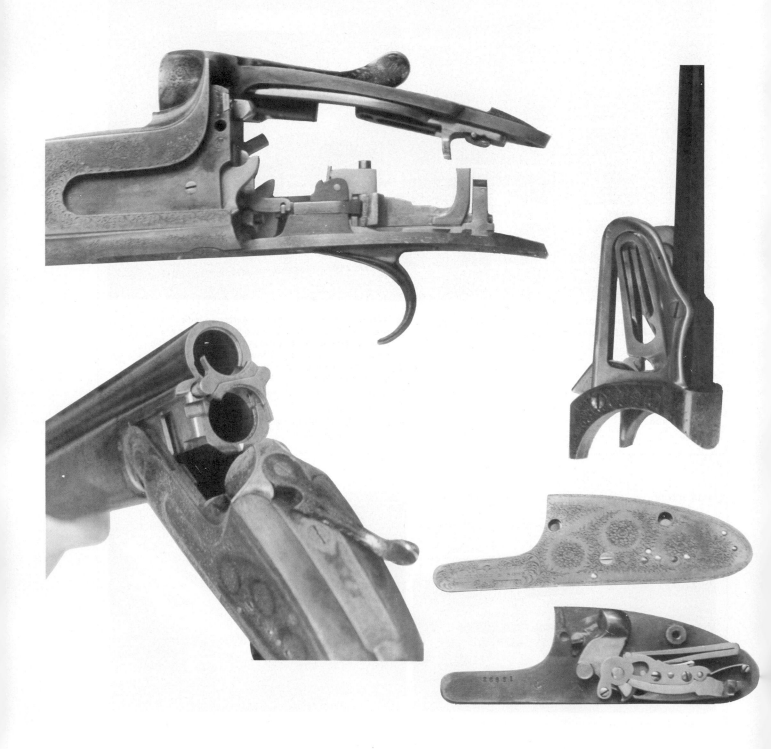

I fucili Purdey vengono
attentamente provati nella prima
spedizione.

*Purdey shotguns are carefully
tested before shipment.*

Abbozzi di calciature, all'esame
dell'esperto.

*Stock blocks being examined by
an expert.*

Cartucce Purdey nel cal. 12 nella
tipica scatola marrone.

*Purdey 12 gauge cartridges in
their typical brown box.*

integralmente prodotta. Nel 1909 James The Younger morì e gli affari furono portati avanti da Athol Purdey con una parziale collaborazione del fratello Cecil. Nel 1929 il figlio di Athol, Tom Purdey, prese le redini dell'Azienda. Nel frattempo fu incontrodotta anche la terza chiusura superiore e James The Younger fu fra i primi costruttori ad impiegare l'acciaio "Withworth's fluid compressed" per la costruzione delle canne. Nel 1949 la Ditta incorporò la "James Woodward" e da allora è entrato regolarmente nel catalogo Purdey il sovrapposto Woodward che divide con il Boss la fama del miglior sovrapposto d'epoca realizzato. Nel 1971, Mr. Richard Beaumont ricoprì la carica di Chairman, carica che detiene tuttora.

Numeri di serie delle armi Purdey dal 1814 al 1983

Tutti i fucili, carabine, pistole, pistole da duelo e sovrapposti costruiti della Ditta Purdey a partire dal 1814 comprese le doppiette self-opening Purdey/Beesley (qualità B, C, D, E) sono stati numerati in sequenza a partire dal n. 1 nel 1814 al 28600 costruito nel dicembre 1983. Una guida schematica dei numeri di serie che parte dall'introduzione della doppietta self-opening nel 1884 è la seguente.
I numeri 25000/1 sono stati utilizzati per la coppia miniaturizzata di doppiette costruite nel 1935 in occasione del Giubileo d'argento del Re Giorgio V. Dal giugno 1925 al dicembre 1983 sono stati costruiti 266 sovrapposti. (Dati tratti dal libro "Purdey's the guns and the family" di R. Beaumont).

Purdey with the collaboration of his brother Cecil. In 1929 Athol's sun, Tom Purdey, took over the leadership of the Company. In the meantime, the firm introduced the upper cross-bolt, and James the Younger was one of the first gun makers to employ "Withworth's Fluid Compressed" steel for barrel construction. In 1949 the Company incorporated James Woodward, and since then over and under Woodward shotguns are incorporated in the Purdey catalogue. Woodward shotguns share the fame of Boss over and under shotguns. In 1971 Mr. Richard Beaumont became the Chairman of the Company, a charge which he is still covering today.

Serial Numbers of Purdey Shotguns from 1814 to 1983

All side by side shotguns, rifles, pistols, dueling pistols and over and under shotguns made by the Purdey Company since 1814, including the self-opening Purdey/Beesley side by side shotguns (quality B, C, D, E) are all numbered in sequence from 1 to 28.600. The numbering starts in 1814 and ends up in the month of December 1983. The following is a schematic guideline of the serial numbers which start with the self-opening side by side shotgun made in 1814:
The numbers 25.000/1 were used for the miniature copies of side by side shotguns constructed in 1935 on occasion of the Silver Jubilee of King George V.
From June 1925 to December 1983, 266 over and under shotguns (data taken from the book: "Purdey's, the guns and the family" by R. Beaumont).

Numeri di serie delle armi costruite da Purdey

Numero di serie	Mese e anno di costruzione
12.000	Ottobre 1884
13.000	Agosto 1885
14.000	Settembre 1891
15.000	Luglio 1894
16.000	Ottobre 1897
17.000	Novembre 1900
18.000	Dicembre 1903
19.000	Maggio 1907
20.000	Maggio 1911
21.000	Luglio 1914
22.000	Maggio 1921
23.000	Giugno 1926
24.000	Gennaio 1930
25.000	Giugno 1935
26.000	Novembre 1947
27.000	Giugno 1962
28.000	Febbraio 1974
28.600	Dicembre 1983

Reparto basculatori nell'officina
Irongante Wharf Road,
Paddington, nel 1933.

Action fitting department in the
Irongante workshop, Wharf
Road, Paddington in 1933.

Attuale veduta della Ditta.
Notare la presenza di personale
giovane.

Present view of the Company.
Note the presence of young staff.

377

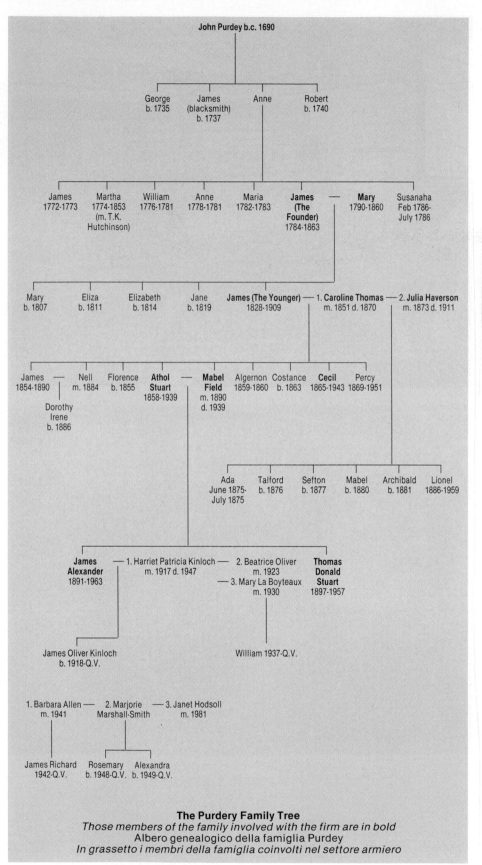

John Purdey b.c. 1690

George
b. 1735

James
(blacksmith)
b. 1737

Anne

Robert
b. 1740

James
1772-1773

Martha
1774-1853
(m. T.K.
Hutchinson)

William
1776-1781

Anne
1778-1781

Maria
1782-1783

**James
(The
Founder)
1784-1863**

Mary
1790-1860

Susanaha
Feb 1786-
July 1786

Mary
b. 1807

Eliza
b. 1811

Elizabeth
b. 1814

Jane
b. 1819

James (The Younger)
1828-1909

1. Caroline Thomas
m. 1851 d. 1870

2. **Julia Haverson**
m. 1873 d. 1911

James
1854-1890

Nell
m. 1884

Florence
b. 1855

**Athol
Stuart**
1858-1939

**Mabel
Field**
m. 1890
d. 1939

Algernon
1859-1860

Costance
b. 1863

Cecil
1865-1943

Percy
1869-1951

Dorothy
Irene
b. 1886

Ada
June 1875-
July 1875

Talford
b. 1876

Sefton
b. 1877

Mabel
b. 1880

Archibald
b. 1881

Lionel
1886-1959

**James
Alexander**
1891-1963

1. Harriet Patricia Kinloch
m. 1917 d. 1947

2. Beatrice Oliver
m. 1923

3. Mary La Boyteaux
m. 1930

**Thomas
Donald
Stuart**
1897-1957

James Oliver Kinloch
b. 1918-Q.V.

William 1937-Q.V.

1. Barbara Allen
m. 1941

2. Marjorie
Marshall-Smith

3. Janet Hodsoll
m. 1981

James Richard
1942-Q.V.

Rosemary
b. 1948-Q.V.

Alexandra
b. 1949-Q.V.

The Purdery Family Tree
Those members of the family involved with the firm are in bold
Albero genealogico della famiglia Purdey
In grassetto i membri della famiglia coinvolti nel settore armiero

Albero genealogico della famiglia Purdey.

Purdey's family tree.

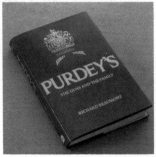

Il libro "Purdey's the Guns and the Family" scritto da Mr. Richard Beaumont che descrive in dettaglio la storia della famiglia e dei fucili dall'inizio dell'attività.

The book: "Purdey's the guns and the family" written by Mr. Richard Beaumont which describes in detail the history of the family and of the guns from the beginning.

378

W. W. Greener

W.W. Greener, figlio dell'altrettanto famoso W. Greener, fu oltre che armiere anche profondo conoscitore delle armi ed appassionato dell'argomento. Scrisse due libri sullo sviluppo del fucile da caccia che in parte costituiscono ancora oggi opere di riferimento per i cultori della materia. A livello pratico il nome di W.W. Greener è legato agli studi sulle strozzature, sulla triplice chiusura a perno tondo sul prolungamento della bindella ed anche alle batterie alloggiate nella bascula sul concetto Anson.

Fu infatti uno dei più fedeli sostenitori del fucile a mezza piastra (cioè privi di acciarini montati lateralmente). Grazie alla terza chiusura che porta il suo nome e che costituisce indubbiamente la più efficace per i motivi già indicati nell'apposito capitolo fu in grado di realizzare armi leggere e robuste, maneggevoli ed allo stesso tempo molto fini. Anzi molti ritengono che, visto come Greener realizzava la triplice chiusura nelle proprie armi, pochi lo hanno saputo emulare e quindi i fucili ancora reperibili sul mercato dell'usato rappresentano una testimonianza storica. Sia che si tratti del "Facile Princeps", dell'"Empire" o di altri modelli è sempre una grande soddisfazione avere tra le mani un W.W. Greener, anche perché la ditta ha chiuso i battenti ormai da diverso tempo. È questo uno degli esempi più eclatanti di come sono andate le cose in Inghilterra durante questo secolo: Case che hanno fatto la storia del fucile da caccia e che erano dei grossi complessi

W.W. Greener

W.W. Greener, son of the famous W. Greener, besides being a gun maker was a dedicated gun connoisseur and enthusiast. He wrote two books on the subject of hunting shotgun development, which are still a point of reference for many readers today. The name of W.W. Greener is also linked to the studies on chokes, to the round-pin cross-bolt, to rib extensions, and also to action-housed locks in the Anson concept. He was in fact one of the most loyal supporters of half-plate shotguns (without side locks). Thanks to the cross-bolt which bears his name and which undoubtedly constitutes the most efficient lock for the reasons I dealt with in the chapter on locks, he constructed lightweight yet sound guns which were handy and very fine. Since Greener realized very fine cross-bolts in his guns, many gun makers tried to mach them but very few succeded, and his guns still represent historical objects for collectors. It is always a pleasure to have a "Princeps" or an "Empire" shotgun or any other model, because the Company discontinued its business. This is one of the most striking examples of gun making in the English history because many big factories have simply disappeared. The only evidence of their story are some fine guns which are now collection pieces and which shall become increasingly rare. A recent piece of news on W.W. Greener Ltd. is that they recently restarted business. Mr. G.N. Greener, the nephew of W.W. Greener wanted to continue his family's tradition. Present production is

Doppietta mod. "Empire" di W.W. Greener. Questo costruttore fu un grande sostenitore del sistema Anson. Notare la tipica terza chiusura a perno tondo.

Prestigioso costruttore inglese W.W. Greener è stato anche uno studioso delle armi. La Ditta, chiusa ha ora riaperto i battenti da qualche decennio.

Empire model side by side shotgun by W.W. Greener. This gun maker was an Anson system supporter. Note the typical round-pin cross bolt.

The prestigious English maker W.W. Greener was also an expert in weapons. The Maker, which stopped production for some decades, is now in business again.

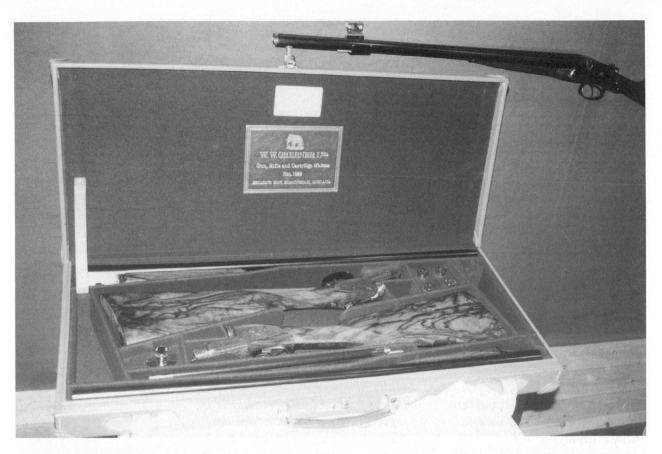

produttivi sono attualmente scomparsi. Rimangono a loro testimonianza le armi esistenti che col tempo diventeranno sempre più rare.
È notizia recente che la W.W. Greener Ltd. ha di nuovo iniziato la produzione. Mr. G.N. Greener, nipote di W.W. Greener, ha voluto portare avanti la tradizione familiare sul settore armiero. L'attuale produzione veste su doppiette ad acciarini laterali di ottima qualità ed alcuni modelli Anson di prezzo medio. Inoltre restaurano le armi usate della Casa. L'indirizzo è il seguente: Belmont Row, Birmingham, BH-7RE, England.

Westley Richards

Altro grande nome del passato dal presente alquanto incerto. Infatti il marchio viene rappresentato oggi dalla ditta Holland & Holland che riceve ordinativi per poche unità all'anno, con tempi di consegna lunghissimi e con sistemi di lavorazioni molto simili alle armi stesse di Holland & Holland. In ogni caso il nome Westley Richards è accreditato come uno tra i migliori e più fini della ricca costellazione di armieri inglesi, sia per quanto riguarda le doppiette di brevetto originale che quelle dotate di piastre laterali nonché di express. Basti dire che un intenditore di armi come il colonnello Hawker definì Westley Richards come il Joe Manton secondo e fu uno dei pochi produttori con sede a Birmingham che ebbe grande considerazione pure dagli armieri londinesi. Alla fine del secolo scorso Westley Richards brevettò le batterie estraibili a mano ed alloggiate

concentrated on side by side shotguns with side locks of an excellent quality and on some Anson models at an average price.
Besides, they restore used guns of the House.
Their adress is: Belmont Row, Birmingham, BH-7RE, England.

Westley Richards

This is another great name of the past with an uncertain present. This firm is represented by Holland & Holland, which receives orders for a few pieces per year.
They have very long delivery times, and their working methods are very similar to Holland & Holland's.
In any case, Westley Richards is regarded as one of the best and finest English gun makers, both as far as original patented side by side shotguns and as far as side-plate side by side shotguns and express shotguns are concerned.
A gun expert such as Col. Hawker defined Westley Richards as a Joe Manton the Second. Westley Richards was one of the few Birmingham gun makers who gained respect from the London ones. At the end of the past century, Westley Richards patented hand-detachable action-housed gun locks. They were almost an evolution of the Anson & Deeley concept transferred on an extractable lock. All this involves a whole series of precision workings. Therefore, these guns are priced similarly to Holland locked guns rather than to the traditional Anson ones. This system, introduced by Westley Richards,

Westley Richards serial number

Anno	Numero di matricola
1869	12.000
1877	13.000
1884	14.000
1893	15.000
1901	16.000
1908	17.000
1924	18.000
1935	18.500
1937	19.000

Una stupenda coppia di doppiette "round action" di John Dickson, in valigetta originale. Una vera rarità. A destra, una elegantissima doppietta Westley Richards con acciarini smontabili a mano su piastre laterali. In basso, una doppietta "boxlock" con canne demibloc mod. "The Cavalier" di recente introduzione da parte della Holland & Holland.

A beautiful set of "round action" side by side shotguns by John Dickson in their original case. A true rarity. Right, a very elegant Westley Richards side by side shotgun with hand-detachable locks on side plates. Below, a "box-lock" side by side shotgun with demibloc barrels; a "The Chevalier" model which has recently been introduced by Holland & Holland.

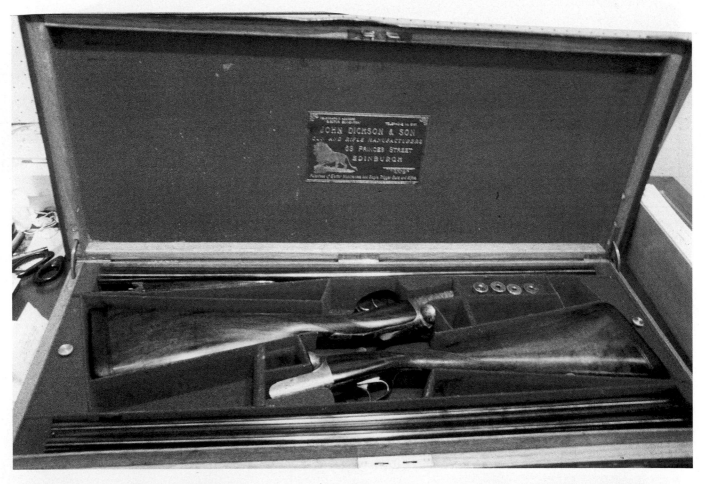

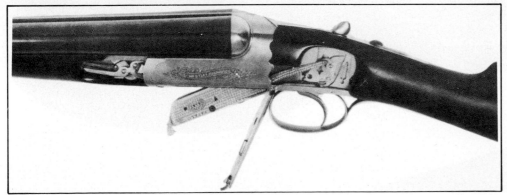

La tipica doppietta di Westley Richards con acciarini smontabili dal petto di bascula. È un'arma molto raffinata.

Typical Westley Richards side by side shotgun with hand-detachable locks. It is a very refined gun.

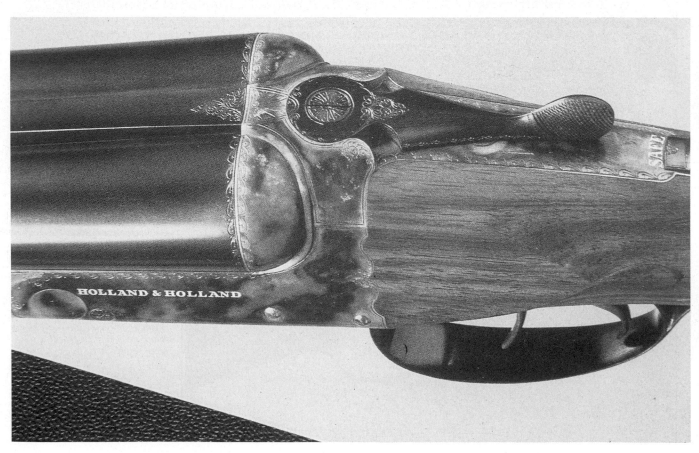

JEFFERY'S
·404 MAGAZINE RIFLE

MAGAZINE HOLDING 5 CARTRIDGES.
RIMLESS CARTRIDGE.

JEFFERY'S 1928 MODEL
·500 MAGAZINE RIFLE.

A 4-SHOT WEAPON.

We claim this weapon to be the most powerful and best handling Heavy Magazine Rifle yet introduced, the energy exceeding that of a Double ·577 Cordite Express Rifle.

Velocity, 2460 ft. secs.   Muzzle Energy, 7200 ft. lbs.   Weight of Bullet, 535 grains.

Specially made Express Actions.

Weight of Rifle 10½ lbs.

Specially designed Mauser Magazine Action, holding 3 Cartridges in the Magazine and 1 in the Chamber, thus enabling 4 shots to be fired without re-charging.

Vecchio catalogo di Jeffery's che propone le proprie carabine nei potenti calibri per caccia grossa.

Old Jeffery's catalogue which proposes its rifles in the powerful bores for big game hunting.

Saggio di incisione su cartella di doppietta E.J. Churchill Mod. "Premier", del 1895.

Very fine english scrolls engraving on side plate of E.J. Churchill "Premier" gun (1895).

A destra, qui sotto e nella pagina a fronte, alcune etichette di famosi costruttori inglesi solitamente inserite all'interno delle valigette originali.

Left, below and in the subsequent page: some English gun makers labels which were usually inserted inside the original gun cases.

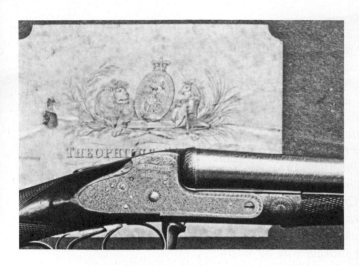

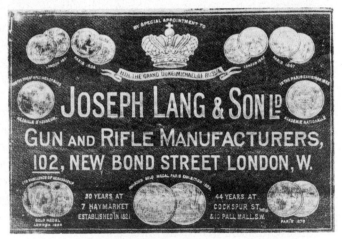

nella bascula. Praticamente una evoluzione del concetto di Anson & Deeley portato su acciarino estraibile.

Questo comporta tutta una serie di lavorazioni di estrema precisione e quindi queste armi hanno prezzi più simili a quelle con acciarini tipo Holland che non ai tradizionali Anson.

Questo sistema introdotto da Westley Richards presenta diversi vantaggi, come la possibilità di avere acciarini con scatti di peso diverso fra loro, acciarini di ricambio nonché la possibilità di togliere gli acciarini rendendo l'arma inservibile.

Alcuni costruttori attuali hanno ripreso questo concetto riproponendo l'arma di Westley Richards (es.

il Tribute di Abbiatico e Salvinelli).

Non solo ma la Casa Westley e Richards fu la prima a produrre la doppietta Anson così come la conosciamo oggi fin dal lontano 1875.

Altri costruttori

Numerosi altri sono i nomi di rilievo dei costruttori inglesi che hanno dato importanti contributi all'evoluzione del fucile fine, tra questi occorre citare Lang, Woodward, Dickson, Grant, Scott, Lancaster, Rigby.

Fra i modelli significativi da ricordare il sovrapposto di Woodward, altro punto di riferimento fra sovrapposti fini insieme a quello di Boss, la doppietta "round action" con bascula arrotondata di Dickson, i magnifici express e le carabine di John Rigby, il primo cani interni di Lang, il self opener di Lancaster ecc.

has various advantages: it may have the possibility of locks having different catch weights, extra locks, and the possibility of detaching the locks, rendering the gun unusable.

Some present gun makers took up the same concept, reproposing Westley Richards guns (i.e. the tribute of Abbiatico e Salvinelli). Besides, Westley Richards was the first gun maker to produce Anson side by side shotguns as we know them today, since 1875.

Other Gun Makers

There are many other British gun makers who greatly contributed in fine gun evolution. Among these we should mention Lang, Woodward, Dickson, Grant, Scott, Lancaster, Rigby. Among the significant models we shall name the Woodward over and under shotgun, which is another point of reference for fine over and under shotguns together with Boss, the round action side by side shotgun by Dickson, the wonderful express shotguns and rifles by John Rigby, the first internal-cock shotgun by lang, the self-opening shotgun by Lancaster, and so on.

Henry Atkin - London. Pair of self-opening 12 gauge side by side shotguns.

British gun making held the leadership in smooth and rifled shotgun construction and design for over a century. In recent years too, in spite of the limited quantities involved, some gun makers offer their production which is appreciable and of a good level. An example of this is this pair of side by side shotguns

Henry Atkin - London. Coppia di doppiette self-opening cal. 12

L'artigianato armiero britannico ha ricoperto per oltre un secolo un ruolo di primo piano nella costruzione e progettazione delle armi da caccia sia lisce che rigate. Anche in anni recenti, seppur con quantitativi molto limitati, alcune Case offrono la propria produzione comunque apprezzabile e di buon livello. Un esempio tangibile è rappresentato da questa coppia di doppiette da caccia dell'armaiolo londinese Henry Atkin.

Henry Atkin costituisce un caso abbastanza atipico nel panorama dei suoi colleghi d'oltremanica. Infatti partendo dalla metà del secolo scorso e per molti decenni successivi ogni fabbricante di fucili, indipendentemente dalle dimensioni e dalla quantità di armi prodotte, cercava di differenziarsi dai suoi concorrenti locali proponendo soluzioni meccaniche ed estetiche originali. Così abbiamo la doppietta di Holland & Holland, quella di Purdey, quella di Boss, quella di Westley Richards, quella di Greener, quella di Dickson, quella di Lancaster e così via. Questo spirito di ricerca per affermare la propria personalità ed il proprio estro nelle specifiche produzioni armiere è stata una molla importante che ha caratterizzato un periodo d'oro per l'archibugeria britannica e nel contempo di quella mondiale. A tal punto che ancora oggi si usa dire che su una tradizionale doppietta da caccia non vi sia più nulla da inventare, poiché tutte le soluzioni possibili legate ai problemi di questo particolare

by the London gunmaker Henry Atkin.

This gun maker represents a rather unique case in comparison to his European collegues. In fact, starting from the middle of the past century, and for many decades, each gun maker — no matter what the sizes of their guns were and what the quantity of guns produced was - tried to differenciate himself from his local competitors by proposing original mechanical and aesthetical solutions.

So, we have Holland & Holland's, Purdey's, Boss', Westley Richards', Greener's, Dickson's, Lancaster's side by side shotguns, and so on. This spirit of research in order to impose one's own personality and one's own talent in the specific gun making productions, has been a very important trigger which characterized a Golden Age for British and international gunmaking.

One can easily say that there is nothing new to invent on a traditional hunting side by side shotgun, since every possible solution linked to the problems of this particular product have been solved by the English during that period.

Both over and under and side by side shotguns represent the classical guns intended for a certain way of hunting, but let us go back to our Henry Atkin. As I said — he was an extraordinary person in that he specified in his logo that he worked for Purdey for 10 years and for Moore and Grey for 12 years. It is as if he wanted to offer credibility references, and offer a know-how guarantee to his customers.

389

prodotto furono già sperimentate dagli inglesi durante quel periodo. La doppietta, sia che abbia le canne sovrapposte che soprattutto giustapposta, rappresenta l'arma classica di un certo modo di intendere la caccia. Ma torniamo al nostro Henry Atkin. Dicevo che costituisce un caso atipico perché specifica nel proprio logotipo che ha lavorato da Purdey (per l'esattezza dieci anni) ed anche presso un'altra ditta di fama come la Moore e Grey (dodici anni). Quindi è come se volesse offrire delle referenze di credibilità, offrire una sicurezza di Know-how per l'acquirente. Non sapremmo come interpretare esattamente questa ammissione, se un segno di umiltà e di deferenza verso i nomi citati o un modo per dare più lustro ai propri prodotti. In ogni caso rimane un atteggiamento abbastanza singolare e quasi unico nel settore armiero. Per un certo periodo di tempo l'indirizzo di Atkin è stato il seguente: 18, Oxenden Street - Haymarket - London per poi trasferirsi come Henry Atkin Ltd from Purdey's in 88 Jermyn Street-St. James's - London. La coppia di doppiette che offriamo nella immagini al lettore sono di produzione abbastanza recente, di circa una decina di anni fa. Il riferimento a Purdey non è casuale poiché nella meccanica il richiamo al self-opening del più pretigioso costruttore inglese è evidente. Le imperniature dei meccanismi dell'acciarino sono quasi le stesse ma soprattutto è lo stesso il concetto dell'apertura automatica con le due camme sporgenti dai piani di bascula azionate dal mollone dell'acciarino che a questo scopo è maggiorato rispetto a molle di

We do not know how to interpret this admission; we do not know whether it is a sign of humbleness or a way to give more credibility to his own products. In any case, it is a somewhat rare behaviour in the gun making sector.
For a while, Atkin's address has been the following: Henry Atkin 18, Oxenden Street, Haymarket, London.
Later on Henry Atkin Ltd. moved to 88, Jermyn Street, St. James, London. The pair of side by side shotguns in the picture are of a quite recent production (about 10 years ago). The reference made to Purdey is not accidental because the self-opening mechanism reference is obvious.
The hinges of the lock mechanisms are quite the same, but above all, the concept of automatic unlocking is the same.
It is supplied with the two camshafts which protude from the action flats, and are activated by the lock springs which are increased as compared to springs of other locks mounted on side plates.
One can notice that the two camshafts involve part of the hinge, as Purdey's from a certain period onwards, since at the beginning they were positioned closer to the action front.
By making these camshafts progress to their limit, the effort thay have to carry out in order to unlock the barrels increases, but by adjusting the lock springs proportionally a quicker and easier opening may be achieved.
By opening the top lever and inducing the barrels to lower, they will automatically unlock and eject the shot bullets.
This automatism was introduced by Purdey at the end of the past

La cassetta con la coppia di
Atkin self-opening in cal. 12.
Notare la similitudine della
venatura dei due calci.

*The case with the set of Atkin
self-opening 12 gauge shotguns.
Note the similarity of the wood
grain of the two stocks.*

Vista laterale della bascula.
Le imperniature dell'acciarino
ricalcano le disposizioni di
quelle del fucile di James
Purdey. Esemplare l'andamento
del profilo della guardia.

*Side view of the action. The
lock hinges follow the
arrangement of the Purdey's
shotgun. Beautiful guard
profile.*

Altro lato della bascula.
Incassatura perfetta come pure
la realizzazione delle gocce.

*Other side of the action. Perfect
gun stocking and drop
execution.*

altri acciarini montati su piastre laterali.

Anzi si potrà notare che le due camme interessano anche parte della cerniera, così come nei Purdey da un certo periodo in poi in quanto agli inizi erano più spostate verso la faccia di bascula. Avanzando al limite queste camme lo sforzo che debbono fare per aprire le canne aumenta però tarando proporzionalmente le molle degli acciarini si ottiene una più ampia e veloce apertura delle stesse. In pratica aprendo la chiave e dando un "invito" solo accennato alle canne per abbassarsi queste vengono aperte automaticamente provvedendo anche all'eiezione dei bossoli sparati. Questo automatismo fu introdotto da Purdey già sul finire del secolo scorso e se ben concepito e realizzato è sinonimo di fucile di gran classe. E da questa angolazione il funzionamento di questi Atkin sono esemplari, con grande facilità di apertura, scatti secchi e metallici degli ejector e generoso angolo di apertura delle canne. Anche il richiudere il fucile una volta armato non richiede uno sforzo superiore a quello delle comuni doppiette non self-opening, considerando che è in fase di chiusura che si armano i cani. Evidentemente Henry Atkin nel suo tempo di permanenza alla Ditta Purdey ha appreso e compreso in maniera corretta come si debba lavorare su armi di questo genere e seppur con lievi modifiche le ha riproposte nel proprio fucile. Occorre considerare che mentre molti altri costruttori europei e nazionali hanno ripreso pari pari o con modifiche la doppietta di Holland & Holland, soprattutto negli

century, and if well-executed, it is the synonym of a fine gun of great class.

Under this point of view, the performance of Atkin shotguns is excellent due to their easy opening, their dry and metallic ejector catches, and their generous opening angle of the barrels.

The relocking of the gun too, does not require more effort than in common "non-self-opening" side by side shotguns (considering that cocks are armed during the closing phase).

It is obvious that Henry Atkin, during his stay at Purdey's, learnt how to correctly behave on guns of this type.

He reproposed these solutions on his own gun with a few modifications.

It is necessary to consider that while many other European and national gun makers totally or partly copied Holland & Holland's side by side shotgun, Purdey's shotgun - most of all, as far as gun locks are concerned — has been proposed by only a few.

Evidently, the realization of the mechanical system requires more skill, since it is more sophisticated than in other side by side shotguns. Purdey's gun lock is supplied with a wide bridle on top of four bases, and it has a double safety tang which intercepts the cock in the upper part, replacing the cock bolt knob, as in Holland & Holland locks.

By examining this pair of 12 gauge shotguns under an aesthetical and functional point of view, we discover that British taste and workmanship still confers a unique taste to these

Visione interna della bascula.
Le due camme per l'apertura
automatica interessano anche
parte della cerniera.

*Internal view of the action. The
two cammes for the automatic
opening interest part of the
hinge.*

Petto di bascula di esecuzione
semplice ma elegante.

*Simple yet elegantly executed
action bottom.*

Particolare delle forme dei seni
di bascula con evidenziato
l'ornato a medie volute che
fanno di contorno alle scene di
caccia.
*Detail of the shape of the action
standing breeches with a
medium-size ornamental pattern
which surrounds hunting scenes.*

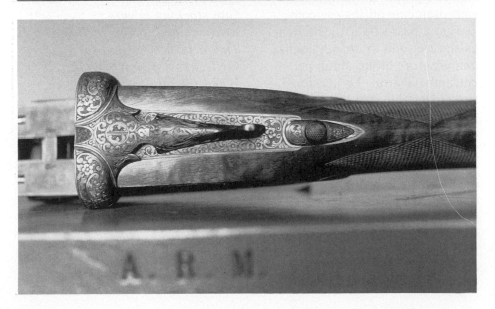

393

acciarini, l'arma di Purdey è stata riproposta da pochi.

Evidentemente la realizzazione di un simile impianto meccanico richiede più difficoltà essendo anche più sofisticato di altre doppiette. L'acciarino di Purdey ha un'ampia briglia su quattro pilastri ed ha la doppia stanghetta che intercetta il cane nella parte superiore al posto della noce del cane come nell'acciarino di Holland & Holland. Passando ad un esame più estetico e funzionale di questa splendida coppia di fucili cal. 12 scopriamo che il gusto britannico e la finezza di lavorazione conferiscono ancora un fascino tutto particolare a queste armi. Già iniziando dalla cassetta si assapora la cura posta nella realizzazione dei dettagli e l'alta qualità dei materiali. Cuoio fuori con struttura in legno, interno in panno rosso, accessori per la manutezione (su alcuni di questi è riportato il marchio di Purdey) e lunghi tubi foderati in velluto all'interno delle canne a scopo protettivo.

Una volta montata, la doppietta nel suo insieme ha una linea filante e proporzionata, calcio rigorosamente all'inglese con zigrino a passo fine. I legni delle calciature sono di ottima qualità con venature molto simili per entrambe le armi. Le incisioni sono identiche, con scene di caccia (fagiani, starne e aquatici). Un cane in corsa è proposto sul ponticello dei grilletti. Le scene sono contornate da un ornato a medie volute con qualche fiore qua e là. Le bascule sono tartarugate presumibilmente con il sistema tradizionale ad osso. L'incassatura è molto ben eseguita, comprese le gocce. Gli acciarini sono trattenuti da una

guns. Just by examining the gun case, one already starts to be aware of the care in details and of the high quality of the materials employed: a beautiful leather exterior with a wooden enforcement, red cloth lining, accessories for the gun's maintenance (some of the accessories bear the Purdey brand name), and long tubes lined with velvet to be inserted inside the barrels in order to protect them. Once assembled, this side by side shotgun has a streamlined and well-balanced line.

Its stock is typically English with a fine checkering.

Stock woods are of an excellent quality with a grain which is very similar in both guns. Engravings are identical, with hunting scenes (pheasants, partridges and acquatics).

A running dog is engraved on the trigger bridge.

The scenes are contoured by an ornamental pattern with medium-sized spirals and a few flowers here and there. Actions are hardened, presumably by means of the traditional bone system.

Gun stocking is very well-executed, drops included.

The locks are secured by one single screw on each side.

When the gun is disassembled, one may notice a slight bevelling on the back lump mortise, which is also present in Purdey's guns.

The barrels are demibloc coupled, with grooved and smooth ribs, and they are 70 cms. long.

The lumps are typically English, with a not particularly developed second lump, and with one single compass turn.

When the gun is closed, the only

H. Atkin Serial Number

I dati disponibili indicano che nel 1890 il numero era 100 e nel 1900 si arrivò a 1.400. Henry Atkin morì nel 1907.

Calcio in noce radicata dalla forma tipicamente inglese.

Walnut root wood stock of a typical English shape.

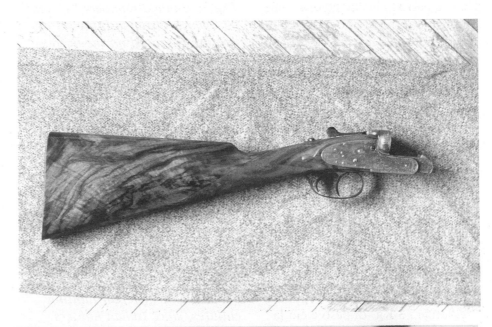

Profilo dei ramponi delle canne. Il giro di compasso è ottenuto solo sulla parte interna del secolo rampone. Le canne sono demibloc.

Barrel lump profile. The compass turn is obtained only on the inner part of the second lump. Demibloc barrels.

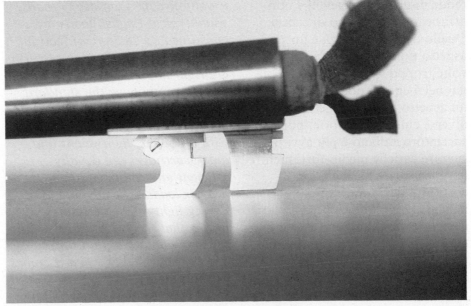

sola vita per parte. Ad arma smontata si nota sulla mortisa del rampone posteriore una leggera smussatura, presente anche nelle armi di Purdey. Le canne sono accoppiate con sistema demibloc, con bindella concava e liscia, lunghe cm. 70. I ramponi sono di tipico stile inglese, con secondo rampone non molto sviluppato e ad un unico giro di compasso. Praticamente ad arma chiusa l'unica superficie che lavora e che appoggia al traversino di bascula è quella interna del secondo rampone che aiuta nello sforzo al momento dello sparo la pressione che viene ad esercitarsi sul perno di bascula col primo rampone. Esternamente ed internamente le canne sono tirate impeccabilmente e provandole all'imbraccio ambedue le doppiette sono pronte e molto equilibrate. I numeri "1" e "2" rimessi in oro che contraddistinguono la coppia sono riportati sia sulla bindella delle canne che sulla chiave di apertura. Una nota di merito va anche al peso. Nessuna delle due doppiette raggiunge i 3 Kg. di peso e ciò la rende molto maneggevoli e non affaticanti sul terreno di caccia. Quello della leggerezza è un aspetto tipico degli inglesi e a volte troppo spesso trascurato sia dai belgi che da noi. È però questo un aspetto legato anche alle diverse culture venatorie, poiché il cacciatore italiano è più avvezzo a sparare cariche medio-forti mentre la tipica carica all'inglese è costituita da 28,5 gr. di piombo nel cal. 12. In questo però credo che gli inglesi abbiano sempre avuto ragione (solo di recente nel tiro si è passati dallo standard di 32 gr. a quello di 28 gr.) poiché soprattutto nelle cacce col cane da ferma cartucce leggere e veloci

surface that works and that supports the action tackle is the internal second-lump surface, which helps in the pressure effort which occurs on the action pin with the first lump during shooting.
The barrels are perfectly finished both internally and externally, and by testing both shotguns during raising, they are ready and well-balanced.
The gold-inlaid numbers "1" and "2" which distinguish the set of two are engraved on the barrels rib as well as on the top open lever.
A positive aspect of these guns also regards their weight. None of the two side by side shotguns reaches 3 Kgs.
in weight and this renders them handy; they are not tiring at all on hunting grounds.
British shotguns are typically lightweight.
This aspect is very often overlooked by Belgian and Italian gun makers. This aspect is also linked to the different hunting cultures, since Italian hunters usually fire medium-heavy loads, while typical English loads are constitued by 28.5 gr. of lead in gauge 12. But I believe the British are right under this point of view (only recently have the standard 32 gr. been replaced by 28 gr.) because especially when hunting with a pointer, lightweight and quick cartridges are equally efficient and less tiring than heavier loads. The advantage of having lightweight shotguns means that there is a lesser weight to carry about and that one is quicker and readier when it comes to shooting.
This set of two by Henry Atkin is still a model to follow:

sono altrettanto efficaci e meno affaticanti di cariche maggiori. Con il vantaggio di poter avere fucili più leggeri che si traduce nell'avere meno peso da portarsi appresso e più prontezza d'imbracciata. Questa coppia di Henry Atkin si rivela essere ancora un modello da seguire: fucili ben costruiti sia dal punto di vista meccanico che estetico, facilitazione nell'apertura, estrattori automatici, leggerezza complessiva ed equilibrata distribuzione dei pesi. Simili fucili non possono essere improvvisati e più si guardano i particolari e più si sente il peso della tradizione di oltre un secolo dell'artigianato armiero britannico.

Doppietta Curchill "Premier XXV" 1935

Arma particolare e tipica extraleggera con canne lunghe cm. 63,5. La doppietta Churchill "Premier XXV" ben rappresenta lo standard qualitativo dell'alto artigianato britannico della prima metà del '900. Destinata a rimanere come preziosa testimonianza del passato ha subìto la sorte di molti altri nomi di primo piano che hanno cessato del tutto o solo parzialmente la produzione. Come già detto gli inglesi hanno sempre lavorato per realizzare fucili leggeri che per molte forme di caccia e con l'uso di munizionamento appropriato consentono un minor affaticamento nel trasporto e una migliore maneggevolezza d'uso. E la doppietta Churchill illustrata è un tipico esempio di doppietta "piuma" pesando nel cal. 12 solo Kg. 2,7. Ha inoltre la caratteristica di avere le a canne lunghe 25 pollici (63,5 cm.) quando come

well-constructed guns, both under a mechanical and under an aesthetical point of view; ease in opening; automatic ejectors, overall lightweight, well-balanced weight distribution. Such gun models cannot be improvised. The more one looks into the details, the more one may see the century-old tradition of English gun making.

Churchill Premier XXV Side by Side Shotgun — 1935

A special and typical extralight side by side shotgun supplied with 63.5 cm. long barrels. Churchill Premier XXV side by side shotguns are representative of the British qualitative standard in the fine gun making sector during the first half of the 1900s. Destined to remain a precious example of the past, it suffered the same destiny as many other important gun makers which totally or partially discontinued production. As I already stated before, the British always worked on lightweight guns which allow the hunter to get less tired during transport and which are more handy to use. The Churchill side by side shotgun in the shown picture is a typical example of extralight gun since its weight is of only 2.7 Kg. Besides, one of its characteristics is represented by the barrels, which are 25 inches long (63.5 cm.) while standard barrel lengths were (and are) between 70 and 72 cm. This is an excellent thrust gun which is easy to aim thanks to its special varying-profile rib. Many people believe that short barrels tend to shoot nearer, or penetrate less than the longer

standard si montavano (e si montano) canne tra i 70 e i 72 cm. di lunghezza. Un'ottima arma da stoccata che viene prontamente alla mira grazie alla particolare bindella a profilatura variabile. Molti pensano che le canne corte tendano a sparare meno lontano o con meno penetrazione di quelle lunghe ma da prove condotte si sa invece che fra i 60 cm. e gli 80 cm. le variazioni di velocità iniziale e di portata, a parità di strozzatura, sono molto lievi. Ciò che conta è invece il grado di strozzatura abbinata al tipo di cartuccia usata che incrementa la concentrazione dei piombi e quindi della portata utile sul terreno di caccia man mano che la stessa si fa più accentuata. Invece le canne corte possono avere dei vantaggi, a parte la riduzione di peso, quando si caccia nel bosco e nei roveti e abbinate a strozzature larghe e cartucce veloci nei tiri di stoccata col cane da ferma e beccacce e stanziale in genere. Quindi pur potendo ugualmente essere impiegata come arma generica trova la sua migliore espressione nelle condizioni ambientali e di impiego citate. L'arma qui raffigurata, costruita nel 1935, fa parte di una coppia ed è in eccellente stato di conservazione ed in esecuzione molto fine. Lo si può vedere dai piccoli dettagli come i tagli delle viti, la ramponatura, gli spigoli vivi nella profilatura della bascula, la conservazione dei legni, nella chiusura e nell'incisione. Quest'ultima riproduce il disegno classico della produzione più fine di Churchill con un ricciolo ad ampia voluta in posizione centrale nella cartella contornato da altri di dimensioni più ridotte e ben ombreggiati. Sul petto di bascula è riportata una corona rimessa in

ones, but it has been proven that in lengths between 60 and 80 cms. the variations in initial speed and range - with equal chokes - are very light. But what is important is the choke degree combined with the type of cartridge employed, which increases lead concentration, and therefore its range on hunting grounds.
On the contrary, short barrels may have some advantages.
Besides a lesser weight, when one hunts in the woods and in the brushlands, they are more handy, and they may be used for thrust hunting with pointers.
Therefore, even if it may be used as an all-round gun, it finds its best application as described above.
The gun in the picture, which was constructed in 1935, belongs to a very finely executed set of two and it is excellently preserved.
This may be observed in the smallest details such as the screw slots, the lump fitting, the sharp edges of the action profile, the wood preservation, the closing, and the engraving.
The engraving represents Churchill's classic fine pattern with a large curl in the middle of the plate surrounded by other smaller curls.
The action bottom displays a gold-inlaid crown surrounded by medium-sized English scrolls which progress run under the guard.
The action finishing foresees a pattern of close cordons and large ribbons, quarter-sphere standing breeches and smooth action sides up to under the barrels.
There are Churchill side by side shotguns with different arrangements of these elements as for example smaller standing

E.J. Churchill serial number

Anno e mese di costruzione	Numero di matricola
1891	
Ottobre 1892	339
Marzo 1893	384
Febbraio 1894	480
Gennaio 1895	569
Gennaio 1896	655
Gennaio 1897	761
Gennaio 1898	923
Gennaio 1899	1.047
Gennaio 1900	1.156

Doppietta "E.J. Churchill" mod.
Premier XXV con canne lunghe
25'. Incisione all'inglese su
schema tipico della Casa. Notare
le imperniature dell'acciarino.

"E,J.Churchill" side by side
shotgun mod. Premier XXV with
25' long barrels. English typical
company engraving. Note the
lock hinges.

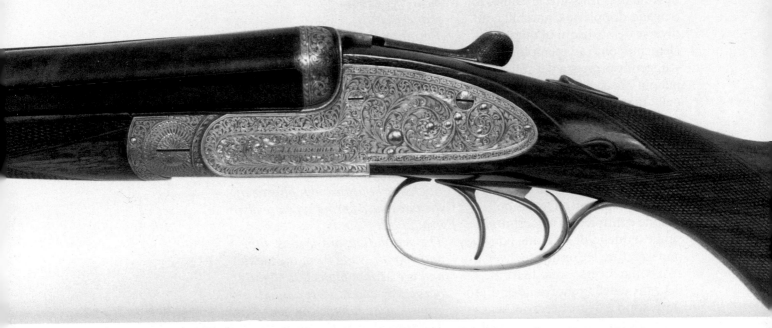

oro contornata da inglesine medie che proseguono sotto la guardia. La tiratura della bascula prevede sul petto una disposizione di cordoni stretti e nastri larghi, seni a un quarto di sfera e fianchi di bascula lisci fin sotto le canne. Si trovano doppiette Churchill con diverse disposizioni di questi elementi come ad esempio seni più sfuggenti, presenza dei soli cordoni ma più grossi e diversa finitura delle fiancate. Evidentemente poteva dipendere sia dal periodo in cui si costruiva l'arma o dalle richieste specifiche del cliente. Variazioni di questo tipo si registrano anche nel modello di acciarino montato. Quello qui visibile è il tipico di Churchill, simile a quello di H/H ma con imperniature leggermente diverse così come diverse sono le forme del cane e della relativa noce. Però si possono trovare acciarini senza perni passanti o anche del tipo a molla indietro.

La bascula ha piani lunghi mm. 45 con una larghezza al traversino di 40 mm. ed un'altezza di 22 mm. Leggermente tartarugata ha il numero di matricola inciso a mano su ciascun piano. L'asta, di dimensioni contenute, ha lo sgancio a pompa con martelletti estrattori montati sulla croce. Questi oltre alle due molle a lamina che comandano i martelletti hanno due altre molle laterali montate verticalmente, che servono a far scattare quelle principali. Le canne, accoppiate in demibloc, hanno la ramponatura inglese con secondo rampone più piccolo. Nel prolungamento della bindella è ricavata la mensola per la terza chiusura Purdey sulla quale va ad appoggiare la relativa slitta superiore nella bascula con movimento di indietro/avanti.

breeches, presence of larger cordons only, and different side finishings.

This obviously depended on the period in which the gun was being constructed and on specific customer-tailored requests.

Variations of this kind are also executed in the mounted lock model.

The one in the picture is a typical Churchill shotgun which is very similar to Holland & Holland's except for the pin fittings, the cock, and the bolt knobs which are slightly different.

Locks without through pins or of the backward spring type are also available.

The action flats are 45 cms. long and 40 mm. wide from the tackle, and are 22 mm high. It is slightly hardened, and it bears a hand graved serial number on each flat. The forend, which is quite small, is supplied with a pump release and with ejection hammers mounted on a tumbler.

Besides the two V-springs that operate the hammers, they are supplied with two extra vertically mounted springs which are necessary in order to set off the main ones.

The barrels, which are demibloc coupled, have an English lump fitting with a smaller second lump.

The rib extension houses the shelf for the Purdey cross-bolt, on which the upper slide rests in the action with an up and down movement.

It is operated by the top open lever.

The rib deserves more attention because it is different than the usual ones, and it has been copied by various gun makers.

I piani di bascula sono leggermente tartarugati. I numeri di matricola sono incisi a mano.

The action flats are slightly hardened. The serial numbers are engraved by hand.

Vista ravvicinata dell'incisione e del perfetto lettering con cui è scritto il nome del Costruttore.

Close up of the engraving and of the perfect lettering with which the gun maker's name is written.

Petto di bascula con cordoni stretti e nastri larghi. Il sottoguardia è brunito.

Action bottom with narrow cordons and large ribbons. The gard bottom is blued.

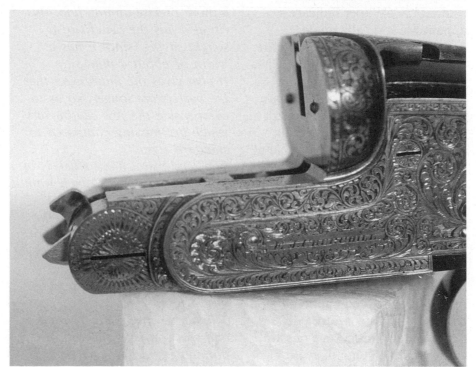

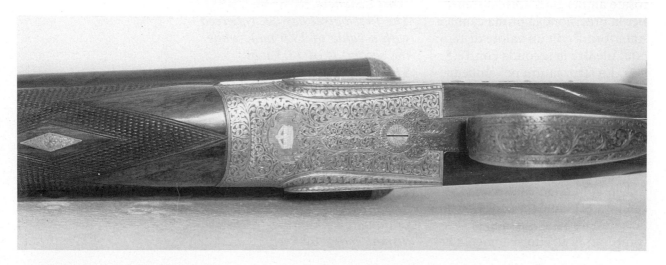

401

Questa viene comandata dalla chiave di apertura. La bindella merita un po' più di attenzione perché si discosta dalle solite ed anzi è stata poi ripresa da altri costruttori e viene denominata proprio "tipo Churchill". Per un paio di cm. parte con una larghezza normale, questo per "convogliare" l'occhio del tiratore verso il mirino per poi dimezzarsi e continuare fino alla volata. Arabescata superiormente a mano ha riportato in oro i numeri romani "XXV" per indicare appunto la serie alla quale appartiene. Questa bindella, oltre che a voler restringere su una linea più stretta e precisa la mira ha anche il pregio di far risparmiare peso in quanto ha una larghezza di circa 4 mm. Non solo ma da la sensazione di "allungare" le canne come per compensare quei pochi centimetri che mancano rispetto alla misura standard.

Il calcio, a semipistola, è in noce francese ben venato. L'incassatura è apprezzabile sia esternamente che internamente smontando l'acciarino. Gli scatti sono identici per i due grilletti ed hanno un peso di Kg. 1,4. La strozzatura delle canne è molto modesta e questo conferma la volontà di avere rosate ampie già a corte distanze. Per la precisione la prima canna è stata forata con un valore di 18,6 mm. mentre la seconda con 18,5 mm. La strozzatura per ambedue è di 18,4 e quindi risulta rispettivamente di due decimi e un decimo. Specialmente in passato si usava forare le canne con due valori leggermente diversi tenendo la seconda canna più stretta. Poiché solitamente la seconda canna si presume serva per tiri un poco più lontano tenendo la foratura più stretta si aumenta la

It is denominated "Churchill-type rib".
It starts with a normal width for a few centimeters (in order to convey the shooter's eye in the direction of the sight), then it becomes thinner up to the muzzle.
It is hand-arabesqued, and it bears the Roman numbers XXV in order to indicate the series to which it belongs.
Besides being conceived in order to convey the hunter's eye toward a more precise aiming line, this rib also has the benefit of a weight saving, since it has a width of about 4 mm.
It also gives the impression that the barrels are longer, so as to compensate the few centimeters which are missing compared to standard sizes.
The semi-pistol hand stock is in a beautifully grained French walnut wood.
By disassembling the lock, the gun stocking is appreciable both interiorly and exteriorly. Trigger pulls are identical for both triggers, and they have a weight of 1.4 Kgs.
The barrel choke is very modest, and this confirms the will of obtaining wide shot patterns at short distances.
The first barrel has been pierced with a value of 18.6 mm, while the second is of 18.5 mm.
The choke is, for both, of 18.4, and therefore it is respectively of two tenths and one tenth.
Especially in the past, barrels used to be pierced with two slightly different values, by keeping the second barrel a bit narrower.
Since the second barrel is presumably employed for more distant shots, by keeping a

Particolare dell'andamento della bindella superiormente arabescata a mano.

Detail of the upper rib, which is hand-arabesqued.

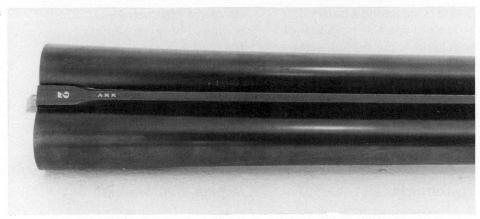

Culatta delle canne con sporgente la mensola per la terza chiusura superiore.

Barrel breech with protuding shelf for the upper cross-bolt.

Astina con sgancio a pompa.

Pump release forend.

403

penetrazione anche a parità di strozzatura con l'altra. Sulle canne, così come sull'etichetta contenuta all'interno della valigetta in cuoio, è riportato l'indirizzo del Costruttore e precisamente: "E.J. Churcill (Gunmakers) LTD. - 39 to 42 Leicester Square - London".

I costruttori belgi

Le armi belghe sono molto fini, anche se storicamente non hanno raggiunto l'immagine delle migliori inglesi. Comunque nomi come Lebeau-Courally, Francotte, Thirifays ed altri hanno realizzato stupendi fucili.
I primi due sono ancora in attività e pur avendo una produzione di prima grandezza beneficiano di un rapporto qualità/prezzo buono ma non eccezionale, soprattutto se paragonato ai nostri migliori costruttori. Anche alla F.N. si porta avanti un discorso di armi fini soprattutto nei sovrapposti ed express, con una scuola di incisori di tutto rispetto. La cosa positiva da notare è che rispetto al passato gli altri non sono peggiorati ma sono di molto migliorati i produttori italiani. Anche sotto il profilo degli incisori ora non siamo secondi a nessuno, anzi molti lavori che si vedono sulle armi di casa nosta trovano difficile riscontro altrove. Comunque la produzione belga, soprattutto in armi di qualche decennio fa rimane tra le migliori in assoluto, anche se meno originali di quelle inglesi. Ci sono le debite eccesioni, come il sovrapposto Francotte, la doppietta Defourny, qualche modello di Thirifays e di Lebeau. La Lebeau Courally ha ancora in catalogo un sovrapposto tipo Boss ed una serie di doppiette sia

narrower piercing, penetration is increased, even though the choke is equal in both barrels.
The barrels bear the address of the gun maker which is: E.J. Churchill (Gunmakers) Ltd. 39 to 42 Leicester Square, London.

Belgian Gun Makers

Belgian guns are very fine guns, even though they never historically reached the image of best English guns. Anyhow, names such as lebeau-Courally, Francotte, Thirifays, and others executed beautiful shotguns.
The first two gun makers are still in business, and even though they are big companies, they benefit of a good but not excellent quality/price ratio, particularly if compared to our best gun makers. F.N. too, focuses on fine guns, especially as over and under and express shotguns are concerned, with a very good engraving school. The positive aspect that should be remarked is that compared to the past the other gun makers did not get worse but, on the contrary, it's Italians that improved. And as far as engravers are concerned, we are not second to anybody else. As a matter of fact, many works which are executed on national guns cannot be easily compared to other ones.
Anyhow, Belgian production, especially as far as the production of a decade ago is concerned, is among the best, even though it is less original than the English one. There are, of course, some exceptions such as the Francotte over and under shotgun, the Defourny side by side shotgun,

Sovrapposto Lebeau-Courally tipo Boss degli anni '30. In basso, sovrapposto Lebeau-Courally tipo Boss di costruzione recente in cassetta originale. A pag. 406 in alto doppietta Lebeau-Courally con batterie estraibili a mano, in basso un express tipo Anson dell'armaiolo belga Marcel Thys.

Boss-type over and under shotgun by Lebeau-Courally of the '30s. Below: Recent Boss-type over and under shotgun by Lebeau courally in its original case. Pag. 406, above: Lebeau-Courally side by side shotgun with hand-detachable locks. Below: Anson-type express shotgun by the Belgian gun maker Marcel Thys.

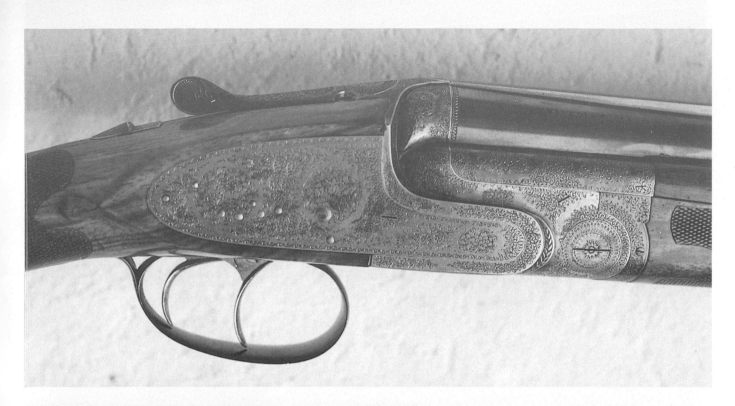

405

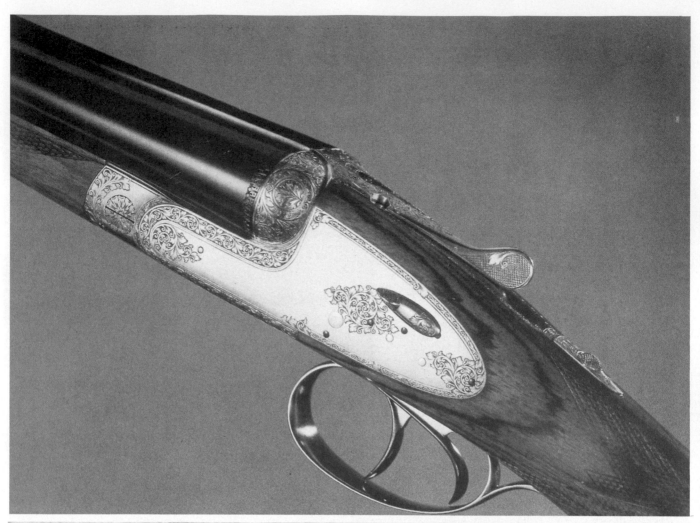

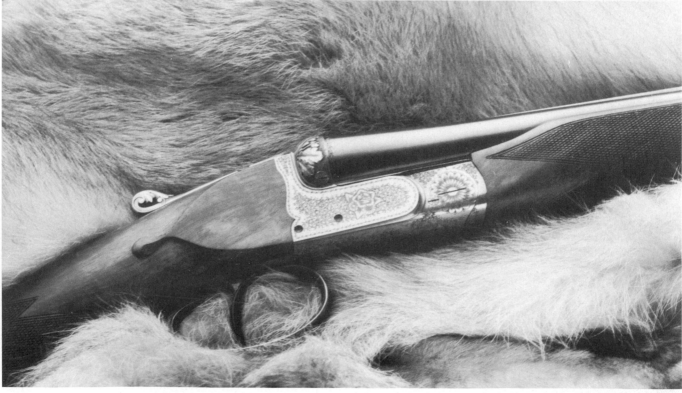

A sinistra: il tipo di bindella può essere scelto a cura del cliente: stretta, concava, piana, ventilata, liscia, arabescata, ecc.

Left: The rib type may be chosen by the purchaser. It may be narrow, grooved, flat, ventilated, smooth, arabesqued, etc.

In mezzo a sinistra, una doppietta spagnola Ugartechea con bascula tartarugata. Notare la lavorazione dei semi di bascula. A destra, gli acciarini tipo Holland & Holland della medesima doppietta.

In the middle, left: A Spanish side by side shotgun Ugartechea with a hardened action. Note the finishing of the action standing breeches. Right: Holland & Holland-type locks of the same shotgun.

Qui sotto, express di discreta fattura in cal. 9,3x74R. Realizzato dalla EGO.

Below: Quite well-executed express shotgun in a 9.3x74R bore. Realized by Ego.

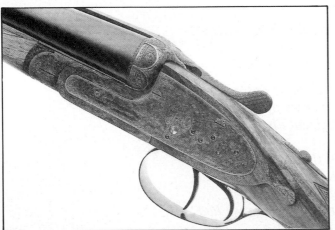

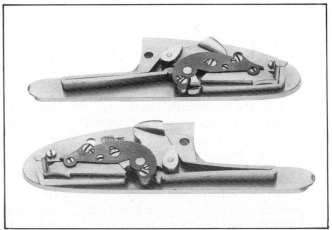

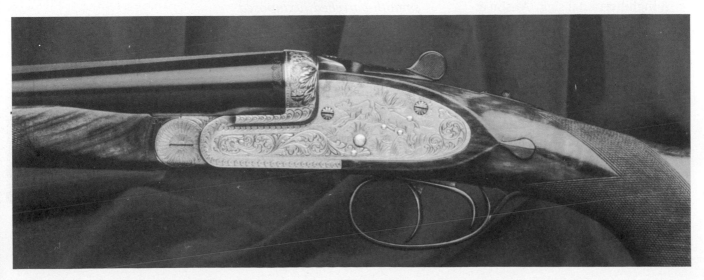

boxlock che tipo Holland con batterie fisse o smontabili a mano. Francotte accanto alla produzione tradizionale lavora molto sulle armi rigate, come carabine ad otturatore girevole/scorrevole e sugli express. Ci sono poi anche nomi minori, del passato e del presente, che comunque si distinguono per un certo gusto nel lavorare nonché una adeguata compentenza. Ad esempio è il caso dell'armaiolo Thys, del quale pubblico alcune immagini, specializzato nella costruzione di express molto potenti (addirittura anche in calibro 460 Weatherby Magnum) ma anche di doppiette tradizionali.

Doppietta cal. 12 mod. Anson & Deeley Lajot & Jonlet

Tra i costruttori di armi fini del passato, nel prolifico distretto belga di Liegi, spicca la Ditta artigianale Lajot & Jonlet. Si trovano ancora sul mercato splendide doppiette a cani esterni ma anche hammerless in diversi gradi di finezza e tra questi ultimi l'arma che ho avuto occasione di provare è un modello di doppietta giustapposta a canne lisce costruita attorno al concetto meccanico delle batterie brevettate alla fine del secolo scorso in Inghilterra dai sigg. Anson & Deeley. Non è una doppietta della più fine qualità ma di un livello intermedio, dove però sono state rispettate molte buone regole costruttive e di stile e dove è chiaramente visibile l'intervento della mano d'opera specializzata, oggi sempre più rara ma un tempo fortunatamente prolifica per la felicità degli estimatori delle belle armi da caccia.

some Thirifays and Lebeau models. Lebeau-Courally still includes a Boss-type over and under shotgun and a series of "box-lock" and "Holland" side by side shotguns with fixed or hand-detachable locks in its catalogue. Beside its traditional production, Francotte works on rifled guns such as pivoting/sliding breech-block rifles, and express shotguns. There are also minor gun makers of the past and of the present days which stand out for their taste and competence. For instance, this is the case of Thys, of which I am publishing a few images. This gun maker is specialized in the construction of powerful express shotguns (even in a 4.60 bore Weatherby Magnum) and of traditional side by side shotguns.

Gauge 12 Side by Side Shotgun Anson & Deeley model - Lajot & Jonlet, Liege - Belgium

Lajot & Jonlet stands out among the fine gun makers of the past in the prolific Belgian district of Liege.
One may still find some beautiful external-cock and hammerless side by side shotguns in various fineness degrees. The gun we had the occasion to test is a smooth-barrelled juxtaposed model which was constructed with the mechanical concept of the locks that Mr. Anson and Mr. Deeley patented at the end of the past century in England. It is not a shotgun of the finest quality, but it is of an intermediate level. In spite of this, many good construction and styling rules have been observed, and the intervention of skilled

Questo Anson, che si può prender ad esempio degli Anson costruiti in Belgio alcuni decenni or sono, assume una certa importanza se paragonato alla attuale produzione di armi fini sia nazionale che europea, oggi in decisa crisi creativa e con una prevalente concentrazione su modelli ad acciarini laterali. Infatti le doppiette Anson prodotte dalle grandi Case armiere industrializzate sono spesso armi economiche, dove il sistema di batteria alloggiato all'interno della bascula viene interpretato come scorciatoia per creare fucili da caccia funzionali ma tozzi, uniformi e dalle linee non solo sgradevoli ma praticamente inesistenti, con canne quasi sempre accoppiate con sistema monobloc e calciature internamente cave realizzate con le macchine a copiare. Per fortuna esiste qualche eccezione, sia attuale che soprattutto passata che rendono giustizia alla doppietta Anson che se in forma fine è sicuramente da preferire rispetto a doppiette di tipo economico con acciarini montati su piastre laterali.

Tra i primi costruttori inglesi a realizzare doppiette con batterie Anson va ricordata la Casa Westley Richards, ma anche W.W. Greener si concentrò su tale sistema e non mancano esemplari di altre Case come Purdey ed Holland & Holland.

La doppietta Anson di per sé porta alcuni vantaggi pratici rispetto a quella con batterie su piastre laterali ma anche alcuni svantaggi. Tali differenze alimentarono diverse polemiche tra i costruttori e gli sportivi del passato e come sempre accade in queste circostanze ci furono coloro che parteggiarono per una parte e chi

workmanship - which is so rare today — is clearly visible.
This Anson, which may be taken as an example of the Anson shotguns which have been constructed in Belgium a few decades ago, assumes importance if we compare it with the present national and European production of fine guns, which is in a decided creative crisis and mainly concentrates on side lock models. In fact, Anson side by side shotguns produced by big industrialized gun makers are very often economical guns in which the action-housed locks are interpreted as a short cut in order to create functional but squat hunting shotguns which have no line at all and which have monobloc-coupled barrels and internally hollow stocks. There fortunately are a few past and present exceptions, which are preferrable to economical-type side by side shotguns with side locks mounted onto the plates. Among the first English gun makers which realized Anson-lock side by side shotguns we find Westley-Richards, W.W. Greener, Purdey and Holland & Holland. Anson shotguns have some practical advantages as compared to side by side shotguns with side locks mounted on the side plates. But they have some disadvantages too. Such differences were the ground of discussions between gun makers and hunters of the past and of the present, and as often happens in these cases, they were split into two different opinion groups. Among the advantages I shall list a geater constructive simpleness, a good reliability, and the possibility of constructing them with a lighter weight. The disadvantages are that there is a

per l'altra. Tra i vantaggi vanno elencati quelli di una maggiore semplicità costruttiva ma anche di una buona affidabilità di funzionamento e soprattutto desiderandolo si possono costruire armi più leggere. Gli svantaggi si possono riassumere nella poca disponibilità ad addolcire gli scatti, nell'assenza della doppia stanghetta di sicurezza e da un punto di vista costruttivo, la bascula viene internamente scavata e lavorata per alloggiare le molle ed altri dispositivi per il funzionamento delle batterie. Ad alcuni di questi inconvenienti diversi costruttori hanno dato delle soluzioni, come ad esempio equipaggiare l'arma con una stanghetta di sicurezza supplementare contro lo sparo accidentale e l'adozione di terze chiusure superiori fra bindella e bascula per "aiutare" i piani di quest'ultima a non flettere troppo sotto le sollecitazioni dei colpi. Anzi alcuni esperti sostengono che per sicurezza ogni doppietta Anson dovrebbe avere una terza chiusura oltre alla doppia Purdey ai ramponi.

Fra i costruttori che in passato hanno realizzato delle doppiette Anson provviste di doppie stanghette di sicurezza vanno citati Francotte, Purdey ed in casa nostra anche Zanotti. Per quanto riguarda le terze chiusure occorre notare che un tempo si prestava più attenzione a queste soluzioni (basti citare la terza Purdey, la testa di bambola, la Scott, la Greener etc.) mentre oggi si tende a limitarsi alla doppia ai ramponi. Si cerca di giustificare questo fatto asserendo che oggi i materiali sono migliorati così come le lavorazioni con le macchine utensili di precisione. Credo però che per far lavorare

scarce possibility of softening the trigger pulls, that there is no double safety tang, and that under a construction point of view, the action is internally hollowed and finished in order to house the springs and other devices for the operation of the locks.
Some of these disadvantages have been solved by some gun makers. For example, some equipped the gun with an extra safety tang against accidental shots and some added an upper cross bolt between the rib and the action in order to "help" the action flats not to bend too much under shot stress.
Some experts believe that every Anson shotgun should be supplied with a cross bolt beside having Purdey double-bolts for safety purposes.
Among the gun makers of the past which realized Anson side by side shotguns equipped with double safety tangs, we shall mention Francotte, Purdey, and Zanotti. As far as cross bolts are concerned, in the past these solutions were more taken into consideration (Purdey cross-bolts, doll-head bolt, Scott, Greener cross bolts) while today there is a tendency to employ a double-bolt on the lumps.
Many tend to justify this fact saying that materials and precision working processes are far better today than in the past. But I believe that in order to make a cross-bolt work properly, its maker must be skilled and know his job, and of course, have time at his disposal.
These are elements which may not be easily found in the present production philosophy.
As far as the trigger pulls are

Doppietta Anson di produzione belga (Lajot & Jonlet). È una tipica arma da caccia dalla linea filante di costruzione di alto artigianato.

Belgian Anson side by side shotgun (Lajot & Jonlet). It is a typical hunting gun with a streamlined line. High craftsmanship execution.

L'arma aperta che mostra i ramponi di buone dimensioni e la terza chiusura Greener ricavata sul prolungamento della bindella.

Open gun displaying well-sized lumps and the Greener cross-bolt on the rib extension.

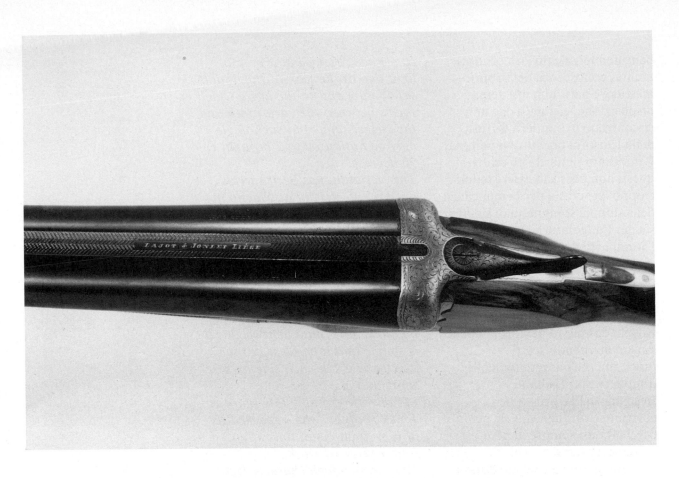

bene una terza chiusura occorra abilità, conoscenza del proprio mestiere e naturalmente tempo a disposizione, elementi che non si riscontrano in maniera diffusa nella filosofia produttiva odierna. Per quanto riguarda gli scatti questi non possono essere tenuti troppo leggeri sia per la mancanza della doppia stanghetta di sicurezza sia per l'angolatura che si viene a formare fra il dente del cane e la stanghetta di scatto. Tale angolo però volendo può essere ottimizzato portandolo a90°, come ad esempio hanno fatto i F.lli Rizzini di Magno nel loro modello Anson ottenendo scatti praticamente paragonabili alle doppiette tipo Holland.

In sostanza l'Anson se ben costruito è un fucile ideale per la caccia, quasi sempre di peso contenuto, semplice nel funzionamento e che può durare nel tempo al pari di una doppietta ad acciarini laterali. Però sempre se è ben costruito. E qui iniziamo l'esame della doppietta di Lajot & Jonlet, arrivato ancora integro ai nostri giorni dopo altre quarant'anni di attività. L'aspetto che colpisce e che caratterizza l'arma nelle sue linee già ad un primo sguardo sono le forme e la possentezza dei seni di bascula. Potrebbero essere degni di un express di grosso calibro e misurandone la larghezza (62 mm.) come interasse l'arma potrebbe montare anche un paio di canne del cal. 10. Sono seni generosi che danno sensazione di solidità ed eleganza, oltre che una spiccata personalità all'arma. Molti costruttori odierni dovrebbero studiare più a fondo simili doppiette per modificare le mammelle streminzite e atrofizzate che tanto comunemente viene dato

concerned, they cannot be too light due to the lack of the double safety tang and to the angle which forms between the cock tooth and the trigger tang. But such angle may be optimized and brought to 90 degrees.

This variation has been carried out by F,lli Rizzini of Magno in their Anson model, obtaining trigger pulls which are comparable to a Holland type shotgun's.

In substance, if an Anson shotgun is well-constructed it is the ideal hunting shotgun because most of the times it is quite lightweight, it is simple and it can last in time exactly as a side-lock side by side shotgun.

Let us now examine this Lajot & Jonlet shotgun which reached us in very good conditions after fourty years of work.

The aspect which characterizes this gun at a firce glance is its line and the power of its standing breeches.

They could be those of a heavy bore express shotgun, and by measuring their width, 62 mm, the gun could well be supplied with a 10 gauge set of barrels.

Its standing breeches are quite generous, and give an immediate feeling of soundness and elegance, beside conferring personality to the gun.

Many gun makers of the present days should study these types of shotguns much closer in order to modify the small and atrophized standing breeches which may very often be found nowadays.

With such an interaxis, the barrels realize a strong slope, and a large rib starts from the breech and almost disappears in the middle of the two tubes, getting thinner towards the muzzle.

di osservare. Con un tale interasse le canne realizzano una campanatura accentuata ed una larga bindella parte dal vivo di culatta per scomparire quasi in mezzo ai due tubi, restringendosi, alla volata.

Quest'ultima è di tipo concavo, arabescata a mano, riportante la scritta in oro del fabbricante e della città di provenienza. Occorre notare che questo sistema estetico di larghezza di interasse si traduce praticamente anche in un imbraccio istintivo facilitato, poiché ponendo l'arma alla mira si ha una sensazione quasi di triangolo, con la punta catalizzata sul mirino in ottone. Certo una simile abbondanza di materiale se da un lato incrementa la rigidità dell'insieme dall'altra aumenta anche il peso complessivo del fucile che in ogni caso non lo si può certo definire pesante essendo di 3 Kg. Inoltre vi è la sensazione che questa doppietta sia stata costruita per la caccia alle anatre o comunque appositamente irrobustita per impiegare cariche forti per tiri lunghi. Questo viene confermato dalle strozzature delle canne, entrambe molto accentuate e dallo spessore dei tubi. La lunghezza delle canne è di 70 cm., sono saldate a forte e pesano Kg. 1,460. L'acciaio impiegato viene definito Nitro Steel e l'accoppiamento è stato eseguito a piani fissi.

La particolarità è che i valori di strozzatura sono praticamente identici ed equivalgono a 17,4 mm alla volata. Ciò che cambia è il valore di foratura interna dei tubi che nella prima canna è di 18,4 mm. mentre nella seconda di 18,3 mm. Questa lieve differenza è però visibile a lato pratico esaminando le rosate che abbiamo effettuato. La prima canna ha la tendenza ad

The rib is of the grooved type, it is hand-arabesqued and it has a gold-inlaid inscription of the gun maker's name and of the city of origin.

This aesthetical system which applies a large interaxis allows an easier and simplified gun raising, because when raising the gun in order to aim, one has almost the feeling of having a triangle in front of oneself.

Of course, this abundance in material may be useful on one side for a better overall stiffness of the gun, but on the other it tends to increase the gun's weight, even though it cannot be said to be heavy since its weight is of 3 Kg.

Besides, this shotgun gives the impression of having been constructed for duck shooting or for heavy loads and long shots. This is confirmed by the barrel chokes and by the tube thickness. The length of the barrels is of 70 cms., and their weight is of 1.460 Kg.

They are made out of Nitro Steel, and coupling has been carried out on fixed plains.

What is special about it is that choke values are practically the same in both barrels and are of 17.4 mm at the muzzle.

What is different is the piercing value of the tubes, which is of 18.4 mm in the first one and of 18.3 in the second one.

This slight difference is visible in the picture on the side, by examining the shot patterns.

The first barrel has a tendency to widen more if compared to the second one.

As far as the rib is concerned, it is 13 mm. large at the breech and it is integral with the cross-bolt extension.

413

allargare di più rispetto alla seconda. Parlavamo prima della bindella. Questa è larga in culatta ben 13 mm. ed è integrale con il prolungamento per la terza chiusura. Spesso si vede in fucili anche molto fini che vi è un riporto di bindella del valore di qualche centimetro alla cui estremità viene ricavata la terza chiusura. In questa doppietta invece la bindella è in pezzo unico. I ramponi sono inseriti fra i piani delle due canne col sistema a coda di rondine e sono di spessore generoso. Il primo rampone è parzialmente passante. La ramponatura è del tipo a triplice giro di compasso, ben realizzata, con il profilo interno del secondo rampone che ad arma chiusa si appoggia sul traversino di bascula. La bascula è ben dimensionata ed ha piani lunghi 50 mm. La larghezza al traversino è di 46 mm. mentre lo spessore della tavola è di 20 mm. L'arma è provvista della terza chiusura Greener a perno tondo e da quello che è dato di vedere il costruttore l'ha ben intesa, facendola lavorare nei punti necessari. Cioè il perno tondo tocca nel foro ricavato nel prolungamento della bindella nella parte inferiore e posteriore dello stesso. Un'altra insolita particolarità è che la bascula è provvista di alette laterali che però a differenza delle alette di Purdey che sono appunto laterali rispetto ai seni di bascula qui le troviamo superiori. Sarebbe interessante conoscere la reale motivazione del costruttore per una tale disposizione, motivazione che crediamo sia solo di natura estetica poiché non si vede come potrebbe influire in qualche modo sulle chiusure o su altri elementi fisico-meccanici. Il petto di bascula è di tipo liscio, senza nastri

Very often fine guns have a rib extension of a few centimeters on whose end one may find a cross-lock.
In this side by side shotgun the rib is made out of one solid piece.
The lumps are inserted between the flats of the two barrels with a dove-tail system, and their thickness is quite large.
The first lump is partly through.
Lump fitting is of the triple compass turn type.
It is well-executed, with the inner profile of the second lump which rests on the action tackle.
The action is well-dimensioned and has 50 mm long flats.
Its width at the tackle is of 46 mm., while the table thickness is of 20 mm.
The gun is supplied with a Greener round-pin cross-bolt, and as far as I can see, the gun maker realized it well, making it work in the right places.
That is, the round pin touches the hole which is positioned in the rib extension in its lower back area.
Another quite uncommon detail is that the action is supplied with side wings which, differently to Purdey's which are on the sides of the standing breeches, are positioned on top of them.
It would be interesting to know the real motivation of the gun maker for such an arrangement.
We believe it is of an aesthetical nature, because we wonder how it could possibly influence any lock or any other physiomechanical element.
The action bottom is smooth, without any ribbons or side borders, which is quite a usual solution in Belgian guns, as well

Petto di bascula dalla finitura liscia senza filetti di tipico gusto belga.

I piani di bascula sono lunghi 50 mm. Visibili anche i riccioli dell'incisioni a medie volute.

Plain action bottom with no typical Belgian edgings.

The action flats are 50 mm. long. The medium-sized curls of the engraving are also visible.

o filetti laterali, soluzione abbastanza ricorrente nelle armi belga, così come l'incisione con riccioli di varie volute. Il tutto però è plasmato con molto gusto, dalla forma della chiave di apertura, alla codetta di bascula, al bottone della sicura. E questi sono i particolari che distinguono un fucile di classe artigianale da uno dozzinale, dove non si cura la compenetrazione geometrica delle varie componenti che al contrario sono importantissime. Il calcio all'inglese di buon noce scelto ha i finti specchi laterali e va per metà contro i seni di bascula, iniziando un motivo stilistico ripreso poi sui fianchi con parentesi graffe che ingentiliscono l'accoppiamento. Ottima anche la forma della guardia e dei grilletti (purtroppo il primo non è snodato) e piuttosto particolare anche la forma dell'astina con sgancio a pompa. Gli scatti sono precisi, secchi e potenti, segno di buona realizzazione delle molle delle batterie. Anzi a questo proposito va ricordato che nella costruzione delle molle a lamina gli armaioli belga sono ancora tra i migliori insieme ai pochi inglesi rimasti a tal punto che anche i nostri artigiani valtrumpini costruttori di armi fini si approvvigionano in Belgio per le molle dei loro acciarini. L'unico aspetto che piuttosto a sorpresa manca a questa splendida doppietta di Lajot è l'estrattore automatico. Per la verità ci è capitato più volte di esaminare fucili belga della più fine qualità sprovvisti però di ejector e ciò fa pensare che questo possa essere stata la conseguenza di una specifica richiesta dell'acquirente, poiché non tutti gradiscono a caccia il secco rumore dell'armamento degli estrattori

as engravings with curls of various sizes.
All this is arranged with taste, from the top open lever shape to the action tang, including the safety button.
These are the details which distinguish a craftsmanship shotgun from a mass-produced and cheap one, in which the geometrical compenetration of the various components is not cared for.
The English stock, which is made out of selected walnut wood, is supplied with false side mirrors and rests -for half of its lenght — against the action standing breeches, giving way to a design pattern which continues on the sides with brackets which soften the coupling. The shape of the guard and of the triggers is also excellent (unfortunately the first one is not articulated). The shape of the pump release forend is also very particular. The trigger pulls are accurate, dry and powerful, which means the lock springs are very well-executed. In the construction of V-springs, Belgian gun makers are the best together with the few English ones left.
Even our craftsmen in Val trompia, which are fine gun constructors, purchase their lock springs in Belgium. The only aspect which is surprisingly missing in this beautiful Lajot side by side shotgun is the automatic ejector.
We very often happened to examine very fine Belgian shotguns which were not supplied with ejectors, and this could mean that this might be the consequence of a specific purchaser request, because during hunting not all hunters like the

automatici. Anzi tra l'altro ora che esiste da noi l'obbligo di recuperare sul terreno di caccia i bossoli sparati, un'arma senza ejector facilita questa operazione. In conclusione questo Anson belga di Lajot & Lanlet ci ha offerto lo spunto per parlare della funzionalità di alcuni fucili da caccia ma anche di verificare le capacità degli artigiani del passato recente che ci hanno indicato molte strade da seguire nella costruzione di un'arma di classe.

Doppietta da piccione cal. 12 Jules Thonon (Liegi)

Esaminando questa doppietta ad acciarini laterali costruita in Belgio negli anni '50 ci viene offerta l'occasione, oltre che di parlare di un noto armaiolo di Liegi anche di fare alcune considerazioni su un fucile appositamente realizzato per il tiro al piccione, sport ormai quasi dovunque sostituito dal tiro al piattello d'argilla ma che conserva inalterato il proprio fascino fra coloro che hanno potuto partecipare o semplicemente osservare questa impegnativa forma di tiro a volo. Già sul finire del secolo scorso il tiro al piccione era uno sport praticato in Inghilterra e di conseguenza gli armaioli inglesi offrivano versioni specifiche dei loro fucili sia a cani esterni che successivamente hammerless. Si trattava quasi sempre di doppiette giustapposte, tipo di arma cara al gusto britannico anche se non mancano esempi di sovrapposti. Ad esempio furono costruiti diversi esemplari del famoso sovrapposto BOSS per il tiro al piccione. A quei tempi questo sport era piuttosto elitario e quindi le armi destinate al tiro erano quasi

sound of the arming of automatic ejectors.
Besides, now that it is compulsory in Italy to recover the bullet casings on hunting grounds, a gun without ejector simplifies this operation. In conclusion, this Belgian Anson by Lajot & Jonlet offered us the occasion to talk about the functionality of some hunting shotguns, but also to verify the skills of some recent gun makers which indicated us many paths to follow in the construction of a shotgun of class.

Jules Thonon (Liege) 12 Gauge Pigeon side by side shotgun

By examining this side by side shotgun with side locks, constructed in Belgium in the '50s, besides having the opportunity to talk about a well-known Liege gun maker, we also have the opportunity to make some considerations on a special shotgun for pigeon-shooting, a sport which has now been replaced almost everywhere by clay pigeon-shooting, but whose attractiveness remains unaltered among those who participated or observed this very special shooting practice. At the end of the past century, pigeon shooting was a sport which was exercised in England, and consequently, English gun makers offered specific versions of their shotguns both as external hammer and hammerless models. These were almost always juxtaposed shotguns, a type of gun which is very dear to the English, even though over and under shotguns have been produced as well. For instance, various Boss over and under shotguns were constructed for pigeon-shooting. At that time,

417

sempre della migliore qualità ed anzi gli stessi armaioli ci tenevano a ben figurare e quindi si impiegavano i migliori materiali e la sicurezza e la robustezza dovevano essere caratteristiche imperative anche per i numerosi colpi sparati (decina di migliaia in pochi anni) rispetto ad armi per solo uso venatorio. Tutto doveva essere ottimizzato, dalle misure del calcio alle cartucce, dalle strozzature alla foratura delle canne per consentire l'abbattimento dei coriacei columbidi al limite della portata del calibro. Si sa infatti che i piccioni che cadevano oltre la fatidica rete anche se morti non venivano conteggiati. Occorreva quindi "fermare" il bersaglio in tiri che oscillavano fra i 30 e i 40 mt. Pure in anni recenti le cartucce da piccione erano caricate con 36 gr. di piombo n. 7 o 7 e 1/2, preferibilmente nichelato e di tipo "gagliardo", pertanto le armi idonee a sopportare simili cariche in modo intensivo debbono essere ben progettate e costruite, sia nelle chiusure che nel dimensionamento delle singole parti.

È intuibile che per costruire una doppietta da piccione occorra partire già con una bascula adeguata e non è sufficiente appesantire qua e là una doppietta da caccia. Al contrario di quello che avviene oggi con i sovrapposti da piattello dove la diffusa industrializzazione offre armi di tipo economico ma ugualmente funzionali le doppiette da tiro al piccione costruite sia in Inghilterra che in Belgio (e con qualche eccezione pure da armieri nostrani) fino a quache decennio fa sono armi quasi sempre di tipo fine. Infatti anche quest'arma di Jules Thonon si presenta molto bene e

this sport was rather reserved to the elite and therefore the guns destined to shooting were of the best quality.
The very same gun makers employed the best materials, and soundness and safety were imperative features even for numerous fired shots (tens of thousands in only a few years) as compared to hunting guns.
Everything had to be optimized: from the stock size to the cartridges; from the chockes to the barrel bore, in order not to miss the tough pigeons at the limit of the gauge's range.
In fact, the pigeons which fell beyond the line were not accounted for, even though they were dead.
Therefore, it was necessary to "stop" the target in fires ranging between 40 and 50 metres.
In recent years, pigeon cartridges were loaded with 36 gr. of preferrably nickeled lead n. 7 or 7 1/2.
Therefore, guns suitable to support such loads and intensive use had to be well-designed and constructed, both in the locks and in the sizing of their different parts.
One can easily imagine that in order to construct a pigeon side by side shotgun, it is necessary to start with a suitable action, and it is unnecessary to overburden a hunting shotgun here and there.
On the contrary of what happens today with clay-pigeon shooting over and under shotguns, which are offered at economical prices due to industrialization but are equally functional, pigeon-shooting side by side shotguns constructed in England and in Belgium (with a few exceptions by Italian gun makers

Bascula possente con seni abbondantemente sviluppati. Notare il profilo della chiave d'apertura e della guardia.

Powerful action with big standing breeches. Note the profile of the top open lever and of the guard.

Vista dall'alto con filettatura marcata intorno ai seni.

Top view of the marked borders around the standing breeches.

419

nonostante abbia sparato migliaia di cartucce chiude ancora come da nuova ed ha l'interno dei tubi delle canne integri, senza punti di corrosione. È interessante quindi esaminare l'approccio costruttivo seguito da Thonon che consentirà di formulare qualche considerazione ulteriore sulla meccanica in genere di una doppietta giustapposta. Abitualmente si usa considerare gli armaioli inglesi come i maestri nella costruzione del fucile da caccia, seguiti ad una certa distanza dai costruttori belga. Questo assunto credo possa avere una validità di carattere generale anche se poi ogni singola arma dovrebbe essere valutata individualmente e non collocata in una ideale scala di finezza solo partendo dal Paese d'origine. Lo stesso dicasi per le armi costruite in Belgio. Nei decenni passati in Belgio si sono costruiti fucili piuttosto correnti ma anche della più fine qualità. A parte Case blasonate con e Lebeau-Courally e Francotte si distinsero artigiani armaioli che Branquaert, Thirifays, Defourny ed oltre a Jules Thonon anche Fernand Thonon, quest'ultimo accreditato di particolare abilità. Però ripeto in questo non facile settore delle armi ormai da collezione occorre valutare pezzo per pezzo, anche in funzione dello stato di conservazione e d'uso di ogni singola arma. Credo però sia un dato di fattore che gli inglesi furono più creativi e i belgi, salvo qualche rara eccezione, si limitarono a riproporre dal punta di vista meccanico le armi inglesi. Questa doppietta di Jules Thonon si rifà al sistema di Holland & Holland, oltre che negli acciarini anche nella triplice chiusura a

too) up to a few decades ago, are always fine guns. In fact, even this Jules Thonon shotgun is very well preserved, and in spite it fired thousands of cartridges, it locks as if it were new, and the barrel inner part is still unimpaired witout any corrosion mark.

It is interesting to examine Thonon's constructive approach, and this shall allow us a few more considerations on the general mechanisms of a juxtaposed shotgun.

English gun makers are usually considered as hunting shotgun construction Masters, followed, at a certain distance by Belgian gun makers.

This assumption is quite general, even though each single gun should be distinctly evaluated, and not positioned in a fineness classification depending on its country of origin.

This is also true for Belgium. Both ordinary guns and very fine guns have been constructed in Belgium over the past decades. Beside very prestigious gun makers such as lebeau-Courally and Francotte, other artisan gun makers stood out as well, such as Branquaert, Thirifays, Defourny, Jules Thonon and Fernand Thonon who was considered a very skilled craftsman.

But again, in the collection guns sector every gun has to be distinctly considered and evaluated depending on its use and preservation state. But I believe that as a matter of fact the English were more creative, and that the Belgians - apart a few exceptions — reproposed English guns under a mechanical point of view. This Jules Thonon side by side shotgun

mensola. Se ne discosta invece nella ramponatura poiché gli armaioli belga hanno adottato nella quasi totalità la ramponatura zanottiana a triplice giro di compasso al posto di quella ad un solo giro inglese. Anzi a questo proposito la doppietta di Jules Thonon rispetta quelli che sono i canoni classici della ramponatura zanottiana e cioè ramponi ad ampio sviluppo, superfici laterali che lavorano a rifiuto d'olio nelle mortise di bascula, secondo rampone arretrato oltre le culatte delle canne ed appoggio dell'incavo del secondo rampone contro il traversino di bascula. Una simile realizzazione insieme alla generosa lunghezza del primo rampone ed alla lunghezza di bascula (52 mm.) sono sicuramete alla base della perfetta tenuta delle chiusure dell'arma anche a distanza di quarant'anni dalla sua creazione. Le chiusure, oltre alla duplice Purdey ai ramponi si avvale anche di una terza chiusura su mensola sporgente dal vivo di culatta delle canne sulla quale lavora una slitta interna alla bascula con movimento frontale (cioè prendendo la bascula dalla parte dei piani ed azionando la chiave di apertura si osserva la piccola slitta che si muove andando incontro all'osservatore e non con spostamento trasversale). Questa terza chiusura è definita di Holland & Holland la mensola viene ricavata all'interno degli occhiali degli estrattori mentre la terza di Purdey è più spostata verso la bindella e sovrasta gli estrattori. Le canne sono lunghe cm. 71,5 e sono accoppiate col sistema a piani fissi. Anche per questo fatto vale la pena spendere due parole. Da un punto di vista della finezza si ritiene che le canne demibloc siano il massimo e

proposes a Holland & Holland system both as regards the locks and the cross-shelf-bolt.
But it has a different lump fitting because Belgian gun makers mostly adopted the Zanotti-type lump fitting with a triple compass turn instead of the English single compass turn system.
The Jules Thonon side by side shotgun respects the classical canons of Zanotti's lump fitting system: widely-developed lumps, side surfaces which work in an oil-refusal way in the action mortises, second lump positioned behind the barrel breeches, and second lump rest against the action tackle.
Such an execution, considering the generous length of the first lump and of the action (52 mm.), is surely at the basis of the perfect closing of this gun, even 40 years after its creation.
Beside the Purdey double-bolt on the lumps, the gun is also equipped with a cross-bolt which is positioned on the shelf protuding from the barrel breech, on which a slide works with a forward movement from the inside of the action (that is, by looking at the action from the action flats, and by operating the top open lever, one may see the small slide moving toward the observer, and not with a transversal movement).
This cross-bolt is defined as the Holland & Holland type cross-bolt: the shelf is housed inside the ejector glasses while the Purdey cross-bolt is shifted toward the rib and it is positioned on top of the ejectors.
The barrels are 71.5 cms. long, and they are coupled with the fixed-flat system.

questo è anche vero però da un punto di vista della solidità nel tempo credo che un paio di canne ben realizzate a piani fissi con incastro dei ramponi a coda di rondine si equivalgono. Da un punto di vista costruttivo il costo attuale nel realizzare un paio di canne demibloc ed un paio di canne a piani fissi è molto simile e quindi si preferisce dare la precedenza al demibloc. Ricordo che i piani fissi vengono anch'essi ricavati dal pieno delle canne mentre in canne più economiche i piani vengono saldati ai tubi insieme ai ramponi. I ramponi del Thonon sono saldati a forte e la solidità dell'insieme è ancora pari a un'arma nuova. Sulla parte sottostante delle canne è riportato il tipo di acciaio usato per la costruzione delle stesse e precisamente Siemens Martin. Di per sé questa dizione non fa capire molto della composizione dei componenti dell'acciaio ma sappiamo che si tratta di un buon acciaio anticorrosivo che non abbisogna di cromatura interna. Le strozzature sono ambedue piuttosto acccentuate e precisamente 7/10° di prima canna e 10/10° di seconda. Il peso complessivo della doppietta è di Kg. 3,5. Una doppietta da piccione di questo tipo, ammesso che non si voglia più praticare lo sport per il quale è stata concepita, può trovare un utilissimo impiego in forme di caccia particolari dove necessiti un'arma strozzata che "porti" il piombo lontano. Certo il peso dell'arma può essere penalizzante da portarsi apresso magari in collina per caccia vagante però può rivelarsi l'arma ideale per le cacce da appostamento. Tra l'altro in funzione della propria struttura assorbe il rinculo anche con cariche

Under a fineness point of view, demibloc barrels are considered to be the best, and this may be true. But under a soundness in time point of view, I believe a set of well-executed fixed-flat barrels with a dove tail lump fitting are equivalent.

Under a constructional point of view, the present cost of a demibloc set of barrels is very similar to that of a set of fixed-flat barrels.

Therefore demibloc barrels are preferrable.

Fixed-flats are made out from the barrels, while in economical barrels, the flats are welded to the tubes with the lumps. Thonon lumps are reinforced and welded and the overall soundness of the gun still equals that of a new gun.

The mark of the kind of steel used is engraved below the barrels, and it presumably is of the Martin Siemens type.

This mark doesn't say much about the steel components, but we all know it is a good corrosion proof steel which does not need any inner chromium-plating.

The chokes are quite heavy: 7/10 degrees in the first barrel and 10/10 degrees in the second one. The shotgun's overall weight is of 3.5 Kg.

A pigeon side by side shotgun of this type — supposing that one does not want to use it for this sport any more — may be employed for special types of hunting which require a choked shotgun which shoots distant.

Of course, the gun's weight may be penalizing to be carried around in the hills when hunting, but this may be the ideal shotgun for an ambush hunt.

422

Petto di bascula. Le canne sono costruite in acciaio Martin Siemens anticorro.

Action bottom. The barrels are constructed in corrosion proof Martin Siemens steel.

Culatta delle canne. La mensola per la terza chiusura H&H è ricavata all'interno degli occhiali degli estrattori automatici.

Barrel breech. The shelf for the H&H cross-bolt is obtained inside the glasses of the automatic ejectors.

forti e non è affaticante dovendo sparare molti colpi a distanze ravvicinate fra loro. Oltre alle chiusure ed alla ramponatura altri particolari costruttivi che fanno apprezzare la cura con cui è stata realizzata questa doppietta sono gli estrattori e gli acciarini. I gambi degli estrattori scorrono dentro le loro sedi con estrema precisione, non tendono a bloccarsi né a scialacquare per usura. Gli acciarini sono veramente molto belli e si collocano senz'altro al top di quelli realizzati in Belgio dai più famosi armaioli. L'impianto è come abbiamo già detto quello di Holland & Holland, con la doppia stanghetta di sicurezza che intercetta la noce del cane e con una molla a lamina ben dimensionata e dai profili perfetti. È sempre un piacere smontare un acciarino di una doppietta fine e trovarlo realizzato con tanta cura e perfezione meccanica. Gli inglesi hanno insegnato a curare sempre all'estremo gli acciarini, anche se non sono una parte visibile dell'arma e questo particolare è sempre stato trascurato (salvo le debite eccezioni) dai costruttori di casa nostra mentre negli armaioli belga si possono trovare acciarini curati come questo su armi anche di qualità più corrente.

La bascula è incisa a bulino (con incisione firmata) su un cliché di moda in quegli anni con nastri, bouquets di fiori ed inglesina. L'esecuzione denota una mano felice pur se la stessa rimane un po' datata come gusto. La bascula ha una tiratura con abbondanza di volumi ma proporzionata nell'insieme. Basti osservare le due ampie mammelle che infondono sicurezza e la forma della chiave di apertura che snellisce ed

Besides, due to its structure, it absorbs recoil even under heavy loads, and it is not tiring even when firing many shots in succession.

Beside the locks and the lump fitting, other constructive details which are very appreciable for the care with which they have been executed, are the ejectors and the hammers.

The ejector shanks run into their housings with great precision. They do not tend to block or to wear.

Hammers are truly beautiful, and they are undoubtedly among the best constructed in Belgium by the most famous gun makers. this guns, as I already mentioned employs the Holland & Holland system with a double safety tang which intercepts the cock bolt knob and with a well-sized and profiled V-spring.

It is always a pleasure to disassemble a fine gun lock, and find it so well mechanically executed.

The British always insisted on the perfection of locks even though they are not a visible gun part. And this detail has always been overlooked (apart a few exceptions) by Italian gun makers, while Belgian gun makers constructed locks as good as this one even on ordinary guns.

The action is engraved by hand-graver (the engraving is signed) with a ribbon, flower bouquet and English scroll pattern which was very up to date in those years.

It has been carried out by a skilled engraver. The action is very well-finished and well-proportioned.

Just examine the two wide

ingentilisce il profilo sia superiore che dei fianchi.

Sono presenti i grani portapercussori, il primo grilletto è snodato e l'astina è a semicoda di castoro. Una doppietta che richiama alla memoria passate competizioni sulle pedane internazionali del tiro al piccione, mercato che consentiva ai migliori artigiani armaioli di realizzare prodotti di alto livello.

I costruttori spagnoli

Parlando di armi fini l'intenditore comincia a storcere il naso quando si parla del "Made in Spain". Non tanto per la solidità delle armi quanto per le finiture e la precisione di lavorazione, che lascerebbero a desiderare. Questa impressione è abbastanza suffragata dai fatti, anche se ultimamente si è notata una certa tendenza al miglioramento. Alle fiere internazionali, aiutati dal loro Governo, i produttori spagnoli espongono armi tutt'altro che disprezzabili, ma soprattutto a prezzi sicuramente interessanti. Certo che sia per problemi di immagine sia perché guardandole accuratamente mettono in mostra ancora qualche pecca di lavorazione non le si possono inserire a pieno titolo nelle armi di prestigio ed artistiche. Comunque nomi come AYA, EGO, SARASQUETA ed altri consorzi produttivi riescono a produrre a livelli accettabili armi interessanti, più per il cacciatore che non per il collezionista Comunque circolano voci che Ditte di più alto prestigio internazionale commissionerebbero in Spagna alcuni modelli base che poi finirebbero loro, spacciandoli per originali.

standing breeches which infuse reliability and the shape of the top open lever which softens the gun's upper and side outline. Striker-holder grains are present. The first trigger is articulated and the forend is semibeaver-tailed. This is a side by side shotgun which reminds of past pigeon-shooting competitions on international grounds. This was a market which allowed the best gun makers and craftsmen to execute high-class products.

Spanish Gun Makers

Fine gun connoisseurs start twisting their mouth when they hear of guns "made in Spain". This is not due to the soundness of their guns but rather to their finishings and accuracy. This impression is quite confirmed by facts, even though lately there is a tendency to improvement. Aided by their Government, Spanish gun makers exhibit quite appreciable guns at interesting prices during international exhibitions. Of course, due to image problems and to the fact that a close observation still reveals a quite unperfect finishing, they cannot be listed among prestigious and artistical shotguns. Names such as Aya, Ego, Sarasqueta, and other production Consortiums manage to produce interesting guns at acceptable levels, more for hunters than for collectors. Anyhow, there is a rumor that internationally leading gun makers order some of their basic models in Spain and finish them themselves, declaring them original.

Questo significa che tanto male gli spagnoli poi non lavorano e che comunque mostrano un certo apprezzabile impegno nel migliorarsi e nel continuare a produrre in un settore dove c'è bisogno ancora di tanta buona volontà e motivazione per continuare. Realizzano doppiette con acciarini laterali smontabili a mano ed ultimamente anche express. Complessivamente la possiamo considerare una produzione media, con qualche buon acuto. Non paragonabile alla produzione inglese, belga, tedesca, austriaca e nostrana ma migliore di quella dell'est. Non è escluso che in un prossimo futuro si possa notare un ulteriore innalzamento qualitativo, rendendo ancora più interessanti le doppiette spagnole.

This means that Spanish gun makers do not work so badly after all, and it is a confirmation of their engagement and improvement in a sector which requires will and motivation in order to go on.
They realize side by side shotguns with hand-detachable locks and recently, express shotguns too.
We may consider this as a medium production, with a few good peaks.
It is not comparable to English, Belgian, German, Austrian or Italian production, but it is better than Eastern European production. One should not exclude a future improvement in this Country's quality, making Spanish side by side shotguns more interesting.

I costruttori tedeschi e austriaci

Anche se diversi questi costruttori si possono assimilare per un certo gusto verso armi robuste, abbastanza massicce, soprattutto rigate e miste. Salvo qualche rara doppietta la produzione annovera combinati, express, vierling, monocanna basculanti, carabine ad otturatore girevole/scorrevole o ad altri sistemi. La Merkel di Suhl ha proposto i primi decenni di questo secolo un tipo di sovrapposto che viene costruito tutt'ora con gli stessi requisiti, essendo molto diffuso sia sulle pedane di tiro che sui terreni di caccia. È un'arma molto solida, con bascula piuttosto alta, canne demibloc ramponate e chiusura doppia Kersten (sulla falsariga della Greener però raddoppiata). Sui modelli combinati ed express viene integrata con una duplice Purdey e può essere richiesto con batterie sistema blitz o montate su piastre

German and Austrian Gun Makers

Even though they are different, these gun makers may be considered similar as to their taste for sound and massive, mainly rifled and combined shotguns.
Apart from a few rare side by side shotguns, their production mainly consists of combined shotguns, express shotguns, vierling shotguns, basculating single barrel shotguns, pivoting/sliding breech-block shotguns, and other systems.
During the first decades of the present century Merkel of Suhl proposed a type of over and under shotgun which has been constructed with the very same requirements up to the present day.
It is very common both on shooting boards and on hunting grounds. It is a very sound gun, with a high action, demibloc

Due doppiette con acciarini su
cartelle laterali della Grulla di
Eibar (Spagna).

*Two side by side shotguns with
locks on side plates by Grulla of
Eibar (Spain).*

laterali. I gradi di finiture ed incisioni variano da modello a modello ma comunque sono di gusto prettamente d'Oltralpe, un po' pesante per noi.

Lo stesso discorso vale per altri fabbricanti, come il gruppo di Ferlach in Austria o la Sauer. Dal punto di vista meccanico soprattutto per le armi miste (a palla e pallini) sono probabilmente i migliori al mondo, anche se un po' troppo personali come gusti estetici. Usano prolungare le incisioni anche sui legni del calcio e dell'asta, a volte colorandole. Ma a parte questi aspetti occorre riconoscergli un assoluto predominio nel campo delle armi rigate, sia per la costruzione delle canne e sia soprattutto per l'accoppiamento delle canne fra loro e relativa imbasculatura. La migliore di questa produzione raggiunge ora dei prezzi da capogiro, però si tratta di un valore che rimarrà nel tempo, in quanto queste armi particolari incorporano l'abilità manuale e di pensiero di chi le costruisce non avendo praticamente concorrenza a livello mondiale. Nomi come Mauser, Steyr, Krico, Blaser sono largamente apprezzati per le loro carabine. La stessa Merkel ha una produzione molto vasta che va dai drilling agli express, dalle doppiette ai vierling. Da segnalare anche la Hartmann & Weiss, con un legame Amburgo-Londra impegnata da qualche anno nella realizzazione di armi di altissima qualità, sia rigate che liscie.

Il sovrapposto "Merkel"

Il sovrapposto Merkel ha una lunga tradizione che risale ai primi anni '30 come concezione ed una lunga serie di vittorie sui campi da

lumped barrels and a Kersten double-bolt (like the Greener, but it is double).

Combined and express models are integrated by a Purdey double-bolt and may be produced with blitz-system locks or locks mounted onto the side plates, depending on the request. The finishings vary from one model to the other, but they are of a typical transalpine taste which is a bit too heavy for our taste.

The same is true for other gun makers such as the Austrian Ferlach group or sauer. Under a mechanical point of view - and especially as combined guns are concerned — theirs are probably the best in the World, in spite of their far too personal aesthetical taste. They use to extend the engravings onto the stock and forend wood, and they sometimes colour them. But apart from these aspects, they are the leaders in the rifled guns sector both as far as the construction of the barrels is concerned and as far as their coupling and action fitting is concerned. Their best production is now very expensive, but we are talking about a value that shall last in time since these special guns incorporate the manual skills and concept of the gun makers which constructed them, since they practically have no competitors in the World. Names such as Mauser, Steyer, Krico, Blaser are widely appreciated for their rifles. Merkel has a very wide production range which goes from drilling shotguns to express shotguns, from side by side shotguns to vierling shotguns. Hartmann & Weiss which is based in Hamburg and London, is engaged — since a few years - in the realization of very high quality smooth and rifled shotguns.

Incisioni con rimessi in oro in tipico stile autro-tedesco. Le parti meccaniche sono in genere molto ben lavorate.

Engravings with gold inlaid subjects in a typical Austrian-German style. The mechanical parts are in general very well finished.

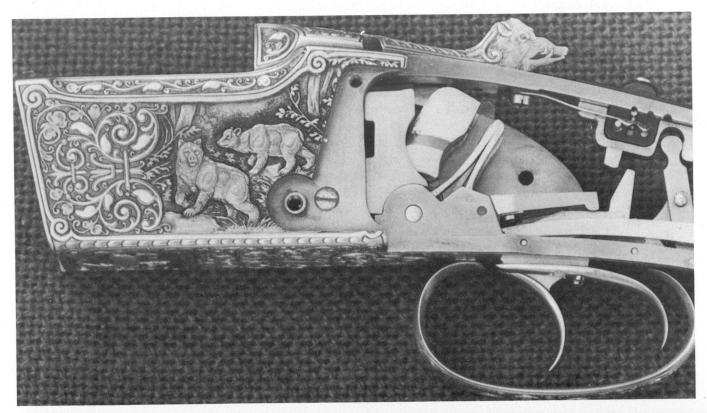

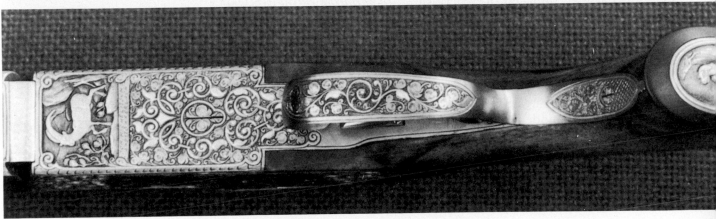

tiro già dopo i primi anni '50. Ciò è dovuto ad una netta anticipazione dei tempi rispetto ad altre marche affermatesi successivamente e ad un eccellente rapporto qualità-prestazioni-prezzo che esiste tutt'ora.

Il Merkel può essere considerato per prima cosa un fucile oltremodo rubusto, tant'è vero che nella stessa versione di bascula possono essere montate canne miste (combinato) ed addirittura express (due canne rigate). È risaputo che le munizioni per armi rigate sviluppano pressioni ben maggiori di quelle per anima liscia e tra i calibri disponibili per quest'arma figurano i potenti 9,3x74R ed il .375 H&H Magnum. Quindi il concetto costruttivo di base, praticamente inalterato nel corso di questi anni, rimane tra i più efficienti ed affidabili. In seguito vedremo più nel dettaglio in cosa consiste questa soluzione meccanica riposta nelle chiusure dell'arma.

Il sovrapposto Merkel può essere richiesto con batterie laterali su una variante del sistema Holland & Holland eventualmente smontabili a mano oppure con batterie tipo Anson definite sistema "Blitz". La prima versione è logicamente più costosa e riservata ai fucili fini, mentre la seconda è più diffusa e può essere tranquillamente scelta per armi da impiegare a caccia o sui campi di tiro.

Le versioni con canne combinate sono dotate di alleggeritore di scatto sul primo grilletto. Le finiture sono diverse e vanno dalla semplice tartarugatura della bascula nei modelli 200, passando per i semi-de-luxe 201 con bascula argento vecchio e incisioni a scene di caccia fino ad arrivare ad incisioni su richiesta eventualmente estendibili anche ai legni dell'astina

Merkel over and under shotguns

Merkel over and under shotguns have a long tradition, and their concept dates back to the '30s. They also collected a long series of prize awards on shooting-grounds after the '50s. This was mainly due to Merkel being ahead of its time as compared to other gun makers, and to the excellent quality-price ratio which still exists to the present day.

First of all, Merkel shotguns may be considered as exceptionally sound guns, since that as a matter of fact the very same action version may house combined and express barrels. It is known that munitions for rifled guns develop higher pressures than the smooth-barrelled ones and among the various bores available for this gun, we may find the powerful 9.3x74R and the .375H&H Magnum. Therefore the basic constructive concept which remained unaltered during the course of all these years, is among the most reliable and efficient.

Later on we shall see in detail what this mechanical solution, which is housed in the gun locks, consists in.

Merkel over and under shotguns may be requested with side locks (a variation of the Holland & Holland system) which may eventually be hand-detachable, or with Anson-type locks, which are defined as the "blitz system". Of course, the first version is more expensive and it is destined to fine guns, while the second one is more widespread and can easily fit both hunting and shooting shotguns.

The combined-barrels versions are supplied with trigger-pull lighteners on the first trigger.

e del calcio. Qualora si intendesse avere un'arma universali dotata di due canne rigate o canne combinate quindi canne di ricambio liscie del cal. 12 per tuttacaccia la scelta occorre farla a priori, perché la bascula deve essere predisposta sia per ospitare i percussori più sottili adatti alle cartucce metalliche sia come dicevamo per avere gli scatti sensibilizzanti per il tiro di precisione. Cambiano anche le chiusure, nel senso che in queste versioni viene aggiunta una doppia Purdey ai ramponi, ma di questo ne parleremo dopo.

Il mod. 201 E rappresenta una scelta equilibrata per uso venatorio sia per le finiture dignitose nel complesso che per le caratteristiche generali, che prevedono il bigrillo (monogrillo su richiesta), gli estrattori automatici, la bindella ventilata di giuste dimensioni, il mirino in plastica bianco ed un peso oscillante sui Kg. 3,100.

Una prima considerazione viene subito spontanea quando si parla del sovrapposto Merkel ed è quella riguardante l'estetica dell'arma, la sua generale architettura che può non soddisfare i palati più fini. Gli estimatori dei fucili di classe vedono il sovrapposto come arma non certo filante come la doppietta giustapposta ma pur sempre slanciata, con bascula bassa come nella migliore tradizione di armi tipo Boss, Woodward e derivati compreso l'attuale serie SO della Beretta. Il Merkel invece essendo un sovrapposto ramponato con ramponi sotto la canna inferiore necessita di una bascula più alta dei modelli ad orecchioni o a semiperni laterali apparendo più goffo e meno estetico. Da questo punto di vista nulla da eccepire, però a mio avviso il Merkel deve essere visto in un'altra ottica, come espressione

There are several finishes ranging from a simple hardening of the action in the 200 models passing to the semi-deluxe 201 with an old-silver finished action and hunting scenes engravings. Then there is the possibility of engravings on request, which can be possibly extended to the forend and stock wood.

Should anyone intend to have an all-round hunting shotgun supplied with a set of rifled barrels or combined barrels — and a set of extra smooth 12 gauge barrels for all-round hunting — the choice must be made ahead since the action has to be prearranged in order to house the thinner strikers which are fit for metal cartridges as well as to have the precision trigger pulls we mentioned previously. The locks vary too, in that in these versions a Purdey double-bolt is added to the lumps. But we shall discuss this later on. The 201E model represents a well-balanced hunting choice, both as far as overall finishings and general features are concerned. It may be double triggered or single triggered, depending upon the request. It is supplied with automatic ejectors, and the rib is well-sized. It has a white plastic sight and its weight is of approximately 3.100 Kg. A first spontaneous consideration when talking about the Merkel over and under shotgun concerns the gun's aesthetics. Its overall architecture may not satisfy the finest tastes. The connoisseurs of guns of class do not consider over and under shotguns as streamlined as juxtaposed side by side shotguns.

But in general, over and under shotguns are quite slender and

della robustezza teutonica (viene appunto costruito a Suhl, in Germania) e come espressione della loro cultura. A ben vedere anche le incisioni e la scelta dei legni non rispettano la più pura filosofia britannica o anche nostrana d'obbligo quando si parla di armi di pregio ma in compenso offrono molto sul piano funzionale e d'uso. Ad esempio pur avendo una dimensione in altezza piuttosto accentuata per i motivi sopra citati è molto filante nella parte dell'astina permettendo un imbraccio naturale e confortevole. Sono riusciti a realizzare un'astina molto sottile in quanto parte di questa è fissa ed avvitata al gruppo canne, mentre la parte rimovibile sottostante è limitata rispetto alla maggior parte dei sovrapposti di altre marche e quindi molto più avvolgente e contenuta. La forma del calcio può essere richiesta nelle forme più diffuse a pistola, a mezza pistola o all'inglese. Nei modelli a canne miste è di rigore il guanciolo laterale.

Parlavamo della qualità dei legni. Questi solitamente non hanno delle venature entusiasmanti e sui modelli semi-De Luxe come sui drilling è difficile trovare delle mezze radiche o comunque dei legni con fibre mosse tanto care a chi vuole appagarsi anche gli occhi. Alla Merkel preferiscono optare per legni a fibre compatte, quasi sempre regolari però ben stagionati, finiti ad olio anche se con porosità aperte ulteriormente migliorabili. Un'altra caratteristica che ho notato in diverse armi di questa Casa è costituita dal forte grado di strozzatura delle canne. Veniamo ora alla parte più caratteristica di questo sovrapposto e cioè al sistema delle chiusure. Nelle doppiette la questione è

have a low action as in Boss, Woodward etc. best tradition. Since the Merkel shotgun is lump fitted, with lumps under the lower barrel, it requires a higher action as compared with the side-shaft or side-lump models and looks squatter and less attractive. In spite of this, Merkel shotguns should, I believe, be considered under another point of view: as an expression of German sturdiness (it is constructed in Suhl, Germany), and as an expression of their culture. The engravings and the choice of woods too, do not respect the purest British or national philosophy, which is compulsory when talking about fine guns. In spite of this they have much to offer under a functional point of view. For instance, even though they have quite a remarkable height for the overmentioned reasons, they are very streamlined in the forend area, thus allowing a natural and comfortable gun raising. They managed to realize a very thin forend since part of it is fixed and is screwed on to the barrel set, while the removable underlying part is limited as compared to other over and under shotguns. The shape of the stock may be requested in the commonest forms: pistol-hand, semi-pistol hand, or English-style. In the combined barrels models, the side cheekrest is a must. Going back to wood quality, their woods usually do not have a remarkable wood grain, and semi-deluxe and drilling models very seldom display root woods or woods with interesting fibres. Merkel gives its preference to compact fibre woods, which are almost always regular but which are well-seasoned. They are usually oil-finished even if with open porosities which may be improved.

Un drilling Merkel in finitura lusso. Sono armi molto robuste e offrono un rapporto prezzo-qualità fra migliori attualmente disponibili sul mercato. In centro, invece, una elaborata incisione su calci di carabine Steyr. Non tutti però apprezzano le incisioni anche sui legni dell'arma.

A Merkel de luxe drilling. These are very sound guns and they offer an excellent quality-price ratio. Center: An elaborate engraving on Steyr rifle stocks. Not everybody appreciates engravings on the gun stock.

Carabina Blaser con due canne intercambiabili.

Blaser rifle supplied with two sets of interexchangeable barrels.

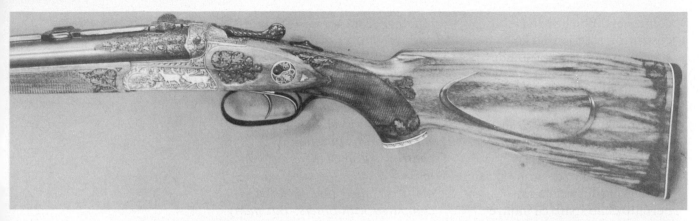

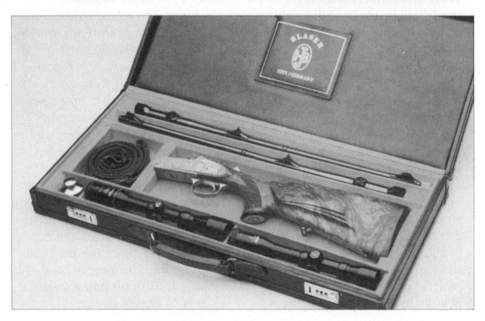

433

controversa poiché i diversi costruttori asseriscono la superiorità delle proprie chiusure rispetto ad altre. È quasi però opinione diffusa che la terza Greener a perno tondo, se correttamente realizzata, sia tra le migliori in assoluto in quanto contrasta efficacemente l'allontanamento del gruppo canne dalla faccia di bascula sotto l'effetto dello sparo ed inoltre previene ad eventuali distaccamenti rotatori della culatta delle canne. Fu merito di Kersten aver applicato questo concetto al sovrapposto, non tanto usando il prolungamento della bindella ma ricavando dal pieno delle canne due sporgenze con foro centrale che vanno ad alloggiare nelle rispettive sedi della bascula. Quindi ben due chiusure a perno tondo che sempre se realizzate a regola d'arte assicurano una chiusura veramente stabile all'arma. E la Merkel dimostra di credere così tanto in questo sistema che nei modelli di fucili a pallini non aggiunge neanche la doppia chiusura ai ramponi tramite slitta trasversale. Questa viene riservata come dicevamo ai soli express o sui modelli di lusso. Quindi sarebbe errato chiamare questa Kersten una doppia triplice Greener, poiché in questo caso rappresenta unica chiusura dell'arma e non viene aggiunta solo per scrupolo. Questo sistema di realizzare i fucili è molto diffuso tra i costruttori tedeschi ed austriaci e taluni adottano lo stesso principio anche su express a canne affiancate o su armi liste come i vierling e i drilling. È questo un sistema piuttosto difficile e costoso da realizzare, perché i due prolungamenti devono essere ricavati dal pieno delle canne ed inoltre i perni tondi di contrasto devono lavorare uniformemente

Another feature I noticed in various guns produced by this gun maker is the heavy choke degree of its barrels. We shall now deal with the most characteristic aspect of this over and under shotgun: the locking system. In side by side shotguns, this question is controverse since different gun makers discuss the superior quality of their own locks as compared with others. But many believe that the round-pin Greener cross bolt — if correctly realized — is absolutely the best since it efficiently contrasts the farthening of the barrel set from the action front under shot effect. Besides, it avoids any rotational detachment of the barrel breech. Kersten applied this concept to over and under shotguns. He did not use the rib extension, but rather the barrels, which are supplied with two protuderances with a central hole which find their housings in the action. Therefore, we are talking about two round-pin locks which — if well-executed — assure a stable gun locking. Merkel is so much into this system that they don't even add a double-bolt on the lumps through a transversal slide in cartridge shotgun models. This is reserved to express or de luxe shotguns only. Therefore it is wrong to call this Kersten a double Greener cross-bolt since in this case it represents the only locking system of the gun, and it is not added for further safety purposes. This system is widespread among German and Austrian gun makers, and some of them adopt the same principle on side by side express shotguns or on combined shotguns such as vierlings and drillings as well. This is quite a difficult and expensive system to realize because

Bascula e canne del sovrapposto Merkel. Notare la doppia Kersten. Le canne sono demibloc.

Action and barrels of an over and under Merkel shotgun. Note the double Kersten. Barrels are demibloc.

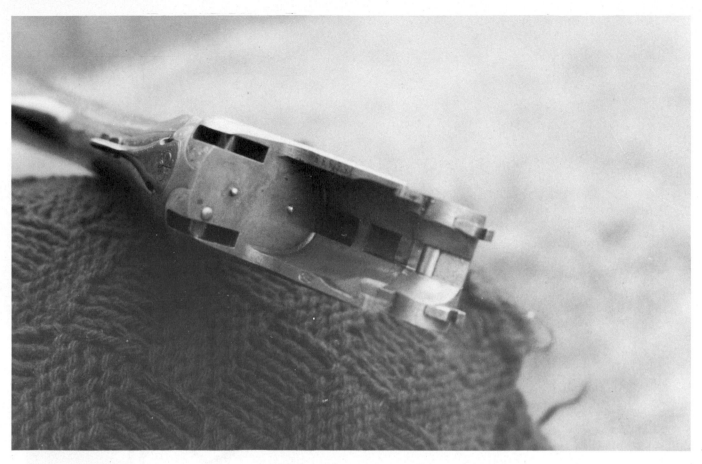

Due sovrapposti artigianali di
Ferlach su bascula tipo Merkel.

*Ferlach two over and under
shotguns on Merkel type actions.*

richiedendo un aggiustaggio manuale specializzato.

Però indubbiamente la robustezza viene garantita magari a scapito di certe regole estetiche sempre discutibili.

Anche i ramponi inferiori (di cui il primo è passante) sono ricavati dal pieno dall'acciaio della canna inferiore. Le incisioni sono rifinite a mano, curate nell'esecuzioni di riccioli ed inglesine, un po' ingenue nelle scene di caccia. La bascula ha un nastro di rinforzo in prossimità dell'accoppiamento con la canna superiore. Quest'ultima rimane completamente fuori dalla bascula ed è raccordata ad essa tramite un'esecuzione inclinata e brunita. Potrà non piacere ma non si può dire che il sovrapposto Merkel manchi di personalità, sprigionando in ogni particolare un fascino di solidità che accattiva subito la fiducia del tiratore. Le canne sono ben forate e rifinite, tirate esteriormente a livelli più che buoni e bruniti in nero semi-lucido. Ha inoltre un'altra caratteristica esclusiva.

Solitamente il vantaggio di un'arma viene ricavato nell'accoppiamento bascula/calcio, ottenendo appunto la voluta deviazione per facilitare l'allineamento dell'occhio del tiratore con gli organi di mira. Invece nel sovrapposto Merkel parte del vantaggio viene ricavato già nella codetta di bascula, in modo tale che fra il centro del perno della chiave di apertura e la parte finale della codetta esiste una deviazione di 1,5 mm. Questo da una sensazione di maggiore naturalezza all'imbraccio che ben si associa con la sezione ridotta dell'astina e un giusto dimensionamento della pistola del calcio.

the two extensions have to be made out from the barrels. Besides, the round contrast pins have to work uniformly, requiring a skilled manual adjustment. Gun soundness is guaranteed to the disadvantage of certain aesthetical rules. The lower lumps too, (the first one is a through-lump) are made out from the lower barrel. The engravings are hand-finished, and they are accurate in the execution of curls and English scrolls. They are a bit naive as far as hunting scenes are concerned. The action has a reinforcement belt near its coupling with the upper barrel. The latter is completely outside the action, and it is connected to it by means of an inclined and blued execution. Somebody may not like it, but nobody can say that the Merkel over and under shotgun lacks in personality, since it has a halo of soundness which captivates the hunter's trust right away. The barrels are well-pierced and finished and their external finish is excellent. They are blued in a glossy black colour. It is supplied with a further exclusive feature. Usually, a gun's cast-off is obtained by means of the action-stock coupling, thus obtaining the correct deviation in order to simplify the alignment of the hunter's eye with the sight devices. On the contrary, in the Merkel shotgun part of the cast-off is obtained in the action tang so that between the center of the top open lever and the middle part of the tang, there is a deviation of 1.5 mm. This supplies the gun with a greater feeling of naturalness when it is being raised, which is well associated with the reduced forend cross-section and with a balanced sizing of the stock pistol.

I costruttori italiani

Italian gun makers

In questo capitolo presento una panoramica dei maggiori costruttori italiani nel settore delle armi fini. L'ordine di esposizione è quello alfabetico.

In this chapter I shall deal with Italian gun makers in the fine gun sector.
I shall discuss them in alphabetical order.

ABBIATICO & SALVINELLI
via Cinelli,29
25063 Gardone Val Trompia (BS)
tel.030/837122

Il marchio Abbiatico & Salvinelli o FAMARS rappresenta una grossa realtà in campo nazionale e mondiale sia per l'alta qualità delle loro armi sia per il dinamismo dell'ormai scomparso Mario Abbiatico che ha saputo fondere la passione per le armi belle portando avanti un discorso forse più artistico che commerciale.
Modelli curati nei minimi dettagli costruttivi, modelli particolari con doppiette a cani esterni, quattro canne, set di fucili con canne intercambiabili, express, incisioni realizzate dalle migliori firme e materiali di prim'ordine sono il biglietto da visita della Famars.
Questa produzione è conosciuta ed apprezzata anche all'estero poiché Mario Abbiatico ha pubblicato diversi volumi tra cui uno in inglese parlando delle incisioni e delle armi fini in generale ma presentando anche ampia documentazione sui modelli realizzati dalla Abbiatico & Salvinelli. Attualmente la

ABBIATICO & SALVINELLI
via Cinelli,29
25063 Gardone Val Trompia (BS)
tel.030/837122

The brand name Abbiatico & Salvinelli or FAMARS represents an important Company at a national and international level due to the high quality of their guns and to the dynamism of the deceded Mario Abbiatico, who managed to unite his enthusiasm for fine guns and his business, carrying forth an artistic rather than commercial activity. Models which are cared for in the smallest details, particular models with external hammer side by side shotguns, four-barrelled shotguns, shotgun sets with interexchangeable barrels, express shotguns, engravings made by the best engravers, and first class materials are all offered by FAMARS. This production is well-known and appreciated abroad too, because Mario Abbiatico published various books, among which one is in English, on the subject of engravings and fine guns in general, including exhaustive literature on Abbiatico & Salvinelli.

439

produzione continua ancora e tra i modelli più recenti da segnalare il Tribute, una doppietta molto fine con acciarini smontabili a mano ed alloggiati nella bascula secondo l'invenzione di Westley Richards. È questo uno dei rari esempi della sensibilità e della vasta cultura di questa piccola ma preparatissima Azienda che rende omaggio a ciò che di meglio il passato ha lasciato in eredità in campo armiero. Allo stesso modo il sovrapposto Jorema, un sovrapposto tipo Boss e realizzato in diversi calibri tra cui il 28 ed il 410. Quindi doppiette a batterie laterali anche smontabili a mano e doppiette a cani esterni di varie fogge e finiture. La FAMARS è una delle poche Ditte a costruirsi quasi tutto in casa, dagli acciarini ai calci, dalle parti meccaniche ricavate dal pieno alle incisioni. Agli operai specializzati che lavorano ancora manualmente affiancano moderne macchine utensili che permettono una lavorazione di precisione e strette tolleranza sui componenti. Le armi Famars sono ben costruite oltre che belle e questo naturalmente non può che incidere sul prezzo finale del manufatto. Per loro stessa definizione la filosofia produttiva è improntata sulle armi di lusso, però si tratta di una produzione creativa, che sa differenziarsi tra i numerosi altri costruttori senza mai scendere a compromessi qualitativi. Un esempio di questo è costituito dalla doppietta a cani esterni Castore E.A. 270, con cani che si armano automaticamente all'apertura delle canne ed estrattori a grande sviluppo. Anche questa viene realizzata in quattro differenti calibri. A tutti coloro che fossero interessati alla produzione della Famars consiglio vivamente la lettura dei libri di Mario

At present, production still continues, and among their most recent models I am going to point out the Tribute, a very fine side by side shotgun with hand-detachable locks which are housed inside the action following Westley & Richards' invention. This is one of the very rare examples of the sensitivity and vast culture of this small yet very skilled Company which offers a tribute to the past in the gun making sector. Then I shall mention the Jorema over and under shotgun which is of the Boss-type and which is constructed in various gauges among which the 28 and the 410. Then, side-lock side by side shotguns with the possibility of hand-detaching the locks and external hammer side by side shotguns in a wide range of finishings and models. FAMARS is one of the few gun makers which constructs almost all its parts in-home, from the locks to the stocks, from the mechanical pieces to the engravings. The skilled workers who still carry out manual work are sided by tool machines which allow a precision working and strict tolerances for the components. Not only are FAMARS guns beautiful, but they are also well-constructed, and this of course influences the final price of their products. As from their own definition, production philosophy is based on luxury guns, but it is a creative production which stands out among all the various gun makers without any qualitative compromises. An example of this is constitued by the Castore E.A. 270 external cock side by side shotgun. Its cocks are automatically armed when opening the barrels, and its ejectors are quite big. This shotgun too, is realized in four different gauges.

Sopra, un potente express a doppia canna rigata realizzato dalla Famars. A destra, doppietta Famars con acciarini tipo Holland & Holland e particolare incisione con rimessi in oro. In basso, doppietta a cani esterni dell'Abbiatico & Salvinelli mod. Castore E.A.270. I cani si armano automaticamente all'apertura delle canne. Queste sono accoppiate in demibloc con estrattori automatici.

Above: A powerful rifled double barrelled express shotgun by FAMARS. Right: FAMARS side by side shotgun with Holland & Holland-type locks and a special engraving with gold-inlays. Below: external cock side by side shotgun by Abbiatico & Salvinelli - Castore E.A. 70 model. The cocks are automatically armed when opening the barrels. They are demibloc-coupled with the automatic ejectors.

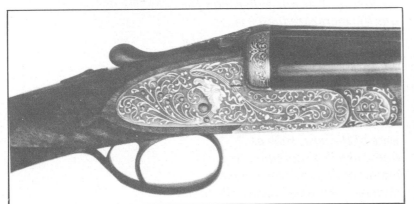

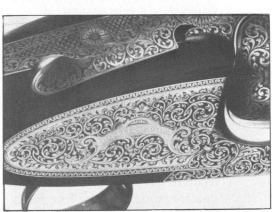

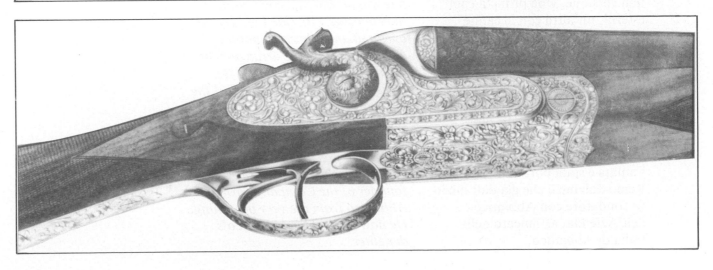

Abbiatico & Salvinelli
Gun and Rifle Manufacturers
Via Cinelli, 29 - 25063 Gardone V.T. (Brescia) Italia

441

Abbiatico, prodotti dalle Edizioni Artistiche Italiane.

Negli ultimi anni la FAMARS si sta specializzando nella costruzione di doppiette express a canne giustapposte di grosso calibro sia
su bascula Anson che
ed acciarini laterali.

Il quattrocanne

Già alcuni costruttori di armi fini del passato si erano cimentati nell'ardua impresa di costruire un fucile a ben quattrocanne. Ardua perché occorre affrontare problemi di natura meccanica, come il gruppo di batterie, problemi di chiusura, di convergenza delle canne e non ultimi problemi di maneggevolezza e di linea. Spesso più che per rispondere a vere richieste di mercato chi si impegna in simili compiti lo fa per amore del proprio mestiere, una sfida per se stessi ed una verifica delle proprie capacità costruttive. E a chi ha conosciuto Mario Abbiatico sa quanta passione avesse per il proprio lavoro a tal punto da riscoprire sistemi di armi ormai legati al passato come appunto un quattrocanne. Anzi ne fece più di una versione. Una prima a cani esterni, un'altra con le canne affiancate e sovrapposte ed un'altra a disposizione romboidale. Di tutte queste versioni ne vennero costruiti pochi esemplari e di quella a disposizione delle canne romboidali solo quindici. Come si sa dopo la scomparsa di Mario Abbiatico la Famars è stata portata avanti da Remo Salvinelli che già dall'inizio fu fondatore con Abbiatico dell'Azienda, affiancato della figlia di Abbiatico.

To all those who are interested in FAMARS production, I suggest to read Mario Abbiatico's books, published by Edizioni Artistiche Italiane. FAMARS has lately been specializing in the construction of express juxtaposed-barrelled shotguns of heavy bore both on Anson action and with side locks.

Four-barrelled shotguns

Fine gun makers of the past already attempted to construct four-barrelled shotguns. It is a very difficult task because there are quite a number of mechanical problems to solve, such as the lock units, closing problems, issues linked to barrel convergency, and last but not least line and handiness problems. Very often, those who work on such guns do it more for the love of their job rather than for specific market requests. A challenge for their own selves and a verification of their constructive skills. And those who have known Mario Abbiatico, know his enthusiasm for his job. He even redescovered gun systems which were of the past, such as four-barrelled shotguns. As a matter of fact, he realized more than one version of them. His first one was an external cock model, then another with side by side and over and under barrels, another again with a lozenge arrangement. Of all these versions, only a few pieces were constructed, and of the lozenge arrangement shotgun, only 15. As we all know, after Mario Abbiatico's death, FAMARS leadership was taken over by Remo Salvinelli, who had been the founder of the Company with Abbiatico from the very beginning. He now is sided by Abbiatico's daughter.

442

Doppietta FAMARS ad acciarini laterali "Venere Imperiale".

FAMARS "Venere Imperiale" side by side shotgun with side locks.

Bascula ricavata dal pieno del sovrapposto tipo Boss mod. Jorema 800 costruito in diversi calibri.

Solid action of the Jorema 800 Boss-type over and under shotgun constructed in various bores.

443

Il calibro piccolo come appunto il 410 (o 36 Magnum) ha consentito di avere un ingombro esterno dal gruppo canne abbastanza contenuto. Il fatto poi di riuscire a metterle con una disposizione a rombo ha permesso di facilitare a mio avviso alcune soluzioni meccaniche. Ad esempio l'astina può essere inserita nella canna sottostante come se fosse un drilling, mentre la linea di mira con relativa bindella scorre nella canna superiore come se fosse un normale sovrapposto. Ma la cosa più simpatica è scoprire che la canna inferiore offre in prossimità della culatta una ramponatura tipo Boss, cioè a spalle laterali a giro di compasso con tanto di doppia chiusura ai tasselli che escono dalla faccia di bascula. Si è saputo realizzare la tipica chiusura del sovrapposto a ramponatura laterale in un quattro canne con una bascula tutto sommato ristretta grazie appunto alla disposizione romboidale delle stesse. E già di per se stessa questa soluzione pone quest'arma su un livello di eccellenza e praticamente unica. Dicevamo della compattezza della bascula. Quest'ultima ha un'altezza contenuta in soli 25 mm. che diventano 58 mm. con canne montate (misurata cioè dalla bindella al petto di bascula). L'altezza della bascula si è potuta tenere ridotta perché le due canne laterali praticamente fuoriescono completamente da questa e si appoggiano solamente sulle due spalle della bascula. Anche la tiratura esterna della bascula si richiama al sovrapposto Boss, con la variante di una doppia conchiglia resa necessaria dalle canne intermedie. I semiperni laterali all'interno delle pareti della

The small gauge such as the 410 (or 36 Magnum) allowed a limited dimensioning of the barrel set. And since they are lozange-arranged, many mechanical issues have been solved.
For instance, the forend may be inserted in the lower barrel as if it were a drilling shotgun, while the sight line with its rib, run along the upper barrel as in a normal over and under shotgun.
But the nicest thing is to discover that the lower barrel offers a lump fitting of the Boss type near the breech.
It is executed with side shoulders and compass turn with a double-bolt on the plugs which come out from the action front.
They managed to realize the typical closing of over and under shotguns with a side lump fitting in a four-barrelled shotgun with a rather small action thanks to the lozange arrangement of the barrels.
This solution sets this gun on a unique excellency level.
As far as action compactness is concerned, its height is of 25 mm. only, and they become 58 when the barrels are mounted (measured from the rib to the action bottom).
The action's height has been kept limited because the two side barrels are totally out from it, and they only rest on the two action shoulders.
The action external finishing recalls Boss over and under shotguns, with the difference of a double shell which is necessary for the intermediate barrels.
The side semi-pins inside the action walls are a solid piece, while the slide which arms the locks runs on its bottom.

Bascula di sovrapposto Jorema a ramponi laterali. Incisione ad ornato tradizionale.

Action of the "Jorema" side-lump over and under shotgun. Traditional ornamental pattern engraving.

Cartella tirata in bianco pronta per l'incisione.

Plain side plate ready to be engraved.

Petto di bascula ed astina della Venere Imperiale. Notare l'eleganza dell'insieme.

Action bottom and forend of the "Venere Imperiale" model. Note its elegance.

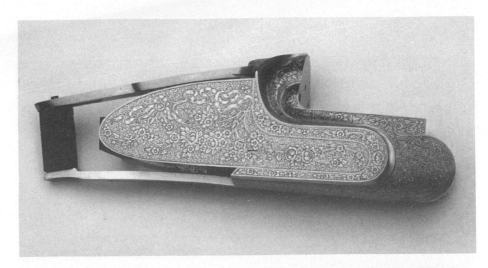

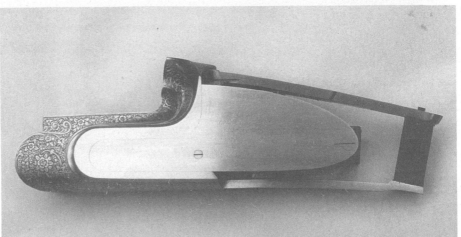

445

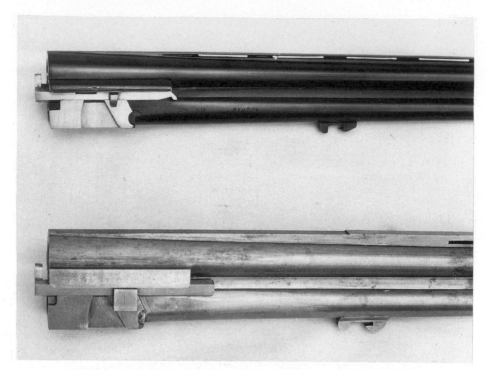

Canne demibloc per sovrapposto a ramponi laterali.

Demibloc barrels for the side-lump over and under shotgun.

Acciarini Famars per sovrapposto Jorema a molla indietro.

FAMARS backward-spring locks for the "Jorema" over and under shotgun.

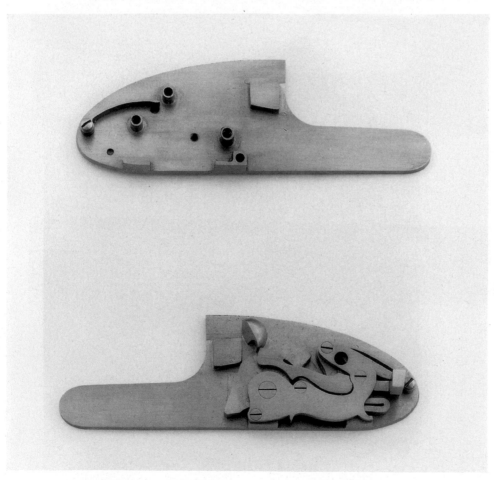

Partenza dal pieno per ricavare
una bascula di doppietta.

*Start from the solid piece in
order to obtain a side by side
shotgun action.*

Il quattro canne di Abbiatico e
Salvinelli a cani interni.

*Gun maker: Abbatico e Salvinelli
- Gardone V.T. (Italy). Model:
Hammerless four barrels gun.*

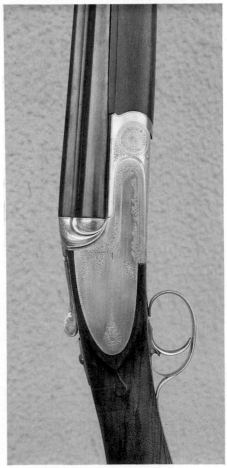

bascula sono ricavati dal pieno mentre la slitta che arma le batterie scorre sul fondo, a vista. Le canne, lunghe cm. 70, sono integrali saldate a stagno tra loro con inserito un manicotto nella canna inferiore nel quale sono ricavati i ramponi laterali. Le quattro canne hanno una strozzatura a variazione graduale (da quattro stelle a una stella) e sono state previste per una sovrapposizione delle rosate a 30 mt. La brunitura è stata effettuata con il sistema della verniciatura con una colorazione di nero intenso e lucida.

Le batterie sono alloggiate all'interno della bascula e prevedono naturalmente quattro distinti sistemi di percussione. Come architettura si richiamano al modello tedesco tipo Merkel con molle a lamina ma con unico grilletto. Il tiratore è obbligato a seguire un ordine ben specifico dei colpi e non può modificarlo. In pratica un monogrilletto ad azione progressiva (nel senso che fa partire ogni volta che lo si schiaccia una canna diversa) ma privo di invertitore. L'ordine di sparo inizia dalla canna meno strozzata alla full con questa numerazione: primo colpo canna inferiore, secondo colpo canna destra, terzo colpo canna superiore ed ultimo canna sinistra. Gli estrattori sono normali e non automatici. La sicura è del tipo automatico, nel senso che si inserisce ogni qual volta si apre l'arma. Quindi prima di sparare occorre disinserirla tramite il tradizionale pulsante sul dorso dell'impugnatura. Le cartelle laterali sono pertanto delle finte cartelle, montate per motivi estetici. L'asta ha un particolare sistema di sgancio con pulsante metallico cesellato posto a metà altezza e che dà un ulteriore tocco

The barrels, which are 70 cm. long, are integral and tin-welded and a sleeve is inserted in the lower barrel in which the side lumps are obtained. The four barrels have a gradual variation choke (from frour stars to one star) and they have been foreseen for a shot pattern overlapping at a distance of 30 mt.

Blueing has been carried out with the varnishing system, with an intense black and glossy colouring.

The locks are housed inside the action and they naturally foresee four different striker systems. Their architecture recalls the Merkel over and under shotgun, with V-springs but with one single trigger.

The shooter is obliged to follow a specific fire order, and he cannot modify it. It is, in practice, a progressive action single trigger shotgun (meaning that it employs a different barrel each time the trigger is pulled) but it is not supplied with an inverter. The fire order starts from the less choked barrel to the full choke barrel with the following succession: 1st shot - lower barrel; 2nd shot — right barrel; 3rd shot - upper barrel; 4th shot — left barrel. Ejectors are normal, and not automatic. The safe is automatic, meaning that it is inserted every time the gun is opened. Therefore, before shooting it is necessary to disactivate it by means of the traditional push-button on the grip back.

The side plates are false plates which are mounted for aesthetical purposes.

The forend has a special release system with a chiselled metal push-button which is positioned at mid-height.

Lavorazione delle mortise di
bascula con macchina utensile.

*Working of the action mortises
by means of a tool machine.*

449

artistico. Vedendo l'arma da una certa distanza, nonostante la presenza delle quattro canne, ha una linea alquanto filante ed assimilabile ad un normale sovrapposto.

Il calcio è all'inglese con una forma sui fianchi piuttosto insolita e che riesce a non appesantire questa parte lignea. Anzi ben si sposa con la presenza delle quattro canne richiamando con queste scanalature semicircolari proprio questo concetto (due per parte).

Sia il calcio che l'asta non sono zigrinati in quanto il fucile può essere ulteriormente customizzato secondo i gusti dell'acquirente.

L'incisione è molto discreta, costituita da contorni di inglesine su parti metalliche tirate a specchio. Era questa una soluzione cara a Mario Abbiatico che nei propri libri sulle incisioni faceva notare come fosse quasi più difficile tirare bene l'acciaio che non inciderlo.

Il peso complessivo dell'arma è di circa 3,5 Kg. ed è bilanciata al perno cerniera. Il calcio non è di tipo pieno ma ha internamente il tirante (per motivi di riuscire ad ospitare la batteria interna alla bascula piuttosto ingombrante), un calciolo sempre in legno dello spessore di 5 mm. chiude il calcio della sua estremità. Incassatura delle cartelle molto ben eseguita.

Parlare di un quattro canne non è certo all'ordine del giorno. Quindi non ha senso valutare quest'arma con il metro con cui si usa di solito valutare una doppietta o sovrapposto da caccia e da tiro.

Un quattrocanne esula in parte da problemi di funzionalità perché ben raramente ci si recherà a caccia con un simile capolavoro.

Ma ponendo il caso di volerlo fare a parte la limitazione della

By looking at the gun from a certain distance, in spite of the presence of the four barrels, it has a rather streamlined line, very similar to a normal over and under shotgun.

The gun is supplied with an English stock, and has a quite uncommon shape in its sides which does not overburden this wooden part.

As a mater of fact it looks very good with the four barrels, recalling this very same concept by means of these semi-circular grooves (2 on each side). Both the stock and the forend are not checkered, since the gun may be further customized depending on the purchaser's taste.

The engraving is very discreet, and it is constitued by English scrolls contours on metal mirror-finished parts.

This was a solution which was very dear to Mario Abbiatico, who pointed out in his books how much more difficult it was to mirror-polish metal rather than engrave it.

The overall weight of the gun is of 3.5 Kg. and it is balanced at its hinge pin.

The stock is not of the solid type, because it contains the brace (in order to be able to house the rather obtrusive lock inside the action). A wooden recoil pad 5 mm. thick closes the stock. The side plate stocking is very well executed.

It is not very common to talk about a four-barrelled shotgun.

Therefore, it makes no sense to evaluate this gun with the same criteria as for a side by side shotgun or a hunting and shooting over and under shotgun.

A four-barrelled shotgun does not

Lavorazione delle canne di
sovrapposto nel laboratorio
Famars.

*Working of the over and under
shotgun barrels in the FAMARS
workshop.*

Duplice fresatura per ricavare gli
spacchi degli estrattori.

*Double milling in order to obtain
the ejector openings.*

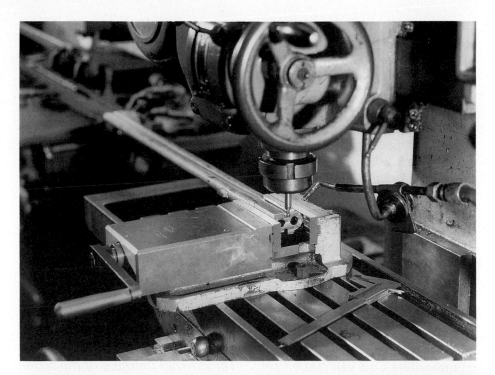

451

partenza obbligatoria e consequenziale dei colpi non si trovano particolari controindicazioni. Dispone di monogrillo, di sicura automatica, è bilanciato, ha calcio all'inglese di pronto imbraccio, canne lunghe cm. 70 ed un peso di solo un paio d'etti superiore ad un normale cal. 12. Ma più che per le prestazioni quest'arma è da ammirare per il modo con cui è costruita, per le chiusure a ramponi laterali, per la disposizione a rombo delle canne con rosate che si sovrappongono a 30 mt., per il sistema di batterie che è costituito da quattro gruppi di scatto indipendenti ed alloggiato in uno spazio ristretto. La tiratura esterna della bascula è aggraziata ed ingentillita e nel calcio si è trovata una soluzione estetica che ben bilancia il gruppo canne. Quindi occorre dare merito all'Abbiatico & Salvinelli di essere riuscita a pensare e costruire un'arma originale e ben congeniata, in un'epoca dove anche i migliori costruttori non brillano certo per fantasia e per voglia di fare qualcosa di nuovo.

generally have functionality problems, because very seldom shall this work of art be used for hunting.
But even though somebody should decide to do it, beside the limitation of the compulsory and sequential start of the fires, there are no particular contra-indications.
It is supplied with a single trigger, an automatic safety, it is balanced, it has an English stock for a quick raising, it has 70 cm. long barrels, and an overall weight which is a few hg. more than a normal 12 gauge shotgun.
This gun is to be admired for its construction rather than for its performance.
The external finishing of the action is softened, and the stock displays an aesthetical solution which balances the barrel set. Therefore, Abbiatico & Salvinelli have been able to conceive and construct an original and well-designed shotgun in a period in which even best gun makers are not very brilliant as far as imagination and new products are concerned.

Quattrocanne Abbiatico &
Salvinelli con disposizione
romboidale delle canne.

*Four Abbiatico and Salvinelli
barrels with a trapezoid
arrangement of the barrels.*

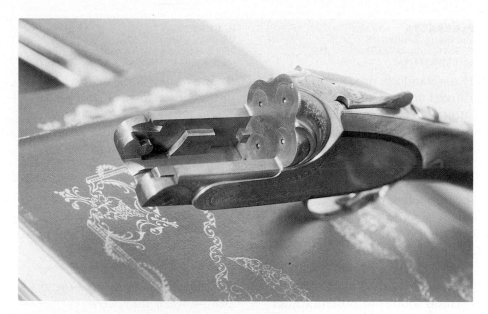

453

P. BERETTA
Via Pietro Beretta, 18
25063 Gardone Val Trompia (BS)
tel.030/8341

P. BERETTA
Via Pietro Beretta, 18
25063 Gardone Val Trompia (BS)
tel. 030/8341

Esaminando la produzione di armi fini del nostro Paese spiccano subito dei classici delle Aziende maggiori. Tra queste la Beretta è particolarmente rinomata per la serie SO dei sovrapposti e per le doppiette 451 e le più recenti 452. In particolare i sovrapposti sono quelli che meglio di tutti hanno costribuito a consolidare l'immagine della Beretta un po' in tutto il mondo, partendo dalla metà degli anni '30, cioè da quando sono stati presentati, ad oggi. E benché la serie SO abbia ormai superato la cinquantina, si dimostra più giovane e competitiva che mai, essendo largamente impiegata nella versione SO4-SO5 sulle pedane di tiro e nella versione caccia nelle rastrelliere dei cacciatori più esigenti. Quando si vuole parlare di un sovrapposto fine, il Beretta SO insieme a pochi altri nomi di grande prestigio è quello che raccoglie unanimi consensi.

Ma a cosa è dovuto questo apprezzamento?

Tralasciando la precisione e la cura che la Beretta pone in tutta la propria produzione nonché i materiali sempre di prim'ordine è l'originalità del progetto, dalle chiusure alle batterie alla funzionalità complessiva che colpisce. Iniziamo dalle chiusure. Queste sono esclusive ed originali e nello stesso tempo semplici e veramente robuste. I perni laterali, di tipo sostituibile, nei quali vengono inserite apposite sedi circolari ricavate nel manicotto delle canne vengono comunemente chiamati "orecchioni". Vi sono anche altri sovrapposti che utilizzano questo sistema,

By examining Italy's fune gun production, classical shotguns produced by our leading gun makers stand out immediately. Among these, Beretta is particularly reknown for its SO over and under shotgun series and for its 451 and more recent 452 side by side shotgun series. Especially their over and under shotguns best contributed to Beretta's present image all over the World, starting from the mid '30s — when they were introduced — up till the present day.

In spite the SO series is now more than fifty years old, it is as young and as competitive as ever, since it is widely employed in the SO4-SO5 version on shooting boards and in the hunting version it may be found in the gun stands of the most demanding hunters. When one speaks of a fine over and under shotgun, the Beretta SO, together with a few other prestigious names, receives universal consent.

But what is this appreciation due to?

Beside the precision and care that Beretta employs in all its production, and beside the first-class materials which they use, it is their project originality — from closings to locks including overall functionality — that is striking.

We shall start with the locks. They are exclusive and original, yet simple and sound. The side pins, which are of a replaceable type, are inserted in special circular housings inside the barrel sleeve and they are commonly called side shafts. There

La Beretta oltre che essere una grande Azienda nel settore armiero vanta una ricca tradizione risalendo al 1526. Fu una delle prime industrie a livello mondiale.

Beside being a big company in the gun making sector, Beretta also has a long lasting tradition which dates back to 1526. It was one of the first big industries in the World.

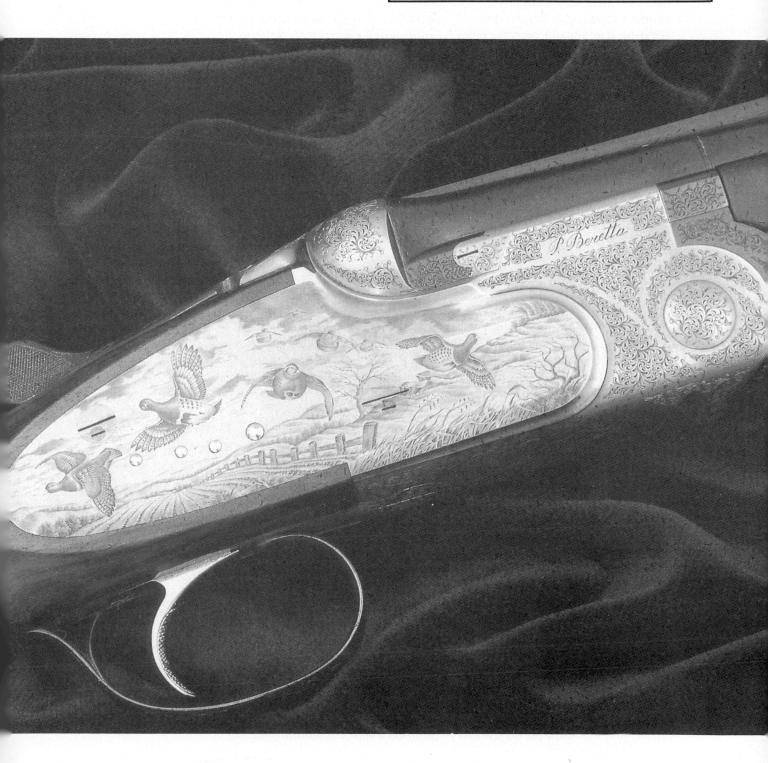

affidando poi al rampone posteriore e alla relativa slitta la chiusura dell'arma. Invece nei Beretta la canna non è ramponata ma utilizza per la chiusura due tasselli ricavati dal pieno sporgenti dai lati della camera superiore che vanno a scomparsa dentro due apposite scanalature ricavate nella bascula e tenute in loco da un tassello a trasversale comandato dalla chiave di apertura. Questa chiusura, chiamiamola doppia Purdey, contrasta efficacemente la rotazione delle canne allo sparo. L'altra forza che viene a svilupparsi al momento dello sparo e cioè l'allontanamento delle canne dalla faccia di bascula viene contrastata da opportuni rilievi a giro di compasso in relative sedi ricavate sui fianchi laterali, posteriormente, delle spalle di bascula. Questo dispositivo è distintivo dei sovrapposti Beretta, e viene applicato anche nelle serie più economiche S e S680. In alcuni modelli però possono essere sostituiti i due tasselli laterali fissati sulle canne, in modo da rinserrare le chiusure una volta che queste fossero allentate o usurate (evenienza del tutto remota, più probabile nei modelli da tiro che non in quelli da caccia per il maggiore lavoro ai quali queste armi sono sottoposte). Non avendo il rampone inferiore, le canne alloggiano molto profondamente nella bascula, contribuendo ad una migliore stabilità dell'insieme e ad un assorbimento coassiale del rinculo. Le batterie del tipo laterale, sono una variante del sistema Holland & Holland, brevettate dalla Beretta, relativamente semplici ma efficaci. Ogni batteria è costituita da un totale di quattro pezzi base, 2 molle, una vite e tre perni, trattati

are other over and under shotguns which employ this system too, leaving the gun closing to the back lump and its relative slide. On the contrary, Beretta's shotguns do not have a lump-fitted barrel, but the closing is carried out by means of two solid plugs which protude from the upper chamber sides and which disappear into two special slots in the action and which are kept in place by a transversal plug operated by the top open lever. This locking system - we shall call it Purdey double-bolt - efficiently counteracts barel rotation during fire.

Another stress which develops during fire — the farthening of the barrels from the action front — is counteracted by special compass turn devices which are housed on the gun sides behind the action shoulders.

This system is distinctive in Beretta over and under shotguns, and it is applied in the more economical series as well (S and S680). But in some models, the side plugs on the barrels may be replaced, so as to tighten the locks once they are loser or worn (very remote occurence which is more probable in shooting models rather than in hunting models due to the heavy duty these guns are subjected to).

Since it does not have a lower lump, barrels are more deeply housed inside the action, contributing to a better overall stableness and to a greater coaxial recoil absorbtion. The side locks are a variant of the H&H system which has been patented by Beretta. Each lock is constitued by four basic pieces, 2 springs, 1 screw and 3 pins which are tempered and chromium-plated

Giulio Timpini, caporeparto
degli incisori Beretta, al lavoro
con lente e bulino.

*Giulio Timpini, Chief of the
Beretta Engraving Department,
at work with him magnifying
lens and hand-graver.*

Calciatura di un sovrapposto
Beretta SO con calcio a pistola.
L'incassatura di calci ed aste
modelli fini viene completamente
realizzata a mano.

*Gun stocking of a Beretta SO
over and under shotgun with a
pistol stock. The gun stocking of
stocks and forends for fine
models is totally hand-executed.*

La zigrinatura è un'operazione
molto spesso svolto dal lavoro
femminile.

*Checkering is very often carried
out by women.*

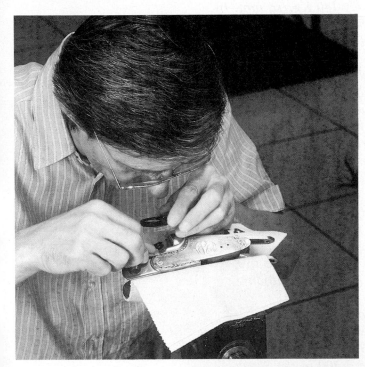

457

termicamente e cromati, con doppia sicurezza, smontabili a mano nel modello SO3EELL. Tra l'altro in questo modello i perni della batteria sono dorati.

Dicevamo che i materiali utilizzati sono di prim'ordine. Partendo dalla bascula questa è ricavata da un blocco di acciaio speciale al nichel cromomolibdeno, sottoposto a tempra e cementazione e raggiungendo una resistenza di circa 140 Kg./mmq. Si rende così praticamente indistruttibile quello che è il cuore dell'arma. Le canne invece sono in acciaio speciale Boehler Antinit, non cromate internamente, ad alto contenuto di Nichel che le rende molto resistenti alla corrosione e con facilità di allargare le strozzature interne qualora ciò necessitasse. Naturalmente gli estrattori sono automatici, come conviene alla classe dell'arma mentre a richiesta si può avere bigrillo, monogrillo non selettivo o selettivo.

Come peso i modelli da caccia si aggirano sui 3,250 Kg., mentre quelli da tiro Kg. 3,700 nella versione Trap e Kg. 3,400 nella versione Skeet. La lunghezza delle canne si può scegliere tra le seguenti: cm. 66, cm. 68, cm. 71 e cm. 75; anche i valori di strozzatura possono essere scelti dal cliente a piacere. I sovrapposti serie SO vengono costruiti nel solo cal. 12, se si eccettua l'express SSO dotato di un paio di canne rigate.

Un tempo il sovrapposto base della serie era costituito dal modello SO1, semplice, con spalle fisse e astina con gancio di chiusura a rotazione.

Un'ottima arma da caccia dotata di un prezzo relativamente accessibile. Da alcuni anni però la Beretta ne ha sospeso la

with a double safe, and they are hand-detachable in the SO3EELL model. Besides, this model has gold-plated lock pins.

As far as the materials are concerned, they are first-class. The action is made out of nikel-chromium-molybdene steel which has been tempered and hardened, reaching a resistance of approximately 140 Kg./sq.mm. In this way, the action is practically undestroyable.

The barrels are made out of a special Boehler Antinit steel. They are not chromium-plated internally, and they have a high content of nickel which renders them very resistant against corrosion and which simplifies the widening of the internal chokes should this be necessary. Ejectors are naturally automatic, as this gun's class requires, while a double trigger, a single selective trigger or a single non-selective trigger may be supplied upon request.

Hunting models weigh about 3.250 Kg, while shooting models weigh 3.700 Kg. in the Trap version, and 3.400 in the Skeet version. The length of the barrels may be selected among the following: 66 cm., 68 cm., 71 cm., and 75 cm. The choke values, too, may be selected by the purchaser. The SO over and under shotguns are only constructed in 12 gauge, except for the SSO express shotgun which is supplied with a set of rifled barrels. In the past, the basic over and under shotgun of this series was the SO1 which was simple, with fixed shoulders and forend with closing rotational hook.

An excellent hunting shotgun at a reasonable price. But Beretta

Il calcio viene ricavato
dall'abbozzo.

*The stock is obtained from a
draft.*

Incassatura degli acciarini su
sovrapposto Beretta.

*Lock fitting on a Beretta over
and under shotgun.*

Tiratura della bascula su
sovrapposto Beretta. La tiratura
è il procedimento con il quale si
danno le forme esterne del cuore
del fucile.

*Action finishing on a Beretta
over and under shotgun. This
operation is necessary in order
to shape the action.*

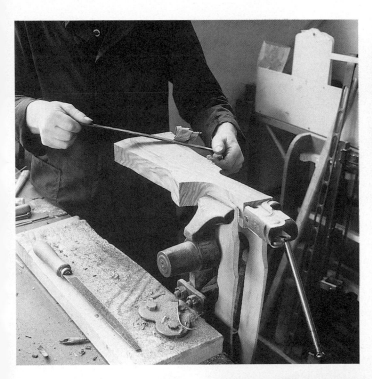

Incisioni su sovrapposto Beretta S03 realizzate dal reparto interno all'Azienda.
A fronte in basso a destra, culatta delle canne del sovrapposto Beretta. Notare l'assenza di ramponi sotto la canna inferiore. Le mensole sporgenti ai lati della canna superiore sono ottenute dal pieno.

Engraving on the SO3 Beretta over and under shotgun, executed by Beretta's in-house department.
Right: Barrel breech of the Beretta over and under shotgun. Note the absence of the lumps under the lower barrel. The protuding shelves on the sides of the upper barrel are solid.

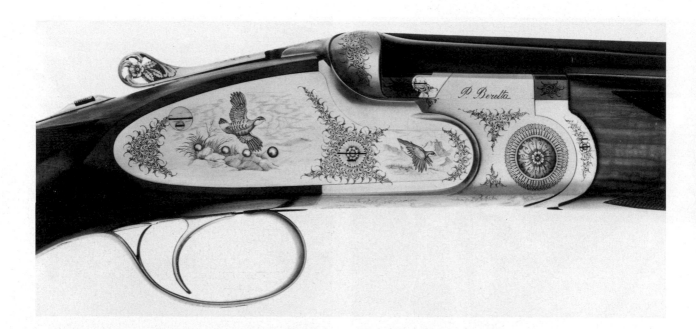

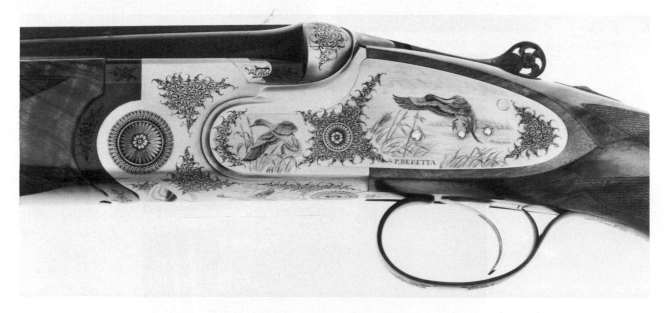

Petto di bascula di sovrapposto Beretta.

Action bottom of the Beretta over and under shotgun.

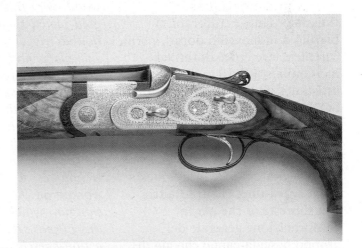

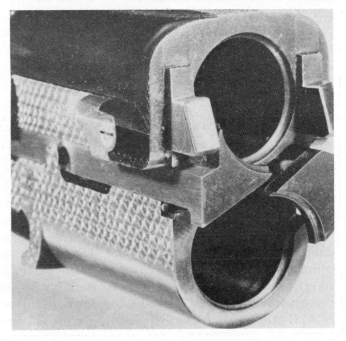

461

produzione, partendo in tal modo dal modello SO2, che meglio rappresenta il prestigio di questa serie.

Quindi troviamo il modello SO3, con legni più selezionati ed incisione a motivi floreali di gran pregio. Insieme al modello precedente ha riportato un piccione d'argento sulla chiave. Ma il vero capolavoro, il fucile che ogni collezionista vorrebbe avere nella propria rastrelliera, quello che teme ben pochi confronti e rivali è il prestigioso SO3EELL, con legni in radica di noce, zigrinature a passo finissimo, chiave traforata, bigrillo o monogrillo dorati, perni cartelle e leve croce dorati ed incisioni a soggetto realizzate da artisti del settore. Si trovano SO3EELL con incisioni molto diversificate da scene di caccia a fini inglesine, da motivi floreali a teniche miste. Ogni bravo incisore si è cimentato nel lavorare questo fucile extra-fine, che tra l'altro ben si presta anche per la conformazione generale del gruppo bascula-canne che già di per sé contribuiscono a dare una classe inconfondibile all'arma. Di recente la Beretta ha sostituito i modelli sopra citati con le versioni SO5, SO6 e l'SO9.

Express sovrapposto SSO6 cal. 375 H&H

Accanto ad una produzione di carabine bolt-action ha introdotto due express sovrapposti in vari calibri ed una doppietta express. I due modelli sovrapposti partono dalle bascule (opportunamente ottimizzate per questo impiego) serie S680 e dalla serie più prestigiosa ad acciarini laterali SO6. Il primo, con batterie interne

discontinued its production a few years ago, starting, in such way from the SO2 model, which best represents the prestige of this series. Then we find the SO3 model, with more selected woods and precious flower pattern engravings. This model and the previous one bear a silver pigeon on their top open lever. But the true work of art, the gun which every collector would love to have in his gun stand, the gun which needn't have to fear any rivals or comparisons, is the prestigious SO3EELL with its walnut root wood, very fine checkerings, gold-plated single-trigger or double-triggers, gold-plated pins, side plates and tumbler levers, and subject engravings realized by artists in this sector. There are SO3EELL with very different engravings: from hunting scenes to fine English scrolls, from flower patterns to combined techniques. Each good engraver worked on this extra-fine shotgun, which is also suitable for this purpose due to its action-barrels unit, which already contributes to the gun's overall class due to its line.
Beretta recently replaced the overmentioned models with the S05, S06 and S09 shotguns.

SSO6 Beretta Express cal. 375 H e H Magnum over and under

Beside a bolt-action production of rifles, Beretta introduced two over and under express shotgun in various gauges, and an express side by side shotgun.
The two over and under models start from the S680 action series (suitably optimized for this application) to the more prestigious version with side locks

Express Pietro Beretta SSO6 cal.
375 Holland & Holland Magnum
nella valigetta di pelle originale.

*Pietro Beretta SSO6, 375 gauge
Holland & Holland Magnum
express shotgun in its original
leather case.*

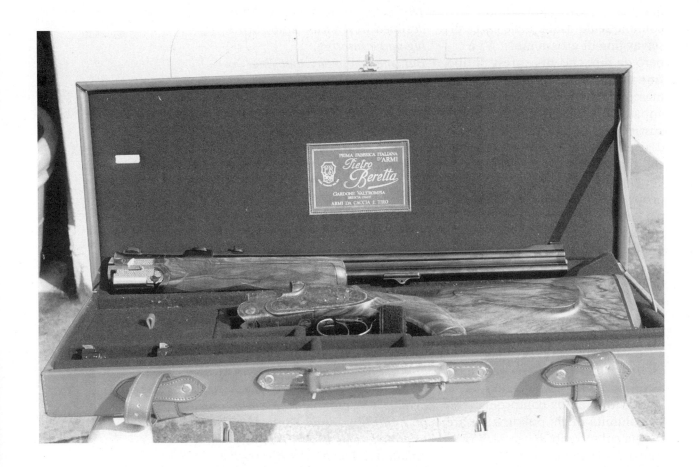

alla bascula tipo Anson ha naturalmente un prezzo più contenuto e viene costruito anche in calibri medi che ne permette l'uso in battuta al cinghiale o al cervo. Invece per l'SS06 si sono scelti calibri decisamente grossi come il 9,3x74R, il 458 Winch. Magnum e il classico ma intramontabile 375 H&H Magnum. Quindi un'arma destinata ai safari africani o comunque da usarsi nelle cacce di selvaggina di grossa mole. Vi è però da dire che gli express di tipo fine possono avere anche un mercato collezionistico, poiché gli appassionati sanno che la costruzione di un simile tipo d'arma richiede competenza specifica e tanta mano d'opera. Un express deve essere ben proporzionato nelle singole parti per consentire la massima robustezza ed affidabilità di impiego. Le cartucce metalliche di grosso calibro generano pressioni di gran lunga superiori ad un normale cal. 12 e quindi anche le chiusure debbono essere ben realizzate, debbono lavorare efficacemente e non possono essere tollerate economicità di alcun tipo o approssimazioni nelle lavorazioni tali da compromettere l'incolumità di chi poi dovrà usare l'arma sul terreno di caccia. Lo stesso discorso vale per l'affidabilità. Il cacciatore deve contare sempre sui due colpi dei quali dispone l'express anche in condizioni climatiche estreme. Per questo motivo, soprattutto cacciando animali pericolosi come l'elefante, il bufalo e i grossi felini molti cacciatori preferiscono l'express ad altri sistemi d'arma perché vi può essere la possibilità di un inceppamento nel ricaricamento ad esempio di una

S06. *The first one is supplied with Anson-type locks housed inside the action, and is obviously less expensive.*
It is also constructed in medium gauges, which allow deer or boar hunting. On the contrary, the SS06 version has heavy bores such as the 9.3x74R, the 458 Winch. Magnum, and the classical and everlasting 375 H&H Magnum.
This is therefore a gun which is destined to African safari or to big game hunting.
But one has to say that fine express shotguns may also have a collection market, since gun enthusiasts know that the construction of such a kind of gun requires specific competence and workmanship.
An express shotgun has to be well-proportioned in every single part, in order to allow best soundness and reliability. Metal cartridges of a heavy bore generate much higher pressures as compared to a normal 12 gauge, therefore locks have to be very well-executed.
They have to work efficiently and savings of any type or approximate workings such as to compromise the safety of the person who is going to use the gun on hunting grounds cannot be tolerated. This is also true for reliability. The hunter always has to count on the two shots available with an express, even under extreme climatic conditions.
For this reason, especially when hunting dangerous animals such as elephants, buffalos or big felines, many hunters prefer express shotguns to other gun systems, because a block may occur during loading - as for example in bolt-action shotguns - while one should always be able to count on

bolt action mentre si dovrebbe sempre contare sui due colpi dell'express. Quindi chi costruisce queste armi particolari deve sentire la responsabilità di questo ruolo e molto spesso la vita del cacciatore dipende dal buon funzionamento della propria arma. L'express classico, quello che gli inglesi hanno saputo realizzare in modo magistrale era quasi sempre a canne affiancate (giustapposte) ma in subordine i cacciatori più raffinati potevano accettare anche un express sovrapposto purché della più alta qualità.

E nel caso del sovrapposto Beretta credo che il problema non si ponga poiché è rimasto attualmente tra i pochi rappresentanti di sovrapposto fine realizzato artigianalmente da una grande Azienda che per salvaguardare la propria immagine fa ogni sforzo per offrire un prodotto qualitativamente ineccepibile come del resto si riscontra su ogni arma che porti il nome Beretta. È quindi con piacere che gli appassionati di armi rigate hanno accolto la produzione di express da parte della Casa gardonese nella consapevolezza della serietà e della cura particolarmente poste nella realizzazione delle proprie armi di lusso.

La bascula da un punto di vista estetico è del tutto simile a quelle degli altri sovrapposti serie SO6, che ormai da qualche anno hanno sostituito i precedenti SO3. Come struttura è però più massiccia poiché si sono effettuati dei rinforzi negli spessori ed in alcuni punti particolari. Basti considerare che il peso complessivo dell'arma si aggira sui 5 Kg. (priva di ottica) e che la stessa viene bilanciata sul

the two shots of an express shotgun.

Therefore, the gun makers which construct these special guns have to feel the responsibility of their role because the hunters lives very often depend on the gun's good working.

The classical express, the one the English realized in a superb way, was almost always realized with side by side (juxtaposed) barrels, but secondly, first-class hunters could accept an over and under express shotgun, as long as it was of the highest quality.

In the case of the Beretta over and under shotgun, I believe there is no such issue, because it is one of the few representatives of fine over and under shotguns which are handicraft-made by a big Company which, in order to safeguard its own image, strives in order to produce qualitatively excellent guns.

This may be seen in every gun they produce.

It was therefore a pleasure, for rifled guns enthusiasts to welcome the express production by this Gardonese Firm knowing the seriousness and the care they employ in the realization of their luxury guns.

The action is aesthetically very similar to that of the other SO6 series over and under shotguns, which replaced the previous SO3 since a few years.

As far as its structure is concerned, it is heavier, since reinforcements have been supplied in the thicknesses and in some special points.

Just consider the overall weight of the gun, which is of 5 Kg. (without optics).

perno cerniera. Quindi oltre un chilogrammo e mezzo in più rispetto ad un cal. 12. Le chiusure sono le tipiche Beretta con slitta trasversale comandata dalla chiave superiore che chiude su due mensole sporgenti dal vivo di culatta delle canne. Troviamo anche le due spalle di contrasto laterali con inserti intercambiabili che caratterizzano i sovrapposti della Beretta. Ovviamente sotto le canne non esistono ramponi e questo consente di avere una bascula contenuta in profondità con due semiperni laterali sui quali ruotano le canne. In sostanza la filosofia produttiva è del tutto simile a quella del sovrapposto a canne lisce a parte i dimensionamenti strutturali. La bascula viene totalmente cementata e finita a tempera tartaruga. Questo procedimento viene ancora effettuato dalla Beretta con metodi tradizionali e non chimici a vantaggio della tenuta nel tempo della tartarugatura e della vivacità dei colori. Nella versione extra-lusso (SO6EELL) sulle cartelle e sul petto di bascula vengono rimessi in oro trofei di animali od effettuate incisioni su richiesta. Però per un uso chiamiamolo più "professionale" l'SSO6 con finitura liscia e tempera tartaruga ci sembra più indicato. L'acciarino merita una attenzione particolare poiché è di realizzazione piuttosto semplice, razionale, di sicuro funzionamento e con ogni parte tirata a specchio. La molla è a lamina di tipo indietro con briglia ricavata dal pieno. La doppia stanghetta di sicurezza previene lo sparo accidentale ma offre anche garanzie per non far partire i due colpi simultaneamente. La cartella

The gun is balanced on the hinge pin.
Therefore, it weight 1.5 Kg. more than a 12 gauge.
The locks are typically Beretta's with a slide operated by the top open lever which closes on two shelves protuding from the barrel breech.
We also find the two contrast side shoulders with interexchangeable inserts which characterize Beretta over and under shotguns.
There are obviously no lumps under the barrels.
And this allows the action to be deeply contained with two side shafts of which the barrels rotate.
In substance, their production philosophy is very similar to that of the smooth-barrelled over and under shotgun, except for the structural sizing.
The action is totally tempered and finished with a hardening temper.
This procedure is still carried out by Beretta with traditional and not chemical methods, to the benefit of the hardening's lasting in time, and of the brilliantness of colours.
The super de luxe version (S06EELL) is supplied with gold-inlaid animal tropys or engravings on request on the side plates and on the action bottom.
But we believe the SS06 with a smooth finish and a hardened temper is more suitable for a "professional" use.
The lock deserves a special attention because it is realized quite simply, rationally, functionally, and it is totally mirror-finished.
It is supplied with a backward spring and its bridle is solid.
Its double safety tang avoids accidental shots, but in also

La tiratura della bascula e gli acciarini sono i medesimi della serie di sovrapposti SO6.

The action finishing and the locks are the very same as the S06 over and under shotgun series.

L'interno della bascula mostra l'assenza di mortise per i ramponi delle canne e il generoso spessore delle pareti di bascula.

The action inside displays the absence of mortises for the barrel lumps, and the generous thickness of the action walls.

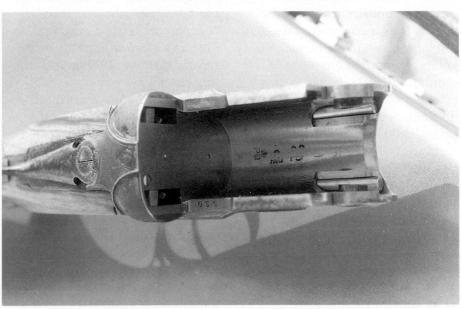

può essere fissa o del tipo estraibile a mano (senza sovrapprezzo) ed ovviamente l'incassatura viene realizzata manualmente come pure la forma e la finitura dei legni. La sicura è manuale posizionata sulla codetta di bascula ma a richiesta la si può avere automatica, nel senso che si inserisce ogni volta che si apre l'arma per il caricamento. Il materiale della bascula è l'ottimo acciaio trilegato (Ni, Cr, Mo) che la Beretta usa da anni sottoposto ai trattamenti termici dei quali abbiamo già parlato.

Le canne sono realizzate internamente dalla Beretta con il sistema della martellatura a freddo su spina di contrasto.

L'accoppiamento avviene con monobloc di culatta, sistema particolarmente caro all'Azienda e da loro introdotto alcuni decenni or sono. Si sa che in un express la parte più delicata consiste nella taratura delle due canne, che debbono sovrapporre le rosate ad una determinata distanza (in questo caso a 100 mt.). Per ottenere questo risultato si procede empiricamente con canne ancora in bianco e non saldate tra loro con il sistema dei cunei alla volata. In pratica una volta montato il fucile in bianco si effettuano dei tiri di prova distanziando le canne alla volata e procedendo alle successive regolazioni fino ad ottenere il risultato di tiro voluto. A quel punto si passa al bloccaggio definitivo, alla saldatura dei tubi ed alle operazioni di finitura. La regolazione al tiro è uno degli aspetti più delicati di finitura. La regolazione del tiro è uno degli aspetti più delicati ed importanti in un express ed abbiamo verificato che con l'SSO6 provato

but it also offers a guarantee against two simultaneous shots. The side plate may be fixed or hand-detachable (without any additional cost) and gun stocking is obviously carried out manually, as well as wood shaping and finishing.

The safe is manual, and it is positioned on the action tang, but it may be automatic upon request — in the sense that it is inserted every time the gun is opened for loading.

The action is made out of an excellent steel alloy - nickel-chromium-molybdenum - which Beretta has been employing for years now.

The barrels are totally produced by Beretta with the cold-hammering system on a contrast plug.

The coupling is of the breech-monobloc type.

This system is particularly dear to the Company.

They introduced it a few decades ago.

The most delicate phase in an express shotgun construction is the barrel set gauging, since the two barrels have to produce overlapping shot patterns at a certain distance (100 metres in this case).

In order to obtain this result, one must empirically operate on plain barrels which have not been welded yet, by means of wedges to be positioned at the muzzle.

Once the plain gun has been assembled, one must fire some test shots, while distancing the barrels at the muzzle, carrying out the subsequent adjustments until the desired result is obtained. At this point, final operations are carried

Volata delle canne tarate a 100 mt. direttamente in Fabbrica.

Barrel muzzle which is adjusted at 100 metres directly in-house.

Possente culatta delle canne. Le mensole per le doppie chiusure superiori sono ricavate dal pieno dell'acciaio del monobloc di culatta.

Powerful barrel breech. The shelves for the upper double-bolts are obtained from the monobloc breech steel.

La bindella è parziale ed
arabescata a mano nel primo
tratto. A richiesta si può avere
l'ottica montata ad incastro.

*The rib is partial and
hand-arabesqued in its first part.
Optics available on request.*

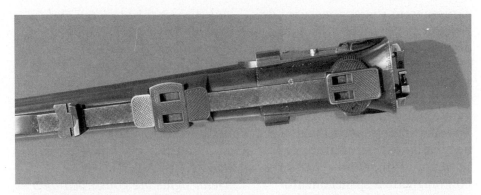

Particolare delle canne e del
monobloc di culatta. Gli
estrattori sono automatici.

*Detail of the barrels and of the
breech monobloc. The ejectors
are automatic.*

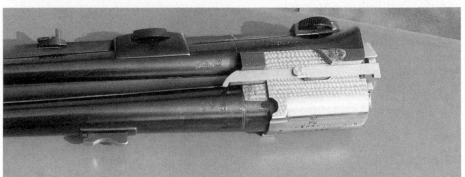

si ottengono sovrappposizioni dei tiri quasi perfette alla distanza di 100 mt. Le mire metalliche sono costituite da una tacca a V con foglietta abbattibile e mirino fisso su rampa con inserto in ottone. Le canne sono lunghe cm. 65 ed hanno saldato il porta cinghia adeguatamente strutturato nella parte inferiore. Questi è del tipo con magliette a sganciamento rapido, con l'altra estremità inserita nel calcio. Tutte le superfici sono accuratamente levigate, sia quelle esterne che quelle interne traguardando le rigature. Le lavorazioni delle parti meccaniche e le saldature sono realizzate con estrema cura e non sono visibili tracce di utensili o di interventi affrettati. Da questo punto di vista la Beretta riesce ad offrire un prodotto di altissimo livello e realizzato con estrema cura.

I legni sono in noce sceltissima con finitura semi-lucida, zigrinati a mano a passo fine. L'astina è generosamente dimensionata e comoda per una presa sicura ed un puntamento di imbracciata. Nella parte inferiore del calcio è stata prevista una sede per cartucce (contiene due colpi) chiusa da uno sportellino metallico. Anche sotto l'impugnatura vi è una coccia-contenitore per piccoli accessori. Il calcio è a pistola, leggermente a dorso di cinghiale e con appoggiaguancia. Di rigore il calciolo in gomma. Quest'ultimo lo avremmo preferito "english style" piuttosto che marrone (cioè più tendente al rosso) che avrebbe meglio contrastato con le venature dei legni. Si tratta comunque di un dettaglio estetico che volendo può essere facilmente sostituito. Le misure delle pieghe del calcio

out such as tube welding and finishing operations. Shot regulation is one of the most crucial finishing aspects.

Shot regulation is very important in an express shotgun, and we verified that an SS06 produces practically perfectly overlapping shot patterns at a distance of 100 metres.

Metal sights are constitued by a V-plate with pull-down leaf and fixed sight on a ramp with a brass insert.

The barrels are 65 cm. long and they are supplied with a soldered bridle-holder in the lower area.

The latter is of the quick-release type, and its other end is inserted into the stock.

All the external and internal surfaces are smooth. The execution of the mechanical parts and of the weldings is extremely accurate, and tool marks are not visible at all.

Under this point of view, Beretta offers a very high level product which is very well-executed.

Woods are in selected walnut with a semi-glossy finish. They are hand-checkered very finely.

The forend is generously sized, and it is handy for a safe grip and gun raising.

In the lower part of the stock, there is a cartridge housing (which may contain two shots) which may be closed by means of a mechanical door.

There is another container for small accessories under the gun grip.

The stock is of a pistol type, and it is slightly boar-backed.

It is supplied with a cheekrest and a rubber recoil pad.

The latter would have been more suitable if of the English type rather than being brown, because

Coccia apribile nell'impugnatura del calcio.

Opening in the stock grip.

Calcio con guanciolo laterale.

Stock with a side cheekrest.

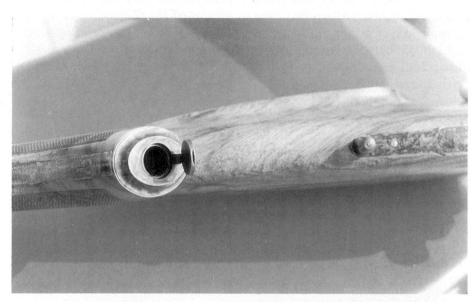

471

possono essere realizzate su richiesta del cliente. L'incassatura fra parti in legno e parti metalliche è irreprensibile.

Il sovrapposto Beretta SSO6 express a doppia canna rigata e quindi una testimonianza dell'impegno della Casa Gardonese di portare avanti una produzione artigianale di alto livello. Ogni particolare dell'arma è stato improntato alla robustezza di impiego e curato in tutti i dettagli. Le batterie laterali sono, oltre ad un segno distintivo e di raffinatezza, anche una valida soluzione contro gli spari accidentali essendo provviste di doppia stanghetta di sicurezza. Le canne, realizzate all'interno della Beretta, sono accoppiate in monobloc e vengono regolate al tiro per una sovrapposizione delle rosate a 100 mt.

it would have created a better contrast with the wood grain. Anyhow, we are talking about an aesthetical detail which may be replaced. The sizes of the stock bending may be executed on the purchaser's request. The gun stocking between metal and wooden parts is excellent. The SS06 over and under express shotgun with rifled barrels is therefore an evidence of the efforts of the Gardonese firm. Each gun detail has been based on soundness, and it has been cared for under all points of view. Beside being a distinctive and refineness symbol, side locks are a valid solution against accidental shots, since they are equipped with a double safety sear. The barrels, which are realized in-house, are monobloc coupled, and they are adjusted for shot pattern overlapping at 100 metres.

Doppietta 452

Passando alla doppietta 451 il terreno diventa più difficile. Mentre nei sovrapposti il Beretta SO ricopre indiscutibilmente uno tra i primi posti nella produzione mondiale, nel settore doppiette la concorrenza è decisamente vasta, a partire dai capiscuola inglese fino ad arrivare ai prestigiosi artigiani gardonesi. Che la doppietta 451 sia un'arma fine penso che nessuno lo possa mettere in dubbio, anche se parlando con collezionisti ed intenditori alcuni la ritengono di classe media e comunque non con il prestigio che circonda il fratello sovrapposto. Le principali motivazioni di questa tendenza sono da una parte il peso dell'arma, sui 3,3 Kg., mentre oggi a un'arma fine è richiesto di

452 side by side

If we pass to the 451 side by side shotgun, the subject starts to become a bit more difficult to deal with. While as far as over and under shotguns are concerned the SO Beretta covers one among the leading positions in the World, in the side by side shotgun sector, competition is vast — starting from the English Masters up to the prestigious Gardonese craftsmen. I believe nobody can discuss the fact that the 451 side by side shotgun is a fine gun, even though when one speaks with collectors and connoisseurs, some of them consider it of a medium class, and not as prestigious as its over and under sister. The main reasons for this tendency are on one side the weight of the gun (approximately 3.3 Kg.) while a fine gun should

Petti di bascula di sovrapposto
Beretta finemente incisi.

Finely engraved action bottoms
of Beretta over and under shotguns.

Doppietta Beretta da tiro mod.
451 EELL.

451EELL Beretta shooting side
by side shotgun.

473

pesare dai 2,9 ai 3 Kg. (anche se questo è soggettivo) e poi l'accoppiamento delle canne in monobloc anziché il più nobile demibloc. Cosa dire in proposito? Il peso è un dato oggettivo, non lo si può discutere. Certamente gli inglesi ci hanno abituati a fucili molto leggeri ma occorre considerare che nelle loro armi da battuta vengono sparate cartucce con 28,5 gr. di piombo. Ora se un'arma deve essere usata anche alla lepre, o agli acquatici o comunque a forme di caccia dove occorre usare cartucce di 35/36 gr. di piombo o più, la superiorità di una doppietta del peso della Beretta 451 è fuori dubbio. Avete mai provato a sparare su extra-leggero centinaia di colpi sul terreno di caccia? Non che io non apprezzi doppiette sui 3 Kg. o anche meno, anzi, però non credo che qualche etto in più possa far giudicare negativamente un'arma fine. Il sistema di accoppiamento in monobloc è un po' un'immagine della Beretta, e come viene eseguito in casa Beretta può reggere qualsiasi confronto con i migliori demibloc. Infatti è opinione ormai accettata dalla maggior parte degli operatori che più che il sistema adottato è l'esecuzione e la realizzazione del lavoro che contribuiscono a dare valore e solidità all'arma. Ci sono doppiette demibloc di pessima qualità, che costano poco e che non valgono la metà di un monobloc bene eseguito. Comunque strozzature e canne possono essere scelte come per i sovrapposti SO, l'asta normale o a coda di castoro, il calcio a pistola o all'inglese, bigrillo o monogrillo selettivo o normale. L'acciaio delle canne è il Boehler Antinit Anticorro finite esternamente a mano. La bindella è saldata a lega

weigh between 2.9 and 3 Kg. (even if this is subjective) and on the other the coupling which is monobloc instead of the nobler demibloc. What could be said about this matter? The weight is an objective data, and it cannot be discussed. The English gave us the habit of lightweight shotguns, but their shotguns usually fire 28.5 gr. of lead. Now, if a gun has to be employed for hair or acquatic hunting, or for hunting forms in which 35/36 gr, cartridges are required, the superiorness of a side by side shotgun having the weight of a 451 Beretta is undoubtful. Have you ever tried to shoot hundreds of shots on a hunting ground with an extra-lightweight? It's not that I do not appreciate shotguns weighing 3 Kg. or less, but I do not believe that a few grammes more may negatively influence a fine gun. The monobloc coupling system is part of Beretta's image, and the way it is executed at Beretta's may stand comparison with the best demibloc systems. In fact, most of the operators believe that it's the execution and realization of the work rather than the system itself, that contributes to gun soundness. There are very poor-quality demibloc side by side shotguns which are very unexpensive and which are not even half as efficient as a well-executed monobloc shotgun. Anyhow, chokes and barrels may be selected as for the SO over and under shotguns, and so can the normal or beaver-tail forend, the pistol or English stock, the selective or normal double triggers or single trigger. The barrels are made out of corrosion proof steel — Boehler Antinit, and they are externally finished by hand. The rib is welded with a

d'argento. Gli estrattori sono automatici e le batterie tipo Holland & Holland perfezionate con brevetto Beretta. L'agganciamento della croce ha il comando a pompa (tipo Anson); il calcio, in radica scelta, si accoppia con il resto dell'arma formando un unico blocco per migliorarne tenuta e compattezza. La chiusura è doppia, all'inglese, sui ramponi, l'azione del tassello avviene mediante comando sulla chiave. Si è pensato però ad un aggiornamento della doppietta 451 che pur rimanendo concettualmente valida come impostazione meccanica necessitava di alcune modifiche. E così è avvenuto. La Beretta ha presentato la versione base della 452 con incisioni all'inglese a larghe volute riservando al modello EELL finiture su richiesta del cliente. È iniziata la produzione anche della versione express (mod. 455) in alcuni grossi calibri e precisamente 458 Winch. Magnum, 470 N.E., 500N.E. e 416 Rigby. Dicevamo che la 452 si rifà come impostazione e materiali alla consorella che l'ha preceduta pur con numerosi aggiornamenti. Quindi rimanendo fermi alcuni punti importanti come la qualità dei materiali e la scrupolosità nelle lavorazioni, gli acciarini e gli estrattori si è lavorato sulla parte estetica e sulle canne. E proprio queste ultime costituiscono la novità più appariscente, poiché per la prima volta la Beretta abbandona il sistema dell'accoppiamento monobloc che era un po' un simbolo personalizzante della propria produzione a favore dell'accoppiamento demibloc. In effetti l'unico appunto che gli amatori di armi fini a volte

silver alloy. The ejectors are automatic, and the locks are of the Holland & Holland type, perfected with a Beretta patent. The tumbler hooking is pump operated (Anson type). The stock, in selected walnut root wood, matches with the gun, forming one single block in order to increase compactness. The locks are double, in the English style, and they are positioned on the lumps. The top open lever activates the plug. Beretta foresaw a 451 side by side shotgun updating.
Even though it was conceptually valid as far as its mechanical arrangement was concerned, it needed a few modifications. This is why Beretta introduced the basic 452 version with English-style engravings with wide curls, reserving custom-made finishings for the EELL model. They also began producing the 455 express production in heavy bores: 458 Winch. Magnum, 470 N.E., 500 N.E., and 416 Rigby. As I mentioned before, the 452 is very similar in materials and arrangement, to its previous sister, even though it has been updated. Therefore, even though some very important basic points remained, such as the quality of materials and the care in execution, the locks and the ejectors, they worked on the barrels and on the aesthetical side. And the barrels are the most striking innovation because for the first time Beretta left the monobloc system which was a personalizing symbol of their production, selecting a demibloc coupling system. The only criticism which fine gun amateurs moved to the 451 was the monobloc coupling. In spite this

Bascula ed asta
della doppietta 452.

Action and forend of the 452
side by side shotgun.

Doppietta mod. 452 Beretta
cal. 12. Monta canne demibloc.

Beretta 452.12 gauge side by side
shotgun. It is supplied with
demibloc barrels.

Doppietta 452 EELL con
incisione ad inglesina.

*452 EELL Beretta side by side
shotgun with an English scroll
engraving.*

Doppietta Beretta 452 EELL con
riccioli a medie volute.

*452 EELL Beretta side by side
shotgun with medium-sized
curls.*

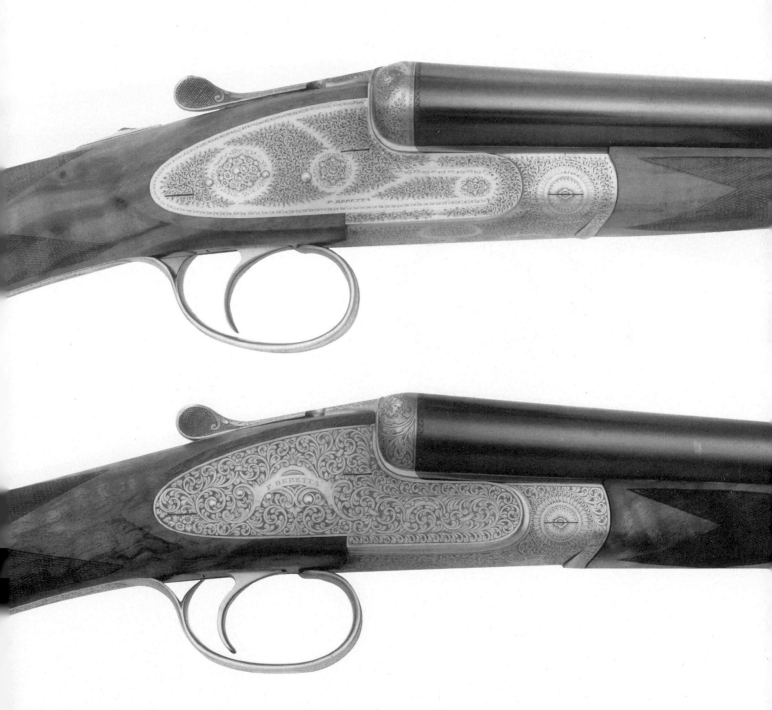

Doppietta Beretta 452 EELL con incisione a scena di caccia.

452 EELL Beretta side by side shotgun with hunting scenes engravings.

Altro lato della doppietta precedente.

Another view of the previous side by side shotgun.

478

Petto di bascula con beccaccia.

Action bottom with woodcock.

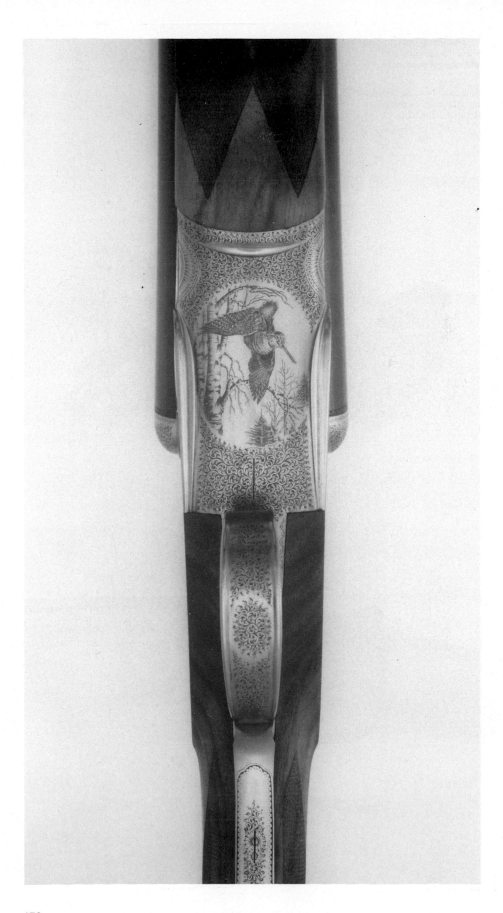

La bascula dei sovrapposti SO parte del forgiato con lavorazioni successive.

The action of the SO over and under shotguns is forged and subsequently worked.

Fianco di bascula con acciarino smontato del sovrapposto Beretta SO6EELL.

Action side with detached lock — SO6 EELL Beretta over and under shotgun.

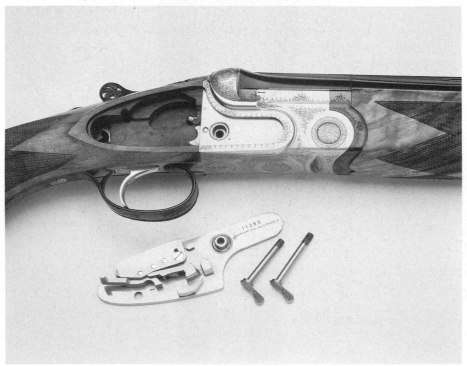

Fianco di bascula con acciarino
smontato e monogrillo del
sovrapposto Beretta SO9.

*Action side with detached lock
and single trigger - SO9 Beretta
over and under shotgun.*

Sovrapposto Beretta SO9,
monogrillo, inciso ad ornato
moderno.

*S09 Beretta over and under
shotgun with a single trigger. It
is modernly engraved.*

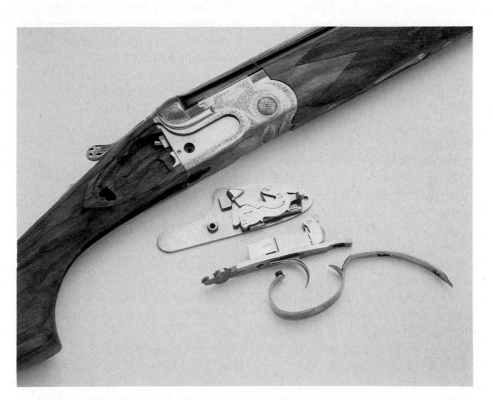

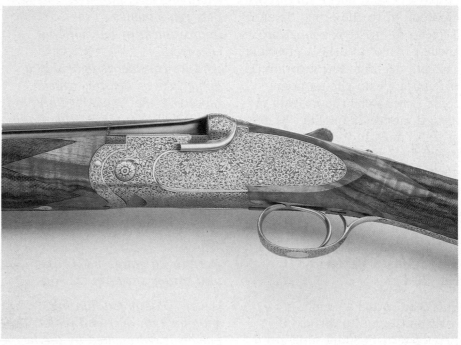

esternavano nei confronti della 451 era proprio l'accoppiamento in monobloc, che se può essere considerato un vantaggio per molti aspetti su armi industriali di prezzo medio e basso non trovava e non trova tutti d'accordo l'utilizzo di questo sistema su un fucile che vuole collocarsi nel più alto artigianato. Non tanto per motivi fisici, meccanici o balistici quanto più per un discorso estetico, di tradizione e di valore intrinseco dell'arma. È infatti noto che realizzare un paio di canne demibloc oltre che più difficile è anche più costoso del monobloc. Evidentemente anche la Beretta si è sensibilizzata sotto questo aspetto ed ha deciso di uscire in occasione del rinnovamento della serie uniformandosi al più fine sistema di accoppiamento demibloc, dove tubo e metà rampone sono ottenuti dal pieno della stessa barra di acciaio e saldati con la relativa parte speculare. Ma indubbiamente si è cercato di fare un passo avanti anche sul discorso incisioni, visto che ormai da anni il livello di queste si è innalzato anche per merito delle accresciute capacità degli incisori nostrani. E ci sembra giusto che un nome come Beretta che rappresenta in tutto il mondo la qualità "Made in Italy" nel settore armiero benefici ed intenda valorizzare questi aspetti. Ecco quindi che sul modello 452EELL il cliente può scegliere il grado di incisione ed i soggetti che desidera.

system may be considered an advantage under many points of view on medium and low priced guns, this system is not considered as suitable on fine guns by very many people. And this, not for physical, mechanical or ballistic reasons, but rather for aesthetical, tradition and intrinsic gun value reasons.

In fact, we all know that the realization a set of demibloc barrels beside being more difficult, it is also more expensive than the realization of a monobloc system.

Beretta evidently became more sensitive on this aspect and decided to uniform itself on occasion of the updating of this series with the finer demibloc system, in which the tube and half lump are held together by the same solid steel bar, and are welded with the relative specular part.

They undoubtedly tried to make one step forwards as concerns engravings too, since the engraving level improved in the past years thanks to the improvement of our national engravers.

And we consider it right that a name such as Beretta, which represents the "made in Italy" quality all over the World, wants to enhance and improve these aspects.

Therefore on the 452EELL, purchasers may choose the subjects and the degree of engraving they wish.

Sovrapposto Beretta 687L cal. 20

Fucile da caccia a canne sovrapposte molto diffuso il Beretta serie S680 ha superato il

Beretta 20 gauge 687L over and under shotgun

A very widespread hunting shotgun with over and under barrels is represented by thethe

milione di esemplari prodotti. Costruito nel cal. 12 sia in versione caccia che tiro viene proposto nel cal. 20 per coloro che desiderino avere un'arma più maneggevole e leggera. Pur non rientrando nel novero delle "armi fini" credo giusto inserirlo in questo libro come esempio di arma industriale molto diffusa ma contraddistinta da personalità, affidabilità e realizzata con ottimi materiali.

Parlare del sovrapposto Beretta sere S680 è un po' come parlare del fucile italiano per autonomasia. Introdotta ormai più di una decina di anni questa serie ha sostituito l'altrettanto diffusa serie "S" con i valori modelli "S55", "S56" etc. Fra i vecchi e nuovi la Beretta si è conquistata una larga fetta di mercato non solo a livello nazionale ma anche fuori dai nostri confini. Coloro che si recano a caccia come sport così come coloro che frequentano le pedane non avranno difficoltà nel vedere in mano a molto loro colleghi proprio un sovrapposto Beretta, tipo di arma che meglio identifica la Casa gardonese ancora più della doppietta giustapposta e dell'automatico pure prodotti con gli stessi standard qualitativi. I punti forti della produzione Beretta in tutte le armi che portano questo marchio e nei sovrapposti in particolare sono l'alta qualità dei materiali impiegati, la precisione delle lavorazioni meccaniche, l'affidabilità e la durata nel tempo nonché un buon livello di finitura sempre rapportata ad un prezzo di vendita competitivo. Per la verità in questi ultimi anni i listini prezzi della Beretta sono stati ritoccati piuttosto

S680 series. It sold over one million pieces. Constructed in 12 gauge for hunting and shooting, it is proposed in 20 gauge for those who want a handier and lighter gun. Even though it is not included among "fine guns", I believe it is right to include it in this book as an example of a very diffused industrial gun because it is distinguished by its personality and reliability, and it is made out of quality materials.

When we speak of the series S680 over and under shotgun, it is like speaking of the Italian shotgun par excellence.

This series, which has been introduced more than a decade ago, replaced the previous S series with the various models S55, S56, and so on.

Beretta conquered a large market share if we include old and new models. And this, not only nationally, but also internationally.

Those who practice hunting as a sport, and those who frequent shooting boards don't have any difficulty in seeing a Beretta over and under shotgun in the arms of their collegues.

This is the type of gun that best identifies the Gardonese gun maker, even more than the juxtaposed side by side shotgun and the automatic shotgun, in spite they are produced with the very same qualitative standards.

The strengths of Beretta's production in all the guns which bear this brand, and in over and under shotguns in particular, are the high quality of the materials used, the accuracy in mechanical workings, the reliability and the lasting in time, as well as a good finishing degree in relation to a competitive price. To say the

frequentemente ma comunque si può dire che i modelli base rimangono alla portata della maggior parte delle tasche e quindi si può parlare correttamente di una produzione "popolare" nel vero senso del termine. Un merito che però va in ogni caso attribuito alla Beretta è di non essere mai scesa sotto certi livelli qualitativi poiché si sa che in fatto di armi scendere sotto certe soglie può voler dire compromettere la sicurezza d'uso. Quindi anche nei modelli più economici troviamo gli stessi materiali e la stessa lavorazione di quelli più rifiniti, anche perché ormai ciò che più di tutto incide sui prezzi di vendita finali sono la mano d'opera specializzata come effettuare le incisioni elaborate, incassature dei legni manuali, aggiustaggi delle varie componenti meccaniche e così via. Ma accanto alla produzione ancora artigianale delle armi di lusso la Beretta ha ormai da tempo affiancato una produzione meccanizzata in grado di assicurare prodotti affidabili, precisi ed anche esteticamente piacevoli pur nel limite obbligato dato dalle stesse macchine.

Il modello S687L appartiene alla serie "leggera" dei sovrapposti Beretta che si aggirano come peso intorno ai 3 Kg. nel cal. 12 e a 2.7/2.8 Kg. nel cal. 20.

La parte meccanica insieme alle chiusure sono un segno distintivo ed originale dei sovrapposti Beretta da diversi decenni, cioè da quando sono stati immessi sul mercato. La bascula, realizzata in acciaio trilegato e sottoposta a trattamenti termici completi, è ridotta in profondità poiché le canne sono prive di ramponi sottostanti. Si è potuto ottenere questo adottando i cosiddetti

truth, Beretta's price-lists have been updated quite frequently over the past few years. Anyhow, we can say the basic models remain affordable for almost everyone, and therefore one can say this is a "popular production".

Beretta never went below certain quality levels, because as far as guns are concerned, everyone knows that when a gun maker gets below certain thresholds, a safe use can be compromised. Therefore, even in the most economical models, we find the very same materials and the same working of the best ones.

Also because final prices are mostly influenced by skilled workmanship costs and elaborate engraving executions, manual gun stocking, adjustment of the mechanical parts, and so on. But Beretta sides the hand made production of the de luxe guns with a mechanized production which grants reliable, accurate and aesthetically pleasing products within the limits set by machinery.

The S687L model belongs to the lightweight Beretta over and under shotgun series, and it weighs approximately 3 Kg. in the 12 gauge, and 2.7/2.8 Kg. in the 20 gauge.

The mechanical part and the locks are a distinctive and original sign of Beretta over and under shotguns since various decades — that is, since they have been introduced on the market. The action, which is made out of a triple steel alloy and which has been hardened and tempered, is deeply reduced because the barrels are not supplied with lower lumps.

Sovrapposto Beretta S687 nel cal. 20 nella custodia originale. Viene costruito pure nei calibri 12,24 e 28.

S687 Beretta 20 gauge over and under shotgun in its original case. It is also constructed in the 12, 24 and 28 gauge.

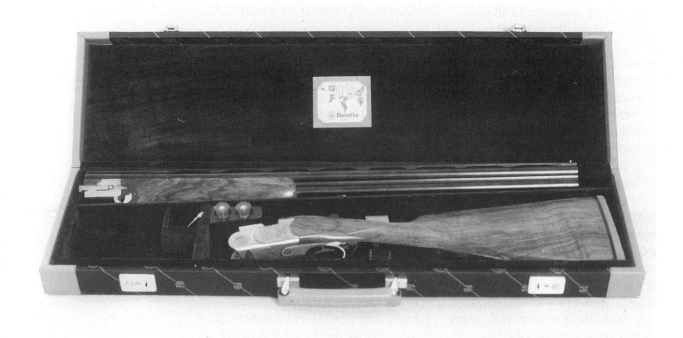

orecchioni laterali cioè due protuberanze circolari sul perno cerniera sulle quali vanno ad inserirsi le speculari cavità ricavate nel manicotto delle canne. In tal modo le stesse possono ruotare per consentire l'apertura del fucile ed una volta chiuse gli orecchioni fungono da spine di contrasto per impedire il distacco canne-bascula sul piano orizzontale. Inoltre nella parte superiore dei fianchi di bascula si sono praticate due spalle trapezoidali che in chiusura contrastano con i due tasselli positivi delle canne e che funzionano anche se in modo ridotto, come dei ramponi laterali. In alcuni modelli da tiro parte di queste spallette sono sostituibili per l'eventuale usura nel tempo. Queste spalle trapezoidali laterali distinguono in maniera inconfondibile la linea del sovrapposto Beretta. Con orecchioni e spalle laterali si ottiene una unione decisamente salda fra gruppo canne e bascula mentre per impedire l'apertura in senso radiale dell'arma è necessaria una chiusura superiore, comandata dalla chiave di apertura. Nei sovrapposti SO questa chiusura è costituita da due mensole sporgenti dal pieno delle canne sulle quali va a chiudere un traversino interno alla bascula mentre sulla serie S680 si è optato per il sistema delle sue spine tronco-coniche che si inseriscono progressivamente nei due fori rispettivi sulle canne. Queste due spine, che offrono una spinta data dal mollone della chiave sono autoregolabili nel senso che si affondano automaticamente col tempo compensando eventuale usura delle stesse. Va però ricordato che

Beretta managed to obtain this by adopting side shafts - that is, two circular protuderances on the hinge pin, on which the specular cavities of the barrel sleeves insert themselves.
In this way, they can pivot in order to allow gun opening.
Once closed, the side shafts work as contrast plugs in order to avoid an action-barrels detachment on a horizontal plain. Moreover, the upper area of the action sides is supplied with two trapezoid shoulders which contrast with the two positive plugs of the barrels when the gun is closed.
They work, even if in a reduced way, as side lumps.
In some shooting models, a part of these shoulders is replaceable in acse of wear in time.
These trapezoid side shoulders distinguish the line of the Beretta over and under shotgun.
By means of side shafts and side shoulders, it is possible to obtain a truly sound connection between the barrel set and the action while an upper lock operated by the top open lever is necessary in order to avoid the radial opening of the gun.
In SO over and under shotguns, this lock is constitued by two protuding shelves on the barrels which close on a tackle housed inside the action.
The S680 series, on the other hand, adopt conical plugs which are progressively inserted into their relative holes on the barrels.
These two plugs which offer a thrust given by the lever spring, are self-adjustable — that is, they automatically penetrate in time, compensating any possible wear. But one has to remember that this lock only has the function

questa chiusura ha il solo compito di tenere chiuse le canne e quindi non sono sottoposte a sforzi particolari ed anzi in Beretta si è provato a titolo sperimentale a sparare senza questa chiusura notando che le canne rimanevano ugualmente chiuse in virtù della conformazione ad "U" della bascula e del sistema di accoppiamento sopra descritto la tempera e la completa cementazione della bascula rendono il sovrapposto Beretta molto robusto e duraturo. Capita spesso infatti di esaminare dei vecchi serie "S" in mano a cacciatori che hanno sparato migliaia di colpi nelle diverse e avverse situazioni atmosferiche immaginabili che chiudono ancora come da nuovi e sui quali la ruggine (sempre se ben tenuti e puliti con cura) non ha fatto ancora la comparsa. Vale la pena ricordare che l'acciaio da cementazione al Ni-Cr-Mo usato dalla Beretta ha alla fine lavorazione un carico di rottura prossimo al 140 Kg./mmq e che tutti i fucili di questa Azienda sono sottoposti alla prova forzata al Banco di 1200 atmosfere. Rispetto alla precedente serie "S", questa S680 ha una bascula rinforzata lateralmente ed una diversa tiratura nella parte superiore. L'incisione di questo S687L è rullata ripresa manualmente ed eseguita con buon gusto nel rispetto delle linee dell'arma. Le incisioni vengono studiate dal caporeparto incisori della Beretta G. Timpini in collaborazione con la Bottega di Cesare Giovanelli con lo studio e la realizzazione di incisioni adeguate al prezzo dell'arma. Sul 687 le scene di caccia rappresentate sono cambiate

to keep the barrels closed, therefore it is not subjected to any particular stress.
Beretta experimentally tested shooting without this lock, and they noticed the barrels remained closed anyhow thanks to the "U" shape of the action and of the overmentioned coupling system. The temper and the total hardening of the action make the Beretta over and under shotgun very sound and lasting.
Very often does it happen that examining old S series shotguns which fired thousands of shots under different atmospherical conditions one sees that they still close perfectly well, and that rust (if well kept) hasn't yet appeared. The hardened Ni-Cr-Mo steel employed by Beretta has — at the end of its processing - a 140 Kg/sq.mm breaking point. All Beretta's guns are bench tested at 1200 atm.
Compared with the precious S series, this S680 is supplied with an action which is reinforced on its sides and which has a different upper finish.
The engraving of this S687L is printed and engraved by hand, and it is executed with good taste and respecting the gun's line.
The engravings are studied by the Engraving Department Chief of Beretta, G. Timpini in collaboration with the Bottega of cesare Giovanelli by means of a study and the realization of engravings which fit the gun's price.
The hunting scenes portrayed on the 687 changed a few times from the presentation of the first model. At present they foresee acquatics in a marshland on one side, and a partridge flight

alcune volte dalla presentazione del primo modello ed ora prevedono gli acquatici in palude su un fianco e un volo di starne sull'altro. Sul petto di bascula è stata realizzata una beccaccia in volo il tutto contornato da inglesine e motivi floreali. Sulla chiave d'apertura è stato inserito un piccione in argento. Pur non avendo l'efficacia di una incisione completamente realizzata a mano il risultato è più che soddisfacente soprattutto se paragonato a ciò che offre la concorrenza a questo prezzo. Se non altro lo studio e le proporzioni dei diversi animali è stato ben realizzato ed è nell'insieme piacevole. Per offrire una maggiore resistenza contro gli agenti atmosferici e la sudorazione della mani la Beretta adotta una cromatura particolare con risultato molto vicino alla colorazione argento vecchio. Piacevole anche la tiratura superiore della bascula, con l'accenno di due seni scavati in prossimità dei due semisferi della canna suddivisi dalla bindella. Ciò che invece avremmo preferito di dimensioni più contenute e dalla forma più slanciata sono la chiave d'apertura e la sicura, quest'ultima probabilmente mutuata di sana pianta dal cal. 12. La versione provata era dotata di monogrillo selettivo ed il funzionamento del dispositivo per la scelta della canna con cui sparare è stato alloggiato sul bottone della sicura. Una posizione comoda ed immediata, poiché basta far scorrere lateralmente l'apposita leva zigrinata per selezionare il colpo. Un indicatore formato da uno o due pallini rossi avverte su quale canna partirà il colpo. Questo sistema ha un unico handicap: se

on the other. The action bottom displays a flying woodcock, and everything is framed by English scrolls and flower patterns.
The top open lever is engraved with a silver pigeon.
Even though they are not as effective as a wholly hand engraved engraving, their result is more than satisfactory, especially if we compare it with what is offered by the competition for the same price.
The study and the proportions of animal subjects has been well-executed and it is quite pleasing.
In order to offer an improved resistance against atmospherical agents and hand prespiration, Beretta adopts a special chromium-plating which looks very much like old silver. The upper finishing of the action is also very pleasing; it is supplied with two hollowed standing breeches near the two semispheres of the barrel which are subdivided by the rib.
We would have preferred a smaller and more streamlined top open lever and safety sear.
The latter is identical to the 12 gauge one.
The tested version was supplied with a selective single trigger and the device for the selection of the shooting barrel has been housed on the safety sear push-button.
This is an immediate and handy position, because one only has to push the special checkered lever in order to select the shot.
An indicator formed by one or two red dots indicates the barrel which shall fire the shot.
This system has only one handicap: should the

Bascula vista dal fianco.
Versione monogrillo.

Action seen from the side.
Single trigger version.

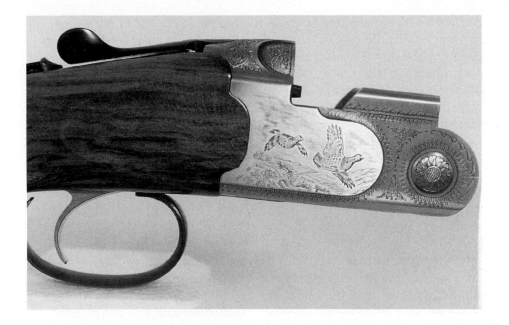

Profilo ad "U" dell'interno della
bascula.

"U" profile of the inside of the
action.

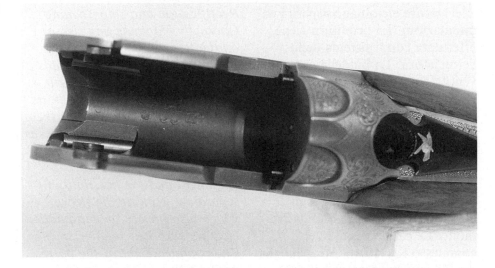

Petto di bascula. Le incisioni
sono rullate finite a mano.

Action bottom. The engravings
are rolled and hand finished.

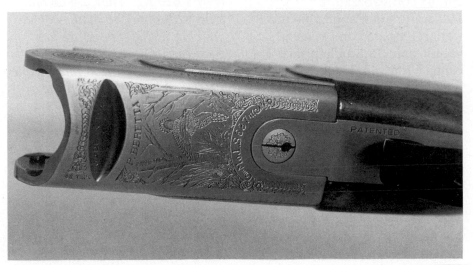

il selettore diventasse troppo duro la presa con il solo pollice diventerebbe insufficiente per una commutazione istantanea. Quindi occorre avere l'avvertenza di controllarne sempre la dolcezza di scorrimento.

Le canne sono un altro punto forte dell'arma Beretta. Realizzate con il sistema della martellatura a freddo riportano la scritta "Acciaio Excelsior", che in sostanza è la speciale trilegato al Ni-Cr-Mo internamente cromate vengono sottoposte a deidrogenazione sottovuoto per eliminare le eventuali inclusioni di idrogeno ed il conseguente rischio di fragilità. Esternamente rettifica e levigatura eleminano asperità ed ondulazioni. La brunitura viene effettuata con il sistema della verniciatura. La bindella è ventilata e superiormente zigrinata. L'accoppiamento dei due tubi avviene con il collaudato sistema monobloc della Beretta, che permette un buon allineamento dei tubi e la possibilità di lavorazione separata del manicotto che alloggia gli estrattori automatici con relative molle. Le canne pesano nel complesso Kg. 1,010. Sono lunghe cm. 68 con strozzature °°°°/°°. La foratura dell'anima interna è stata effettuata con i seguenti valori: mm. 15,8 sulla prima canna e mm. 15,7 sulla seconda. Quindi la seconda canna oltre a disporre di una strozzatura più accentuata ha anche un'anima interna leggermente più piccola con il chiaro intento di guadagnare in penetrazione ed in portata del piombo. La cameratura è ovviamente di 70 mm. Questo acciaio che la Beretta usa ormai da molti anni insieme alle perfette lavorazioni

selector become too hard, the pressure exercised by the thumb would not be enough for a quick commutation. Therefore one should always check it beforehand.

The barrels are another strength of Beretta's guns.

They are realized by means of the cold-hammering system and they bear the inscription "Excelsior steel" which, in substance, is the special alloy in Ni-Cr-Mo. They are totally chromium-plated and are subjected to vacuum dehydrogenization in order to eliminate any possible hydrogen inclusions and any consequent risk of frailness.

Rectification and smoothening externally eliminate any risk of ondulation.

Blueing is carried out by means of the varnishing system. The rib is ventilated and is checkered in its upper part. The coupling of the two tubes is carried out by means of Beretta's monobloc system, which allows a good tube alignment and the possibility of separately working the sleeve, which also houses the automatic ejectors and their relative springs. The overall weight of the barrels is of 1.010 Kg. They are 68 cm. long with oooo/oo chokes. The piercing of the inner bore has been carried out with the following values: 15.8 mm on the first barrel, 15.7 mm. on the second one. Therefore, the second barrel beside having a greater choke degree, also has a slightly smaller bore with the clear purpose of gaining in penetration and in lead range.

The chambering is, of course, of 70 mm.

This steel, which Beretta has been using since many years, together

meccaniche dei tubi consentono un giusto rapporto di elasticità e di resa balistica.

Parlando dei legni veniamo a toccare un tasto un po' dolente: una situazione a dire il vero sfortunatamente generalizzata sui prodotti industriali di prezzo medio e basso. In sostanza la qualità del noce impiegato per queste armi sarebbe piuttosto dozzinale e anche non sufficientemente curato come forme e rifiniture. Il lettore non si stupisca di queste osservazioni poiché il bel calcio all'inglese e l'astina ingentillita dalle belle venature non sono i legni originali che accompagnavano l'arma ma sono stati realizzati in un secondo tempo così come la guardia lunga e i portacinghia con magliette a sganciamento rapido. Dieci o quindici anni fa si potevano trovare degli S57L con legni molto ben venati ed anzi talvolta si provava meraviglia della fine qualità dei legni rispetto al prezzo dell'arma. Parlando con un vecchio incassatore della Beretta che lavorava nel reparto a quei tempi abbiamo avuto la conferma di questa volontà aziendale di equipaggiare gli S57 con legni extra a volte addirittura superiori a quelli destinati all'SO2.

Purtroppo da almeno un lustro a questa parte si è notato uno scadimento sui fucili di serie dell'estetica dei legni, flessione giustificata col fatto che è sempre più raro trovare legni belli a prezzi accessibili. Questo potrà anche essere vero però allora si potrebbe lasciare la possibilità all'acquirente di pagare un sovraprezzo per legni migliori rifiniti amano. Infatti "astina di serie e" di tipo anatomico e i calci sono quasi tutti a pistola con

with the perfect mechanical workings of the tubes, allows a right flexibility and ballistic ratio. As far as woods are concerned, we have to talk about an unfortunately generalized condition which touches medium and low priced industrial products. In substance, the quality of the walnut wood employed for these guns is quite cheap and not sufficiently cared for as far as shapes and finishings are concerned. The reader should not be surprised by what I'm saying since a beautiful English stock and a gentle forend with a beautiful wood grain are not the original woods which accompanied the gun, but they have been realized afterwards. This is also true for long guards and quick-release bridle-holders. Ten or fifteen years ago, one could find S57L models with very beautifully grained woods, and sometimes people were surprised by the very fine quality of the woods as compared to the gun's price.

By talking with an old Beretta gun stocker, who worked in Beretta's Department at that time, we received a confirmation concerning the Company's will to equip the S57 models with extra quality woods. These woods were sometimes superior to those destined to the S02 models.

Unluckily a lustrum ago woods started decline on mass-produced guns. This fall is justified by the fact that it is increasingly more and more difficult to find good woods at affordable prices. This may be true, but gun makers could leave the purchaser with the possibility of paying an overcharge for better hand-finished woods. In

conseguente guardia corta. Il risultato di questa piccola "customizzazione" apportata è però ben visibile e rende sicuramente migliore giustizia all'arma nel suo insieme che non in versione standard. D'altra parte una parte meccanica veramente degna di nota merita un ulteriore piccolo sforzo economico per adeguare anche la parte estetica.

In conclusione il sovrapposto Beretta S687L appartiene all'ultima generazione di sovrapposti presentati da questa prestigiosa Casa italiana che unisce un peso contenuto a lavorazioni meccaniche e materiali di prim'ordine. La bascula ha una profilatura particolarmente bassa poiché le canne sono prive di ramponi sottostanti a tutto beneficio della maneggevolezza e del peso. Infatti la bascula ha un'altezza di 55 mm. mentre il gruppo canne di 45 mm. Quindi solo un cm. di maggiorazione rispetto alla naturale altezza delle canne sovrapposte. Le batterie sono interne alloggiate sopra al grilletto con cani azionati da molle a lamina. Scatti e percussioni sono nella norma. Le canne sono scrupolosamente realizzate sia come lavorazioni interne che esterne e sono ad alto rendimento balistico. Dato la lunghezza delle canne e il tipo di strozzatura è un'arma adatta alla caccia in collina con cane da ferma oppure in caccia vagante alla migratoria. Ben realizzate le incisioni pur se eseguite a rullo, grilletto dorato di tipo selettivo. La selezione è di tipo meccanico (non a rinculo) a mezzo di cursore inserito nel bottone della sicura. Le lavorazioni meccaniche sono irreprensibili e molto ben eseguite

fact the forends are of an anatomical "e series", and the stocks are almost all of the pistol-type, and consequently, guards are short.

The result of this small "customization" is well-visible and it improves the overall gun look as compared to the standard version.

On the other hand, a very well-executed mechanical part deserves a financial effort in order to enhance the aesthetical side.

In conclusion, the S687L Beretta over and under shotgun belongs to the latest over and under shotgun generation introduced by this Italian gun maker.

This gun combines a limited weight and first-class mechanical executions. The action has a particularly low profile, because the barrels are not supplied with lower lumps to the benefit of the gun's handiness and weight.

In fact, the action is 50 mm. high while the barrel set is 45 mm. high.

Therefore, there is only one centimeter more as compared to the natural height of over and under barrels.

The locks are housed over the trigger, and the cocks are operated by V-springs. Trigger pulls and strikes are normal.

The barrels are accurately executed both internally and externally, and they have a high ballistic performance.

Given the kind of barrels and chokes it is supplied with, it is suitable as a hillside hunting shotgun or a general shot shotgun for migratory game. The engravings are well-executed even though they are roller-made. The selective trigger is gold plated.

Profilo del manicotto delle canne.

Profile of the barrel sleeve.

Culatta delle canne. Visibili le sedi per le chiusure delle spine tronco-coniche.

Barrel breech. The housings for the conical plugs are visible.

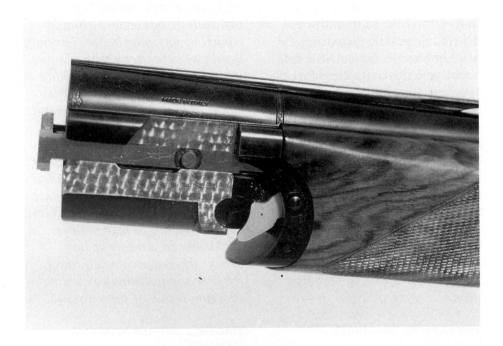

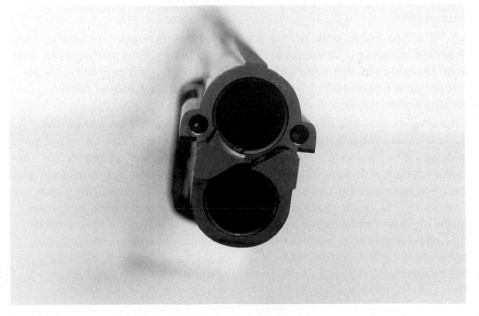

493

e da questo punto di vista la Beretta conferma di meritarsi appieno la fama che si è creata con i sovrapposti e che gli ha permesso di realizzarne oltre un milione di esemplari.

Al prezzo di poco meno di un milione e ottocentomila lire crediamo che il cacciatore possa ufficialmente acquistare qualcosa di meglio. L'unico aspetto che crediamo possa essere migliorato è quello estetico della qualità (inteso in senso di quantità e distribuzione delle venature) del noce impiegato per calcio e asta anche se è doveroso ricordare che esistono pure i modelli più rifiniti S687EL ed EELL con legni migliori e finte cartelle laterali.

In sostanza un successo senza dubbio meritato e che soprattutto a lato pratico ha dimostrato di avere doti balistiche di tutto rispetto.

E non crediamo che sia un risultato da poco poiché la prima dote di un fucile da caccia è sicuramente quella di sparare bene.

The selection is of a mechanical type (no recoil) and it works by means of a slider which is inserted in the safe button. Mechanical executions are excellent, and under this point of view Beretta really deserves the fame it obtained with over and under shotguns which allowed the Company to produce more than one million pieces of them. For a price which is slightly lower than one million eighthundred thousand Lire, we officially do not believe a hunter could buy anything better. The only aspect we believe could be improved is an aesthetical quality aspect referred to the wood grain employed for the stock and forend. But, as I mentioned before, more exquisite models are indeed produced by Beretta – the S687EL and EELL - with better woods and false side plates. In substance, this is an undoubtedly deserved success, which evidenced a high ballistic performance. And we do not believe this is a poor result, since the first requirement in a hunting shotgun, is that of shooting well.

VINCENZO BERNARDELLI
Via Matteotti, 127
25063 Gardone Val Trompia (BS)
tel.030/837851

La Vincenzo Bernardelli rientra fra le grosse Aziende costruttrici di armi sportive che opera da oltre due secoli a Gardone Val Trompia. Realizza praticamente tutti i tipi di armi, dalle corte alle lunghe, dalle doppiette ai combinati agli express. Il nome Bernardelli è però quasi sinonimo di doppietta a canne affiancate, sia a cani interni che esterni. Di queste propone molti modelli dai prezzi accessibili, diffusi ed apprezzati per la loro robustezza dai cacciatori. Ma da moltissimi anni realizza anche armi fini, con batterie tipo Holland &

VINCENZO BERNARDELLI
Via Matteotti, 127
25063 Gardone Val Trompia (BS)
tel. 030/837851

Vincenzo Bernardelli is one of the big sporting guns gun makers, and it has been operating in Gardone Val Trompia for over two centuries.
They practically realize all the types of guns, from the short guns to the long guns, from the side by side shotguns to the combined and express shotguns. But the name Bernardelli is almost a synonym of side by side shotguns both of the external and of the internal cock type. They offer a wide range of this type of shotgun at affordable prices. They are

Holland in diversi gradi di finitura.

La serie più popolare delle doppiette Bernardelli è sicuramente la serie "Roma", armi con batterie Anson & Deeley ma con finte piastrine laterali con perni riportati. La Roma 6 si colloca al vertice della gamma e come aspetto la si può confondere tranquillamente con una vera Holland & Holland pur mantenendo un prezzo dell'Anson. Le canne sono sempre di ottima fattura e ramponate, rifiniture superiori alla media considerando i prezzi di vendita. Come novità è stato da poco introdotto il mod. Hemingway, in omaggio al noto scrittore con canne corte e leggere per caccia alla beccaccia o col cane da ferma. Pesa 2,800. Kg circa. La serie Anson senza finte piastrine è la Sant'Uberto, in diversi gradi di finiture ed ugualmente robuste. Il mod. "Las Palomas" viene realizzato specificatamente per il tiro al piccione ed anch'essa ha batterie tipo Anson con piastre riportate.

Fra i modelli a cani esterni occorre segnalare le gloriose "Brescia" ed "Italia", quest'ultima offerta anche in finitura extra per i più esigenti. Vengono costruite nei cal. 12, 16 e 20 con chiusura doppia Purdey integrata da una triplice Greener o Purdey. La Bernardelli è rimasta la sola grande industria a costituire tutt'ora le doppiette a cani esterni. Il modello con batterie laterali viene costruito liscio, con semplici bordini di contorno, inciso, oppure Lusso con rimessi in oro. Le batterie sono a doppia stanghetta di sicurezza tipo H/H, chiusura Purdey a triplice giro di compasso, legni scelti in funzione del prezzo, bindella concava

diffused and appreciated by hunters for their soundness. But they also realize fine guns since many years. They are provided with Holland & Holland locks in different finishing degrees. The most popular series among Bernardelli side by side shotguns is the "Roma" series. These are Anson & Deeley system equipped guns. They are supplied with false side plates and shifted shafts. The Rome 6 model is at the top of the list, and it may easily be confused with an original Holland & Holland shotgun, even though it has an Anson price. Its barrels are very well-executed and they are lump-fitted. The finishings are superior to average, considering the price at which they are offered. They recently introduced the new Hemingway model as a tribute to the famous writer. It is supplied with short and light barrels and it is suitable for woodcock hunting or for hunting with a pointer. Its weight is of approximately 2.800 Kg. The Anson series without false side plates is called "Sant'Uberto" and it is realized in various finishing degrees. They are sound guns. The "Las Palomas" model is specifically realized for pigeon shooting and this gun too is supplied with Anson locks and false side plates.

Among the external cock models, the glorious Brescia and Italia models deserve to be mentioned. Italia models are supplied with extra finishings for the most demanding. They are constructed in 12,16, and 20 gauge with a Purdey double-bolt integrated by a Purdey or Greener cross bolt. Bernardelli remained the only big industry which still constructs external cock side by side

Doppietta Vincenzo Bernardelli tipo Holland & Holland uersione extra lusso.

A Vincenzo Bernardelli Holland & Holland type side by side shotgun in its "extra de luxe" version.

Doppietta Bernardelli a cani estemi modello "Italia".

A Bernardelli external cock side by side shotgun - "Italia" model.

Un acciarino montato dalla Bernardelli sulle proprie doppiette fini.

A lock mounted by Bernardelli on its fine side by side shotguns.

Incisione di Cremini su
doppietta Bemardelli con
batterie tipo Holland & Holland.

Engraving by Cremini on a
Bernardelli side by side shotgun
with Holland & Holland locks.

finemente arabescata. Forature e lunghezza delle canne a richiesta del cliente, così come le incisioni dei modelli Lusso e Serie Oro. Anche queste sono armi robuste e ben realizzate che continuano a dare alla Bernardelli una immagine di leadership fra le Industrie costruttrici di doppiette.

Bernardelli Slug Lusso

Per coloro che esercitano la caccia al cinghiale con la palla asciutta sparata da un'arma ad anima liscia la soluzione migliore è rappresentata da un fucile appositamente realizzato per questo impiego.
La Bernardelli propone una doppietta giustapposta dotata di mire metalliche realizzata intorno ad una meccanica tipo Anson & Deeley ma dotata di finte piastre laterali.
La si può impiegare pure con munizione spezzata per la caccia nel bosco a beccacce.
La Bernardelli ha una lunga tradizione nella costruzione di doppiette da caccia e da tiro a canne affiancate.
Molti cacciatori hanno nella loro rastrelliera una doppietta della serie Roma, oppure S. Uberto o magari con cani esterni Italia o Brescia. Questa diffusione è dovuta al buon rapporto prezzo/qualità che contraddistingue la produzione Bernardelli unitamente ad una robustezza proverbiale per uso venatorio.
Il modello più richiesto sembra essere la Roma 6, in pratica una doppietta con batterie alloggiate nella bascula sul sistema Anson ma completata per fini estetici di finte cartelle laterali per impreziosirla e farla assomigliare ad una Holland & Holland.

shotguns. The model with side locks is constructed plain with simple outline border engravings or in the "Lusso" version with gold-inlaid subjects. The gun's locks are supplied with a double safety sear, similarly to the H&H system. The gun is also equipped with a Purdey triple compass turn lock, and selected woods are employed depending on the gun price. Its rib is grooved and finely arabesqued. Barrel bore and length depend upon the purchaser's request, as well as the engravings in the "Lusso" and "Serie Oro" series. These too, are sound and well-executed guns, which continue to give Bernardelli a leading image among the side by side gun makers.

Bernardelli Slug Lusso

For those who practice slug-cartridge boar hunting and shoot with a smooth-bore shotgun, the best solution is an especially made shotgun for this purpose. Bernardelli proposes a juxtaposed side by side shotgun supplied with metal sights and mechanisms of the Anson & Deeley type, but with false side plates. It may also be used with shot cartridges for woodcock hunting in the woods. Bernardelli has a long-lasting tradition in the construction of side by side hunting and shooting shotguns. Many hunters have a "Roma" or "S. Uberto" series shotgun in their gun stand. or maybe even an external cock "Italia" or "Brescia" shotgun. This diffusion is due to the good quality/price ratio that distinguishes Bernardelli's production, together with an excellent soundness for hunting use. The most requested model

È quindi comprensibile che su un modello analogo alla Casa gardonese proponesse anche una versione slug, cioè con canne accorciate, tacca di mira e mirino e taratura per il tiro a palla asciutta. Le finte piastrine dispongono dei perni passanti come se all'interno alloggiasse veramente un acciarino laterale ma poi, vedendola dall'alto, ci si accorge subito che il legno del calcio non va a finire contro il seno di bascula e che la chiave è arretrata come solitamente si trova nei modelli Anson. L'arma però va vista in un'ottica prettamente funzionale e non come oggetto da collezione e quindi, tralascierò valutazioni estetiche che in questo caso sarebbero fuori luogo. La destinazione principale per la caccia al cinghiale viene sottolineata dai soggetti usati per le incisioni che ritraggono scene di caccia al verro selvatico contornate da inglesine. L'incisione è rullata, rifinita manualmente. L'impugnatura del calcio è a pistola, con appoggiaguancia laterale e calciolo di gomma ventilato per rendere più confortevole il tiro a palla.

Le palle slug possono essere sparate anche dai normali fucili da caccia però le prestazioni migliori si ottengono con canne cilindriche, con mire metalliche più adatte ad un puntamento accurato e con un'arma in definitiva studiata appositamente per questo scopo. In un fucile normale poi occorre effettuare dalle prove di tiro per vedere dove le palle vadano a finire e spesso ci si accorge che il punto di impatto è talmente distante dal punto mirato da rendere in pratica vano

seems to be "Roma 6" which is, in practice, a side by side shotgun with action-housed locks like the Anson system, but completed with false side plates for aesthetical purposes in order to enhance it and mke it look like a Holland & Holland shotgun. The Gardonese gun maker also proposed an analogue slug version of this model with shorter barrels, sight slot, sight, and gauge suitable for slug cartridge shooting. The false side plates are supplied with through-shafts as if a side lock truly were housed in its inside part. But looking at it from the top, one notices right away that the stock wood does not end agaist the action standing breech, and that the top open lever is behind, as it usually is in Anson models. But he gun has to be considered under a functional point of view, and not as a collection object and therefore I shall jump aesthetical evaluations which, in this case, would be out of place. The main destination for boar hunting is underlined by the engraving subjects which portray wild boar hunting scenes which are framed by an English scroll pattern. The engraving is rolled, and it is hand finished. The grip of the stock is of the pistol type with a side cheekrest and a ventilated rubber recoil pad, in order to make slug cartridge shooting more comfortable. Slug cartridges may also be fired by other hunting shotguns, but best performance is obtained with cylindrical barrels and with metal sights which are more suitable for an accurate aiming, and with a gun which has definitely been constructed for this purpose. In a normal shotgun it is necessary to carry out shooting tests in order to see where the bullets end up, and very often does

un uso sul terreno di caccia a meno di non sparare a distanze molto ravvicinate e cioè entro i 20 mt.

Invece con un'arma slug come questa, una volta tarata con la munizione più appropriata si possono tentare tiri a distanze maggiori, anche se oltre i 50 mt. le probabilità di successo diventano scarse. Questo modello dispone di doppia tacca di mira (una fissa ed una foglietta abbattibile) in modo da tarare il tiro su due distanze diverse, come ad esempio 25 mt. e 50 mt. oppure 50 mt. e 75 mt.

La bascula è lateralmente rinforzata in modo da offrire una maggiore resistenza contro le pressioni gagliarde generate da alcune cariche slug. Inoltre questo rinforzo è sempre utile trattandosi di un Anson, dove la bascula è internamente scavata per alloggiarvi le batterie. La scelta è caduta sulla triplice Purdey anche se in questo caso si tratta di una finta Purdey poiché la slitta che va a chiudere sulla mensola delle canne ha un movimento trasversale e non di indietro-avanti come nelle vere Purdey. Comunque il suo servizio viene ugualmente svolto.

I piani di bascula sono lunghi mm. 53 con larghezza al traversino di mm. 45. Quindi dimensioni piuttosto abbondanti che ci trovano perfettamente d'accordo. I piani di bascula, come quelli delle canne, sono finiti a bastoncino.

Il petto di bascula è finito con due filetti laterali ed è visibile nella parte anteriore il primo rampone parzialmente passante. Le cartelle sono fissate da un'unica vite. La finitura è ad argento vecchio. Lavorazioni

one realize that the impact point so is far away from the aimed point that the gun is practically useless on hunting grounds unless the gun is fired at close range distances (within 20 metres). On the contrary, with a slug gun such as this one, once it is gauged with the most suitable munition, one can attempt longer range shots, even though success probabilities start getting rarer beyond 50 metres. This model is equipped with a double sight slot (one is fixed, the other is a pull-down leaf) so as to adjust the shot on two different distances, as for example 25 metres and 50 metres or 50 metres and 75 metres.

The action is reinforced on its sides so as to offer a better resistance against the high pressures generated by some slug loads. Besides, this reinforcement is always useful, since it is an Anson, in which the action is hollowed internally in order to house the locks. The choice has fallen on a Purdey cross-bolt, even though, in this case it is a false Purdey, because the slide which closes on the barrels shelf has a transversal movement and not an up and down one as in true Purdeys. Anyhow, it carries out its function. The action flats are 53 mm. long with a tackle length of 45 mm. These are quite abundant sizes which which we surely agree.

The action flats, like those of the barrels are finished with small circles.

The action bottom is finished with two side lines and the first partially through lump is visible in the front part. The side plates are secured by means of one single screw. The finishing is of the old silver type.

La doppietta Bernardelli Slug
Lusso viene ricavata sulla
bascula del popolare modello
Roma 6.

*The Bernardelli slug Lusso side
by side shotgun has the same
action as the popular "Roma 6"
model.*

esterne ed incassatura sono ben eseguite e più che dignitose per il prezzo dell'arma. Lo stesso vale per l'incisione anche se è poco ombreggiata. Avendo il calcio a pistola la guardia è di tipo corto mentre la forma della chiave di apertura è ben studiata e si armonizza con l'insieme.

Le canne sono il punto di forza di questa doppietta slug perché son ben realizzate e ben tirate sia internamente che esternamente. Larghe cm. 60 hanno una brunitura lucida che le rende lisce al tatto, piacevoli da vedere e protette adeguatamente contro gli agenti atmosferici. I tubi sono integrali (e non monobloc come troppo spesso capita di vedere in fucili di questo prezzo) con ramponi inseriti centralmente. Le forature interne hanno valori di 18,3 e 18,4 mm.

Il peso è di Kg. 1,290. Spesso in armi economiche tacca di mira e mirino sono aggiunti successivamente su una normale bindella che copre la lunghezza delle canne mentre in questo caso la Bernardelli ha operato nella maniera più corretta. Cioè dopo la tacca di mira la bindella diventa concava e si inserisce fra i due tubi per riprendersi con una rampa in volata sulla quale è posto il mirino. Con questo sistema si risparmia sul peso complessivo delle canne e si rende un lavoro visibilmente più piacevole, facendo assomigliare il risultato a quello di una doppietta express.

Gli estrattori scorrono all'interno della terza chiusura a mensola e tutte le lavorazioni meccaniche sono ben eseguite. Le canne poi sono tarate per il tiro a palla con convergenza dei due colpi a 50 mt. Questo è fondamentale per un

Gun stocking and external finishings are well executed for the gun's price.
The same is true for the engraving, even though it is not very shaded. Since it is supplied with a pistol stock the guard is of the short type, while the shape of the top open lever is well-conceived and beautifully harmonizes with the gun.
The barrels are the strength of this slug side by side shotgun because they are well-executed and well-finished both internally and externally.
They are 60 cm. long and their blueing is glossy which renders them smooth to the touch and pleasing to look at. Besides this protects them against atmospherical agents. The tubes are integral (and not monobloc as may too often be seen in shotguns of this price) with centrally inserted lumps. The bores have values of: 18.3 and 18.4 mm. Their weight is of 1.290 Kg. In economical guns the sight slot and the sight are very often added subsequently on a normal rib which covers the length of the barrels. In this case, Bernardelli operated in the most correct way. Beyond the sight slot, the rib becomes grooved, and is inserted between the two tubes and comes out with a ramp on the muzzle, on which the sight is positioned. In this way, there is a saving in the overall barrel weight and the work is visibly more pleasant since the result is very similar to that of an express shotgun. The ejectors run inside the third shelf lock, and all the mechanisms are well-executed. The barrels are adjusted for slug cartridge shots, with a convergency of the two

I piani di bascula, piuttosto lunghi presentano la finitura a "bastoncino".

The action flats, which are rather long are finished with small circles.

Visibile il tassello scorrevole per la terza chiusura e il disegno rotondeggiante dei seni profili esterni dei seni.

The sliding tackle for the cross-bolt and the round profile of the standing breeches are visible.

Culatta delle canne. Gli estrattori sono automatici.

Barrel breech. The ejectors are automatic.

buon impiego balistico pratico ed
è il vantaggio più consistente
rispetto all'uso di una doppietta
giustapposta nata per il solo tiro a
pallini. Da notare anche la
robustezza delle mire metalliche
che sono adeguatamente
dimensionate e non temono
piccoli urti accidentali.

Sarebbe preferibile in mirino di
diversa conformazione o almeno
più stretto poiché con quello in
dotazione diventa problematico
individuare un punto preciso del
bersaglio in quanto troppo spesso.

Va però detto che con simili armi
il tiro viene quasi sempre fatto
con selvatico in movimento e
quindi è più importante
l'acquisizione rapida del mirino
che non la precisazione di
puntamento.

Il calcio è in noce di buona
qualità e l'asta è a coda di
castoro.

La zigrinatura è ben eseguita
anche se lo zigrino è un po'
spento.

Però questo si intona con l'uso
rustico dell'arma, dove ciò che
importa è una salda resa e un
confortevole tiro di imbraccio.

La lucidatura dei legni è
semiopaca e gli accoppiamenti
legno-metallo sono curati.

Forse il calciolo in gomma stile
inglese, cioè di colorazione rossa e
di tipo pieno, avrebbe donato
maggiormente all'estetica ma
questo è un particolare facilmente
sostituibile da parte
dell'acquirente. Nel calcio e sulle
canne sono presenti le magliette
portacinghia.

Il pregio maggiore di questa
doppietta Bernardelli slug è che
non è un veloce adattamento di
una comune doppietta a pallini
munita di tacca di mira e mirino
ma un'arma appositamente

shots at 50 mt. This is of
fundamental importance for a
good ballistic practical use and it
is the greatest advantage as
compared with a juxtaposed side
by side shotgun, which was
conceived only for cartridge
shots.

The soundness of the metal sights
is also remarkable.

They are adequately sized, and
they do not fear light accidental
impacts.

A differently conformed or at
least narrower sight would be
better, because with the one
supplied it is difficult to
individualize a precise point of
the target since it is too thick.

But with such guns, fire is almost
always shot on moving targets.

Therefore a quick acquisition of
the sight is more important than
aiming precision.

The stock is made out of fine
quality walnut wood, and the
forend is beaver-tailed.

The checkering is well-executed
even though it is a bit
dull.

But this fits in well with the
countryside use of the gun, in
which what is important is a
sound performance and a
comfortable raising shot.

The wood polishing is
semi-opaque, and the wood-metal
couplings are accurate.

Maybe a rubber English-style
recoil pad would have enhanced
the gun better but this is an easily
replaceable detail.

The barrels and the stock are
supplied with bridle-holder
hooks.

The best feature of this
Bernardelli slug side by side
shotgun is that it is not a quick
adaptation of a normal cartridge
side by side shotgun supplied

studiata per il tiro a palla asciutta. Abbiamo quindi una bascula rinforzata, un calcio con appoggiaguancia e canne dotate di bindella a profilo variabile con robuste mire metalliche e tacca di mira con foglietta abbattibile per la taratura a due diverse distanze. L'aggiunta poi della definizione "lusso" sta ad indicare (anche se in questo caso impropriamente rispetto ad armi fini) la presenza delle finte cartelle laterali che se non altro permettono di avere incisioni più estese con scene di caccia al cinghiale. L'imbraccio è immediato anche grazie alle corte canne (cm. 60) che vengono prontamente alla mira.

Le canne sono il punto forte dell'arma poiché sono ben rifinite ma ciò che più conta è che sono tarate per il tiro a palla asciutta con convergenza a 50 mt.

L'arma poi può essere usata anche per il tiro a pallini ma considerando la lunghezza delle canne e l'assenza di strozzature può essere utile per tiri a distanze medio brevi per cacce nel bosco o col cane da ferma.

with a sight slot and a sight, but it is a gun which has been especially conceived for slug cartridge shots. We therefore have a reinforced action, a stock with a cheekrest, and barrels supplied with a varying profile rib with sound metal sights and sight slot with pull-down leaf for adjustment at different distances. The addition of the "de luxe" definition indicates (even if in this case it is quite improper as referred to fine guns) the presence of false side plates which allow wider engravings with boar hunting scenes. Gun raising is immediate, thanks to the short barrels (60 cm.) which allow a quick aiming. The barrels are the gun's strength because they are well-finished. But what is more important is that they are adjusted for slug cartridge shots with a 50 mt. convergency. The gun may also be used for normal cartridge shots, but considering the length of the barrels and the absence of chokes, it may be useful for medium-short range distances for hunting in the woods or with a pointer.

F.lli BERTUZZI
Via A. Volta
25063 Gardone V.T. (BS)
tel. 030/8912188

I F.lli Bertuzzi hanno una lunga tradizione nel settore. A partire dai primi decenni di questo secolo un loro avo fu un Maestro cannoniere, cioè un esperto costruttore di canne in damasco anche di diversa tessitura sulla stessa canna.

Di questo difficile procedimento i F.lli Bertuzzi conservano nel loro laboratorio ancora un monocanna costruito dal nonno degli attuali proprietari dove si può vedere questa particolare canna in damasco. I F.lli Bertuzzi ormai da

F.lli BERTUZZI
Via A. Volta
25063 Gardone Val Trompia (BS)
tel. 030/8912188

F.lli Bertuzzi have a very long tradition in this sector.
During the first decades of the present century, a forefather of theirs was Gunner Master, that is, an expert constructor of damascus barrels, including different textures on the same barrel.
F.lli Bertuzzi still have a single barrel gun in their workshop, which was made out with this difficult procedure by their grandfather. Therefore the damascus barrel may be admired

505

diversi anni hanno scelto la specializzazione delle armi fini, avendo una certa versatilità sia nei modelli proposti sia nelle finiture offerte.

Hanno realizzato numerose doppiette Anson, anche se attualmente la produzione verte quasi esclusivamente su modelli Holland & Holland. Producono un sovrapposto a cani esterni, una vera rarità che mette in luce le loro capacità di armaioli, e sovrapposti tipo Boss con batterie su cartelle.

Per le doppiette realizzano sia acciarini con imperniature tipo Holland & Holland sia con imperniature tipo Boss. Gli acciarini li realizzano loro, dal pieno e volendo li possono costruire anche senza perni passanti.

Una particolarità delle loro doppiette è quella di avere le batterie arrotondate esternamente, sia per motivi estetici che di contenimento di peso. I legni possono essere scelti dal cliente, come pure le incisioni.

Le canne sono tutte Demibloc realizzate in acciaio SIAU 6. Le bascule vengono poi temperate e cementate. Tutte le armi sono realizzate manualmente curando in particolare l'imbasculatura a triplice giro di compasso e la forma e le dimensioni del calcio. Le batterie su piastre possono essere a richiesta smontabili a mano.

Tutte le armi sono provviste di estrattori automatici e costruite su specifiche del cliente. Incastonano sull'astina il loro marchio in oro racchiuso da una corona.

Le armi dei F.lli Bertuzzi sono nella maggior parte esportate e ne escono non più di qualche decina all'anno, prevalentemente

in their workshop. F.lli Bertuzzi are specialized in fine gun making since various years, and they are quite versatile as far as the offered models and the proposed finishings are concerned.

They realized various Anson side by side shotguns, even though their production is mainly focused, at present, on Holland & Holland models. They also produce an external cock over and under shotgun which is a true rarity and which highlights their skill as gun makers, as well as Boss over and under shotguns with side locks on side plates. For side by side shotguns, they realize both locks with hingings of the H&H type and of the Boss-type. The locks are produced in-house, and they also produce them without through shafts.

A characteristic of their side by side shotguns is that of having externally rounded side locks due to aesthetical and weight-saving reasons. The woods may be selected by the cutomers, and so can the engravings.

The barrels are all demibloc, and they are made out of SIAU 6 steel. The actions are hardened and tempered. All the guns are made manually. The triple compass turn action fitting and the shape and size of the stock are very accurate.

The locks on the side plates may be hand-detachable upon request. All the guns are equipped with automatic ejectors and constructed under the purchaser's specifications. They supply the forend with their golden brand inside a crown.

F.lli Bertuzzi's guns are mostly exported and they don't produce more than a few tens of pieces per year. They are mostly destined to

Doppietta tipo Holland & Holland dei F.lli Bertuzzi. Le cartelle sono leggermente arrotondate esternamente. Viene costruita in molti calibri.

Holland & Holland-type side by side shotgun by F.lli Bertuzzi. The side plates are slightly rounded externally. It is constructed in various gauges.

Raro sovrapposto a cani esterni e ramponi laterali. I cani si armano automaticamente aprendo le canne. Sovrapposto tipo Boss dei F.lli Bertuzzi Arma curata nei minimi dettagli con particolare attenzione alle incassature.

In the opposite page, in the middle: rare external cock-over and under shotgun with side lumps. The cocks are automatically armed by opening the barrels. Below: Boss-type over and under shotgun by F.lli Bertuzzi. Very well-executed gun, especially as far as details are concerned.

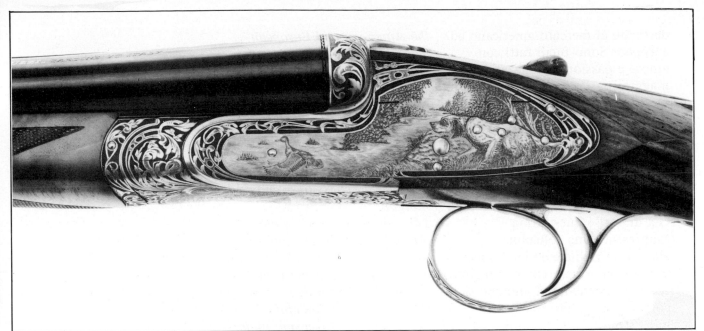

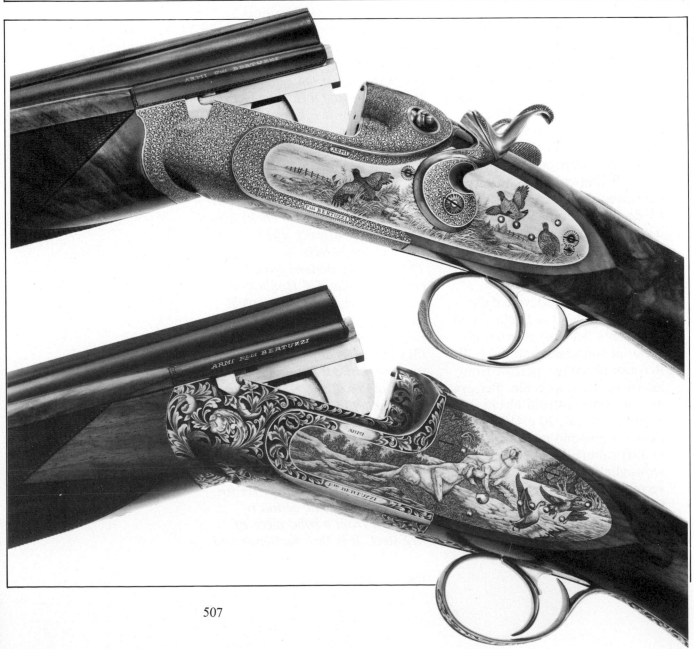

destinate al mercato americano ed europeo. Sono fucili fatti con amore e passione, realizzati per la maggior parte manualmente e con un ottimo rapporto prezzo-qualità.

Vediamo ora più in dettaglio un'arma che ben contraddistingue la produzione dei F.lli Bertuzzi (Remigio ed Elio): il sovrapposto a cani esterni.

Già di per sé quest'arma rappresenta una soluzione alquanto originale ed inconsueta, se poi si considera che ne vengono costruite poche unità all'anno si comprende quanto può essere interessante per collezionisti ed amatori di armi fini. Questo sovrapposto, della serie Zeus, ha canne demibloc, estrattori automatici di concezione originale e ramponatura tipo Boss. La particolarità della bascula è che la slitta per l'armamento delle batterie scorre in un incavo ricavato dal pieno tramite un processo di elettroerosione. Cioè il petto di bascula è pieno, privo del sottoguardia, come pure il fondo della bascula guardandola dall'alto a fucile smontato. Occorre anche dire che i due cani si armano automaticamente all'apertura delle canne.

Le batterie sono derivate dalle classiche Holland & Holland con la variante del cane esterno: gli acciarini sono realizzati dai F.lli Bertuzzi pezzo per pezzo e tirati internamente a specchio. Per ora ne sono stati costruiti alcuni esemplari in cal. 20 e 410, ma su richiesta possono essere costruiti in altri calibri. Il cal. 12 è però sconsigliabile in quanto la bascula verrebbe un po' troppo massiccia. Come per altri fucili la bascula viene realizzata dal pieno di un blocco di acciaio CR 2

the American and European markets. These guns are constructed with love and enthusiasm and are mostly produced by hand and have an excellent quality/price ratio. We shall now examine a gun which characterizes F.lli Bertuzzi's (Remigio and Elio) production: the external cocks over and under shotgun.

This gun represents a quite original and unusual solution. If we consider that only a few units of it are produced every year, we may understand how interesting it can be for amateurs and collectors. This over and under shotgun of the Zeus series is supplied with demibloc barrels, original automatic ejectors, and a Boss-type lump fitting. A special characteristic of the action is that the slide for the lock arming runs in a groove which is obtained by means of an electroerosion process. The action bottom is full, and is not supplied with the guard bottom by looking at it from the top when the shotgun is disassembled. The two cocks are armed automatically when opening the barrels.

The locks are derived from the classical Holland & Holland ones, with the variant of the external cock: the locks are realized by F.lli Bertuzzi piece by piece, and they are internally mirror-polished. Up till now only a few pieces of them have been constructed in the 20 and 410 gauges, but they can be constructed in other gauges too, upon request. The 12 gauge is not recommendable since the action would be a bit too heavy. As for other shotguns, the action is obtained from a solid piece of Cr2 steel. It is then hardened and

Acciarini per sovrapposto tirato
fuori dal pieno. Notare la
perfezione di lavorazione.

*Locks for over and under
shotguns. Note their accuracy.*

Doppietta a cani estemi dei F.lli
Bertuzzi, con canne demibloc e
incisioni a richiesta.

*External hammer side by side
shotgun by F.lli Bertuzzi with
demibloc barrels and engravings
upon request.*

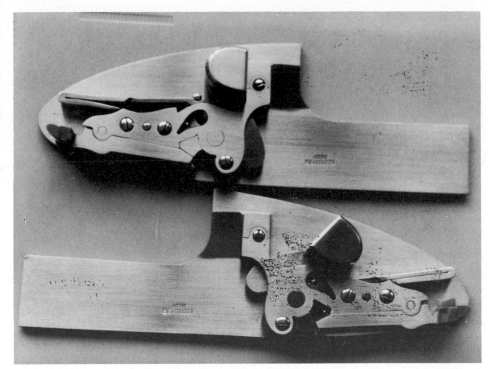

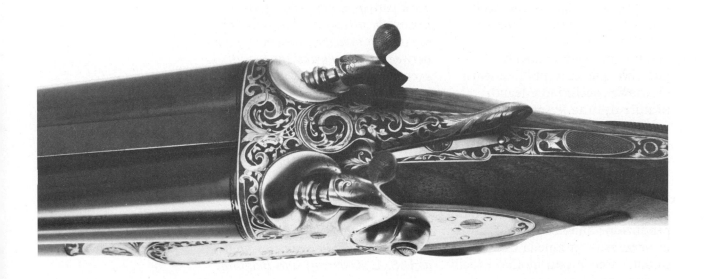

509

successivamente temprato e cementato e le canne da acciaio UM6 non cromate.

Le incisioni vengono realizzate a richiesta del cliente. I calci sono in radica di noce e l'astina in tre pezzi con stemma in oro incastonato. La zigrinatura eseguita a mano è di tipo finissimo (0,8 mm.) e i legni vengono finiti ad olio tirati manualmente con applicazioni ripetute.

Va detto che i F.lli Bertuzzi, prima di iniziare ad incassare un'arma e a ricavarne dall'abbozzo la forma del calcio, lo depongono in una particolare vasca di vetro riscaldata per portare il tasso di umidità quasi a zero: questo procedimento ha la funzione di impedire successive deformazioni e movimenti delle fibre legnose. Ogni arma viene costruita ed assemblata badando all'estrema precisione dell'insieme: accostamenti metallici quasi invisibili, assenza di aria fra acciarino e legno, tirature di tutte le superfici con estrema scrupolosità.

È comunque solo da una quindicina d'anni che i due fratelli Remigio ed Elio Bertuzzi si dedicano alla costruzione di armi di pregio arrivando ad una produzione annua di una trentina di pezzi esportata nella quasi totalità. Per questo motivo i fucili Bertuzzi sono più conosciuti ed apprezzati all'estero che in Italia, soprattutto in Paesi come l'USA, la Germania ed il Belgio.

Doppietta Zeus

Esaminiamo ora una coppia di fucili non gemelli ma simili tra loro differenziandosi nella bascula (una con acciarini tradizionali

tempered, and the UM6 steel barrels are not chromium-plated. The engravings are executed upon the customer's request. The stocks are made out of walnut root wood and the forend, which is in three pieces, has a golden stem in it. The checkering, which is hand-made, is of a very fine type (0.8 mm.) and the woods are oil-finished and manually polished with repeated applications.

F.lli Bertuzzi, before starting to stock a gun and obtain the stock shape from a wooden block, rest the wood in a special heated glass case in order to bring the dampness rate down to almost zero. This procedure has the function of avoiding any possible deformations and movements of the wood fibres. Each gun is constructed and assembled with great care as concerns overall precision: metal couplings which are almost invisible, absence of air between the locks and the wood, excellent finishings of all the surfaces.

The two brothers Remigio and Elio Bertuzzi started to construct fine guns only about fifteen years ago, reaching a yearly production of about thirty pieces, which are mostly exported. For this reason Bertuzzi shotguns are more known and appreciated abroad than in Italy, especially in countries such as U.S.A., Germany and Belgium.

Zeus side by side

We shall now examine a set of shotguns which are not twins, but which are very similar to one another. They differentiate in the action (one with traditional Anson & Deeley locks, the other with Holland & Holland type box locks) and in the engravings. This set is

Anson & Deeley e l'altra con batteria tipo Holland & Holland) e nelle incisioni. Se si vuole una coppia un po' inusuale ma che per un cacciatore rappresenta il massimo in versatilità. La doppietta Anson è leggera (Kg. 2,700) con canne demibloc e strozzature 2/10° e 8/10°, estrattori automatici e lunghezza canne di cm. 68. Quindi un'arma ottima per la collina, per cacce col cane da ferma, alla beccaccia e da usarsi con cartucce veloci e poco impiombate. L'altra, modello Venere Imperiale, di peso di Kg. 3 con valori di strozzatura leggermente più accentuati e canne lunghe cm. 69 è un fucile pulivalente ed in grado di sparare in tutta sicurezza anche cariche di gr. 36 di pallini. Quindi due armi che si completano vicendevolmente e costruite anche solo per scopi di collezione essendo curatissime esteticamente. Le canne sono demibloc per ambedue le doppiette e praticamente identiche sotto il profilo della lavorazione. I F.lli Bertuzzi acquistano i tubi grezzi già accoppiati in demibloc, dotati della necessaria convergenza per sovrapporre le due rosate a circa 30 mt. e forate con diametro di 15 mm. L'acciaio è l'ottimo UM 6 nella composizione 30 CR MO 4 bonificato a 85 Kg./mmq. Effettuano una prima saldatura in prossimità della volata nonché del tenoncino (a Castolin) e quindi effettuano una prima raddrizzatura. Vengono poi saldate le due bindelle con lega di stagno ed argento (cosiddetta saldatura a pece, non corrosiva come invece l'acido usato di solito) e quindi una nuova verifica della radrrizzatura. Si porta poi il diametro interno tramite foratura

suitable if one wants a quite unusual set of two which is very versatile in its use. The Anson side by side shotgun is lightweight (2.700 Kg) with demibloc barrels and 2/10 degrees and 8/10 degrees chokes, automatic ejectors, barrel length 68 cms. This is a gun which is suitable for the hillside, for hunting with a pointer, for woodcock hunting. It is to be used with quick and scarcely leaded cartridges. The other shotgun - "Venere Imperiale" model — weighs 3 Kg. and has slightly higher choke values.
Its barrels are 69 cm. long. It is an all-roung shotgun which is able to safely shoot up to 36 gr. cartridges. These are therefore two guns which complete each other, and which are constructed for collection purposes too, since they are exquisitely finished.
The barrels are of the demibloc type in both shotguns.
They are practically identical as far as their execution is concerned.
F.lli Bertuzzi purchase the raw tubes which are already demibloc coupled and supplied with the necessary convergency for a shot pattern overlapping at approximately a 30 mt. distance.
They have a bore of 15 mm. The steel is the excellent UM6 steel in the 30 Cr Mo 4 85 Kg./sq.mm. hardened and tempered composition. They carry out a first welding near to the muzzle and tenon (Castolin-type) and then they carry out a first straightening operation. Then the two ribs are welded by means of a silver and tin alloy, and then again another straightening verification is carried

511

alla dimensione di 18,4 mm. (altri valori a richiesta) e si tirano manualmente le superfici esterne. Quindi le canne vengono internamente lappate (non cromate) ed esternamente brunite o tramite verniciatura nera semiopaca o in bagno di sali con riflessi blu e molto lucida.

A volte capita anche di dover cromare l'interno dei tubi per specifica richiesta del cliente ed in particolare per l'uso con cartucce con pallini in acciaio (in America questa usanza è più diffusa che da noi).

Anzi a volte alcuni chiedono anche una certa distribuzione nella rosata dei pallini, come ad esempio il 60% sopra ed il 40% sotto rispetto alla metà in un ipotetico cerchio a 30 mt. In questo caso si avvalgono della consulenza dei costruttori di canne che tramite prove empiriche ed altre operazioni non precisate tentano di ottenere questi risultati.

Non è comunque questo il caso delle due doppiette in oggetto che hanno normali strozzature con coni di raccordo piuttosto dolci, brunitura nero-blu lucida bindelle concave, superiormente lisce tirate a mano. Anche le bindelle vengono ricavate dal pieno e possono avere sagome a richiesta, come a profilo rettilineo, molto incassate fra i due tubi, tipo Churchill etc.

Nella realizzazione delle bascule si parte dal forgiato grezzo con codette di bascula già incorporate. Per quanto riguarda il mod. Anson le batterie sono alloggiate all'interno della bascula con primo grilletto snodato. Essendo doppiette da caccia sono ambedue in versione bigrillo. I piani di bascula sono lunghi 50 mm. e le

out. Then the internal diameter is brought to a 18.4 mm. size by means of piercing, and the external surfaces are manually finished.

The barrels are then lapped (and not chromium-plated) internally and blued externally either by means of a black varnishing or by means of a bath in blue salts. At times they also happen to chromium-plate the inside of the tubes under a specific customer request — especially for the use of steel-pellet cartridges.

In America this use is more common than here.

At times, somebody asks for a certain distribution of the shot pattern — for instance, 60% above and 40% below with respect to a half in a hypothetical 30 mt. circle.

In this case they call upon barrel producers which, by means of empirical tests and other operations, try to obtain these results.

But this is not the case for the two overmentioned side by side shotguns, which are supplied with normal chokes and with rather mild connection cones, a black-blue blueing, grooved ribs. The ribs too, are solid and may be shaped as requested.

For the realization of the actions, they start from the forged and raw piece, with ready-incorporated action tangs. As far as the Anson model is concerned, the locks are housed inside the action with the first articulated trigger.

Since they are hunting side by side shotguns, they are both realized in the double trigger version. The action flats are 50 mm. long, and the lumps are of the triple compass

Sovrapposto a cani esterni in piccolo calibro.
Versione monogrillo.

External cock over and under shotgun in a light gauge. Single trigger version.

Petto di bascula di doppietta F.lli Bertuzzi incisa da D. Moretti su soggetti rinascimentali.

Gun maker: F.lli Bertuzzi Engraver: D. Moretti.

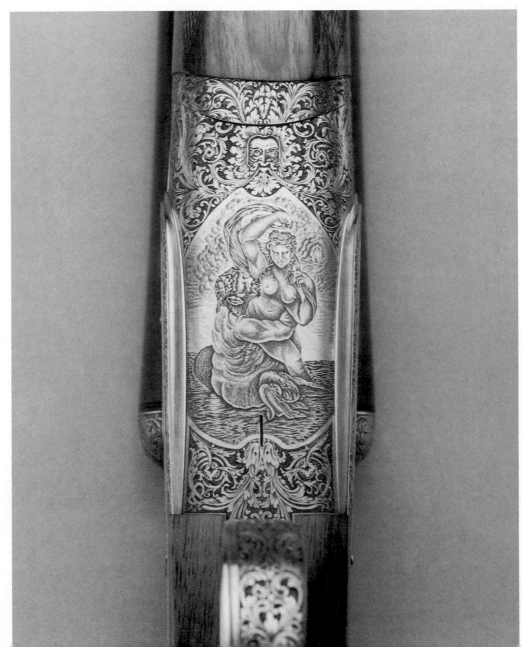

ramponature sono a tre giri di compasso effettivi con parte interna del secondo rampone che in chiusura viene in contatto col traversino di bascula. Nella versione Holland sono presenti i grani portapercussori. Le batterie su piastra montano molle provenienti dal Belgio di morbido funzionamento e potenza e velocità negli scatti.

Questi possono essere tarati molto morbidi, intorno al Kg. per la versione Holland e 1,2 Kg. per l'altra. Gli estrattori sono automatici con martelletti sulla croce.

Viene lasciato un filo d'aria del valore di un decimo di mm. nella parte terminale dell'accoppiamento fra piano della tavola e quello delle canne (argomento contrastato fra i costruttori di armi fini) in quanti i F.lli Bertuzzi sostengono che questa tolleranza è benefica nel processo di assestamento del fucile e che tenderà a sparire o diminuire col tempo. Le chiusure sono affidate alla semplice doppia Purdey ai ramponi, ma su richiesta viene realizzata anche la terza Purdey. Nella doppietta Venere gli acciarini sono smontabili a mano ed il cane è dotato di rimbalzo. Tutti i componenti sono ricavati dal pieno e tirati a specchio manualmente. Le cartelle esteriormente sono arrotondate leggermente sia per motivi estetici che di contenimento del peso. Le sicure agiscono sui grilletti. Fra il cane e la cartella viene lasciato uno spazio di circa 5/10° di mm. per lavorare in aria senza attrito. I legni dei due modelli esaminati sono sceltissimi e molto belli, come d'altra parte tutti quelli che appaiono sulle armi dei F.lli

turn type. The inner part of the second lump comes in contact with the action tackle.

In the Holland & Holland version, the striker-holder grains are present. The locks on the side plates are supplied with Belgian springs which have a soft working and are powerful and quick.

They may be very softly gauged, around 1 Kg. for the Holland & Holland version and around 1.2 Kg. for the other version. The ejectors are automatic and are supplied with hammers on the tumbler.

A tenth of a mm. is left in the terminal part of the coupling between the table flat and the barrels flat (this is a discussed argument among fine gun makers). F.lli Bertuzzi believe this tolerance is advantageous in the gun's settling process, and they also believe it shall tend to disappear in time.

The locks are constitued by a simple Purdey double-bolt on the lumps, but a Purdey-cross bolt may also be realized upon request. In the "Venere" side by side shotgun, the locks are hand-detachable and the cock is supplied with a bumper.

All the components are solid, and they are mirror-polished by hand. The side plates are exteriorly rounded both for aesthetical and weight-saving purposes. The safeties act on the triggers.

Between the cock and the side plate, a space of about 5/10 of a mm. is left in order to let it work with no friction.

The woods of both models are selected and beautiful, as all the woods that appear on F.lli Bertuzzi's guns. They are Turkish seasoned and dehumidified walnut woods.

Coppia di acciarini di doppietta Venere sistema H/H.

Locks set of a H&H system Venere side by side shotgun.

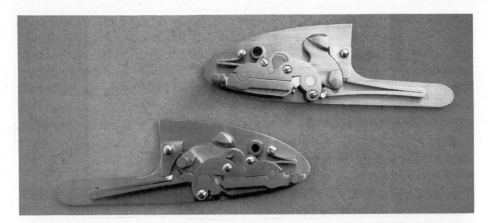

Cartella di doppietta Venere con incisione semi-scavata.

SIde plate of a Venere side by side shotgun with a semi-hollowed engraving.

Acciarini del sovrapposto a cani esterni.

Locks of the external cock over and under shotgun.

Sovrapposto miniaturizzato tipo Boss scala 3 a 1. Notare il piccolo acciarini funzionante paragonato con uno del cal. 12.

Miniature Boss-type over and under shotgun. Scale: 3:1. Note the small working lock compared to a 12 gauge lock.

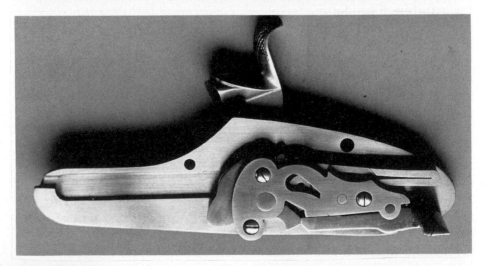

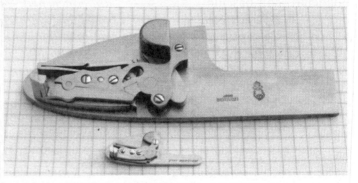

Bertuzzi. Si tratta di un noce proveniente dalla Turchia stagionato e deumidificato. Prima dell'impiego il massello da cui poi verrà ricavato il calcio viene posto per circa due settimane in una vasca di vetro riscaldata che toglie l'umidità al legno. Quando questa arriva su un valore prossimo al 5% viene tolto e lavorato. L'incassatura nella doppietta Holland viene effettuata prima del processo di incisione, ed anche la tiratura esterna della bascula. In tal modo si è sicuri di mantenere spigoli vivi ed assenza di aria fra cartella e legno. Il calcio può essere finito in diversi modi. A spirito (gomma-lacca), a cera e ad olio. Quest'ultimo è il procedimento migliore ma più lungo. Prevede una applicazione di circa 200 mani di olio apposito e tra una mano e l'altra occorare far assorbire il prodotto e carteggiare. I pori verranno alla fine tutti otturati ed il calcio avrà una lucentezza marmorea uniforme tale da far risaltare anche le venature del legno. Sulle aste viene incastonato lo stemma dei F.lli Bertuzzi, stemma in oro traforato uno ad uno e successivamente incassato. Questa coppia di doppiette dei F.lli Bertuzzi sono quanto di meglio l'apassionato possa desiderare in fatto di finezza e lavorazioni manuali. Sono fucili bilanciati, con bascule interamente cementate, canne demibloc ed un peso piuma per quanto riguarda il modello tipo Anson. Robustezza ed eleganza si sposano sottolineate da incisioni di estremo buon gusto di tipo classico. Tutte le parti costituenti le batterie sono ricavate dal pieno, tirate a mano e sottoposte a

Before use, the block from which the stock shall be obtained is kept for approximately two weeks in a heated glass box which takes the dampness away from the wood. When wood dampness reaches a value close to 5%, it is removed and worked.
The gun stocking in Holland side by side shotguns is carried out before the engraving process, as well as the external action finishing.
In this way, the edges are kept sharp and one is certain there are no spaces between the side plates and the wood. The stock may be finished in various ways: by spirit (shellac), by wax and by oil. The latter is the best procedure, but it is also the longest.
It foresees an application of approximately 200 coatings of special oil, and between one coating and the other it is necessary to let the product be absorbed and sandpapered. The pores shall be all closed in the end, and the stock shall be as glossy as marble, and this shall evidence the wood-grain.
The forends bear the F.lli Bertuzzi stem, a stem which is realized in perforated gold which is inlaid in the wood.
This set of two side by side shotguns by F.lli Bertuzzi are any collector's dream as far as fineness and manual executions are concerned. They are balanced shotguns, with entirely hardened actions, demibloc barrels and are light in weight as far as the Anson-type model is concerned. Soundness and elegance are combined and underlined by classical engravings. All the parts which constitute the locks are solid, hand finished and subjected to thermic treatments in the

trattamenti termici nei punti necessari. Il mod. Venere dispone di batterie smontabili a mano e cartelle esteriormente arrotondate.

Sovrapposto in miniatura

Una grossa novità è costituita da un simpatico sovrapposto miniaturizzato tipo BOSS realizzato di recente dai F.lli Bertuzzi di Gardone Val Trompia. L'aggettivo "simpatico" non deve però trarre in inganno perché non si tratta di un "gadget" o di uno pseudogiocattolo da pochi soldi come spesso capita di vedere in questo settore delle versioni in scala ma di un vero gioiello di arte armiera dal costo finale pari a più di un normale sovrapposto tipo BOSS in cal. 12 o 20 in esecuzione di classe.

Basti premettere che questo sovrapposto è esattamente un terzo di un cal. 12 con una lunghezza totale quindi di 38,5 cm. e che è del tutto funzionante, compresi i mini-acciarini laterali con doppia stanghetta di sicurezza. Al momento non sono stati praticati i fori per i percussori in modo da rendere l'arma inattiva e quindi di libera vendita e detenzione però volendo la si potrebbe anche far sparare, beninteso con cartucce appositamente confezionate. Di questo tipo di miniaturizzazioni abbiamo degli illustri precedenti e precisamente la blasonata Ditta inglese James Purdey & Sons si è cimentata più volte in imprese analoghe. Nel 1923 fu realizzata una coppia di doppiette in scala 1 a 6 per la regina Mary ed inserite poi nella Queen's Doll House, un angolo dedicato alle miniaturizzazioni, dai mobili ai libri. Altri tre esemplari furono

necessary points. The "Venere" model is supplied with hand-detachable locks and exteriorly rounded side plates.

Miniature Over and Under Shotgun

A big novelty is constitued by a nice Boss-type miniature over and under shotgun, which has been recently realized by F.lli Bertuzzi in Gardone Val Trompia. The adjective "nice" does not have to be misunderstood because it is not a "gadget" or an unexpensive pseudo-toy, as often is the case in these scale-version models. This is a true work of gun art which is more expensive than a normal finely executed Boss-type 12 or 20 gauge over and order shotgun. This over and under shotgun is exactly 1/3rd of a 12 gauge shotgun, with an overall length of 38.5 cm. and it is perfectly functional, including the mini-side locks and the double safety sears. At present, no striker holes have been executed, so as to render the gun unactivatable, and therefore free to be sold and kept. But it could also be possible to make it shoot with especially made cartridges.

These type of miniatures have also been realized in the past by J. Purdey & Sons. In 1923, a set of two side by side shotguns in a 2:6 scale has been executed for Queen Mary. They have later on been inserted in the Queen's Doll House, an area dedicated to miniatures - from the furniture to the books.

Other three pieces were constructed by Purdey's Production Manager of that

costruiti dall'allora direttore di produzione della Purdey, Harry Lawrence nel 1935: due furono donati al re Giorgio V e il terzo lo tenne Tom Purdey. Per completare questi tre pezzi ci vollero tre anni, un tempo addirittura superiore alla consegna della produzione standard che però può far capire come non sia uno scherzo realizzare armi così piccole. Queste miniature di Purdey erano perfettamente funzionanti ed erano consegnate con le microcartucce appositamente realizzate.

Le difficoltà principali che si incontrano in questo tipo di lavoro sono dovute al fatto che in commercio non si trova nulla che possa essere adattato all'arma ma tutto deve essere ricavato dal pieno comprese le viti, le canne, i grilletti, la guardia, le bindelle e la maggiore perizia necessaria nell'assemblaggio ed in particolare nell'incassatura dei legni.

I F.lli Bertuzzi prima di questo sovrapposto hanno realizzato una doppietta tipo Parker sempre in scala ridotta per il mercato americano ed avendo notato il grosso interesse verso questo tipo di miniatura hanno deciso di realizzare quello che è considerato il capostipite dei sovrapposti moderni, il BOSS a ramponi laterali. Il risultato è a dir poco sorprendente anche se per apprezzare in pieno questo "fuciletto" occorre vederlo dal vivo, poiché le immagini non danno il senso esatto delle proporzioni. Basterà però esaminare la foto comparativa fra un normale acciarino per un'arma cal. 12 e questo miniaturizzato, oppure la foto realizzata insieme ad un pacchetto di sigarette.

time, Harry Lawrence in 1935: two were donated to King George the Fifth, and the third one was kept by Tom Purdey. In order to complete these three pieces, it took three years, which is a time which exceeds normal standard deliveries. This may give an idea of how difficult it is to realize guns as small as these. Purdey's miniatures were perfectly functional, and they were supplied with their special micro-catridges.

The main difficulties which are met in this type of work are due to that fact that nothing which may be adapted to the gun may be found on the market, but everything has to be especially made, including the screws, the barrels, the triggers, the guard, the ribs and the greater skills necessary for gun realization, especially as far as wood stocking is concerned.

F.lli Bertuzzi realized a miniature Parker-type side by side shotgun destined to the American market before this over and under shotgun. Since they saw the interest arosen by their first Parker gun, they decidedto realize the gun which is considered as the forefather of modern over and under shotguns: the Boss side-lump over and under shotgun. The result is extraordinary, even though it is necessary to see this gun "live" in order to appreciate it because pictures do not give an exact sense of proportions. But just examine the comparison picture between a normal 12 gauge gun lock and this miniature one, or the picture realized with a packet of cigarettes.

Beside the mentioned length, the gun has an action height of 1.8 cm. and an overall weight of approximately 3 grammes. We shall now examine a few technical

Oltre alla lunghezza già citata abbiamo un'altezza di bascula di 1,8 cm ed un peso complessivo di circa 3 etti. Vediamo ora alcune caratteristiche tecniche. Le canne sono accoppiate in demibloc con i ramponcini laterali ricavati dal pieno dal metallo della canna inferiore. Il giro di compasso dei ramponi lo si è ottenuto a mezzo di una piccola piattaforma girevole realizzata appositamente. L'interno della bascula è stata lavorata con processo di elettroerosione e quindi tutte le superfici metalliche accuratamente pulite a mano. Le canne sono state saldate a stagno e forate internamente con un valore di 5,8 mm. Anche la bindella superiore è stata saldata a stagno e successivamente arabescata manualmente. La brunitura è stata effettuata con il sistema della verniciatura. La chiusura è quella classica del doppio tassello che si inserisce nelle relative mortise fra le due canne. Gli acciarini sono del tutto simili a quelli di un normale fucile da caccia con molla a lamina, cane perfettamente sagomato e doppia stanghetta. Nelle imperniature riproduce l'acciarino originale di BOSS. Poiché non si sono potute ricavare le leve di armamento all'interno della bascula i cani vengono armati dalla chiave superiore di apertura ed anche gli estrattori sono del tipo normale, cioè non automatici. È stata rispettata nella forma la tipica croce dell'arma inglese, così come nella tiratura della bascula ed in altri dettagli interni.

Un altro particolare accattivante è la presenza del monogrillo, perfettamente funzionante e del tipo meccanico non selettivo.

Date le dimensioni della miniatura

characteristics. The barrels are demibloc coupled, with solid side lumps obtained from the lower barrel.

The compass turn of the lumps has been obtained by means of a small especially realized pivoting platform.

The action interior has been finished by means of an electroerosion process. Then all the metal surfaces have been accurately hand-cleaned. The barrels have been tin welded and internally pierced with a value of 5.8 mm. The upper rib too, has been tin-welded and it has subsequently been arabesqued by hand.

The blueing has been carried out with the varnishing system. The locks are classical (double-plug) and they are inserted in the special mortises between the two barrels. The locks are very similar to those of a normal hunting shotgun, with a V-spring, a perfectly shaped cock and double safety sear.

The hinges perfectly reproduce the Boss original lock.

Since the arming levers have not been possible to obtain inside the action, the cocks are armed by means of the top open lever, and the ejectors too, are of the normal type (not automatic).

The typical tumbler shape of English guns has been respected, and so have the action finish and other inner details. Another captivating detail is the presence of the single trigger which is perfectly functional and of the non-selective type.

Given the miniature's dimensions, it is not possible to shoot by inserting the index finger on the trigger but it is necessary to use a pencil or similar

non si riesce a sparare inserendo l'indice sul grilletto ma occorre servirsi di una matita o di un oggetto simile. Le diverse viti che si vedono sia negli acciarini che esternamente alla bascula sono state fatte "su misura", compresi i piccoli tagli sulle teste e quindi di conseguenza pure il set di cacciaviti per serrarle. Anche nelle viti si è rispettata la riduzione di un terzo da quelle normalmente impiegate in un cal. 12 e quindi hanno valori di diametro compresi fra i 2 mm. e i 3 mm. Poiché lo spessore del legno dell'asta nel punto in cui questa viene fissata alla croce era veramente esiguo (solo mezzo millimetro) si è dovuto riportare una scudettino metallico che funga nel contempo anche da contrasto alla vite rendendo possibile l'unione delle due parti. L'asta è dotata di sgancio a pulsante e riporta incastonato lo stemma in oro miniaturizzato dei F.lli Bertuzzi costituito da una sofisticata corona in oro.

La bellezza dei legni e la perfezione dell'incassatura la dice lunga sull'abilità di chi ha lavorato, poiché basti pensare che per incassare i due acciarini nella parte lignea si sono dovuti costruire degli appositi scalpellini impiegando molto più tempo della stessa operazione effettuata su un normale fucile da caccia. Lo stesso dicasi per lo zigrino che per ottenere le cuspidi in proporzione ha necessitato di un piccolo utensile costruito per l'occasione. La scelta dei legni non è stata semplice perché mentre non è difficile trovare buone venature in un normale abbozzo dalle dimensioni standard è molto difficile trovarle in un pezzo di legno di questo volume.

object. The different screws which may be seen in the locks and in the action have been "tailored" for the gun, including the small slots on their heads. As a consequence, also the screwdriver set used to tighten the screws has been especially made for this purpose.

The screws too have been executed with a 1/3rd reduction as compared with the screws which are normally used on a 12 gauge shotgun. Therefore their diameter is between 2 and 3 mm. Since the thickness of the forend wood was very thin (half a millimeter) in the area where the forend is secured to the tumbler, a metal plate has been introduced so as to also work as a screw contrast, rendering the connection between the two parts possible. The forend, which is supplied with a push-button release, bears a miniature F.lli Bertuzzi stem, constitued by a sophisticated golden crown.

The beauty of the woods and the perfection of the gun stocking are telling on the skills of those who constructed it. Just think that in order to insert the two locks in the wooden part, special chisels had to be constructed and the time spent has been more than that employed for the same operation on a normal hunting shotgun.

The same is true for the checkering. In order to obtain proportional cusps, a special tool had to be made for this purpose. The choice of woods has not been simple because while it is not difficult to find beautiful wood grains in a normal standard-sized wood block, it is very difficult to find them in a block of wood of this volume.

Comunque il risultato è sicuramente soddisfacente notando il felice accoppiamento dal punto di vista delle venature fra calcio ed asta. I legni sono stati lucidati ad olio mediante applicazioni successive con il tampone come viene effettuato solitamente sulle armi fini.

Già l'arma in bianco di per sé sarebbe stata oggetto di ammirazione ma si è voluto ulteriormente completarla effettuando una incisione di valore ad ornato. La scelta dell'ornato può essere giustificata al posto della più classica inglesina poiché quest'ultima sarebbe venuta troppo piccola e quindi di scarso effetto. Al contrario l'ornato rende l'arma ugualmente elegante ed è ben visibile. È stato effettuato a bulino dal Maestro Peli mentre la realizzazione dello stemma in oro nell'asta è stata effettuata dagli stessi Bertuzzi. Certo sarebbe stato simpatico poter sparare con piccole cartucce ma questo avrebbe comportato l'obbligo della prova al Banco con relative punzonature. Però se un cliente lo richiedesse specificamente la cosa sarebbe possibile. In versione inerte invece deve essere ammirato solo come capolavoro di arte armiera anche se come già detto all'inizio il costo di una simile realizzazione è molto elevato.

Attualmente sovrapposti artigianali a ramponi laterali costruiti in Italia hanno prezzi che oscillano fra i 20 e i 50 milioni a seconda della marca e delle finiture e poiché le ore che sono state impiegate nella costruzione di questa miniaturizzazione sono state più o meno equivalenti a quelle necessarie per una produzione normale i conti sono

Anyhow, the result is surely satisfactory if we look at the wonderful matching of stock and forend from a wood-grain point of view.

The woods have been oil-polished by means of subsequent pad-coatings as occurs with fine guns.

The gun would have been an admirable object even in its plain form, but it has been further completed by a valuable ornamental pattern engraving.

The choice of the ornamental pattern may be justified — instead of the classical English scroll -in that the latter would have had to be too small, and therefore poor in effect.

On the contrary, ornamental patterns are equally elegant but more visible. The engraving has been made by means of a hand-graver by Maestro Peli, while the realization of the golden stem on the forend has been carried out by the Bertuzzi brothers.

Of course, it would have been nice to be able to shoot with small cartridges, but this would have involved a proof house test and proof marks.

But should a customer specifically require it, this could be done.

In the inert version, it has to be admired only as a work of gun making art, even though, as I mentioned before, the cost of such an execution is very high.

At present in Italy, craftsman-made over and under shotguns supplied with side lumps have prices which range from 20 to 50 million Lire depending on their brand and finishes, and since the hours that have been employed for this miniature construction are

presto fatti. Ma questo è solo per dare un'idea del valore dell'arma qui presentata, poiché per ora non ne è prevista una costruzione in piccola serie ma è solo un saggio delle capacità tecniche e manuali dei F.lli Bertuzzi. E gli amatori di questo genere di fucili non possono che rendere omaggio a tanto talento, risultato che valorizza la cultura artigiana del nostro Paese e che sicuramente verrà apprezzata anche oltreoceano (il prototipo in questione è già stato acquistato da un cliente americano). Certo si possono avere miniature più economiche, come doppiette tipo Anson e meno difficili da realizzare del sovrapposto Boss, ma in ogni caso chi intendesse ordinare un simile oggetto da collezione deve accettare il fatto che il prezzo non può essere inferiore a quello di un corrispettivo fucile vero nei consueti calibri. Volendo includere con una battuta si potrebbe invertire lo slogan che va di moda nei supermercati: paghi tre e prendi uno!

more or less equivalent to those which are necessary for a normal execution one may calculate its price right away.
But I mentioned this just to give an idea of the value of this miniature shotgun because at present no small-series production is foreseen for it, but it is only an essay of the technical and manual skills of F.lli Bertuzzi. The amateurs of this kind of shotguns shall appreciate such talent.
This result enhances the craftsmanship culture of our Country, and shall surely be appreciated abroad as well (the prototype in question has already been purchased by an American customer).
More economical miniatures are also available, such as Anson side by side shotgun miniatures. They are less difficult to realize than the Boss over and under shotgun, but in any case those who wish to order such a collection object have to accept the fact that its price cannot be lower than that of a normal shotgun in conventional gauges.

BOSIS LUCIANO
Via G. Marconi, 32
25039 Travagliato (BS)
Tel. 030/660413

Luciano Bosis è un appassionato di belle armi e ormai da diversi anni si sta impegnando nella produzione di doppiette e sovrapposti fini nel suo laboratorio di Travagliato, in provincia di Brescia. Oltre a lui altri pochi ma qualificati operai curano la realizzazione di circa una ventina di fucili all'anno suddivisi fra doppiette (Anson e Holland) e sovrapposti da caccia e da tiro. Di questa ristretta ma esclusiva produzione esamineremo ora più in dettaglio il sovrapposto a

BOSIS LUCIANO
Via G. Marconi, 32
25039 Travagliato (BS)
tel. 030/660413

Luciano Bosis is a fine gun enthusiast, and he has been working on a fine side by side and over and under shotgun production since various years now, in his Travagliato workshop, in the province of Brescia. Beside him, a few skilled workers follow the realization of about twenty shotguns per year, subdivided into side by side shotguns (Anson and Holland) and hunting and shooting over and under shotguns. Of this limited and exclusive production, we shall examine the

Officina dei F.lli Bertuzzi.   *F.lli Bertuzzi workshop.*

ramponi laterali decisamente interessante per più di un motivo. L'impostazione di base dell'arma deriva dal concetto del sovrapposto BOSS a ramponi laterali, quel sovrapposto introdotto nel 1909 da John Robertson e che è rimasto un vero e proprio capolavoro nel campo del sovrapposto e che per oltre mezzo secolo ha ispirato la produzione di molti altri costruttori europei. Quando si parla di un sovrapposto tipo Boss si parla automaticamente di un'arma estremamente fine con conseguente prezzo elevato ed in più sono pochi i costruttori armieri in grado di cimentarsi in simili produzioni, quasi sempre prevalentemente manuali ed artigianali. Ricordo che fra le grandi ditte italiane la Franchi produsse intorno agli anni '30 esemplari di derivazione Boss ma poi ben vennero sospesi per una serie di motivi non ultimo l'alto prezzo di vendita che ne limitava le richieste. In tempi più recenti molti artigiani hanno ripreso la produzione di simili armi e per rimanere in campo nazionale occorre citare Ivo Fabbri, che forse più di tutti ha sviluppato qualitativamente questo sovrapposto, poi anche Perazzi, Desenzani, Bertuzzi etc. Quindi si può dire che esiste ormai una scuola italiana, o forse sarebbe meglio dire una certa esperienza acquisita che permette la produzione di sovrapposti eccellenti sia sotto il profilo della meccanica che della durata nel tempo e, limitatamente alle armi di lusso, un'estetica dell'incisione fra le più raffinate prodotte oggi a livello mondiale. Quindi già aver accettato questa sfida rende merito a Luciano Bosis che come vedremo

over and under shotgun model with side lumps, which is decidedly interesting for more than one reason. The basic arrangement of the gun derives from the Boss over and under shotgun concept which was introduced in 1909 by John Robertson and which remained as a true masterpiece in the over and under shotgun sector.
It inspired the production of many other gun makers for over half a century. When we speak about a Boss over and under shotgun, we are automatically talking about an extremely fine gun with a consequent high price. Besides, very few are the gun makers which are able to face such type of executions, which are prevailingly manual and handycraft. I remember that among the important Italian gun makers, Franchi produced — in the '30s — some Boss derivations, but production was discontinued for a whole series of reasons of which last - but not least — its high sales price which limited its demand. In recent times various craftsmen reproposed this shotgun type. Among these we shall mention Ivo Fabbri, who probably qualitatively developed it better than the others, Perazzi, Desenzani, Bertuzzi, and so on. So we may say that there actually is an Italian school, or better, a certain acquired experience which allows a production of excellent over and under shotguns under a mechanical point of view. They also have a lasting duration in time and, as far as fine guns are concerned, they are supplied with exquisite engravings which are reknown all over the World. Luciano Bosis managed to construct a beautifully executed shotgun, as we shall see later on.

è riuscito a costruire un fucile davanti al quale i migliori elogi sono tutt'altro che sprecati. Sull'importanza delle canne soprattutto per un'arma destinata al tiro non ci sono ormai più dubbi ed è logico che si cerchi di porre la massima cura sia nella scelta di materiali sia nell'accuratezza di lavorazione dei tubi. Sulla scelta dei materiali ci sono diverse tendenze: c'è chi afferma che acciai troppo duri tipo Boehler pur avendo una buona durata allo sfibramento accentui il rinculo dell'arma e non dia il massimo in fatto di regolarità di rosate, oltre che presentare più problemi per la lavorazione; si darebbe in questo caso la preferenza ad acciai più elastici. Bosis ha scelto l'UM 6 bonificato che presente buone doti di elasticità e durata. I tubi internamente vengono cromati (solo sulla versione del tiro) per porre una ulteriore barriera ai processi di erosione/corrosione considerando il lavoro gravoso che deve sopportare l'arma da tiro. L'accompagnamento dei tubi viene fatto con processo dimibloc e le lavorazioni di ramponatura, chiusure, estrattori etc. nella culatta vengono fatte dal pieno. Naturalmente le caratteristiche delle canne come le misure del fucile possono essere fatte su richiesta specifica del cliente. La foratura interna viene effettuata a 18,4 mm. con raccordi piuttosto lunghi per le strozzature. Le canne e le bindelle sono saldate a stagno e la brunitura non viene effettuata con il sistema della verniciatura ma in bagno di sali. Solitamente questo procedimento è sconsigliato con canne saldate a stagno però questo bagno viene effettuato ad una temperatura di 150°/170 °C mentre il punto di fusione dello

The importance of barrels, especially in shooting shotguns is undoubtful, and maximum care is obviously given to the materials selection and to the accuracy of execution of the tubes.
There are different trends as far as materials selection is concerned: some state that a too hard a steel such as the Boehler type increases gun recoil and does not give best results as far as shot pattern regularity is concerned, beside presenting further working problems.
Therefore steels which are more flexible would be preferrable.
Bosis chose the UM6 hardened and tempered steel which presents good flexibility and duration characteristics.
The tubes are internally chromium-plated (only in the shooting version) in order to place a further barrier against the erosion/corrosion processes, considering the heavy duty a shooting gun is subjected to.
The tube siding is carried out by means of a demibloc process, and the lump fitting, lock-fitting, ejector-fitting etc.
operations are carried out in the barrel breech.
The barrel characteristics, as well as the gun dimensioning may obviously be executed under the purchaser's specific request.
The internal piercing of the barrels is carried out at 18.4 mm. with rather long connections for the chokes.
The barrels and the ribs are tin-welded, and blueing is not carried out with the varnishing system, but in a salts bath. This procedure is usually not recommendable with tin-welded barrels, but this bath is carried out at a temperature of 150/170

stagno è quasi doppio. Bosis preferisce questo procedimento perché sostiene che la tradizionale verniciatura è meno resistente e più corrosiva. Naturalmente la finitura esterna delle canne viene fatta manualmente mentre la foratura interna e procedimenti successivi fino alla finale rettifica vengono eseguita con macchine utensili. I tubi vengono acquistati grezzi già accoppiati e con un primo abbozzo di foratura, in quanto sono pochissimi i costruttori che si realizzano in casa le canne completamente. La bindella è piana, ventilata e zigrinata antiriflesso con mirino in plastica rossa.

Sulle canne è stato saldato un profilo su entrambi i lati per non avere aria quando si monta l'astina.

Quest'ultima ha uno sganciamento a pompa ed ha l'impugnatura finemente zigrinata a mano (come quella del calcio) a passo finissimo.

La bascula viene ricavata dal pieno da un massello di acciaio CR2 sottoposta a bonifica. Le due spalle laterali di contrasto ai ramponi delle canne vengono ricavate tramite elettroerosione mentre i due semiperni laterali di bascula sono innestati e sostituibili. Tutte le parti metalliche, sia esterne che interne vengono tirate a mano con finitura praticamente a specchio. La chiusura dell'arma è affidata a due tasselli (in realtà è un unico tassello che si sdoppia) centrali che si inseriscono sui due relativi incavi all'altezza della fine della canna inferiore. Le due spalle laterali contrastano efficacemente la tendenza all'allontanamento del gruppo canne della bascula al momento dello sparo. La linea

degrees Centigrade, while the tin melting point is twice as much.

Bosis prefers this procedure in that he believes that traditional varnishing is less resistant and more subject to corrosion.

The external finishing of the barrels is obviously executed by hand, while the inner piercing and subsequent procedures up to the final rectification, are carried out by means of tool machines.

The tubes are purchased raw and ready-coupled, with a first piercing draft, since fery few are the gun makers which realize the barrels completely in-house.

The rib is flat, ventilated and grooved, reflex-proof and with a red plastic sight.

The barrels have been welded a profile on both sides in order not to have any game when the forend is mounted.

The latter has a pump release device hand has a grip which is finely checkered by hand (as the checkering on the stock).

The action is solid, and it is obtained from a Cr2 steel block which has been tempered and hardened.

The two side shoulders which contrast the barrel lumps are obtained by means of an electroerosion procedure, while the two side shafts of the action are replaceable.

All the external and internal metal parts are hand-finished with a mirror-polish.

The closing of the gun is carried out by two central plugs (one double plug) which are inserted into two grooves at the end of the lower barrel. The two side shoulders efficiently contrast the farthening tendency of the

esterna dei seni di culatta richiama quella originaria del Boss pur con qualche lieve personalizzazione. Il tassello di chiusura ed il perno manetta sono ricavati da acciaio 38 CD 4 bonificato. Due particolari interessanti: il perno della manetta è in pezzo unico ed attraversa in altezza tutta la bascula offrendo una maggiore stabilità ed una più accentuata precisione di funzionamento; il tassellino di sgancio per il ritorno della manetta di apertura a fucile smontato è posto sul fondo della bascula e funziona con una minima pressione della mano. L'acciarino è senz'altro la parte più originale del progetto complessivo dell'arma e prevede una briglia ricavata dal pieno nella cartella dello stesso. Non è cioè avvitata a questa ma si parte da una cartella di circa un centimetro abbondante di spessore e si ricava la briglia che in tal modo offre un supporto rigido e stabile ai meccanismi interni per tutta la vita del fucile. La molla a lamina proviene dal Belgio dove tutt'ora esistono dei Maestri nella costruzione di questi delicati componenti che hanno caratteristiche di dolcezza nell'armamento e velocità e potenza nello scatto.

I cani sono del tipo a rimbalzo e quello di destra è posizionato più basso dell'altro. I due percussori sono inclinati come del resto quasi tutti quelli dei sovrapposti con acciarini su piastre laterali.

Naturalmente tutte le parti dell'acciarino sono ricavate dal pieno e tirate a mano. L'arma si può avere sia in versione monogrillo non selettivo che bigrillo con estrattori automatici a grande sviluppo.

barrel set from the action during shooting.

The external line of the breech standing breeches recalls the original Boss line, even though it is slightly personalized.

The closing plug and the handle pin are made out of hardened and tempered 38 CD4 steel. Two are the interesting details in this gun: the handle pin is one-piece and it passes through the whole action height, offering a greater stableness and an increased working precision; the release plug for the recovery of the opening handle — when the shotgun is disassembled — is positioned on the action bottom and works with a small hand pressure. The lock is certainly the most original part of the gun design, and it foresees a bridle obtained from the side plate. Therefore it is not screwed on to it, but it starts from a side plate which has a thickness exceeding 1 cm., and in such way, the bridle offers a still and stable support for the internal mechanisms for the whole life of the gun. The V-spring is Belgian. In Belgium there still are some Masters specialized in the construction of these delicate components which have characteristics of softness in the arming, and speed and power in the trigger pulls. The cocks are of the bouncing type, and the one on the right is positioned lower than the other. The two strikers are inclined, as most of the strikers on over and under shotguns with side locks on side plates. All the parts of the locks are naturally solid, and they are hand-finished. The gun may be realized in the single noon-selective trigger version and in double trigger version with big automatic ejectors.

527

Il sovrapposto di Luciano Bosis
in versione caccia a ramponi
laterali.
Incisione di G. Pedretti.

*Luciano Bosis over and under
shotgun. Hunting version with
side lumps.
Engraving by G. Pedretti.*

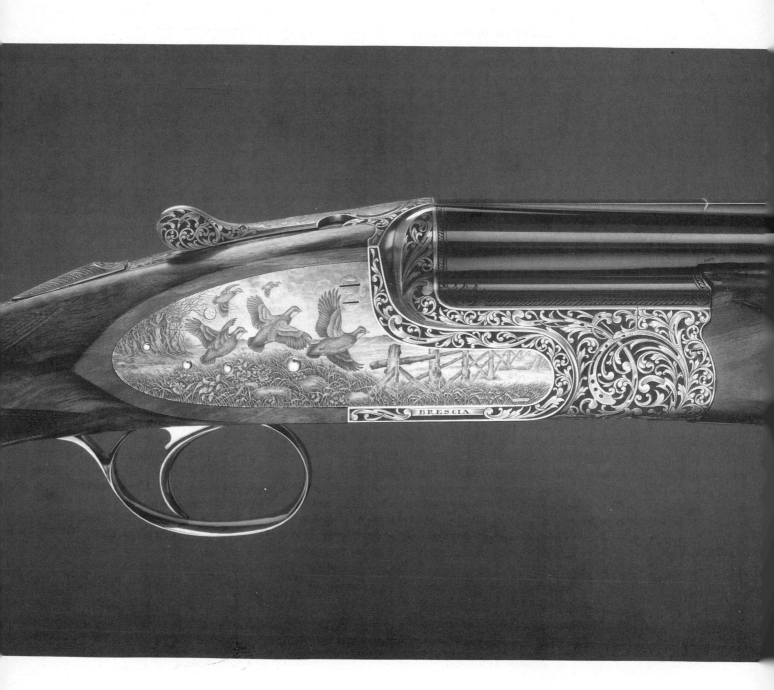

Acciarini montati da L. Bosis.
Quello in alto è per la doppietta
giustapposta e quello in basso, a
molla indietro, per il
sovrapposto.

*Locks mounted by L. Bosis. The
one above is for side by side
shotguns. The one below, which
is of a backward-spring type is
for over and under shotguns.*

Arma in bianco con calcio a
pistola. Versione da tiro.

*Plain gun with a pistol stock.
Shooting version.*

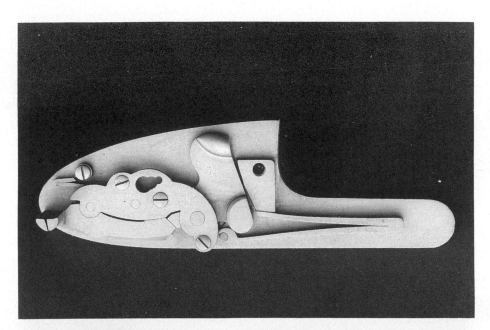

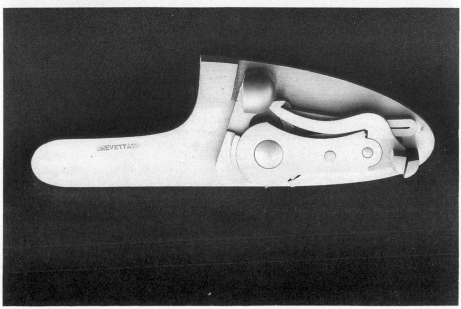

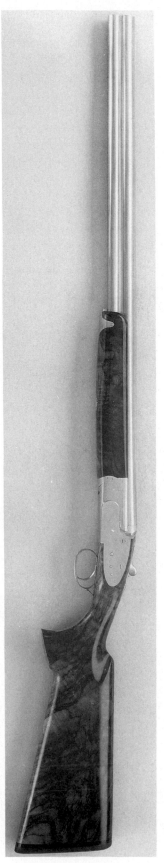

529

Alcune parti meccaniche in bianco della doppietta.

Some mechanical parts of a side by side shotgun.

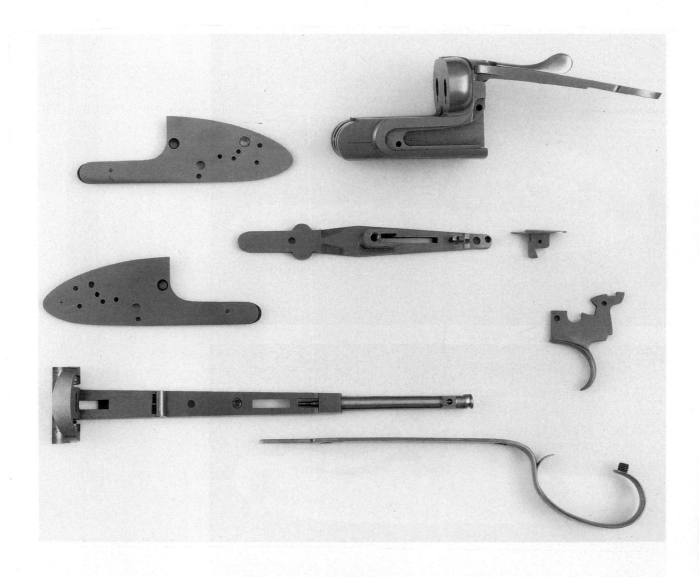

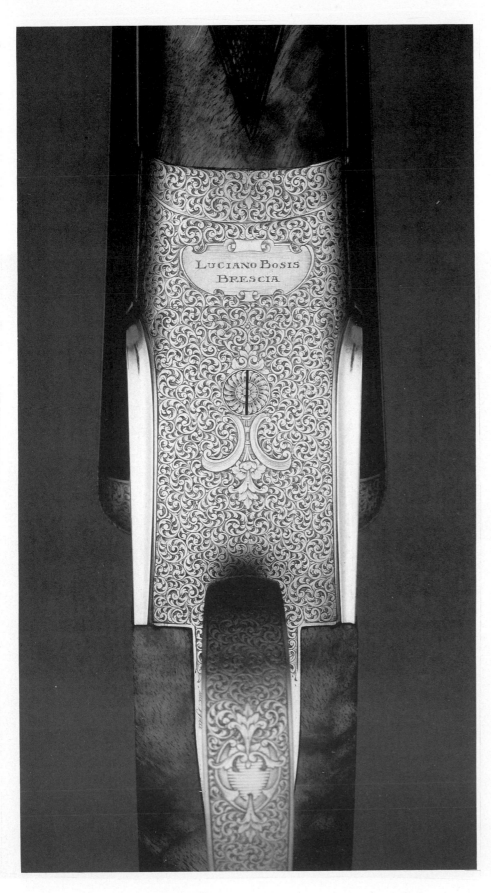

Petto di bascula di doppietta
Holland & Holland con incisione
all'inglese.

*Action bottom of a Holland &
Holland side by side shotgun
with an English-style engraving.*

Versione Anson della doppietta
Bosis. Canne demibloc.

*Anson version of the Bosis side
by side shotgun. Demibloc
barrels.*

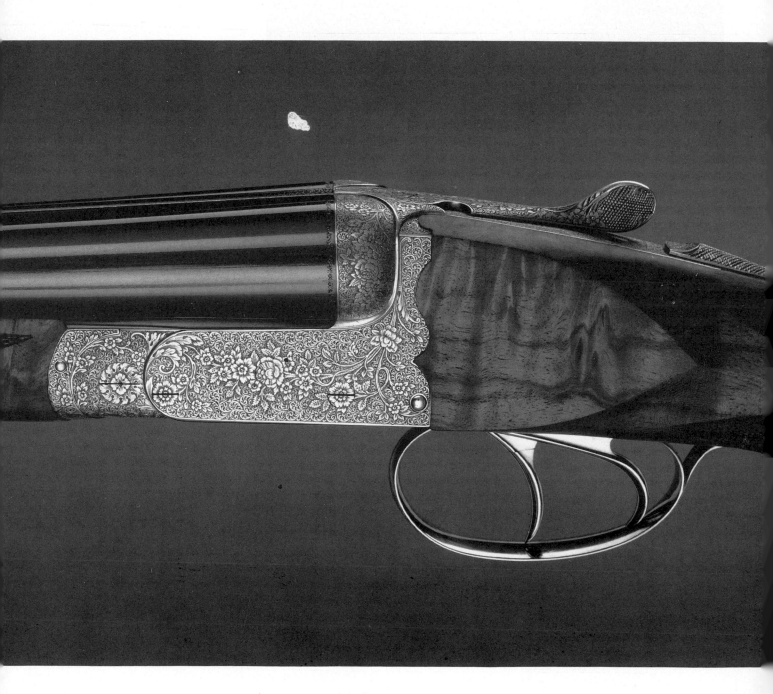

L'incassatura viene curata fino alla pignoleria, con legni lucidati a "TRUE OIL" con numerosissime mani e carteggiatura intermedie. Il grado di qualità di legni e il tipo di incisioni vengono concordati di volta in volta con il cliente.

I procedimenti sopra descritti sono molto simili a quelli impegnati per la costruzione delle doppiette giustapposte.

The gun stocking is very accurate. The woods are "true oil" polished with numerous coatings and intermediate sandpaperings. The quality degree of the woods and the type of engravings are agreed upon from time to time with the customer.

The overmentioned procedures are very similar to those employed for the construction of juxtaposed side by side shotguns.

ARMI DESENZANI
Via Oberdan 20H
20125 Brescia
tel. 030/383656

Il laboratorio Desenzani di Brescia gode di ottima reputazione sia nel restauro che nella realizzazione di armi fini. Il fondatore, Enrico Desenzani, collaborò con la Franchi intorno agli anni '30 e contribuì alla realizzazione di numerosi modelli di successo di questa grande Azienda.

Decise poi di mettersi in proprio e di dedicarsi alla costruzione di armi fini, tra le quali le doppiette Anson con batterie smontabili e doppiette Holland & Holland.

Da alcuni anni il laboratorio viene portato avanti dai soci Gussago e Zulli che continuano le capacità e l'immagine consolidata di abilità armiera e producono doppiette curate nei minimi dettagli e realizzate manualmente con batterie laterali ed anche con chiusura a serpentina.

Il laboratorio Desenzani rappresenta un po' un centro di incontro per gli appassionati di armi fini e, pur avendo una produzione che si mantiene alquanto limitata numericamente, il prestigio legato a questo nome si è spinto ben oltre i confini nazionali.

Il laboratorio si trova ora in via Oberdan 20H a Brescia.

ARMI DESENZANI
Via Oberdan, 20/h
20125 Brescia
tel. 030/383656

The Desenzani workshop in Brescia is very well-known both in the restoration and in the realization of fine guns.

The founder, Enrico Desenzani, collaborated with Franchi in the '30s, and contributed to the realization of various successful models of this big Company.

He then decided to start working for himself, and devoted himself to the construction of fine guns, among which Anson side by side shotguns with detachable locks and Holland & Holland side by side shotguns.

At present his workshop is led by his members Gussago and Zulli which give continuity to the skills and to the consolidated image of gun making craftsmanship of the Company and they produce exquisitely-constructed side by side shotguns made by hand with side locks and with a coil closing.

The Desenzani workshop represents a meeting point for fine gun enthusiasts and, in spite of its limited production, the prestige which is linked to this name went beyond the borderlines of our Country.

The workshop is now in Via Oberdan, 20/h in Brescia.

Fine incisione su petto di
bascula di doppietta Desenzani
tipo Holland & Holland.

*Fine engraving on the action
bottom of a Holland &
Holland-type side by side
shotgun by Desenzani.*

Doppietta a serpentina laterale
E. Sovrapposto tipo Boss di
Desenzani.

*Side by side and over and under
by Desenzani (Italy).*

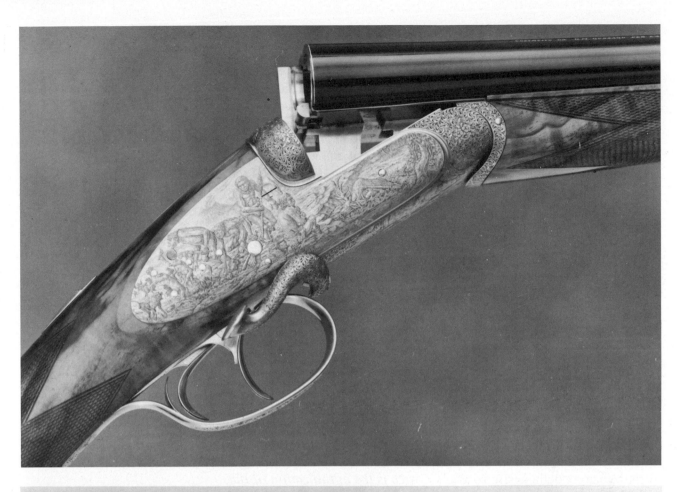

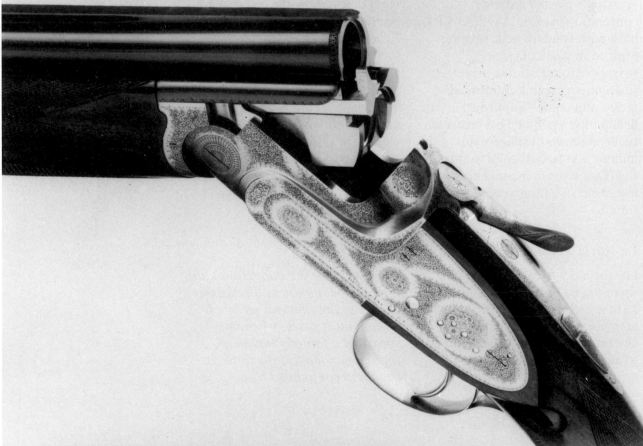

IVO FABBRI
Via Dante Alighieri, 29
25062 Concesio (BS)

Pur avendo iniziato l'attività verso la metà degli anni sessanta Ivo Fabbri ha saputo raggiungere il vertice tra i costruttori di armi fini non solo nostrani ma anche mondiali. Tale traguardo è dovuto al modo di affrontare e risolvere i problemi legati alla meccanica dell'arma con studi e capacità derivategli da attenta preparazione. Tutt'ora accanto alla produzione armiera affianca altre produzioni meccaniche per altri settori. Ha costruito doppiette e sovrapposti, ma ormai è proprio nel sovrapposto che il nome Fabbri si identifica.

Il fucile tecnologico

L'arma di classe ha spesso due volti: il lato estetico fatto di tradizione, di forme, di rifiniture e quello meccanico come ottimizzazione della destinazione principale per cui è stata concepita: sparare. IVO FABBRI ha saputo fondere nelle proprie armi ed in particolare nel sovrapposto questi due aspetti riuscendo a crearsi un'immagine molto alta come "Gun Marker" a livello internazionale e a creare un fucile in grado di sparare un milione e mezzo di colpi in tutta sicurezza e senza inconvenienti meccanici. Vediamo come c'è riuscito.

La storia

La storia dei fucili Fabbri è singolare ed abbastanza unica nel settore delle armi fini. Infatti nella maggior parte dei casi quando si cita una marca famosa italiana o straniera questa è accompagnata da una tradizione secolare o

IVO FABBRI
Via Dante Alighieri, 29
25062 Concesio (BS)

Even though this Company started business in the mid '60s, Ivo Fabbri managed to reach top levels among international fine gun makers. Such goal has been achieved by the way it faced and solved the problems linked to the gun's mechanisms, with studies and skills derived from an attentive experience. At present they side other mechanical productions for other sectors to their gun making activity. They constructed side by side and over and under shotguns, but their name is mostly identified with over and under shotguns.

Technological Shotguns

Guns of class often have two sides to them: the aesthetical side which is made by tradition, shapes and finishings and the mechanical side wich is the optimization of the main destination for which it has been conceived: to shoot. Ivo Fabbri has been able to merge these aspects in its guns and especially in its over and under shotguns, managing to win a very high image as international Gun Maker and to create a shotgun which can shoot one million and a half shots in total safety without any mechanical inconvenience. We shall now see how he managed to do this.

The history

The history of the Fabbri shotguns is quite uncommon and relatively unique in the fine gun sector. In fact, in most cases, when one speaks of a famous Italian or foreign gun maker, the latter is usually accompanied by a

Bascula del sovrapposto di Ivo
Fabbri.

*Action of the Ivo Fabbri over
and under shotgun.*

L'acciarino di Fabbri a molla
indietro.

*The backward-spring lock by
Fabbri.*

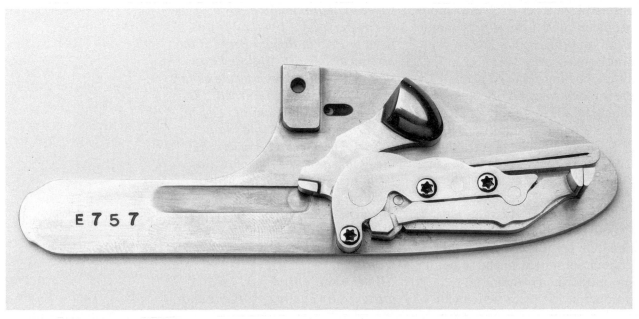

537

comunque da una tradizione che continua ai nostri giorni. Ivo Fabbri invece si è fatto tutto da solo, con il proprio ingegno e la propria "attitudine" per la meccanica di precisione e naturalmente con la passione per i bei fucili, un cocktail di ingredienti che lo hanno spinto a fare sempre meglio e a guadagnarsi l'appellativo di essere fra i migliori costruttori di fucili oggi esistenti. Indubbiamente un bel risultato in questo non facile settore, un risultato che verrà portato avanti dalla competenza e dalla medesima passione del figlio Tullio che ormai ha assorbito dal padre le conoscenze e la giusta mentalità di come si debba lavorare. Ma Fabbri non si accontenta di ciò che produce oggi e non è abituato a sedersi sugli allori. Continua incessantemente a studiare modifiche e miglioramenti nei propri prodotti sia in quelli esistenti sia dei nuovi modelli ora in "cantiere". E lo fa sempre con dei parametri "scientifici" come ricerca sui materiali, sulle lavorazioni di meccanica fine, sull'attrezzistica autorealizzata per risolvere i molti problemi pratici che si presentano e con una filosofia di lavoro che non lascia spazio all'approssimazione ed al pressapochismo. Di origine romagnola, Ivo Fabbri è nato nel 1928 a Poggio Berni, in provincia di Forlì. E si sa che la terra di Romagna è stata generosa in tema di armaioli, basti citare gli Zanotti, i Toschi ma anche Fabbrizioli, Cortesi e tanti altri. Quindi possiamo dire che la passione per il fucile fine Fabbri l'abbia nel sangue anche se poi il suo modo di affrontare la produzione si stacca nettemente

centuries-old tradition or by a tradition which still continues at the present day. But Ivo Fabbri is a self-made man, who succeeded thanks to his genius and his bent for precision mechanisms and, obviously, for his enthusiasm for fine guns - a cocktail of ingredients which pushed him to continually improve and to earn for himself the opinion of being one of the best existing gun makers. This is undoubtedly an excellent result in this difficult sector. A result which shall be carried on by the competence and by the very same enthusiasm of Ivo's son Tullio, who already absorbed his father's knowledge and skills. But Fabbri is not satisfied with his present production. He continues to study modifications and improvements in existing products and in products which are still being designed. And he always does it with "scientifical" parameters such as researches on materials, on fine mechanical workings, on the self-made tools made in order to solve the many practical problems which have to be faced with a philosophy that does not leave any space to approximation. Of a Romagna origin, Ivo Fabbri was born in 1928 in Poggio Berni in the province of Forli'. And we know that this land has been fertile as far as gun makers are concerned. We just have to name Zanotti, Toschi, Fabbrizioli, Cortesi, and many others. Therefore we can say that the enthusiasm for fine guns was inborn in Fabbri. But his way of facing production is totally different from that of commonly intended artisan gun makers. We shall listen to his story directly from him.
"When I was only a boy, I was attracted by hunting shotguns and

538

dall'artigiano armaiolo comunemente inteso. Ma lasciamo che sia egli stesso a raccontarci in sintesi la propria storia.

"Fin da ragazzo fui attratto dalle armi da caccia e dalla passione per la meccanica. Ricordo che già nell'età dell'adolescenza mi autocostruivo con pezzi di fortuna dai prototipi di fucili curandone gli accoppiamenti metallici, le tolleranze ed anche l'incassatura nel legno. Poiché vivevo in campagna non avevo modo di vedere armi fini come i fucili inglesi o prodotti equivalenti che invece conobbi molto più tardi. L'unico cacciatore del paese che possedeva una doppietta di marca e che sempre mi affascinava quando lo vedevo sparava con una Franchi Imperiale Montecarlo. Successivamente mi trasferii a Brescia e durante il servizio militare divenni un Ufficiale di Artiglieria e vi rimasi per qualche anno. Poi passai all'OM del gruppo Fiat ed ebbi modo di apprendere di affinare la mia passione per la meccanica e l'uso delle macchine utensili a controllo numerico. Quando potei permettermi di acquistare un bel fucile da caccia, mi recai da Desenzani e gli chiesi di farmi vedere qualche bella doppietta. Avendo ormai l'occhio per le lavorazioni di precisione vedevo diversi difetti nei fucili delle diverse marche che mi sottopose e così mi disse che se volevo un'arma come io la intendevo avrei dovuto costruirmela. Mi sembrò un buon consiglio e poiché avevo già in mente un sovrapposto fatto in un certo modo, con i ramponi laterali, mi fu presentato da un costruttore di canne Daniele Perazzi che mi mise a disposizione una macchina utensile per

I had a bent for mechanics. I recall that when I was an adolescent I used to construct some shotgun prototypes for myself with some bits and pieces I managed to get. I executed metal couplings, tolerances and wood stockings with great care. Since I lived in the country, I didn't have the occasion of seeing fine guns such as the English guns which I came to know later on. The only hunter of the village who had a fine side by side shotgun and who used to fascinate me when I saw him owned a Franchi Imperiale Montecarlo.

Then I moved to Brescia, and during the military service I was appointed Artillery Officer and covered this position for a couple of years.

Then I started working for the OM of the Fiat Group and had the occasion to further develop my bent for mechanics and for the use of numerical control tool machines. When I finally managed to afford a beautiful hunting shotgun, I went to Desenzani and I asked him to show me some fine side by side shotguns. Since I was trained to recognize precision executions at a first glance, I saw various defects in the shotguns of the different brands he showed me, so he told me that if I wanted a shotgun the way I intended it, I would have had to construct it myself. I thought this was a very good suggestion, and since I had a certain type of shotgun in my mind - with side lumps - Daniele Perazzi was introduced to me by a barrel-maker. He put a tool machine at my disposal, so that I could work on it as I wished. Perazzi told me that a gun with such an arrangement already

lavorarci. Perazzi mi disse che un'arma con questa impostazione esisteva già e mi fece vedere un Lebeau-Courally tipo Boss. Erano i primi anni '60 e quello fu il mio primo approcio, se vogliamo quasi casuale, con il sovrapposto fine. Mi fu detto che sarebbe stato interessante riuscire a costruire un'arma di quel tipo ed io con le mie conoscenze di meccanica dissi che non era poi un'impresa troppo ardua e che anzi mi sarebbe piaciuto apportare delle modifiche in alcuni punti che non mi convincevano, come ad esempio gli estrattori automatici. Nacque così la mia collaborazione con la Perazzi che portò alla realizzazione dell'MX 8 reso poi famoso sui campi da tiro da Mattarelli. A quel punto poiché esisteva uno spazio sul mercato per questi fucili e con l'interesse di portare avanti le mie idee mi misi in proprio dapprima con un piccolo laboratorio vicino a Brescia e poi con l'attuale Sede a Concesio dal 1969. Ora siamo in una quindicina di persone molto specializzate e produciamo un paio di fucili al mese".

Per concludere questa breve storia di Ivo Fabbri va detto che ha saputo trasmettere la propria passione ed il proprio metodo di lavoro al figlio Tullio, nato a Brescia nel 1960 e che ora ricopre un ruolo attivo all'interno dell'Azienda sia come coordinatore di tutte le attività anche commerciali sia come apportatore di nuovi sistemi di progettazione essendo appassionato di computer. Ed è proprio Tullio Fabbri ad illustrarci come si svolge il procedimento produttivo all'interno del laboratorio di Concesio, in via Dante Alighieri 29.

existed, and he showed me a Boss-type Lebeau Courally shotgun. We were in the '60s, and this was my first - quite casual - approach with fine over and under shotguns. They told me it would have been interesting to succeed in the construction of a gun of that type, and due to my bent for mechanics, I replied that it would not have been a very difficult task. I even added that I would have liked to modify it in some points which did not convince me, such as the automatic ejectors. This is how my collaboration with Perazzi began. This collaboration led to the construction of the MX8 model, which became famous on the shooting grounds thanks to Mattarelli. At this point, since there was space on the market for these shotguns, and since I wanted to carry my interest forward, I started working on my own in a small workshop close to Brescia. Then I moved in my present workshop in Concesio in 1969. There are now about fifteen very skilled persons who work here, and we produce a couple of shotguns per month".

In order to conclude this brief story, we must say that Ivo Fabbri managed to hand down his enthusiasm and his working method to his son Tullio, who was born in Brescia in 1960 and who covers an active role in the Company as coordinator of all the activities (including the commercial ones) and also as planner of new design systems, since he is a computer enthusiast. And it is Tullio Fabbri who shall illustrate the productive procedures of the Concesio Workshop in Via Dante Alighieri, 29 to us.

Filosofia di lavoro ed aggiornamento prodotti

L'officina di Fabbri si articola su due piani ed è stata impostata secondo un criterio razionale di produzione. Nel piano inferiore vengono realizzate la parti meccaniche utensili sia a controllo numerico sia tradizionale quasi tutte non di serie ma modificate per le proprie necessità produttive o addirittura autocostruite.

Occorre premettere che Fabbri si realizza il fucile interamente da solo a partire dalla più piccola vite, dalle canne per finire con i vari trattamenti termici degli acciai compresi tempera e brunitura.

Ed in questo è unico nel panorama mondiale degli artigiani e ciò gli consente di avere un controllo qualitativo totale sulla propria arma. E quando diciamo tutto intendiamo anche la molla dell'acciarino, l'acciarino stesso, la cartella e naturalmente la bascula, la minuteria, le guardie, i grilletti, e le operazioni manuali di finitura, tiratura, montaggio ed incassatura. Molte parti dell'arma vengono portate alle forme ed ai dimensionamenti quasi definitivi nel reparto delle macchine ma poi il tutto deve passare nelle mani dell'uomo per le finiture ed il montaggio. A questo punto il fucile passa al piano superiore dove le macchine lasciano il posto all'insostituibile intervento umano e dove si procede al definitivo assemblaggio compresi l'incassatura e la finitura dei legni. Il calcio viene completamente incassato a mano partendo dall'abbozzo mentre l'asta del sovrapposto viene sbozzata a macchina come a macchina viene incassato il bocchettino metallico

Work Philosophy and Product Updating

Fabbri's workshop is articulated on two floors, and it has been arranged following a rational production criterion.
In the lower floor the tool mechanical parts are realized both by means of the numerical control system and by means of the traditional system. They are mostly non-serial but modified for their production requirements, and some are even self-made.
We should also add that Fabbri totally realizes its shotguns in-home including the smallest screws and the barrels. They also carry out hardening and tempering, temper and blueing operations.
In this they are unique in the gun making sector, and this allows them to have total quality control over their shotguns.
And when we say "total", we also mean lock springs, locks, side plates, action, fittings, guards, triggers, manual operations, finishings, assembly and gun stocking.
Many gun parts are sized and dimensioned in an almost final way in the tool machine department, but then they are manually finished and assembled. At this point, shotguns pass to the upper floor, where they are finally assembled by hand.
Gun stocking and wood finishing are also carried out on this floor. Stocks are totally hand stocked, starting from a wood block, while the over and under shotgun forend is machine draughted. The small mouth which houses the release button is also machine-fitted. Their walnut wood comes from Turkey, and stocks

che ospita il pulsante di sgancio.
Le partite di noce vengono
ultimamente dalla Turchia ed i
calci vengono finiti ad olio e
realizzati su misura per ogni
cliente. Alla base di tutto vi è il
rispetto del lavoro reciproco e pur
passando in diverse mani ogni
parte dell'arma viene trattata con
estrema attenzione in un ambiente
ordinato, pulito e razionalizzato
fino alla pignoleria. Unica
operazione che viene svolta
all'esterno è quella dell'incisione
ma anche questa viene svolta
secondo precise richieste e precisi
controlli da parte dell'Azienda
stessa. Il modello base di incisione
di un'arma prevede la classica
inglesina oppure una semplice ma
ben eseguita filettatura però ogni
cliente può scegliersi il tipo di
incisione che desidera ed
eventualmente anche la "firma" di
un particolare e specifico incisore.
La ricerca della qualità è assoluta
e qualora si dovesse sbagliare in
qualche operazione il pezzo
interessato viene immediatamente
sostituito e non raggiustato con
"scorciatoie" che non sarebbero
comunque visibili da parte
dell'utilizzatore ma che non
appartengono al modo di lavorare
di Fabbri. Per questo motivo il
prodotto finale è un fucile privo di
difetti o di punti deboli e questo
altro standard deve caratterizzare
ogni fucile che esce dall'officina.
Quindi un concetto di ripetibilità
dei massimi livelli che il binomio
uomo-macchina sia in grado oggi
di realizzare.
In apertura abbiamo accennato
alle continue migliorie che
vengono man mano apportate ai
fucili e ad alcuni nuovi prodotti.
Vediamo ora più in dettaglio di
cosa si tratta. Quando si parla di
migliorie la parola non deve trarre

*are oil finished and tailored for
every customer.
The basis of the Company's
policy is the mutual respect the
staff has for one another's job,
and even though the gun parts
have to pass through many
different hands, they are handled
with great care, in a clean and
well-arranged environment.
The only operation which is
executed exteriorly is engraving,
but this too is carried out
following precise requests and
precise controls by the
Company.
The basic engraving model of a
gun foresees the classical English
scroll pattern or a simple but
well-executed border, but every
customer may choose the type of
engraving he wishes, and even by
whom it has to be realized.
Quality research is absolute, and
should any operation be carried
out wrongly, the piece in question
is immediately replaced, and it is
not re-employed.
For this reason the final product
is a gun which is free from any
defects of weaknesses and this
high standard characterizes every
shotgun which comes out from
their workshop.
This is a concept of repeatability
of highest levels which man and
machine are - in this case -
able to produce.
At the beginning, I mentioned the
continuous improvements which
are constantly brought to the
shotguns and other new products.
We shall now deal with this
subject.
When we talk about
improvements, this term should
not be misunderstood because
from a mechanical and functional
point of view, there is not much
one can do to improve Fabbri's*

in inganno nel senso che volendo da un punto di vista meccanico e funzionale ben poco vi è da migliorare nell'arma di Fabbri ma lo stesso Ivo cerca sempre di risolvere i problemi meccanici legati alla funzionalità del fucile con risposte sempre più affidabili e se si vuole più semplici, nel senso che la semplicità meccanica è di per sé una migliore garanzia contro le rotture o malfunzionamenti. Naturalmente questo sempre nel pieno rispetto delle tolleranze di lavorazione e nell'uso dei materiali più idonei per ogni sforzo o lavoro che l'arma deve svolgere.

Nel sovrapposto ad acciarini laterali le cartelle sono ora prive di perni passanti. I fori su cui si impegnano le viti speciali dell'acciarino, del tipo a molla indietro, sono ricavate a sbalzo direttamente dal pieno dal metallo della cartella e questo consente da una parte una superficie più uniforme per l'incisione e dell'altra essendo l'acciarino completamente chiuso l'impossibilità di infiltrazioni di pulviscolo, acqua, umidità etc. dall'esterno. Ogni cartella viene fissata con una sola vite di nuovo tipo ed autobloccante. Questa vite, coperta da uno sportellino metallico a scomparsa, ha una testa di tipo Torx (brevetto americano) con profili speciali che non si danneggiano con la manipolazione anche quando sono chiamate a trasmettere un grosso momento torcente (a differenza delle tradizionali viti con taglio unico sottili) e consentono un veloce smontaggio delle batterie. Il serraggio delle viti viene poi effettuato con apposito giravite dinamometrico, permettendo anche a chi non ha

guns. But Ivo himself always tries to solve all mechanical problems linked to the shotgun's functionality with increasingly reliable and simpler solutions. Mechanical simpleness is a guarantee against breaking and misfunctioning.

This is obviously always carried out within working tolerance limits and within the use of the most suitable materials for every operation or performance the gun has to carry out.

In the side-lock over and under shotgun, the side plates are now free from through pins.

The holes on which the special backward-spring lock screws are engaged are obtained from the solid piece of metal of the side plate, and this allows on one side a better surface for engraving and on the other, since the lock is completely closed, dust, water and dampness etc.

cannot enter. Each side plate is secured by means of one single self-locking screw of a new type. This screw, which is covered by a metal door has a Torx-type head (American patent) with special profiles which do not get damaged when manipulated - even when torque stress is very high (on the contrary of thin screws with a single slot) and they allow a quick disassembly of the locks.

The screwing of the screws is carried out with a special dynamometrical screwdriver, thus allowing an unexperienced person not to damage anything.

The soundness of these screws may even break the screwdriver should they be screwed too tightly - and this without being damaged.

Another innovation which is

esperienza in merito di non danneggiare nulla. La robustezza di queste viti è tale da rompere il cacciavite qualora siano strette con troppa forza senza subire danno alcuno.

Un'altra novità che si sta realizzando è la croce dell'asta di tipo nuovo che consente di eliminare la precedente "unghia" che andava ad inserirsi nel relativo recesso di bascula e di conseguenza di avere un petto di bascula completamente chiuso fino ad oltre i perni cerniera. Questo per quanto riguarda il sovrapposto "classico" di Fabbri ma si sta lavorando su un modello nuovo che lo affiancherà e che è a dir poco rivoluzionario. Si tratta infatti di un Anson/Holland nel senso che avrà la bascula corta priva di cartelle ma disporrà ugualmente di acciarini con doppia stanghetta di sicurezza e dal funzionamento uguale a quelli montati su cartelle però alloggiati all'interno del calcio su una base monolitica ricavata fra codetta e sottoguardia. Si è arrivati a questa soluzione pensando di offrire ai tiratori una possibilità in più in tema di intercambiabilità dei calci. Infatti il calcio disporrà di tirante interno e sarà facilmente sostituibile. Questo senza nulla togliere alla finezza dell'arma ad acciarini laterali con inoltre la sicurezza contro lo sparo accidentale. La parte interna di questo sistema è stata studiata su computer con un apposito programma per verificare i cinematismi e la definizione dei dettagli. Il costo sarà più contenuto rispetto al sovrapposto "classico".

Infine dopo aver sospeso da un po' di tempo la produzione delle

being carried out is the new type of forend tumbler which allows to eliminate the previous "nail" which used to be inserted in its relative action groove.

As a consequence, now the action bottom may be totally closed beyond the hinge pins.

This concerns the Classic over and under shotgun model by Fabbri, but they are also working on the new model which shall side it and which is absolutely revolutionary. It is an Anson/Holland model, meaning that it shall have a short action without any side plates, but it shall be provided with locks and a double safety sear which shall work exactly the same as those mounted on side plates. They shall be housed inside the stock on a monolythic base obtained between the tang and the guard bottom.

They arrived to this solution considering to offer the shooters a further possibility as far as stock interexchangeability is concerned. In fact, the stock shall be provided with an internal pull, and it shall be easily replaceable. And all this shall not impair the fineness of the side-lock shotgun, and with the additional safety against accidental shots. The internal part of this system has been studied by means of a special computer programme in order to verify the definition of the details.

Its cost shall be slightly limited as compared with the classical over and under shotgun model.

After having discontinued the production of side by side shotguns for some time, they shall continue their production which shall benefit of the latest updatings I mentioned for the

Arma di recente produzione priva di perni passanti sulle cartelle degli acciarini.

Recently produced shotgun without through pins on the side plates.

Sovrapposto inciso da Manrico Torcoli su oggetti originali e un po' futuristici.

Over and under shotgun engraved by Manrico Torcoli.

doppiette giustapposte ne verrà ripresa la costruzione che beneficierà degli ultimi aggiornamenti citati a proposito del sovrapposto e che monterà gli acciarini a molla indietro. Da segnalare che le armi Fabbri vengono costruite nei calibri 12, 20, 28 e 410 (anche con canne intercambiabili di diversi calibri ma dello stesso peso per non compromettere la bilanciatura) mentre per il nuovo sovrapposto si inizierà con cal. 12 al quale sarà più tardi affiancato il cal. 20.

Le canne

Dopo aver sperimentato diversi tipi di acciai comunemente usati per la costruzione delle canne, per altro ottimo, Ivo Fabbri ha voluto avere qualcosa di più, un acciaio dalle caratteristiche specifiche per le sollecitazioni alle quali la canna è sottosposta al momento dello sparo. Quando parte il colpo la canna tende a dilatarsi per ritornare nella posizione primitiva. Si intuisce quindi che una tale sollecitazione ripetuta per migliaia di volte abbisogni di un acciaio al tempo stesso elastico e resistente, nel senso di non "affaticarsi" in queste continue variazioni. Ebbene Fabbri ha ottenuto un acciaio il cui carico elastico è molto vicino a quello di rottura che è pari a 110 Kg/mmq. Questo acciaio viene definito "Vacuum arc remelting steel" e deriva da un tipo usato per costruire bocche di cannone. Viene rifuso sottovuoto due volte per eliminare il più possibile tracce di impurità, specialmente lo zolfo ed altre impurità nocive. Vengono quindi ottenuti per forgiatura dei masselli grezzi successivamente sottoposti a

over and under shotgun model, and they shall be equipped with backward-spring locks.
The Fabbri shotguns are constructed in the 12, 20 28 and 410 gauges
(even with interexchangeable barrels in different bores but of the same weight in order not to compromise balancing) while for the new over and under shotgun model, they will start with the 12 gauge, which will later on be sided by the 20 gauge.

The Barrels

After having experienced different types of commonly employed steels for barrel construction, Ivo Fabbri decided he wanted something more to it; a steel with specific characteristics for the stresses the barrels are subjected to during shooting. When the shot is fired, the barrel tends to expand and then it goes back to its original state. Therefore, when such a stress is repeated for thousands of times, one can inamgine that the steel that has to be employed must be flexible and resistant at the same time in the sense that it does not have to be "fatigued" by these continuous variations. Fabbri managed to obtain a steel whose flexibility point is very close to its breaking point which is of 110 Kg./sq.mm. This steel is defined as "Vacuum arc remelting steel" and it derives from a steel used for the construction of cannon mouths. It is vacuum remolten two times in order to eliminate impurity traces as far as possible - especially sulphur and other impurities. Then raw blocks are obtained by means of forging,

Ivo Fabbri nella propria officina col figlio Tullio (a sinistra) di Concesio (Brescia).

Ivo Fabbri in his Concesio workshop with his son Tullio on the left.

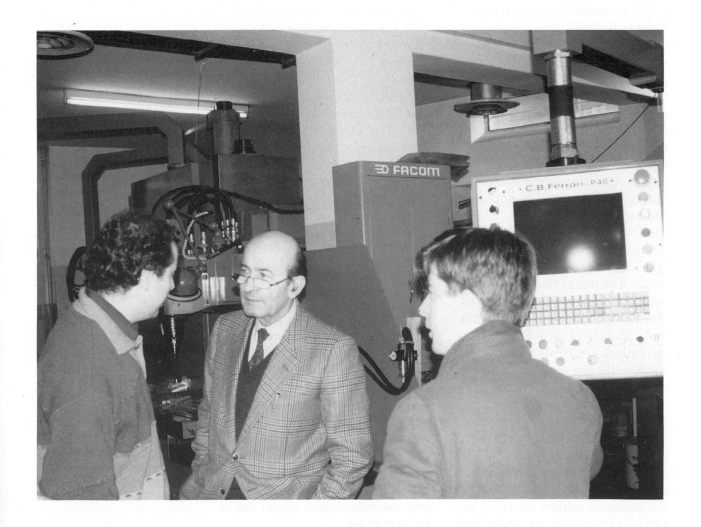

bonifica. Questo trattamento termico se da una parte migliora le caratteristiche meccaniche dell'acciaio dall'altra induce delle forti tensioni molecolari. Queste tensioni però vengono a crearsi perloppiù nella parte superficiale e poiché le lavorazioni a macchina per ottenere le canne finali prevedono foratura e rettifica si provvede ad asportare la parte esterna periferica eliminando man mano incrostazioni e tensioni. Ogni volta che i tubi vengono rettificati esternamente a mezzo di una grossa mola appositamente costuita si procede poi alla raddrizzatura della canna fino alle ultimazioni delle operazioni. Naturalmente sia le canne delle doppiette che dei sovrapposti sono demibloc. La saldatura viene effettuata a stagno e le bindelle monolitiche hanno una doppia funzione: oltre a quella tradizionale di unire i tubi anche di variazione di peso per bilanciare l'arma in funzione di quello che dovrà poi pesare complessivamente il fucile finito. Il sovrapposto può partire come peso nel cal. 12 da 3 Kg. in su e se destinato al tiro intorno ai 3,5 Kg. Quello che però va notato è che a parità di lunghezza di canna lo spessore dei tubi rimane il medesimo e si varia il peso delle stesse agendo sul peso delle bindelle. Questo torna molto utile ad esempio quando si voglia montare sulla stessa bascula due o più canne di calibro inferiore pur volendo mantenere lo stesso peso complessivo dell'arma. Il controllo di qualità effettuato su ogni canna viene eseguito con il metodo "magnet flux" che permette eventualmente di scoprire la più piccola criccatura del materiale.

and they are subjected to a hardening and tempering procedure. This thermic treatment improves steel characteristics on one side, but it also induces strong molecular strains on the other. These strains are mostly present in the surface area, and since machine workings foresee piercing and rectification of the barrels, the peripheral external part is removed, eliminating strains and encrustations. Each time the tubes are externally rectified by means of a special machine, the barrel is straightened until the operations are completed. Both over and under and side by side shotgun barrels are of the demibloc type. They are tin-welded, and the monolythic ribs have a double function: apart from the traditional function of uniting the tubes, they also have the function of uniting them in their weight variation in order to balance the gun depending on the gun's final overall weight. Over and under shotguns may be of 3 Kg. or more in gauge 12, and if they are shooting shotguns, around 3.5 Kg. But is has to be noted that at an equal barrel length, the thickness of the tubes is the same, and the weight of the barrels is varied by acting upon the rib weight. This is very useful when, for instance, two or more barrels of a lower gauge have to be mounted onto the same action and the overall gun weight has to be kept equal.
The quality control which is carried out on each barrel is executed with the "magnet flux" method which allows to discover the smallest cracks in the material.
Final blueing is carried out by

La brunitura finale viene eseguita con il metodo classico delle ossidazioni ripetute, generate da un agente chimico a dalla combinazione di cicli di permanenza ad umidità relativa e temperatura prestabilita ed assolutamente costanti. Questo permette la ripetibilità del risultato finale che si distingue per le caratteristiche di particolare lucentezza e resistenza dello strato ossidato. Da notare che anche gli utensili per la foratura interna delle canne e relative strozzature sono stati appositamente creati da Fabbri. Un fattore importante per il buon rendimento delle canne è la perfetta concentricità fra anima interna e superficie esterna: nelle canne di Fabbri questa concentricità la si ottiene con una tolleranza di due centesimi di mm. Per la prova delle rosate finali esiste un tunnel con bersaglio a 35 mt. adatto allo scopo.

means of the classical "repeated oxidation" method. These oxidations are generated by a chemical agent and by the combination of relative dampness combination permanences at a predetermined and constant temperature. This allows the repeatability of the final result, which may be distinguished by the characteristics of special glossiness and resistance of the oxidated layer. The tools employed for the inner piercing of the barrels and chokes have also been especially created for this purpose by Fabbri. An important factor for a good barrel performance is the perfect concentricalness between inner bore and external surface: in Fabbri's barrels such concentricity is obtained with a tolerance of 2 hundreds of a mm.
For the final shot pattern test, there is a tunnel with a target at a distance of 35 mt.

Bascula e viti

La bascula viene ricavata dal pieno da un massello di acciaio K2D da cementazione e sottoposta ai necessari trattamenti termici. Si ha in tal modo una resistenza in superficie di 140 Kg./mmq. A richiesta viene effettuata la finitura con tempera tartaruga che consente di ottenere delle interessanti colorazioni dell'acciaio ma non raggiunge valori di resistenza come quello citato con finitura argento vecchio e quindi viene sconsigliato soprattutto nei modelli da tiro che debbono sparare moltissimi colpi. Le spalle laterali che contrastano le relative ramponature delle canne sono ricavate anch'esse dal pieno ma va notato che queste

Action and Screws

The action is solid, made out of a K2D hardened steel block, and it is subjected to the necessary thermic treatments. In this way, a surface resistance of 140 Kg/sq. mm. is obtained. The finishing with hardening temper may be executed upon request. This allows the obtainment of interesting steel colourings which do not reach resistance values such as the overmentioned ones with an old silver finish. Therefore, it is not suggestable, especially in the case of shooting models, which have to shoot many shots. The side shoulders which contrast the relative barrel lumps, are also solid but is has to be noted that they are not of a compass-turn type. In

Visibile a metà cartella lo
sportellino sollevato per
accedere all'unica vite Torx per
lo smontaggio dell'acciarino.

*The open door for the access to
the single Torx screw which
secures the lock is visible at mid
plate.*

Bocchettino dello sgancio
dell'asta. L'incassatura di questa
parte metallica col legno è
eseguita a macchina.

*Forend release mouth. The
fitting of this metal part is
machine-made.*

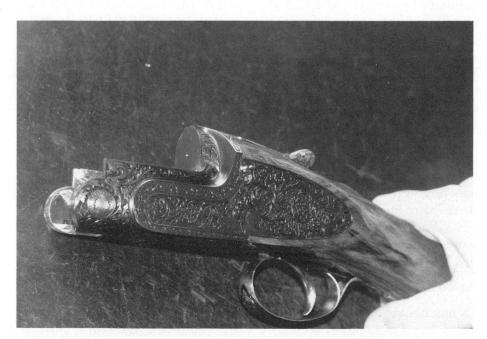

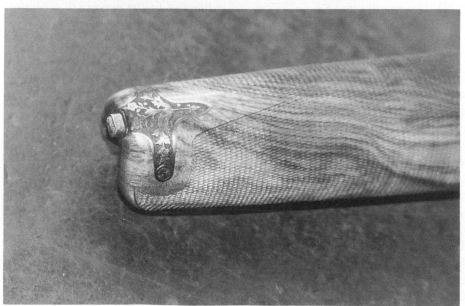

Vista interna della bascula del sovrapposto con ramponatura laterale.

Internal view of the action of a side-lump fitted over and under shotgun.

Particolare della croce con unghia sporgente per l'armamento. È in preparazione una nuova croce senza questo dispositivo.

Detail of the tumbler with protruding arming nail. A new tumbler is being made without this device.

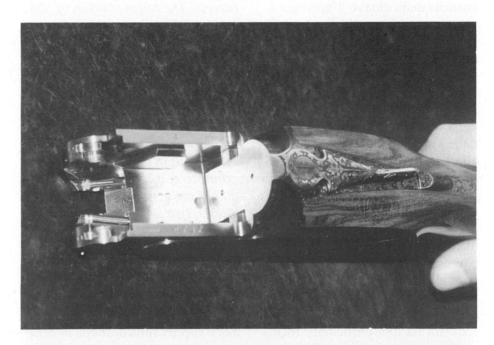

non sono a giro di compasso. In pratica le due superfici di bascula e canne vanno a toccarsi solo a fucile chiuso. Questo permette di non avere usure fra le stesse come avrebbe invece se fossero sempre a contatto con frizione aprendo e chiudendo l'arma. La chiusura avviene con tassello a "U" che va ad inserirsi nelle due spalle laterali della culatta più o meno a metà fra le due canne. Il bottone di sgancio della chiave d'apertura è attualmente posto sul fondo della bascula ma si sta studiando di automatizzare l'operazione. La chiave viene ricavata dal pieno con il gambo che comanda il tassello e quindi è privo di vite nella testa. Abbiamo già parlato delle viti che tengono l'acciarino alla bascula ma per completezzza di informazione occorre dire che per realizzare queste viti sono state costruite due macchine utensili apposite che consentono di ricavare per rettifica, quindi con estrema precisione, sia la forma della vite sia la filettatura della stessa, partendo da un acciaio già termicamente trattato. La testa ha una particolare forma conica per renderla autobloccante ed eliminare quindi la vite di fermo altrimenti necessaria.

Acciarini

L'acciarino di Fabbri è dal tipo a molla indietro con doppia stanghetta di sicurezza. La molla a lamina viene realizzata in acciaio al Silicio C 72, fresata dal pieno e poi piegata con due operazioni successive. Per queste operazioni la molla viene riscaldata con una macchina ad induzione elettromagnetica che permette un riscaldamento preciso e veloce della zona interessata e

practice, the two action and barrel surfaces touch each other only when the gun is closed. This allows the surfaces not to wear as would occur in the case they constantly came in contact with one another when opening and closing the gun. The closing occurs by means of a "U" plug which is inserted in the two side shoulders of the breech, more or less in the middle of the two barrels. The release button of the top open lever is positioned on the action bottom, but they are studying an automatization of the operation. The lever is solid, and it operates the plug, therefore it is not supplied with a screw on its head. I already mentioned the screws which secure the lock to the action, but in order to be more exhaustive, it is necessary to say that in order to realize these screws, two special tool machines have been constructed for this purpose. They allow the forming and the threading of the screws by rectification, and therefore with a very high accuracy degree working on a ready-treated steel. The head has a special sonical shape in order to render it self-locking, thus eliminating the stop screw which would otherwise be necessary.

Locks

Fabbri's lock is of the backward-spring type with a double safety sear. The V-spring is realized in a silicon C72 steel. It is obtained in one solid piece and bent subsequently. For these operations, the spring is heated by means of an electromagnetic induction machine which allows an accurate and quick heating of the interested area. This is reobtainable in time with a

Sullo schermo del computer si intravede il programma a colori per lo studio dei cinematismi interni del nuovo sovrapposto di Fabbri.

The computer screen displays a colour programme for the study of the internal parts of the new Fabbri over and under shotgun.

La chiave di apertura è realizzata dal pieno con il suo gambo.

The top open lever is solid.

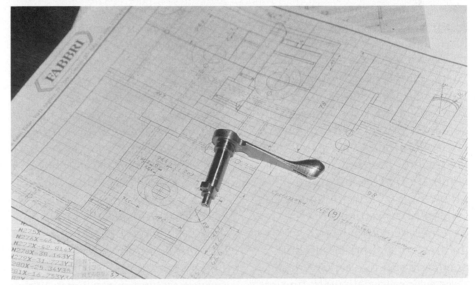

Vista interna del nuovo sovrapposto di fabbri che alloggerà delle batterie tipo Holland all'interno del calcio.

Internal view of the new Fabbri over and under shotgun which shall house Holland type locks inside its stock.

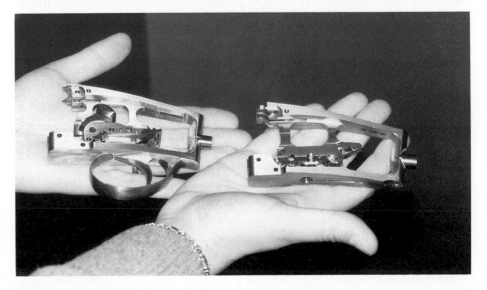

553

soprattutto riottenibile nel tempo con qualità costante. Quindi viene sottoposta a trattamento termico. Fino ad ora, nei fucili consegnati negli anni di attività dell'Azienda, mai nessuna molla è tornata indietro rotta.

Il fatto poi di non avere negli acciarini di nuovo tipo di perni passanti olte ai vantaggi già citati consente di offrire alle viti di fissaggio della braghetta un tratto di impegno della filettatura ancora maggiore rispetto al sistema classico, con evidenti vantaggi di robustezza e rigidità dei meccanismi connessi.

I percussori vengono ottenuti per rettifica e realizzati in acciaio al Carbonio.

Per realizzare l'acciarino e le sue parti, compresa la cartella, Ivo Fabbri ha messo a punto degli attrezzi specifici che funzionano come dei piccoli centri di lavoro e che consentono come per le altre lavorazioni meccaniche di eliminare l'errore umano e di ottenere pezzi sempre uguali con tolleranze ristrettissime.

Su come venga realizzato un'arma di Fabbri ci sarebbe ancora molto da scrivere ma l'appassionato del fucile fine sarà fin qui già fatto un'idea dell'unicità e della competenza che contraddistingue il processo produttivo teso all'ottenimento dell'estrema qualità. Alla mia domanda di quanto costi ora un sovrapposto Tullio Fabbri mi ha risposto che il prezzo è un optional, nel senso che i loro clienti vedendo come lavorano e sapendo cosa comperano non lo discutono più di tanto. Dicevo in apertura che questo sovrapposto può sparare anche un milione e mezzo di colpi senza problemi. Ebbene queste prove sono state

constant quality. Then it is tempered and hardened.

Until now, no spring ever was returned broken, of the shotguns delivered by the Firm.

The fact that the new type of locks are not supplied with through pins, beside the mentioned advantages also allows the screws which secure the sleeve to have a greater threading engagement tract as compared with the classical system, producing evident soundness and stiffness advantages in the connected mechanisms.

The strikers are obtained by means of rectification, and they are made out of carbon steel.

In order to realize the lock and its parts, including the side plate, Ivo Fabbri perfected some specific tools which work like small work centres that allow - as for other mechanical executions - the elimination of human errors and the obtention of pieces which are always perfectly alike with very limited tolerances.

There is still much to say on how a Fabbri shotgun is realized, but fine gun enthusiasts surely already understood the uniqueness and competence which distinguish Fabbri's working process which aims at best quality.

When I asked Tullio Fabbri the price of an over and under shotgun, he answered me that price is an optional, meaning that their customers do not discuss price, given their working methods and their quality.

As I mentioned above, this over and under shotgun can fire one million and a half shots without any problem. These tests have been carried out in the U.S.A., where hunting and

Rettifica per le canne.

Barrel rectification.

Macchina "a copiare" per realizzare la tiratura esterna del sovrapposto.

Machine for the realization of the external shape of the over and under shotgun.

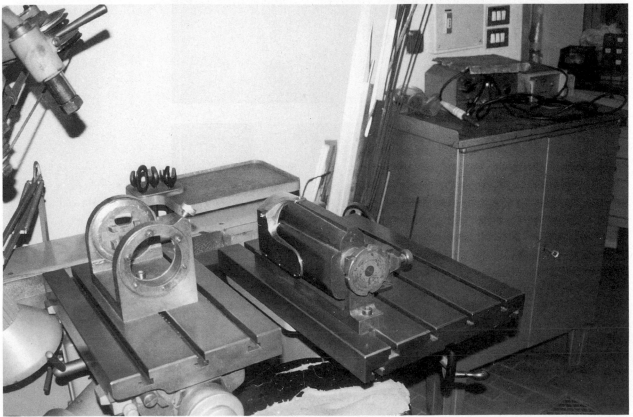

Vasca per la brunitura esterna delle canne.

Bath for the external blueing of the barrels.

Reparto di montaggio e incassatura.

Assembling and Gun Stocking Department.

svolte negli USA dove è risaputo che gli appassionati di caccia e tiro ricercano soprattutto l'affidabilità e sottopongono le armi a dei severi collaudi. Facciamo ora una breve considerazione. Quanti colpi può sparare prima di evidenziare rotture e in assoluta sicurezza un fucile a canne liscie di prezzo medio oscillante fra i 3 e i 5 milioni di lire? Ventimila, trentamila colpi? Stiamo abbondanti e diciamo cinquantamila. Bene, qui siamo a performance di 30 volte superiori. Se ordinate un Fabbri tenendo presente questi dati vi accorgerete che il prezzo è addirittura vantaggioso!

FERLIB
Via Costa, 46
25063 Gardone Val Trompia (BS)
tel. 030/837586

Le armi di Libero Ferraglio sono costituite prevalentemente da doppiette Anson e Holland & Holland. È rimasto tra i pochi costruttori a proporre degli Anson molto fini con diversi gradi di incisioni mentre nelle doppiette a cartelle laterali vengono realizzate sia armi standard che molto particolari. È il caso ad esempio di alcuni pezzi dedicati a Picasso o del modello "Fra gli uliveti", armi accuratamente realizzate a mano e che hanno destato interesse anche all'estero.
Tutt'ora le doppiette Ferlib sono richieste (per la maggior parte esportate) da chi vuole la raffinatezza italiana ed un ottimo grado di rifinitura e di equilibrio nelle forme. La produzione non arriva ad una cinquantina di esemplari all'anno ed i materiali usati sono i migliori disponibili. La Ferlib è attiva sul mercato oramai da quasi quarant'anni.

shooting enthusiasts are always looking for reliability and continuously test their guns.
We shall now deal with a brief consideration: how many shots can a smooth-barrelled shotgun with a price ranging from 3 to 5 million Lire fire fire in absolute safety before evidencing any breakings?
Twenty thousand or thirty thousand shots? Let us be abundant and say fifty thousand. Well, in this case gun performance is thirty times as much.
If you order a Fabbri keeping these data in mind, you shall realize the price is very advantageous!

FERLIB
Via Costa, 46
25063 Gardone Val Trompia (BS)
tel. 030/837586

The guns by Libero Ferraglio are mainly constitued by Anson and Holland & Holland side by side shotgun. This is one of the few gun makers which propose very fine Anson shotguns with different engraving degrees while side by side shotguns with side plates are realized in standard and very special versions.
This is the case of some pieces devoted to Picasso or of some "Fra Gli Uliveti" models, which are entirely hand made and which arose interest abroad too.
Ferlib side by side shotguns are still at present requested by those who want Italian-style refineness (especially abroad) and an excellent finishing degree and shape balance. Production does not reach 50 pieces per year, and the materials employed are among the best available. Ferlib has been operating on the market for more than 40 years.

557

LUIGI FRANCHI
Via del Serpente, 12
25020 Fornaci (BS)
tel. 030/341161

La Franchi di Brescia è stata una delle prime grandi industrie armiere nazionali ad avere un interesse nella produzione di armi fini.

Già a cavallo degli anni '30 produceva un sovrapposto ispirato al Boss, oggi praticamente introvabile.

Quindi doppiette a cani esterni ed interni di notevole bellezza e robustezza.

La più famosa di tutte è sicuramente l'Imperiale Montecarlo,

che la Franchi produce da decenni e che tutt'ora costruisce.

Per realizzare quest'arma ha sempre avuto al proprio interno un reparto separato, di armaioli specializzati che realizzano manualmente questa ed altre armi.

Quindi pur portando un grosso nome legato prevalentemente alle armi industriali di serie, questa produzione se ne stacca completamente, rimanendo artigianale e sottoposta a rigorosissimi controlli di qualità.

Come abbiamo detto più volte, in questi ultimi tempi molte piccole ditte si sono specializzate nella costruzione di armi fini, ma la doppietta Franchi Montecarlo può essere presa come archetipo dell'arma fine italiana. Non solo ma molti addetti alla lavorazione di queste armi si sono poi successivamente staccati producendo per conto proprio e sotto altri nomi. Quindi in questo caso si può parlare di scuola vera e propria, che affonda le proprie radici nella volontà aziendale di voler mantenere a livello internazionale.

Della qualità delle canne Franchi

LUIGI FRANCHI
Via del Serpente, 12
25020 Fornaci (BS)
tel. 030/341161

Franchi of Brescia has been one of the biggest national gun making industries interested in the production of fine guns. During the '30s, they produced an over and under shotgun which was inspired by the Boss model. Today it is practically unfindable. Then they produced external and internal cock side by side shotguns of a remarkable beauty and soundness. The most famous of all is surely the Imperiale Montecarlo shotgun, which Franchi has been producing for decades and which is still being constructed. In order to realize this gun, they always had a special in-house department of skilled gun makers who manually realize this and other shotgun models. Therefore, even though they bear an important name which is mostly linked to mass-produced shotguns, this production is something totally different because it is craftsmade and subjected to very strict quality controls. As I already mentioned various times, in this period many small firms have specialized in the construction of fine guns, but Franchi's Montecarlo side by side shotgun may be taken as an archetype of Italian fine guns. Many people in charge of the construction of these guns subsequently left, and started producing on their own account or for other gun makers. Therefore, in this case we may truly speak of a school, which has its roots in the Company's will of working at an international level. There is not much to say on the quality of Franchi's barrels both as far as materials and as far as piercing ans subsequent workings are concerned. When pigeon-shooting

Sovrapposto Imperiale
Montecarlo realizzato su
meccanica tipo Anson. Ottime
finiture ed incisioni manuali
firmate.

*Imperiale Montecarlo over and
under shotgun realized with an
Anson system. Excellent
finishings and hand-made
engravings.*

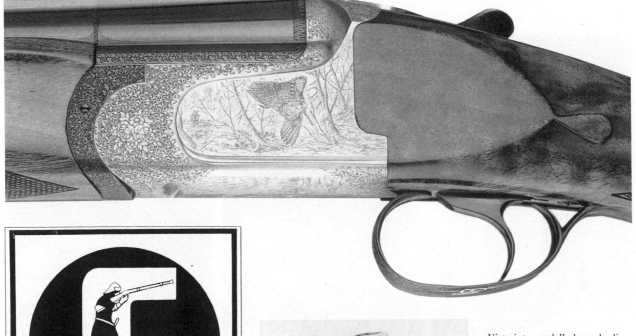

Marchio del settore armi della
Luigi Franchi di Brescia.

*Gun sector brand of the Luigi
Franchi Firm in Brescia.*

Vista interna della bascula di
sovrapposto Franchi. Ne
vengono realizzati anche in lega
leggera (Falconet) per ridurre il
peso dell'arma.

*Internal view of the action of the
Franchi over and under shotgun.
They are also realized in a light
alloy (Falconet) in order to
reduce the gun's weight.*

Reparto incassatori della Luigi
Franchi SpA di Brescia. Ancora
attualmente le doppiette
Imperiale Montecarlo vengono
costruite con metodi artigianali e
tradizionali.

*Gun stocking department of the
Luigi Franchi Spa Company in
Brescia. The Imperiale
Montecarlo side by side shotguns
are still constructed with
traditional and craftmanship
methods.*

 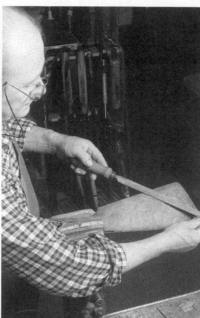 

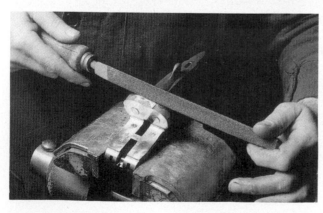 

Tiratura manuale di una bascula
di doppietta franchi.

*Manual finishing of an action of
a Franchi side by side shotgun.*

La lucidatura dei legni viene
fatta a tampone manualmente.

*Wood polishing is made by
hand.*

Le canne Franchi vengono ottenute con un procedimento di martellatura a freddo che ne assicura una buona resistenza nel tempo ed elevate performance balistiche.

Franchi barrels are obtained by means of a cold-hammering procedure which grants a good barrel resistance in time and high ballistic performances.

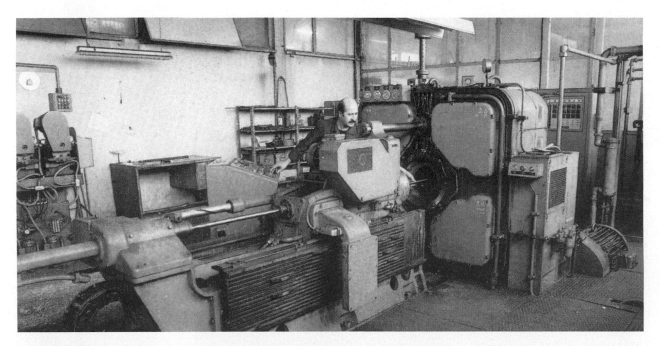

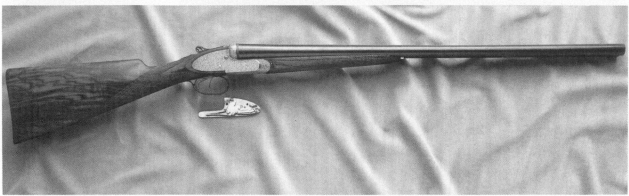

Doppietta Franchi Imperiale Montecarlo Extra con il relativo acciarino. Arma di alta distinzione e curata nei dettagli.

Franchi Imperiale Montecarlo Extra side by side shotgun with its relative lock. Highly distinctive gun which is very well-executed in its details.

561

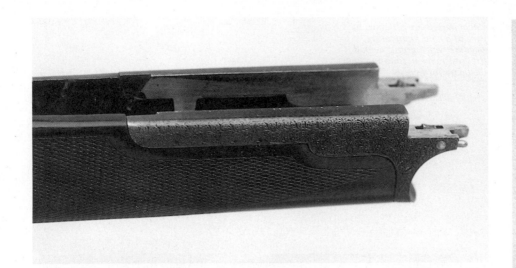

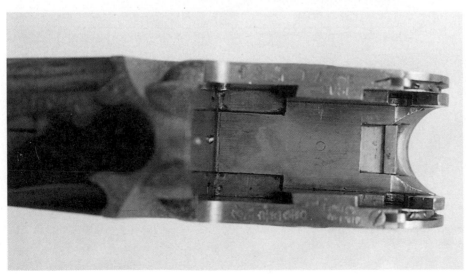

non c'è molto da dire, sia come materiali che come foratura e successive lavorazioni.

Quando ancora andava per la maggiore il tiro al piccione la doppietta Franchi era tra le più diffuse ed apprezzate dai tiratori e campioni. Batterie tipo Holland & Holland, canna demibloc, accurata imbasculatura, legni in radica di noce, forme eleganti e tirature a specchio, estrattori automatici a grande sviluppo ed incisioni a scelta ma sempre di alta classe. Queste caratteristiche pongono la Franchi Imperiale Montecarlo al top della produzione nazionale passata ed in parte presente. Un'altro modello fine è l'Albatros, un Anson con canne demibloc e finte piastrine laterali. Un Anson fine privo di cartelle è l'Astore I Super de Luxe, sempre con incisioni manuali e canne demibloc. Nei sovraposti da segnare l'Imperiale Montecarlo Extra ed il 3003: armi ben rifinite anche se non affascinanti come le sorelle doppiette. Molto interessanti le doppiette ad acciarini laterali "Littorio" e "Condor" ora non più in produzione ma ricercate dai collezionisti. Erano doppiette ben lavorate offerte a prezzi interessanti.

Non vengono più costruite invece le doppiette a cani esterni. Una produzione complessivamente affidabile, solida, raffinata che conserverà nel tempo il proprio valore.

I.A.B. - UNICOM
Via 1° Maggio, 39
Sarezzo (BS)
tel. 030/800313

Il marchio I.A.B. anche se ultimamente meno diffuso che in passato è ugualmente importante nel panorama nazionale armiero.

was still very practiced, Franchi side by side shotguns were among the most widespread and appreciated guns by shooters and champions. Holland & Holland-type locks, demibloc barrels, accurate action fitting, walnut root woods, elegant shapes, and mirror-polish finishing, automatic ejectors and engravings as desired. These are the very high class features of Franchi's shotguns. These characteristics pose the Franchi Imperiale Montecarlo shotgun at the top of Italian past and partly present production. Another very fine model is the "Albatross" shotgun, an Anson with demibloc barrels and false side plates. A fine Anson, without side plates is the Astore Ist Super De Luxe, which is engraved by hand and is supplied with demibloc barrels. The over and under shotguns that we must mention are the Imperiale Montecarlo Extra and the 3003: these are very well finished guns even though they are not as fascinating as their side by side sisters. Their side-lock side by side "Littorio" and "Condor" shotguns are very interesting. They are no longer being produced, but they are sought for by collectors. These were well-executed side by side shotguns which were offered at interesting prices. External cock side by side shotguns are no longer being produced. This is a globally reliable production. It is sound and refined, and it shall maintain its valuein time.

I.A.B. UNICOM
Via 1 Maggio, 39
Sarezzo (BS)
tel. 030/800313

Even though the I.A.B. brand is less widespread now that in the past, it is still important in the national gun making sector. This

Doppietta Ferlib tipo Holland &
Holland mod. "Tra gli uliveti",
sotto doppietta tipo Holland &
Holland di Libero Ferraglio
mod. "Esposizione".
Notare la particolare sagomatura
dei seni della bascula.

Holland & Holland-type side by
side shotgun, "Tra Gli Uliveti"
model by Ferlib. Below: Holland
& Holland-type side by side
shotgun by Libero Ferraglio.
"Esposizione" model.
Note the special shape of the
standing breeches of the action.

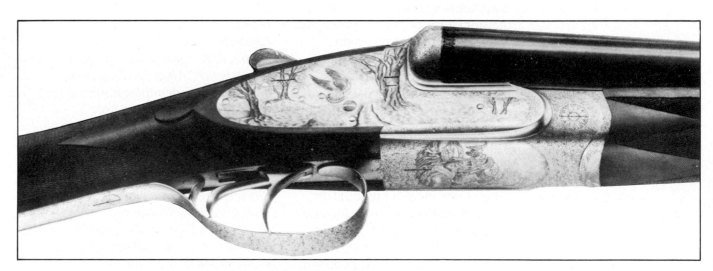

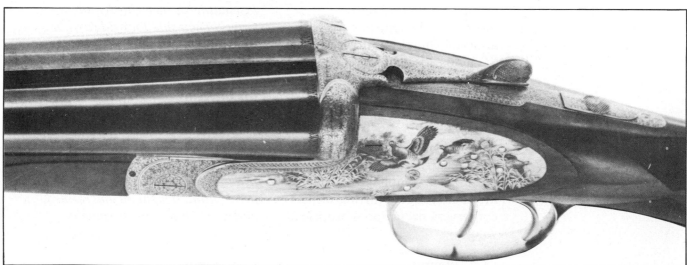

Questa azienda fu infatti fondata per portare avanti alcune idee di Fabio Zanotti, che come è risaputo alcuni decenni fa lasciò la Romagna per trasferirsi a Gardone Val Trompia.

La produzione fu incentrata, e lo è tutt'ora, sul sovrapposto brevettato da Fabio Zanotti alla fine degli anni '50 che ha le caratteristiche di avere una doppia ramponatura passante particolarmente sviluppata e gli scatti diretti molto veloci con molle a spirale.

Queste due particolarità, insieme ad un disegno della bascula altrettanto originale e che accoglie in profondità le due canne ne hanno fatto un'arma molto robusta e portata strutturalmente al tiro al piattello. I modelli che poi la I.A.B. portò avanti con questo sistema furono il Tiger, il Premier, il Parcours e poi il modello "Caccia" nonché alcuni combinati.

Inizialmente la sigla I.A.B. significava Industria Armi Brevettate ed aveva come stemma due leoni rampanti introdotti da Fabio Zanotti. Poi visto il successo commerciale di quest'arma venne rilevata da altri Azionisti (tra cui Zoli e diversi altri). Diventò quindi Industria Armi Bresciane e negli anni '70 questo sovrapposto fu molto diffuso sui campi da tiro di tutto il mondo vincendo diverse medaglie olimpiche. Nel 1986 diventò I.A.B. Unicom, di proprietà di Adriano Pedretti che continua a produrre pochi esemplari annui particolarmente curati insieme a qualche combinato palla/pallini.

Fra i modelli "fuori serie" occorre ricordare i "Guerrieri di Riace" e il "Los Angeles", con cartelle laterali e preziose incisioni. La

firm was founded in order to bring forth some of Fabio Zanotti's ideas. He left the Romagna region a few decades ago in order to move to Gardone Val Trompia.

The production was focused, and still is, on the over and under shotgun patented by Fabio Zanotti at the end of the '50s. It is supplied with a double through lump fitting and direct trigger pulls which are very quick and which are equipped with a spiral spring. These two characteristics, sided by the action design which is equally original and that deeply houses the two barrels, have made of it a very sound gun which is structurally suitable for clay-pigeon shooting.

The models I.A.B. developed with this system were the Tiger, the Premier, the Parcours the Caccia model and some combined shotguns.

At first, I.A.B. used to stand for Industria Armi Brevettate (Patented Guns Industry) and had a stem with two lions rampant introduced by Fabio Zanotti. Then, due to the success of this gun, it was acquired by other Shareholders (among which Zoli and others). So it became the Industria Armi Bresciane (Brescia Guns Industry) and in the '70s this over and under shotgun was very popular on the shooting grounds all over the Worls, winning various olympic medals. In 1986 it became I.A.B. Unicom, owned by Adriano Pedretti which continues to produce very few very well-executed pieces per year together with a few combined shotguns. Among the special models, I shall mention the "Guerrieri di Riace" and the "Los Angeles", with side plates and

I.A.B. realizzò anche qualche doppietta, come la fine Athena con batterie tipo Holland & Holland e la Minerva con batterie Anson.

All'inizio dell'attività I.A.B. quando era coinvolto Fabio Zanotti vennero realizzate poche unità di doppiette mod. Thomas, con batterie laterali senza perni e molla a spirale.

Doppietta "sui generis" frutto dell'estro e delle capacità armiere di Fabio Zanotti molto rara e ricercata dai collezionisti, al pari del mod. 34 praticamente introvabile.

Il sovrapposto I.A.B. rimane un'arma molto interessante poiché si distacca dalle soluzioni più diffuse dei sovrapposti ad orecchioni o tipo Boss facendo categoria a sé.

Il sovrapposto 'Record'

Nel settore armiero delle armi sportive il sovrapposto ha avuto e continua ad avere tutt'ora una posizione di rilievo se paragonato ad altri tipi di fucili a canne lisce. Se poi prendiamo in considerazione il tiro al piatello, sia questo nella specializzazione trap che skeet, il sovrapposto è da anni incotrastato leader. Eppure dobbiamo notare che nonostante la diffusione ed il visto utilizzo di questo tipo di arma le Aziende costruttrici non si spremono le meningi più di tanto e la maggior parte dei fucili oggi prodotti con sistemi industriali ruotano quasi intorno a pochi principi meccanici. Evidentemente si è persa un po' la voglia di impiegare tempo e denaro nella ricerca e nella sperimentazione e si cerca invece di concentrare energie ed investimenti nella

precious engravings. I.A.B. also realized a few side by side shotguns, such as the fine Athena with Holland & Holland type locks, and the Minerva, with Anson locks.

At the beginning of I.A.B.'s activity, at a time when Fabio Zanotti was also involved, a few Thomas model side by side shotguns were also realized.

This model is supplied with side locks without pins and spiral spring.

A general side by side shotgun fruit of the skills of Fabio Zanotti.

It is a very rare shotgun and it is very sought after by collectors as the 34 model which is practically unfindable.

The I.A.B. over and under shotgun remains a very interesting shotgun because it is totally different from the most widespread solutions of over and under shotguns such as the Boss-type or the side shaft-type.

The Record Over and Under Shotgun

Over and under shotguns had and still have a predominant position if compared with other smooth-barrelled shotgun types.

And if we consider clay-pigeon shooting, both as trap or skeet are concerned, over and under shotguns are the leaders.

In spite of this we have to notice that gun makers don't make any big efforts and that most of the shotguns which are produced nowadays by means of industrial systems rotate around very few mechanical principles.

Evidently no one has the will to

Particolare delle batterie del sovrapposto IAB, con molle a spirale. Gli scatti sono velocissimi.

Lock detail of the I.A.B. over and under shotgun with spiral springs. The trigger pulls are very quick.

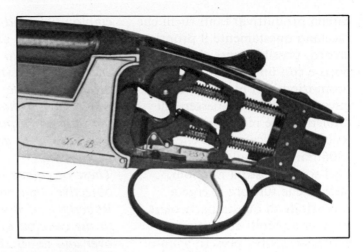

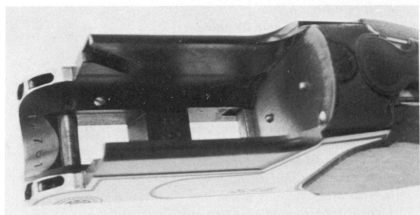

Particolare della bascula con doppi ramponi passanti del sovrapposto I.A.B.

Detail of the action with double through-lumps of the I.A.B. over and under shotgun.

Culatta delle canne del sovraesposto I.A.B. con i due ampi ramponi ricavati dal pieno del monobloc.

Barrel breech of the I.A.B. over and under shotgun with the two solid big lumps obtained from the monobloc system.

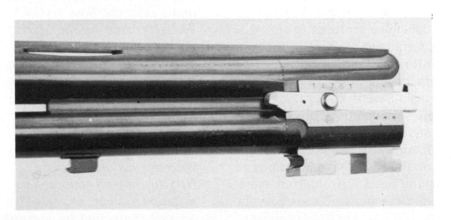

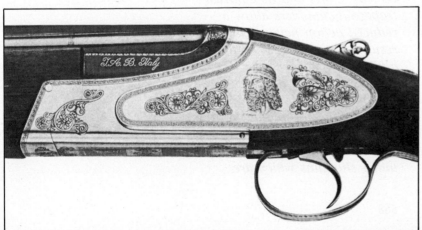

Versione lusso "I guerrieri di Riace" del sovrapposto I.A.B. con finte cartelle laterali. L'incisione è di Cremini.

De Luxe version of the "Guerrieri di Riace" I.A.B. over and under shotgun with false side plates. Engraving by Cremini.

catena produttiva: tanti fucili che facciano onestamente il proprio lavoro, possibilmente che costino poco e con un occhio alla promozione del marchio. Certo questi non dovevano essere gli obbiettivi che mossero John Robertson di casa Boss che nel 1906 portarono alla creazione di quel sovrapposto a ramponi laterali che tutt'ora si erge a capostipite di questa particolare doppietta. Molti costruttori di epoca successiva presero spunto dal modello inglese e con modifiche più o meno accentuate crearono il loro sovrapposto "tipo Boss", anche se l'originale è lungi dell'essere raggiunto e comunque mai eguagliato. Un'altra grande parte di sovrapposti prendono spunto da due sistemi ormai "classici" anche se meno nobili del Boss e cioè dal Merkel e dal Browning. Il primo prevede una bascula piuttosto alta e robusta con ramponi sotto la canna inferiore e tutt'ora Aziende tedesche e centroeuropee continuano a costruire fucili intorno a questa bascula. Si stacca da questi "capiscuola" il fucile Beretta che grazie all'adozione degli orecchioni laterali e dalle spalle trapezoidali di contrasto consentono di tenere un'altezza di bascula molto ridotta con il risultato di avere un'arma filante e maneggevole. Non per niente il sovrapposto Beretta è ormai diffusissimo ed apprezzato da cacciatori e tiratori. Infine, e sono la maggior parte dei sovrapposti medio-economici costruiti oggi industrialmente troviamo quelli a ramponcini sopra i perno cerniera, nella canna inferiore con chiusura tipo Purdey oppure a slitta su rampone sottostante. Si possono avere

employ time and money in research and in experimentation, and one tends to concentrate energy and investments on the production cycle: many shotguns which have to honestly do their job and which possibly have to cost little, with an eye on brand promotion.

These of course were not the objectives that motivated John Robertson of Boss and which led to the creation of the side-lump over and under shotgun which is the forefather of this particular kind of side by side shotgun.

Many subsequent gun makers emulated this famous English model and constructed "Boss-type" over and under shotguns with various modifications, even though the original model is by far the best.

Other over and under shotguns use two other systems which are classical even though they are less noble than the Boss system.

These systems are the Merkel and the Browning.

The first one foresees quite a high and sound action with lumps under the lower barrel.

Many German and Central European gun makers still continue to produce shotguns with this action type.

Beretta shotguns adopted a different system.

Its side shafts and its contrast trapezoid shoulders allow a reduced action height with the result of having a streamlined and handy shotgun.

Beretta over and under shotguns are for this reason appreciated and widespread among shooters and hunters. Most of the medium-economical over and under shotguns which are

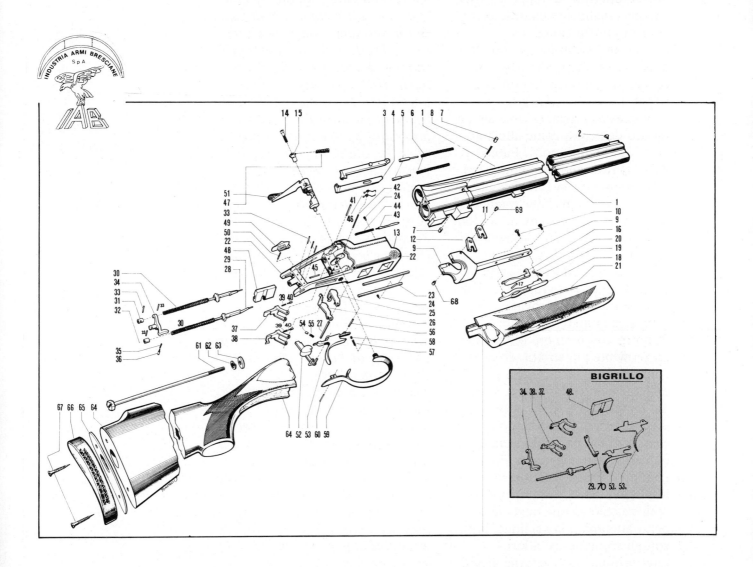

diverse versioni di quest'arma, come l'adozione degli orecchioni sullo stile Beretta e diversi disegni di bascula ma la sostanza non cambia.

Poco conosciuto (ma non dagli addetti ai lavori e dagli appassionati) il sovrapposto IAB, che personalmente considero fra le armi più funzionali ed interessanti sviluppate dopo gli anni '50 in Italia, viene tutt'ora costruito con poche modifiche rispetto a quello che fu la produzione artigianale iniziale per merito dell'estro come abbiamo visto di Fabio Zanotti. Fabio Zanotti realizzò diversi di questi sovrapposti fra la fine degli anni '50 e i primi anni '60 e quando si trasferì dalla Romagna a Gardone Val Trompia costituì insieme ad altri operatori la I.A.B. con l'intento di produrre su vasta scala il proprio sovrapposto. Così si possono ancora trovare sovrapposti marchiati Fabio Zanotti, con ramponi di sezione leggermente più stretta, croce più contenuta ed altre piccole differenze introdotte man mano nel tempo. La I.A.B., ebbe diverse vicissitudini che non elencherò nei particolari ma ebbe un certo peso negli anni '70 quando il grosso complesso impiegava oltre cento operai, si realizzavano alcune migliaia di pezzi all'anno e la versione da tiro conquistò numerosi allori internazionali. Per citarne alcuni dei più recenti basti ricordare le numerose medaglie d'oro del 1979, il record mondiale maschile che portò a ridimensionamento Aziendale ed allo spostamento della Sede degli ampi capannoni di Marcheno località subito fuori Gardone Val Trompia a Sarezzo. I modelli costruiti sono circa una

industrially constructed at present are supplied with lumps above the hinge pin, in the lower barrel with a Purdey-type lock, or of the slide-type on a lower lump. There are various versions of this gun, such as the model which adopts side shafts on the Beretta style, and different action designs. But in substance, they are all the same. The I.A.B. over and under shotgun is not very well known (apart from connoisseurs and operators). I personally believe it is one of the most functional and interesting shotguns developed after the '50s in Italy. It is still constructed with a few modifications as compared with the original first craft-made model designer by Fabio Zanotti. Fabio Zanotti realized various of these shotguns between the end of the '50s and the beginning of the '60s, and when he moved from Romagna to Gardone Val Trompia he founded I.A.B. with other operators with the intention of producing his over and under shotgun on a large scale. Therefore Fabio Zanotti branded shotguns may still be found. Their lumps have a slightly narrower cross section, their tumbler is smaller, and other little differences which were introduced in time. I.A.B. experienced various problems I will not list but they had quite a success in the '70s when this important complex had a staff of over one hundred workers and used to produce various thousands of pieces per year. At that time, the shooting version won various international prizes, among which the most recent are the numerous golden medals won in 1979 - the World record which led I.A.B. to a Company reorganization and to

decina anche se il progetto di base è comune per tutti con una diversificazione nella finiture, nelle incisioni e per lo più che altro in aspetti estetici. Del sovrapposto I.A.B. ne vengono costruiti versioni da caccia, da trap, da skeet, da percorso caccia, con monogrillo o bigrillo. È comunque nel settore tiro che quest'arma può dire una parola importante per le proprie doti di robustezza, velocità di percussione, affidabilità e non ultimo un valido rapporto qualità/prezzo anche nei modelli base.

Il recente mod. Record è una via di mezzo della scala prezzi seguito dai più lussuosi Premier, Los Angeles e Premier 2000. La stessa arma la si può avere sia per Trap che per Skeet, quest'ultima versione con le particolari strozzature cosiddette a "tromboncino", ovvero un allargamento nella parte terminale della canna per avere una rosata più ampia entro i 18 mt. rispetto a quella che si otterrebbe con una canna cilindrica.

La bascula viene ricavata da un massello di acciaio K2D e presenta delle spalle piuttosto alte tali da racchiudere per la quasi totalità anche la canna superiore. Per diminuire visivamente questa altezza di bascula sul Record si è pensato di brunire la parte superiore in modo che a fucile chiuso sembri il naturale proseguimento della canna. Con una bascula però così alta e di buon spessore le canne trovano in essa un profondo alloggiamento senza timore di oscillazioni sul piano orizzontale.

Da notare poi l'estrema pulizia della bascula senza viti o perni con esclusione di quello di

the transfer of their Head Office to the big factory in Marcheno close to Gardone Val Trompia, in Sarezzo.

The constructed models are approximately ten even though the basic project is the same for all of them, with differences in the finishings, in the engravings, and in other aesthetical aspects.

I.A.B.

over and under shotguns are produced in hunting, trap, skeet, single trigger or double trigger versions. But as far as shooting is concerned, this shotgun has a say as far as soundness, striker speed, reliability and quality/price ratio are concerned.

The recent Record model is mid-way in the price range, followed by the de luxe Premier, Los Angeles and Premier 2000 models.

The same gun is available in the Skeet and Trap versions.

Skeet versions are supplied with chokes which are wider in the terminal part of the barrel in order to produce a wider shot pattern within 18 mt, as compared with that which could be obtained with a cylindrical barrel.

The action is obtained from a K2D steel block and it is supplied with rather big shoulders which almost totally close the upper barrel.

in order to visually diminish this action height, Record models have a blued upper part of the action, so that when the shotgun is closed it looks like the natural extension of the barrel.

But with such a high and thick action, the barrels find a deep housing without any problem of abscillations on the horizontal plain. The extreme smoothness of

rotazione delle canne. Il monoblocco delle canne viene ricavato tramite lunghi ed accurati processi di fresatura in modo di ricavare dal pieno i due ampi ramponi passanti dalla canna inferiore.

Questi ramponi sono fra i più ampi che si possono trovare su fucili sia sovrapposti che doppiette ed assicurano una notevole superficie di contatto fra canne e bascula. La chiusura avviene tramite una slitta che lavora sul rampone posteriore, slitta che ha il solo compito di tenere abbassate le canne al momento dello sparo poiché la saldatura della spinta in avanti di queste è assicurata per l'appunto dai due grossi ramponi passanti.

Pur essendo alta la bascula è piuttosto stretta e squadrata conferendo all'arma una linea moderna ed unica. Le molle degli estrattori automatici sono alloggiate nei fianchi del monobloc e tarate e sincronizzate a mano individualmente.

Le canne sono ricavate da tubi di acciaio al Nichel-Cromo-Molibdeno internamente cromate. L'anima è forata con un valore di 18,5 mm., lunghezza cm. 71, strozzature tre ed una stella.

Come dicevamo nell'introduzione si può avere il monogrillo non selettivo, il monogrilo selettivo oppure il bigrillo. Il monogrillo può avere anche la corsa regolabile. Allo stesso modo si possono avere le canne indipendenti tra loro e trattenute con un manicotto in volata per permettere una dilatazione indipendente oppure saldate con bindelline laterali ventilate. Ventilata anche la bindella superiore, di spessore più o meno

the action without any screws and pins is to be noted. The barrel monobloc is obtained by means of long and accurate milling operations so as to obtain the two solid lumps that pass through the lower barrel.

These lumps are the biggest which may be found on over and under and side by side shotguns, and they assure a wide surface of contact between barrels and action.

The closing is carried out by means of a slide which works on the back lump.

This slide only has the function of keeping the barrels lowered during shooting.

Even though the action is tall, it is quite narrow and squared, giving the gun a unique and modern line.

The automatic ejectors springs are housed in the monobloc sides, and they are individually gauged and synchronized by hand.

The barrels are made out of Nikel-Chromium-Molybdenum steel tubes which are internally chromium-plated.

The bore is of 18.5 mm., their lenght is of 71 cm. and the chokes are three with one star.

As I mentioned in the introduction, they may be supplied with non-selective single triggers, selective single triggers or double triggers.

Single triggers may have an adjustable run.

Similarly, barrels may be independant and kept together by means of a sleeve on the muzzle in order to allow an independant expansion or they may be welded with ventilated side ribs. The upper rib is also ventilated, and it is anti-reflex checkered. Barrel length and chokes may be

accentuato e zigrinata antiriflesso. La lunghezza come la strozzatura delle canne possono essere effettuate su richiesta. Tutte le superfici metalliche sono tirate con cura ed anche le canne sono frutto di un attento lavoro alla pulitrice, con solida brunitura esterna. La tiratura della bascula prevede sul Record una semplice parentesi quadra dove questa si innesta nel calcio, mentre occorre andare sul modello superiore, il Premier, per averla a parentesi graffa, quella tipica appunto del sovrapposto Zanotti e che da un tocco di "inglese" essendo stata mutuata dalla doppiette di Westley-Richards. Le batterie costituiscono il piatto forte dell'arma. Sono un po' come l'uovo di Colombo, semplici una volta già inventate. Esiste un cane-percussore di circa una decina di cm. di lunghezza alloggiato all'interno di una molla a spirale, quasi coassiale al movimento percussivo sul piano orizzontale. Questo unico cane-percussore è agganciato direttamente alla stanghetta di scatto azionata a sua volta dal grilletto. Pochi pezzi per un funzionamento più rapido e preciso rispetto a batterie maggiormente sofisticate. Per la batteria veloce si intende il tempo che intercorre da quando si preme il grilletto a quando realmente il percussore batte sull'innesco della cartuccia. Con il sistema descritto la batteria dei sovrapposti I.A.B. è tra le più veloci di quelle esistenti su questo tipo di armi.
Nel modello Premier tutte le parti interne costituenti le batterie sono finite a bastoncino. Gli scatti sono normalmente

effectuated upon request. All metal surfaces are accurately finished and the barrels too, are exquisitely polished and solidly blued.
The action finish on the Record model foresees a simple squared bracket in the area where the action is fitted to the stock while the superior model, the Premier, has a double bracket which is the typical Zanotti one and which gives the gun an English touch.
The side locks constitute the gun's strengths.
They are quite simple.
They are supplied with a striker-cock which is about 10 cm. long and which is housed inside a spiral spring which is coaxial to the percussion movement on the horizontal plain.
This single striker-cock is directly hooked to the trigger pull lever, which in its turn, is operated by the trigger.
Only a few pieces for a quicker and more accurate working as compared with more sophisticated locks.
When we say quick lock, we refer to the time which passes between the pressing on the trigger and the actual striker percussion on the cartridge.
With the described system, the lock of the I.A.B. over and under shotguns is among the quickest existant on these types of guns.
In the Premier model all the internal parts which constitute the locks are finished with small circles.
Trigger pulls are very light and they may easily be personalized.
The gun's weight ranges between 3.4 Kg. and 3.6 Kg. The heaviest

molto leggeri e possono essere facilmente personalizzati.

L'arma ha un peso che oscilla fra i 3,4 Kg. e i 3,6 Kg., la maggior parte del peso in posizione centrale risultando particolarmente equilibrata e non presentando reazioni anomali anche con cariche pesanti. Si nota un buon assorbimento del rinculo, non sbatte sul viso e mantiene il proprio allineamento dopo il primo colpo. Evidentemente l'arma è ben progettata e l'esperienza costruttiva di oltre trent'anni ne hanno affinato le doti. Lo sganciamento dell'asta avviene esercitando una medesima pressione sulla leva tipo auget di metallo brunito. Sono state effettuate prove intensive negli USA, paese in cui tutt'ora vangono esportati un buon numero i sovrapposti I.A.B., confermando la possibilità di sparare decine di migliaia di colpi senza inconveniente alcuno. Per la precisione sono stati sparati oltre trentamila colpi di seguito senza cedimenti delle chiusure. E si sa che in America sono severi per quanto riguarda le prove pratiche sulle armi.

Spesso sui campi da tiro, ma anche fra i cacciatori più attenti a questi aspetti, si riproducono periodicamente delle mode a proposito di questa o quella marca di fucile. Pochi sono coloro che fanno la propria scelta in base ad aspetti tecnici e funzionali e costoro badano più ai fatti ed alla sostanza che non alle pagine pubblicitarie sulla stampa di settore. Il sovrapposto I.A.B. non è probabilmente più di moda, ma lo è stato una decina di anni fa e da un punto di vista meccanico è tutt'altro che

part of the gun is in a central position, which makes the gun well-balanced.
In this way, the gun shall not have abnormal reaction even if loaded with heavy cartridges.
Recoil is very well absorbed.
It does not bump on the face and it keeps its alignment even after the first shot.
The gun is evidently well-designed, and the 30-year experience improved it even further.
The forend release is carried out by means of a light pressure on the auget-type blued metal lever.
Intensive tests have been carried out in the U.S.A., a country in which a great number of I.A.B. over and under shotguns are exported.
These tests confirmed the possibility of shooting tens of thousands shots without any inconvenience. Over thirty thousand shots have been fired one after the other without experiencing any lock problem. And we all know that in America they are very severe as far as practical gun tests are concerned.
Very often on shooting grounds, but also among hunters, there are fashions which follow one another concerning this or that gun brand name.
Very few are those who base their choice on technical and functional aspects and those who do look at the substance and at the evidence rather than at the ads on the sector's press. I.A.B. over and under shotguns are probably not fashionable any more, but they used to be about a decade ago, and under a mechanical point of view this gun is not obsolete at all: on

superato. Basta osservare la linea di questo Record per trovare motivi di apprezzamento e soluzioni originali. Al di là del lato estetico si rivela un'arma che spara molto bene, con una perfetta tenuta canne-bascula grazie agli ampi doppi ramponi passanti ed ad una velocità di percussione tra le maggiori della categoria. Derivato da un progetto di Fabio Zanotti, il sovrapposto I.A.B. è realizzato ancora con sistemi semi-artigianali, adottando ottimi materiali e finiture più che dignitose. Una valida alternativa per i giovani che si avvicinano al tiro e che non possono permettersi i modelli a ramponi laterali verso i quali comunque lo I.A.B. non soffre di complessi di inferiorità.

La doppietta "Thomas" di Fabio Zanotti

Fabio Zanotti, fra i più capaci armaioli italiani brevettò diversi fucili originali ed attualmente molto interessanti all'occhio dello storico e del collezionista di armi da caccia.
Parlando di doppiette a canne affiancate vengono subito in mente il mod. 34 ed il modello "Thomas", due doppiette che potremmo considerare prettamente "italiane" e rarissime, poiché solo pochi esemplari uscirono dalle mani dello stesso Fabio. Già agli inizi degli anni cinquanta, quando Fabio presentò il "Thomas" il prezzo di vendita era molto alto, determinato dal fatto che non poteva utilizzare pezzi da altre armi e doveva partire dal pieno per ogni componente.
Fabio impiegava circa un anno a produrre una doppietta "Thomas" e in tutto non ne costruì più di

the contrary it is still valid. Just observe the line of this Record, and you shall appreciate it and its original solutions too. Beside its aesthetical look, it is a gun which shoots very well, with a perfect barrel-action fitting thanks to the big through double lumps and to the very quick percussion speed which is among the highest in its category. Derived from a project by Fabio Zanotti, the I.A.B. over and under shotgun model is still being realized with semi-craftmanship systems by adopting excellent materials and beautiful finishings. This is a valid alternative for young men who approach shooting and who cannot afford the price of the side lump models.

"Thomas" side by side shotgun by Fabio Zanotti

Fabio Zanotti, who is one of the most brilliant Italian gun makers, patented various original shotguns which are at present very interesting for gun historians and collectors. When we speak of side by side shotguns, we immediately think of model 34 and of the Thomas model. These are two side by side shotguns which we could consider as typically "Italian" and very rare because only very few pieces were constructed by Fabio Zanotti himself. At the beginning of the '50s, when Fabio presented the Thomas model, its sales price was already very high due to the fact he could not use other gun pieces and had to make every single component.
The construction of one Thomas model shotgun used to take Fabio about one year, and he did not produce more than ten pieces. Some of them were sold abroad.

575

una decina, alcune delle quali vennero vendute all'estero. Il periodo produttivo andò dai primi anni '50 ai primi anni '60. Esistono dei prototipi di "Thomas" marchiati I.A.B., come quello illustrato.

Vediamo in cosa questa doppietta "Thomas" si distingue dai tradizionali sistemi ispirati agli acciarini di Holland & Holland. Una delle caratteristiche di base è che i perni degli acciarini non sono di tipo passante nella cartella ma sono ricavati dal pieno dall'interno. Vedendo il fucile montato le cartelle sembrerebbero finte, cioè quelle che normalmente si adottano su doppiette Anson per conferirgli maggiore importanza, ma poiché le batterie sono smontabili a mano è facile accedere al loro interno ed ammirare l'originalità progettuale e tutto sommato la semplicità realizzativa.

All'interno della piastrina sono montati il cane noce (eventualmente sfilabile dal suo perno) e la stanghetta di scatto. Sono assenti la molla e la stanghetta di sicurezza. La prima, del tipo a spirale, è alloggiata all'interno della bascula dentro un tubicino metallico che funge da astuccio protettivo. La molla della stanghetta di scatto, sempre a spirale, è nascosta dietro il dente della stanghetta stessa. La stanghetta di sicurezza è invece stata ritenuta superflua da Fabio poiché sia dalla profondità e dalla grandezza del dente di scatto della noce sia per la posizione di quest'ultimo nei confronti del perno della stanghetta che del punto di pressione della molla. Non si deve però credere che con simile sistema gli scatti risultino duri, tutt'altro; si possono portare

The production period ranged from the first years of the '50s to the first years of the '60s.
There are some Thomas prototypes which are branded "I.A.B." such as the illustrated one.
We shall now see what distinguishes this Thomas model from the other traditional systems inspired by Holland & Holland locks. One of the fundamental characteristics is that shafts and locks are not of the type which passes through the side plate but they are solid and internal. By looking at the assembled shotgun, the side plates look false - that is, like those which are usually adopted on Anson side by side shotguns in order to enhance them - but since locks are hand-detachable, it is easy to have an access to their inside in order to admire their project originalness and simpleness.
The cock and trigger pull lever are mounted inside the side plate. Spring and safety sear are absent. The first, which is of a spiral type, is housed inside the action in a metal tube which protects it. The trigger pull lever spring, which is also of a spiral type, is hidden behind the lever tooth. The safety sear has been considered unnecessary by Fabio due to the depth and size of the trigger pull tooth and to the position of the nut as concerns the lever pin and the spring pressure point. But one should not believe that with such a system the trigger pulls are hard. On the contrary, they can be brought to very light values. Since this Thomas shotgun was destined to shooting, the trigger pulls were adjusted to be sensitive - maybe even a bit too much for hunting

La doppietta "Thomas" di Fabio Zanotti aperta. Notare le generose dimensioni del rampone posteriore.

Open Thomas side by side shotgun by Fabio Zanotti. Note the generous dimensions of the back lump.

Particolare della bascula con acciarino smontato. È visibile sotto i piani di appoggio delle canne l'astuccio metallico contenente la molla principale a spirale della batteria.

Detail of the action with disassembled lock. The metal case which contains the main spiral spring of the lock is visible under the barrel support plains.

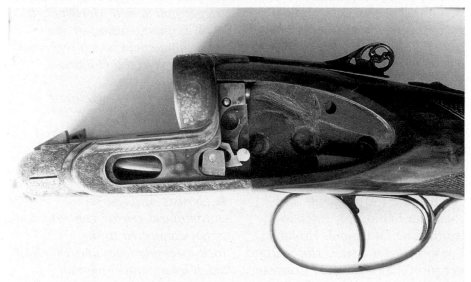

Acciarino smontato: i perni sono ricavati dal pieno.

Disassembled lock: the pins are solid.

577

a valori molto leggeri. Anzi poiché questo "Thomas" fu destinato al tiro gli scatti furono regolati molto sensibili, forse troppo per un uso venatorio. Occorre però farci un po' l'orecchio, poiché sia nell'armare il fucile che nel tirare il grilletto il "suono" che si ode non ha nulla in comune a quelli che siamo abituati a percepire su fucili Anson che Holland & Holland. L'armamento è molto dolce e avviene per mezzo di una camme posta alla fine della tavola della bascula: girando sotto la spinta delle canne mette in tensione le molle principali quando si richiude il fucile. Con un tale acciarino gli attriti fra i vari pezzi sono veramente insignificanti; inoltre la corsa che deve compiere il cane è molto breve aumentando la velocità dello scatto ed infine ha consentito di eludere la tradizionale catenella che rappresenta un punto debole nell'acciarino tipo Holland & Holland.

Anche gli estrattori sono stati rivisti da Fabio. Pur essendo di ispirazione Holland & Holland l'automatismo è stato riprogettato nel suo funzionamento. Consiste in un comando di sgancio particolare ed autonomo non connesso alle leve monta-batterie, coadiuvato da un sistema parallelo di estrazione manuale in caso di mancato funzionamento dell'ejector.

Il meccanismo dell'estrattore automatico è composto da un pistoncino che avanza a percussione avvenuta spingendo fuori una piccola slitta che a sua volta aggancia gli ejector provocando lo scatto della loro molla. Una tale meccanica nella sua struttura facilita anche

purposes. It is necessary to get used to hearing its sound because both in shotgun arming and in pulling the trigger its sound is totally different as compared to the common Anson and Holland & Holland sounds we are used to. Arming is very smooth and it is carried out by means of a shaft which is positioned at the end of the action table; by pivoting under the barrel thrust, it puts the main springs in tension when the shotgun is reclosed. With such a lock, frictions between the various pieces are truly neglectable. Besides, the run the cock has to carry out is very short, increasing trigger pull speed. Moreover, it allowed the exclusion of the traditional chain which represents a weakness in the Holland & Holland lock type.

The ejectors too, have been reviewed by Fabio.

Even though they are inspired by the Holland & Holland model, their working automatism has been replanned.

It consists of a special autonomous release control which is not connected to the lock-assembly lever and which is sided by a parallel manual ejection system in case the automatic ejector does not work. The automatic ejector mechanism is composed by a small piston which progresses after the percussion occurred by pushing out a small slide which in its turn, acts on the ejectors causing the release of their spring. Such mechanism also simplifies barrel opening due to its structure (even though it is not a true self-opening system) and when they are disassembled, the gun is automatically unloaded.

The action, which is quite heavily

l'apertura delle canne (pur non essendo un vero e proprio self-opening) e smontandole fa si che l'arma si scarichi automaticamente.

La bascula, di massiccia impostazione, rivela la scuola romagnola con tavola di appoggio delle canne pittosto lunga (mm. 56) così come ben sviluppate sono le piastrine. L'estetica non è però tozza ma sufficientemente slanciata, con piccoli rinforzi laterali all'altezza dei piani di bascula ed una omogeneità degli ovali. Le incisioni sono molto fini, con inglesine non invadenti coadiuvate da semplici motivi floreali.

Esistono dei modelli di doppiette "Thomas" marchiate Fabio Zanotti da Bologna.

MAPIZ DI ZANARDINI
Via Goldoni, 34
25063 Gardone Val Trompia (BS)
tel. 030/837314

Zanardini è stato tra i primi armieri di Gardone ad interessarsi della costruzione delle armi rigate e miste, assimilando la scuola austriaca e tedesca ma rendendole più vicine ai nostri gusti. Quasi tutta la produzione della MAPIZ è di livello elevato, sia in armi combinate che lisce. Di quest'ultime spiccano le doppiette London a cani esterni e la Donau tipo Holland & Holland. La prima ha estrattori automatici, canne demibloc con brunitura damascata, monogrillo e realizzata nei cal. 12 e 20. La Donau viene costruita su richiesta ed offerta sia liscia che incisa. Costruisce poi un potente express a canne affiancate, il 403 Oxford H & H in numerosi calibri compreso il 458 Winch Magnum. Per chi vuole spendere meno Zanardini offre lo stesso express però con batterie Anson,

built is of a typical Romagna style with its rather long barrel support table (56 mm.). The side plates are quite big as well. In spite of this the gun is not squat, but rather streamlined, with small side reinforcements in the area of the action flats and a uniformness of the ovals. Its engravings are very fine, with non obtrusive English scrolls and flower patterns.

There are some Thomas side by side shotgun models which are branded with the inscription of Fabio Zanotti - Bologna.

MAPIZ DI ZANARDINI
Via Goldoni,34
25063 Gardone Val Trompia (BS)
tel. 030/837314

Zanardini has been one of the first gun makers in Gardone to have an interest in rifled and combined shotguns, following the Austrian and German schools but adapting them to our taste. Almost all the production of Mapiz is high-level, both as combined and as smooth shotguns are concerned. Among the latter, we shall mention the "London" external cock side by side shotguns and the "Donau" shotgun, on the Holland & Holland model. The first one is supplied with automatic ejectors, demibloc barrels with a damascus blueing, a single trigger. It is realized in 12 and 20 gauge. The Donau shotgun is constructed upon request and it is offered either plain or engraved.

Mapiz also produces a mighty side by side express shotgun - the 403 Oxford Holland & Holland, in a wide range of gauges including the 458 Winchester Magnum. For those who want to spend less, Zanardini offers the very same express shotgun supplied with Anson locks in a wide range of gauges: 444 Marlin, 6.5x57R, 577

Potente express di Zanardini in cal. 458 Winc. M.-Batterie tipo Holland & Holland a molla indietro.

Mighty Zanardini express in cal. 458 W.M. backward-spring Holland & Holland type locks.

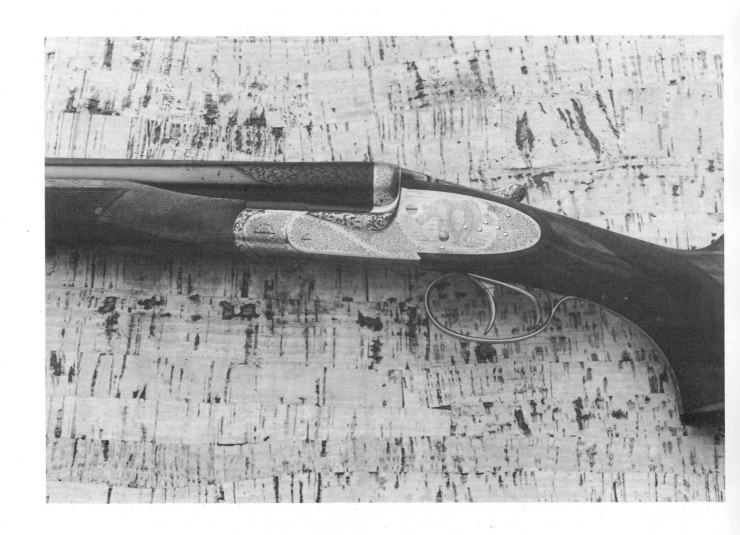

in un'ampia varietà di calibri: 444 Marlin, 6,5x57R, 577 N.E., 600 N.E. ed altri. Le canne sono in acciaio Boehler Rasant lunghe 61 cm. I combinati sovrapposti possono essere hammerless o a cani esterni (mod. Strauss), mentre l'express sovrapposto 403 konig ha un'alloggiamento nel calcio per inserire le munizioni. Realizza anche carabine bolt-action su azione Mauser ed un monocanna basculante molto apprezzate dai cacciatori di montagna (Nuovo Prinz Standard e De Luxe) anche in versione ripieghevole (Fuchs) sempre in diversi calibri. La MAPIZ è comunque un'Azienda flessibile, che cerca di accontentare le richieste dei propri interlocutori e che ha acquistato vaste esperienze in questo delicato settore delle armi miste dove gli italiani non si sono mai impegnati a fondo. Da segnalare anche la recente realizzazione di un drilling su meccanica Merkel con ottime finiture.

N.E., 600 N.E. and so on. The barrels are made out of Boehler Rasant steel and are 61 cm. long. The over and under combined shotgun may be hammerless or with external cocks (Strauss model), while the 403 Konig over and under express shotgun has a housing in its stock in order to insert munitions. They also realize bolt-action rifles on a Mauser system and a basculating single barrelled shotgun which is very much appreciated by mountain hunters (new standard and de luxe Prinz) also in a folding form (Fuchs) and in different gauges.
Mapiz is a flexible company which always tries to meet the requirements of its customers and which acquired a vast experience in this combined guns sector, where Italians never made big efforts. The recent realization of a drilling shotgun which adapts the Merkel system and which is very well finished is also worth mentioning.

PERAZZI
Via Fontanelle, 1-3
25080 Botticino Mattina (BS)
tel. 030/2692591

Il nome Perazzi è legato principalmente ai sovrapposti per il tiro al piattello anche se il catalogo Perazzi è molto più vasto, offrendo armi da caccia e da collezione pregiatissime sia doppiette che sovrapposti.
Il sovrapposto Perazzi ha la particolarità di avere la ramponatura laterale e le batterie brevettate smontabili dal sottoguardia. È quindi un'arma di per sé fine realizzata nei modelli base a prezzi più accessibili dei sovrapposti tipo Boss in circolazione, particolarmente robusta e precisa come si richiede ai modelli destinati al tiro, che

PERAZZI
Via Fontanelle, 1-3
25080 Botticino Mattina (BS)
tel. 030/2692591

The Perazzi brand is mainly linked to over and under shotguns for clay pigeon shooting even though the Perazzi catalogue is much vaster, offering very precious hunting and collection over and under and side by side shotguns. The Perazzi over and under shotgun is supplied with a side lump fitting and patented detachable locks which are dismountable from the guard bottom. It is therefore a very fine gun realized - in its basic models - at prices which are lower as compared with the normally available Boss-type over and under shotguns. It is sound and precise as required in shooting shotguns

devono sopportare migliaia di colpi.

I modelli di sovrapposti partono dall'MX 4, MX 8 (nomi dati in collaborazione con Ennio Mattarelli dopo le Olimpiadi del Mexico alla fine degli anni '60) quindi serie SC3, SCO, serie ORO con finte piastre laterali oppure con batterie laterali mod. SHO. Pur essendo una Azienda di medie dimensioni la Perazzi è organizzatissima per quanto riguarda l'assistenza sui campi da tiro, per la personalizzazione delle varie armi su misura ma anche per la grande offerta di incisioni e di possibilità di finiture. I sovrapposti vengono costruiti nel cal. 12, alcuni nel cal. 20 con possibilità di montare anche set di canne del cal. 28 e 410. Le doppiette con batterie laterali sono le DHO, armi molto fini che possono essere ordinate in diversi gradi di finiture. La DHO Extra, la più prestigiosa della serie, viene costruita anche in cal. 410 e rappresenta quanto di meglio la moderna industria armiera oggi possa offrire in tema di armi fini. Queste doppiette hanno un particolare sistema di ramponatura e ne sono state costruite anche in versione express. Il nome Perazzi ha contribuito a far conoscere l'industria armiera nazionale in tutto il mondo e per quanto concerne le discipline di tiro a volo è insieme a pochissime altre marche ai vertici tecnologici e commerciali. Ancora una volta la creatività italiana e la passione per le armi di classe sono riuscite a imporsi e ricevere unanimi consensi. In tempi recenti ha acquistato parte del pacchetto azionario la Pietro Beretta S.p.A. di Gardone.

which have to stand thousands of shots. The over and under shotgun models start with the MX 4, MX 8 (these names have been given to them in collaboration with Ennio Mattarelli after the Mexican Olympic Games at the end of the '60s). Then there are the SC3, SC0, ORO series with false side plates or the side locks SHO model. Even though this is a medium-sized company, Perazzi is very organized as far as assistance on shooting grounds is concerned, for the personalization of the various tailored guns and also for the vast offer of engravings and of finishing possibilities. Over and under shotguns are realized in 12 gauge, and some in 20 gauge with the possibility of mounting 28 and 410 gauge barrel sets. The side by side shotguns with side locks belong to the DHO series. These are very fine guns which may be ordered in different finishing degrees. The extra DHO shotgun, which is the most prestigious of its series, is also constructed in the 410 gauge, and it represents the best which the modern gun making industry may offer as far as fine guns are concerned. These side by side shotguns have a special lump fitting system, and some have been constructed in an express version too. The Perazzi name contributed in making our gun making industry be known all over the World, and as far as clay-pigeon shooting disciplines are concerned, it is at the top of commercial and technological levels. Once again, Italian creativity and enthusiasm for guns of class managed to impose themselves and to receive a unanimous consensus. In recent times this Company acquired part of the shareholding of Pietro Beretta S.p.A. of Gardone.

Daniele Perazzi con in mano
una bascula del suo prestigioso
sovrapposto.

Daniele Perazzi. He is holding
an action of his prestigious over
and under shotgun.

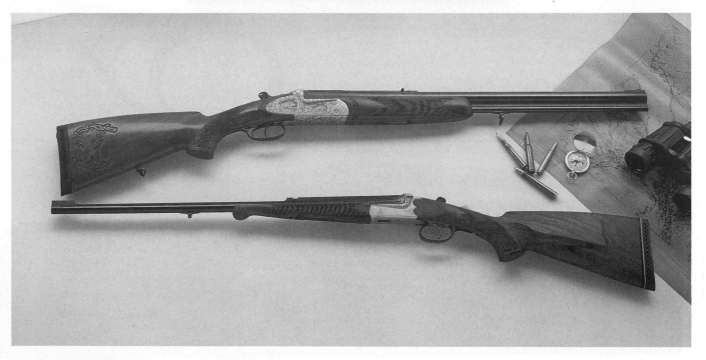

Combinato e monocanna rigato
basculante di buona fattura a
cura della Mapiz di Zanardini.

Comined shotgun and
basculating single barrelled
rifled shotgun. Good execution
by Mapiz of Zanardini.

Sovrapposto Perazzi con finte cartelle laterali.

Perazzi over and under shotgun with false side plates.

Doppietta Perazzi DHO con incisione a scene di caccia grossa.

DHO Perazzi side by side shotgun with big game hunting scenes engravings.

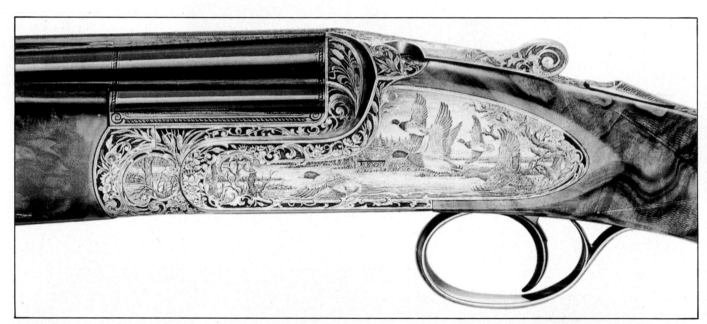

Campo da tiro ed Azienda
Perazzi. Questa dinamica Ditta
si è saputa affermare soprattutto
nei campi di tiro al piattello.
Offre ai propri clienti una
completa e qualificata
assistenza.

Perazzi shooting ground and
building. This dynamic Firm
imposed itself mostly on
shooting grounds. It offers a
complete and qualified servicing
to its customers.

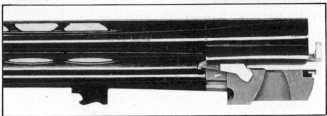

Particolare della ramponatura
delle canne di un sovrapposto
Perazzi da tiro.

Detail of the barrel lump fitting
of a Perazzi shooting over and
under shotgun.

585

PERUGINI & VISINI
Via Camprelle, 126
2508 Nuvolera (BS)
tel. 030/691497

Questo piccolo laboratorio artigianale di Brescia ha da tempo puntato sulla propria immagine ed in questo ha assunto una posizione di rilievo sui mercati internazionali. Pur producendo una nutrita serie di modelli il nome Perugini & Visini viene associato agli express a canne affiancate sia Anson che ad acciarini su cartelle. Il primo è l'express Victoria, con bascula ricavata dal pieno in un blocco d'acciaio speciale. Le canne sono in acciaio Boehler e si possono richiedere sia con accoppiamento demibloc che monobloc. La chiusura è affidata ad una doppia Purdey con estrattori automatici. Il mirino è su rampa satinata; fogliette abbattibili su bindella tarate a 50 mt. e 100 mt. L'incisione può essere a soggetto oppure a bordino in oro su bascula tartarugata. I calibri sono molteplici e vanno dal 7x65R al 30-06, dal 9,3x74R al 375 HeH Magnum. Comprende anche il grosso calibro 458W.M. Su richiesta si può disporre di un paio di canne intercambiabili lisce del cal. 20. Tra gli express più fini prodotti in Italia spicca il "Selous" di Perugini & Visini, con batterie del tipo H/H internamente dorate, a molla indietro ed estraibili a mano. Questa magnifica arma viene realizzata anche nei calibri 470N.E. e 500N.E. Canna e bascula vengono sottoposte a controllo radiografico. A richiesta altri calibri, canne di ricambio lisce, montaggio ed incastro dell'ottica ed incisioni sia a soggetto che ad inglesine. Completano il catalogo della Perugini & Visini due doppiette hammerless Anson e Holland, un monocanna

PERUGINI & VISINI
Via Camprelle, 126
2506 Nuvolera (BS)
030/691497

This small workshop in Brescia has been working on its image for some time, and in this it assumed an important position on foreign markets. Even though they produce a wide range of models, the name Perugini & Visini is associated with side by side express shotguns of the Anson type or with side locks on side plates. The first one is the "Victoria" express shotgun, with a solid action made out of a special steel block. The barrels are made out of Boehler steel and they may be requested either with a demibloc or a monobloc coupling. The closing is carried out by means of a Purdey double bolt with automatic ejectors. The sight is fitted on a ramp. The gun is also equipped with pull-down leafs on the rib which are adjusted at 50 and 100 metres. The guns may be engraved with subject engravings or with golden borders on a hardened background. Gauges are many and they range from the 7x65R to the 30-06, from the 9.3x74R to the 375 H&H Magnum. They also include the heavy bore 458 W.M. Upon request, a smooth barrel set may also be supplied in 20 gauge. Among the finest express shotguns produced in Italy the "Selous" by Perugini & Visini stands out. It is supplied with H&H type backward-spring locks which are internally gold-plated and hand-detachable. This beautiful gun is also realized in the following gauges: 470 N.E., 500 N.E. Barrels and action are subjected to an X-ray control. Upon request, their guns may be supplied with other gauges, extra smooth barrels, optics fitting and subject or English scroll engravings. Two hammerless Anson and Holland side by side shotguns,

Doppietta express mod. Selous di Perugini & Visini. Arma con batterie tipo Holland & Holland a molla indietro. Viene costruita in molti calibri.

Selous Express side by side shotgun by Perugini & Visini. Gun with backward-spring Holland & Holland type locks. It is constructed in a wide range of gauges.

Doppietta da caccia a canne liscie mod. Classic. Canne demibloc, estrattori automatici, batterie tipo Holland & Holland. A richiesta può essere fornita in versione "self opening".

Hunting smooth-barrelled side by side shotgun. "Classic" model. It is supplied with demibloc barrels, automatic ejectors.

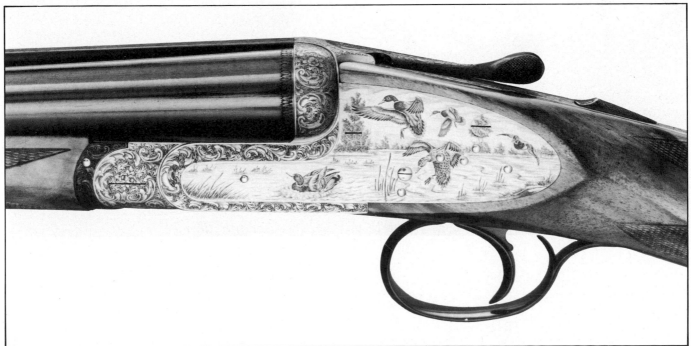

Express tipo Anson di Perugini &
Visini. A richiesta può essere
dotato di un paio di canne liscie
di ricambio.

*Anson-type Express shotgun by
Perugini & Visini. Upon request
it may be supplied with an extra
smooth set of barrels.*

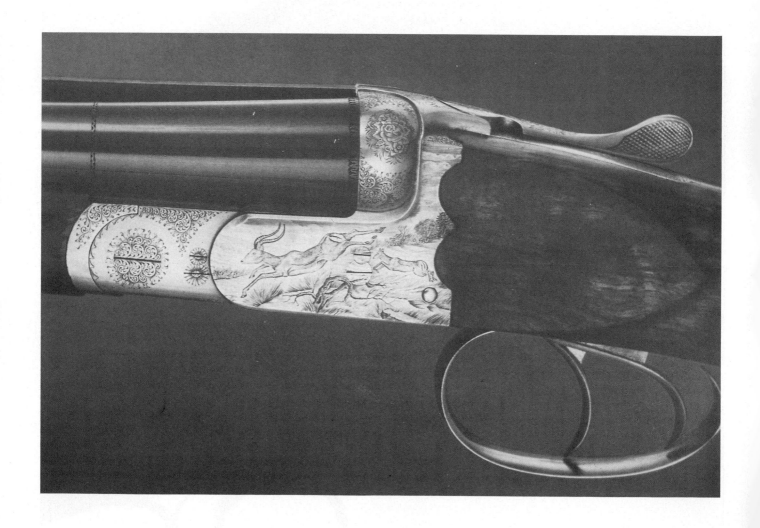

Simbolo del Safari Club
International rimesso in oro su
bascula di doppietta express di
Perugini & Visini.

*Symbol of the Safari Club
International. It is gold-inlaid on
an express side by side shotgun
action by Perugini & Visini.*

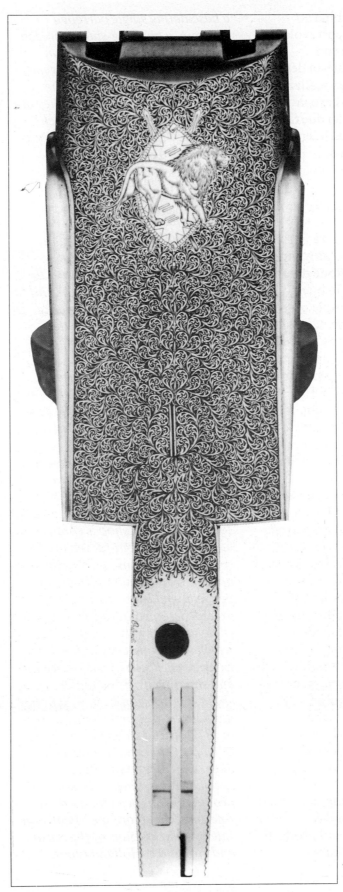

589

basculante, una carabina ad otturatore girevole-scorrevole su sistema Mauser tutte con caratteristiche su richiesta del cliente. Sono armi ben realizzate dove anche in questo caso la passione per il bello dei due titolari sovrasta ogni altra considerazione di carattere produttivo.

a basculating single barrelled shotgun, a pivoting-sliding breech block rifle on a Mauser system complete the catalogue. They may all be realized according to the customer's specifications. They are beautifully realized guns which evidence the love for exquisiteness of the two owners.

F.LLI PIOTTI
Via Cinelli, 10
25063 Gardone Val Trompia (BS)
tel. 030/837578

I F.lli Piotti sono stati tra i primi artigiani di Gardone Valtrompia a dedicarsi alla costruzione di armi fini e a specializzarsi in questo difficile mercato. Per tale motivo l'esperienza che hanno acquisito pone la loro produzione ai vertici attuali della produzione Gardonese e mondiale. Anzi l'importatore americano delle armi dei F.lli Piotti la ritiene fra le sette marche migliori oggi esistenti (nel caso di attuale produzione) e questo non può che confermare le capacità e la passione dei due F.lli Aldo e Fausto Piotti che iniziarono la loro collaborazione nel 1961. Attualmente il loro laboratorio è composto da una quindicina di persone altamente specializzate e realizza un centinaio di armi all'anno praticamente tutte su richiesta. I primi anni produssero anche armi più comuni, come doppiette a cani esterni e sovrapposti da tiro, disciplina nella quale sono riusciti ad emergere nel '72 con una medaglia d'oro alle Olimpiadi di Monaco nella specilità del piattello skeet. Ormai da oltre un decennio la produzione come dicevamo si è concentrata sulle armi fini e più specificatamente su doppiette sia di tipo Anson che Holland & Holland. Fra tutti i fucili prodotti circa l'80% sono destinati

F.lli PIOTTI
Via Cinelli,10
25063 Gardone Val Trompia (BS)
tel. 030/837578

F.lli Piotti have been among the first artisans in Gardone Val Trompia to devote themselves to the construction of fine guns and to specialize in this difficult market segment. For such reason, the experience they acquired places their production at top Gardonese and World levels. The american importer of the F.lli Piotti shotguns considers it as one among the seven best gun makers in the World (as far as present production is concerned) and this confirms the skills and capacities of the two brothers Aldo and Fausto Piotti who started their collaboration in 1961. Their workshop is composed, at present, of about fifteen highly specialized persons and it realizes approximately onehundred guns per year which are practically all executed upon request. During the first years, they also produced guns which were more common, such as external cock side by side shotguns and shooting over and under shotguns, a discipline in which they managed to distinguish themselves in 1972 with a golden medal at the Olympic Games in Munich in the Skeet clay-pigeon shooting specialization. Since a decade their production has been focused on fine guns, and more specifically on side by side shotguns of the Anson and Holland & Holland types.

Araldo e Faustino Piotti davanti
alla propria Azienda a Gardone
Val Trompia.

*Araldo and Faustino Piotti in
front of their Company Building
at Gardone Val Trompia.*

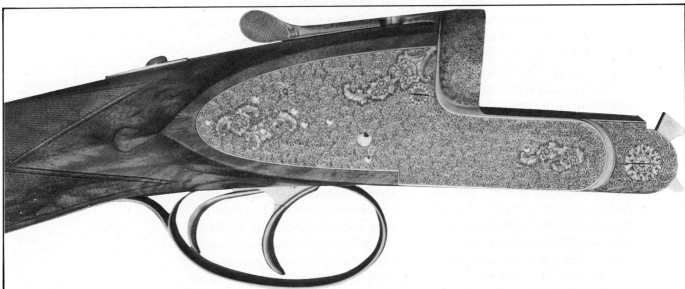

Doppietta F.lli Piotti
mod. King 1.

*F.lli Piotti side by side shotgun,
King 1 Model.*

591

all'attività venatoria ed il rimanente 20% al tiro. L'assorbimento del mercato interno è una minima parte, inferiore al 30% della produzione, mentre tutto il resto viene esportato. Da notare il favore rapporto qualità/prezzo della produzione Piotti, a volte superiore ad altre ditte chi si spacciano per migliori ma che a parità di prodotto (o a volte con un prodotto inferiore) chiedono un prezzo superiore per le armi. Quindi credo che la produzione dei F.lli Piotti possa essere presa come termine di paragone sia per la qualità che per le relative quotazioni. Sul versante Holland & Holland i modelli realizzati sono diversi, differenziandosi più per le finiture che per i concetti base. Infatti per tutti le bascule vendono ricavate dal pieno da un blocco di acciaio Boehler ECN150 e le canne accoppiate con sistema demi-bloc. Gli acciarini vengono realizzati all'interno dell'Azienda con parti ricavate dal pieno. Questo rende l'arma Piotti molto interessante, poiché non è raro che altri costruttori funzionano solo come "assemblatori" dipendono da fornitori esterni. In casa Piotti invece la qualità è sempre sotto il controllo e le finiture delle parti metalliche come dei calci escono dalla stessa officina ed hanno un elevato standard. Come modelli abbiamo il Montecarlo, con incisioni classiche ad inglesine, seguito dal King 1 e King 2. Sono questi due ottimi modelli che si collocano nel mezzo come prezzi e finiture ma che esteticamente sono molti fini e ben curati. Il King 1 ha una incisione a fine inglesina molto compatta mentre il King 2 ha parti tirate a specchio con inglesine nei bordi. Questi come il Montecarlo

Among all the shotguns produced, 80% are destined to hunting activities, and the remaining 20% to shooting activities. The absorbtion of the national market is minimal. It is below 3% of their production. All the rest is exported. The F.lli Piotti production quality/price ratio is favourable, and at times it is superior to that of other gun makers which pretend to be better but which ask higher prices for an equivalent product (or at times even inferior). Therefore I believe F.lli Piotti's production may be taken as a comparison term both as far as quality and price quotations are concerned. As far as Holland & Holland systems are concerned, they produced various models which differentiate in finishings rather than in the basic concepts. In fact, actions are always solid in all models, and they are made out of a Boehler ECN150 steel block and the barrels are coupled by means of the demibloc system. The locks are realized in-house with solid parts. This renders F.lli Piotti's guns very interesting since it is not rare that other gun makers only work as assemblers and depend on external suppliers. On the contrary, F.lli Piotti's quality is always under control, and the metal parts and stock finishings come out from the very same workshop and have a very high standard. F.lli Piotti's models are the Montecarlo, with clasical English scroll engravings followed by the King 1 and King 2. These are two excellent models that are mid-range positioned as far as prices and finishings are concerned, but they are aesthetically very fine and well-executed. King 1 is engraved with a fine and very compact English scroll pattern while King 2 is mirror-polished with

Doppietta Piotti King 1 con canne demibloc, estrattori automatici, acciarini tipo Holland & Holland.

Piotti King 1 side by side shotgun with demibloc barrels, automatic ejectors, Holland & Holland type locks.

L'acciarino come molte parti metalliche del fucile viene realizzato dal pieno dell'officina dei F.lli Piotti.

Locks, similarly to other metal parts of the gun is solid and it is executed in F.lli Piotti's workshop.

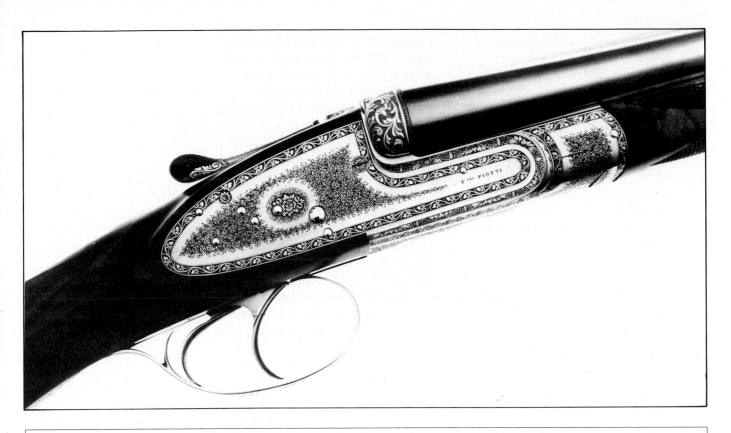

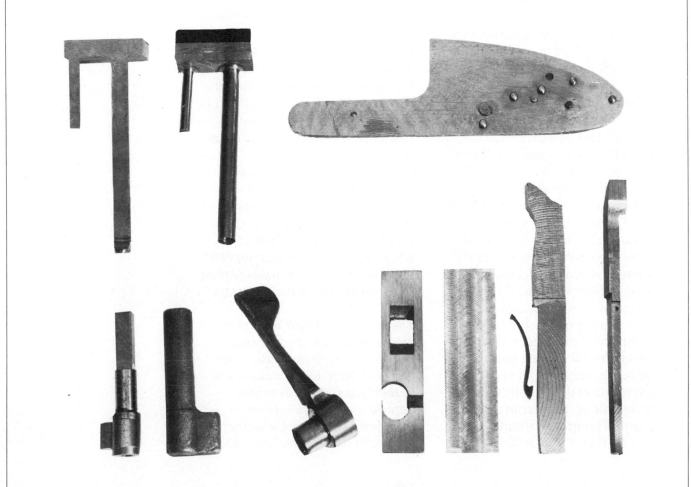

vengono realizzati in numerosi calibri.

Proseguendo troviamo il mod. Lunik e i modelli Monaco che si differenziano tra di loro per il tipo di incisione. I F.lli Piotti propongono un loro catalogo di incisioni, per la verità tutte molto valide, ma ciò non toglie che lo stesso cliente ne possa scegliere altre. Con sovrapprezzo si possono avere le batterie smontabili a mano, radiche extra-fini e coppie di gemelli.

Sul mercato dell'usato i fucili Piotti sono molto ricercati e mantengono bene le loro quotazioni. Queste anche perché le loro armi sono particolarmente robuste, realizzate con buoni materiali e ben lavorate. Su tutti si può avere il monogrillo, le batterie dorate ed anche l'apertura facilitata.

Parlando generalmente di doppiette fini, ad acciarini laterali, sono rimasti pochi i costruttori a livello mondiale in grado di produrre l'arma dalla prima all'ultima vite. Spesso le canne vengono commissionate ad una ditta specializzata, oppure vengono acquistate le bascule grezze forgiate da altri, c'è chi acquista acciarini pre-assemblati, chi si fa far fuori importanti lavorazioni come la ramponatura, l'incassatura e così via. Questo succede anche nelle cosidette buone famiglie, più di quanto comunemente si creda. È vanto invece della piccola Azienda artiginale dei F.lli Piotti essere riusciti, non senza sacrifici, ad avere al proprio interno il ciclo completo di produzione. Questo permette di non avere punti deboli nella propria arma, punti si quali altrimenti ci si dovrebbe fidare del lavoro altrui, di avere in una sola parola il controllo completo della qualità fin nei minimi dettagli. E

English scroll borders. These two models and the Montecarlo model are executed in different gauges. Then there are the Lunik and Monaco models which differentiate in that they are differently engraved. F.lli Piotti propose an engraving catalogue which contains beautiful engravings, but customers may obviously choose other engravings as well. Hand-detachable locks, extra fine walnut root woods and sets of two are available with at an additional price. F.lli Piotti shotguns are very sought after in the used guns sector and they keep their quotations very well. This is also due to the fact that their guns are particularly sound, realized with excellent materials and well-executed. All shotguns may be outfitted with a single trigger, gold-plated locks, and a simplified opening.

When we generally speak of fine side by side shotguns with side locks, only very few are the gun makers in the World which are able to produce the whole gun from its first to its last screw. Very often are the barrels purchased from a specialized firm, and very often are raw actions purchased ready-forged from other firms. Some gun makers purchase pre-assembled locks, and others commission important workings such as lock-fitting, gun stocking and so on to other companies. This also happens more commonly than might be believed with important firms.

The small F.lli Piotti workshop managed to have its own total production cycle in-house. This allows them to avoid weaknesses in their guns, and this means they do not have to rely on somebody else's work and that they have total control over their

L'Anson dei F.lli Piotti: il BSEE
Piuma Extra lusso. Monta canne
demibloc.

*F.lli Piotti's Anson shotgun. It is
the BSEE Piuma Extra Lusso. It
has demibloc barrels.*

Doppietta F.lli Piotti in versione
'Self Opening'. Il sistema è simile
a quello di Holland e Holland.

*Holland & Holland type locks.
Upon request it may be supplied
in the self-opening version.*

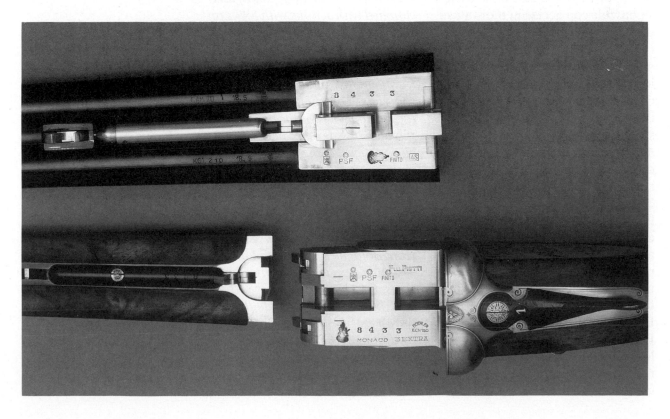

gli appassionati ed intenditori di armi fini sanno che sono proprio i dettagli che fanno la differenza fra un fucile ben realizzato ed un'altro esteticamente simile ma diverso nella sostanza. Certo questo traguardo è stato raggiunto nel tempo, accumulando esperienza e motivati da una profonda passione per la doppietta tradizionale. Per questi motivi anzicché prendere in esame una sola arma abbiamo pensato di vedere più da vicino il ciclo di lavorazione all'interno dell'officina dei F.lli Piotti in modo da illustrare meglio le singole fasi.

L'Azienda

Paradossalmente i fucili Piotti si imposero all'attenzione generale del mercato, come abbiamo visto non per le doppiette giustapposte bensì per i sovrapposti. Agli inizi degli anni '70 produssero sovrapposti da caccia e da tiro sia su bascule con acciarini montati su piastre laterali che con mezze batterie. Vinsero anche importanti manifestazioni agonistiche introducendo nell'arma da skeet la cosidetta strozzatura a tromboncino, che più che una strozzatura è al contrario un allargamento dell'ultimo tratto della canna che permette di avere rosate più allargate sulle brevi distanze. Facendo un piccolo passo indietro troviamo Araldo Piotti che già ai tempi stimato come armaiolo ed in particolare come parte maccanica lavorò per circa un paio d'anni presso il laboratorio di Fabio Zanotti, quando da Bologna si trasferì a Gardone. Per questo motivo si disse poi che le doppiette Piotti furono una reale continuazione della tradizione come d'altra parte ci

production quality even in details. And fine gun connoisseurs and enthusiasts know that it's the smallest details which make the difference between a well-executed shotgun and another which might look similar but is totally different in its substance. This goal has, of course, been attained in time with experience and with the motivation of love for traditional side by side shotguns. For this reason, instead of considering one gun model only we considered to have a closer look at F.lli Piotti's production cycle so as to better illustrate every single phase.

The Company

Paradoxally, F.lli Piotti guns imposed themselves to the market's general attention for over and under shotguns, and not for side by side shotguns. At the beginning of the '70s they produced hunting and shooting over and under shotguns supplied with actions with locks on their side plates or with semi-box locks. They also won important prizes introducing the so-called trumpet-choke in the skeet shotguns. This choke is widened in the terminal part of the barrel, and this allows wider shot patterns on close-range distances. If we go back in time just a little, we find Araldo Piotti who was a well-known and appreciated gun maker. He worked for two years at Fabio Zanotti's workshop at the time of its move from Bologna to Gardone Val Trompia, specializing in mechanical parts. For this reason everybody said that Piotti side by side shotguns were a real continuation of the tradition, as the very same Piotti brothers confirm us. Their side by side shotgun, as we shall see later on, benefits of the English

Interno dell'officina dei F.lli Piotti a Gardone Val Trompia.

Internal view of the F.lli Piotti workshop in Gardone Val Trompis.

Reparto incassatori.

Gun stocking department.

Montatori al banco con in primo piano il collaudatore sign. Fausto Piotti.

Assemblers at their bench with a close-up of the tester, Mr. Fausto Piotti.

confermano gli stessi F.lli Piotti. La loro doppietta, come vedremo in seguito, trae spunto dalle esperienze inglesi ed in particolari dalla doppietta di Holland & Holland. Per una scelta sia commerciale che di immagine i F.lli Piotti decisero di sospendere la produzione dei sovrapposti o di concentrarsi sulle doppiette. Inizialmente (siamo sempre negli anni '70) costruirono anche armi medio-economiche, come modelli a cani esterni per caccia e hammerless curati ma diversi da quelli attuali. Poi pian piano come abbiamo detto curano sempre di più l'aspetto qualitativo e si cercarono l'autosufficienza produttiva. Oggi nella Ditta lavorano circa 17 persone tutte giovani, tutte altamente specializzate e nel 1986 realizzarono 135 armi di cui solo il 30% destinate al mercato interno. A parte pochi modelli tipo Anson (BSEE) il grosso della produzione riguarda modelli ad acciarini laterali, King e Monaco. Questi modelli differiscono fra loro per il gado di finitura e particolari meccanici. Su richiesta costruirono doppiette personalizzate, con cani esterni, con self-opening, con chiave laterale ed ultimazione anche doppiette express. Nei modelli a canne lisce sono in grado di costruire qualsiasi calibro, dal grosso cal. 10 fino al piccolo 36, passando anche per gli ormai rari cal. 16 e cal. 24. Per ogni calibro realizzano la relativa bascula di dimensioni appropriate e le canne con foratura interna dell'anima e valori di strozzatura su richiesta del cliente. Questa eccletticità produttiva li pone sicuramente ai vertici internazionali nel settore e che abbiano compiuto una giusta

experiences and of the Holland & Holland system details.
For a commercial and image chioce, F.lli Piotti decided to discontinue over and under shotgun production and to focus on side by side shotguns. Initially (we are still talking about the '70s) they also constructed medium-economical guns such as hunting external cock models and well-executed hammerless models, which are totally different from the ones they are producing at present. Then, little by little they started following a qualitative aspect and they looked for their own self-sufficientness.
Today, 17 highly skilled young men work in the workshop and they realized 135 guns in 1986. Only a 30% of them were destined to the Italian market. Apart from a few Anson models (BSEE), most of their production concerns side lock models, and the King and Monaco models. These models are different in their finishing degree and in their mechanical details.
On request, they constructed personalized side by side shotguns with external cocks, self-opening, top open side lever, and express shotguns as well.
As far as smooth barrelled models are concerned, they are able to construct them in any gauge, from the heavy 10 gauge to the small 36 gauge, including the rare 16 and 24 gauges.
For each gauge they realize a special action of the suitable size and special barrels with inner bore and choke degree as required by the purchaser.
This production method classifies them at international top levels, and the fact they made the right choice as far as their specialty is

scelta nella specializzazione lo dimostra il fatto che hanno già la produzione prenotata da un anno con l'altro. Un altro punto a loro favore è che i due soci fondatori Faustino e Araldo Piotti lavorano intensamente in prima persona come coordinatori e supervisori coadiuvati dai figli. Quindi acquistare ora una doppietta dei F.lli Piotti vuol dire avere un fucile passato fisicamente per le mani dei Piotti e completamente da loro realizzato.

Bascula

La bascula, che è il cuore del fucile, viene ricavata dal pieno da un massello di acciaio Boehler sgrezzato con macchine utensili e tirata poi a tela sia internamente che esternamente. Si può avere sia in finitura argento vecchio che tartaruga. I processi termici, così come la tartaruga, vengono eseguiti esternamente, unici trattamenti, insieme alla brunitura delle canne che richiedono macchine apposite e per i quali si fa ricorso a specialisti del settore. Questi processi vengono però curati singolarmente, ad esempio nella tempra a tartaruga si possono avere tre gradi di intensità, uno molto leggero che assomiglia al vecchio procedimento con ossa di animale, uno medio ed uno pesante. Le misure della bascula sono di 50 mm. di lunghezza per quanto riguarda i piani e di mm. 40 di larghezza al traversino. Quindi bascule abbastanza lunghe che assicurano una lunga vita delle chiusure considerato che la ramponatura viene eseguita a tre giri di compasso con il secondo rampone arretrato e con il giro interno che appoggia sul traversino. Una ramponatura di

concerned is evidenced by the fact that their production is booked from one year to the other. Besides, the two founders Faustino and Araldo Piotti intensely work as coordinators and supervisors, with the collaboration of their sons. Therefore, when one purchases a F.lli Piotti side by side shotgun, one can be sure it physically passed in the Piotti brother's hands and that it has been totally constructed in-house.

Action

The action, which is the centre of the shotgun is solid and made out of Boehler steel. It is worked by means of tool machines, and it is externally and internally cloth-finished. Hardened and old silver finishings are both available. Thermic processes (hardening and tempering) and barrel blueing are carried out externally because they require special machines. But these processes are singularly followed. For instance, as far as hardening temper is concerned, three different intensity degrees are available: one which is very light and which looks like the old procedure with animal bones, a medium one and a heavy one. The action is 50 mm. long and 40 mm. wide. Therefore they are rather long actions which grant a long life of the locks considering that the lump fitting is realized with three compass turns with a backward second lump and with the internal turn which rests on the tackle.

599

precisione accuratamente eseguita a mano per far "battere" il profilo della culatta delle canne sulla faccia interna della bascula. In questo modo i Piotti affermano che la doppietta non avrà mai problemi di tenuta delle chiusure anche dopo migliaia di colpi. Da notare che la faccia di bascula rispetto ai piani è inclinata in avanti di circa due gradi e che in tal modo il collarino interno dell'estrattore ha una profondità uniforme nella propria circonferenza. Anche la codetta di bascula viene ricavata dallo stesso massello, operazione consigliabile per diversi motivi al posto di saldarla successivamente.

This is a precision lump fitting which is totally hand executed.
In this way, F.lli Piotti say that their side by side shotguns will never have lock problems even after thousands of shots.
The action front is is inclined of approximately two degrees with respect to the flats.
In this way the internal ejector collar has a uniform depth in its circumference.
The action tang too is obtained from the same block.
This operation is suggestable for various reasons instead of welding it subsequently.

Canne

Le canne che vengono ora montate su tutte le doppiette sono accoppiate con sistema demibloc. Si parte dai tubi grezzi forati nel calibro 12 al diametro di 18,5 mm. Non vengono cromate internamente se non su richiesta del cliente. Per eseguire le strozzature dispongono di frese speciali sagomate in molte misure, praticamente una per valore di strozzatura moltiplicate per diversi calibri. Le due parti speculari del demibloc vengono saldate fra loro con lega d'argento, mentre le bindelle vengono poi saldate a stagno. La brunitura può essere eseguita in bagno di sali oppure tramite verniciatura. Esteriormente i tubi vengono tirati a mano. Le canne possono essere richieste di qualsiasi lunghezza da parte del cliente sia nel peso standard che più leggere. La doppietta del calibro 12 con canne da cm. 70 pesa mediamente sui 3 kg. (con acciarini laterali). Da notare che i piani delle canne e quelli della bascula toccano

Barrels

The barrels which are now mounted on all the side by side shotguns are coupled with the demibloc system.
The raw and 12 gauge pierced tubes have a diameter of 18.5 mm. They are not chromium-plated internally except in the case this is required by the customer. In order to execute the chokes, they are supplied with special mills which are shaped in various sizes.
The two specular parts of the demibloc system are welded together with a silver alloy, while the ribs are tin welded.
Blueing may be executed in a bath of salts or by varnishing.
The tubes are exteriorly hand finished.
The barrels may be requested in any length, in a standard weight or lightweight.
The 12 gauge side by side shotgun with 70 cm. barrels have an average weight of 3 Kg. (with side locks). The barrel flats and the action flats only touch

solo per circa i primi due centimetri fra di loro. Man mano che si va verso la faccia di bascula viene tenuto un filo d'aria benefico sia per i successivi assestamenti sia per la resa balistica.

Legni

Ogni modello di doppietta viene equipaggiato da un legno di prima scelta di noce stagionato, accuratemente incassato e lucidato a olio con numerose mani. È logico però che volendo calci particolarmente venati venga richiesto un sovrapprezzo per la difficoltà di trovare abbozzi stagionati di rara bellezza e dai prezzi in continua lievitazione. All'interno dell'Azienda vi sono due incassatori con anni di esperienza alle spalle e che curano con pignoleria ogni arma a loro affidata. Si sa infatti che il lavoro dell'incassatore è tra i più difficili da eseguire bene (e tra i meno conosciuti ed apprezzati) ma che svolge operazioni della massima importanza soprattutto sulle doppiette ad acciarini laterali.

Acciarini

L'acciarino dei F.lli Piotti il tipico acciarino laterale con doppia stanghetta di sicurezza ispirato a quello introdotto dalla Holland & Holland. Ritengono tale acciarino migliore e il più funzionale fra quelli montati su piastre e quindi non vedono le ragioni di modificarlo. È questo un atteggiamento di onestà poiché è preferibile ricalcare le esperienze già fatte e che nel passato hanno dimostrato di assolvere egregiamente al proprio compito piuttosto che lavorare creativamente per il gusto di essere

long the first two centimeters. A very small space is allowed toward the action front in order to allow subsequent gun settlements and to improve ballistic performance.

Woods

Each side by side shotgun model is equipped with a first choice seasoned walnut wood, which is accurately stocked and oil-polished with various coatings.
Should one wish a particularly grained wood, extraordinarily beautiful woods may be supplied, but their prices are obviously increasingly rising.
The Company has two very experienced gun stockers who attentively follow each gun.
We all know that the gun stocker's work is a very difficult and very important job, especially as side lock side by side shotguns are concerned.

Locks

F.lli Piotti's lock is the typical side lock with a double safety sear inspired by the one introduced by Holland & Holland.
They believe this kind of lock is the best and most functional among the side plate mounted ones, therefore they don't see the reason why they sould modify it. This attitude is estremely honest, because it is better to share the experiences of the past which demonstrated their effectiveness rather than creatively set at work for the taste of being innovative, producing results which are less effective. We all know it is difficult to invent something new

innovatori ma spesso con risultati non parimenti efficaci. Si sa infati che è difficile inventare qualcosa di nuovo sui fucili e in pratica gli inglesi restano i maestri di tale arte. Ogni parte dell'acciarino viene tirato fuori dal pieno, montata e rifinita a mano, sottoposte a trattamenti termici nei punti essenziali. Inoltre nell'acciarino riservato al mod. Monaco, hanno aggiunto un paio di rotelle antiattrito sui punti di frizione posti fra la cartella e la briglia. Il mollone del cane è di produzione belga. A richiesta realizzano lo stesso acciarino ma senza perni passanti. In questo caso tengono la cartella più alta di spessore tale da consentire l'alloggiamento dei perni nel pieno del metallo. Le molle vengono poi tarate "a mano" sia quella del cane che quella degli estrattori in modo di avere una uniformità di lavoro fra queste componenti. Un ultimo particolare è l'angolo di apertura delle canne: a canne aperte i profili degli estrattori sono più alti della testa della bascula (l'apertura è di mm. 25). Pur non arrivando alle ampie aperture di alcune armi inglesi risulta fra le più ampie dei costruttori nazionali.

Finiture e metodi di lavorazione

I F.lli Piotti offrono un loro catalogo di incisioni standard nei vari modelli. Però nella serie King e Monaco le incisioni possono essere richieste dal cliente, sia come soggetti che come nomi di incisori a cui affidare il lavoro. All'interno dell'officina esiste una linea di lavoro razionale in cui ogni operazione viene eseguita da una persona specializzata e competente, salvo poi far capo per

as far as shotguns are concerned. The English are the indisputed Masters in this.
Each lock part is solid, mounted, and hand finished. Then it is hardened and tempered in the suitable spots.
The Monaco model lock has been supplied with additional antifriction wheels on the friction points between the side plate and the bridle.
The cock spring is of Belgian production.
They construct the very same lock without through-pins upon request.
In this case they keep the side plate thicker so as to allow the housing of the pins in the solid metal.
The cock and ejector springs are then manually adjusted so as to have a working uniformity between these components. A further detail is the barrel opening angle: when the barrels are open, ejector profiles are taller than the action head (the opening is of 25 mm.).
In spite the opening is not as wide as some English shotguns, it is one of the widest among national gun makers.

Finishings amd working methods

F.lli Piotti offer their catalogue of standard engravings in the various models.
But in the King and Monaco series engravings may be supplied upon customer request both as far as subjects and as far as engraver names are concerned.
The workshop includes a rational processing line in which each operation is carried out by a skilled and competent person. The

Croce dell'asta e pezzi complementari grezzi e con lavorazioni intermedie.

Forend tumbler and raw pieces. Intermediate workings.

Rara doppietta Piotti a serpentina laterale. Incisione di Venzi.

Rare Piotti side by side shotgun with a side lever. Engraving by Venzi.

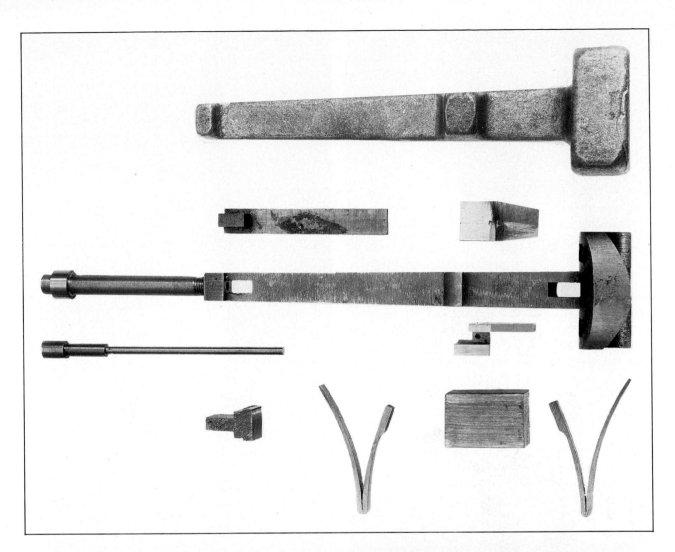

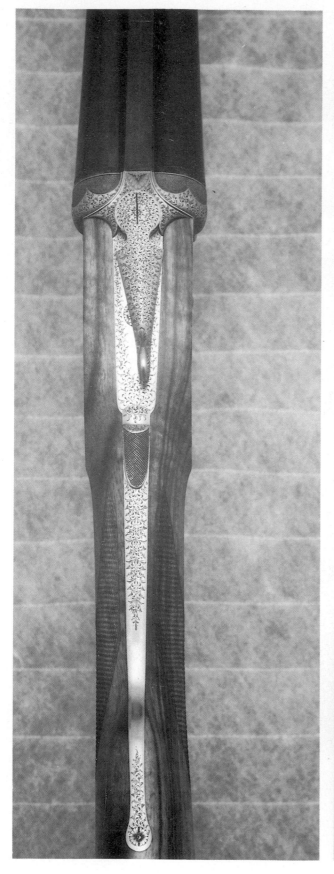
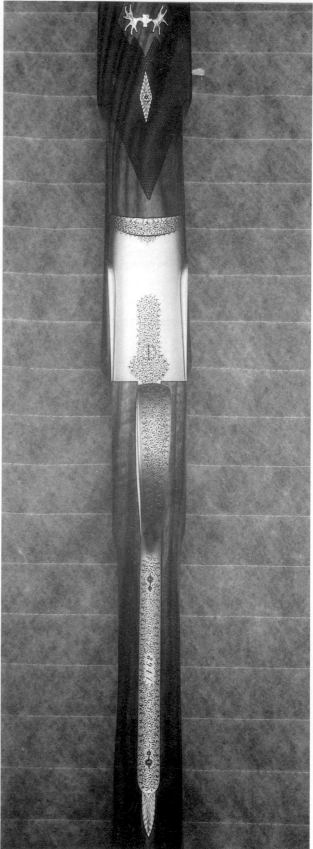

Recente express F.lli Piotti
costruito in diversi calibri.

*Double barrelled rifle side by
side. Gun Maker: F.lli Piotti.*

i controlli di qualità agli stessi F.lli Piotti. Si inizia con la lavorazione con frese speciali della bascula, dove nelle misure essenziali vengono eseguite con tolleranze di un centesimo di mm. Quindi viene poi mandata alla tiratura, alla pulitura e quindi ai trattamenti termici. In un altro reparto si seguono le lavorazioni delle canne demibloc mentre gli acciarini hanno una propria linea di montaggio, così come l'incassatura. Il tutto viene poi assemblato dal montatore e le parti finemente aggiustate fra loro. Certo le operazioni da compiere sono centinaia, ma senza scendere in dettagli troppo tecnici questi sono in linea di massima i procedimenti essenziali. La qualità viene garantita dalle capacità di eseguire all'interno della stessa officina tutti i processi di lavorazione partendo dai materiali grezzi fino al fucile finito. La differenza però con altre fabbriche analoghe è che il lavoro manuale riveste la maggiore importanza, sia per la necessaria competenza nel costruire doppiette ad acciarini laterali sia per offrire armi di indiscutibile classe e con caratteristiche personalizzate.

F.LLI RIZZINI
via X Giornate, 9
25060 Magno di Gardone (BS)
Altro grosso nome dell'attuale produzione italiana di armi d'alta classe. I F.lli Rizzini hanno il proprio laboratorio a Magno, una frazione alta di Gardone Valtrompia ed hanno concentrato la propria produzione armiera su doppiette sia Anson che a batterie laterali di tipo molto fine.
Occorre far notare che mentre per gli altri costruttori anche di nome il fatto di realizzare una doppietta tipo Holland & Holland rimane un

Piotti brothers supervise all the operations. At first the action is worked by means of special milling machines. In some action areas, tolerances are of one hundreth of a millimeter. Then it is passed on for finishing, polishing and thermic treatments. Another department follows the demibloc coupling of the barrels, while locks have their own assembly line, so as gun stocking. Everything is then assembled by the assembler and the parts are finely adjusted between one another. The operations which have to be carried out are hundreds, but without dealing with far too technical details, these are the essential procedures. Quality is guaranteed by the capacity of carrying out all the operations in-house, starting from raw materials to a finished shotgun.
The difference between them and other workshops is that they give much importance to manual work, both as far as the competence necessary for the construction of side lock side by side shotguns and for their supply of guns of class with personalized characteristics.

F.lli Rizzini
Via X Giornate, 9
25060 Magno di Gardone (BS)
This is another important name as far as high-class Italian guns are concerned.
F.lli Rizzini have their workshop in Magno, a fraction of Gardone Val Trompia. They concentrated their gun production on Anson and very fine side lock side by side shotguns.
It is important to note that whilst for other important gun makers the fact of realizing a side by side shotgun of the Holland & Holland

riproporre schemi meccanici già noti i F.lli Rizzini sono andati oltre, brevettando una loro batteria montata su acciarini nonché un sistema monogrillo ed estrattori automatici. Quindi l'arma dei Rizzini almeno in alcuni componenti importanti è originale, potremmo definirla una doppietta prettamente italiana apprezzatissima sia sul nostro mercato sia, soprattutto, all'estero. Oltre a questi brevetti le doppiette dei F.lli Rizzini spiccano per la perfezione delle lavorazioni meccaniche, completamente realizzate a mano e dotate di una linea filante, elegante e sempre con incisioni adeguate. Anche il modello Anson è particolare, nel senso che dispone di un'apertura sul petto di bascula che consente di accedere alle batterie, sia per ispezione o manutenzione sia per poter ammirare l'esemplare finitura delle parti tirate a specchio. Canne demibloc per tutti i modelli, estrattori automatici, legni in radica di prima scelta ed esecuzioni manuali e rifiniture irreprensibili.

Non è esagerato affermare che le doppiette dei F.lli Rizzini di Magno sono guardate da tutti, appassionati ed addetti ai lavori, come un moderno punto di riferimento nella produzione armiera nazionale.

I F.lli Rizzini lavorano con grande passione attorno alle loro armi, desiderosi di far sempre meglio e di curare la perfezione dei propri prodotti al di là degli aspetti commerciali. Come accade per le altre Aziende artigianali altamente quotate la produzione è alquanto limitata, qualche decina di pezzi all'anno ed i tempi di consegna piuttosto lunghi. Ma aspettare vale la pena.

type remains a reproduction of mechanical schemes, F.lli Rizzini went beyond that. They patented their own locks and a single trigger system with automatic ejectors.

Therefore F.lli Rizzini guns - as far as some basic components are concerned -are original.

We could define it as a typically Italian side by side shotgun which is very appreciated in our home market and abroad.

beside these patents, F.lli Rizzini's side by side shotguns stand out for the perfection of their mechanical execution, which is totally hand made.

Their guns are extremely streamlined, elegant and suitably engraved.

Their Anson model too, is very special in that it is supplied with an opening on the action bottom which allows an access to the locks for inspection, maintenance or simply just to admire its mirror-polished parts.

Barrels are demibloc in all models, ejectors are automatic, woods are in first-choice walnut root, manual executions and finishings are excellent.

I am not exagerating when I say that F.lli Rizzini's shotguns are admired by everyone; enthusiasts and operators.

They are a modern reference point in national gun making production. F.lli Rizzini work with great enthusiasm on their guns, always wishing to do better.

As occurs with other highly quoted artisan gun makers, production is rather limited. In fact they produce a few tens of pieces per year. Delivery times are quite long. But waiting is worth while.

Andando a vedere il loro laboratorio si scopre quanto sia ancora la passione che anima chi ci lavora, la concentrazione favorita dal silenzio che proviene dalle montagne circostanti e dell'ordine e dalla razionalità meccanica e di rifiniture impeccabili. I F.lli Rizzini hanno optato ormai da un ventennio per la costruzione di un solo tipo di arma: la doppietta giustapposta. Questa scelta permette loro di concentrare tutti i loro sforzi al fine di ottenere un prodotto praticamente perfetto ma anche di crearsi la propria arma, con soluzioni meccaniche brevettate e l'ottimizzazione dei materiali.

If we visit their workshop, we discover the great enthusiasm which moves the people who are working in it, the concentration which is favoured by the silence of the surrounding mountains, and the order and mechanical rationality besides the impeccable finishings.
F.lli Rizzini focused, since two decades on the construction of one gun type only: the juxtaposed shotgun. This choice allows them to concentrate all their efforts in order to obtain a practically perfect product, but also to create their own gun with patented mechanical solutions and to optimize their materials.

La storia

Come per altri costruttori di armi fini nell'area Gardonese l'inizio dell'attività prevede la costruzione di doppiette di medio valore per passare poi alla scelta definitiva di dedicarsi alle armi di classe, le quali richiedono per forza di cose la totale cura da parte dell'artigiano. Così nei primi anni '70 troviamo doppiette a firma Rizzini & Zoli e quindi F.lli Rizzini dedicate ai cacciatori in diversi gradi di finitura verso la metà di quegli anni. Dal 1976 cominciarono a depositare i loro brevetti e a prepararsi per la produzione delle fini doppiette come ora le vediamo. Nell'officina di Magno lavorano in totale meno di un decina di persone ma tutte altamente specializzate sotto la guida dei tre fratelli Rizzini. Guido Rizzini è colui che più si è impegnato sul piano teorico e che ha studiato e brevettato la varie parti meccaniche ed ha due figli, Stefano e Serafino che lo affiancano in officina. Della parte

The History

As for other fine gun makers in the Gardonese area,
the beginning of their business foresaw the construction of medium-value side by side shotguns.
Later on they passed over to the definite choice of focusing on guns of class, which require total care by the artisan.
Therefore, in the early '70s we find shotguns which are branded Rizzini and Zoli and only Rizzini dedicated to the hunters in various finishing degrees. In 1976 they started to patent their systems and to get ready for fine side by side shotgun production. In the Magno workshop there are less than 10 people at work, but each one of them is highly specialized and they all work under the Rizzini brothers supervision. Guido Rizzini is mostly engaged on the teoretical side.
He studied and patented the various mechanical parts. He has

607

meccanica se ne occupa Sandro Rizzini mentre le imbasculature e ramponature vengono effettuate da Amelio Rizzini, coadiuvato dal figlio Franco. Quindi come si può osservare hanno creato delle solide basi affinché l'attività venga svolta ancora per lungo tempo, essendo riusciti a coinvolgere i figli con ottimi risultati. L'attuale produzione come abbiamo visto consiste nella realizzazione di circa una ventina di doppiette all'anno, sia esportate (prevalentemente in America) ma anche vendute sul mercato interno. Nelle loro mani sono passate anche numerosissime armi inglesi poiché effettuano la manutenzione di quelle possedute dalla loro clientela anche se hanno poi deciso di diversificarsi dagli schemi classici seguiti tutt'ora da molti costruttori ed introdotti a suo tempo dagli armaioli britannici.

two sons, Stefano and Serafino who help him in his workshop. Sandro Rizzini looks after the mechanical side of the business, and gun stockings and lump fittings are executed by Amelio Rizzini, with the help of his son Franco. Therefore, they have sound basis in order to continue their business for still a long time since they managed to involve their sons with excellent results. Present production consists, as we already saw, in the realization of approximately twenty side by side shotguns per year which are exported (prevailingly in America) and sold in our home market. They also provided to the maintenance of many English guns because they carry out maintenance operations on their customer's guns.

I brevetti

Le parti meccaniche originali brevettate di F.lli Rizzini riguardano l'eiettore, il sistema di monogrilletto, l'acciarino. In ordine di tempo troviamo prima il monogrillo (6 agosto '76), quindi l'ejector (Agosto '76) ed infine l'acciarino (26 marzo '80). Alcuni di questi sono poi stati ulteriormente perfezionati nel tempo come ad esempio il monogrillo, inizialmente a funzionamento meccanico ed ora a rinculo. Qualche ritocco è stato dato pure all'acciarino, con l'eliminazione del traforo centrale, teste delle viti rimpicciolite ed altre piccole modifiche. L'acciarino dei F.lli Rizzini prevede la briglia ricavata dal pieno, molla avanti e doppia stanghetta di sicurezza. Tutto il meccanismo è tenuto rialzato dalla cartella in modo che

Patents

The original mechanical parts patented by F.lli Rizzini concern the ejector, the single trigger system and the lock. In order of time we find the single trigger first (6 August '76), then the ejector (August '76) and then again the lock (26 March '80). Some of these have been further perfectioned in time such as the single trigger which initially had a mechanical functioning and now it works with recoil. Some light modifications have been brought to the lock too, with the elimination of the central hole, the smaller screw heads, and so on. The F.lli Rizzini lock foresees a solid bridle, a forward-spring and a double safety sear. The whole mechanism is kept highered from the side plate so that it works in "the air". A perfect 90 degrees

Monogrilletto brevettato dai F.lli
Rizzini.

*Patented F.lli Rizzini single
trigger.*

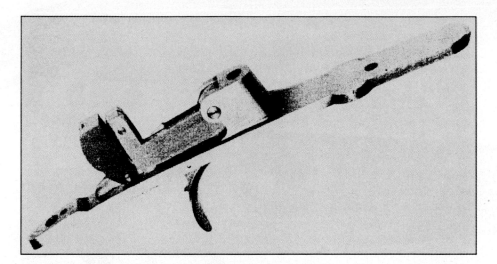

Logo dei F.lli Rizzini.

F.lli Rizzini logo.

FABBRICA D'ARMI

F.lli Rizzini s.n.c.

Ultima versione dell'acciarino
brevettato per la doppietta R1-E.

*Latest version of the lock
patented for the R1-E side by side
shotgun.*

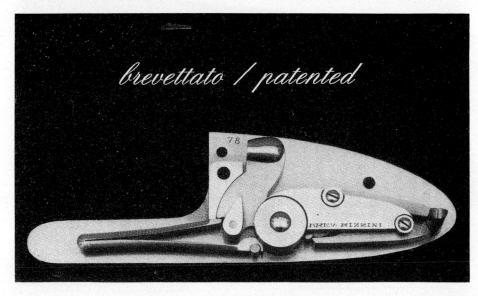

brevettato / patented

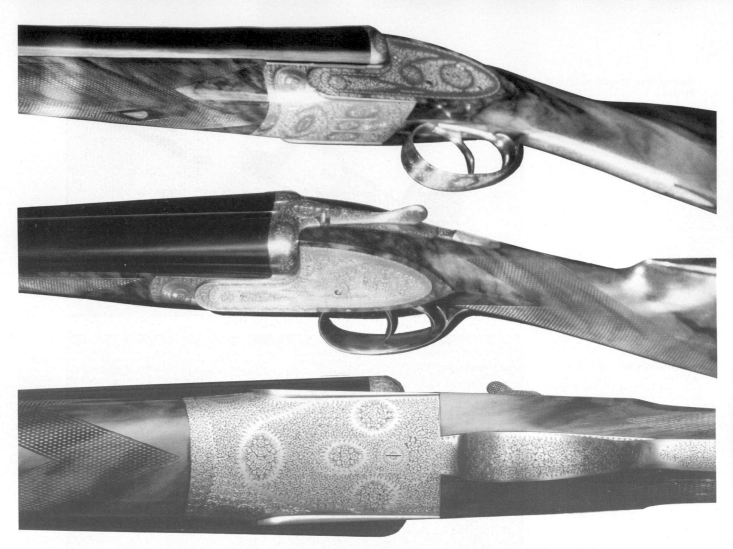

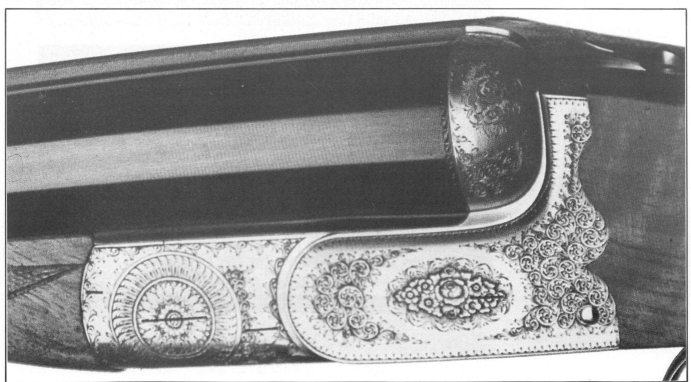

Doppietta ad acciarini laterali R1-E.

Side locks side by side shotgun. R1-E

Vista superiore della doppietta F.lli Rizzini.

Upper view.

Petto di bascula semplice ed elegante.

Action bottom.

Mod. Anson dei F.lli Rizzini. È provvisto di piastra di ispezione per le batterie alloggiate nella bascula.

Anson model by F.lli Rizzini. It is supplied with inspection side plates for the locks which are housed in the action.

Guido ed Amelio Rizzini che rimirano una loro doppietta prima della consegna.

Mr. Guido and Mr. Amelio Rizzini.

Amelio Rizzini con l'incisore Firmo Fracassi.

Mr. Amelio Rizzini with the engraver Firmo Fracassi.

Guido Rizzini segue principalmente la parte teorica e di supervisione.

Mr. Guido Rizzini.

611

lavori "in aria". In particolare si è ottenuto l'angolo perfetto di 90° fra il dente di scatto, il perno del cane e il perno della stanghetta di scatto. In questo modo lo scatto può essere tarato molto leggero senza pericolo che parte accidentalmente (interverrebbe comunque in questo caso la stanghetta di sicurezza bloccando la noce del cane) e non avendo frizioni sul dente di scatto. Vi sono poi altre parti studiate appositamente dai Rizzini per la loro doppietta. Tutte le viti sono state fatte secondo loro misure ed anche la molla a lamina dell'acciarino viene prodotta in Belgio secondo loro specifiche, per una taratura intorno ai 20 Kg. di compressione. Il percussore è stato ridisegnato rispetto a quelli standard comunemente montati e si può sparare a vuoto ripetute volte senza timore che questo si spezzi. Viene realizzato nel cosiddetto "filo armonico" cioè un acciaio molto elastico che non da problemi di rotture e lavora nel proprio alloggiamento con tolleranze minime (solo pochi centesimi di mm.).

Bascula e canne

La bascula viene ricavata da un massello di acciaio Boehler a lavorato a fresa. La codetta viene saldata successivamente poiché i Rizzini sostengono che ricavandola dal pieno ad alzandola poi perpendicolarmente come si usa fare di solito per permettere le lavorazioni posteriormente si indebolirebbe nella propria struttura. Tutte le parti vengono ricavate dal pieno, come la croce, i grilletti, la chiave etc. Ogni parte viene poi rifinita ed aggiustata manualmente con tiratura esterna

angle has been obtained between the trigger pull tooth, the cock pin and the trigger pull sear pin. In this way the trigger pull may be adjusted very light without any danger of an accidental release (in this case the safety sear would anyhow intervene by blocking the cock nut) and without causing frictions on the trigger pull tooth. There are other parts which have been especially studied by the Rizzini brothers for their side by side shotguns. All the screws have been made following their specifications and also the V-spring of the lock is produced in Belgium following their specifications for a gauging of approximately 20 Kg. of compression. The striker has been redesigned as compared with the commonly employed standard ones, and one may shoot without munitions various times without fearing it might break. It is realized in the so called "string steel" that is, a very flexible steel which doesn't have any breaking problems. It works in its housing with minimal tolerances (a few hundreds of a millimeter).

Actions and Barrels

The action is made out of a Boehler steel block which is milled. The tang is added subsequently because the Rizzini brothers believe that when it is solid and when it is perpendicularly raised as it usually is in order to allow back workings it would weaken in its structure. All the parts are solid such as the tumbler, the triggers, the top open lever and so on. Each part is finished and adjusted by hand with an internal and external stone finish. In fact, the traditional

ed interna eseguita a pietra. Infatti la tradizionale tiratura a tela potrebbe produrre piccoli avvallamenti ed imperfezioni non riscontrabili con la pietra. Lasciano un filo d'aria fra il piano della bascula e i piani delle canne, non però con il sistema di far toccare i due piani per il tratto iniziale lasciando lo spazio in prossimità della culatta come molti affermano ma lasciando la tolleranza uniformemente lungo tutto il piano, facendo invece toccare i piani della croce con quelli delle canne. Comunque ogni costruttore a questo proposito ha le proprie convinzioni. L'angolo di apertura delle canne è invece piuttosto abbondante, secondo la scuola inglese e probabilmente la più abbondante fra le doppiette costruite nel bresciano facendo oltrepassare il bordo inferiore degli estrattori sopra il profilo superiore dei seni di bascula.

La ramponatura delle canne viene effettuata a tre giri di compasso effettivi con il profilo interno del secondo rampone che ad arma chiusa viene a toccare contro il traversino di bascula e pareti laterali dei ramponi che toccano uniformemente nelle pareti delle mortise. Quindi una ramponatura a regola d'arte che richiede pazienza e bravura. I trattamenti termici vengono fatti esternamente ed anche i tubi delle canne vengono acquistati grezzi solo accoppiati in demibloc in culatta. L'acciaio delle canne è l'ormai popolare UM6 che consente di non cromarle internamente e di ottenere delle buone rosate per la non eccessiva durezza. L'anima interna viene forata ad un valore di 18,35 mm. ed in particolare si cerca di avere una perfetta concentricità fra anima interna e profilo esterno.

cloth polishing could produce small imperfections which do not occur with stone.

They leave a little space between the action flats and the barrel flats, but not with the system of letting the two flats touch in their initial part leaving the space close to the breech as many do, but they leave a uniform tolerance along the whole flat and letting the tumbler flats touch with the barrel flats. Anyhow, every gun maker has its own convinctions to this regard. The barrel opening angle is quite abundant similarly to the English school, and it is probably the most abundant among the side by side shotguns constructed in the Brescia province, making the ejectors lower border surpass the upper profile of the action standing breeches.

The barrel lump fitting is carried out by means of an effective triple compass turn with the internal profile of the second lump which touches the action tackle and the side walls of the lumps which uniformly touch the mortise walls when the gun is closed.

This is therefore a perfect lump fitting which requires patience and skill. Thermic treatments are carried out externally, and the barrel tubes too are purchased raw and demibloc coupled in the breech. The barrel steel is the popular UM6 which allows them not to be chromium-plated inside, and to obtain good shot patterns since they are not excessively hard. The centre has a bore of a value of 18.35 mm. and they try to have a perfect concentricity between inner bore and external profile. This tolerance is included between 5-6 hundreds of a millimeter through a rectification, and it is attentively

Questa tolleranza viene ad essere compresa fra i 5/6 centesimi di mm. a mezzo rettifica e controllata scrupolosamente con calibro che i F.lli Rizzini hanno loro stessi realizzato. Quindi la tiratura esterna viene eseguita a mano. Le canne vengono saldate a stagno e brunite a freddo. La bindella, liscia e concava, viene ricavata dal pieno. L'arma in versione standard pesa intorno ai 3 Kg. anche se a richiesta si può scendere anche sotto i Kg. 2,800 per il cal. 12. Altri calibri nei quali viene costruita sono il 20, il 28 ed il 410 Magnum. I tagli delle viti esterne hanno un valore di 3/10° di mm. Sotto il laboratorio i F.lli Rizzini hanno realizzato un balipedio della lunghezza di 35 mt. dove provano le rosate di ogni fucile. Ultimo aspetto meccanico: la doppietta R 1 E dispone della sola doppia chiusura Purdey ai ramponi.

Legni

I legni dei calci vengono acquistati già in abbozzi, prevalentemente dalla Turchia e tenuti almeno tre anni presso la propria officina per la verifica della stagionatura e la deumidificazione. L'incassatura viene fatta fare esternamente sempre però dietro a precise indicazioni. Ad esempio la forma del calcio, piuttosto contenuto come dimensioni e nasello alquanto sfuggente. Non sono previste le gocce laterali per ottenere una lucidatura più uniforme ed una linea più sobria e pulita. La zigrinatura viene effettuata "a piattina", cioè con cuspidi ripassate e non appuntite. Seguono loro invece la lucidatura, che per essere ultimata richiede non meno di due mesi di tempo, con mani di olio giornaliere

controlled by means of a gauge that F.lli Rizzini executed themselves. Then the external finishing is made by hand. The barrels are tin-welded and cold-blued. The rib which is smooth and grooved in solid. The gun in its standard version weighs about 3 Kg. even though it may decrease to below 2.800 Kg. in 12 gauge upon request. Other gauges in which it is constructed are the 20, the 28 and the 410 Magnum. The external screw cuts have a value of 3-10 degrees of a millimeter. F.lli Rizzini organized an experimental artillery-range under their workshop.
It is 35 metres long, and there they test the shot pattern of every shotgun. The last mechanical aspect I shall mention is the R1E side by side shotgun, which is supplied with a single Purdey double-bolt on the lumps.

Woods

The stock woods are purchased already cut in pieces mainly from Turkey, and they are kept for at least three years in their workshop for seasoning verification and dehumidification.
The gun stocking is always made under precise specifications. For example, the stock shape, which is quite small in size and is supplied with a not too pronounced comb.
Side drops are not foreseen so as to obtain a more uniform polishing and a more sober and simple line. Checkering is of the "flattened" type, thai is, the cusps are flattened and are not pointed any more. Polishing is followed by F.lli Rizzini, and it never takes less than two months, with daily oil-coatings with sandpaperings in

614

Vista interna del laboratorio.

Internal view of the factory.

Accessori dell'officina di Magno.

Different tools for gun making.

Le bascule vengono ricavate dal pieno da acciaio Boehler.

The actions start from solid Boehler steel.

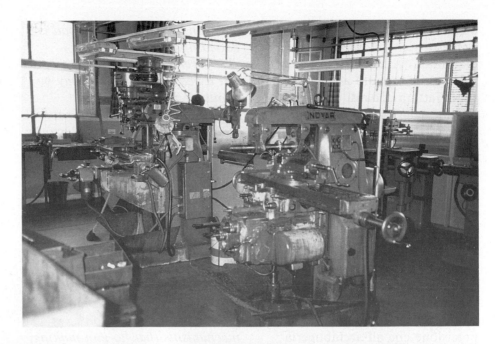

intercalate da carteggiatura. A richiesta viene montato il calciolo di gomma. Anche l'astina è di tipo sottile seppure a richiesta può venir fatta a coda di castoro. La qualità delle radiche montate sulle doppiette dei F.lli Rizzini è sempre la massima disponibile.

La doppietta R 1 E dei F.lli Rizzini può essere considerata una compenetrazione del miglior livello oggi raggiungibile fra la perfezione di lavorazione di una moderna macchina utensile e la rifinitura e l'aggiustaggio manuale. Ogni componente meccanica lavora con tolleranze più legate alla meccanica di precisione che all'archibugeria però questa perfezione unita alla giusta scelta di materiali non ne fanno solo un'arma fine ma anche estremamente robusta e funzionale, in grado di sparare decine di migliaia di colpi senza rotture o malfunzionamenti. Esteticamente le linee sono pulite, moderne con finitura della bascula a pietra ed incisioni su richiesta del cliente. Un aspetto importante e spesso trascurato dai più e la ricerca della perfetta concentricità fra l'anima interna delle canne e la superficie esterna nonché una ramponatura a tre giri di compasso ed in grado di assicurare lunga vita alle chiusure dell'arma. I Rizzini hanno poi voluto staccarsi dai canoni classici delle doppiette inglesi brevettando soluzioni di propria invenzione che la distinguono e che collocano la prima doppietta su un piano a sé stante. Anche questo è un sintomo della passione e dell'orgoglio che li sostiene e che li motiva e che ha consentito loro di raggiungere un livello di alto apprezzamento dagli appassionati di tutto il mondo.

between. A rubber recoil pad is added upon request.

The forend is of the thin type, but a beaver-tail forend may be available upon request.

The quality of the walnut root woods employed in F.lli Rizzini's guns is always the best available.

F.lli Rizzini's R1E side by side shotgun may be considered as an excellent combination between precision working carried out by a tool machine and manual finishing and adjustment carried out by man.

Each mechanical component works with tolerances that are more linked to precision mechanisms than to gun making, but this perfection, asociated with a correct choice in materials render it a fine but also sound and functional gun which can shoot tens of thousand shots without breakings or ill-functionings.

Its line is clean, modern with a stone action finish and engravings chosen by the customer.

An important aspect which is very often overlooked by most gun makers is the research of perfect concentricity between the inner bore and the external surface, and a triple compass turn lump fitting which grants a long life for the gun's locks.

The Rizzini brothers wanted to differ from the classical canons of the English side by side shotguns by patenting their own solutions which distinguish them and place their first side by side shotgun on a singular level.

This too, is a synonym of the enthusiasm which motivates them and that allowed them to reach a high level of appreciation from the enthusiasts of the whole World.

Il calcio è filante sempre di noce sceltissimo.

Select walnut for stocking.

La doppietta con l'acciarino smontato per far vedere il lavoro di incassatura.

Side by side without lock.

Abbozzi di calci in stagionatura in attesa di essere utilizzati.

Wide choiche of gun stock wood.

La lucidatura dei calci ed aste viene meticolosamente eseguita a mano.

Stock are hand polished.

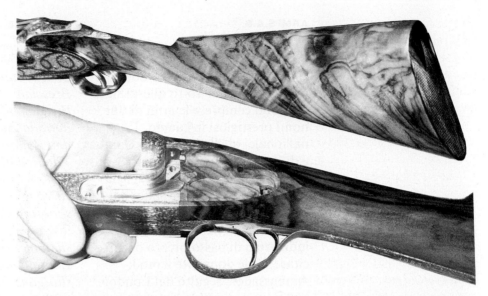

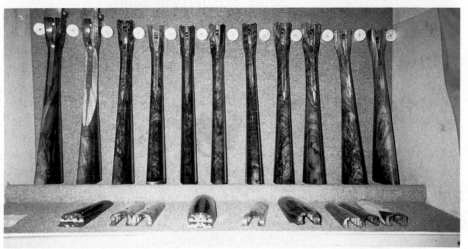

617

Il marchio S.A.B. sta per Società Armi Bresciane. Sotto questa sigla vengono comprese le armi di due nomi prestigiosi in campo nazionale, quelle di Renato Gamba e di Zanotti. La linea Renato Gamba è alquanto vasta e spazia dalle pistole alle armi rigate, dai fucili da caccia a quelli da tiro. Lasciando da parte i modelli industriali di basso prezzo occorre citare fra le doppiette il mod. Ambassador, seguito dal London ambedue con acciarini su piastre laterali, quindi fra gli Anson il recente Oxford 90 con finte piastre e fra le armi rigate il Safari Express a due canne rigate sovrapposte ed il monocanna basculante Mustang. La doppietta Ambassador sia in finitura Golden Black o con inglesine che "Executive" monta gli acciarini brevettati da Renato Gamba. Questi sono stati concepiti per avere una funzionalità ed una robustezza superiori e sono completamente realizzati con estrema cura all'interno della stessa Azienda. Viene costruita nei cal. 12 e 20, con un peso attorno ai 3,100 Kg. Dotata di monogrillo o bigrillo, estrattori automatici, calcio all'inglese in radica di noce e conformazione delle mammelle e del petto di bascula improntata a snellezza ed eleganza.

Il nome "Executive" contraddistingue il massimo grado di rifinitura possibile, con incisioni a soggetto o a cesello. Anche la finitura "Golden Black" ha suscitato molto apprezzamento al proprio apparire, con bascula nera lucida e fini bordature con rimesso in oro. Tema stilistico ripreso poi anche da altri costruttori.

ARMI S.A.B.
Via Michelangelo, 64
25063 Gardone Val Trompia (BS)
tel. 030/833361

S.A.B. stands for Societa' Armi Bresciane. This Company includes the guns of two prestigious national names: Renato Gamba and Zanotti.

The Renato Gamba line is quite vast and ranges from pistols to rifled guns, from hunting to shooting shotguns. Beside the low-priced industrial models, we shall mention the Ambassador and London model side by side shotguns which are both supplied with side locks on the side plates. Among the Anson models, we shall mention the recent Oxford 90 model with false side plates, and among rifled guns, the Safari Express shotgun with two rifled over and under barrels and the Mustang basculating single barrelled shotgun. The Ambassador version, both in its Golden Black finish, its English scrolls finishe and in its Executive version is supplied with locks patented by Renato Gamba. They have been conceived in order to have a superior functionality and soundness, and they have been totally realized in-house. It is constructed in 12 and 20 gauge, with a weight of approximately 3.100 Kg. It may be supplied with a single trigger or a double trigger, automatic ejectors, walnut root wood English stock, and narrow and elegant action and standing breeches. The name "Executive" distinguished the best finishing degree available, with subject or chisel engravings. The Golden Black finish too, was very admired when it first was introduced with its black glossy action and fine gold-inlaid borders. This style has been emulated by other gun

Le doppiette Ambassador di Renato Gamba sono armi ottimamente realizzate fin nei minimi dettagli.

I modelli London e London De Luxe invece intendono offrire al cacciatore tutti i vantaggi e la classe di un'arma stile inglese tipo Holland & Holland ad un prezzo competitivo, leggera e dignitosamente rifinita. Il De Luxe o Royal è dotato di cartelle incise ed eventualmente estraibili a mano, però la linea pulita con superfici metalliche tirate a lucido e fini bordature con inglesine del London Standard ne fanno risaltare ancora meglio la linea filante ed ugualmente elegante. Canne demibloc, estrattori automatici, grilletti e sottoguardia bianchi (color acciaio), calcio inglese di noce selezionato fanno del London un'arma fine, maneggevole e funzionale da usarsi anche sul terreno di caccia dove, si sa, usare armi molto raffinate e costose fa scaturire un po' di apprensione. Infine abbiamo accennato anche all'Oxford 90.

Si tratta di una doppietta con batterie Anson & Deeley ma con finte piastrine laterali dotate di perni dorati come se al proprio interno alloggiassero veramente gli acciarini. È questa una soluzione di compromesso, non da tutti condivisa ma che in questo specifico caso può avere un senso poiché l'arma viene offerta ad un prezzo veramente accessibile, considerando che le finiture generali sono di tutto rilievo. Le canne sono monobloc dotate di estrattori automatici. Anche questa come le doppiette precedentemente esaminate ha la sola duplice chiusura Purdey ai ramponi. Viene costruita nel solo

makers too. Renato Gamba's Ambassador side by side shotguns are guns which are well-realized in every single detail. The London and London De Luxe models offer the hunter all the advantages and the class of a gun of the English Holland & Holland type at a competitive price. It is lightweight and it is well-finished. The De Luxe or Royal model is supplied with engraved side plates which are possibly hand-detachable. The London standard model has a clean line, metal surfaces are all polished and it has fine engraving borders which enhance its streamlined and elegant line. Demibloc barrels, automatic ejectors, white triggers and guard bottom (the colour of steel), English-style selected walnut wood stock, render the London model a fine, functional and handy gun which may be used on hunting grounds on which, as we all know, the use of fine and expensive guns always always causes a bit of worry. We also mentioned the Oxford '90 model. It is a side by side shotgun with Anson & Deeley box-locks and with false side plates supplied with golden pins as if they really were housing locks in their inside. This is a compromise solution which not everybody shares. But in this specific case it does make sense in that this gun is really offered at an affordable price if we consider that overall finishings are very well executed. The barrels are monobloc and they are supplied with automatic ejectors. Similarly to the two side by side shotguns we examined, this gun too is supplied with a Purdey double-bolt only. It is constructed in 12 gauge and it may also be produced with short barrels with a lesser choke. The Safari Express over and under shotgun is sound, and it is supplied

cal. 12 e può essere richiesta anche con canne corte e poco strozzate per la caccia alla beccaccia o col cane da ferma.

Il Safari Express è un sovrapposto express molto robusto, dotato di una doppia Kersten coadiuvata da una doppia ai ramponi inferiori con canne lunghe cm. 63 ed estrattori automatici (escluso il cal. 375 H&H M.).

Oltre al calibro già indicato viene costruito nei cal. 7x65R e 9,3x74R. È un'arma di ispirazione austriaca o tedesca e tra le poche di questo genere ad essere costruite in Italia.

Stesso discorso per il Kipplaufbuchse Mustang, un monocanna basculante con batteria laterale tipo Holland & Holland realizzato in molti calibri tra cui il 222R, il 30-06 ed il 270W. È dotato di estrattore normale, sensibilizzatore dello scatto tipo Stecher, un peso di Kg. 2,8 ed una chiusura tipo Greener. Anche questa è un'arma molto raffinata e costosa da realizzare.

Il nome Zanotti è sicuramente quello italiano più ricco di tradizione e di prestigio. La storia della famiglia Zanotti, iniziata nel lontano 1625, viene riportata con dovizia di particolari nei libri di Gianoberto Lupi sia monografici (es. *Zanotti e Toschi, Storia di un fucile immortale*) che più generali come *La doppietta Italiana, grandi fucili da caccia* ecc... Egli stesso si professa grande ammiratore di questa antica Casa di artisti armaioli. Fabio Zanotti, definito l'ultimo dei Purdey italiano, si trasferì intorno agli anni '60 da Bologna a Gardone Val Trompia, dove morì nel 1971.

La sua attività venne portata avanti dal figlio Stefano e nel 1984 avvenne la costituzione della

with a Kersten double-bolt as well as a double-bolt on the lower lumps. Its barrels are 63 cm. long and they are supplied with automatic ejectors (except for the 375 H&H M. gauge).

Apart from this gauge, it is also constructed in the 7x75R and 9.3x74R gauges. It is a gun of Austrian or German inspiration, and one of the few of this kind which are constructed in Italy. This is also true for the Kipplaufbuchse Mustang, a basculating single barrelled shotgun supplied with a side box-lock of the Holland & Holland type, which is realized in a wide range of gauges, among which we find the 222R, the 30-06 and the 270W. gauges. It is supplied with a normal ejector, a Stecher trigger pull sensitivizer and a Greener-type lock. Its weight is approximately of 2.8 Kg. This too, is a very refined and expensive gun to realize.

The Zanotti brand name is surely the richest in tradition and prestige in Italy. The history of the Zanotti family, which started in 1625 may be found in Gianoberto Lupi's books (ie. Zanotti e Toschi, Storia di un fucile immortale, La doppietta Italiana, Grandi Fucili da Caccia, and so on). He defines himself as a great admirer of this ancient House which is rich in artists and gun makers. Fabio Zanotti, defined as the last Italian Purdey moved in the '60s from Bologna to Gardone Val Trompia where he died in 1971.

His business was carried on by his son Stefano and in 1984 the S.A.B. Company owned by Renato Gamba and Stefano Zanotti was established. Then, Stefano Zanotti started working on his own, but production is at present continued by Renato Gamba under the brand name Zanotti 1625. Among the

S.A.B. di Renato Gamba e Zanotti Stefano. Quindi Stefano Zanotti si è successivamente messo in proprio ma la produzione viene attualmente portati avanti da Renato Gamba con il nome Zanotti 1625. Fra gli innumerevoli brevetti, invenzioni e modelli scaturiti dalle mani degli Zanotti occorre ricordare che furono i primi in Italia a costruire una doppietta hammerless (cioè a cani interni) e che introdussero l'importantissima ramponatura a tre giri di compasso della quale parlo più in dettaglio nel capitolo relativo alla bascula ed alle chiusure che costituisce tutt'ora una scuola nella realizzazione delle doppiette. Fabio Zanotti fu anche un armaiolo molto fantasioso e ricco di idee. Tra i modelli che ha creato occorre citare la doppietta mod. 34 con acciarino su piastra laterale di propria concezione, il sovrapposto a due ramponi passanti realizzato in seguito con il marchio I.A.B., la doppietta Thomas con perni ricavati dal pieno e molla a spirale alloggiata nella bascuala e tanti altri, compreso un sovrapposto tipo Boss ed anche un automatico. Comunque tutte le armi Zanotti sono sempre state contraddistinte da eleganza di linee ed estrema robustezza, perfetta ramponatura con ramponi di generose dimensioni, materiali e finiture di prim'ordine. A questo occorre aggiungere l'alto prestigio che accompagna questa Casa di armieri romagnoli e contribuisce a fare di ogni arma reperibile soprattutto dai primi anni del secolo nonché quelle realizzate per mano dello stesso Fabio Zanotti dei veri gioielli da collezione. Tra l'altro il nome Zanotti è stato tra i primi ad essere apprezzato oltre i

wide range of patents, inventions and models which were created by the Zanottis we shall mention the fact that they have been the first ones in Italy to construct a hammerless side by side shotgun (external-cock gun). They also introduced the very important triple compass turn lump fitting of which I shall talk more in detail in the Action and Locks Chapter. Fabio Zanotti had plenty of imagination and was rich in ideas. Among the models he created we should mention the 34 model side by side shotgun which is supplied with a lock on a side plate he conceived and designed himself, the two through-lumps over and under shotgun which was subsequently realized under the I.A.B. brand name, the Thomas side by side shotgun with solid shafts and spiral spring housed in the action, and so on, including a Boss-type over and under shotgun and an automatic shotgun. Anyhow, all the Zanotti shotguns have always been elegant in their line and extremely sound. Their lump fitting has always been perfectly executed with big lumps and excellent materials and finishings. To all this we should add the very high prestige of this Romagna gun maker, which contributes in rendering each available gun a collection jewel - especially as the guns realized during the early years of the century and those realized by Fabio Zanotti himself are concerned. Besides, Zanotti has been among the first gun makers to be appreciated abroad, also winning various medals at the international gun exhibitions. Today things have changed, of course, even though the Zanotti brand name is always at the top of

confini nazionali, vincendo anche diverse medaglie alle esposizioni internazionali delle armi.

Oggi naturalmente le cose sono cambiate, anche se il nome Zanotti rimane ai vertici e la S.A.B. cerca di mantenere fede alla qualità che necessariamente un'arma deve avere quando porta questo nome. Vediamo quindi i modelli tutt'ora realizzati.

Negli Anson si inizia con il 624 che è una doppietta con canne monobloc costruita con specifiche di economicità per un uso venatorio che esula un po' dal contesto dell'arma fine. Il mod. 625 è simile ma con canne demibloc. Questo modello può essere richiesto con finte piastrine laterali (mod. F.P.H.) ed ha la finitura tartarugata con incisione manuale. Il mod. 626 è il top di questa serie ed è provvisto di uno sportellino sul petto di bascula che si può aprire per ispezionare le batterie. I pezzi meccanici sono tutti tirati a specchio internamente. Canne demibloc ed estrattori automatici.

Viene tutt'ora realizzata una doppietta a cani esterni mod. Giacinto Zanotti, con batterie brevettate appunto da Giacinto. Ha canne demibloc e viene realizzata sia in cal. 12 che 20. È questa una delle poche doppiette a cani esterni di alta classe che viene ancora prodotta in Italia. Si sa infatti che questo modello, richiesto solo da qualche appassionato ed intenditore nostalgico ha dovuto lasciare il passo al cani interni.

Proseguendo nelle doppiette troviamo quelle con acciarini laterali. Si inizia con il "Maxim", una fine doppietta con batterie sistema Holland & Holland, estrattori automatici, calcio

the list, and S.A.B. always tries to keep up with the quality a gun has to have when it bears this name. We shall now examine their present production. Among the Anson shotguns, we first find the 624 model, which is a side by side shotgun with monobloc barrels. It has been constructed with economicalness specifications for hunting purposes. It is not a truly fine gun. The 625 model is similar to the previous one, but the barrels are demibloc coupled. This model may be requested with false side plates (mod. F.P.H.) and its finishing is hardened with engravings made by hand. The 626 is the top of the series model. It is supplied with a small door on the action bottom. It may be opened in order to inspect the locks. The mechanical pieces are all internally mirror-polished. It is supplied with demibloc barrels and automatic ejectors. An external cock side by side shotgun is still being produced at present. It is the Giacinto Zanotti model, and it is supplied with locks which have been patented by Giacinto. It is suppled with demibloc barrels and it is realized in the 12 and 20 gauges. This is one of the few high class external cock side by side shotguns which are still being produced in Italy. We all know that this model, which is requested only by a few enthusiasts and nostalgic connoisseurs has been replaced by the internal cock model. As far as side by side shotguns are concerned, we also find the side lock ones. They start from the "Maxim" model which is a fine side by side shotgun with a Holland & Holland lock system, automatic ejectors and English stock. It is constructed in the 12 and 20 gauges. Its action is hardened and engraved with

La doppietta Ambassador
Executive di Renato Gamba.
Monta canne demibloc in
acciaio Boehler.

Sovrapposto cal. 12 'S.A.B.'
Renato Gamba Mod. Daytona.

Gun maker: Renato Gamba.
Model: ambassandor executive
side by side shotgun.

Gun maker: S.A.B. - Renato
Gamba. Model: Daytona.

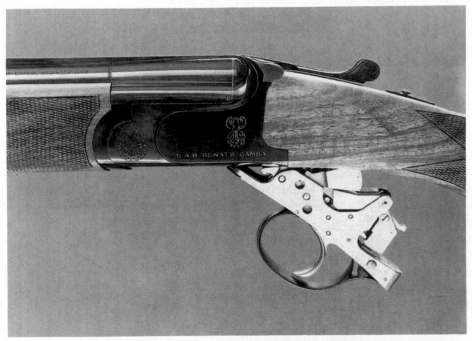

623

inglese, costruita nei cal. 12 e 20 con bascula incisa con inglesine e tartarugata.

Il mod. Edward ha gli acciarini senza perni, cioè con perni ricavati dal pieno dall'interno. Si passa poi ai modelli Cassiano in vari tipi di finiture e con acciarini mod. 34 di invenzione originale Fabio Zanotti. Vengono realizzati sovrapposti con ramponatura laterale nonché con ramponi passanti brevetto Fabio Zanotti. Ultimamente sono stati prodotti anche alcuni express a canne rigate affiancate. La S.A.B. riveste quindi un ruolo importante e qualificato nell'attuale produzione nazionale di armi raffinate.

Doppietta Renato Gamba - Mod. Ambassador

Viene realizzata nei calibri 12 a 20. Di doppiette ad acciarini laterali ne esistono di vari modelli. Ogni costruttore ci tiene però a personalizzare le proprie in modo da offrire un prodotto identificabile e caretterizzante al posto di una pura replica di armi già esistenti. E poiché canne, calci ed altre componenti sono inevitabilmente simili nelle diverse marche (pur cambiando il grado di lavorazione, le rifiniture e naturalmente i materiali) le componenti che meglio si presentano a nuove reinterpretazioni sono costituite dagli acciarini e dalla parte meccanica come bascula, estrattori e sistema percussivo (monogrillo). Fra i tipi di acciarini più diffusi anche su armi di nomi di grandi artigiani spicca quello introdotto ormai da oltre un secolo dalla Holland & Holland ma anche altri sistemi di imperniature e di progettazione offrono quasi

English scrolls. The "Edward" model is supplied with shaftless locks. Its shafts are solid and internal. Then we find the "Cassiano" models which are realized in a wide range of finishings. Their locks are of the 34 model type, and they have been originally invented by Fabio Zanotti.

Over and under shotguns with a side lump fitting and through lumps (Fabio Zanotti patent) are also realized. Some Express rifled side by side barrelled shotguns have lately been produced as well. S.A.B. therefore has a qualifying and important role in national fine gun making.

Ambassador side by side shotgun by Renato Gamba

It is realized in the 12 and 20 gauges. There are various models of side lock side by side shotguns. Each gun maker personalizes its own models so as to offer an identifiable and characterizing product instead of a copy of existing guns.

And since barrels, stocks and other components are inevitably similar in the different brands, (even though the working degree, the finishings and the materials change), the components that are mostly modifiable are constitued by the locks and by the mechanical part such as the action, the ejectors and the striker system (single trigger). Among the most widespread types of locks - even on guns realized by important gun makers - we find the one introduced over a century ago by Holland & Holland as well as other hinge fitting and design systems which almost always offer a double safety against an

Doppietta mod. "Ambassador"
della S.A.B. di Renato Gamba
nel cal. 12.

*Gun maker: S.A.B. -
Renato Gamba.
Model: Ambassador side by side
12 gauge.*

625

sempre la doppia sicurezza contro lo sganciamento accidentale del cane ed una maggiore flessibilità nella taratura degli scatti. Anche fra le Aziende e gli artigiani nazionali vi è una certa tendenza a personalizzare gli acciarini montati su cartelle laterali sia come già detto per proporre creativamente qualcosa di nuovo sia per adeguare le lavorazioni ai metodi più attuali. Questi comunque non significa che tutto ciò che viene proposto in tema di acciarini sia sempre valido ed interessante, anzi spesso si prendono delle scorciatoie rispetto ai canoni classici e quindi occorre verificare caso per caso. La SAB di Renato Gamba monta sulla propria doppietta Ambassador degli acciarini interessanti che non sono una manipolazione di sistemi già esistenti ma si è partiti da un foglio di carta bianco per riprogettarli ex novo. Li esamineremo nel dettaglio più avanti. Per il resto l'Ambassador è un'arma ben costruita e rifinita che monta canne demibloc, legni particolarmente selezionati e diversi gradi di incisioni. La versione standard viene costruita nel cal. 12 mentre nel cal. 20 viene montato un altro acciarino, di tipo più convenzionale.
La bascula viene ricavata dal pieno da un blocco di acciaio speciale da cementazione. La tiratura esterna prevede due seni rotondeggianti di buon disegno, linee semplici ed eleganti sui fianchi e due filetti a spessore variabili sul petto. Le dimensioni sono di 50 mm. la lunghezza dei piani, 45 mm. la larghezza al traversino ed uno spessore della tavola di 20 mm. Quindi misure tendenzialmente abbondanti anche se va notato che verso il perno cerniera la stessa tende a rastremarsi. La chiave di

accidental cock release, and a greater flexibility in trigger pull adjustment. Among national gun makers, there is a trend to personalize the locks which are mounted on side plates in order to propose something creatively new and in order to update the workings to present methods. But this does not mean that everything which is being proposed as far as locks are concerned is always valid and interesting. On the contrary, at times it is necessary to verify them case by case. S.A.B. of renato Gamba mounts interesting locks on its Ambassador side by side shotgun. They are not a manipulation of existing systems but they designed them from the very beginning.
We shall examine them in detail further on. The Ambassador shotgun is a very well finished and executed shotgun. It is supplied with demibloc barrels, special selected woods and different engraving degrees. The standard version is constructed in the 12 gauge while gauge 20 is supplied with another lock. It is of a more conventional type.
The action is solid and made out of a special hardening steel block. The external finishing foresees two round and well-designed standing breeches, a simple and elegant line on the sides, and two borders of a varying thickness on the action bottom. The flat length is of 50 mm., the width to the tackle is of 45 mm. and the table thickness is of 20 mm. These are therefore rather abundant sizes, even though it must be noted that toward the hinge pin its dimensions tend to diminish.
The top open lever is well-profiled both from a top view and from a side view. On the

Particolare della bascula. Sono
presenti i grani portapercussori.

Action internal view.

Incisione con rimessi in oro
effettuata da Angelo Galeazzi.

Engraver: Angelo Galeazzi.

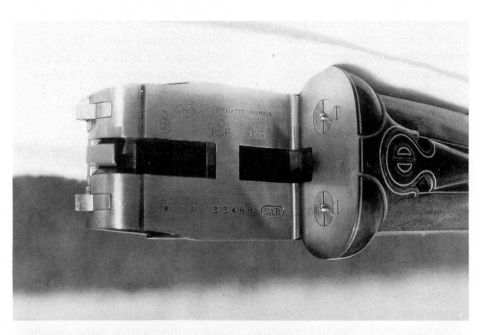

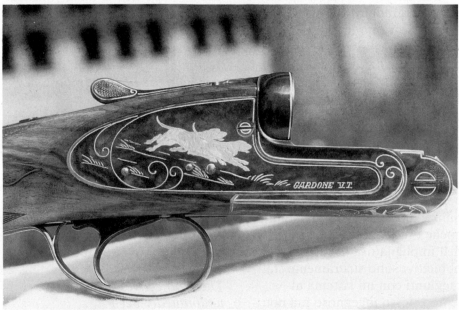

apertura è ben profilata sia guardandola dall'alto che sul fianco. Guardia e monogrillo invece potrebbero essere migliorati dando una leggera inclinazione alla curva di incontro con il calcio ed una maggiore rotondità al grilletto in modo da renderlo più uniforme con l'ovale della guardia. Sono comunque piccoli dettagli verso i quali solo pochi intenditori usano soffermarsi. Sono previsti i grani portapercussori e tutta la parte interna viene tirata a tela con paziente lavoro manuale. Una bascula equilibrata fra disegno complessivo e robustezza, tale da poter essere allestita anche per il tiro al piccione su richiesta. Il monogrillo è del tipo inerziale non seletivo. Si può però avere nel classico bigrillo. Sul perno di bascula vi è il nasetto fisso per l'armamento dell'ejector. Ai due lati, sporgenti dall'interno dei due semipiani di bascula abbiamo le leve per l'armamento degli acciarino e per il comando degli estrattori automatici. Ogni componente viene rifinito a mano e internamente la bascula presenta un buon grado di finitura.

Come dicevamo in apertura gli acciarini costituiscono la parte più originale dell'Ambassador, brevettati da Renato Gamba nel 1975. Alcuni scopi che ci si è prefissi nel progettare questo acciarino erano quelli di avere una buona affidabilità di funzionamento, di limitare l'intervento manuale nell'aggiustaggio dei vari pezzi e quindi di rendere più facilitata anche l'incassatura nei due lati dell'impugnatura del calcio. Gli obbiettivi sono sicuramente stati raggiunti con un sistema al tempo stesso ingegnoso ma non

contrary the guards and the single trigger may be improved by giving a slight inclination to the curve which meets the stock and an increased roundness to the trigger so as to render it more uniform with the guard oval.

But these are small details which only a few connoisseurs consider.

Striker-holder grains are foreseen, and all the internal part is cloth-polished, by means of a patient manual work. This is a well-balanced action as concerns its overall design and soundness, and it may also be used for pigeon-shooting upon request.

The single trigger is of the inertial non-selective type.

It is also available in the classical double trigger version.

The action shaft bears the fixed comb for the ejector's arming.

On the two sides which protude from the inner part of the two action semi-flats, there are the levers for the arming of the locks and for the automatic ejectors control.

Each component is hand finished. The action is very well finished internally as well.

As I already mentioned at the beginning, locks are the most original part of the Ambassador shotgun.

They were patented by Renato Gamba in 1975.

Some of the purposes of this lock are those of having a good working reliability, of limiting manual intervention in the adjustment of the various pieces, and of rendering gun stocking simpler on the two stock grip sides.

These objectives have undoubtedly been

L'acciarino laterale brevettato
con cane armato e disarmato.

Patented side locks.

sofisticato. Vediamo come. La classica briglia è stata sostituita da un contropiasta fissata su tre colonnette formando una specie di "cassa d'orologio" al cui interno scorrono le altre parti dell'acciarino.

Queste sono state ridotte a tre più una molla a spirale non visibile se non togliendo la contropiastra. I due componenti meccanici interni sono costituiti da un nottolino di armamento, una stanghetta di sicurezza ed una di scatto collegata direttamente con il cane. Da notare che il cane ha un andamento orizzontale rispetto al percussore e non circolare come avviene in quasi tutti gli altri acciarini. La molla a spirale, anche se meno "nobile" rispetto a quella a lamina, è però meno soggetta a rotture ed infatti simili acciarini la SAB li monta anche sui propri express vista l'affidabilità ormai provata. La molla è logicamente posizionata dietro al cane e lo spinge verso il percussore. Un tale acciarino consente una buona dolcezza di armamento e pure una dolcezza negli scatti, poiché si è molto vicini ai 90° fra dente di scatto con relativo perno e dente del cane. Internamente l'acciarino può essere finito o a tempera tartaruga, come nel caso di quello illustrato oppure lucido o con finitura a bastoncino. Comunque rimane un dato di fatto che costruire un simile acciarino ed assemblarlo risulti più semplificato rispetto a quelli di derivazione inglesi. Questo senza però pregiudicarne il funzionamento anzi enfatizzando ciò che sono le prerogative di un acciarino montato su cartella e cioè dolcezza di funzionamento pur nella sicurezza contro lo sparo accidentale.

attained by means of a genial yet not sophisticated system. We shall now see how. The classical bridle has been replaced by a counter-plate which is secured onto three columns, forming a sort of "watch case" inside which the other lock parts run.

These have been reduced to three plus a spiral spring which is not visible unless the counter-plate is removed.

The two inner mechanical components are constitued by an arming pawl, a safety sear and a trigger pull sear which are directly connected to the cock. The cock has a horizontal movement as compared with the striker, and it is not circula as in most locks. Even though it iss less noble than the V-spring, the spiral spring is less subject to breakings. Infact, locks such as this one are also mounted on S.A.B. express shotguns since their reliability has been tested. The spring is obviously positioned behind the cock and it pushes it toward the striker. Such a lock allows a rather mild arming and mild trigger pulls since there are almost 90 degrees between the trigger pull tooth and pin and the cock tooth. The lock may internally be either finished with a hardening temper as in the case of the one in the picture or polished with a small-circles finishing. Anyhow, the construction and assembly of such a lock is simpler as compared with the English-derivation ones. All this is achieved without prejudice to lock functionality. On the contrary the characteristics of a side lock mounted on a side plate are in this way emphasized: working mildness and safety against accidental shots.

Le canne sono lunghe cm. 70 e pesano Kg. 1,260. Sono accoppiate con sistema demibloc e realizzate in acciaio UM6. A richiesta si possono anche costruire in acciaio Boehler. La foratura interna ha un valore di 18,4 mm. mentre le strozzature sono di 6/10° e 9/10°. Naturalmente questi valori possono essere modificati su richiesta.

Le canne vengono saldate a stagno mentre il tenoncino a Castolin.

L'astina viene inserita con sgancio a pompa e la croce ospita le molle per gli estrattori automatici. Le canne vengono poi tirate a mano esternamente ed internamente vengono cromate solo su richiesta.

La brunitura viene eseguita in bagno di sali per conferirgli quella brillantezza e resistenza tipica di questo procedimento. Inoltre hanno un piacevole riflesso blu scuro.

La bindella e di tipo normale superiormente zigrinata e su un'arma di questa classe la avremmo preferita concava, liscia, tirata accuratamente a mano.

Sulla canna di destra viene rimessa in oro nome e indirizzo del costruttore.

Anche i piani delle canne sono rifiniti a tela e la ramponatura viene eseguita a tre giri di compasso.

I ramponi sono ben dimensionati tali da consentire la sola doppia chiusura ai ramponi.

Un filetto in oro delimita la culatta e si racconta con il motivo stilistico dell'incisione.

L'incisione del modello illustrato sono state effettuate da Angelo Galeazzi con soggetti rimessi in oro richiesti dal cliente

The barrels are 70 cms. long and they weight 1.260 Kg. They are demibloc coupled and they are made out of UM6 steel.
Upon request they may also be constructed in Boehler steel.
The inner bore has a value of 18.4 mm. while chokes are of 6-10 degrees and 9-10 degrees.
These values are naturally modifiable upon request.
The barrels are tin-welded while the tenon is Castolin-welded. The forend is of the pump release type, and the tumbler houses the automatic ejector springs.
The barrels are then externally hand-finished. They are internally chromium plated only upon request.
Blueing is carried out in a salts bath in order to give the barrels the glossiness and resistance which are typical in this procedure.
Besides, they have a pleasing dark blue reflex.
The rib is of a normal type and it is wrinkled on its top.
On a gun of this class we would rather have had it grooved or smooth and accurately hand finished.
The left barrel bears the gold inlaid name and address of the gun maker.
The barrel flats are also cloth-finished and lump fitting is of the triple compass turn type.
The lumps have quite a good size, and this allows one single double-bolt fitting on the lumps.
A golden line outlines the breech, which can be engraved. The engravings of the model in the pictures have been carried out by Angelo galeazzi with gold-inlaid subjects requested by the gun

proprietario dell'arma. Si tratta però di una incisione piuttosto inconsueta e che integra filetti in oro con lo sfondo tartarugato dell'acciaio.

Il risultato ci sembra un po' pesante soprattutto sul petto di bascula deve vengono ad allinearsi un numero troppo elevato di filetti.

Comunque al di là di questa versione personalizzata su specifica richiesta i modelli standard di Ambassador hanno incisioni più classiche ed inglesine oppure a soggetto di caccia e paesaggi. Un'altra versione interessante è la cosidetta Gold and Black, cioè con bascula cromata nera e filetti rimessi in oro sui bordi.

Questo effetto cromatico è piacevole anche se i filetti debbono essere ben eseguiti poiché anche piccole incertezze vengono subito notate sullo sfondo nero.

Comunque crediamo che una buona incisione a scene di caccia contornate da inglesina sia sempre la soluzione più classica e che meglio valorizza un'arma fine.

Il calcio è all'inglese con astina fine il tutto in una noce radicata di buona qualità. L'esemplare illustrato presenta una impugnatura leggermente abbondante poiché si trattava di un modello da tiro successivamente adattato per uso caccia. Comunque un'impugnatura più esile meglio valorizza le linee classiche dell'insieme. Lo zigrino viene eseguito a mano con passo di 1 mm. La finitura dei legni è realizzata a spirito con tampone ed anche la parte terminale del calcio viene zigrinata o a richiesta viene finito con calciolo in

owner. It is a rather uncommon engraving which integrated golden lines with the hardened background of steel. We believe the result is a bit too heavy, especially on the action bottom, where there are too many aligned lines. Aside from this personalized version, the standard Ambassador models are supplied with more classical engravings such as English scrolls or hunting subjects and landscapes.

Another interesting version is the Golg and Black one.

Its action is black chromium plated and gold-inlaid borders surround it.

This chromatic effect is very pleasing, even though the borders have to be very well-executed because the smallest imperfection may be seen on the black background. Anyhow, we believe that a good hunting scene engraving surrounded by English scrolls is always the most classical solution which enhances a fine gun best. The stock is of the English type with a narrow forend.

They are both executed in a high quality walnut root wood. The illustrated piece is supplied with a lightly big grip since it was a shooting model which had been modified into a hunting shotgun. Anyhow, a slenderer grip enhances the overall classical lines. Checkering is hand-made with a 1 mm. run. Wood finishing is realized by means of spirit and a buffer. The terminal stock area is also checkered, and upon request it may be finished with a rubber or bakelite recoil pad. Gun stocking is well-executed with the two drops which are at the end of the two curve lines of the plate.

gomma o bachelite. L'incassatura è ben eseguita con le due gocce che terminano le linee ricurve delle due cartelle.

La doppietta pesa complessivamente Kg. 3.100 pur potendo essere di un poco alleggerita a richiesta giocando sulle forme dei legni ed eventualmente sulle canne (lunghezza e strozzure). Comunque il peso è nella norma per un fucile da caccia con batterie montate su cartelle. Gli scatti sono tarati su Kg. 1,5 per quanto concerne il primo colpo e Kg. 2 per il secondo. È comunque facile allegerirli intervenendo sul relativo dente dell'acciarino.

L'Ambassador della SAB si rivela come una doppietta ben costruita, con materiali di prim'ordine e dove si compendiano elementi classici con sistemi costruttivi moderni. Questo assunto trova la sua massima espressione nell'acciarino, un brevetto della Casa di quindici anni fa, che funziona racchiuso in una "scatola" con cane azionato da molla a spirale. I pregi di questo acciarino sono già stati descritti prima. Qualche piccola riserva su dei particolari estetici di minimale importanza come sulla forma dell'astina che l'avremmo vista più affusolata nella parte terminale, alcune imperfezioni nelle scritte e nei filetti rimessi in oro e nelle forme di guardia e monogrillo. Interessante invece la tiratura della bascula esterna e la rifinitura interna, impeccabile la lavorazione delle canne e buona la ramponatura. Insomma una doppietta di classe che l'acquirente può ulteriormente personalizzare essendo costruita ancora con sistemi artigianali ed in numeri limitati.

This side by side shotgun has an overall weight of 3.100 Kg. even though it may be lighter upon request by acting on the wood shapes and on the barrels (length and choke).

Anyhow its weight is normal for a hunting shotgun with locks mounted on side plates.

The trigger pulls are adjusted on 1.5 Kg. as far as the first shot is concerned, and 2 Kg. for the second one.

But it is easy to make them lighter by acting on the special lock tooth.

S.A.B.'s Ambassador is a well-constructed side by side shotgun with first choice materials in which classical elements side modern construction systems.

This assumption finds its best expression in the lock, a 15-years-ago Company patent which works enclosed in a box, its cock activated by a spiral spring.

The benefits of this lock type have already been discussed above.

We have a few little remarks to make as far as aesthetical details are concerned, such as the forend which in our poinion should have been slenderer in its terminal part, a few imperfections in the inscriptions and in the gold-inlaid lines and in the guard and single trigger shapes.

The external finishing of the action is interesting, and lump fitting is good.

This is a side by side shotgun of class which may be further personalized by the purchaser since it is still being produced in limited quantities and with craftmanship procedures.

633

Doppietta Zanotti 1625 mod. Edward cal. 12 con cartelle senza perni passanti

Negli ultimi decenni i costruttori nazionali hanno innalzato la loro capacità produttiva con un certo successo anche meritato. Ci sono però nomi che si portano appresso una lunga tradizione in fatto di armi di lusso e che, come nel caso degli Zanotti, affondano le proprie radici nei secoli passati. È logico che pur tramandandosi da una generazione con l'altra le consegne e le conoscenze di questo alto e prezioso artigianato armiero ci si trovi di fronte a delle periodiche evoluzioni e comunque a dei cambiamenti. Possono anche subentrare delle vicissitudini di carattere commerciale che pur mantenendo il nome del prodotto in realtà le persone che le costruiscono, o che le fanno costruire, non appartengono alla famiglia. Ma questo succede anche in altre nazioni. Basti pensare all'Inghilterra, dove nomi altisonanti di primo piano sono stati acquistati da successivi operatori più o meno capaci che continuano a produrre con il nome originale anche se non sempre agli stessi livelli. Sembra insomma che nell'artigianato armiero venga molto apprezzato dagli appassionati, anche in definitiva come giusto riconoscimento delle capacità personali, che il produttore ed il nome del fucile abbiano una stretta relazione. Certo le persone non sono eterne e così i bei tempi delle officine di Manton, di Purdey, di Greener e di tutti gli altri appartengono inesorabilmente al passato: ai posteri non rimane che emularne, nel migliore dei casi, idee e prodotti. Potrà sembrare un

Zanotti 1625 Edward 12 gauge side by side shotgun without through-pius.

Over the past decades, national gun makers increased their production capacity with success. But there are some gun makers which carry forward a long tradition in terms of de luxe guns and that, as in Zanotti's case, have their roots in the past centuries. Even though the skills and knowledge of this precious gun making craftmanship have been handed down from a generation to the other, they obviously had to face evolutions and changes. Other commercial factors may intervene so that even though the product name is unvaried, the people that construct them or that make them be constructed do not belong to the family any longer. But this also happens in other Countries as well. Just think of England, where important brand names have been acquired by subsequent operators which continue to produce under the original name even if -at times- results are not as good. We believe that gun enthusiasts appreciate the fact that the gun maker and the brand name are closely related. Obviously, people are not eternal, and the golden times of the Manton, Purdey and Greener workshops belong to the past. The subsequent generations only have to emulate ideas and products in the best cases. This may seem a pessimistic and slightly romantic discussion, but as far as guns are concerned, present times are not as rich as the victorian era. Going back to the Zanotti, the family tradition has always been respected

Doppietta Edward di costruzione
Zanotti 1625 nel cal. 12 ed
incisione all'inglese.

Gun maker: Zanotti 1625.
Model: Edward side lock.

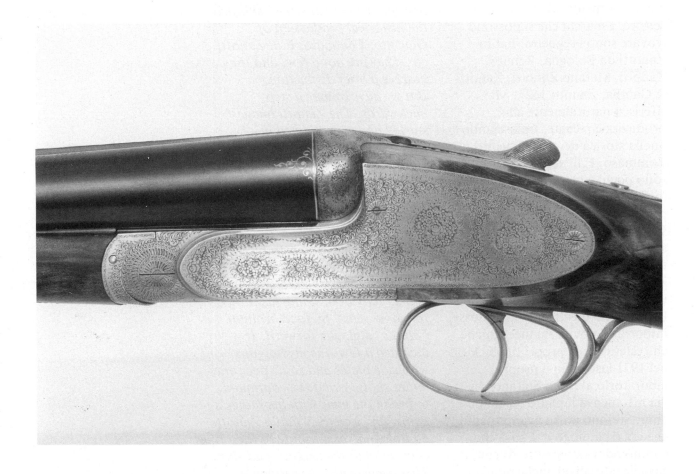

discorso pessimistico e forse un po' romantico, ma in fatto di armi il presente è ben poca cosa rispetto all'epoca vittoriana. Ritornando agli Zanotti la tradizione di seguire le armi "in famiglia" è quasi sempre stata rispettata, anche se ultimamente, ed in particolare dopo la morte di Fabio Zanotti, si trovano in commercio armi di derivazione diversa creando spesso confusione a chi non è particolarmente addentro nel settore. I marchi che si possono trovare sono i seguenti: Fabio Zanotti da Bologna, Renato Zanotti, Stefano Zanotti, Zanotti & Gamba, Zanotti 1625. Mi riferisco naturalmente alla produzione recente, tralasciando quella storica dei vari Giacinto, Tommaso, F.lli etc. Certo non sono pochi e meritano una breve distinzione. Bisogna fare un piccolo passo indietro. L'immagine degli Zanotti iniziò e si consolidò in terra romagnola salvo poi passare con Fabio Zanotti a Gardone Val Trompia una trentina d'anni fa circa. Fabio fu armaiolo creativo ed introdusse importanti novità sia meccaniche che estetiche sui propri fucili. Morì nel 1971 lasciando il proprio laboratorio al figlio Stefano che già affiancava il padre da alcuni anni. Stefano portò avanti quello che era il catalogo di Fabio che comprendeva doppiette Anson, a cartelle laterali ed anche qualche sovrapposto, che presero però un'altra strada. Stefano continuò a marchiare le armi con il nome del padre e precisamente come "Fabio Zanotti da Bologna", in ossequio alla continuità della lunga tradizione. Ampiò poi il catalogo con l'introduzione di una doppietta a cani esterni e con il brevetto di un acciarino su cartella

even though after Fabio Zanotti's death one may find guns which derive from a different source, and this creates confusion especially as far as those who are not expert are concerned.

The brands which may be found are the following: Fabio Zanotti da Bologna, Renato Zanotti, Stefano Zanotti, Zanotti & Gamba, Zanotti 1625.

I am naturally referring to the present production since I skipped the historical production of Giacinto, Tommaso, F.lli Zanotti etc. They are not a few, and they deserve a brief distinction.

But we have to take a step backwards. The Zanotti image started and consolidated in Romagna. Then it moved to Gardone Val Trompia with Fabio Zanotti about thirty years ago. Fabio was a very creative gun maker, and he introduced important mechanical and aesthetical innovations in his guns. he died in 1971 leaving his workshop to his son Stefano, who had already been siding his father for some years. Stefano brought Fabio's catalogue forward. It included a few Anson shotguns with side plates and some over and under shotguns.tefano continued to brand the guns with his father's name, and exactly: "Fabio Zanotti da Bologna" as a tribute to the continuity of the lengthy tradition. Then he widened the catalogue range by introducing an external cock side by side shotgun and a side plate lock patent (the one we observed in the examined shotgun) which is a development of the one created by Fabio for the Thomas side by side shotgun. In 1984 a merger took place between Stefano Zanotti's Firm and Renato Gamba's S.A.B. This merger

(che è poi quello che osserviamo sulla doppietta in esame) che era un'evoluzione di quello che Fabio costruì per la doppietta Thomas. Nel 1984 si ebbe una fusione fra la ditta di Stefano Zanotti e la SAB di Renato Gamba, fusione che durò per circa quattro anni. In questo periodo uscirono fucili sia marchiati Zanotti & Gamba, sia Fabio Zanotti che Zanotti 1625. Quest'ultimo marchio è però quello che continua tutt'ora come SAB e che è riportato anche sulla doppietta Edward illustrata. Stefano Zanotti ha invece aperto un proprio laboratorio, sempre a Gardone, in via XXV Aprile 12 e marchia le armi che produce col proprio nome. Per concludere la panoramica rimane da precisare che le doppiette Renato Zanotti vengono costruite ancora in terra romagnola (o almeno la sede delle Ditta è a Bologna) e porta avanti una limitatissima produzione che si rifà ai dettami di Giacinto con bascule di generose dimensioni e tutti i particolari lavorati dal pieno. Da quando Stefano Zanotti brevettò il proprio acciarino le numerò, quello dell'arma qui in oggetto e il n. 14 e la stessa è stata fabbricata nel 1986. La bella linea di quest'arma identificata la doppietta Zanotti nell'evoluzione ovoidale del rinforzo di bascula (vista dal fianco) e nella cartella di forma allungata. La bascula ha dimensioni piuttosto contenute (per uno Zanotti) e precisamente piani lunghi mm. 50 e larghi al traversino mm. 42. Lo spessore della tavola di bascula è di mm. 22. Osservandola dal petto si vedono i filetti e gli ampi cordoncini non incisi, sottoguardia e grilletti bianchi, tirati a mano e scritta rimessa in oro "mod.

lasted about four years. During this period shotguns were either branded Zanotti & Gamba or Fabio Zanotti, or again Zanotti 1625.

This last brand is the brand which is still employed by S.A.B. which is also displayed on the illustrated Edward shotgun.

Stefano Zanotti opened his own workshop in Gardone - Via XXV Aprile, 12 and he brands his production with his own name.

And to conclude, we must mention the fact that the Renato Zanotti shotguns are still being produced in Romagna (the Company Head Office is in Bologna) in very limited quantities.

They are still made with Giacinto's specifications with big actions and solid details.

Since Stefano Zanotti patented his lock, he started numbering them. The one of the illustrated gun is number 14 and the gun has been constructed in 1986.

The beautiful line of this gun identifies the Zanotti side by side shotgun in the egg-shaped evolution of the action reinforcement (side view) and in the long shaped side plates. The action is quite small (for a Zanotti shotgun).

Its flats are 50 mm. long and 42mm wide. The thickness of the action table is of 22 mm. By looking at it from the action bottom, the lines and the wide non engraved cordons may be seen.

The guard bottom and the triggers are white, hand-polished with gold-inlaid inscriptions (like in the Edward model).

The first trigger is articulated. The stock is of the

Edward". Il primo grilletto è snodato. Il calcio è di tipo inglese con nasello più morbido rispetto a quello di Fabio, privo di calciolo ma con zigrino medio come finitura. La noce ha fibre piuttosto mosse lucidata a tampone. La sezione dell'impugnatura è leggermente romboidale con le due gocce di buona fattura. L'incassatura deve essere stata eseguita nella parte finale con legno privo di cartella, poiché si nota un impercettibile filo d'aria fra questi due elementi. Questo procedimento divide in due anche gli stessi incassatori ma è un dato di fatto che la perfetta integrazione fra legno e cartella è esteticamente preferibile e la si ottiene rifinendo le due parti già in alloggiamento difinitivo. Naturalmente non poteva mancare la ramponatura a tre giri di compasso così come l'arretramento del secolo rampone oltre la faccia di bascula di generose dimensioni. Insomma la tipica ed efficace ramponatura Zanotti ideata appunto da questa Casa. Le canne sono demibloc, lunghe cm. 70 con strozzaturae di 4/10° e 10/10°, bindella leggermente concava ed arabescata a mano antiriflesso. Le canne sono saldate a stagno, in acciaio SIAU 6, non cromate e tirate a mano. La verniciatura è un nero semi-lucido. L'astina è con sganciamento a pompa ed alloggia nella croce martelletti e molle per l'estrazione automatica dei bossoli sparati. L'incisione merita un discorso più lungo. Apparentemente può sembrare una incisione stile inglese come se ne vedono tante sui fucili di questo genere ma osservandola nel dettaglio se ne apprezzano la ricercatezza e la delicatezza di

English type with a softer comb as compared with Fabio's model. It is not supplied with a recoil pad, and checkering is medium-sized. The walnut wood has paterned fibres and is buffer-polished. The grip cross-section is slightly trapezoid and the two drops are well-executed.

Gun stocking has probably been executed in the final part with plateless wood, since an very thin space may be noticed between these two pieces. This procedure splits gun stockers into two groups, but as a matter of fact, a perfect integration between wood and side plate is aesthetically preferrable.

It is obtained by finishing the two parts in their final housing. The triple compass turn lump fitting could not be missing, so as the backward second lump arrangement. This is the typical and effective Zanotti lump fitting. The barrels are demibloc, and are 70 cms. long, their chokes are of 4-10 degrees and 10-10 degrees. The rib is slightly grooved and it is hand-arabesqued in order to be reflex-proof. The barrels are tin-welded and are made out of SIAU6 steel.

They are hand finished and they are not chromium plated.

Finishing is of a black semi-glossy colour. The forend is supplied with a pump release and it is housed in the hammer and spring tumbler for the automatic extraction of the shot shells.

The engraving deserves a longer description. This may seem - at a first glance - an English engraving similar to the many that can be seen on these types of shotguns. But by closely looking at it, one may appreciate its refineness and delicacy of

esecuzione. Succede infatti che quanto un'arma deve essere finita ad inglesine ci si rivolga ad incisori di media levatura, badando più all'economicità che non al risultato.

In questo caso l'incisione è stata effettuata dalla mano capace ed esperta di Walter Patelli, nome che si trova spesso legato ad armi importanti di produzione nazionale. Si potrebbe definirla un'incisione stile Purdey ad inglesina finissima anche se è presente una certa personalizzazione del disegno complessivo con bordino sottile lungo le cartelle e lungo il sottoguardia con una integrazione di buoquets di fiori sparsi qua e là.

Occorre notare come Patelli sia veramente fra gli incisori migliori per questo tipo di lavori poiché altri incisori di grido hanno abbandonato il lavoro di inglesina ad alto livello per dedicarsi a paesaggi ed ornati. Una prova questa di estrema classicità e buon gusto esente da critiche anche da parte dei palati più esigenti. Un bordino rimesso in oro con accenno di inglesina sulla culatta delle canne completano le "vestizioni" generale.

La parte più originale di quest'arma e quindi la più interessante al fine di apprezzarle in pieno è senz'altro l'acciarino. Come dicevo nell'introduzione questo acciarino è stato sviluppato da Stefano Zanotti modificando quello che il padre Fabio aveva studiato per la doppietta mod. Thomas. Quest'ultimo aveva i perni ricavati dal pieno della cartella ma la molla del cane a spirale alloggiata all'interno della bascula in un contenitore tubolare. Inoltre

execution. In fact it happens that when a gun has to be finished with English scroll patterns, one usually calls upon medium-skilled engravers, with an eye on money-saving rather than on the result.

In this case, the engraving has been executed by the very skilled Walter Patelli, a name which is very often associated with important national guns. One could define it as a Purdey-style engraving, with very fine English scrolls, even though a personalization of the overall pattern may be noticed, with a small border along the side plates and the guard bottom with a flower bouquet integration here and there.

It is necessary to notice how Patelli really is among the finest engravers for this kind of engravings, since other important engravers abandoned high-level English scroll engravings in order to devote themselves to landscapes and ornamental patterns.

This is an evidence of classicalness and good taste, which the most demanding connoisseurs shall surely appreciate.

A gold-inlaid border with just a few English scrolls on the barrels complete the gun's finish.

The most original and interesting part of this gun is the lock.

As I mentioned in the Introduction, this lock has been developped by Stefano Zanotti by modifying the lock his father Fabio had studied for the Thomas shotgun.

The latter was supplied with solid shafts which started from the plate and its spiral cock spring was housed inside the action in a

era privo della stanghetta di sicurezza. Stefano pensò di mantenere l'impostazione di base della costruzione senza perni passanti e dell'assenza della briglia aggiungendo nel contempo la molla a lamina per il cane e la doppia stanghetta di sicurezza. Stefano sviluppò questo modello dopo la morte del padre e inserendolo nel suo primo catalogo lo chiamò modello '34. Si sa infatti che l'acciarino mod. '34 fu realizzato da Fabio appunto negli anni '30 e poi successivamente abbandonato. Stefano lo chiamò così in omaggio alla tradizione anche se il suo acciarino non aveva nulla in comune con il vero '34. Tra l'altro nel periodo di collaborazione con Renato Gamba realizzarono il mod. Cassiano, una doppietta sulla quale viene montato tutt'ora la replica del vero acciarino '34. Quindi in seguito fu abbandonata questa sigla per l'acciarino dell'Edward che occorrerebbe più propriamente chiamarlo mod. Stefano Zanotti. Questo acciarino ha delle caratteristiche meccaniche di estrema robustezza e non avendo la briglia è meno soggetto ad usura e non avrà mai le sue parti fuori asse dal proprio perno. La stanghetta di sicurezza è disegnata in modo da bloccare con estrema facilità il cane in caso di caduta indesiderata di quest'ultimo bloccandolo proprio all'inizio della sua corsa. Ovviamente tutte le parti sono ricavate dal pieno compresi, come abbiamo visto, i perni della batteria guadagnando in effetto estetico ed impedendo l'entrata di possibili agenti atmosferici come acqua, umidità, polvere etc. Questa Edward costruito dalla

tubular container. besides, it was not supplied with a safety sear. Stefano kept the basic arrangement of the execution without the through-shafts and the bridle, but he added a V-spring for the cock and a double safety sear. Stefano developped this model after his father's death, and he named it '34 model in his catalogue.
We all know in fact, that the '34 lock model was realized by Fabio in the '30s, and it was subsequently abandoned. Stefano called it like that as a tribute to tradition, even though his lock had nothing in common with the original '34. As a matter of fact, during his collaboration with Renato Gamba, they realized the "Cassiano" model. It was a side by side shotgun which still bears the copy of the original '34 lock. Therefore this name was subsequently abandoned for the Edward lock which should be named after Stefano Zanotti.
This lock has very sound mechanical characteristics, and since it is bridleless, it is less subject to wear, and his parts shall never be out of axis with their shaft.
The safety sear is designed so as to very easily block the cock in case of an accidental fall of the latter since it stops it right at the beginning of its run.
All the parts are obviously solid, including the lock shafts. This enhances the gun aesthetically and it avoids the penetration of atmospherical agents such as water, dust, and so on. This Edward shotgun wich has been constructed by Zanotti 1625 may be defined as a typically Italian shotgun. The lock has been patented by Stefano Zanotti. It

Acciarino brevettato da Stefano Zanotti. Notare l'assenza della briglia.

Side lock patented by Stefano Zanotti.

Parte interna della bascula.

Action internal view.

I seni di bascula privi di filetti che li delimitano si inseriscono nella tradizione stilistica Zanotti.

Top view.

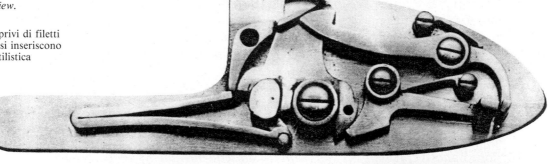

641

Zanotti 1625 la si può definire una doppieta di concezione prettamente italiana. L'acciarino è infatti un brevetto di Stefano Zanotti che prevede perni ricavati dal pieno della cartella e l'assenza della tradizionale briglia. Per il resto gli altri aspetti sono tipici delle doppiette di prestigio come canne demibloc, estrattori automatici, calcio in radica, bigrillo con primo grilletto snodato, stemma rimesso in oro nell'asta. Quindi non una solita copia di derivazione Holland & Holland ma un'integrazione fra la tradizione Zanotti con i successivi sviluppi.

foresees solid pins obtained from the side plate and the absence of the traditional bridle.
The other aspects are all typical of a prestigious side by side shotgun such as demibloc barrels, automatic ejectors, walnut root wood stock, double trigger with articulated first trigger, gold-inlaid stem on the forend.
Therefore this is not a common Holland & Holland copy, but it is an integration between Zanotti's tradition with its subsequent developments.

FIAS SABATTI
Via A. Volta, 90
25063 Gardone Val Trompia (BS)

La FIAS di Sabatti è un'industria specializzata nella costruzione di armi da caccia e da tiro di buona qualità e dai prezzi particolarmente accessibili. Recentemente ha cominciato a costruire in proprio anche canne rigate che monta su combinati, carabine ad otturatore girevole/scorrevole ed express sovrapposti. A richiesta queste armi possono essere fornite con fini incisioni e rifiniture superiori alla media.
Nel campo delle doppiette realizza il mod. Montreal, sia in versione caccia che tiro, con acciarini sistema Holland & Holland, canne in acciaio Breda accoppiate in demibloc, bascula in acciaio al Cromo-Nichel temperata e cementata, estrattori automatici e legni sceltissimi.
Le incisioni sono molto raffinate ed eseguite dai migliori maestri sia che si tratti di inglesine sia di scene di caccia. Qualche anno fa realizzarono anche un sovrapposto tipo BOSS a ramponatura laterale.

FIAS SABATTI
Via A. Volta, 90
25063 Gardone Val Trompia

FIAS of Sabatti is an industry which is specialized in the production of hunting and shooting shotguns. Its quality is good and prices are affordable. They recently started producing rifled barrels as well, and they mount them on combined shotguns, pivoting-sliding breech block rifles, and over and under express shotguns. These guns may be supplied with fine engravings and beautiful finishings upon request. As far as side by side shotguns are concerned, they realize the Montreal model both in the hunting and in the shooting versions with Holland & Holland system locks, demibloc-coupled barrels made out of Breda steel, Cromium-Nickel tempered and hardened steel action, automatic ejectors and very selected woods. Engraings are very refined, and they are executed by the best Masters both in the case of English scrolls and hunting scenes. A few years ago, they also realized a Boss-type over and under shotgun with a side lump fitting.

642

Express Sabatti mod. 340 a
canne sovrapposte. Le canne
rigate sono di propria produzione.

Incisione di Medici su doppietta
Fias Sabatti con acciarini tipo
Holland & Holland.

Gun maker: Fias Sabatti.
Model: expless over and under.

Fias side by side engraved by F.
Medici.

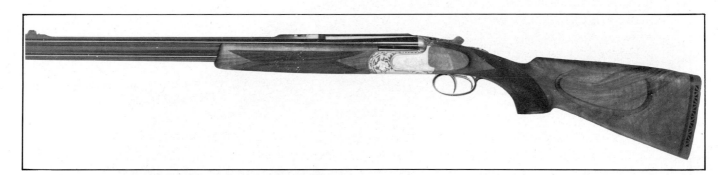

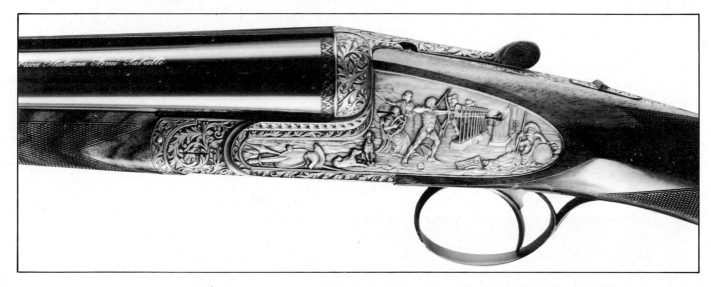

643

Arma aperta come la precedente ma con incisione a inglesina molto fine.

Rara doppietta Fias Sabatti a cani esterni.

Fine doppietta tipo Holland & Holland mod. "900" della SIACE di Angelo Boniotti.

Fias side by side with english scrolls.

Fias external hammers side by side Discontinued model.

Gun maker: S.I.A.C.E.
Model: "900" side lock.

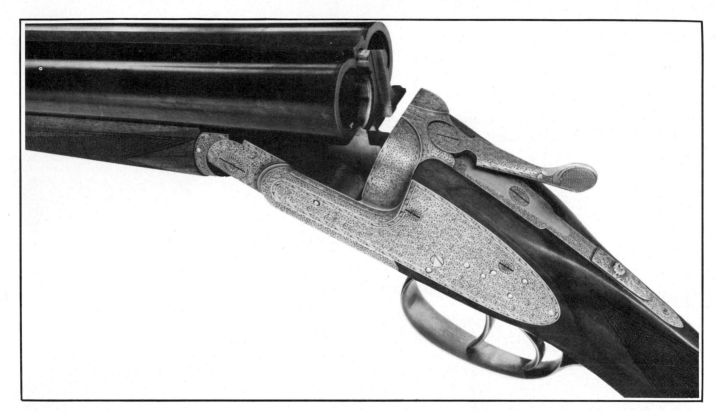

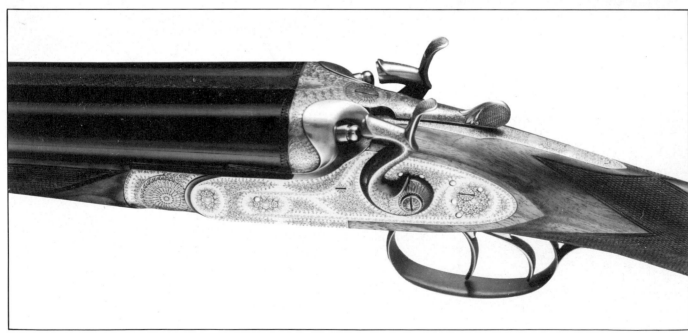

644

S.I.A.C.E. di Angelo Boniotti
Via Matteotti, 341
25063 Gardone Val Trompia (BS)
tel. 030/837613

Angelo Boniotti è un facoltoso armaiolo impegnato in prima persona nella costruzione dei propri fucili che per maggior parte esporta.

Il grosso della produzione riguarda sovrapposti e doppiette da caccia e tiro di qualità accettabile.

Tiene una piccola ma apprezzabile produzione di fini doppiette sia hammerless che a cani esterni.

Le prime montano acciarini tipo Holland & Holland, estrattori automatici, canne demibloc in acciaio Breda, eventuale bindella ventilata, legni in radica di noce ed incisioni che vanno dal semplice filetto alla firma più prestigiosa con rimessi in oro. I cani esterni, come il mod. 370 B ha acciarini a molla indietro, canne demibloc, linea molto particolare, incisioni ad inglesine.

Produce anche doppiette con caratteristiche più spartane per caccia sia del tipo Holland & Holland sia a cani esterni.

Generalmente sono buone armi per il prezzo a cui vengono offerte.

ZANOTTI STEFANO
via XXV Aprile, 12
Gardone Val Trompia (BS)

L'inizio della attività archiburgiera degli Zanotti si fa risalire al ben lontano 1625; tre secoli e mezzo di un'arte che è stata ed è tutt'ora importante per il settore fucili da caccia italiano. Si è già parlato dei meriti di questa famiglia romagnola sulla quale sono stati pubblicati anche diversi libri: non mi ripeterò quindi ma ci limiteremo ad esaminare, seppur brevemente, la produzione in un diretto

S.I.A.C.E. di Angelo Boniotti
Via matteotti, 341
25063 Gardone Val Trompia (BS)
tel. 030/837613

Angelo Boniotti is a wealthy gun maker who is engaged in the construction of his own shotguns. he mostly exports them.

Most of his production concerns hunting and shooting over and under and side by side shotguns of a satisfactory quality. He has a small yet appreciatable production of fine hammerless and external cock side by side shotguns.

The first ones are supplied with Holland & Holland locks, automatic ejectors, demibloc barrels made out of Breda steel, a possibly ventilated rib, walnut root woods, and engravings which range from a simple threading to the most prestigious signatures with gold inlays. The external cocks shotguns, as the 370B model, are supplied with backward-spring locks, demibloc barrels, special line, English scrolls engravings. They also produce sturdier side by side shotguns for hunting purposes. They may be of the Holland & Holland type or with external cocks.

They are generally good guns for the price they are offered at.

ZANOTTI STEFANO
Via XXV Aprile, 12
Gardone Val Trompia (BS)

The beginning of the gun making activity of the Zanottis dates back to 1625; we are talking about a three-centuries and a half tradition which is very important as far as Italian hunting shotguns are concerned.

I already spoke about the skills of this Romagna family on which many books have been written.

I shall therefore not repeat what I already said, but we shall

Originale doppietta a cani esterni
SIACE mod. 370B a molla
indietro. Canne demibloc.

*SIACE external hammers 370B
model.*

Doppietta SIACE mod. "901"
con batteria tipo Holland &
Holland e canne demibloc.

SIACE side by side "901" model.

discendente degli Zanotti: Stefano. Stefano Zanotti, figlio di Fabio, si occupa ormai da decenni della costruzione di fucili da caccia, avendo imparato l'attività dal padre che come tutti sanno fu un grande armaiolo, dotato di fantasia tecnica ed abilità manuale. Lo spunto per parlare di Stefano Zanotti ci viene dal fatto che da pochi mesi egli ha aperto un proprio laboratorio a Gardone Val Trompia (Via XXV Aprile, 12 - tel. 030/8911021) dove realizza una produzione artigianale di fucili da caccia con modelli nuovi o tipici Zanotti, offrendo quella versatilità e quel "taglio su misura" che solo gli artigiani possono offrire ai clienti più esigenti. Queste armi, che firma a proprio nome, si limitano per ora alla doppietta sia di tipo Anson, sia Holland & Holland che a cani esterni.

Del primo tipo Stefano parte con un modello rifinito dignitosamente ma dal prezzo molto accessibile per coloro che non vogliono spendere cifre più consistenti ma che sono comunque sensibili ai particolari ed alla importanza del nome. Questo nuovo modello si chiama Thomas (naturalmente non ha nulla a che vedere con le doppiette Thomas di Fabio con acciarini su cartelle laterali e molla a spirale all'interno della bascula) e può essere richiesto con estrattori normali o automatici. La lunghezza delle canne può essere scelta a partire dalla versione slug passando dai cm. 65, ai 68 e cm. 70. Il peso, nel cal. 12, si aggira sui 3 Kg. Viene costruito anche in cal. 20. Il calcio, di buona noce, è tipico inglese con profili del nasello abbastanza sfuggente.

La bascula, tirata liscia color

just stop and examine their production as far as Stefano Zanotti is concerned.

Stefano Zanotti, Fabio's son, has been working for decades on hunting shotguns since he learned his activity from his father who - as everybody knows - was a great gun maker endowed with technical imagination and manual skills. As we already know, he opened his own workshop in Gardone Val Trompia (Via XXV Aprile, 12 - tel. 030/8911021) where he realizes a production of craft-made hunting shotguns with new models and typical Zanotti models. He offers versatility and tailored guns which only artisans can offer to their most demanding customers. These guns which are branded with his own name, are limited to the Anson-type, Holland & Holland type and external cock side by side shotgun models.

Stefano starts with a well-refined model of the first type which is quite affordable for those who do not wish to spend big amounts of money but who care about details and gun name. This new model is called Thomas (it has of course nothing to do with Fabio's Thomas model with locks on side plates and spiral spring inside the action) and it may be requested either with manual or automatic ejectors. The barrel length may be chosen starting from the slug version, passing to 65 cm to 68 cm and 70 cm. Its weight, in the 12 gauge is of approximately 3 Kg. It is also constructed in the 20 gauge.

The stock is typically English, and it is realized in a good quality walnut wood with a not too pronounced comb profile. The action which is smooth-finished

acciaio, ha piccoli bordi di incisione ed ha nella pare terminale verso il calcio, il tipico profilo a parentesi graffa di ispirazione Westley Richards. Questa caratteristica viene mantenuta anche sui modelli più costosi, quelli che montano canne demibloc ed incisioni più elaborate. Tra l'altro in questi ultimi è possibile avere la forma del calcio tipico della produzione post-bellica degli Zanotti, cioè con nasello quasi perpendicolare e molto sottile come spessore.

Tornando al Thomas, modello col quale Stefano Zanotti conta di farsi conoscere ad un vasto numero di cacciatori, le canne si possono avere sia monobloc che demibloc. Tra l'altro con l'adozione del monobloc, volendo si può scendere nel peso fino a Kg. 2,850 nel cal. 12.

La versione standard dispone di due grilletti ma a richiesta la si può avere monogrillo. Come si potrà notare questa doppietta Thomas, pur non avendo eccessive pretese, offre molto, relativamente al prezzo di solito chiesto per un'arma completamente industriale. La versione con canne da 68 cm. (o 65) e strozzature 4/2 stelle, piò essere anche valida per la caccia alla beccaccia o ai fagiani in collina.

Andando avanti nel catalogo, troviamo la doppietta Zanotti a cani esterni, che Stefano introdusse per la prima volta nel 1971 riproponendo nelle linee essenziali quelle ormai storiche di Giacinto Zanotti. È da notare che Fabio non produsse mai una doppietta a cani eterni. I piani di bascula sono lunghi cm. 55, gli estrattori sono normali, gli acciarini del tipo a molla avanti.

and of a steel-colour, has small engraved borders.

In its terminal part, close to the stock, it is equipped with a double bracket profile inspired by Westley-Richards.

This feature is also maintained on the more expensive models which are equipped with demibloc barrels and elaborate engravings.

In these shotguns it is possible to have the typical stock shape of the Zanotti pre-war production, that is with an almost perpendicular and very narrow comb.

Going back to the Thomas model, with which Stefano hopes to become popular among hunters, its barrels may either be monobloc or demibloc. Besides, with the adoption of the monobloc system, one can have a lighter-weight gun (2.850 Kg. in gauge 12).

The standard version is equipped with two triggers, but it may be single triggered upon request. As one may notice, this Thomas side by side shotgun has much to offer as compared with other industrially produced shotguns, as well as price is concerned. The 68 cm. barrelled version (or 65 cm.) and 4-2 stars chokes may be employed for woodcock or pheasant hunting. By going on with the catalogue, we find the Zanotti external cock side by side shotgun model, which Stefano introduced in 1971, reproposing the historical line of Giacinto Zanotti.

Fabio never produced an external cock side by side shotgun. the action flats are 55 cm. long.

The ejectors are normal, and the locks are of the forward-spring type. Lump fitting is still executed with a triple compass turn on

La ramponatura viene ancora eseguita a doppio giro di compasso su canne dimibloc tirate a mano.

Il calcio è all'inglese, in noce radicata, e le incisioni sono a fine inglesina tipo Purdey.

Un'arma veramente classica per coloro (e non sono pochi) affascinanti dalla purezza di linee del fucile da caccia per autonomasia: il cani esterni.

Tra l'altro non sono molti quelli che, specie a livello artigianale, costruiscono ancora doppiette a cani di buona qualità.

Non poteva poi mancare una doppietta fine con acciarini tipo Holland & Holland, che Stefano ha chiamato « Holland 1860 ». Si tratta di un'arma che si inserisce nella più pura tradizione artigianale, con acciarini montati su piastre laterali dotati di doppia stanghetta di sicurezza, canne demibloc, estrattori automatici. Il calcio è in radica con zigrinature manuali di tipo fine, il grilletto anteriore è snodato e le incisioni sono tipo Holland Royal.

Questo almeno nella versione standard (con bascula tartarugata), poiché il tipo di incisione e di finiture può essere richiesto dal cliente. La ramponatura è quella a tre giri di compasso introdotta dagli stessi Zanotti agli inizi del secolo, ed il peso nel cal. 12 si aggira sui 3,100 Kg.

La Holland 1860 viene realizzata anche in cal. 20.

Per chi vuole spendere meno (praticamente un terzo) ma desideri avere una doppietta simile almeno a livello estetico, Stefano offre il mod. Anson con finte piastrine laterali, con la sola differenza che in quest'ultima la finitura del legno fra calcio e

demibloc hand finished barrels. The stock is of the English type and it is made out of walnut root wood.

The engravings are executed in a Purdey-style with fine English scrolls.

This is a truly classical gun for those who are fascinated by the pureness of line of the hunting shotgun par excellence: the external cock shotgun.

Not many are the gun makers - especially at a craftmanship level - which still construct external cock side by side shotguns of a good quality. A fine side by side shotgun with Holland & Holland locks could not possibly be missing. Stefano called it "Holland 1860". It is a gun which is constructed with the purest craftmanship tradition. Its locks are mounted onto the side plates,and they are supplied with a double safety sear, demibloc barrels and automatic ejectors. The stock is made out of walnut root wood and it is finely checkered. The front trigger is articulated, and the engravings are of a Holland Royal type. This is true for the standard version (with a hardened action), since the kind of finishings and of engravings may be requested by the customer.

Lump fitting is executed with the triple compass turn system which was introduced by the Zanottis at the beginning of this century. Its weight, in gauge 12, is of 3.100 Kg.

The Holland 1860 model is also realized in gauge 20.

For those who wish to spend less (practically one third) but wishes to have a similar side by side shotgun as far as its line is concerned, Stefano offers the

cartello è arrotondata e non profilata con la tradizionale goccia. Per il resto l'arma è altrettanto valida (se si esclude appunto la doppia stanghetta e tutto il resto che offre la batteria tipo Holland & Holland) comprese le canne demibloc. A richiesta viene rimesso sull'astina il nettuno in oro, che è simbolo attualmente adottato da Stefano. Certo si potrebbe continuare ancora per molto nel parlare di queste armi, dai materiali usati ai metodi di tiratura delle parti metalliche e dei legni ma chi già conosce la produzione Zanotti (anche nelle diverse discendenze e diversificazioni) sa che quel nome è comunque garanzia di qualità, anche nelle armi di minor prezzo. E per coloro che invece questa produzione non la conoscono può essere un buon motivo per far visita a Stefano Zanotti che nel proprio laboratorio continua, con ecomiabile passione, un mestiere, quello dell'armaiolo, che pur avendo nobili origini sta attraversando momenti di difficoltà più per motivi politici e di pubblica opinione che non per ristrettezze di mercato. E chi parla con tanta faciloneria di riconversione, dovrebbe esaminare con più rispetto queste produzioni che, appunto nel caso specifico degli Zanotti, da quasi quattro secoli hanno contribuito a tener alto il settore artigianale italiano.

Anson model with false side plates. The only difference consists in the fact that in this gun, the wood finish between stock and plate is rounded and not profiled with the traditional drop. As far as all the rest is concerned, this gun is equally valid (if we exclude the double safety sear and all the rest which is offered by Holland & Holland locks) including demibloc barrels. Upon request, a golden Neptune may be inlaid in the forend. This is the symbol Stefano adopted at present.

Of course, we could still further talk about these guns, of the materials employed, of the finishing methods of the metal parts and of the woods. But those who already know the Zanotti production (in the different diversifications) know that this brand name is a quality guarantee even in lower-priced guns. And for those who don't know this production at all, I would suggest to go and visit Stefano Zanotti who continues his job with great enthusiasm in his workshop even though times are now quite difficult due to political and public opinion reasons rather than to market limitations. And those who talk too easily about reconversion should examine this production, which in the specific case of the Zanottis, helped to keep Italy's craftmanship's banner high for almost four centuries.

Doppietta Anson Fabio Zanotti da Bologna mod. 626

È una doppietta giustapposta ispirata ai boxlock inglesi di Westley Richards ridisegnata da Fabio Zanotti negli anni '30 e destinata ad un pubblico di cacciatori attenti alle armi

Fabio Zanotti da Bologna - Anson 626 side by side shotgun

This is a juxtaposed side by side shotgun inspired by Westley-Richards' box-locks. It has been redesigned by Fabio Zanotti in the '30s and it is destined to a demanding fine gun

651

artigianali di classe che desiderino avere un fucile leggero e con caratteristiche personalizzate. Di questo modello infatti ne sono stati realizzati in diversi gradi di finitura e molti in coppia da battuta.

Fabio Zanotti, grande armaiolo artigiano appartenente a una delle più antiche famiglie italiane impegnate in questo non facile settore fin dal lontano 1625 ci ha lasciati nel 1971. La sua influenza però è stata importante per l'evoluzione delle armi sportive nazionali sia che si parli di fucili di lusso sia di armi più abbordabili destinate al mondo venatorio. Tanto per fare qualche esempio si può citare il suo sovrapposto con doppi ramponi sotto la canna inferiore, poi realizzato su larga scala con la sigla IAB, oppure l'introduzione dell'acciarino mod. '34 con imperniature tipo Purdey e ancora l'acciarino del Thomas senza perni passati e privo di briglia. Ma un'arma che ebbe una certa diffusione anche per il favorevole rapporto prezzo/qualità e che ispirò nel contempo molti altri costruttori fu la doppietta giustapposta qui considerata. Occorre risalire verso la metà degli anni '30 per trovare i primi esemplari di questo boxlock realizzati da Fabio Zanotti anche se per una ventina d'anni fu costruito con caratteristiche leggermente diverse da quelli realizzati in epoca successiva. L'idea fu quella di offrire una doppietta Anson di tipo fine che unisse una certa classicità nell'estetica insieme ad una maneggevolezza d'uso e ad una robustezza nel tempo come risultati di una realizzazione manuale di alto artigianato. E

hunter public which desires a lightweight gun with personalized characteristics of class. This model has been realized in various finishing degrees and in sets. Fabio Zanotti, great artisan gun maker belonging to one of the most ancient gun making families in Italy since 1625 died in 1971. His influence has been very important in the sporting guns national evolution both as far as de luxe and affordable hunting shotguns are concerned. I shall mention his over and under shotgun, with double lumps under the lower barrel which has been later on mass-produced under the I.A.B. brand name, and the introduction of his '34 model lock with Purdey-type hinge fittings or his Thomas lock which is bridleless and is not supplied with through-shafts. A gun which experienced quite a widespread diffusion - also due to its favourable quality/price ratio - and which inspired many other gun makers was the juxtaposed shotgun which we are examining now. It is necessary to go back to the '30s in order to find the first box-lock shotguns realized by Fabio Zanotti, even though they were constructed with slightly different features for over 20 years as compared to the subsequent ones. The idea was that of supplying a fine Anson-type side by side shotgun which combined aesthetical classicalness and handiness of use as well as soundness in time as a result of a high craftmanship manual working. Therefore, the action sides assumed the shape of a double bracket as a tribute to the English gun maker Westley-Richards, and the locks were simple yet sound and housed

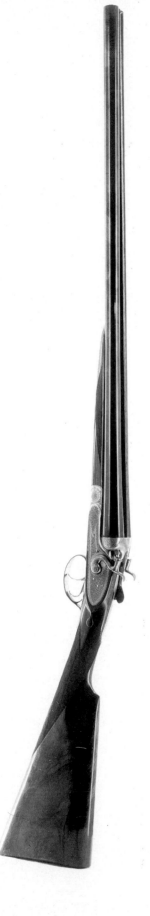

Doppietta a cani esterni intitolata a Giacinto Zanotti. Canne demibloc, estrattori normali.

Doppietta Anson Mod. 626 - Zanotti Stefano.

La parentesi graffa della bascula si richiama alle prime doppiette di Westley Richards.

Stefano Zanotti external hammers side by side. Chopper lumps barrels.

Gun maker: Stefano Zanotti. Model: 626 Box lock.

Westley Richards design. Anson e Deeley Locks.

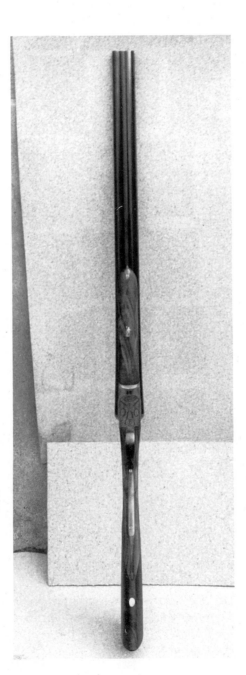

653

così i fianchi di bascula assunsero la tiratura a parentesi graffa in omaggio alle armi della Casa inglese di Westley Richards e si optò per una batteria semplice ma robusta ricavata all'interno della bascula sul sistema brevettato dai sigg. Anson & Deeley.

Non mi risulta che Fabio realizzò qualche esemplare con batterie smontabili dal petto di bascula come nei modelli più fini di Westley Richards: evidentemente non volle copiare di sana pianta l'arma inglese ma solamente realizzare una doppietta da caccia a prezzi inferiori rispetto a quelle con acciarini laterali. Una simile arma fu invece poi realizzata dalla ditta Famars col nome Tribute, anche se non si tratta di una copia fedele di W.R. Queste prime doppiette realizzate da Fabio Zanotti presero vita in terra di Romagna e precisamente a S. Maria di Fabriago. Usò delle bascule simili a quelle dei modelli ad acciarini laterali con piani lunghi circa 58 mm. e spesso privi di estrattori automatici. Fu intorno alla metà degli anni '50 che Fabio Zanotti aggiornò per così dire questo modello, contenendo le dimensioni di bascula e dandogli la linea e la meccanica che oggi vediamo. Le bascule furono poi prodotte in quel di Gardone anche se sui fucili continuò ad apparire il marchio Fabio Zanotti da Bologna. Non si può tuttavia parlare di fucili di serie poiché essendo fatti a mano potevano essere personalizzati dal cliente. Così si possono trovare canne accoppiate col sistema dei piani fissi, altre con ramponi e piani riportati, altre con canne demibloc, con legni di diverso valore e così via. Dopo al morte

inside the action on a patented Anson & Deeley system.
I don't think taht Fabio realized some pieces with hand detachable locks from underneath the action bottom as the finest Westley-Richards models: he evidently did not want to perfectly copy this English gun but he only wanted to realize a hunting side by side shotgun at a lower price as compared with side lock side by side shotguns. A gun of this type was later on realized by FAMARS under the name of Tribute, even though it is not a W.R. faithful copy. These first side by side shotguns realized by Fabio Zanotti arose in Romagna, and exactly in S. Maria di Fabriago. he employed actions which were similar to those of the side-lock models with 58 cm. long flats, which were very often without automatic ejectors. Around the mid '50s, Fabio Zanotti updated this model by reducing the action size and by giving the gun the line and the mechanisms which still may be seen today. The actions were later on produced in Gardone, even though the shotguns continued to bear the brand name: "Fabio Zanotti da Bologna". But we cannot consider them as mass-produced shotguns because since they were hand-made, they could be personalized by the customer.
So, we can find coupled barrels with the fixed-flats system, other barrels with inserted lumps and flats, and other barrels again with a demibloc coupling, different woods, and so on. After Fabio's death this very same production has been carried fourth by his son Stefano, who continued to employ his father's name until about a decade ago. Since then, the

Piani di bascula. Il marchio
rimane Fabio Zanotti da
Bologna, padre di Stefano
Zanotti.

Action internal view.

Nettuno col tridente rimesso in
oro nell'asta.

Forend detail.

Vista superiore dell'arma. La
bindella è concava arabescata a
mano.

Top view.

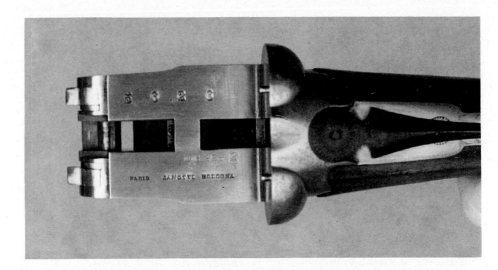

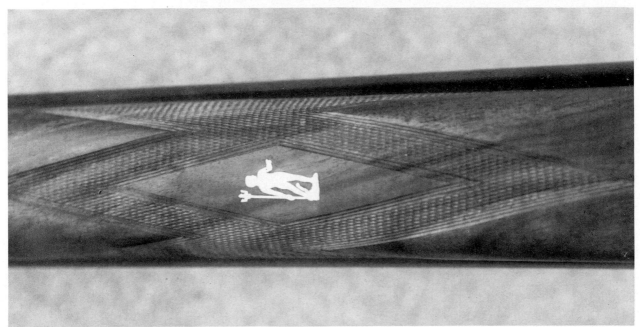

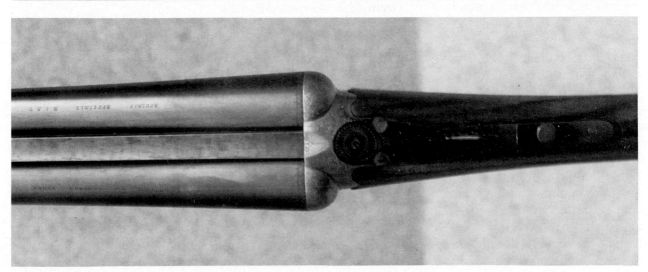

di Fabio la stesa produzione fu portata avanti dal figlio Stefano che continuò ad usare il nome del padre fino a circa un lustro fa. Da allora la dicitura "da Bologna" è stata interrotta e la produzione continua sotto l'egidia Zanotti 1625 oppure Stefano Zanotti. Questo fa sì che le armi marchiate Fabio Zanotti da Bologna abbiano un valore collezionistico con particolare riferimento a quelle costruite prima del '70.

Ma si diceva anche che il disegno fu poi ripreso da altri costruttori ed in effetti basta scorrere i cataloghi di altre Case ed artigiani per trovare dei boxlock simili a questi ma poiché nelle armi sportive occorre sempre dare a Cesare ciò che è di Cesare bisogna riconoscere che l'originale porta il nome Zanotti.

Meccanica e modelli

Il mod. 626 è il top della serie, con fine incisione all'inglese e bascula temperata ad argento vecchio. Vi è poi un altro modello, chiamato 625, con bascula tartarugata ed incisione meno elaborata. Diversi 626 furono incisi dallo scomparso Iora e praticamente tutti riportano sull'asta il nettuno rimesso in oro che fu lo stemma della Casa in tempi recenti. Un altro modello interessante e piuttosto raro è l'FPH, cioè la stessa arma a cui sono state aggiunte le piastre laterali. Esteticamente quindi si vuole richiamare i fucili tipo H&H anche se la chiave d'apertura rimane più arretrata rispetto ai veri modelli va però notato che il legno del calcio finisce contro le mammelle di bascula, particolare

inscription "da Bologna" has been discontinued and the production continues under the name of "Zanotti 1625" or "Stefano Zanotti".

This means that the shotguns which are branded "Fabio Zanotti da Bologna" have a collection value with a special reference to those constructed before the '70s. But we were also mentioning the fact that the design had been emulated by various gun makers.

In fact, just look at the catalogues of other gun makers and artisans and you shall find box-lock shotguns similar to this.

But since in sporting shotguns one always has to give to Caesar what is of Caesar, we have to recognize that the original bears the Zanotti brand name.

Mechanisms and Models

The 626 model is at the top of this series list. It is supplied with fine English-style engravings and a hardened old-silver action. There is also another model, the 625, which is supplied with a hardened action and less exquisite engravings. Various 626 were engraved by Iora, who is now dead. And practically all of them have a gold-inlaid Neptune on the forend which recently became the Gun Maker's stem. Another interesting and rather rare model is the FPH. It is the same gun as the previous one, to which side plates have been added. Therefore the aesthetical line recalls the H&H models, even though the top open lever is backward as compared with the original models. But one should notice that the stock wood ends against

Doppietta 1625 tipo Anson con finte piante laterali.

False plate side by side.

Petto di bascula con leggeri cordoni. Modello Fabio Zanotti originale costruito nel 1967.

Gun maker: Fabio Zanotti.
Model: 1625 F.P.H.

questo che quasi mai si trova sugli Anson con cartelle poiché richiede una più complessa lavorazione. Cambia anche la tiratura del petto e parte dei fianchi fra l'FPH e gli altri boxlock poiché in questi ultimi il petto è liscio con angoli leggermente arrotondati mentre nel primo si trovano due filetti laterali per accentuare la somiglianza con le doppiette tipo Holland. La meccanica però rimane la medesima, con estrattori automatici e martelletti montati sulle croce, bigrillo e monogrillo a richiesta, sgancio dell'asta a pompa e peso sempre contenuto. Infatti normalmente per un cal. 12 si ha un peso che oscilla fra i Kg. 2.850 e 2,9, quindi un'arma ideale per le cacce in collina e col cane da ferma. La bascula ha i piani lunghi mm. 50 con larghezza al traversino di mm. 46. Si restringe poi andando verso il perno cerniera per misurare in questo punto mm. 41. Si ha quel bordino che parte da sotto la mammella e che arriva a circa metà bascula e che assolve al doppio scopo di ingentilire le linee estetiche e di rafforzare la stessa nel punto critico. La chiave superiore è traforata con disegno di un cane stilizzato. La guardia ha un profilo molto bello, particolare questo che mostra la sensibilità di Fabio Zanotti e la sua cultura in fatto di armi fini: dettaglio spesso trascurato da altri costruttori nazionali che probabilmente non conoscono alcuni canoni classici ed imprescindibili nella realizzazione di una doppietta di classe. Quest'arma la si può avere anche in cal. 20, oltre al cal. 12 e ne furono realizzate alcune anche in cal. 28. Anzi nei primi anni '70 Stefano Zanotti realizzò un set di cinque gemelli composti da due cal. 12, due cal. 20 ed un cal. 28.

the action standing breeches. This is a detail which is almost never met on Anson models with side plates since it requires a far more complex execution. The action bottom and sides finishing is also different as compared with other box-lock guns since in the latter the action bottom is plain, with slightly rounded edges while in the FPH model there are two side lines in order to increase their resemblance with the H&H side by side shotguns. Mechanisms are the same: automatic ejectors and hammers mounted on the tumbler, double trigger and single trigger upon request, forend pump release, and limited weight. In fact a 12 gauge normally weighs between 2.850 Kg. and 2.9 Kg. and therefore it is an ideal gun for hunting on the hills and hunting with a pointer. The action flats are 50 mm. long, and their width at the tackle is of 46 mm. It gets narrower close to the hinge pin, in fact in this area its width is of 41 mm. It is supplied with a thin border that starts below the standing breech and which goes halfway along the action. Its purpose is that of softening the aesthetical lines and of strengthening the action in its criticl area. The top open lever is punched with the design of a stylized dog. The guard has a beautiful profile. This is a detail which demonstrates Fabio Zanotti's sensitivity and his fine gun culture. This is a detail which is often overlooked by other national gun makers which probably do not know any classical canons which should always be met in the construction of a gun of class.

This gun may also be realized in gauge 20, and some have been realized in gauge 28. In the early '70s Stefano Zanotti realized a set

I legni sono sempre in noce di alta qualità e possono essere di tipo extra con sovrapprezzo. Si possono trovare alcuni fucili anche con legni in noce nazionale (ormai è praticamente scomparso) e l'astina la si può avere normale e a semicoda di castoro. Particolare da non sottovalutare è che il calcio non è di tipo cavo con tirante ma è ricavato dall'abbozzo, zigrinzato e finito a mano ad olio. Fabio Zanotti personalizzò le linee dei propri calci, effettuando un nasello molto pronunciato, sottile e che contribuiva a dare personalità ed originalità alle proprie armi. L'incassatore deve sempre fare un buon lavoro scolpendo le cappettine laterali, per incassare la guardia lunga o le cartelle laterali quando pressenti. L'arma assume una linea slanciata e molto piacevole, che unisce un gusto di impronta britannica ad un tocco più deciso di cultura romagnola. È immediata all'imbraccio ed il peso contenuto la rende preferibile per uso caccia anche rispetto ai modelli più prestigiosi ad acciarini laterali ma immancabilmente più pesanti. Un'estetica quindi riconoscibile e caratterizzante,come raramente è dato da vedere su altre armi nazionali in questa fascia di prezzi.

of five composed by 2 12 gauges, 2 20 gauges and 1 28 gauge.
The woods are always high quality walnut woods, and they may be of an extra type with an additional price. Some shotguns may also be found with national walnut wood (which has practically disappeared) and the forend may be normal or semi-beaver tailed. A detail which should not be underestimated is that the stock is not of the hollow type with a pull, but it is solid, checkered and oil finished. Fabio Zanotti personalized the lines of his stocks by carrying out a very pronounced and narrow comb which contributed in giving the gun an original and personalized look. The gun stocker always has to do a good job by chiselling the side double brackets in order to stock the long guard or the side plates (when present). The gun has a slender and very pleasant line which combines British taste and Romagna's traditional taste. It is immediatly raised, and its lightweight makes it suitable for hunting, even as compared with the more prestigious side lock models wich are undoubtedly heavier.
It is supplied with characterizing features as rarely may be seen on other national guns in this price range.

Canne

Le canne, lunghe cm. 70, sono nel modello illustrato accoppiate in demibloc. L'acciaio è l'ormai diffuso SIAU 6. Nel corso degli anni sono però stati usati anche altri acciai, come ad esempio in Boehler e come dicevamo in apertura pure con altri sistemi di accoppiamento (sempre però con tubi integrali e senza mai ricorrere al monobloc). La foratura interna

Barrels

The barrels, which are 70 cms. long, are demibloc-coupled in the illustrated model. The steel employed is the now common SIAU6. But over the years other types of steel have been used as well (i.e. Boehler steel) and other coupling systems have also been adopted (always with integral tubes and without having recourse to the monobloc system). The

ha un valore di 18,5 mm., tubi non cromati, bindella arabescata a mano, saldatura a stagno e valori di strozzatura piuttosto larghi. Le canne sono ben rifinite internamente ed esternamente, tirate a mano e brunite con una vernice di nero intenso.

La ramponatura è a triplice giro di compasso, ben effettuata anche se non curata come nei più costosi modelli ed acciarini laterali. Comunque una ramponatura su un'arma Zanotti è sempre più che soddisfacente visto che furono proprio loro ad introdurre il triplice giro di compasso e gli altri dettagli di lavorazione poi comunemente adottati da quasi tutti gli altri costruttori (eccezion fatta per gli inglesi). Il primo rampone è parzialmente passante nel petto di bascula. La chiusura è affidata alla sola duplice Purdey ai ramponi. Una nota caratteristica di molte doppiette Zanotti è il riporto estremamente deciso dei numeri di matricola sui piani di bascula effettuati con punzoni martellati con forza probabilmente eccessiva. Sicuramente non si corre il rischio di cancellari con interventi successivi!

La doppietta Fabio Zanotti 626 è un'aria estremamente interessante che si colloca a metà strada fra il collezionismo e un più spartano uso venatorio.

ANTONIO ZOLI
Via Zanardelli, 39
25063 Gardone Val Trompia (BS)
tel. 030/837392

In anni recenti l'Antonio Zoli ha saputo stare al passo coi tempi collocandosi fra le più dinamiche e moderne industrie del settore. Da anni è impegnata nella costruzione di armi combinate, nel raggiungere un elevato standard produttivo che non

inner bore is of 18.5 mm., the tubes are not chromium-plated, the rib is hand arabesqued and tin-welded. The choke values are rather large. The barels are externally and internally well-finished. They are hand-finished and blued with a deep black varnish.

Lump fitting is of the triple compass turn type. It is well-executed even though it is not as precise as in the more expensive side lock models. Anyhow, a lump fitting on a Zanotti gun is always more satisfactory as compared with other guns since the triple compass turn system had been introduced by them. The other working details have been adopted later on by other gun makers (except for the British). The first lump goes partly through the action bottom. The closing is carried out by a Purdey double-bolt on the lumps. A typical feature of many Zanotti side by side shotguns is the decided inscription of the serial numbers on the action flats, which are carried out by means of hammered punches, probably with too much strength.

There is surely no risk of rubbing them out with subsequent interventions!

The 626 Fabio Zanotti side by side shotgun is an undoubtedly interesting gun which is positioned halfway in between collection guns and a hunting use.

ANTONIO ZOLI
Via Zanardelli, 39
25063 Gardone Val Trompia (BS)
tel. 030/837392

In recent years, Antonio Zoli kept up with time, becoming one of the most dynamic industries of this sector. This Gun Maker has been engaged for years in the production of combined shotguns, trying to attain a high production standard which could allow barrel

Express a canne sovrapposte in
versione De luxe dell'Antonio
Zoli.

*Antonio Zoli over and under
express set.*

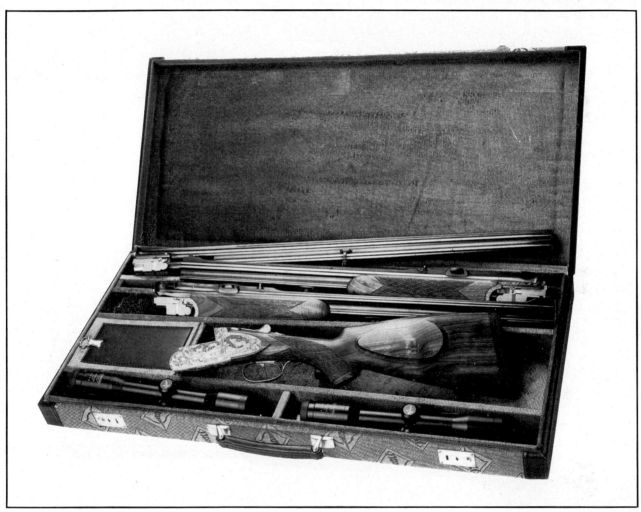

Incisione a scena mitologica su doppietta Antonio Zoli ad acciarini laterali.

Le doppiette Vulcano Record dell'Antonio Zoli.

Antonio Zoli side by side engraved by A. Galeazzi.

Gun maker: A. Zoli.
Model: Vulcano Record side by side shotguns.

Sopra e a destra, incisioni a scene di caccia su petti di bascula di doppiette Vulcano Record Antonio Zoli in versione extra lusso. Sotto, rara doppietta a cani esterni dell'Antonio Zoli.

Right: Hammerless and external Hammers by A. Zoli.

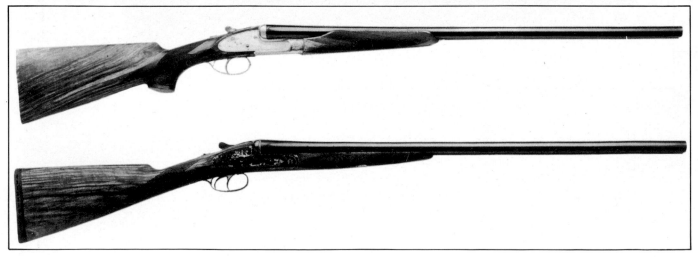

662

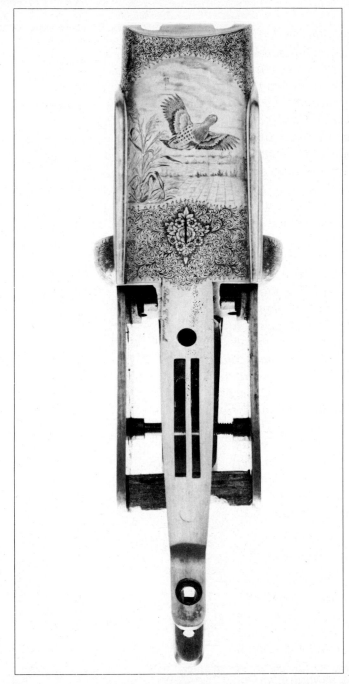

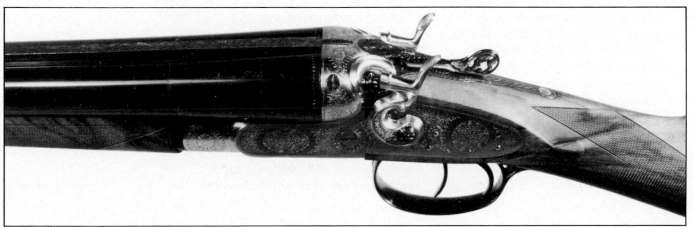

consentisse di intercambiare le canne con un minimo intervento di aggiustaggio e quindi tra le prime a proporre repliche ed avancarica. Recentemente costruisce anche express sia a canne sovrapposte che affiancate, sempre macchinati ma dalla presentazione gradevole, con finiture sopra la media. Per entrare però nel campo dell'arma fine vera e propria occorre parlare del Vulcano Record, un'arma particolarmente robusta e disponibile sia in versione caccia che tiro. Canne demibloc, estrattori automatici, batterie tipo Holland & Holland, incisioni a scelta del cliente, eventualmente disponibile anche liscio. Particolare cura nella scelta dei legni e nell'incassatura. Il Vulcano Record gode di buona considerazione tra gli intenditori e come in altri casi dimostra il desiderio e la sensibilità di alcuni industriali delle armi di tenere in vita prodotti ancora artigianali nel più alto significato di questo termine anche senza particolari giustificazioni commerciali.

Altri costruttori italiani

Fra i costruttori italiani di armi passati e presenti, oltre a quelli già esaminati, quelli romagnoli hanno sempre goduto di buona fama. Infatti negli anni scorsi in terra di Romagna si costruivano armi per l'epoca raffinate mentre a Gardone con qualche eccezione la produzione verteva su un livello medio. Poi la situazione si è capovolta scomparendo più o meno del tutto la produzione romagnola ed incrementandosi quella bresciana. Tra i nomi di spicco della prima vanno ricordati i Toschi, i F.lli Cortesi, Fabbrizioli, Stanzani, Zaccaria. Fra gli armieri del passato che si

interexchangeability with a minimal adjustment. This Gun maker was among the first firms which proposed replications and forward loading. They recently started producing over and under and side by side express shotguns, which are always machined but rather pleasant. Their finishings are above average. As truly-defined fine guns are concerned, they produce the "Vulcano Record" which is a particularly sound gun which is available in the hunting and in the shooting version. It is supplied with demibloc barrels, automatic ejectors, Holland & Holland type box-locks, engravings as desired by the customer and it may also be supplied plain. They are particularly attentive to wood selection and to gun stocking. The Vulcano Record is appreciated among connoisseurs and as in other cases it evidences the desire and the sensitivity of gun entrepreneurs who wish to keep craftmanship products still in life, even without any special commercial justifications.

Other Italian Gun Makers

Among present and past Italian gun makers, beside the ones we already examined, the Romagna ones have always been popular. In fact in the past years Romagna produced guns which were rather refined for that time, while in Gardone production was of a rather medium level. Then the situation turned the opposite way round, and the Romagna production started disappearing while the Brescia one started to increase. Among the Romagna names we shall mention Toschi, F.lli Cortesi, Fabbrizioli, Stanzani and Zaccaria. AMong the gun makers of the past which devoted

Doppietta Angelo Zoli mod.
Edward. Canne demibloc ed
acciarini tipo Holland & Holland.

Gun maker: Angelo Zoli.
Model: Edward side by side.

Doppietta Anson di Luciano
Bosis. Notare la qualità del legno
del calcio.

Gun maker: Luciano Bosis.
Model: Box lock custom finish.

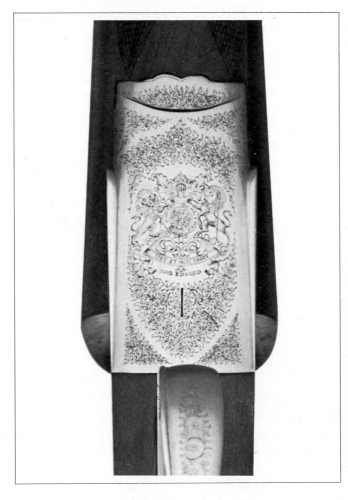

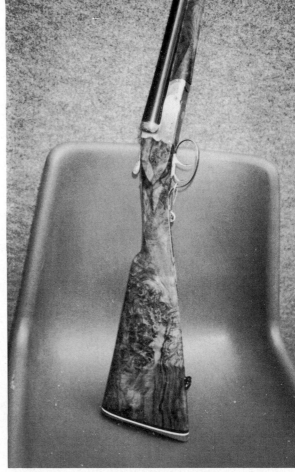

dedicarono in qualche modo alle armi di classe vanno ricordati Feverzani, Giglioli di Milano, Tanfoglio e Daffini. Ma anche industrie più note realizzarono nel passato armi non più prodotte. Abbiamo già visto il caso della Franchi di Brescia, ma anche la Breda costruì una serie di doppiette chiamate "Gemini" con batterie laterali molto robuste e di buona manifattura.

Continua invece con il Siro la costruzione del sovrapposto di ispirazione F.N. Fra le Aziende attuali che non ho citato precedentemente e che producono qualche arma fine occorre citare la Angelo Zoli, con il mod. Edward, una doppietta con canne demibloc ed acciarini montati su cartelle laterali.

La Fabarm costruisce una originale e robusta doppietta a quattro ramponi con finte cartelle, realizzata industrialmente ma dalle buone finiture e naturalmente contraddistinta da una particolare robustezza. Anche i F.lli Poli, Pedretti, Bettinsoli realizzarono armi particolarmente curate.

La Lames di Chiavari costruisce una doppietta tipo Holland & Holland con canne demibloc ad un prezzo interessante. Fra i costruttori di automatici occorre citare Cosmi ed anche Benelli, che oltre ad aver realizzato un automatico di nuova concezione realizza su richiesta incisioni e finiture particolari. Recentemente molti artigiani sia di armi che di accessori si sono uniti costituendo il C.A.B. (Consorzio Armaioli Bresciani) con sede in via Marconi, 1 a Gardone val Trompia. Pubblico un elenco aggiornato delle Aziende che ne fanno parte.

themselves to guns of class we shall mention Feverzani, Giglioli of Milan, Tanfoglio and Daffini. But more important industries too, produced in the past guns which are not produced any more at present. We already saw the Franchi of Brescia case. But Breda too, constructed a series of exquisitely manufactured side by side shotguns called "Gemini" with very sound side locks. But they still continue with the "Siro", a shotgun inspired by F.N. Among the present gun makers which I did not previously mention and which produce some fine guns, I shall mention Angelo Zoli with its Edward model. It is a side by side shotgun with demibloc barrels and locks mounted on its side plates.

FABARM constructs an original and sound four-lumped side by side shotgun supplied with false side plates. It is industrially realized but it is very well finished, and it is obviously characterized by a special soundness. F.lli Poli, Pedretti and Bettinsoli too, realized exquisite guns.

LAMES of Chiavari constructs a Holland & Holland type side by side shotgun with demibloc barrels at an interesting price. Among automatic gun makers I shall mention Cosmi and Benelli which apart from having designed a new conception automatic shotgun, also realize — upon request - special finishings and engravings. Many gun and accessories artisans pooled together, establishing the C.A.B. (Consorzio Armaioli Bresciani), head office in Via Marconi, 1 - Gardone Val Trompia. I shall publish an updated list of the member companies.

C.A.B.
(Consorzio Armaioli bresciani)

Armi Pedersoli Davide
Armitalia di Luccini
Armi San Marco di Buffoli
Armi Tecniche di Rizzini Emilio
A.V. di Maroccini Luciano
Bentivoglio Paolo & Figlio
B.P.B. di Bettinsoli
Brignoli Silvio
Brugar
B.S.N. di Ballabio Angelo & C.
Fabarm
Fabbri Ivo Armi
Falco Fabbrica d'armi
Famars di Abbatico-Salvinelli
Fausti Davide
Fias di Sabatti
Gamba Pietro
Gasparini Aldo
Gennari Arturo
Gitti Battista
Investarm di Salvinelli
L.P.A. di Ghiladi & Parth
M.A.P.I.Z. di Zanardini
Marocchi Armi
Mec-Gar di Racheli
Menegon Renato
Palmetto di Mainardi
Pedretti Francesco
Pedretti Simone
Pietta F.lli
Pintossi Giuseppe
Piotti F.lli
Pulitura Zananese
R.B. di Rizzini Battista
Rizzini F.lli di Amelio1
S.I.A.C.E. di Boniotti Angelo
S.I.L.M.A.
Tanfoglio Fratelli
Tecni-Mec di Isidoro Rizzini
Uberti Aldo Armi
Varini Giuliano

Doppietta romagnola dei F.lli
Toschi.

Side lock by F.lli Toschi.

Sotto, doppietta tipo Holland &
Holland della Lames di Chiavari.

Side lock by Lames.

Doppietta Angelo Zoli dedicata
all'ex presidente americano
Ronald Reagan.
L'incisione è di Lancini.

Gun maker: Angelo Zoli.
Engraver: Lancini Model for
Ronald Reagan.

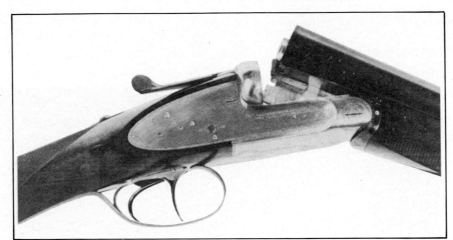

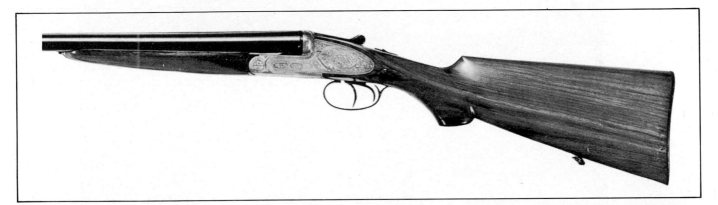

667

La doppietta a cani esterni

La doppietta a retrocarica a cani esterni è già di per sé un'arma da considerarsi moderna pur se non ha avuto in questi ultimi decenni molta fortuna commerciale. Ciò è dovuto a mio avviso per due ordini di fattori. Il primo è che ancora più dell'hammerless fare una doppietta a cani di gran classe è particolarmente difficile, non tanto per la struttura meccanica quanto per le linee esterne e le proporzioni generali. Difficile è realizzare un cane ben fatto e distintivo così come un acciarino perfetto compreso il lungo mollone a lamina che ne genera il moto. Salvo rarissime eccezioni in Italia, Spagna e Belgio si sono sempre costruiti dei cani esterni di modesta qualità ed anzi un tempo era definito il fucile 'comune'. È logico che visto in quest'ottica l'hammerless sia in Anson che a batterie laterali viene salutato come il naturale erede del cane esterni e chi se lo è potuto permettere lo ha sostituito senza indugio. Ma chi ha avuto modo di osservare le doppiette a cani esterni che gli armaioli inglesi costruirono dagli anni 1860 fino agli inizi di questo secolo si sarà reso conto della differenza e del fascino che genera un cane esterni di classe rispetto ad una volgare copia costruita senza precisi schemi ed idee artistiche. Idee e schemi alla messa a punto dei quali molto hanno contribuito John e Joseph Manton che a cavallo fra il diciottesimo ed il diciannovesimo secolo hanno definito nelle linee generali come dovesse essere il fucile da caccia inglese. Concetti tuttora validi a partire dal bilanciamento e proporzioni delle componenti dell'arma. Doppiette leggere e dalle linee semplici ed eleganti, finiture accurate sia nei legni che nelle parti metalliche e soprattutto alto grado di lavorazione interna compresi ovviamente gli acciarini. Ma ritornando ai cani esterni il secondo motivo che ne ha determinato la fine prematura è che gli stessi inglesi hanno terminato di costruirli ormai quasi un secolo fa e pertanto chi volesse avere una doppietta inglese a cani esterni dovrà rivolgersi al mercato dell'usato, del collezionismo e delle aste. Attualmente non è ancora difficile reperire queste armi sia perché ne furono prodotte moltissime sia perché non hanno prezzi troppo elevati. Difficile invece reperirli in buono stato (soprattutto le canne avranno problemi più o meno seri) ed i modelli migliori dei Costruttori più rinomati arrivano a quotazioni pari ad un hammerless ad acciarini laterali.

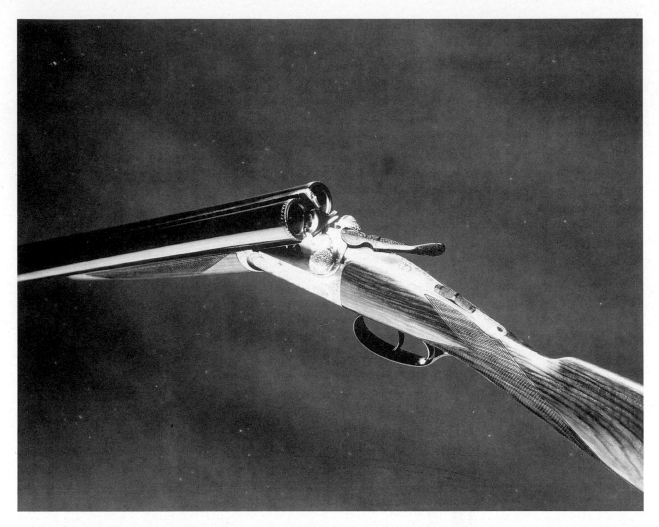

John Dickson 'Round Action' di attuale costruzione.

Uno dei primi can esterni inglesi per cartucce a spillo. Leva di apertura 'snap action' laterale. Arma di W. Steel.

Stessa arma con canne in damasco e realizzazione 'bar-in-wood'. I cani sono molto alti perché debbono percuotere verticalmente.

Doppietta di Boss per cartucce a spillo. Chiusura con chiave a 'T' inferiore.

'Bar-in-wood' di Westley Richards per cartucce a spillo.

Su quest'arma di Westley Richards erano già presenti la chiusura a testa di bambola e la larga chiave superiore.

Una delle prime doppiette a retrocarica di Charles Lancaster dotata di chiusura a 'T'.

Il brevetto di Lancaster consiste nelle canne avanzanti e poi ruotanti. Notare la trasformazione da spillo a percussione centrale. Arma di transizione fra i due sistemi.

Una delle prime versioni di Purdey con leva 'Thumb hole' davanti alla guardia. La forma dei seni è ancora arcaica.

D'altra parte anche i pochi Costruttori nazionali che su ordinazione realizzano qualche pezzo di doppietta a cani esterni chiedono un prezzo molto vicino a quello di una doppietta tipo Holland e quindi la ricerca, ristrutturazione e collezione dei vecchi cani esterni soprattutto inglesi rimane una buona scelta, sia dal punto di vista economico che culturale. Altro dicorso invece per i cani esterni (che sono poi la maggioranza) che comunemente si vedono in giro. Chi poco se ne intende di armi da caccia trova un vecchio cani esterni in soffitta o in eredità dal nonno e mandando una foto ad una rivista specializzata chiedendone una valutazione si risente quando gli viene comunicato che il suo fucile vale sì e no due o trecento mila lire. D'altra parte credo che sia oggi sempre più difficile trovare in solaio un Purdey o uno Stephen Grant o, per rimanere in casa nostra, un Giacinto Zanotti o un F.lli Toschi. Non vi pare?

Da Lefaucheux a G. Daw

Casmir Lefaucheux fu un fervente assertore della retrocarica pur se non fu il primo ad utilizzarla. La scoperta appartiene all'armiere svizzero S.J. Pauly che la concretizzò nel 1812 e perfezionò nel 1816. Brevettò la sua scoperta anche in Inghilterra ed altri armieri francesi come Henri Roux ed E. Pichereau continuarono per diversi anni a produrre l'arma di Pauly. Ma fu Lefaucheux che diede una svolta importante al corso dei fucili da caccia e già nel 1833 costruì il suo fucile basculante seguito tre anni dopo dall'introduzione della cartuccia a spillo (pinfire) che offrì molteplici

vantaggi rispetto all'avancarica. Per esempio un tempo minore di ricaricamento e poiché gli spilli si ergevano sopra le culatte essendo parte integrante con la cartuccia costituiva un sistema sicuro di avvisamento di arma carica. Certo vi erano anche delle controindicazioni, come la pericolosità di trasportare le munizioni e una relativa fragilità della bascula e delle chiusure ma il dado era tratto e i problemi si cominciarono gradualmente a risolvere. Altri armieri francesi contribuirono all'evoluzione del fucile da caccia ed in particolare nella messa a punto della cartuccia. Oltre lo stesso Lefacheaux occorre citare Pottet e Houiller che lavorarono sul perfezionamento della cartuccia a spillo già con bossolo di cartone e fondello in ottone, oppure con bossolo completamente in rame. La cosa curiosa è che l'arma a retrocarica incontrò molte resistenze e non soppiantò, come si potrebbe immaginare, l'avancarica. Anzi gli armaioli inglesi del periodo avversavano decisamente queste scoperte francesi e paradossalmente passarono alcuni decenni prima che gli stessi inglesi si dedicarono al successivo perfezionamento come è oggi a noi noto. È merito di Joseph Lang l'aver esposto alla 'Great Exhibition' inglese del 1851 l'arma di Lefacheaux e di pubblicizzarla presso gli sportivi e cacciatori. Anche in questo caso l'accoglienza fu tiepida e la stampa e molti armaioli dimostrarono un conservatorismo poco lungimirante. Intanto alcuni armaioli cominciarono a costruire il fucile alla 'Lefacheaux' e tra questi oltre lo stesso Lang occorre annoverare J. Blanch e Wilkinson.

675

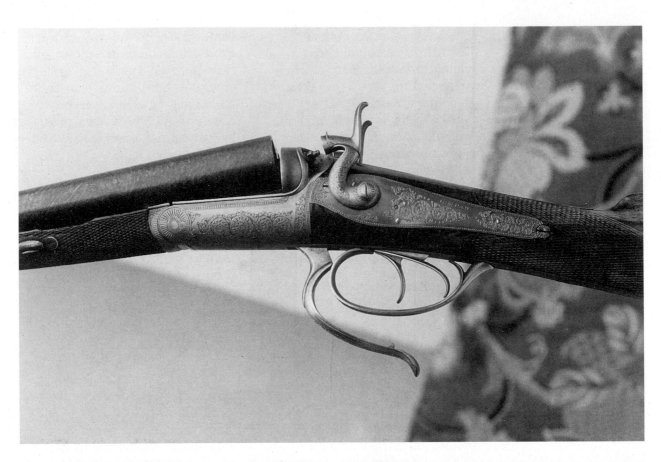

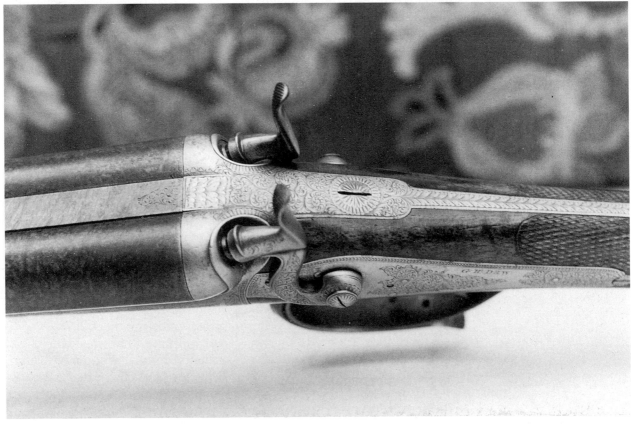

La doppietta di G.H. Daw con apertura con leva davanti alla guardia.

Vista superiore che denota già una linea elegante.

Visione interna della bascula con un meccanismo ancora primitivo di chiusura.

Particolare della culatta delle canne con chiusura inferiore.

677

Ma dalla presentazione ufficiale sul mercato inglese ci vollero ancora dieci anni (ed oltre trenta dalla invenzione dello stesso Lefacheaux) prima che si arrivi al primo fucile inglese importante dal quale poi presero avvio tutti i successivi modelli. Fu l'armaiolo George H. Daw che nel 1861 presentò la prima doppietta a cani esterni a retrocarica e percussione centrale, adatta a sparare le cartucce con fondello in ottone ed innesco centrale che lo stesso Daw brevettò in quel periodo. Il fucile di Daw montava un acciarino a molla indietro ed aveva un'unica chiusura sottostante le due canne di forma circolare nella quale andava ad inserirsi un tassello comandato da una chiave inferiore posizionata davanti alla guardia. Nel frattempo molti armaioli inglesi avevano costruito doppiette a spillo come ad esempio Lancaster, Dougall, Woodward, Westley Richards e tanti altri. Iniziarono da allora le trasformazioni e le conversioni dalle armi a spillo in quelle a percussione centrale e si possono ancora trovare doppiette funzionanti con entrambi i sistemi. L'arma di H. Daw ebbe però l'effetto di accendere la miccia di una polveriera e dalla metà degli anni 60 del secolo scorso in poi gli armaioli inglesi si dedicarono alle doppiette a percussione centrale dapprima a cani esterni e poi hammerless, raggiungendo per mole e qualità traguardi mai più avvicinati. Da notare che fu lo stesso G. Daw a presentare nel 1862 il primo hammerless inglese, ovviamente a percussione centrale. Giocò a loro favore anche il momento storico e l'enorme richiesta di armi sportive che rappresentava un ricco e vasto mercato.

L'età d'oro del fucile inglese

Dalla metà del secolo scorso agli inizi di questo si susseguirono invenzioni e brevetti numerosi e significativi per il fucile da caccia. Non solo ma le armi costruite in Inghilterra in quel periodo furono quasi sempre di alto livello e soprattutto ogni armaiolo diede una propria interpretazione all'acciarino, alle forme esterne, alla meccanica dei vari modelli ed anche alle finiture, incisioni comprese. Ma andiamo per ordine. Le chiusure della doppietta (e relativa apertura dell'arma) furono sperimentate in una varietà di soluzioni straordinaria. Si può partire da quella di Charles Lancaster che nel 1852 introdusse un'apertura sdoppiata, nel senso di un primo allontanamento delle canne dalla bascula in senso orizzontale per poi successivamente abbassarsi. Questo movimento veniva azionato da una leva sottostante che doveva ruotarsi. Ma la chiusura più famosa ed efficace (adottata in un secondo tempo pure sugli express) fu quella cosiddetta a 'T', che Henry Jones brevettò nel 1859. Westley Richards fu prolifico in questo settore ed oltre all'introduzione della famosa testa di bambola sul prolungamento della bindella mise a punto una delle prime 'snap action' con leva laterale oltre alla chiave superiore (top lever) idea già presente in forma embrionale su un fucile di Scott. La leva superiore di Westley Richards comandava il tassello della doppia Purdey, brevettato da questa Casa nel 1863. Purdey costruì diversi modelli di cani esterni quasi sempre di finissima qualità, sia con chiusura a 'T', che con

'Bar-in-wood' di Westley Richards nel cal. 20 con una inusuale chiusura superiore che va ad inserirsi in un recesso della bindella.

Chiusura superiore a testa di bambola introdotta da Westley Richards.

'snap-action' o 'Thumb-hole' sopra la guardia che ovviamente 'bar-in-wood'. I 'bar-in-wood' sono quei cani esterni dove il legno della calciatura avvolge la bascula fino a raccordarsi con l'asta e rappresentano un esempio di dedizione e perfezione costrutiva. Famosi costruttori di 'bar-in-wood' oltre Purdey furono Westley Richards, Woodward, Charles Lancaster, Moore & Grey, William Powel ed altri. Famose anche le serpentine laterali che ciascun costruttore plasmò secondo i propri gusti. Modelli a serpentina furono costruiti da Stephen Grant Thomas Boss, Thomas Horsley, Westley Richards ed altri. Horsley brevettò nel 1867 un meccanismo per il quale il percussore si ritirava dopo aver sparato, senza la necessità di mettere il cane in mezza monta. Questo dispositivo di 'rimbalzo' fu poi perfezionato dal costruttore di acciarini John Stanton di Wolverhampton.

Ed a proposito di acciarini le migliori marche montavano acciarini del citato Stanton, di Joseph Brazier ed anche successivamente di Chilton, Ditte specializzate nell'arte azzaliniera pur variando i modelli in funzione dei singoli costruttori di fucili. E gli acciarini rimangono a testimonianza di come allora si lavorava, costruiti con criterio ed ottimi materiali. Infatti nella maggior parte dei casi quando ci si trova di fronte ad un cani esterni di oltre un secolo di vita si potranno riscontrare diversi tipi di usure, dalle canne pericolosamente sottili o intaccate ai legni riparati o rifatti. Ma se si smonteranno gli acciarini e si puliranno adeguatamente ci si troverà di fronte ad impianti superlativi,

perfettamente funzionanti e con molloni efficenti come nuovi. Un acciarino di classe montato su un cani esterni lo si sentirà anche armando semplicemente il cane. Quest'ultimo avrà un tratto iniziale resistente che man mano diminuirà andando verso la monta. Acciarini comuni e molle corte mal realizzate funzioneranno all'inverso: la forza di armamento aumenterà man mano che si andrà verso la fine corsa. La forma del cane era un altro elemento distintivo fra un Costruttore ed un altro e nell'esaminare un cani esterni dell'epoca occorre valutare la forma del cane non solo di profilo ma anche di fronte, per vederne l'inclinazione e la massa battente. Solitamente gli inglesi avevano cani piuttosto alti ed importanti, pur assistendo ad una evoluzione di questo particolare dai primi fucili costruiti venendo verso la fine del secolo scorso. Da notare che la stessa forma del cane fu in funzione dell'inclinazione del percussore: eretto nelle cartucce a spillo e sempre più discendente nella percussione centrale. Analogamente i primi retrocarica montavano canne in damasco, una composizione di tessitura di ferro ed acciaio introdotte da John Rogby di Dublino nel 1818. Intorno al 1880 ci fu il passaggio dalla polvere nera a quella infume e quindi le canne furono adeguate e quelle non costruite in acciaio furono riprovate per le nuove pressioni. Prova obbligatoria (Nitro Proof) a partire dal 1890. Qualora aveste delle doppiette a cani esterni con canne in damasco senza le parole 'NITRO PROOF' incise sui piani o sui tubi non dovranno assolutamente sparare cartucce moderne, a meno di non farle provare ad un Banco di

Doppietta 'bar-in-wood' di J. Smith con apertura 'snap-action' laterale. Elegante la forma del cane.

Arma di W.R. Pape con apertura a spinta davanti alla guardia. Pape fu il precursore nello studio delle strozzature.

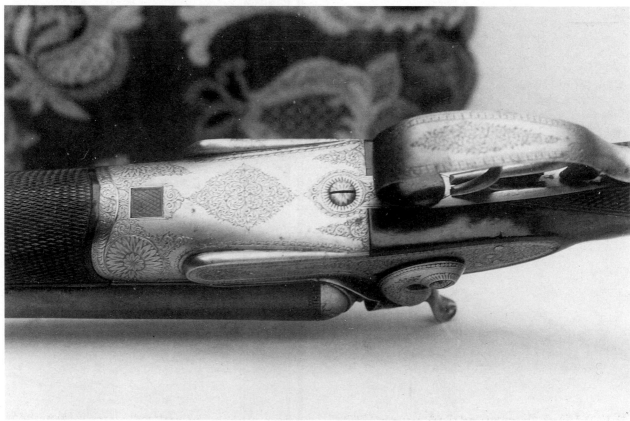

Doppietta di W. Needler
armoniosa ed elegante.

Particolare ed affascinante la
tiratura del petto di bascula della
precedente arma.

Famosa doppietta di Stephen
Grant con apertura a serpentina
laterale.

Incassatura nel legno per
acciarino a molla indietro.

Bascula di Stephen Grant con
tassello avanzante dalla faccia di
bascula.

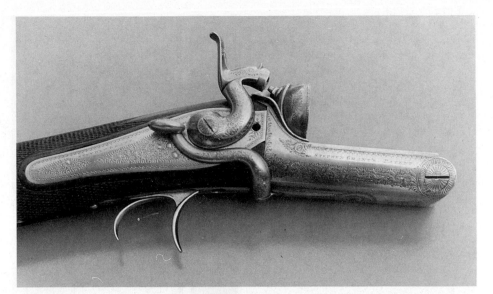

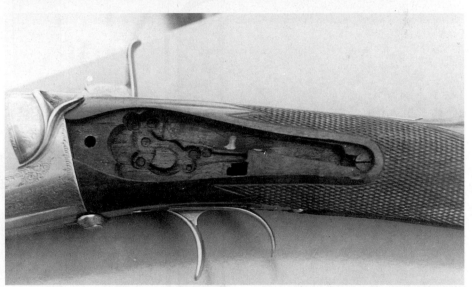

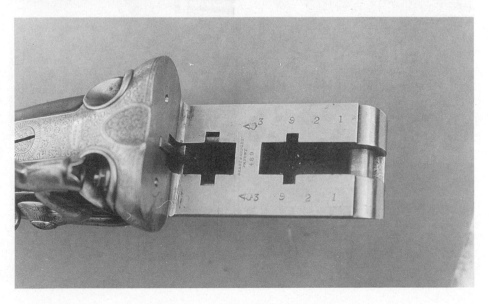

Acciarino di Stephen Grant
realizzato da Stanton.
Notare la perfezione del mollone.

Uno dei primi express di
John Rigby a cani esterni
con chiusura a 'T'.

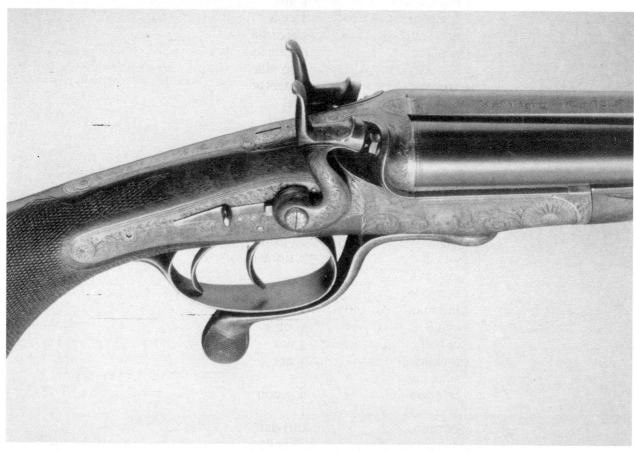

Prova. Nel 1866 si cominciò ad introdurre il concetto di strozzatura all'interno dei tubi delle canne, studio da attribuire a Pape di Newcastle. Come si sa poi W.W. Greener a partire dal 1875 si dedicò con energia allo studio e massa a punto delle strozzature, concetti che rimangono tuttora validi. Per stabilire una datazione dei primi cani esterni inglesi si possono seguire diverse strade. La prima, quando possibile, è quella ovviamente del numero di matricola, qualora si conosca il parallelismo fra numeri di matricola e anno di fabbricazione. Poi da esaminare la forma dei cani. Quelli più primitivi adatti alla percussione delle cartucce a spillo sono alti e dalla tipica forma per percuotere in senso verticale lo spillo. Man mano che si passò alla retrocarica ci fu un abbassamento ed una diversa morfologia del cane, che nei modelli più recenti già con l'introduzione degli hammerless una volta armati tendevano ad indietreggiare oltre la linea di mira del tiratore. Anche l'incisione può essere esaminata avendo subìto un affinamento sia esecutivo che quantitativo. I primi modelli o avevano poca incisione o mostravano una incisione a ricciolo largo poco distribuita. Man mano che il tempo passava i riccioli diventavano più piccoli e più fitti e coprivano la maggior parte del metallo. Da segnalare anche un graduale perfezionamento del lettering con cui erano incisi il nome del Costruttore, indirizzo ed altri dati ed in questo si raggiunse già nella seconda metà dello scorso secolo una perfezione di scrittura poi successivamente trascurata, compreso i nostri attuali incisori e costruttori di armi. La presenza di un calciolo in ferro alla base del calcio è indice di transizione fra avancarica e retrocarica, avendoli mutuati dai modelli ad avancarica e poi sostituiti da due calciolini alle estremità del calcio. Del rimbalzo abbiamo già detto e poiché Stanton brevettò la sua idea del rimbalzo nel 1869 così si ha un ulteriore elemento di valutazione. Lo stesso dicasi per il metodo di aggancio dell'asta. I primi modelli disponevano del tirantino, oppure di una leva rotativa a vista sull'asta. Negli anni 1872/73 ci furono i brevetti delle aste di Anson e Deeley come oggi le conosciamo ed alcuni cani esterni furono successivamente trasformati con questi dispositivi. Stesso discorso vale per gli estrattori automotici, introdotti per primo a Needham nel 1875 e poi utilizzati da molti costruttori compresi coloro che convertivano fucili nati senza estrattori in modelli con estrattori. Questa conversione non era però di facile attuazione e a meno che non venisse attuata dal Costruttore dell'arma si correva il rischio di rovinarla irrimediabilmente.

Si potrà notare in questa breve descrizione dell'evoluzione del fucile da caccia a due canne a retrocarica che gli anni compresi fra il 1850 ed il 1870 furono anni cruciali e fervidi di invenzioni e di perfezionamenti. Occorre arrivare al 1875 per trovare il primo cani interni con batterie che si armavano con l'abbassarsi delle canne e cioè al famoso fucile di Anson & Deeley costruito per la prima volta da Westley Richards. Grazie alla sua relativa semplicità di lavorazione, l'Anson è stato ed è tuttora il fucile più costruito e più diffuso, pur con varianti e modifiche apportate dai diversi

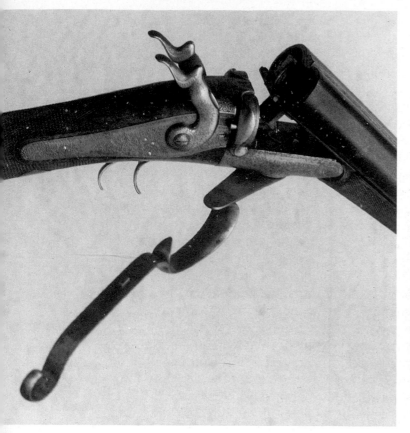

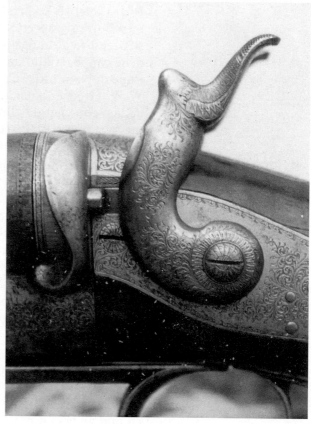

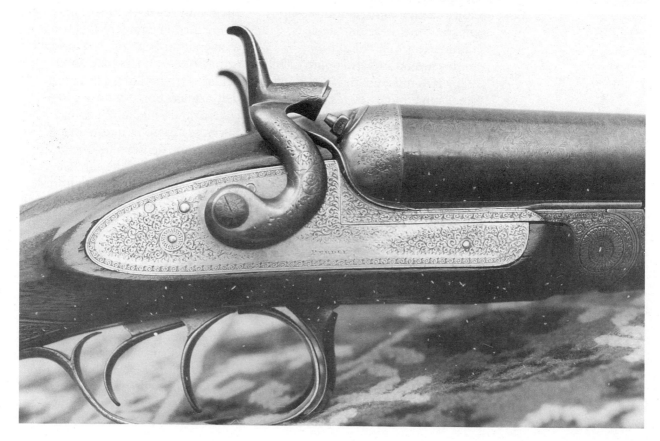

Prima doppietta a cani esterni
a percussione centrale di J.
Purdey. La leva per la chiusura a
'T' incorpora pure la guardia.

Particolare della chiave di
apertura davanti alla guardia da
azionarsi con il pollice.

Particolare del cane ancora
primitivo con relativo
percussore.

'Bar-in-wood' di J. Purdey con
tassello sul rampone inferiore ed
apertura 'thumb-hole'.

Doppietta di Purdey già con cane
quasi definitivo di tipo
avvolgente.

Particolare del cane di Purdey.

'Bar-in-wood' di Purdey con doppia chiusura ai ramponi e chiave superiore.

Equilibrio di volumi e tipica chiave superiore di J. Purdey.

Cani esterni di John Dickson con acciarini a molla indietro e chiusura con leva a 'T'.

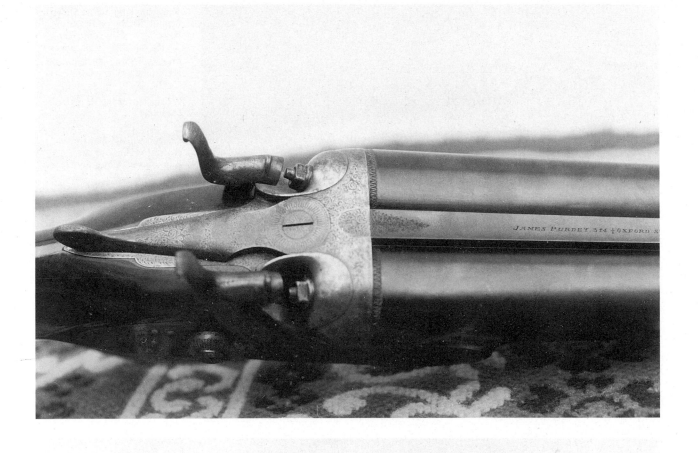

689

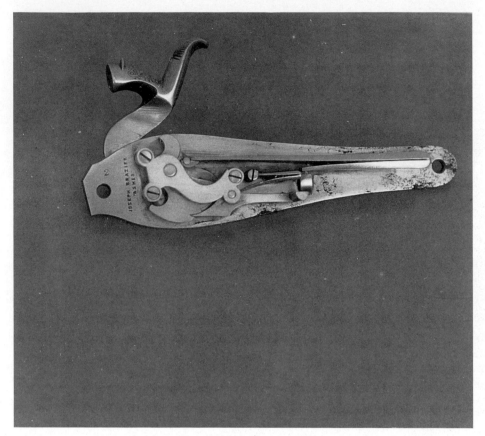

Acciarino montato da Dickson firmato da Joseph Brazier - Ashes.

Modello di John Dickson con acciarini a molla avanti.

Esemplare forma del petto di bascula.

Cani esterni di un altro costruttore famoso di Edimburgo: Alexander Henry.

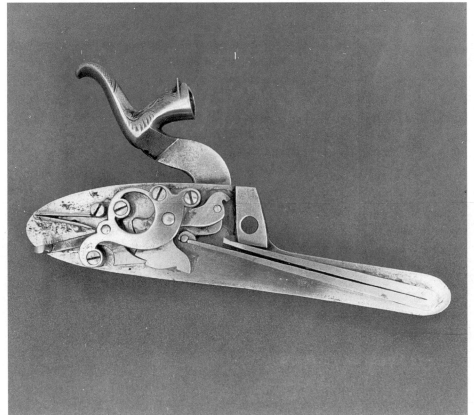

Henry aveva una bascula
tendenzialmente lunga ed
arrotondata.

Acciarino a molla avanti di
Alexander Henry.

Cani esterni Gye & Moncrieff
con chiave superiore ed acciarini
a molla indietro.

Chiusura a 'pinna' sul dorso del
secondo rampone
particolarmente efficace perché
aumenta la distanza fra la stessa
ed il perno cerniera.

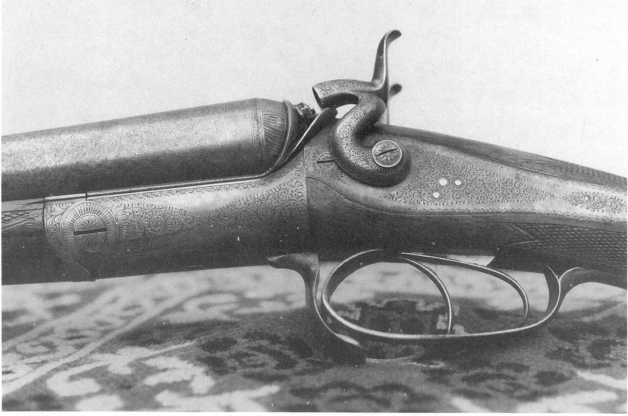

armaioli. Il primato però dell'introduzione del primo cani interni spetta a G. Daw nel 1862 e quindi a Murcott di Haymarket che nel 1871 presentò un modello con acciarini montati su piastra laterale. E con la realizzazione degli hammerless ci fu una ulteriore spinta alla diversificazione ed all'inventiva tali poi da portare ai vari modelli noti tuttora, tipo il self opening di Purdey o l'Holland & Holland con acciarini laterali ed estrattore Southgate. Ma qui ci fermiamo ai cani esterni, simbolo di un'epoca di feconde invenzioni e di interpretazioni di gran classe. Non per niente si ritiene che il moderno fucile da caccia raggiunse l'attuale perfezione già con il cani esterno, essendo il successivo hammerless un semplice spostamento della massa battente da esterna ad interna alla bascula. Ma il terreno era già pronto e la strada già tracciata per questa ultima modifica. Modifica che però ha impietosamente divorato il proprio genitore, cioè il cani esterni. Ma ciò è dipeso in gran parte dall'uomo e dalle mode, dalla trasformazione dell'attività venatoria e del tiro sportivo e tutto sommato ogni epoca ha bisogno dei propri idoli e delle proprie rappresentazioni. Ciò non toglie che vi siano ancora oggi molti estimatori dei cani esterni ed anzi si nota una seppure minima ma progressiva richiesta anche da parte di qualche cacciatore verso questa nobile ed intramontabile doppietta.

Il cani esterni oggi

Attualmente è ancora possibile ordinare una doppietta a cani esterni presso qualche laboratorio artigiano mentre le grandi Aziende ne hanno sospeso da decenni la produzione. Fa eccezione la Vincenzo Bernardelli che con i propri modelli 'Italia' e 'Brescia' offre ai cacciatori un prodotto valido a prezzi contenuti. Lo stesso dicasi per la SIACE di Angelo Boniotti, uno dei pochi artigiani gardonesi in grado di offrire doppiette a cani esterni con acciarini a molla avanti e a molla indietro, in diversi calibri. Rinomata pure la Ditta Poli che ha in catalogo un cani esterni con finiture e caratteristiche su richiesta del cliente. Nelle armi più propriamente di lusso occorre citare la Famars, Stefano Zanotti e i F.lli Bertuzzi. Questi ultimi producono un originale sovrapposto a cani esterni oltre a tutta la gamma di calibri della doppietta che incorpora gli estrattori automatici e l'armamento automatico dei cani. I modelli di queste ultime tre Aziende citate montano tutti acciarini a molla avanti. Stefano Zanotti, figlio di Fabio Zanotti, produce da una ventina d'anni il cani esterni mod. 'Giacinto', cioè con tiratura e forme che si rifanno alle doppiette che Giacinto Zanotti realizzò agli inizi del secolo. Al momento non mi risulta che produttori inglesi o belga di rilievo costruiscano doppiette a cani esterni. Complessivamente i cani esterni oggi realizzati sono ben poca cosa rispetto alla varietà di modelli e soluzioni tecniche del passato e si rifanno quasi tutti allo schema con bascula quadra (assomigliantesi cioè ad una doppietta ad acciarini laterali hammerless), acciarini a molla avanti (molla quasi sempre corta, simili a quella che si usa negli hammerless), cani piuttosto bassi e

695

poco eleganti. Si sono persi cioè i parametri e le motivazioni che animavano la produzione del secolo scorso, produzione alla quale occorre guardare e rifarsi per trovare ancora qualche esemplare molto fine e di estrema classe. Da questa angolazione pare chiaro che la doppietta a cani esterni non assurgerà a nuova vita a meno che le richieste del mercato aumentino in questa direzione obbligando i Costruttori ad impegnarsi maggiormente, così come viene tuttora fatto per gli hammerless.

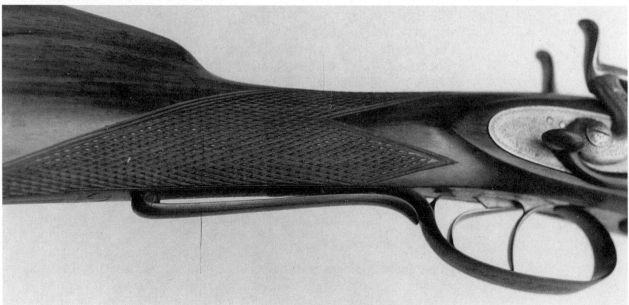

Doppietta di Boss con chiave
laterale a serpentina.

Sicura nella parte inferiore
dell'impugnatura della
precedente arma.

Tappe fondamentali nell'evoluzione del fucile da caccia a retrocarica	
Anno	*Note*
1812	Primo fucile a retrocarica da parte dell'armaiolo svizzero Jean Samuel Pauly.
1818	Introduzione delle canne in Damasco da parte della Ditta John Rigby di Dublino.
1825	Primo fucile 'moderno' basculante a retrocarica a cura dell'armaiolo francese Augustine Louis Hunout.
1829	Brevetto di Pottet per una cartuccia in carta pressata e fondello in ottone asportabile con innesco a spillo disposto centralmente rispetto al fondello.
1831	Primo esempio di cani interni francese a cura di Robert.
1832	Fucile a retrocarica basculante di Casmir Lefacheaux per cartucce a spillo (l'idea risale a tre anni prima).
1836	Brevetto di C. Lefacheaux della cartuccia in rame con innesco a spillo.
1841	La Casa George Gibbs costruì la prima doppietta a palla per il famoso esploratore Sir Samuel Baker.
1846	Brevetto di Houiller che perfezionò la cartuccia a spillo di Lefacheaux.
1851	Presentazione da parte di Joseph Lang alla 'Great Exibhition' di Londra il fucile di Lefacheaux a retrocarica. L'accoglienza fu tiepida poiché gli inglesi erano ancora saldamente legati all'avancarica.
1856	J. Purdey 'The Younger' introdusse la parola 'Express' per le proprie doppiette rigate.
1858	Doppietta a cani esterni a percussione centrale dell'armaiolo francese F.E. Schneider che precedette di alcuni anni quella dell'inglese G. Daw.
1858	Chiusura superiore a testa di bambola bravettata da Westley Richards. Nel 1862. venne perfezionata nella versione definitiva.
1859	Chiusura a 'T' fra bascula e canne a cura dell'armaiolo di Birmingham Henry Jones. Fu questo un tipo di chiusura particolarmente resistente e diffusa sui cani esterni.
1860	Doppietta di J.D. Dougall con apertura delle canne avanzante e ruotante a mezzo leva-chiave laterale. Principio già attuato anche da C. Lancaster.
1861	Prima doppietta inglese di G. Daw a retrocarica e percussione centrale e relativa cartuccia con innesco nel centro del fondello. Fu una tappa importante per i fucili inglesi di questo tipo.
1862	Primo hammerless inglese a percussione centrale sempre di G. Daw.
1862	Doppietta 'Snap Action' di J.V. Needham con leva-chiave laterale.
1863	Brevetto di J. Purdey del tassello scorrevole sui ramponi (dopp.Purdey) comandata da una leva posta davanti alla guardia (Thumb hole).
1865	Brevetto di Scott per la chiave di apertura superiore (top lever).
1866	Invenzione delle strozzature delle canne a cura di W.R. Pape di Newcastle poi riprese e studiate da W.W. Greener.
1867	Terza chiusura superiore di W.W. Greener con catenaccio trasversale comandato dalla chiave di apertura.
1869	Perfezionamento del rimbalzo del cane dell'acciarino per merito dell'azzaliniere Stanton.
1870	Apertura con chiave superiore e tassello ai ramponi di J. Purdey in versione definitiva.
1871	Primo hammerless di T. Murcott di Haymarket con acciarini su piastre laterali.
1874	Introduzione delle estrattori automatici su brevetto di J. Needham dentro la bascula ed attivati dal 2° rampone.
1875	Hammerless di Anson & Deeley con acciarini interni alla bascula che si armano con l'abbassarsi delle canne. Costruito per primo dalla Casa Westley Richards.
1878	Ejector di Thomas Perkes alloggiato nell'asta.
1878-1882	Passaggio graduale dalla polvere nera a quella infume.
1880	Self-opener di James Purdey su brevetto di F. Beesley.

Doppietta a cani esterni F.lli
Bertuzzi con cani ad armamento
automatico.

Cani esterni moderno con
bascula squadrata ed acciarini a
molla avanti.

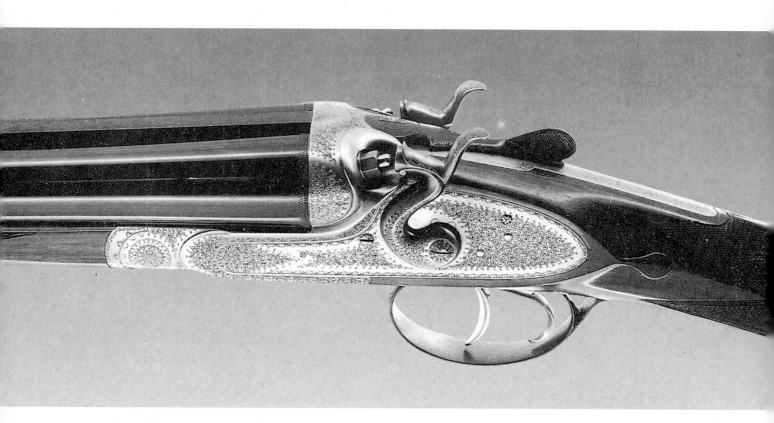

Brevi note
sui costruttori inglesi

Questi appunti che seguiranno sono ad integrazione di ciò che è già stato pubblicato nella Prima Edizione di 'Fucili d'Autore' riguardo ai Costruttori inglesi. Gli appassionati dell'arma fine guardano sempre con ammirazione la produzione inglese dalla metà del secolo scorso fino alla metà di questo e nel frattempo molti artigiani armaioli sono scomparsi, altri si sono associati con colleghi ed altri continuano l'attività. Attualmente le Case che sono ancora sul mercato sono la Holland & Holland (che sta avviando un processo di rilancio della propria immagine ed attività produttiva), John Wilkes, James Purdey & Sons, William Evans, W & C Scott (di recente assorbita dalla Holland & Holland), Westley Richards, W.W. Greener, Boss & Co, William Powell, John Dickson, Thomas Bland e McKay Brown. L'elenco che segue è per forza di cose riassuntivo e parziale ma unito alle immagini dei fucili può risultare un'utile galleria della produzione d'Oltremanica.

Henry Atkin

Il padre di Henry Atkin, anche lui di nome Henry Atkin, lavorò per cinquant'anni presso la Ditta Purdey. Ditta presso la quale Henry Atkin figlio fece il proprio apprendistato per una decina di anni, prima di passare per un periodo analogo presso Moore & Grey. Quindi decise di mettersi in proprio aprendo nel 1877 un piccolo negozio presso Oxenden Street per poi spostarsi tre anni dopo al N° 2 di Jermyn Street. Nei dieci anni che seguirono Henry Atkin si fece apprezzare per le proprie armi di fine qualità, bilanciate nelle forme e ben rifinite, sia nelle versioni caccia che per tiro al piccione. Nel 1905, diventata Henry Atkin Ltd, ci fu un trasloco nella stessa via ma al N° 41. Henry Atkin morì nel 1907 e nel 1918 la Ditta passò al N° 88 sempre di Jermyn Street, indirizzo presso il quale rimase fino al 1952, per poi passare al N° 27 di St. James Street. Nel 1960 fu incorporata dall'associazione Atkin, Grant e Lang con indirizzo al N° 7 di Bury Street. Nel 1956 acquistò la Ditta Charles Hellis, anche questa passata poi nell'associazione già citata. Henry Atkin, insieme a William Evans, citò spesso sui propri fucili la dicitura 'From Purdey's', per sottolineare la sua preparazione ed offrire una specie di referenza. Costruì anche il self-opener di Purdey e doppiette tipo Holland. I

Doppietta di Herny Atkin 'from
Purdey's con acciarini tipo
Holland & Holland.

Petto di bascula semplice ed
elegante.

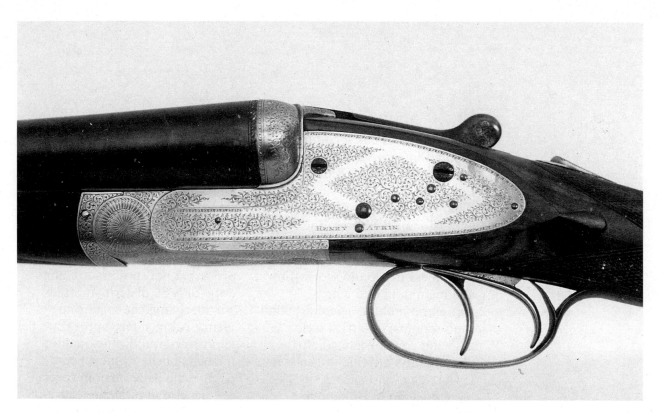

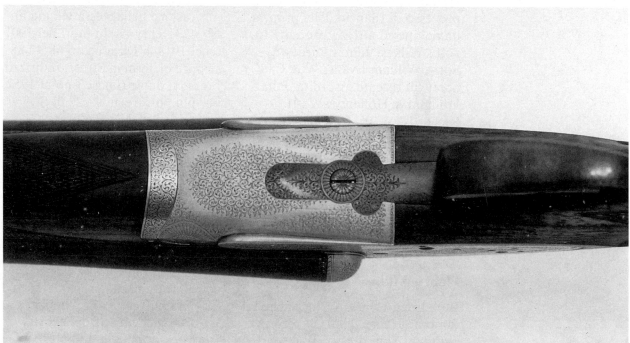

702

Equilibrio di volumi e sapiente
armonia di linee.

Doppietta di F. Beesley ad
acciarini laterali.

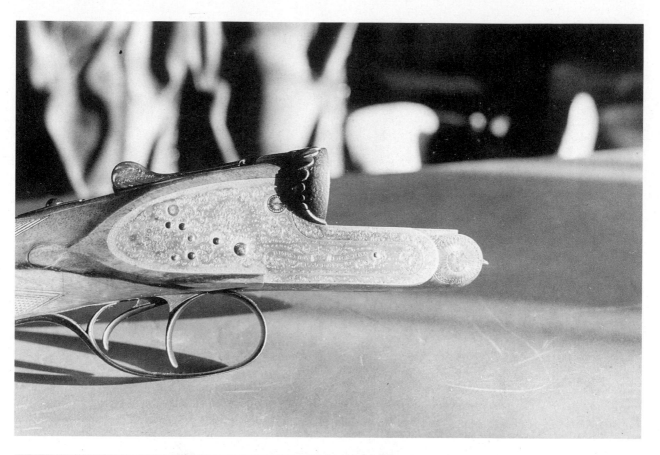

numeri di matricola di Henry Atkin li potrete trovare a pag. 394.

Frederick Beesley

Nome noto per avere brevettato la doppietta self-opening costruita da James Purdey ma Beesley fu un armaiolo particolarmente creativo e brevettò tante altre armi e singole parti. I suoi brevetti furono acquistati da Ditte come la Cogswell & Harrison, James Woodward e pure costruiti in proprio. Iniziò come apprendista presso la Ditta Moore & Grey per poi passare da altri artigiani dell'epoca compreso James Purdey. Dopo avere inventato nel 1880 l'arma di Purdey si mise per proprio conto dapprima in Edgware Road e quindi nel 1891 al N° 2 di St. James Street. Inventò anche due monogrilli semplici ma funzionali ed un sistema di ejector. Nel 1939 fu incorporata dalla Grant & Lang sempre con sede a Londra. Costruì un numero relativamente modesto di fucili, come si può dedurre dai seguenti numeri di matricola: 1891 circa 1.100; 1895 circa 1.300 e 1900 circa 1.650. La doppietta di Beesley che potrete vedere nelle immagini fa parte di una coppia con seni cesellati ed acciarino particolare pur non essendo self-opening.

Thomas Bland & Sons

Pur essendo da numerosi anni un'Azienda londinese, il primo Thomas Bland iniziò la propria attività a Birmingham nel 1840 e nei successivi trent'anni si guadagnò una buona reputazione nel settore. Nel 1872, suo figlio Thomas Bland jr. si spostò a Londra al N° 106 di Strand. Nel 1886 la Ditta si spostò al 430 di West Strand ed alla morte del padre, Thomas Bland jr. portò avanti l'attività fino al 1928, anno nel quale anche lui morì. Il nome divenne importante a livello internazionale per la qualità delle proprie armi ed in special modo per quelle rigate ed express, che costruirono per famosi cacciatori europei ed indiani. L'indirizzo di Birmingham era al 41-43 di Whittall Street con una succursale a Liverpool al 62 di South Castle Street. Il figlio di Thomas Bland jr. fu T. Clifford Bland e fu un appassionato di caccia agli acquatici e relative armi. Nel 1900 l'indirizzo di Londra era al N° 2 di William IV Street, poi passato nel 1919 al N° 4-5 della stessa strada. T. Clifford Bland morì nel 1943 e da allora l'attività fu portata avanti dal Managing Director Mr. W. Caseley.

Boss & Co.

L'inizio dell'attività della Ditta Boss risale al 1812, anno in cui Thomas Boss aprì la propria Azienda al N° 73 di St. James Street. Thomas Boss imparò il lavoro da suo padre, che fu uno dei migliori operai di Joe Manton. La filosofia della Casa è sempre stata quella di avere una produzione contenuta ma molto curata qualitativamente. Alla morte di Thomas Boss, nel 1860, l'Azienda prese come partner Stephen Grant, personaggio che si fece poi conoscere successivamente con una propria produzione. In quel periodo furono costruite doppiette a cani esterni con serpentina laterale e la direzione di Grant durò per circa cinque anni.

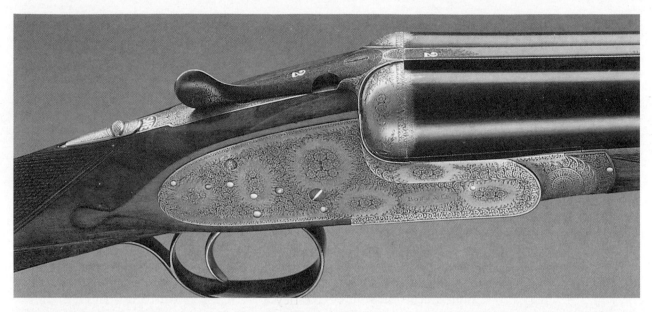

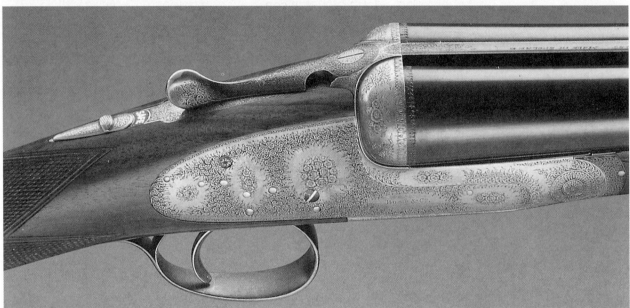

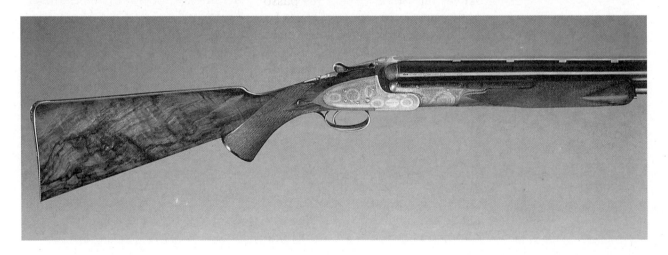

Doppietta Boss con bascula quadra e cornice in legno intorno alle cartelle.

Doppietta Boss con bascula arrotondata. Incisione tipica della Casa.

L'inconfondibile linea del sovrapposto Boss.

Nel frattempo, cosa comune ai costruttori di armi inglesi, la Ditta cambiò più volte l'indirizzo. Iniziò l'attività al N° 3 di Grosvenor Street, per poi passare in Clifford Street. Successivamente si trasferì al N° 73 di S. James Street e verso il 1859 si spostò al N° 41 di Albemarle Street in Piccadilly. Quando Grant se ne andò, un nipote di Thomas Boss portò avanti l'attività fino a che nel 1891 prese come Direttore John Robertson. Robertson fu un armaiolo di grande talento che lavorò dapprima con Sir Joseph Withworth, quindi con Westley Richards e successivamente con Purdey. Appena fu da Boss realizzò un sistema di ejector, un primo sistema di doppia sicurezza nell'acciarino dell'hammerless e nel 1894 il famoso monogrillo a barilotto usato successivamente su licenza anche da altri Costruttori. Nel 1909 John Robertson presentò il sovrapposto Boss, vero capolavoro di arte armiera che ispirò poi numerose copie. Nello stesso anno la Boss si spostò al N° 13 di Dover Street ed alla morte di John Robertson l'attività fu proseguita dai suoi figli, Jack, Sam e Bob. Nel 1930 ci fu un nuovo trasloco al N° 41 di Albermarle Street e nel 1961 passò ai numeri 13-14 di Cork Street. La produzione di Boss non raggiunge in quasi due secoli di attività i diecimila esemplari ed i numeri di matricola delle armi prodotte fino agli inizi del secolo si potranno trovare a pag. 366.

E.J. Churchill

Nome di primo piano nel panorama armiero britannico sia per la propria produzione fine di doppiette hammerless da piccione

che per il successivo 'Premier XXV' con canne lunghe 25 pollici. E.J. Churchill iniziò la propria attività al N° 8 di Agar Street - Strand nel 1891. Imparò il mestiere presso l'officina di Jeffrey & Sons in Dorchester.
Fu affiancato dal figlio H. E. J. Churchill che però morì all'età di soli vent'anni. Già nei primi anni di attività le doppiette di Churchill si conquistarono una solida fama presso i tiratori di piccione e molti famosi tiratori vinsero parecchie gare usando in abbinata le stesse cartucce caricate da Churchill, leggere e veloci. Intorno al 1900 un nipote di E.J., Robert Churchill, entrò nell'attività e la portò avanti anche dopo la morte del fondatore avvenuta nel 1910. Per una serie di ragioni l'attività in quel periodo non andò molto bene e Robert pensò che il mercato dei cacciatori era più prospero che quello dei tiratori e così mise a punto la doppietta leggera con canne corte e bindella stretta conosciuta come 'Premier XXV'. Nel frattempo nel 1925 ci fu il passaggio in Leincester Square e nel 1934 al N° 32 di Orange Street. Nel 1958 Robert Churchill morì e l'Azienda fu acquistata dalla Interarmo (U.K.) che proseguì la produzione con il nome di Churchill - Gunmakers Ltd. Nel 1967 ci fu il trasloco al N° 7 di Bury Street. Churchill costruì anche diversi modelli di Anson fini, come l'Hercules con apertura assistita. I numeri di matricola della prima produzione di E.J. Churchill sono riportati a pag. 398.

Cogswell & Harrison

Questa Ditta ha una lunga tradizione nel settore armiero.

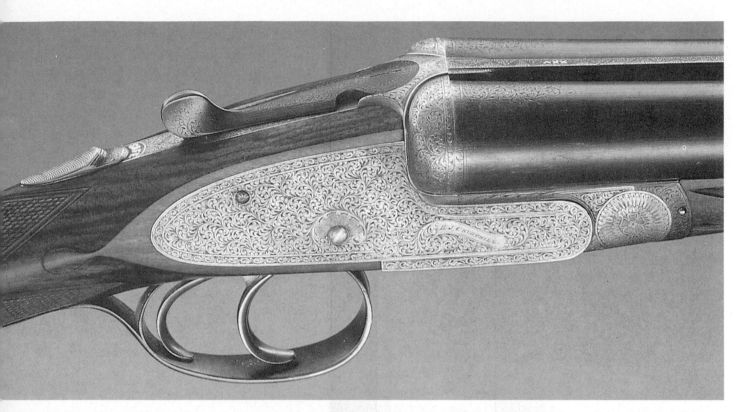

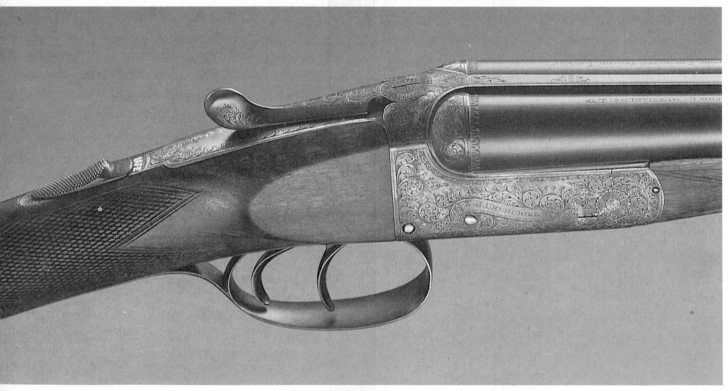

Doppietta di E.J. Churchill con
acciarini senza perni passanti.

Versione Anson di E.J. Churchill
di piccolo calibro.

Anson E.J. Churchill mod.
'Hercules' con apertura assistita.

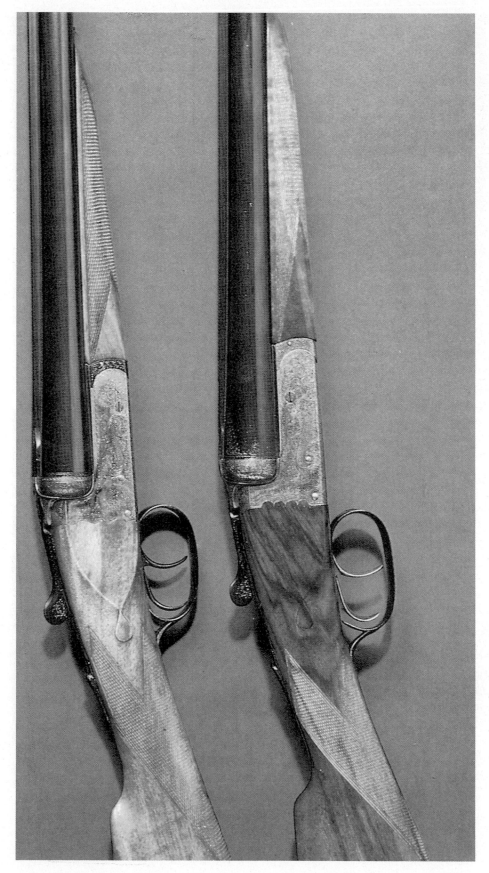

Coppia di 'Victor', doppiette della migliore produzione di Cogswell & Harrison.

Occorre risalire al 1770 per trovare la Essex, progenitrice della successiva Gogswell & Harrison che assunse questo nome nel 1860. L'inizio è da attribuirsi all'attività di Benjamin Cogswell che partì con una propria officina nel 1844 al N° 224 dello Strand. Nel 1874 entrò nell'attività Edgar Harrison e tre anni dopo, alla morte del padre, continuò la direzione. Nel frattempo la Ditta si era spostata al N° 141 di New Bond Street e successivamente in Gillingham Street. Edgar Harrison mise a punto diverse macchine utensili per produrre fucili a prezzi accessibili. Nel 1917 fu aperto il negozio al N° 168 di Piccadilly. Insieme alla produzione macchinata Cogswell & Harrison mantenne una produzione di fini doppiette nello stile londinese, come il modello Victor sia in versione caccia che tiro.

John Dickson & Sons

Costruttore scozzese, di Edimburgo che ha saputo guadagnarsi una fama equivalente ai migliori Gun Maker londinesi. Il primo John Dickson iniziò la propria attività nel 1820 nella High Street di Edimburgo. Gli succedette suo figlio che spostò la Ditta al N° 60 di Princes Street (1840) ed un paio di anni dopo al N° 63 della stessa via. Dickson cominciò a farsi solida fama con la costruzione dei fucili ad avancarica e successivamente con i cani esterni. In questi ultimi la qualità dei fucili di Dickson è sicuramente paragonabile ai migliori londinesi. In Princess Street la terza generazione di John Dickson lavorò per circa 65 anni finché fu necessaria un'officina più grande e ci fu il trasferimento al N° 21 di Frederick Street. Rimase a conduzione familiare fino al 1936. Nel 1880 brevettarono l'arma che diede loro meritata popolarità, la doppietta 'Round Action' con bascula arrotondata e batterie alloggiate sul ponticello dei grilletti. L'ejector fu aggiunto nel 1886. Intorno agli anni '40/'50 Dickson costruì pure alcuni esemplari di sovrapposti 'Round Action' ad apertura laterale attualmente molto ricercati dai collezionisti e molto quotati. Ugualmente rare e ricercate sono le doppiette a tre canne, costruite nei primi decenni del secolo in poche decine di unità. Nel corso degli anni la Dickson & Sons ha assorbito altri importanti nomi di costruttori scozzesi come ad esempio Mortimer, Alexander Henry, MacNaughton ed Harkom. La doppietta 'Round Action' ha una propria linea inconfondibile ed estremamente elegante e viene tuttora costruita nei calibri 12 e 20. Agli inizi degli anni '60 Dickson assunse un giovane apprendista di nome David McKay Brown che imparò a costruire il 'Round Action' e si staccò nel 1967 per mettersi in proprio e proporre a proprio nome la stessa arma. I numeri di matricola di Dickson fino agli inizi del secolo sono i seguenti. 1812-1954 da 1 a 1500; 1860: 2.000; 1864: 2.500; 1870: 3.000; 1878: 3.500; 1886: 4.000; 1892: 4.500; 1898: 5.000; 1903: 5.500.

William Evans

Agli inizi del 1880 William Evans lavorò presso James Purdey the Younger e se ne staccò nel 1883. Aprì un'attività in proprio al N° 63 di Pall Mall. Prese l'abitudine

La bascula arrotondata del 'Round Action' di John Dickson.

Piani di bascula con apertura assistita.

Modello particolare con chiave inclinata e seni delimitati da bordino.

Versione del Round Action con incisione a medie volute.

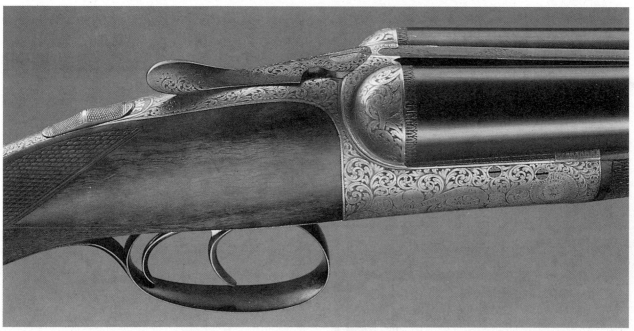

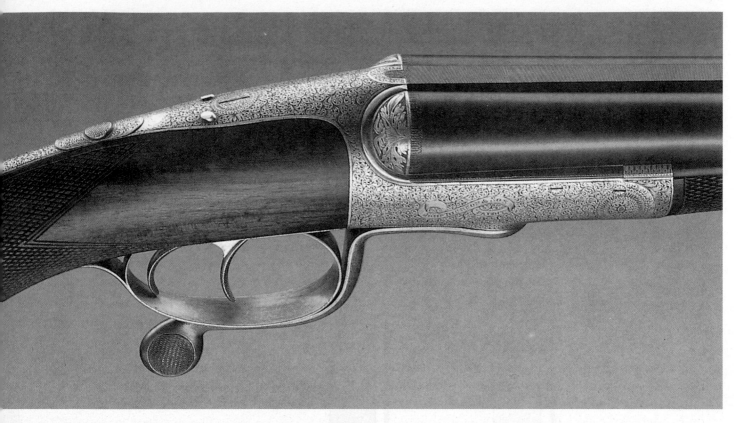

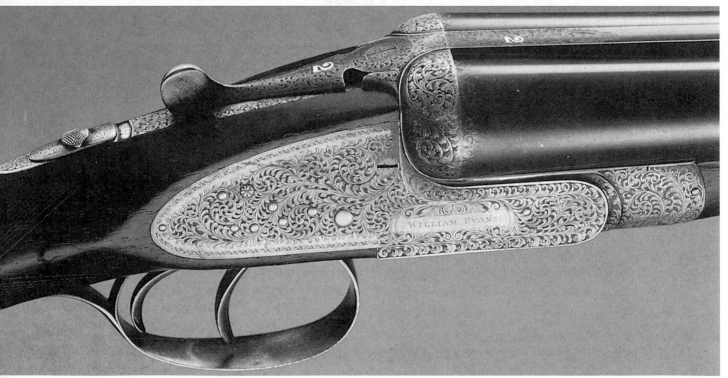

714

'Round action' Express con chiusura a 'T'. Arma di estrema eleganza.

Tipica doppietta ad acciarini laterali di William Evans.

Express di William Evans su meccanica Anson.

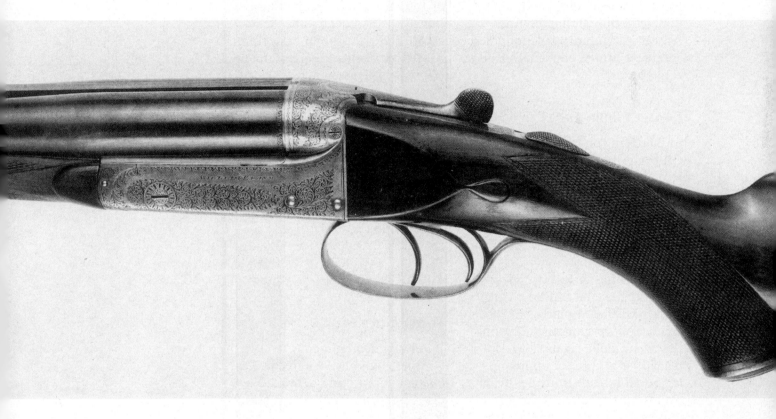

di scrivere sulle proprie armi William Evans from Purdey's e questo all'inizio causò alcuni problemi con la stessa Purdey. La cosa però prese piede ed Evans, unitamente ad Henry Atkin, continuò ad usare questa dicitura. William Evans ottenne alti riconoscimenti per la qualità dei propri fucili e si trasferì successivamente al N° 67 di St. James Street dove opera tuttora. Nel corso degli anni ha costruito doppiette tipo Holland e tipo Anson nel più puro stile londinese, comprese armi a canne rigate ed a cani esterni.

George Gibbs

La Ditta fu fondata da J. e G. Gibbs nel 1835 al N° 4 di Redcliffe Street. Diventò nel 1842 di sola pertinenza di George Gibbs dapprima al N° 142 di Thomas Street, poi a Clare Street e quindi al N° 39 di Corn Street. La fabbrica fu costruita nel 1873 quando Gibbs & Pitt brevettarono il loro fucile e ne furono costruiti circa 10.000 esemplari. Nel 1865 acquisirono per quattordici anni l'esclusiva della rigatura Metford nel cal. 461. Gibbs è un nome legato all'introduzione dei primi express che furono diffusi ed apprezzati fino alla fine del secolo scorso. George Gibbs senior morì nel 1884.

Stephen Grant

Come abbiamo visto Stephen Grant fu Managing Director e partner della Ditta Boss nel 1860. Se ne staccò sei anni dopo aprendo l'attività in proprio al N° 67A di St. James Street. Si distinse subito per abilità e buon gusto nella costruzione di doppiette liscie e rigate di fine qualità. Famose le sue armi con apertura a serpentina laterale sia a cani esterni che hammerless. Nel 1889 la Ditta divenne Stephen Grant & Sons. Dieci anni dopo Stephen Grant morì e l'attività fu portata avanti dai figli Stephen ed Herbert Edward. Nel 1920 la Ditta si trasferì al N° 7 di Bury Street e nel 1925 si ebbe la fusione con la Ditta di Joseph Lang con il nome di Joseph Lang & Stephen Grant Ltd. Nel corso degli anni assorbirono altri nomi importanti nel settore armiero e precisamente Harrison & Hussey nel 1930, Charles Lancaster nel 1932, Watson Bros nel 1935, F. Beesley nel 1939 e Paten & Sons nel 1944. Con l'aggiunta di Henry Atkin nel 1960 il nome della Ditta si trasformò in Atkin, Grant e Lang Ltd. I numeri di matricola della prima produzione di Stephen Grant sono i seguenti. 1867: 2.480; 1870: 3.000; 1875: 3.900; 1880: 4.750; 1885: 5.450; 1890: 6.100; 1895: 6.700; 1900: 7.300.

W.W. Greener

Buon sangue non mente. W.W. Greener, figlio di W. Greener, divenne famoso più del padre e diede importanti contributi allo studio ed alla divulgazione letteraria delle armi sportive. W. Greener lavorò presso i Manton a conferma della comune radice dei più noti armaioli inglesi. W.W. Greener si dedicò prevalentemente allo sviluppo dei fucili a retrocarica, mentre il padre si occupò, anche per ragioni di periodo storico esclusivamente di avancarica. Alla famosa 'Great Exibhition' del 1851 W. Greener fu premiato per aver esposto i migliori fucili e canne

Doppietta di Stephen Grant dalla
linea graziosa e contenuta.

Stephen Grant con apertura a
serpentina laterale.

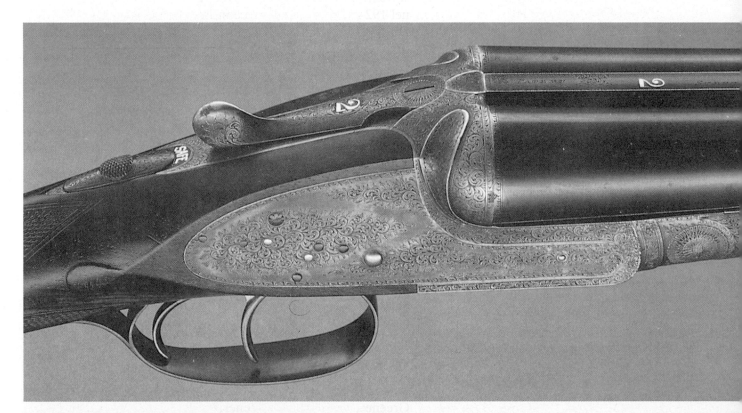

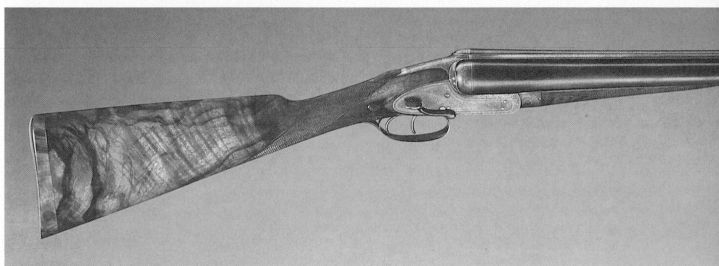

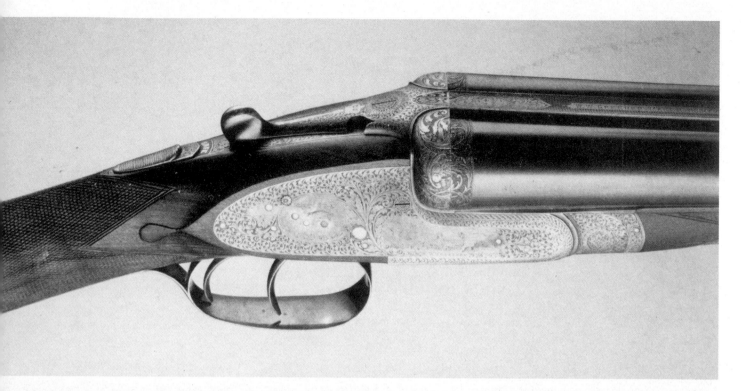

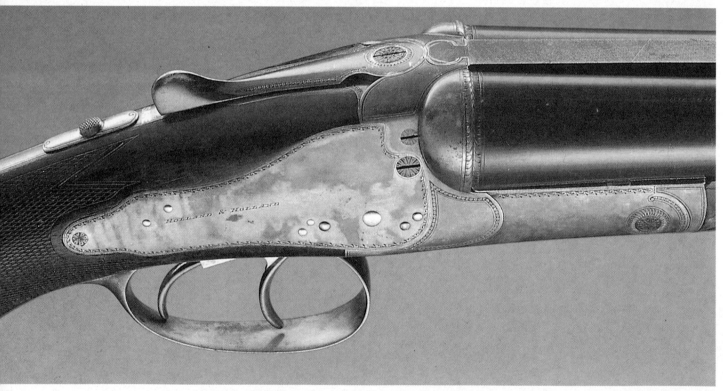

perfettamente forgiate e finite.
Pubblicò tre importanti libri: The
Gun del 1835, Science of Gunnery
del 1841 e Gunnery del 1858.
Anche W.W. Greener proseguì i
lavori letterari del padre e pubblicò
diversi libri alcuni dei quali sono
tuttora attuali. Il più famoso è
sicuramente 'The gun and its
devolepment' pubblicato per la
prima volta nel 1881. Altri titoli
furono Modern Shot Guns, The
Breech-Loader e Choke Bore
Guns, studio approfondito con
contributi originali sulle
strozzature. Durante i primi anni
del 1890 la fabbrica di W.W.
Greener a Birmingham era una
delle più grandi di tutta
l'Inghilterra e provvedeva
autonomamente alla costruzione
delle canne. Coadiuvato dal figlio
H. Greener, aprirono delle
succursali londinesi a 68
Haymarket e dal 1879 al N° 19 di
Paragon Street-Hull. Nel 1916
l'indirizzo londinese si spostò al
N° 29 di Pall Mall e nel 1920 la
Ditta si chiamò W.W. Greener Ltd
e fu portata avanti dai figli di
W.W. Greener, Harry e Charles. Il
padre morì l'anno successivo.
Nel 1933 ci fu un ulteriore
spostamento della sede di Londra
al N° 40 di Pall Mall. Harry
Greener morì nel 1929 e Charles
nel 1951. Da allora l'attività fu
proseguita dal figlio di Harry, H.
Leyton Greener fino a che nel 1965
l'Azienda fu acquistata dalla
Webley & Scott. Come già detto a
pag. 382 la W.W. Greener ha di
recente riaperto i battenti. Una
delle più famose invenzioni di
Greener fu la cosiddetta 'Treble
Wedge Fast', cioè la triplice
chiusura a perno tondo superiore
integrata dalla duplice Purdey.
Inoltre fu un assertore del fucile di
Anson & Deeley e molta della

produzione di Greener ricalcò
questa idea pur con diverse
varianti. Costruì però anche cani
esterni molto fini nonché doppiette
ad acciarini laterali.

Holland & Holland

La nascita dell'attività di Mr.
Harris J. Holland è alquanto
singolare poiché non ricalca gli
schemi classici di tanti altri
armieri. Infatti Harris Holland
non fu allievo dei Manton ma non
fu nemmeno, almeno dei primi
tempi, un armaiolo di professione.
Era invece un forte tiratore di
piccione con altre attività, come
quella della vendita di tabacchi ed
anche della musica. Sembra che
l'armaiolo lo facesse per passione,
avendo ereditato dal padre,
costruttore di organi musicali,
l'abilità di lavorare con le mani e
di praticare l'artigianato.
Comunque all'età di ventinove
anni aprì il proprio negozio al N° 9
di King Street-Holborn a Londra.
Verso il 1860 Harris J. Holland
prese con sé il nipote
venticinquenne Henry Holland e
nel 1866 la Ditta si spostò al N° 98
di New Bond Street. Nel 1877 la
Ditta si chiamò definitivamente
Holland & Holland. La
produzione verteva su cani esterni
e successivamente hammerless
'back action design' come ad
esempio i primi modelli Climax
realizzati su bascule brevettate da
William Scott di Birmingham. Mr.
Harris J. Holland morì nel 1895 e
l'attività fu portata avanti dal
nipote Henry Holland che prese
come partner Mr. Froome.
Quest'ultimo lavorava presso la
Ditta già dal 1855 e diede un
grosso contributo a stabilire la
reputazione di alta qualità che
contraddistingueva la produzione

719

Express di Holland & Holland nella versione 'Dominion' con acciarini dietro la bascula.

Tipico express di Holland & Holland nel grado 'Royal' nel popolare calibro. 375 H & H Magnum.

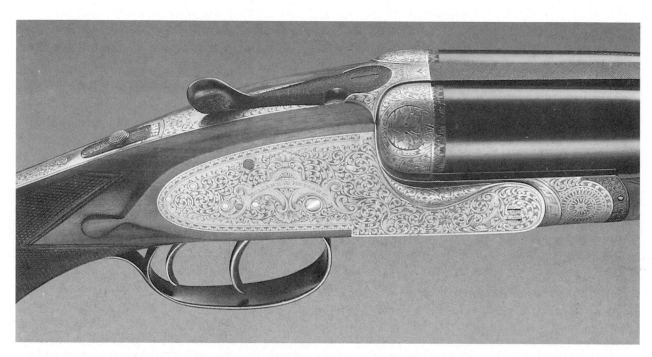

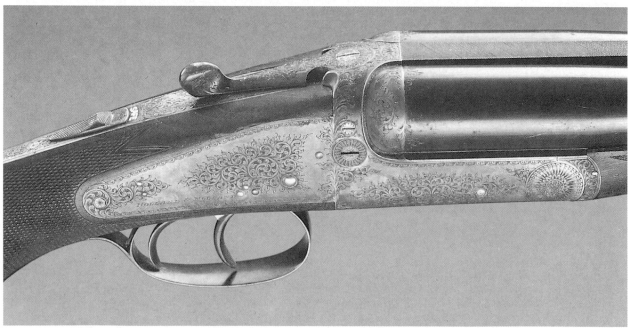

Holland & Holland 'Brevis'.
Doppietta self-opening nel cal.
12 molto leggera: solo Kg. 2.5.

Classica doppietta Holland &
Holland 'Royal' a canne liscie.

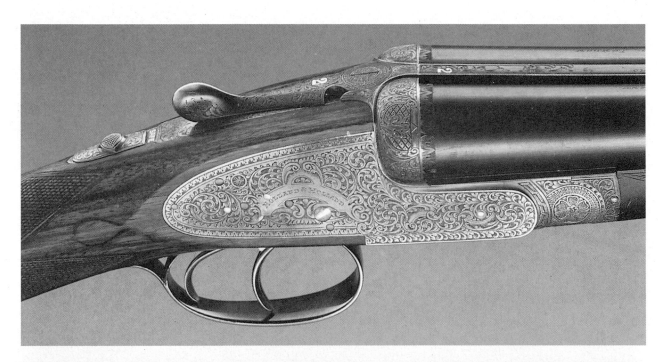

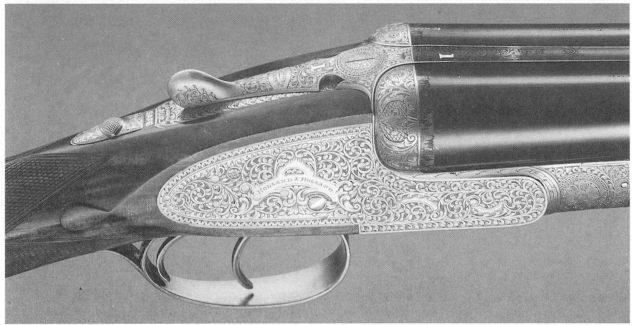

Il potente express della Holland
& Holland nel cal. 700 H&H
Nitro Express Magnum
presentato di recente.

Tiratura ed incisione di una delle
doppiette più prestigiose al
mondo: il 'Royal' della Holland
& Holland.

sia liscia che rigata dell'Azienda. In particolare curava la produzione dei grossi calibri e degli express, settore nel quale la Holland & Holland si è sempre distinta. Nel 1886 venne introdotto il famoso Paradox su brevetto del colonnello Fosbery e costruiti nei calibri 8, 10, 12, 16 e 20. Come altre Ditte dell'epoca la Holland & Holland fornì carabine e double-rifles ai maraja indiani e ad altri famosi cacciatori e sembra che all'inizio dell'attività l'allora Re d'Italia fornisse parte del capitale come contributo. Ecco il motivo per cui nelle vecchie etichette della Casa appare citato The King of Italy. Nel 1889 fu introdotto il famoso 'Royal' con l'aggiunta dell'ejector nel 1893 e qualche anno dopo del monogrillo. Nel 1897 fu aperta la factory di Horrow Road e nel 1889 il nome divenne Holland & Holland Ltd. Harry Holland morì nel 1930 e gli succedette il Colonnello J.E.D. Holland. Nel 1960 ci fu il trasferimento del negozio al N° 13 di Bruton Street e successivamente al N° 33 e 31 della stessa via.

Nel 1958 morì il Colonnello Jack Holland e ne prese il posto il genero Derek Mangnall. L'anno successivo si aggiunse ad un accordo con Mr. Malcolm Leyll per la costruzione di una holding che comprendeva la Westley Richards e la W.J. Jeffery. In pratica la Holland prese l'Agenzia di queste due marche. Nel 1985 la Holland & Holland acquistò la W. & C. Scott di Birmingham cosa che gli permise di produrre dei box-lock ben realizzati e dai prezzi interessanti come il mod. Northwood e il Cavalier. Due anni dopo la Holland & Holland fu acquistata dal gruppo Chanel, che

diece un nuovo impulso riorganizzativo con l'intenzione di riprendere l'immagine e la produzione ai più alti livelli, soprattutto per quel che riguarda le armi rigate e gli express. A tale proposito nel 1990 presentò l'express camerato nella cartuccia più potente al mondo a cioè la 700 H & H Magnum Nitro Express, strappando così il primato alla 460 Weatherby Magnum. Attualmente la Holland & Holland ha circa una quarantina di operai specializzati e produce completamente nella propria factory doppiette ed express 'Royal'. Si ripropone come polo leader dell'attuale settore armiero inglese.

Charles Lancaster

Ai tempi di John e Joseph Manton la Ditta di Charles Lancaster era famosa per la fornitura di canne di buona qualità sulle quali spesso poneva il marchio C.L. Anche sui primi fucili di Purdey furono montate delle canne Lancaster. Nel 1826 aprì l'attività di armaiolo al N° 151 di New Bond Street. Charles Lancaster morì nel 1845 e la Ditta fu portata avanti dai figli Charles William ed Alfred. Nel 1851 fu presentato il famoso 'Oval bore' rifle. Alfred Lancaster aprì un'armeria a proprio nome nel 1859 al N° 57 di South Audley Street e passò nel 1886 al N° 50 di Green Street. Nel 1878 C.W. Lancaster morì e l'anno successivo la Ditta si trasormò in Charles Lancaster & Co sotto la guida di Mr. A. Thorn. La prima edizione del libro 'The art of shooting' di Charles Lancaster uscì nel 1889 e da allora ne seguirono molte edizioni.

Nel 1904 la Ditta si trasferì al N°

Il famoso modello
'Twelve-Twenty' di Charles
Lancaster.

11 di Panton Street e divenne Charles Lancaster Ltd. Nel 1925 passò in Mount Street e nel 1932 al N° 7 di Burry Street essendo stata acquistata da Grant & Lang Ltd.

Uno dei modelli più famosi della Casa Lancaster fu la doppietta 'Twelve-Twenty', leggera, con apertura assistita e con l'acciarino a molla indietro. Un riassunto dei numeri di matricola della prima produzione di Charles Lancaster è il seguente. 1826: 100; 1830: 600; 1840: 1.200; 1850: 2.100; 1860: 3.200; 1870: 4.328; 1875: 4.714; 1880: 4.949; 1885: 5.497; 1890: 6.406; 1895 7.548; 1900: 8.529.

Joseph Lang

Joseph Lang fu un personaggio molto attivo nel settore armiero e sportivo. Fu il primo a presentare alla 'Great Exhibition' del 1851 il fucile di Lefacheaux a retrocarica e fu un appassionato di cani studiando e contribuendo alla definizione del pointer bianco limone. Fece l'apprendistato con Alexander Wilson ed iniziò l'attività in proprio nel 1821 al N° 7 di Haymarket. Nel 1827 aprì la famosa Shooting Gallery. Nel 1853 si spostò al N° 22 di Cockspur Street. Sposò la figlia di James Purdey il vecchio. Nel 1880 entrò in collaborazione il figlio Edward e la Ditta prese il nome di Joseph Lang & Son all'indirizzo di Wigmore Street al N° 88. L'anno successivo si spostò al N° 89 della stessa strada. Nel 1890 si trasferì al N° 10 di Pall Mall ed in quel periodo fu presentata la doppietta 'Vena Contracta' in cal. 12 che però finiva in cal. 20 alla volata. L'altro figlio di Lang, James, aprì in proprio nel 1887 al N° 33 e successivamente al N° 64A di New Bond Street e nel 1888 si spostò al N° 18 di Brook Street. Nel 1891 diventò James Lang & Co e passò al N° 162 di New Bond Street. Nel 1895 divenne Lang & Hussey Ltd. Nel 1898 le attività dei due fratelli Edward e James si unì sotto il nome di Joseph Lang & Son Ltd e fu poi acquistata nel 1925 dalla Stephen Grant & Sons. Si formò così la Stephen Grant e Joseph Lang che si trasformò in anni più recenti in Atkin & Lang. I numeri di matricola sono i seguenti. 1858: 2.085; 1860: 2.332; 1865: 2.970; 1870: 3.916; 1875: 5.180; 1880: 6.000; 1885: 7.031; 1890: 7.546; 1895: 8.150; 1900: 9.100.

John & Joseph Manton

John Manton nacque nel 1752 ed imparò il mestiere di armaiolo principalmente da John Twigg di Piccadilly. Si mise in proprio nel 1781 al N° 6 di Dover Street dove rimase fino al 1878. Si guadagnò subito la reputazione di costruire armi eccellenti comprese pistole e carabine. Nel 1814 si unì come partner il figlio George Henry e la Ditta si chiamò John Manton & Son. Nel 1833 si unì William Hudson e l'anno dopo John Manton morì.

L'attività fu continuata dal figlio George Henry che prese con sé il nipote Gildon Manton. George morì nel 1854 e qualche anno dopo la Ditta fu rilevata da Charles Roe e chiuse definitivamente nel 1878. Joseph Manton, fratello di John, nacque nel 1766. Iniziò la propria attività nel 1792 al N° 25 di Davies Street e si guadagnò rapidamente fama per la qualità delle proprie armi oltre che a brevettare alcuni particolari. Nel 1819 si spostò al N° 11 di Hanover Square con

Doppietta ad acciarini laterali di
Joseph Lang.

Anson di William Powell con la
tipica apertura con chiave
superiore che si solleva.

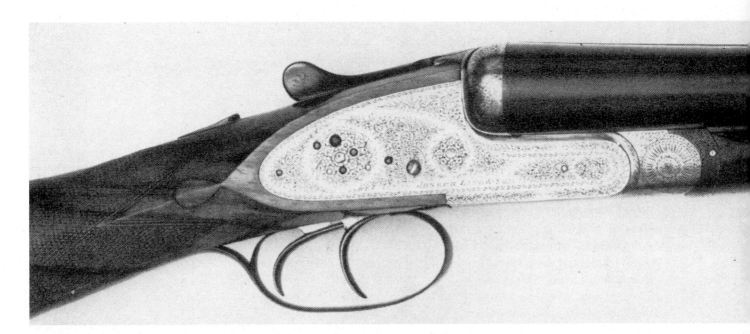

negozio al N° 314 di Oxford Street. Nel 1822 si unirono i suoi figli Frederick e Charles e la Ditta prese il nome di Joseph Manton & Sons. Nel 1825 Frederick Manton andò a Calcutta a formare la Manton & Co ed in quell'anno il padre ebbe diversi problemi finanziari fino a dover vendere l'anno successivo tutto il proprio stock. Nel 1827 ricominciò a Marylebone Park House per richiudere l'anno successivo. Anche gli anni seguenti non furono migliori e Joseph Manton morì nel 1835. L'attività fu acquistata da Henry Egg. Ma ciò che fece rimanere il nome dei Manton nella storia delle armi sportive fu da una parte la definizione di certe caratteristiche che le stesse debbano avere, compresa la finezza meccanica costruttiva e dall'altra il fatto che presso di loro lavorarono armaioli che poi sarebbero diventati a loro volta famosi e protagonisti. Fra questi occorre citare James Purdey, Charles Lancaster, Thomas Boss, Joseph Lang, William Moore, William Grey, William Greener ed altri.

William Powell

La data di fondazione di questa rinomata Ditta di Birmingham risale al 1802, quando William Powell e Joseph Simmons si unirono per aprire il negozio al N° 44 di High Street. Powell successivamente si staccò ed aprì a proprio nome nel 1822 al N° 3 di Bartholomew Row. Dieci anni dopo acquistò il vecchio negozio di Simmons al N° 49 di High Street e dopo alcuni anni si spostò al N° 35 di Carrs Lane, dove tuttora risiede. Nel 1847 prese la denominazione di William Powell

& Son. Nel 1864 presentò una doppietta con chiave superiore che si apriva spingendo col pollice verso l'alto e costruì dei cani esterni 'bar-in-wood' molto fini. Altri brevetti seguirono e sembra che la Ditta costruì anche per altri, specialmente per alcuni nomi londinesi. Comunque la produzione di William Powell fu sempre tenuta in somma considerazione, pur essendo dislocata a Birmingham. Attualmente la produzione verte sia su doppiette tipo Anson che ad acciarini laterali.

James Purdey & Son Ltd

La storia dettagliata della Ditta Purdey, una delle più prestigiose del panorama inglese passato e presente, è riportata a pag. 368 compresi i numeri di matricola con i relativi anni di produzione. Qui di seguito inserisco una disamina tecnica sulla doppietta salf-opening di Purdey che è l'arma che più di ogni altra ha dato notorietà e prestigio all'Azienda.

La doppietta self opening di James Purdey

Raro esempio di continuità di tradizione e di originali soluzioni meccaniche, la doppietta self opening di Purdey viene tuttora prodotta con gli stessi schemi di alto artigianato armiero britannico a distanza di oltre un secolo dalla propria introduzione. Costituisce sempre un punto di riferimento nel settore delle armi fini e sono tra le più quotate e ricercate pure sul mercato dell'usato e collezionistico. Dobbiamo risalire al lontano 1880 per trovare il brevetto di Frederick Beesley

Una delle doppiette più fini e prestigiose al mondo: il self-opening di James Purdey & Sons.

Express di Purdey con chiusura a 'T' e chiave inferiore.

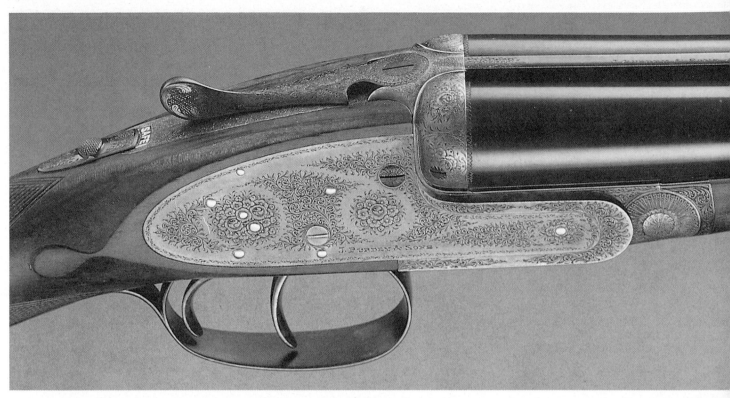

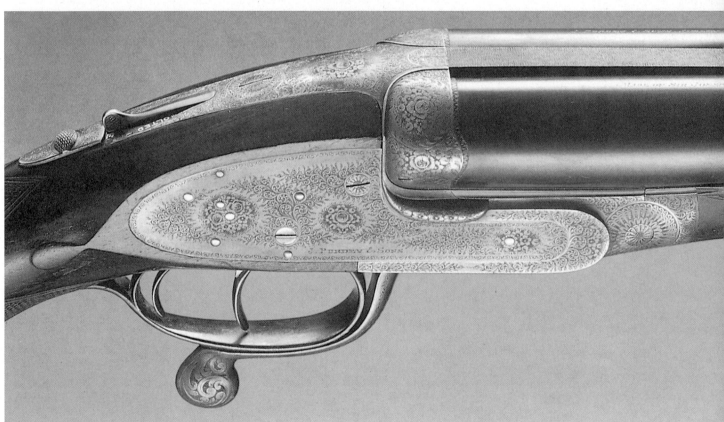

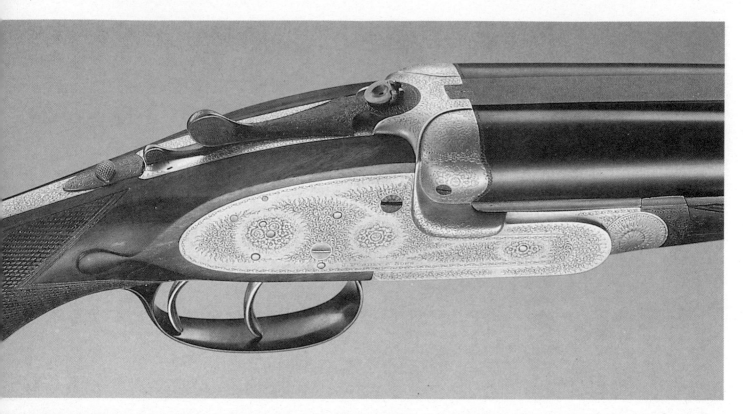

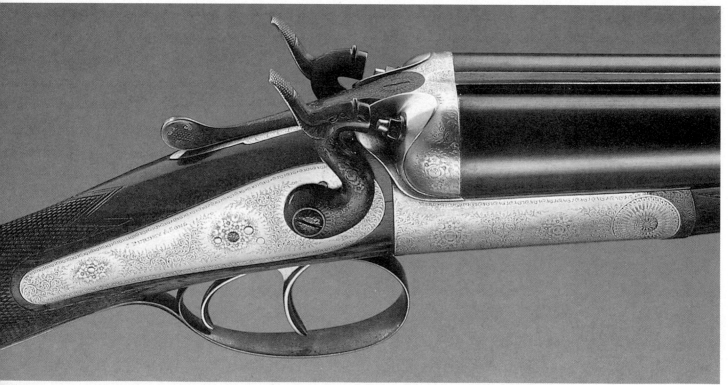

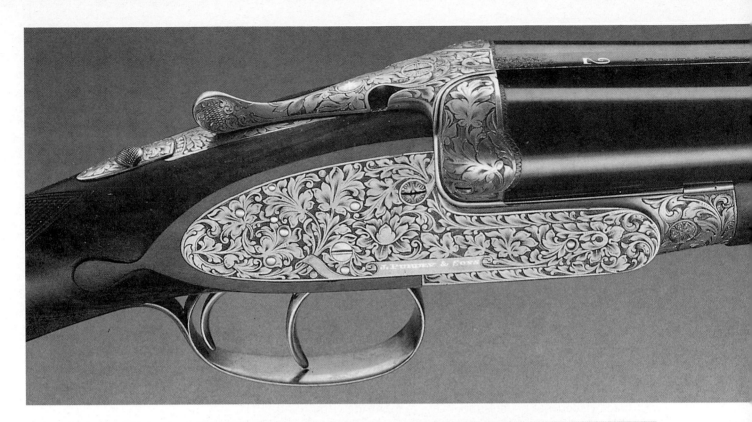

Recente express di Purdey in
versione self-opening.

Tipico cani esterni di Purdey con
acciarino a molla indietro e
chiave superiore.

Doppietta self-opening di Purdey
con incisisione floreale.

Cassetta in legno completa di
accessori della Casa. Una vera
leccornia per i collezionisti.

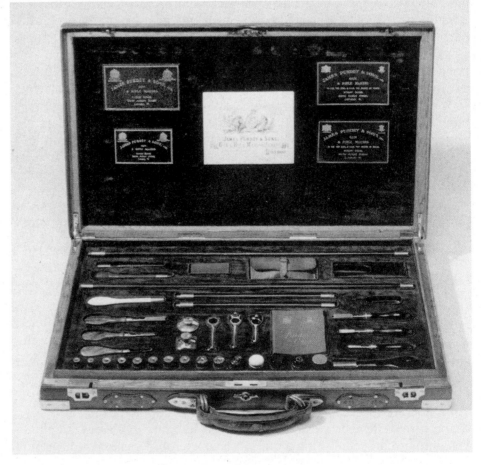

731

relativo al sistema di funzionamento percussivo ed in definitiva di tutto il cinematismo interno alla bascula di quest'arma. Beesley fu per un certo periodo collaboratore della Ditta Purdey alla quale cedette questo brevetto per costruire in esclusiva l'originale doppietta che da allora ha rappresentato il grosso della produzione ed ha contribuito ad aumentare il prestigio e la diffusione del nome dell'Azienda inglese. La James Purdey & Sons, che vanta una tradizione ormai plurisecolare nella costruzione di fucili di alta classe, continua a produrre e a vendere nella propria prestigiosa sede di South Audley Street a Londra questa doppietta del tutto simile a quella inventata da Beesley, pur con qualche lieve modifica rispetto al primissimo modello. Ad esempio nei primi anni di costruzione l'acciarino non beneficiava della doppia stanghetta di sicurezza, aggiunta poi a breve distanza e le camme per l'apertura delle canne furono spostate dal rampome anteriore sui piani di bascula. Ma l'idea fu sempre la medesima ed occorre rilevare che fra tutti i meccanismi di apertura automatica delle canne (o apertura assistita) quello di Purdey è quello più famoso anche perché, come vedremo, non è un dispositivo 'aggiunto' in un secondo tempo ad integrazione di una meccanica già esistente ma parte originariamente come un sistema integrato di armamento e percussione.

L'idea di base è stata quella di trovare un meccanismo in base al quale il fucile abbassi automaticamente le canne una volta liberate spostando la chiave d'apertura e che nello stesso tempo vengano armati i cani. Fino a qui non ci si discosta molto da altri principi di self opener ma la doppietta di Purdey fa di più. Con canne aperte i cani non possono scendere verso i percussori anche se liberati dalla stanghetta di scatto (in pratica se si tirano i grilletti) per il semplice motivo che la molla a lamina di ciascun cane si trova in posizione di apertura e pertanto non essendo compressa non esplica la spinta necessaria. Queste molle vengono compresse con la chiusura delle canne e quindi si può dire che la fase di armamento avviene in due successivi momenti rispetto ad una tradizionale doppietta ad acciarini laterali o tipo Anson nelle quali le molle dei cani vengono compresse in fase di apertura delle canne. Inoltre le molle di Purdey sono maggiorate rispetto ad altri acciarini proprio perché tutto il funzionamento ruota intorno alla forza di questi molloni che hanno la particolarità di avere i due bracci di sezione diversa tra loro. La forza di queste molle consente di aprire le canne spingendo su due camme presenti sui piani di bascula che ruotano aiutando le stesse nel loro movimento di apertura, di far scattare il cane per la percussione sul fondello della cartuccia ed infine come ultimo 'compito' originare il rimbalzo del cane per la liberazione del percussore dalla capsula della cartuccia. Tutto ciò è reso possibile dal funzionamento progressivo della molla. Il braccio superiore lavora sull'apertura delle canne mentre quello inferiore sulla noce del cane per la percussione. Inoltre il braccio superiore agisce pure come leva d'armamento ed infatti la doppietta Purdey è caratterizzata dall'assenza delle leve laterali d'armamento, presenti

Sovrapposto di J. Purdey inciso da Ken Hunt.

732

733

ad esempio nelle doppiette Holland.

Si è spesso equivocato sulla natura del mollone di Purdey, credendo che i bracci di diverso spessore potessero trasmettere spinte quantitativamente diverse, cosa non possibile da ottenere con una molla a lamina infulcrata in un solo punto. Il motivo per cui il braccio superiore è più spesso è da ricercarsi piuttosto nella diversa applicazione delle forze ripartita sui bracci medesimi. Ma a parte queste considerazioni teoriche il mollone di Purdey rimane un esempio di finezza azzaliniera ed assolve egregiamente alle funzioni per le quali è stata concepita. Gli inglesi hanno sempre tenuto a facilitare al massimo l'apertura delle canne dei loro fucili ed anche a facilitare il caricamento delle cartucce, facendole aprire con un arco generoso ponendo spesso la base degli estrattori al di sopra della faccia di bascula in fase di massima apertura. A questo proposito molti costruttori nazionali di armi fini non hanno dato la giusta importanza a questi fattori e soprattutto in fucili nuovi l'apertura delle canne è difficoltosa, aprendosi poi con un angolo appena sufficiente per consentire il caricamento. Si motiva questo con il fatto di una stretta tolleranza sulla ramponatura e sulla necessità di sparare molti colpi per 'rodare' il fucile ma spesso sono i concetti di base che non vengono seguiti o quantomeno sottovalutati. In ogni caso la doppietta di Purdey si colloca all'apice sia come automatismo di apertura delle canne sia come ampio angolo di apertura delle stesse. Basta girare la chiave di apertura e dare un accenno col braccio destro per aumentare la gravità delle canne e queste si apriranno da sole, facendo scattare a fine corsa gli estrattori automatici. Il fatto poi che l'angolo di apertura sia ampio ha anche un vantaggio fisico, nel senso che lo sforzo per richiuderle sarà distribuito su un arco maggiore. L'unico inconveniente, se possiamo chiamarlo tale, del self opening di Purdey è che la chiusura delle canne risulta mediamente più dura di altre armi perché si debbono comprimere quattro molle: i due molloni degli acciarini e le due molle degli estrattori. Più che un inconveniente si tratta di farci l'abitudine e di imparare a chiudere correttamente l'arma cercando di far presa in punti distanti fra loro delle mani per ottimizzare l'efficienza dello sforzo e di dare un'invito con la mano destra che tiene l'impugnatura verso il basso per 'andare incontro' alle canne.

John Rigby & Co

Il nome di John Rigby era già famoso al tempo delle armi con acciarini a pietra. Fu fondata nel 1735 a Dublino e nel 1819 proseguì l'attività William Rigby, insieme al fratello John Jason Rigby. I fratelli Rigby furono pionieri nella costruzione delle canne in damasco.

Nella seconda metà del secolo scorso John Rigby vinse diverse competizioni di tiro e ricevette diversi attestati di benemerenza per la propria produzione. John fu occupato alla fabbrica di Enfield per la collaborazione con la produzione di fucili militari e nel frattempo, nel 1866, fu aperto il negozio a Londr in St. James Street insieme al fratello Ernest

Express in Anson di John Rigby.

Doppietta Anson di Webley & Scott di fine anni '40. Il perno cerniera è ricavato dal pieno.

734

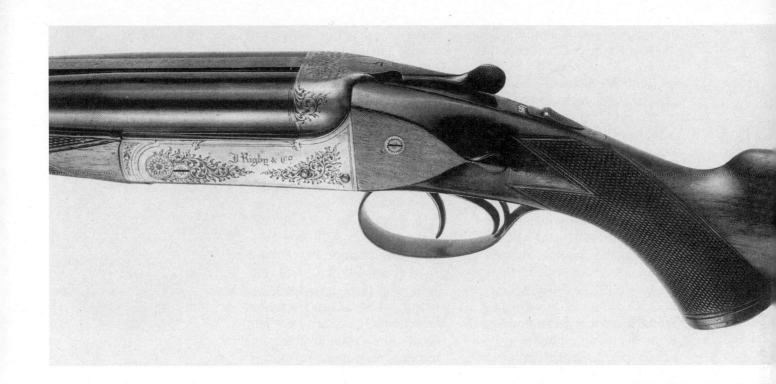

John Rigby con la denominazione di John Rigby & Co. Verso fine secolo la Ditta John Rigby si impegnò nello studio e nella realizzazione degli express a cordite ed introdussero il calibro .450. Seguirono i calibri. 470 ed il famoso tuttora. 416 Rigby per le carabine. Nel 1892 l'attività di Dublino fu venduta a Truelock & Harris e nel 1900 proseguirono solo con quella londinese. Nel 1916 John Rigby morì e l'attività fu proseguita dai figli Theo ed Ernest John. Nel 1955 la Ditta si trasferì al N° 32 di King Street e nel 1963 al N° 28 di Sackville Street. Fu poi acquistata da Paul Roberts con una limitata attività produttiva. I numeri di matricola sono i seguenti. 1822: 5.341; 1825: 5.745; 1830: 6.667; 1835: 7.640; 1840: 8.531; 1845: 9.487; 1850: 10.171; 1855: 10.634; 1860: 10.986; 1865: 12.418; 1870: 13.416; 1875: 14.227; 1880: 15.076; 1885: 15.660; 1890: 16.106; 1895: 16.410; 1900: 16.700; 1905: 17.250; 1910: 17.550.

Webley & Scott Ltd

In una intervista rilasciata ad un mensile specializzato inglese, John Wilkes, armaiolo londinese di fama, alla domanda di chi ritenesse fosse stato il miglior costruttore di fucili rispose la Webley & Scott. Disse che la Webley & Scott era in grado di costruire ogni tipo di arma, da quella commerciale a quella della più fine qualità. Non per niente molti armieri londinesi commissionavano alla Ditta di Birmingham i loro best guns, per poi firmarli con il proprio nome. Non solo ma verso la fine del secolo scorso i fucili di Scott

furono esportati in America in grande quantità e furono usati da tiratori importanti, cosa che si diffuse pure sulle pedane europee. William Scott iniziò la propria attività nel 1820 al N° 79 di Weamen Street. Si spostò nel 1834 alla Court 5 di Russel Street. Nel 1840 si unì a lui il fratello Charles e fu fondata la W & C Scott (Gunmakers).
Successivamente i due figli di William Scott, William e James Charles si unirono alla Ditta e nel 1858 divenne W & C Scott & Sons. Nel 1864 fu costruita la factory al N° 123 di Lancaster Street e nei successivi vent'anni furono brevettate diverse soluzioni importanti come una triplice chiusura superiore ed una prima forma di top lever, cioè di chiave superiore per aprire il fucile. Nel 1866 William M. Scott sostituì il padre nella direzione dell'Azienda ed aprì un negozio a Londra dapprima al N° 7 di Dorset Place e successivamente in Great Castle Street. Fu lui che con numerose visite in Europa ed in America riuscì a proporre le proprie armi specialmente fra i tiratori di piccione. Nel 1894 il fratello Charles prese le redini dell'attività e nel 1898 ci fu una joint-venture con un'altra Ditta di Birmingham, la Webley & Son, famosa per la costruzione di revolver. Nel 1906 la nuova unione fu chiamata Webley & Scott Ltd. La produzione fu vasta ed includeva doppiette di vari generi, armi rigate, pistole e anche armi militari. Forniva pure le canne a molti costruttori di fucili inglesi. La sede di Londra era al N° 78 di Shaftesbury Avenue. Nel 1965 la Webley & Scott assorbì la W.W. Greener e fu essa stessa acquistata nel 1973 dal gruppo inglese Harris

Vista dall'alto dell'Anson di
Webley & Scott. Compattezza ed
armoniosità di linee.

Particolare della cerniera.

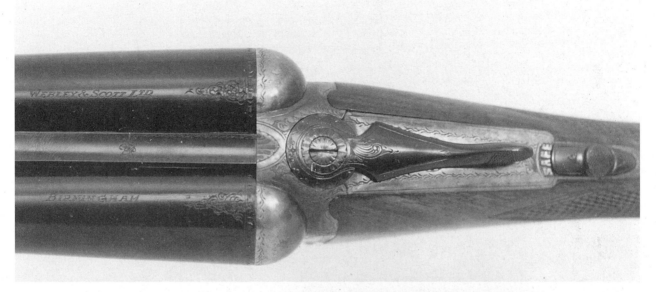

Numeri di matricola	Anno di produzione	Numeri di matricola	Anno di produzione	Numeri di matricola	Anno di produzione
1	1865	51000	1893	102000	1920
1000	1868	52000	1894	103000	1924
2000	1871	53000	1894	104000	
3000	1872	54000	1895	105000	
4000	1873	55000	1895	106000	non
5000	1873	56000	1896	107000	assegnati
6000	1875	57000	1896	108000	
7000	1876	58000	1897	109000	
8000	1877	59000	1898	110000	1925
9000	1878	60000	1898	111000	1926
10000	1878	61000	1899	112000	1927
11000	1866	62000	1900	113000	1929
12000	1867	63000	1901	114000	1932
13000	1869	64000	1902	115000	1936
14000	1870	65000	1902	116000	1939
15000	1871	66000	1903	117000	1947
16000	1872	67000	1904	118000	1948
17000	1873	68000	1904	119000	1949
18000	1874	69000	1905	120000	1950
19000	1874	70000	1900	121000	1951
20000	1875	71000	1902	122000	1951
21000	1876	72000	1904	123000	1952
22000	1877	73000	1904	124000	1953
23000	1878	74000	1905	125000	1953
24000	1879	75000	1906	126000	1955
25000	1879	76000	1907	127000	1956
26000	1880	77000	1908	128000	1957
27000	1880	78000	1909	129000	1958
28000	1881	79000	1911	130000	1960
29000	1881	80000	1906	131000	1961
30000	1882	81000	1906	132000	1962
31000	1882	82000	1907	133000	1963
32000	1883	83000	1908	134000	1964
33000	1883	84000	1908	135000	1964
34000	1884	85000	1909	136000	1965
35000	1884	86000	1910	137000	1966
36000	1885	87000	1910	138000	1967
37000	1885	88000	1911	139000	1968
38000	1886	89000	1912	140000	1969
39000	1886	90000	1912	141000	1970
40000	1887	91000	1914	142000	1971
41000	1887	92000	1916	143000	1973
42000	1887	93000	1920	144000	1975
43000	1888	94000	1920	145000	1976
44000	1889	95000	1921	146000	1978
45000	1890	96000	1922	200000	1966
46000	1891	97000	1923	701000	1978
47000	1891	98000	1924	702000	1978
48000	1892	99000	1924	712000	1976
49000	1892	100000	1913	720000	1971
50000	1893	101000	1915	728000	1971

& Sheldon. Poiché però il mercato continuava a restringersi si decise di chiudere i battenti nel 1980. Fu allora che 26 operai e maestranze della vecchia Ditta decisero di unirsi e continuare a costruire doppiette Anson di ottima qualità sotto il primo nome di W & C Scott (Gunmakers). L'officina fu chiamata Premier Works e sorse in Tame Road in Witton. Infatti la Webley & Scott pur costruendo come abbiamo visto diversi tipi di armi, fu famosa per la competenza e la finezza costruttiva dei propri 'box-lock', cioè doppiette su meccanica Anson. La lunga e travagliata storia della W & C Scott e della Webley & Scott finisce nel 1985 quando la nuova formazione fu acquistata dalla Holland & Holland. Ecco illustrato nella pagina a fronte una serie piuttosto completa ed utile di numeri di matricola che partono dal 1865 fino ai giorni nostri.

Westley Richards

Westley Richards è sempre stato uno dei costruttori più quotati di Birmingham ed anche dei più originali, avendo brevettato modelli e particolari che hanno fatto storia. Basti citare la tipica chiusura a testa di bambola, legata alla grossa chiave superiore apparsa già sui primi cani esterni a retrocarica. Quindi l'introduzione del fucile da caccia più popolare e copiato al mondo: il modello Anson & Deeley del 1875. Successivamente gli acciarini furono portati su delle piastrine estraibili a mano dal petto di bascula. Con tale sistema costruirono anche un sovrapposto, l'Ovundo, intorno agli anni '20. Inoltre il famoso scrittore Colonnello Peter Hawker parlò sempre bene dei fucili di Westley Richards e sulla piazza di Londra il noto agente William Bishop lavorò per l'Azienda per oltre 56 anni a partire dal 1815 al N° 178 di New Bond Street. La Westley Richards & Co. Ltd fu fondata da Mr. Westley Richards nel 1812, a Birmingham nella High Street. La produzione si impose subito all'attenzione del mondo sportivo già con i modelli ad avancarica e nel 1855 il figlio di William Westley Richards, anche lui di nome Westley, si inserì nell'attività e diede un ulteriore contributo all'Azienda.

Ai tempi della produzione dell'Anson & Deeley, i due sign. che legarono il nome al brevetto erano dipendenti della Ditta. Furono brevettati altri meccanismi fino ad arrivare al monogrillo selettivo nel 1901. Dal 1910 costruirono anche express sovrapposti. Alla morte di William Bishop gli succedette Leslie B. Taylor e negli anni '40 l'Agenzia londinese si spostò al N° 23 di Conduit Street. Nel 1959 fu ammalgamata con la Holland & Holland e continuò solo come produzione nella factory di Birmingham, in Grange Road, Bournbrook. I seguenti numeri di matricola sono indicativi e si riferiscono solo ai modelli più fini, poiché per tutti gli altri sono state seguite numerazioni differenti. 1869: 12.000; 1877: 13.000; 1884: 14.000; 1893: 15.000; 1901: 16.000; 1908: 17.000; 1924: 18.000; 1935: 18.500; 1957: 19.000.

John Wilkes

Al momento l'armeria di John Wilkes è quella che a Londra vanta la più lunga tradizione in quanto a

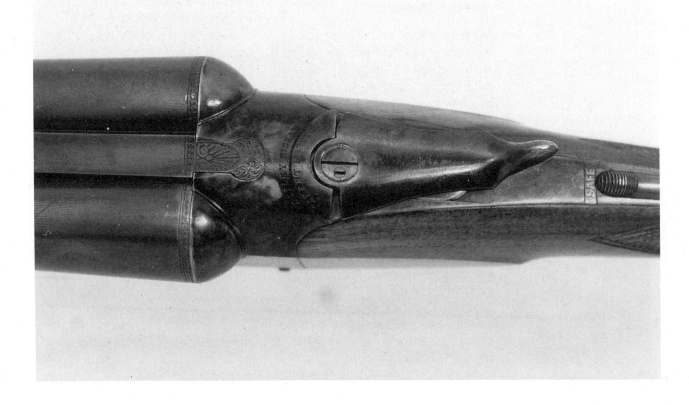

Il primo Anson & Deeley
di Westley Richards
introdotto nel 1875.

Vista superiore con chiusura a
testa di bambola e chiave larga.

Profilo della chiusura a testa di
bambola realizzata sul
prolungamento della bindella.

Anson di Westley Richards con
batteric estraibili a mano dal
petto di bascula.

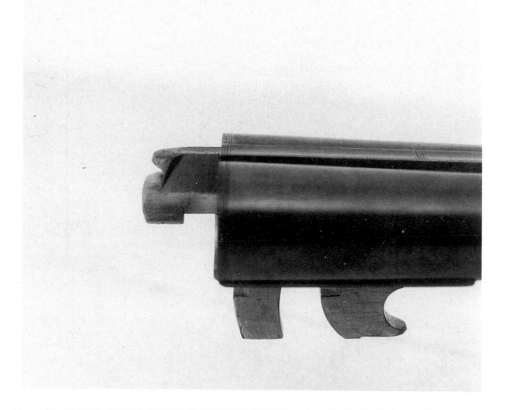

741

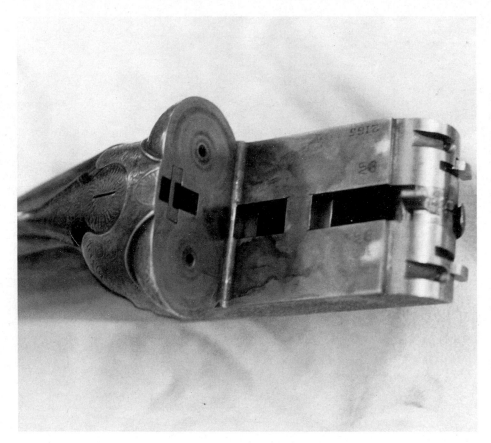

In tempi recenti la Casa ha abbandonato la testa di bambola (qui presente la terza Purdey) e la chiave larga.

Sportellino del petto di bascula sollevabile a mano per accedere alle batterie.

Il monogrillo selettivo si Westley Richards.

Acciarino di Anson-Deeley montato su piastrina estraibile.

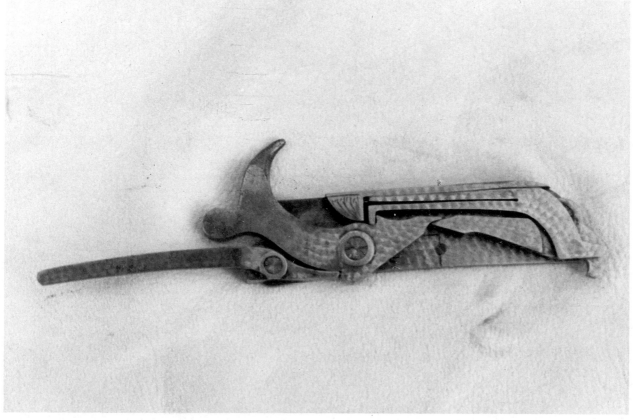

Westley Richards 'Fawneta' per
il tiro a palla e a pallini con
incisione 'celtica'.

Tipica linea del Fawneta con
tacche di mira a fogliette
abbattibili per il tiro alle varie
distanze.

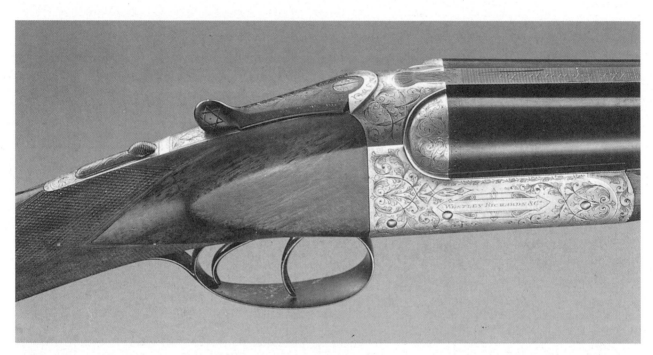

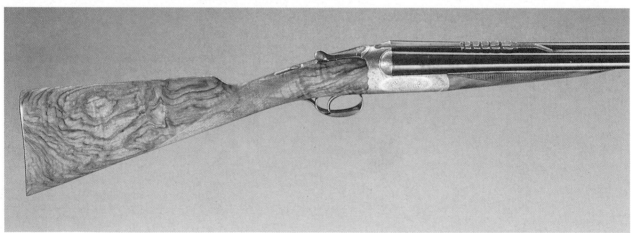

Express di Westley Richards con
acciarini laterali a molla indietro.

Anson 'self opening'
di John Wilkes.

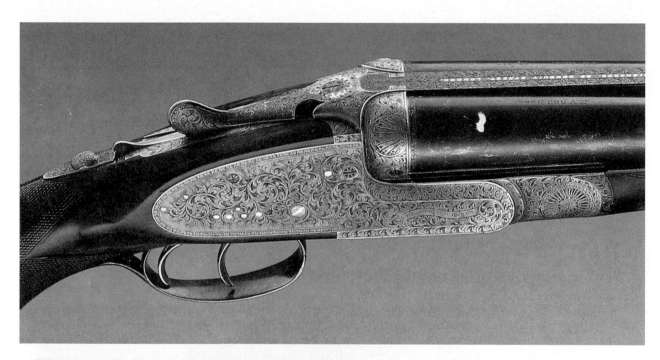

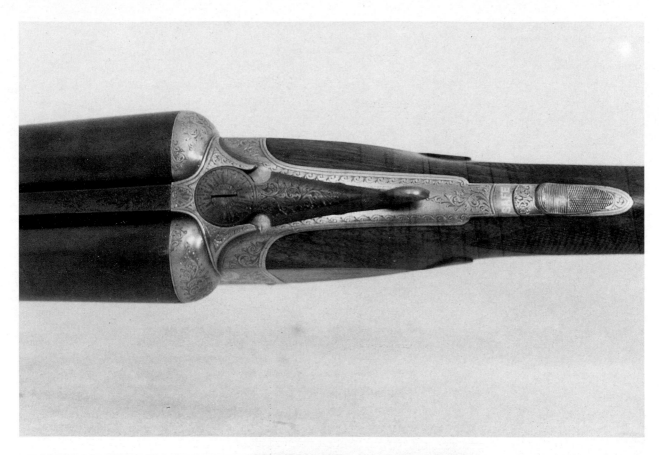

Le linee superiori sono quelle di un'arma di alta classe.

Visibili le due appendici anteriori che spingendo sulla croce aiutano ad aprire le canne.

Meccanismo interno di questo self-opening (brev. Rosson).

Il famoso sovrapposto di J. Woodward.

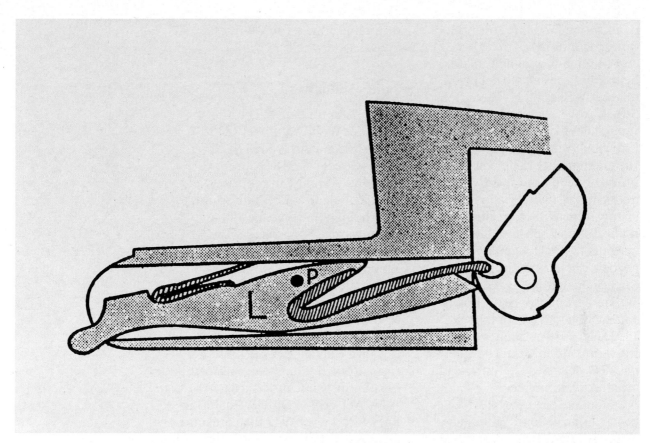

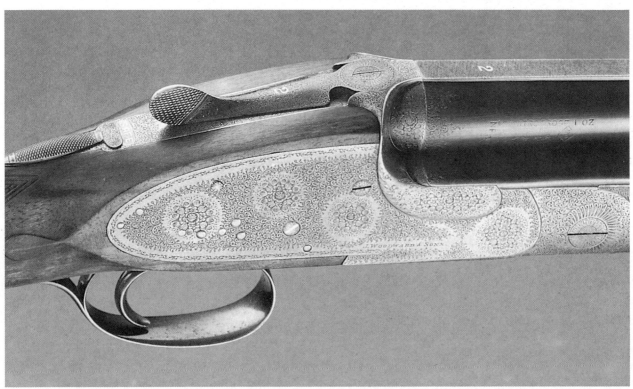

conduzione familiare. Infatti a distanza di oltre centocinquant'anni dall'inizio dell'attività se entrate nel negozio di John Wilkes, al N° 79 di Beak Street, troverete un membro della famiglia Wilkes dietro al banco. L'avvio avvenne in quel di Birmingham nel 1830, con una produzione di armi sportive e militari. Nel 1879 il figlio del primo John Wilkes, anche lui di nome John, si spostò a Londra ed insieme a J.D. Dougall aprì un negozio al N° 59 di St. James Street. Quando Dougall morì John Wilkes aprì in proprio in Lower James Street, W1. Era l'anno 1893. Nel 1919 ci fu un trasferimento in Gerrard Street e nel 1927 nella Sede definitiva ed attuale di Beak Street. Attualmente è la quarta generazione di John Wilkes che nella propria officina costruisce una ventina di armi all'anno nella più pura tradizione londinese. Nel corso degli anni sono state costruite fini doppiette ad acciarini laterali, box-lock ed express. La doppietta che potete vedere nelle illustrazioni è un Anson molto fine ad apertura automatica. L'attuale denominazione è John Wilkes & Sons.

James Woodward

Nel 1827 fu fondata la Ditta Moore & Woodward. Nel 1833 l'indirizzo era al N° 64 di St. James Street e nel 1851 James Woodward si mise in proprio. Nel 1872, con l'entrata dei figli James e Charles, il nome divenne James Woodward & Sons. Nel 1877 fu introdotto il primo hammerless di Woodward e la loro attività principale verteva sia sulle armi liscie che rigate. La fabbrica era al N° 1 di Blue Ball-Yard. Le armi di Woodward si distinsero per eleganza e design e nel 1913 costruirono il famoso sovrapposto, poi ulteriormente modificato nel 1921. Nel 1937 la Ditta si trasferì in Bury Street e nel 1949 fu acquistata dalla James Purdey & Sons Ltd. I numeri di matricola disponibili sono i seguenti. 1874: 3.268; 1880: 3.718; 1886: 4.103; 1892: 4.609; 1898: 5.231; 1904: 5.713; 1910: 6.045; 1916: 6.434; 1922: 6.638; 1928: 6.833; 1934: 7.015; 1940: 7.154; 1948: 7.184.

Il sovrapposto

Gli inglesi sono sempre stati amanti della doppietta giustapposta e sembra che si siano dedicati al sovrapposto per stimolare il mercato. Infatti le loro doppiette come sappiamo erano ben costruite e se usate con attenzione e cura potevano durare decenni e decenni. Anzi al giorno d'oggi ci si imbatte in armi di oltre un secolo di vita ancora perfettamente funzionanti e talvolta come nuove. Con l'origine del sovrapposto si dovevano risolvere alcuni problemi tecnici come portare il fuoco sopra e sotto e come unire canne e bascula. Oltre ad inserire gli estrattori automatici. Ed ogni costruttore ha più o meno in modo originale tentato di risolvere questi problemi pur se vi sono pochi modelli che hanno gettato delle idee di base sviluppate poi da altri. Ad esempio la bascula del sovrapposto dei F.lli Merkel con la doppia Kersten superiore ha gettato le basi per una vasta produzione prevalentemente centroeuropea ma anche italiana. Del sovrapposto Merkel però ho già parlato a pag. 428. Così come ho già trattato le differenze tecniche fra doppietta giustapposta e sovrapposto e della maggiore attitudine di quest'ultimo nel tiro al piattello.

Ora invece vedremo più nel dettaglio alcuni sovrapposti che hanno gettato le basi storiche per i successivi o che rimangono come esempio per sofisticazione e finezza costruttiva. Infatti un sovrapposto di classe incorpora una meccanica più sofisticata ed elaborata rispetto ad una doppietta. Un altro sovrapposto che ha svolto un ruolo importante è stato quello di Browning mentre quello che ha ispirato la maggior parte dei sovrapposti fini o di lusso è stato senza dubbio il Boss. Si distingue per originalità e diffusione il sovrapposto Beretta, sia nella serie S0 che S680 ma di entrambi ho già trattato nella prima parte. Fra i produttori belgi si distinguono il sovrapposto di Francotte e quello di Lebeau-Courally mentre fra gli inglesi oltre al già citato Boss ve ne sono altri, alcuni più importanti ed alcuni che non hanno avuto seguito. Tra i primi vanno annoverati quelli di Woodward, oggi costruiti dalla Ditta Purdey, di Westley Richards e quello molto raro di John Dickson, che in pratica è una doppietta con canne spostate (sopra e sotto anziché affiancate) con apertura laterale. Un modello molto simile costruito in Belgio fu il Britte, arma singolare ed

Sovrapposto Luciano Bosis con
incisione di Angelo Galeazzi.

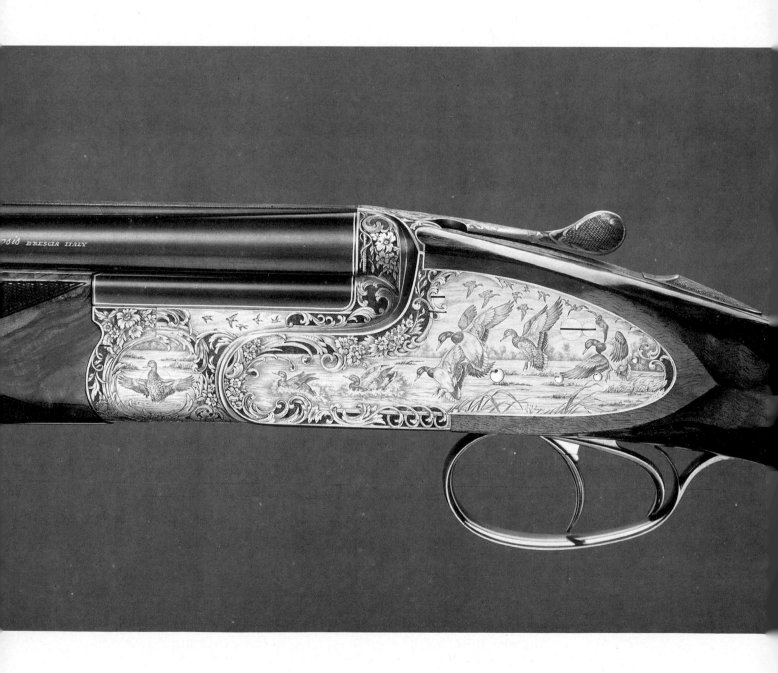

750

interessante meccanicamente. Vi sono poi altri modelli di sovrapposti inglesi che troverete citati nel relativo paragrafo. In Italia verso la metà degli anni '30 la Luigi Franchi di Brescia fece un sovrapposto molto simile al Boss ma ne furono costruiti solo pochi esemplari. Oltre alla Beretta, altri sovrapposti italiani che si sono distinti sono quelli della Perazzi e di Ivo Fabbri, oltre ad alcuni artigianali di tipo fine come quelli costruiti dalla Famars, da Luciano Bosis, da Desenzani e dai F.lli Bertuzzi. Questi ultimi, oltre ad avere realizzato alcuni sovrapposti a cani esterni, hanno un modello tipo Boss con estrattori alloggiati sulla croce dell'asta e, notizia recente, sono impegnati in una replica del sovrapposto Boss compreso la particolare asta ed il dimensionamento generale. Vi sono poi tutta una serie di armi prodotte oggi in Italia con orecchioni laterali e tassello di chiusura sotto la canna inferiore, ma sono generalmente di produzione industriale e non si pongono nella categoria delle armi fini o da collezione.

Il sovrapposto Boss

Presentato da John Robertson nel 1909 il sovrapposto di Boss stupisce ancora oggi per certe soluzioni meccaniche ed estetiche che hanno poi fatto tendenza. Robertson morì qualche anno dopo e non si sa se ritenesse l'arma già perfetta o se avesse voluto apportare ulteriori modifiche. Dico questo perché in tempi successivi i vari costruttori che si sono cimentati nel proporre questo sovrapposto si sono spesso fregiati di avere migliorato il Boss. Chi nel modificare l'estrattore, chi nel modificare l'armamento degli acciarini, chi nelle chiusure e così via. Dal punto di vista meccanico questo può anche essere possibile però rimane il dubbio di come Robertson avrebbe reagito se avesse vissuto ancora il tempo necessario e quali cambiamenti lui stesso avrebbe introdotto successivamente.

Di certo Robertson rimane un armaiolo da ammirare incondizionatamente anche perché per quel che risulta non aveva esempi da seguire ed ha creato tutto da solo. A parte forse l'idea dei ramponi laterali che in forma embrionale comparivano già in precedenza su un'arma di Pidault. Ma se anche Robertson fosse stato a conoscenza di quell'arma il suo sovrapposto non solo non verrebbe sminuito ma non avrebbe comunque nulla in comune con produzioni precedenti. Ma vediamo più nel dettaglio quali sono le caratteristiche distintive del sovrapposto Boss. Per prima cosa la tiratura esterna. Dalla testa di bascula scendono due superfici avvolgenti che vanno a raccordarsi con i doppi seni a volumi differenziati. Sotto il perno cerniera l'arma è arrotondata mentre sui fianchi è squadrata sul tipo di una doppietta ad acciarini laterali. Queste variazioni geometriche e di superfici sono accentuate e profonde e danno all'arma un aspetto quasi futuristico, comunque di forte personalità. Anche rispetto ad altri sovrapposti pur famosi credo che dal punto di vista estetico al Boss occorre assegnare il primo posto.

L'unione delle canne con la bascula viene assicurata dai ramponi laterali che sono ricavati dal pieno dall'acciaio delle canne.

All'interno delle bascule vi sono due superfici rettangolari anch'esse ricavate dal pieno del metallo contro le quali vanno ad appoggiare, trattenute da una vite passante, due spalle di contrasto che ad arma chiusa entrano in contatto con i citati ramponi laterali delle canne. Quindi aiutano a trattenere la tendenza al distaccarsi delle canne dalla faccia di bascula al momento dello sparo. Le canne ruotano su due perni girevoli visibili anche dall'esterno della bascula diminuendo l'attrito rispetto allo scorrimento di due superfici ferme ed aiutando l'apertura delle canne. Una volta armati gli acciarini le canne hanno un'apertura assistita poiché oltre ai perni girevoli vi sono i due bracci d'armamento degli estrattori che spingono contro la bascula. La chiusura viene affidata ad un tassello biforcuto comandato dalla chiave superiore che va ad appoggiarsi su due recessi ai fianchi della canna inferiore. Questa chiusura è un po' bassa pur dovendo assolvere al solo compito di tener abbassate le canne dentro la bascula. In certe versioni da piccione troviamo anche una terza chiusura superiore che con movimento verticale va ad impegnare il prolungamento della bindella. Gli acciarini laterali sono del tipo a molla indietro e vengono armati da una slitta che scorre sul fondo della bascula e che arretra con l'apertura delle canne. Questa slitta è parzialmente visibile a fucile smontato e si sdoppia all'interno per comandare l'armamento dei due acciarini. L'estrattore è tutto racchiuso nell'asta ed è di per sé un capolavoro meccanico. Per prima cosa la croce metallica (definita così per comodità pur non avendo la forma a croce come delle doppiette) viene ricavata dal pieno di un massello d'acciaio con un arco interno che assicura una maggiore rigidità all'insieme ed ha un profilo esterno allungato sui fianchi che serve a contenere l'estrattore vero e proprio con la molla a spirale. L'estrattore funziona longitudinalmente con braccio di spinta sottostante che lavora contro la parete del fianco di bascula. Difficile a complesso il lavoro di incassatura delle parti metalliche con l'asta in legno. L'altezza della bascula è di 60 mm con piani lunghi 51 mm. Ne furono costruiti anche modelli particolarmente leggeri (piani 50 mm) del peso di kg. 2.800 nel cal. 12. Anche esternamente se ne possono trovare con tirature leggermente diverse. In alcuni la vite di fermo della spalla interna sostituibile è riportata davanti alla curva del fianco esterno della bascula ed in altri questa curva è più avanzata ed ospita essa stessa questa vite passante. In sostanza il sovrapposto Boss rimane ad un livello ancora ineguagliato di creatività e finezza meccanica e non per niente le quotazioni sul mercato dell'usato sono salite notevolmente negli ultimi anni. Quest'arma non deve essere vista solo nell'ottica di robustezza e funzionalità, poiché come abbiamo visto alcune soluzioni adottate possono essere migliorate ma anche in un'ottica storica e culturale. È l'originale di una serie di armi che hanno preso poi spunto dal modello di Robertson e che lui riuscì a costruire in un periodo non ancora supportato dalle moderne macchine utensili a controllo numerico o ad elettroerosione e gli ha saputo infondere una forte personalità di

Sovrapposto Boss con ricca incisione e presenza del solo tratto iniziale della bindella.

Tiratura del fianco di bascula leggermente diversa del precedente con profilo dell'arco anteriore della cartella più corto.

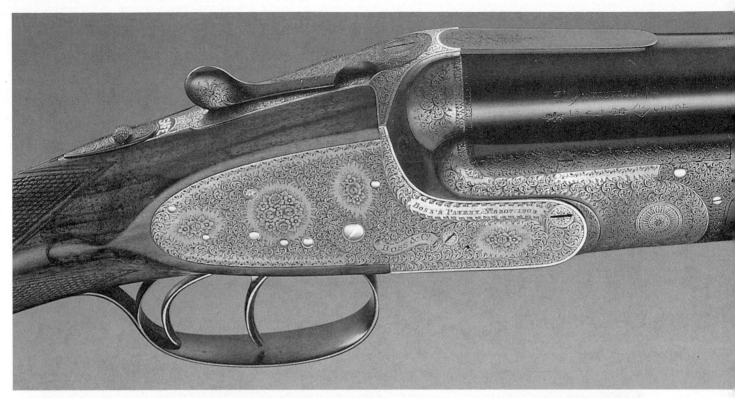

Versione del sovrapposto Boss
con incisione meno piena.

Vista interna della bascula con
visibile sul fondo parte della
slitta per l'armamento degli
acciarini.

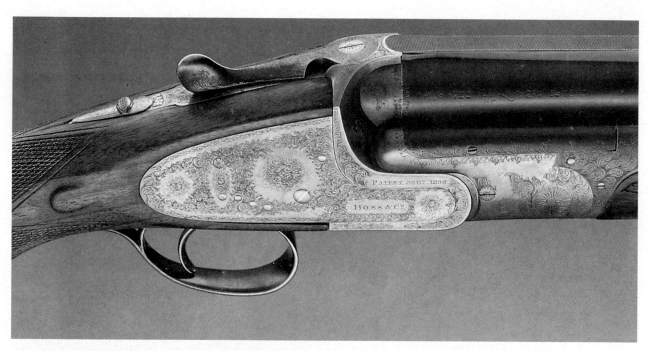

Presenti i grani portapercussori.

Particolare dell'asta con gruppo di eiezione.

Ramponatura delle canne con tassello basso sdoppiato di chiusura.

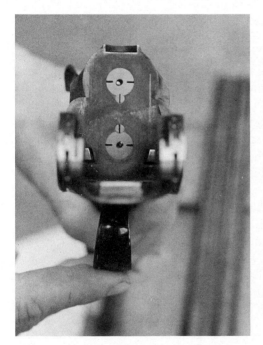

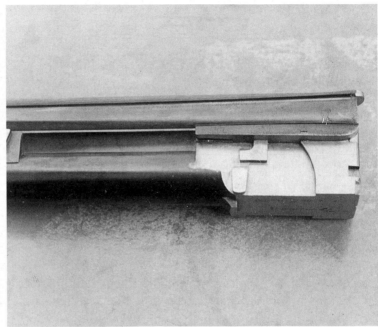

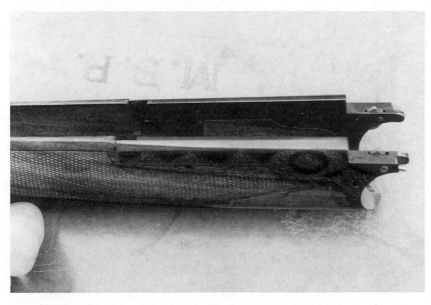

linee ed originali soluzioni meccaniche.

Il sovrapposto Woodward

Il sovrapposto di James Woodward fu presentato per la prima volta nel 1913, poi successivamente modificato nel 1921. Dal 1949 viene costruito dalla Ditta James Purdey & Sons. Insieme al Boss viene considerato uno dei sovrapposti fini meglio ideati e realizzati, pur non avendo generato come il precedente copie da parte di altri costruttori. Esteticamente si presenta slanciato e più squadrato del Boss, con fianchi piani e cartella piuttosto lunga. La bascula è alta 59 mm nel cal. 12, poiché le aste di armamento degli acciarini non sono alloggiate sul fondo della bascula ma sono spostate lateralmente ai bordi. Per questo motivo smontando le canne ci si accorgerà che il profilo della canna inferiore è smussato ai lati nella porzione di inserimento nella bascula. La leva d'armamento non ha un andamento altalenante come nelle doppiette ma funziona orizzontalmente da spintone. Gli acciarini, del tipo a molla indietro, sono dotati di doppia stanghetta di sicurezza che agisce sulla noce del cane. La chiusura è sempre con tassello sdoppiato comandato dalla leva di apertura ma con incavi più alti rispetto all'arma di Boss. Differenti anche i ramponi laterali. I trapezi di contrasto sulla bascula sono scavati sotto il loro bordo anteriore, scanalatura nella quale si inserisce un bordo speculare sporgente del rampone delle canne. I perni cerniera per la rotazione delle canne sono fissi e sostituibili. I percussori sono particolarmente inclinati.

Una concezione meccanica valida e sofisticata che richiede abilità e perizia nella costruzione. La particolarità però più caratteristica ed originale, o meglio che più di altre mi ha colpito nell'arma di Woodward, è il sistema di estrazione automatica. Questo è alloggiato sull'asta ed è costituito da una forcella triangolare all'interno della quale è contenuta una molla a lamina dentro una scatola ellittica. Il funzionamento è però più semplice della spiegazione meccanica dettagliata. In poche parole ad acciarino scattato quando si apre l'arma e si abbassano le canne la molla viene compressa e poco prima di fine corsa delle canne, si libera e fa scattare l'ejector. L'apertura è leggermente più dura che in altri sovrapposti poiché si debbono comprimere quattro molle: le due dell'acciarino e le due dell'ejector. In compenso le due molle degli estrattori automatici rimangono aperte a canne chiuse o a canne aperte ma con acciarini armati. Anche il monogrillo è un brevetto della Casa. Un sovrapposto di grande razza.

Il sovrapposto di Westley Richards

Il sovrapposto 'Ovundo' di Westley Richards è un'arma meccanicamente affascinante. Un po' meno la sua estetica. O meglio non ha la nitidezza di linee e l'eleganza dei due suoi predecessori. Introdotto nel 1920 è praticamente una versione in 'sovrapposto' della doppietta ad acciarini smontabili a mano dal sottoguardia (drop lock). Si tratta quindi di un Anson-Deeley con finte piastre laterali. Queste ultime hanno uno sportellino di ispezione

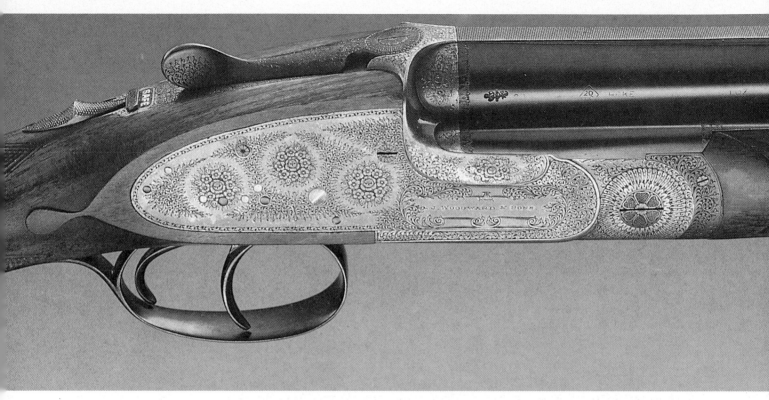

Sovrapposto J. Woodward &
Sons.

Vista interna della bascula.

Lavorazioni meccaniche interne.

Particolare della culatta delle canne.

Incassatura nel legno del calcio per ospitare l'acciarino laterale.

Sovrapposto 'Ovundo' di Westley Richards con evidenziato la ramponatura e chiusura delle canne.

Particolare dello sportellino di ispezione e delle batterie smontabili a mano dal petto di bascula.

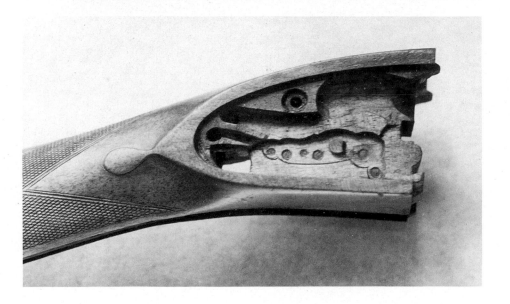

758

di forma ovale apribile lateralmente. Sul petto di bascula vi è la tipica piastrina smontabile a mano per accedere alle batterie. Gli acciarini, come per la doppietta, sono montati su una piastra e sono estraibili manualmente. Le lavorazioni meccaniche interne e le finiture sono ecomiabili. Esternamente si hanno due ampie culatte che riscontrano specularmente con altre due rotondità sporgenti delle canne. Questa soluzione estetica non è particolarmente slanciata ma conferisce ugualmente all'arma una propria linea ed un proprio carattere. Le uniche due chiusure sono a mensola uscenti dal vivo della culatta della canna superiore e i relativi tasselli sono comandati dalla chiave superiore. Chiave che si inserisce nella tradizione della Casa essendo larga e piuttosto corta. Anche la sicura è la solita di Westley Richards, così come il monogrillo selettivo. Sono stati costruiti modelli senza le finestrelle di ispezioni e pure modelli in express senza finte cartelle laterali. Come per il Woodard anche il Westley Richards non ha avuto seguito presso altri costruttori, oltre che non venire più prodotto da tempo nemmeno dalla stessa Casa.

Altri sovrapposti inglesi

Oltre ai tre già citati vi sono molti altri sovrapposti inglesi, poco noti, ma sempre interessanti da un punto di vista meccanico e collezionistico. Eccone alcuni.

James Purdey studiò un sovrapposto intorno al 1925 che presentava ben sei chiusure, con bascula piuttosto profonda, acciarino a molla indietro dalle linee massicce ed un po' arcaiche. Non ebbe molto successo. Prima della seconda guerra mondiale la Ditta riprese il tema del sovrapposto con linee simili al precedente ma leggermente aggiornate. In particolare si nota un rinforzo sui fianchi di bascula e canne che si allargano in culatta. Dal 1949 iniziò definitivamente la produzione del sovrapposto di J. Woodward.

E.J. Churchilli ebbe un proprio sovrapposto nella linea Premier anche in versione Premier XXV con canne più corte. Si tratta di un modello elegante, dalla bascula a profilo basso e ben valutato sul mercato dell'usato e collezionistico. Alcuni modelli montavano il monogrillo ed avevano acciarini con perni non passanti. Dotato di estrattori automatici.

John Dickson realizzò negli anni '40-'50 una dozzina di sovrapposti a bascula tonda (round action) che avevano la particolarità di aprirsi lateralmente, come se fosse una doppietta girata a 90 gradi. Le batterie erano alloggiate sul ponticello sulla falsariga della doppietta della stessa Casa. La chiave di apertura, ad arma imbracciata, risulta sul fianco destro. Data la loro rarità il sovrapposto di Dickson raggiunge quotazioni molto alte sul mercato collezionistico.

Holland & Holland costruì verso la metà degli anni '50 un sovrapposto a ramponi laterali con un evidente rinforzo 'a pipa' laterale. Dalla linea molto particolare ed originale era dotato di acciarino a molla indietro estraibile a mano, complesso eiettore nell'asta e monogrillo. Questo modello fu chiamato

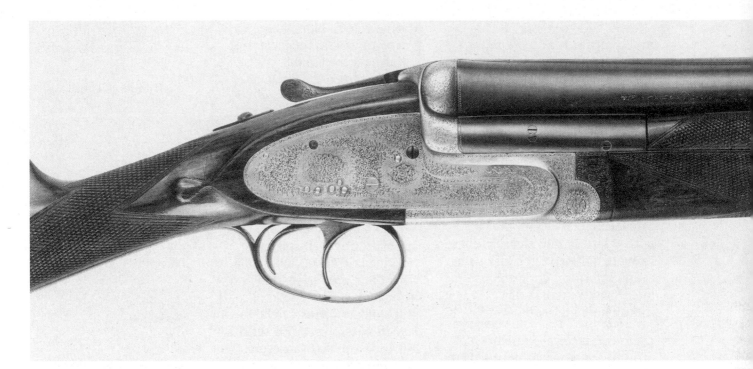

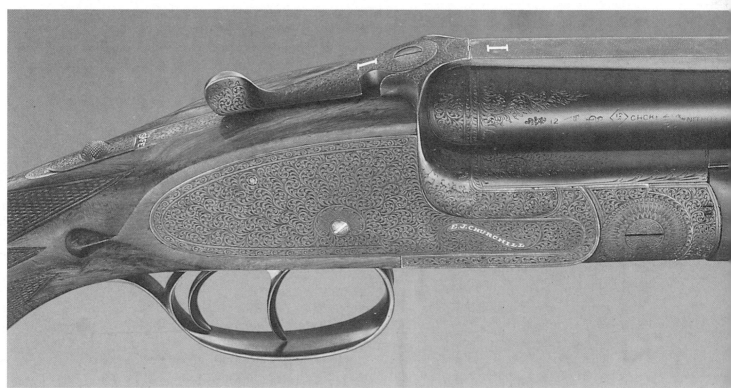

'Royal' ed aveva una bascula molto bassa. L'asta era in tre pezzi, due fissati alle canne ed una amovibile con sgancio tipo Anson.

Harrison & Hussey ebbero un loro sovrapposto che presentarono intorno al 1925. Disponeva di apertura automatica sulla falsariga di quella delle doppiette 'Twelve-Twenty' di Lancaster ed una particolare chiusura a catenaccio trasversale che va ad appoggiare su due mensole esterne ricavate dal vivo di culatta della canna inferiore. Un'arma interessante e dalla linea tipicamente inglese.

Charles Lancaster presentò il proprio sovrapposto nel 1920 ed ebbe una linea alquanto singolare ed un po' massiccia, considerando che disponeva di ramponi sotto la canna inferiore. Tipica la tiratura dei seni di bascula a spirali progressive, disegno ripreso anche da W. Cashmore per il proprio sovrapposto. Sotto la chiave di apertura presentava uno sbalzo piuttosto evidente che consentiva di avere un'impugnatura sottile. Asta tendenzialmente corta con bocchetto ad uncino. Vista di fianco l'arma non è particolarmente attraente: più elegante la vista superiore.

Joseph Lang realizzò il sovrapposto con ramponi sotto le canne ma tenne le pareti di bascula alquanto bassa dando all'insieme una linea personale ed inconfondibile. Le pareti sono alte 30 mm mentre tutta la bascula è alta 71 mm. Acciarini a molla indietro trattenuti da una serratura con sportellino a scomparsa. Impianto eiettore alloggiato nell'asta metallica. Ha la caratteristica di avere scatti dolci e veloci. Nonostante l'aspetto massiccio si tratta di un'arma interessante meccanicamente e finemente realizzata.

Il 'shotover' di *Frederick Beesley* è un sovrapposto dalla forma inconsueta con un ampio settore circolare intorno al perno cerniera ed acciarini montati posteriormente tipo 'back lock'. Presente la terza chiusura superiore Rigby-Bissel sul prolungamento della bindella. Come altri sovrapposti inglesi artigianali è un modello scarsamente diffuso e che fa storia a sé in questo specifico settore. Altri sovrapposti sono stati costruiti da Watson, da W. Cashmore, da Rigby da Edwinson Green e da altri artigiani, a conferma dell'impegno creativo che gli armaioli inglesi, nonostante il loro incondizionato amore per la doppietta giustapposta, hanno profuso nello studio e realizzazione della doppietta a canne sovrapposte.

I sovrapposti belga

In Belgio si sono costruiti numerosi sovrapposti interessanti a partire da quello di Browning che molto ha influenzato produzioni successive che hanno tratto spunto da questo modello. La F.N. continua produrre sovrapposti in diverse versioni. Tra i modelli ad acciarini laterali e ramponi laterali spiccano quelli di Auguste Francotte e di Lebeau-Courally, armi sulla falsariga del Boss pur con accentuate differenze. A livello collezionistico interessanti pure i sovrapposti di Fernand Thonon e di J. Defourny.

Sovrapposto di W. Cashmore con tiratura superiore della bascula simile al sovrapposto di Lancaster.

Sovrapposto di Joseph Lang in versione monogrillo.

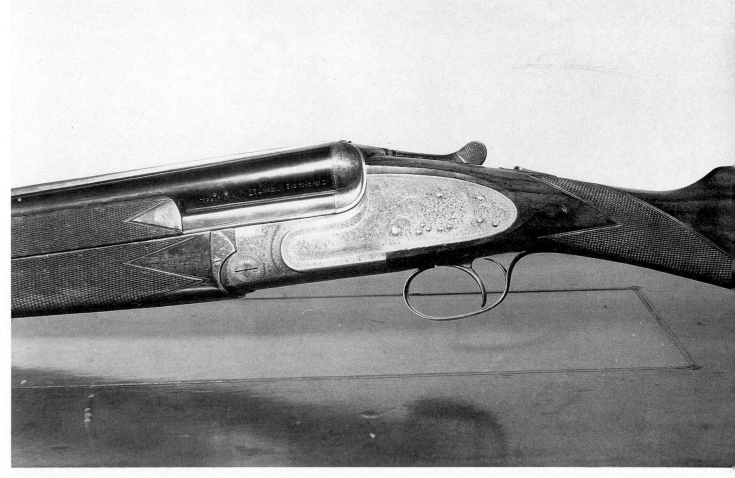

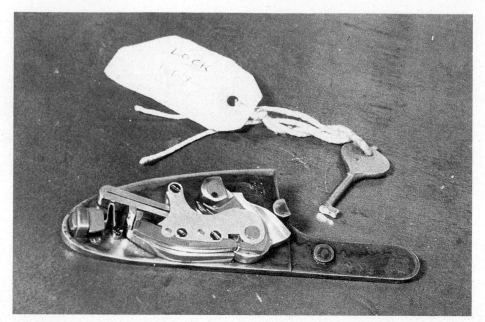

Acciarino di Lang smontabile con apposita chiave.

'Shotover' di Frederick Beesley.

Sovrapposto di Edwinson Green & Sons.

Il sovrapposto di J.M. Browning.

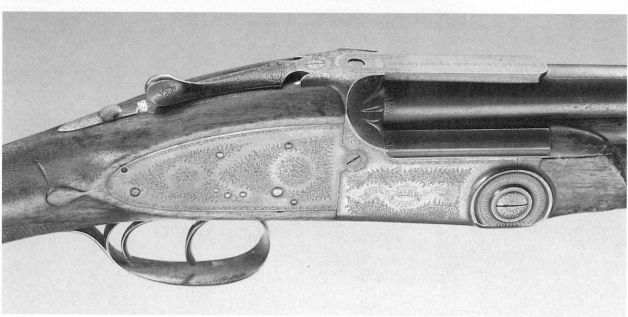

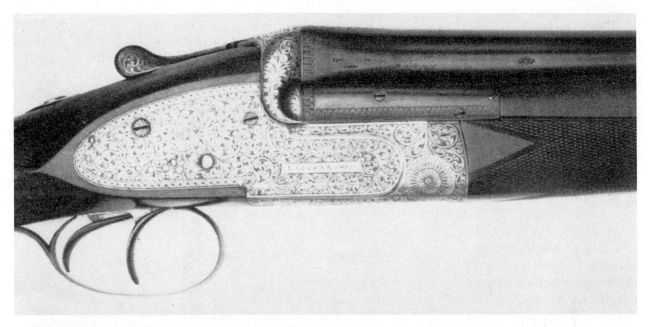

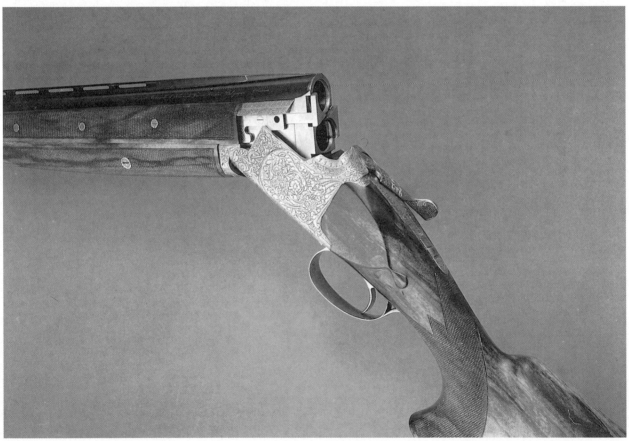

Il sovrapposto
di J.M. Browning

Arma distinta che è stata apprezzata ed usata da tiratori e cacciatori a livello internazionale. Ideata nel 1923 fu perfezionata nei tre anni successivi e costruita in esclusiva dalla F.N. di Liegi. Ha bascula piuttosto alta in quanto ospita i ramponi sotto la canna inferiore e la stessa racchiude oltre la metà della canna superiore offrendo un ampio spazio di contatto laterale fra bascula e gruppo canne. La rotazione avviene sul perno anteriore sul quale va ad appoggiare il primo rampone delle canne. La chiusura avviene con una slitta posteriore comandata dalla chiave di apertura che va ad appoggiare sullé cavità dei ramponcini sdoppiati posteriori. Questi ultimi sono passanti e ad arma chiusa aiutano il rampone anteriore nel suo lavoro di insistenza sul perno della bascula. Una caratteristica peculiare è il sistema di armamento dei cani, con una leva d'armamento ed un braccio snodato che lavorano sotto le canne seguendone i movimenti. I martelletti per l'eiezione sono alloggiati nei fianchi dell'asta comandati da molle a spirale. L'intero meccanismo è montato sulla croce. Il gruppo di percussione è alloggiato fra schiena di bascula e ponticello ed utilizzano due molle a spirale (una per ciascun cane). Si può avere il monogrillo selettivo con scelta della canna sulla sicura. Se all'originalità del progetto si aggiungono l'ottima lavorazione e scelta dei materiali da parte della F.N. si può capire l'ampio successo che ha avuto questo sovrapposto che nel contempo ha ispirato altri costruttori. In anni recenti gli amanti del sovrapposto fine e di un certo livello hanno però abbandonato i modelli con bascula alta, come appunto il Browning ed anche il Merkel, a favore di quelli a ramponi laterali o tipo Beretta. Ciò comunque non toglie nulla all'importanza ed alle qualità meccaniche ed intrinseche del sovrapposto Browning che rimane sempre un'ottima arma.

Il sovrapposto Lebeau-Courally

Nel corso degli anni la Lebeau-Courally ha costruito diversi tipi di sovrapposti dal 'Super Lebeau' degli anni '30 con chiusure superiori e ramponi laterali al Colorado su bascula tipo Merkel. Ma quello più diffuso e prestigioso è il tipo Boss, chiamato mod. 112 e più recentemente Boss Verrèes. Il sovrapposto Lebau-Courally tipo Boss è un'arma eccellente, costruita con materiali di prim'ordine e con canne demibloc realizzate nell'acciaio compresso Walhreyne. La tiratura esterna si richiama al predecessore inglese pur con qualche variante così come modifiche sono state apportate alla parte meccanica. Ad esempio il perno di rotazione delle canne è di tipo fisso e non girevole come nel Boss ed il sistema degli estrattori automatici è diverso, non montato sulla croce ma con molle a spirale dentro ciascun gambo dell'ejector. L'armamento degli acciarini avviene invece con la slitta sul fondo della bascula che arretra con l'apertura delle canne essendo spinta dall'appendice perpendicolare alla croce nell'asta. La leva di armamento dei cani si sdoppia nella parte posteriore e ciascuna parte agisce su un

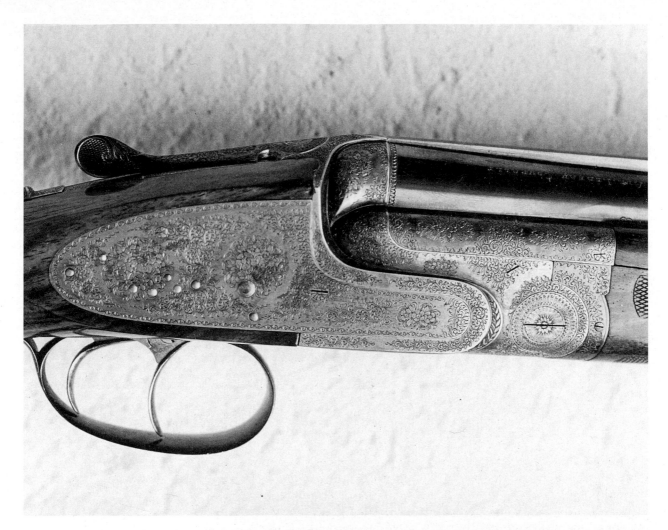

Linea 'importante' del
sovrapposto di Lebeau-Courally.

Vista interna della bascula.

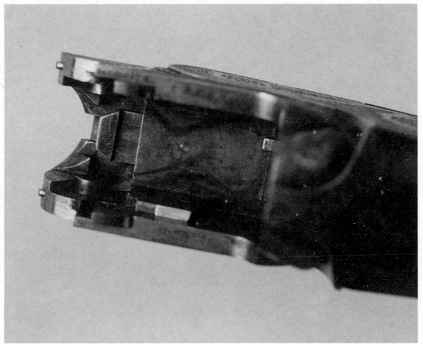

La tiratura del petto di bascula
richiama lo stile belga.

Particolare delle canne con
ramponatura laterale e chiusura
su mensole arretrate in culatta
rispetto al sovrapposto di Boss.

Sovrapposto di Auguste
Francotte nel modello 'Royal'.

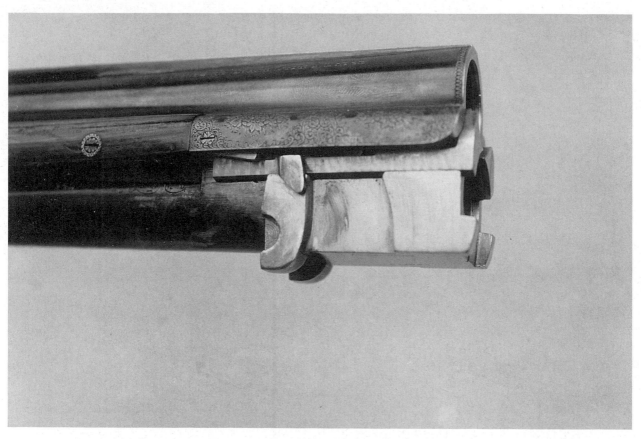

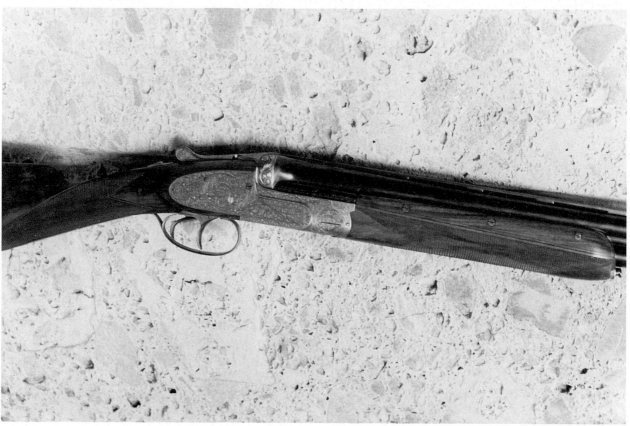

769

Sovrapposto Antonio Zoli in
versione speciale realizzato in
pochi esemplari per la
commemorazione del
cinquecentesimo anno della
scoperta dell'America. Incisione
della Creative Art in
collaborazione con la U.S.
Historical Society.

The Christopher Columbus Shotgun

US HISTORICAL SOCIETY

A Firearm of Uncommon Elegance and Precision

nottolino girevole piazzato sotto la noce del cane. I fianchi di bascula sono piuttosto spessi e le spalle laterali sono per una parte ricavate dal pieno del metallo e per l'altra sostituibile che va in appoggio ai ramponi laterali delle canne. La chiusura è simile al Boss, con tassello sdoppiato che esce dalla faccia di bascula comandato dalla chiave di apertura.

Complessivamente un sovrapposto ben congegnato e ben realizzato che tiene alte le proprie quotazioni sia di immagine che commerciali sul mercato dell'usato.

Il sovrapposto Francotte

La Ditta Francotte ha una lunga tradizione essendo stata fondata a Liegi nel 1805. Dal 1877 al 1893 ebbe anche un negozio a Londra e questo permise sicuramente di assorbire parte della mentalità e dei gusti estetici del mercato inglese di quegli anni. Per quanto riguarda il sovrapposto, Francotte ne costruì sia con forme simili al Boss che con una propria interpretazione nel modello 'Royal'. Quest'ultimo è un'arma felicemente riuscita sia dal punto di vista estetico che meccanico e si basa sull'unione canne-bascula tramite ramponatura laterale e doppia chiusura Purdey superiore con canna svasata in prossimità della culatta. I fianchi di bascula sono contenuti in altezza e sul fondo sono visibili le due slitte di

armamento piatte che vi scorrono in senso longitudinale.

Il sistema di eiezione è collocato nell'asta ed è comprensivo di due martelletti, due molle a lamina piuttosto lunghe e due stanghette di scatto. Gli acciarini sono del tipo a molla indietro ed il trapezio di contrasto per il rampone laterale è sostituibile. Un'arma bilanciata nelle forme e compatta da imbracciare: un sovrapposto fine per eccellenza.

I sovrapposti italiani

Attualmente in Italia vengono costruiti sovrapposti di fine qualità, a parte il Beretta che ha una meccanica ed una linea propria quelli di produzione artigianale si rifanno al tipo Boss con ramponi laterali. Di questi modelli ne ho già trattato nella prima parte del libro ad iniziare proprio dal sovrapposto Beretta per passare ai vari artigiani dalla Famars a Bosis, dai F.lli Bertuzzi a Desenzani, dalla Perazzi a Ivo Fabbri. Il sovrapposto di Ivo Fabbri si distingue nel panorama armiero attuale e viene costruito tenendo conto della veste estetica ed ancora di più di quella meccanica. Tra i modelli oggi costruiti, l'arma di Fabbri si colloca sicuramente al vertice come qualità ed affidabilità meccanica e recentemente sono state apportate dal costruttore alcune modifiche importanti che saranno trattate nel dettaglio più avanti.

Aggiornamenti
relativi ai prezzi dell'usato

Alle pagg. 332 e 333 della prima edizione ho inserito alcune valutazioni orientative sui modelli e marche più significative dell'usato. In questo frattempo alcune quotazioni sono cambiate, quasi tutte in aumento, dovute alla maggiore richiesta di marche e modelli specifici rispetto ad altri e/o per la loro maggiore rarità o difficoltà di reperimento.

Inoltre avevo tralasciato alcuni costruttori e colgo l'occasione di questo aggiornamento per inserirli anche se è ovvio che questa panoramica è limitata e selettiva, non avendo senso in questo contesto stilare una vera e propria borsa dell'usato sia perché oltre che molto difficile per la vastità di marche e modelli soprattutto del passato, sia perché un libro di questo tipo non soffrirebbe le necessarie garanzie di tempestivi aggiornamenti.

Holland & Holland	
Doppiette Royal a canne liscie	+ 15%
Express giustapposti in calibri attuali	+ 50%
James Purdey	
Doppiette self opening ed express	+ 15%
John Rigby	
Express giustapposti in calibri moderni	+ 40%
Lebeau-Courally	
Express giustapposti	+ 20%
Sovrapposti inglesi o tipo Boss delle migliori marche	+ 15%

Gli aumenti sopra indicati sono espressione delle richieste e dell'andamento del mercato e sono da applicarsi ad armi in perfette o buone condizioni con canne e legni originali. Negli express ad esempio ci si trova sovente di fronte a modelli con canne rifatte o riadattati per calibri diversi dall'originale. In questi casi i prezzi richiesti da chi vende sono troppo alti e non trovano giustificazione in una logica commerciale.

Nuovi inserimenti			
John Dickson	1	2	3
Doppietta Round action (cal. 20 + 20%)	10	15	25
Charles Lancaster o Stephen Grant	1	2	3
Doppietta 'Twelve-Twenty'	12	16	22

Altri modelli di doppiette inglesi ad acciarini laterali possono essere quotate fra gli 8 e i 20 milioni a seconda delle condizioni, rarità del modello, linee estetiche, stato delle canne. Modelli più arcaici come i 'back lock' o con cartelle a pera possono essere valutati fra i 5 e i 10 milioni a seconda dello stato di conservazione e dalla presenza degli estrattori automatici. Come ho già detto in precedenza, quotare un'arma usata è compito difficile perché le variabili in gioco sono molteplici. Fattori che

773

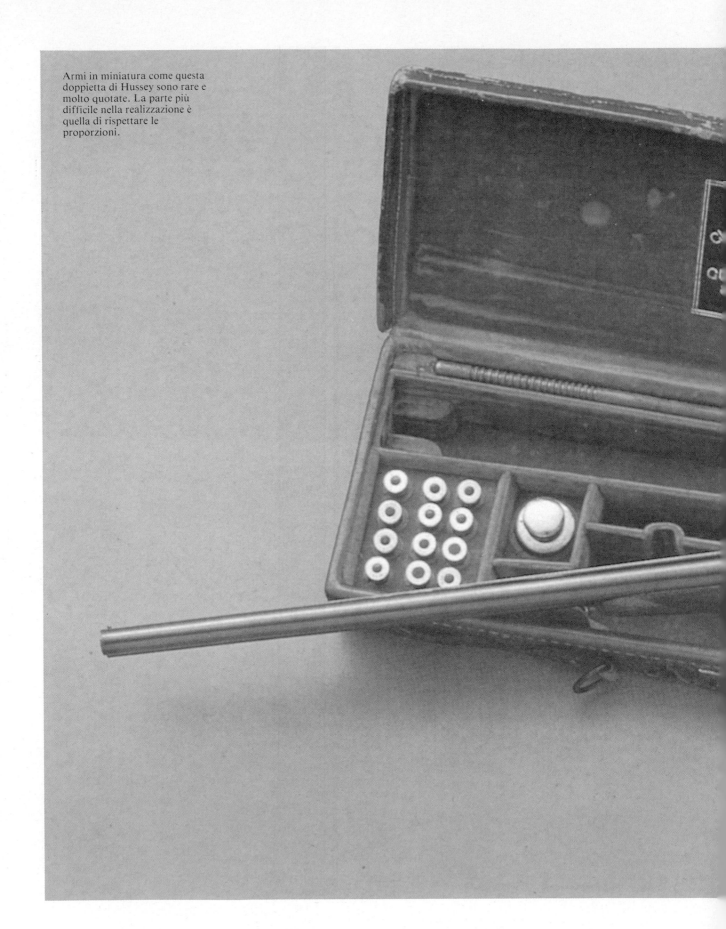

Armi in miniatura come questa
doppietta di Hussey sono rare e
molto quotate. La parte più
difficile nella realizzazione è
quella di rispettare le
proporzioni.

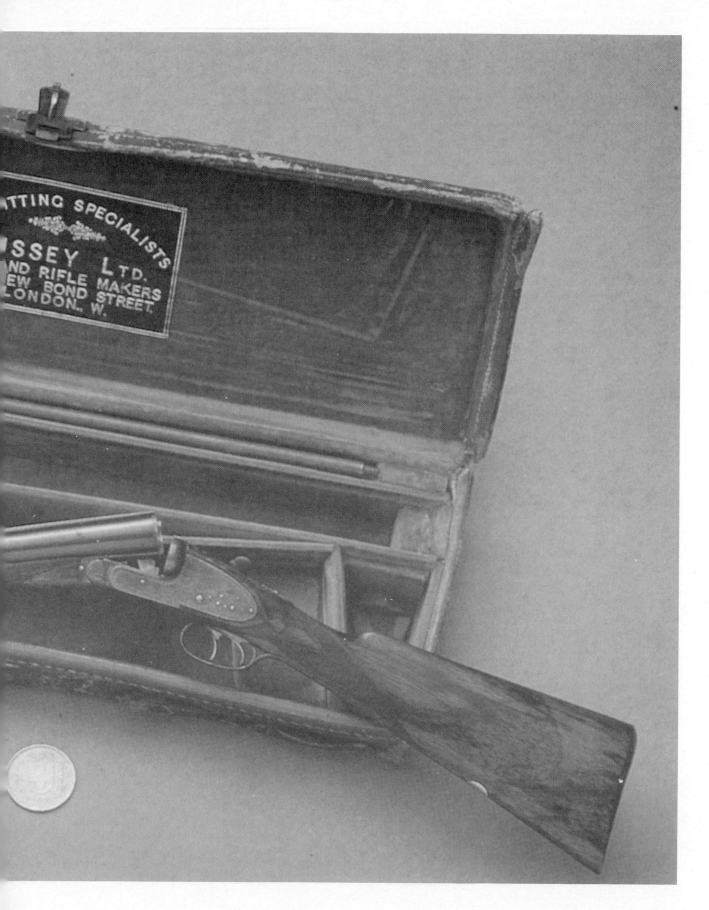

775

tendono ad aumentare i prezzi sono la presenza della valigetta ed etichetta originali, legni dalle belle venature, incisioni particolari o ben eseguite, canne in misura e non intaccate. Un tempo erano frequenti canne lunghe cm 76, ma questa caratteristica non influisce sul valore commerciale dell'arma, mentre ne aumenta il valore se le stesse sono accoppiate con sistema demibloc. La tendenza generale è comunque quella che prevede un costante aumento dei fucili inglesi poiché ormai rappresentano un 'numero chiuso' (fine produzione), aumento più sensibile per quanto riguarda i modelli più conosciuti delle migliori marche.

Quotazioni dei cani esterni

Se è difficile quotare un'arma fine di per sé ancora di più è dare un valore ad una doppietta a cani esterni. Salvo rare eccezioni doppiette a cani esterni non inglesi non hanno molto valore (le eccezioni sono rappresentate dai migliori artigiani belga ed italiani) ed anche fra quelli inglesi molto dipende dall'interesse collezionistico oltre che dallo stato dell'arma. Quindi il primo è un parametro poco definibile e che è lasciato alla domanda ed all'offerta. Come valori minimi e massimi si possono porre per cani esterni inglesi dal milione ai venti milioni. I più quotati sono i Purdey 'bar-in-wood' o altri Purdey con chiave superiore ed estrattori automatici. Ma anche altre marche come Holland e Holland, Boss, Stephen Grant, Westley Richards, John Dickson e così via possono raggiungere la quotazione massima se in perfetto stato. Solitamente sul mercato si trovano più frequentemente modelli di quotazioni intermedie, fra i 4 e gli 8 milioni di lire. Fattori che fanno alzare le quotazioni sono presenza di canne in acciaio o in subordine in damasco Nitro-Proof, chiave superiore, presenza di ejector, legni ben venati, presenza di cassetta originale, incisioni non consumate, acciarini firmati dalle più famose Case come Stanton e Brazier. Credo comunque che anche i cani esterni inglesi avranno nel medio periodo un incremento di interesse e quindi inevitabilmente delle quotazioni.

Aggiornamento costruttori italiani

Nel ristretto settore delle armi fini le novità vere e proprie non sono mai molte. Questo perché si cerca di attenersi alla tradizione consolidata e già dedicarsi alla manuale realizzazione di una parte meccanica di precisione come quella di un'arma sportiva basculante a due canne è già di per sé un impegno gravoso. Ognuno quindi continua a produrre cercando eventualmente qualche perfezionamento nei particolari o in qualche metodo di lavorazione mentre meno si pensa alla progettazione di nuovi modelli. Quindi in questa sezione più che presentare delle vere e proprie novità inserisco delle integrazioni a completamento di quello già illustrato nella prima parte del libro.

F.lli Bertuzzi. Doppietta tipo Boss

Oltre alla classica doppietta su meccanica ispirata a quella di Holland & Holland i F.lli Bertuzzi hanno iniziato da qualche anno la costruzione di alcuni pezzi di doppietta giustapposta con acciarini laterali simili a quelli di Boss. Questi acciarini, completamente realizzati a mano all'interno dell'officina dei Bertuzzi, hanno la caratteristica di avere la stanghetta di sicurezza che intercetta la testa del cane e non la noce come nella versione H & H. Le imperniature sono studiate in modo di avere un angolo retto fra dente di scatto, perno del cane e perno della stanghetta di scatto. È inoltre già predisposta per un'apertura assistita nell'apertura delle canne. Su richiesta l'arma può essere equipaggiata di un interessante dispositivo che trasforma l'estrattore da automatico a normale. In pratica vi è sull'asta metallica un pulsante a cursore spostando il quale il tiratore può decidere se far funzionare l'ejector o bloccarne le molle sulla croce. Questo può essere utile ad esempio per non dover raccogliere i bossoli sparati o per evitare il rumore del funzionamento dell'estrattore automatico. I F.lli Bertuzzi costruiscono pure doppiette e sovrapposti a cani esterni con cani che si armano automaticamente aprendo le canne e dotati di estrattori automotici. Infine nel sovrapposto tipo Boss sono gli unici artigiani italiani che lo costruiscono con l'impianto di eiezione montato sulla croce dell'asta. Inoltre è in corso di preparazione una replica praticamente identica (con esclusione del perno girevole) nelle

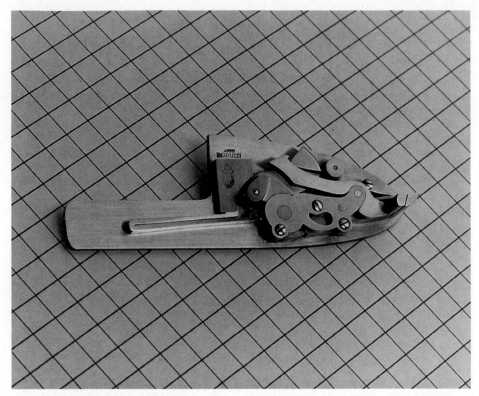

Acciarino dei F.lli Bertuzzi con stanghetta di sicurezza che intercetta la testa del cane.

Pulsante sulla croce per commutare gli estrattori da automatici a manuali.

Impianto di eiezione montato sull'asta metallica del sovrapposto dei F.lli Bertuzzi a ramponi laterali.

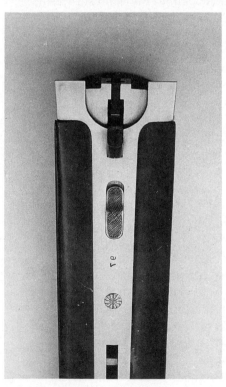

Doppietta F.lli Bertuzzi con
acciarino tipo Boss.

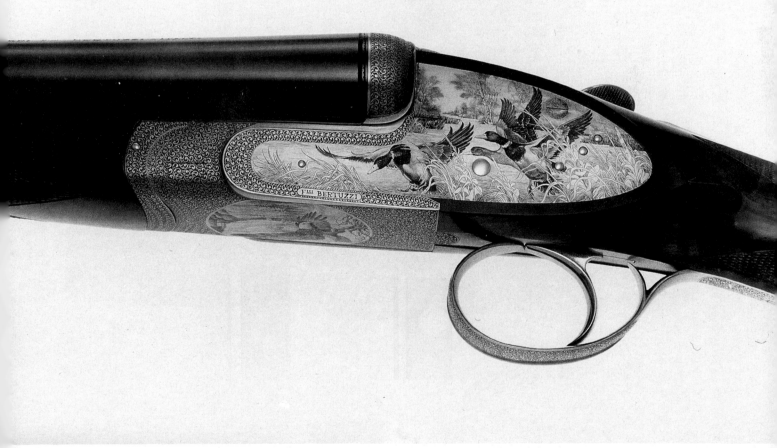

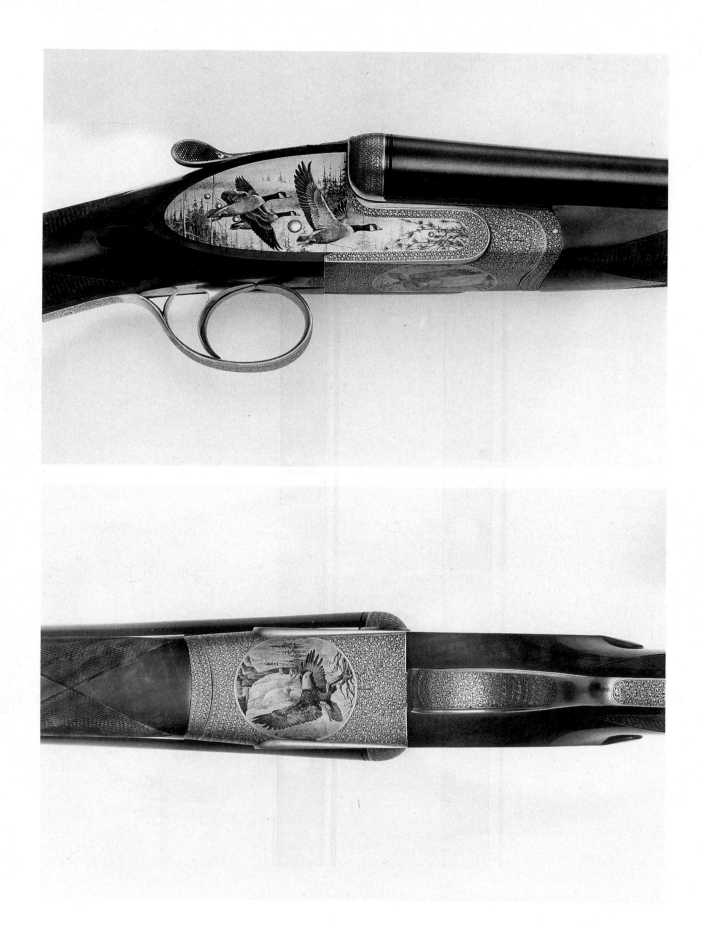

L'incisione delle scene di caccia è
stata effettuata da M. Torcoli.

Petto di bascula della stessa
arma.

Doppietta di Luciano Bosis con
tipica incisione all'inglese
(Parravicini).

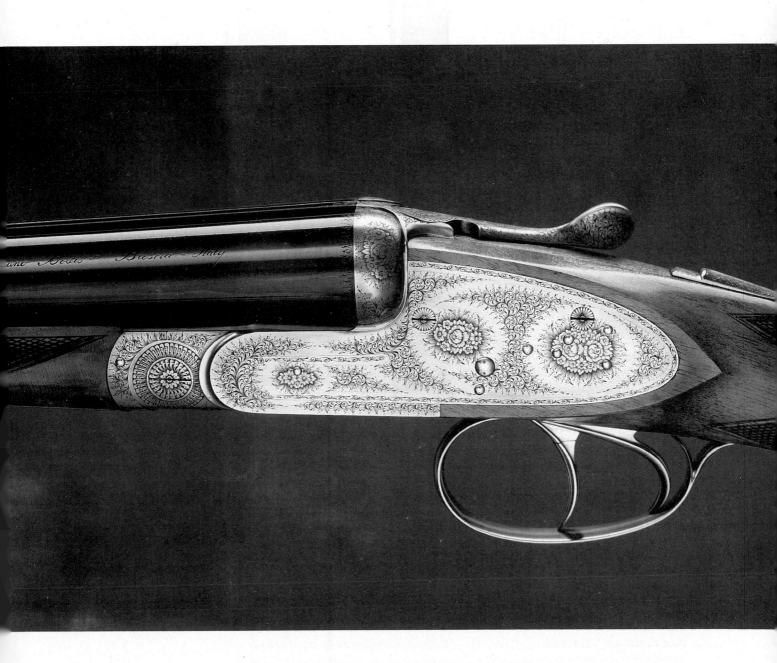

dimensioni e nelle forme esterne all'originale sovrapposto Boss.

Luciano Bosis. Doppietta tipo Holland & Holland

La doppietta giustapposta ad acciarini laterali, quando eseguita con scrupolo, competenza e buon gusto, rimane un modello insuperato di eleganza e maneggevolezza nel panorama delle armi sportive. E spesso i migliori risultati li ottengono i singoli artigiani o comunque piccole Ditte artigianali dove si segue con occhio attento ed indagatore tutte le fasi di realizzazione ed i relativi controlli di qualità. Questo tipo di armi non si presta ad una produzione industriale ed in larga serie: quando si vedono doppiette costruite con tali sistemi si resta alquanto delusi delle inevitabili lacunose interpretazioni estetiche e finiture meccaniche. Non è il caso della doppietta costruita da Luciano Bosis di Travagliato (BS). Costruite in poche unità all'anno vengono prodotte nei vari calibri dal 12 al 36. Per quanto riguarda le incisioni, si parte dalla classica inglesina, una soluzione sempre indovinata su un fucile di classe, per passare agli ornati nei diversi stili con presenza, se volute, delle tipiche scene di caccia eseguite a bulino. Bosis, pur nell'esiguo numero di armi prodotte annualmente, è in grado di realizzare sia sovrapposti tipo Boss con acciarini su cartelle, doppiette come questa tipo Holland & Holland ed anche doppiette su meccanica Anson. Pur mantenendo una lavorazione accurata dal punto di vista meccanico, il valore di ogni singola arma viene determinato oltre che dall'incisione pure dalla scelta dei legni per calcio ed asta. Come è di regola nella produzione delle armi fini, molto importante è il lavoro manuale specializzato e la cura posta in tutti i dettagli nelle singole fasi di lavorazione. In questo Luciano Bosis sovraintende personalmente ad ogni esecuzione di ciascun fucile che porti il suo nome.

Con la bascula si parte dal forgiato in acciaio CR2, successivamente sottoposta a trattamenti termici completi. La tiratura esterna è improntata ad elegante semplicità, con parte anteriore arrotondata in prossimità della croce, seni di medie dimensioni, fianchi lisci e codetta molto corta che termina con il pulsante della sicura. I piani sono lunghi 48 mm con larghezza al traversino di mm 42. Si è cercato di equilibrare i volumi esterni ed i relativi dimensionamenti per avere un'arma finita intorno ai 3 kg di peso. Si può considerare questo peso come medio-leggero per una doppietta con acciarini laterali e parlando sempre del cal. 12 Bosis può realizzare doppiette di peso compreso fra i 2,8 kg ed i 3,2/3,3 kg. Sono presenti i grani portapercussori e tutta la finitura interna ed esterna della bascula è stata eseguita con estrema attenzione, manualmente. Interessante la soluzione adottata sul petto di bascula con unico cordone laterale tenuto liscio come per 'incorniciare' l'incisione. Gli acciarini sono stati realizzati senza perni passanti per consentire una superficie più uniforme e regolare al soggetto raffigurato. Sono i classici acciarini ispirati a quelli della Holland & Holland con doppia stanghetta di sicurezza e molla avanti. Sono stati realizzati

Ornato in prima tracciatura molto ben eseguito di G e S. Pedretti. Il lavoro completo è quello riportato sul retro di copertina di questo libro.

Vista dall'alto dello stesso ornato.

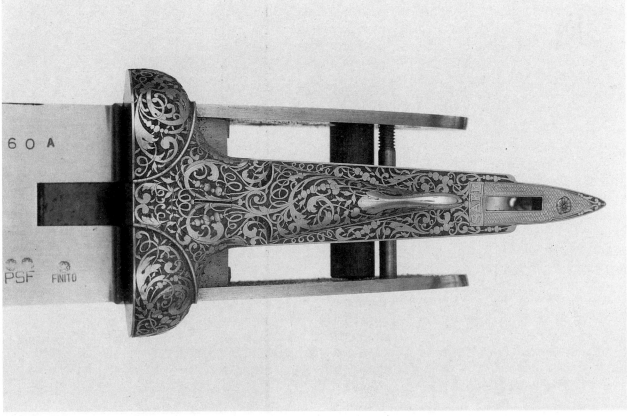

783

784

Incisione di A. Galeazzi su petto
di bascula di sovrapposto
Luciano Bosis.

Vista interna del laboratorio
dell'armeria Desenzani di Brescia.

in collaborazione con l'azzaliniere Zaverio Peli e sono dotati di rimbalzo del cane. Occorre riconoscere all'insieme estetico-meccanico di questa doppietta di Bosis una felice riuscita tale da porlo ai vertici dell'attuale produzione artigianale di alto livello gardonese. Gli scatti sono stati tarati su valori di kg 1,3 per il primo grilletto e di kg 1,8 per il secondo. Su richiesta si può avere il monogrillo. Gli estrattori sono naturalmente automatici con impianto sulla croce dell'asta e collarini a grande sviluppo. La sicura è manuale, sul dorso ed agisce bloccando i grilletti. Buone le forme della guardia e della chiave di apertura. Sono proprio i piccoli dettagli che denotano la cura posta nell'ideazione e realizzazione complessiva dell'arma.

Le canne sono accoppiate in demibloc e realizzate in acciaio SIAU 6. Eseguite da Luterotti (a richiesta) sono saldate a stagno con bindella concava e liscia. Brunitura lucida in bagno di sali con riflessi tendenti al blu. La chiusura è affidata alla sola duplice Purdey ai ramponi, però con secondo rampone arretrato in culatta ed esecuzione a triplice giro di compasso. Qualità, forma e misura del calcio sono a richiesta del cliente.

Doppiette e sovrapposti Desenzani

Il nome Desenzani è conosciuto ed apprezzato in quel di Brescia ma pure da molti appassionati di armi lungo tutto lo stivale. L'armeria è suddivisa fra negozio e laboratorio e dal punto di vista costruttivo vengono realizzati pochi pezzi all'anno di armi lisce di alto livello. La duplice attività di commercio di armi sportive ed accessori e di fabbricazione di fucili di pregio pongono l'armeria Desenzani di Brescia in grado di soddisfare ogni tipo di richiesta. Si parte da un'ampia offerta di fucili da caccia per il cacciatore generico fino ad arrivare alle riparazioni di qualsiasi natura. Ma oltre a questa che si può considerare una normale attività per qualsiasi armeria, da Desenzani si potrà trovare un ampio ed interessante assortimento di armi di pregio e da collezione, con particolare riferimento ai fucili inglesi usati sia a canne lisce che express. La competenza specifica per vendere questo tipo di armi sottolinea la sensibilità ed il gusto che contraddistingue i due titolari, Gussago e Zulli, entrambi dotati di modi gentili e di vera passione per il proprio lavoro. In pratica se avete qualsiasi esigenza o desiderio riguardo alle armi da caccia e sportive sarà alquanto improbabile che una volta visitato questo punto vendita non troviate quello che farà al caso vostro. E se non lo trovate loro ve lo costruiscono. Pur realizzando pochi pezzi all'anno, il nome Desenzani è fra i più prestigiosi a livello internazionale e l'attuale politica è di mantenere la produzione su altissimi livelli artigianali. In altre parole non ha senso ordinare un'arma di poco prezzo perché oltre a non costruirvela la si può trovare nella produzione industriale o anche in qualche buon usato la cui scelta non manca mai. Quando invece si volesse possedere una doppietta o un sovrapposto tipo Boss, sia in versione caccia che tiro, realizzato con i migliori materiali disponibili, con misure ed incisioni

Doppietta tipo Holland &
Holland di Desenzani incisa da
Angelo Galeazzi.

Parti grezze e semilavorate
costituenti la doppietta ad
acciarini laterali.

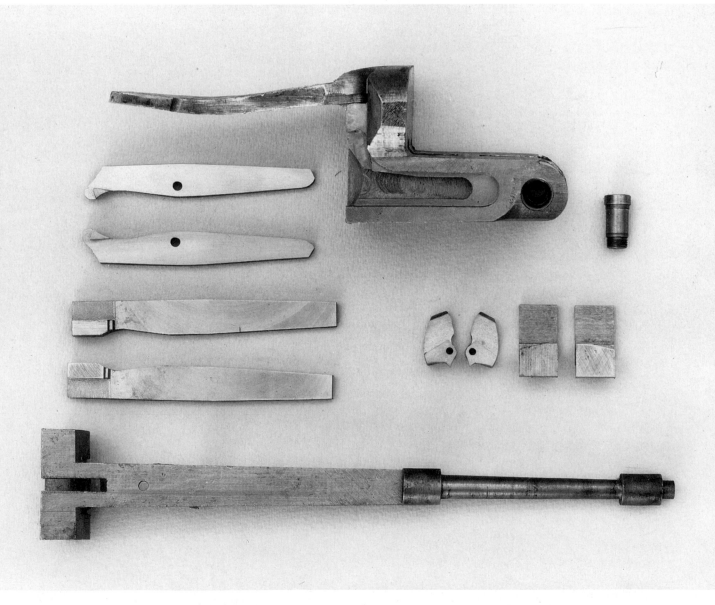

personalizzate, con rifiniture manuali effettuate scrupolosamente allora l'arma Desenzani si colloca nel ristretto numero degli attuali costruttori nazionali di armi fini.

Nel 1972 gli attuali titolari rilevarono l'attività di Enrico Desenzani, armaiolo che già si impose per la propria produzione di qualità anche con modelli particolari e ricercati. Da allora si è voluto mantenere e potenziare questa immagine ed ora i due modelli classici che vengono realizzati sono una doppietta giustapposta con meccanica ed acciarini tipo Holland & Holland ed un sovrapposto tipo Boss con acciarini montati su cartella laterale ambedue in versione caccia e tiro. Vediamone in dettaglio i particolari costruttivi.

La doppietta

La bascula viene ricavata partendo dal massello grezzo forgiato in acciaio da cementazione. Disponibile sia in cal. 12 che in calibro 20. Come peso nel primo caso si può oscillare dai kg 2,9 ai kg 3,3 per quest'ultima in versione da piccione. Anzi a questo proposito è doveroso ricordare che nel 1989 Perez Fernandez vinse la medaglia d'oro nei campionati del mondo di tiro al piccione svoltisi in Messico. Nel calibro 20 il peso può oscillare fra kg 2,650 e kg 2,8. Per il cal. 12 la bascula ha le seguenti misure: piani lunghi mm 48, larghezza al traversino mm 44 e spessore della tavola mm 23. Quindi un'arma solida con ramponatura delle canne a triplice giro di compasso effettivo. Queste ultime sono accoppiate in demibloc con lunghezza a richiesta e tiratura manuale esterna

compresa la bindella concava o piana. Sono saldate a stagno, con brunitura a vernice ed internamente cromate. Questo particolare è da sottolineare perché in molti tradizionalisti vi è la tendenza a credere che le canne di un'arma fine non debbano essere cromate. Al contrario, ed in questo trova pieno consenso anche da parte di chi scrive, l'attuale standard di cromatura non crea nessun problema a livello di rosate ed anzi preserva l'interno dei tubi contro erosione e corrosione nel tempo. Da precisare che la bascula ha la codetta integrale e che la stessa viene sottoposta a trattamenti termici completi. La finitura è ad argento vecchio con piani tirati a pietra e rifiniti a tela finissima. A richiesta si può eseguire la tempera tartaruga. Gli acciarini sono i classici ispirati a quelli di Holland & Holland, con doppia stanghetta di sicurezza e scatti tarati su richiesta del cliente. Sempre a richiesta si può avere il monogrillo (non selettivo) o il bigrillo.

La tiratura esterna della bascula può essere leggermente arrotondata o diritta con filetti sul petto piuttosto larghi, concavi e tenuti lisci. I seni sono piuttosto spessi con media rotondità e la chiave di apertura è ben disegnata con profilo gentile di vago sapore dicksoniano. La bascula arrotondata non prevede le gocce al termine dei bordi esterni sul legno intorno alle cartelle che invece vengono realizzate nella versione a profili diritti. Gli estrattori sono automatici con collarini a grande sviluppo e molle a lamina montate sulla croce. L'apertura dell'arma può essere con la tradizionale chiave superiore oppure con la serpentina

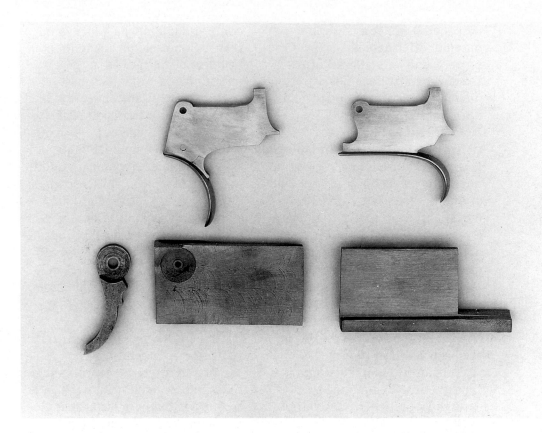

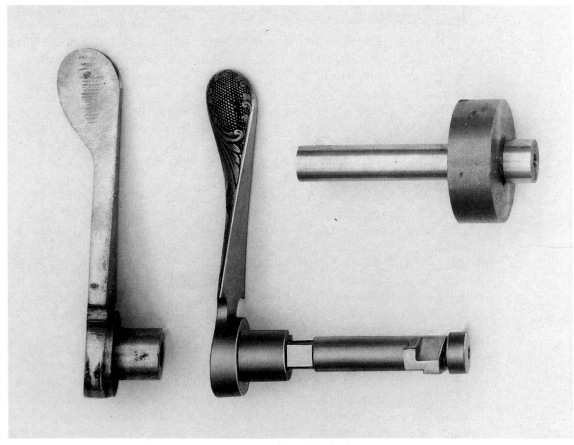

Grilletti ricavati dal pieno.

Chiave di apertura con perno
inferiore ricavato dal pieno.

Sovrapposto Desenzani
tipo Boss.

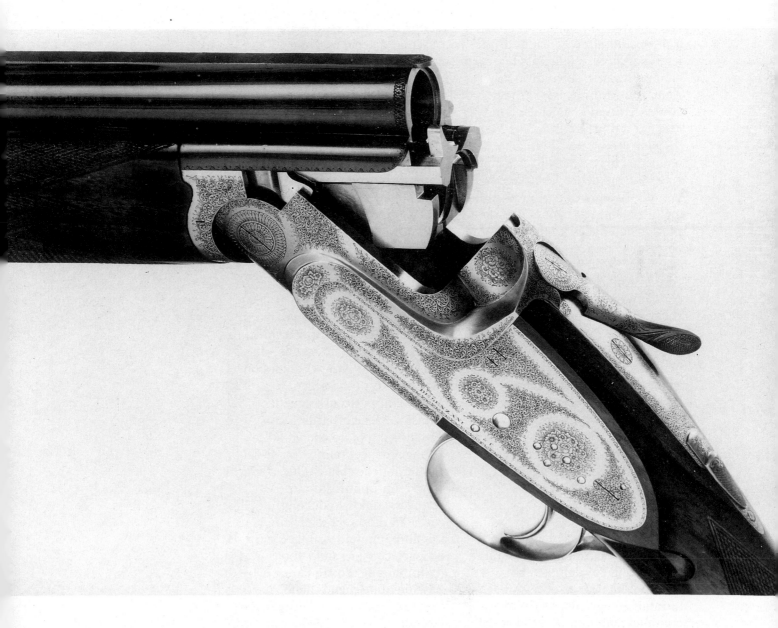

laterale, ed in quest'ultima soluzione Desenzani rimane fra i pochissimi attuali costruttori a proporre questo classico ed elegante sistema. Le canne vengono forate internamente su valori di 18,4 mm per le armi destinate al tiro e di 18,5 mm per quelle da caccia. I legni sono tutti di noce particolarmente scelta di provenienza turca o yugoslava. L'incassatura viene effettuata con la massima precisione possibile con zigrini realizzati manualmente a passo finissimo e lucidatura dei legni a Tru Oil. Solitamente i calci sono all'inglese salvo diversa richiesta. Molti particolari dei componenti meccanici vengono ricavati dal pieno direttamente in officina, come il tassello di chiusura, le parti degli acciarini, le aste di armamento, le croci e così via. Un sistema di produrre quindi ancora secondo i canoni della più pura artigianalità armiera, dove chi usa la fresa, il tornio, lo scalpello o la lima deve conoscere fino in fondo il proprio lavoro. La chiusura della doppietta pur nelle varie versioni viene affidata alla sola duplice Purdey ai ramponi che come è noto quando l'arma è ben realizzata con perfetta imbasculatura delle canne e relativa ramponatura non richiede triplici chiusure superiori. Le incisioni vengono commissionate ai migliori incisori sul mercato come Galeazzi, Parravicini o altri indicati dal cliente.

Il sovrapposto

La Ditta Desenzani produce un solo tipo di sovrapposto con ramponi laterali ed acciarini montati su cartelle. Definito comunemente tipo Boss in realtà questo sovrapposto come altri analoghi di altre marche hanno poco in comune con il Boss originale se si escludono la ramponatura laterale delle canne ed una vaga somiglianza esterna. Ciò non toglie che al giorno d'oggi tutti i costruttori artigianali (e non sono molti) che costruiscono un sovrapposto fine lavorano intorno ad una meccanica tipo questa. Non avendo ramponi sotto le canne, ma di fianco, si può contenere l'altezza complessiva della bascula, che nel caso del sovrapposto Desenzani è di 61 mm. I piani sono lunghi mm 50 ed alti mm 45 (rimane fuori circa la canna superiore). Nella parte superiore della faccia di bascula è stato ricavato un piccolo recesso semicircolare nel quale ad arma chiusa corrisponde uno speculare prolungamento della bindella. Questo non ha funzioni di chiusura ma permette una più facile estrazione del bossolo della canna inferiore evitando una ulteriore apertura della stessa. In alcuni modelli per il tiro al piccione la Casa Boss inseriva in questo punto una triplice chiusura superiore realizzata tramite due piani inclinati uno dei quali con movimento di sali-scendi. Nel sovrapposto in esame la chiusura viene effettuata con tassello sdoppiato che va ad appoggiarsi sui relativi piani dei ramponi delle canne. Questi ultimi sono tenuti piuttosto alti e retrocessi dal vivo di culatta delle canne in modo da realizzare la migliore tenuta possibile e più efficace considerando che l'allontanamento fra canne e bascula al momento dello sparo viene contrastato dalle superfici laterali. Queste superfici non sono esattamente a giro di compasso

Acciarino per sovrapposto a molla indietro. Ottima esecuzione.

Vista laterale del sovrapposto Desenzani con seni superiori cesellati.

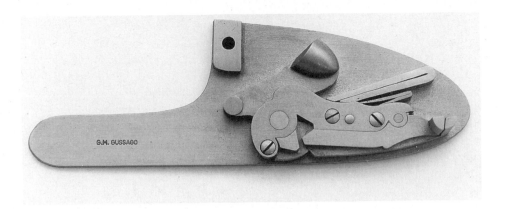

ma vengono in completo contatto fra loro con fucile chiuso. Le spalle laterali all'interno dei fianchi di bascula sono ottenute dal pieno dello stesso acciaio della bascula. Una simile impostazione meccanica, quando ben realizzata (come nel fucile di Desenzani) ha dimostrato di essere una delle più solide e durature nel tempo. Le canne sono accoppiate in demibloc con saldature e finiture uguali a quelle citate per la doppietta. Le molle degli estrattori automatici sono elicoidali ed alloggiate sotto i gambi degli estrattori stessi nei fianchi delle canne.

La tiratura esterna della bascula è alquanto elegante e prevede una doppia mammella a volumi differenziati ed un filetto tenuto liscio che parte dal fianco di bascula e si raccorda con il petto. L'armamento degli acciarini avviene tramite una slitta centrale che scorre sul fondo di bascula. Gli acciarini sono del tipo a molla indietro e sono una versione leggermente modificata di quelli di Holland & Holland. Anche in questo caso, come per la doppietta, ogni parte dell'acciarino viene ricavata dal pieno nel laboratorio Desenzani e tirata manualmente.

L'incassatura è molto curata e sono previste le gocce nel legno al termine dei bordi intorno alle cartelle. L'asta è in unico pezzo con sgancio con bottone a pressione posto nella sommità. La forma del calcio ha una impugnatura a pistola per la versione da tiro e si può averla all'inglese in quella da caccia. Disponibile sia nel cal. 12 che nel cal. 20. Le incisioni sono a scelta del cliente e vanno dall'inglesina tipo Purdey, all'ornato alle scene di caccia. Un'arma di estrema

distinzione a testimonianza delle capacità lavorative e dell'impegno che sono alla base della produzione Desenzani.

Ivo Fabbri
Modifiche al sovrapposto

Il sovrapposto di Ivo Fabbri, attualmente uno dei più quotati a livello internazionale fra i modelli ad acciarini laterali, ha subìto di recente un aggiornamento sia nel lato estetico che in quello meccanico. Modifiche non sostanziali o strutturali ma che riguardano molti particolari interni alla bascula e piccole finezze costruttive. Già nella prima parte del libro sono visibili le modifiche alle cartelle e agli acciarini. Le prime non hanno più i perni passanti per offrire una superficie più uniforme alle incisioni e sono dotate di uno sportellino a scomparsa per accedere alla vite di smontaggio delle batterie. Questa vite, come quelle presenti sugli acciarini, è di tipo 'Torx' molto resistente, ottenuta per rettifica ed allentabile con un qualsiasi cacciavite a stella. Un'altra modifica di rilievo è quella della croce. Con la nuova croce non è più necessario ricavare il recesso rettangolare sul fondo della parte anteriore della bascula con relativa eliminazione dell'unghia sporgente dall'asta metallica. Ora la bascula è completamente chiusa ed è stata ricavata dal pieno del metallo dell'asta una appendice ad arco che aprendo le canne agisce sugli spintoni di armamento degli acciarini. Questa modifica anche se puo' apparire semplice ha richiesto molto studio per trovare forme e dimensionamenti appropriati nonché la possibilità

di essere realizzata poi a lato pratico. Normalmente in qualsiasi fucile a due canne spostando la chiave di apertura si scopre una vite che passando attraverso l'impugnatura del calcio si impegna nel sottoguardia. Nello stesso tempo in fondo alla codetta ne esiste un'altra avvitata in senso opposto. Ora queste due viti sono state eliminate o meglio non se ne scorge la presenza. La prima entra nel foro dalla parte dove verrà poi avvitata la guardia e va ad impegnarsi in una nervatura ottenuta sotto la codetta di bascula. La seconda non ha l'estremità superiore passante. La guardia viene poi inserita con una baionetta a 'T' coprendo la vite sottostante. Il risultato è che tutte queste viti non si scorgono piú cosí come quella tradizionalmente presente nel perno della leva di apertura. Quest'ultima viene ricavata dal pieno compreso il gambo. È stato poi tolto il pulsante dello sgancio-leva di apertura presente in precedenza sul fondo della bascula. Questo meccanismo è ora automatico ed una piccola cam dentro la bascula provvede a tenere arretrato il tassello di chiusura e sganciarlo quando si inseriscono le canne nella bascula e arrivano a fine corsa. Smontando le canne la chiave ritorna in posizione da sola. In sintesi alla Fabbri si vuole proporre uno sviluppo ed un aggiornamento al passo coi tempi valorizzando ancora maggiormente una concezione ed una realizzazione meccanica d'avanguardia in un 'contenitore' classico e tradizionale come il sovrapposto da caccia e da tiro.

Nel corso degli anni Ivo Fabbri ha anche costruito delle doppiette giustapposte come quella illustrata sul sistema Holland & Holland però con acciarini a molla indietro e con alcune personalizzazioni estetiche. La coppia di doppiette raffiguarata dispone di self-opening sulla croce ed è caratterizzata dall'assenza di incisioni con tempera tartaruga marmorizzata con sfumature marroni. La nuova doppietta che è allo studio avrà alcune diversita' rispetto alla produzione precedenti, come ad esempio la sostituzione delle leve di armamento da altalenanti sui fianchi di bascula con spintoni all'interno della bascula. Questo consentirà di contenere maggiormente le dimensioni esterne e di effettuare una tiratura piú arrotondata sul perno cerniera. Inoltre monterà gli stessi acciarini del sovrapposto a molla indietro con le viti 'Torx'. Allo studio pure un express sovrapposto nel cal. 375 H&H ed un una doppietta express nel cal. 470 N.E.A questi calibri se ne aggiungeranno poi altri col tempo. Le canne rigate verranno realizzate all'interno dell'Azienda. Infine alcuni dati sui numeri di matricola. Il nuovo sovrapposto o piú propriamente il sovrapposto completo delle modifiche citate verrà consegnato nei primi mesi del 1992. La produzione di Fabbri è iniziata nel 1966. Le armi destinate all'estero iniziarono con i numeri di matricola E300 mentre quelle vendute in Italia con 3000. Nel 1992 i numeri di matricola per il mercato interno sono arrivati a 3520 per quello estero a E738.

Sovrapposto di Ivo Fabbri con cartelle senza perni passanti. Splendida incisione di Manrico Torcoli.

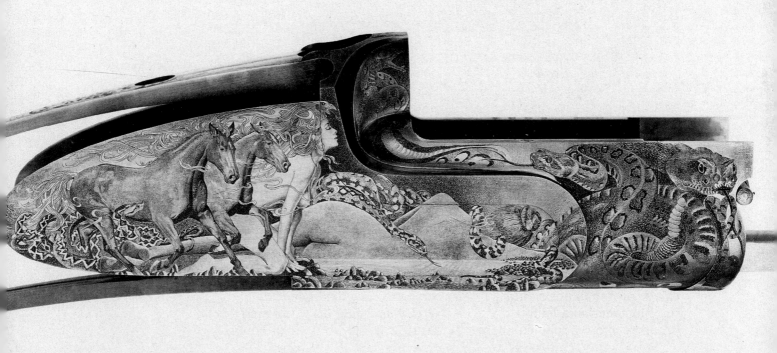

Profilo della nuova croce del sovrapposto Fabbri. Visibile l'appendice ricavata dal pieno.

Con la nuova croce viene eliminata la precedente unghia rettangolare che entrava della bascula.

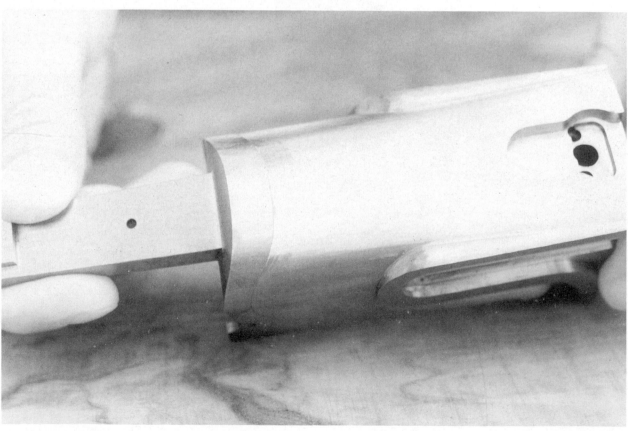

Su fondo della bascula non è più
presente il pulsante per lo
sgancio della chiave di apertura
superiore.

Il sottoguardia non ha più la vite
a vista ma viene trattenuto dalla
vite passante ubicata dentro il
foro della guardia.

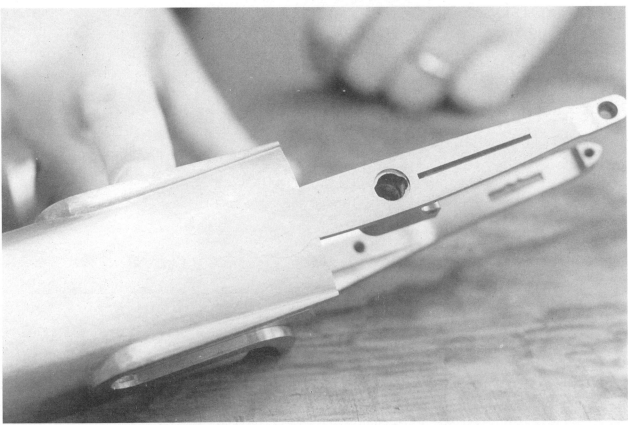

799

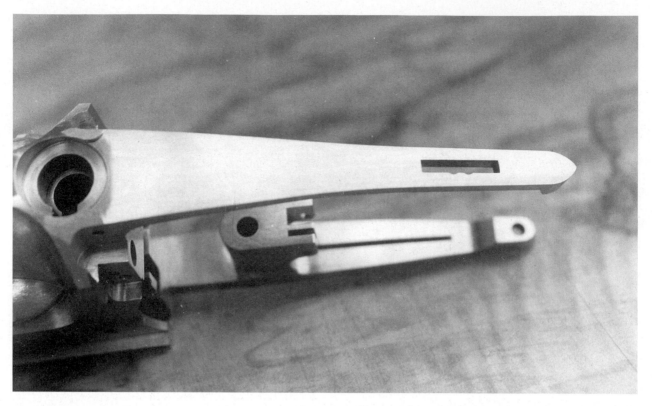

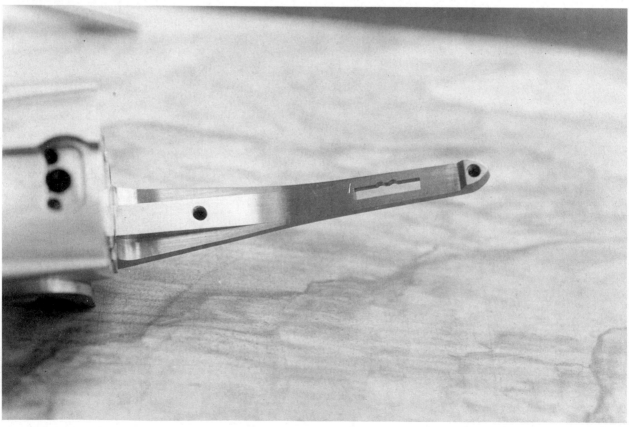

Codetta di bascula priva di viti a vista.

Nervatura della parte interna della codetta con impegno della vite che viene dal sottoguardia. Idem per quella all'estremità della stessa.

Inserimento a baionetta della stessa.

Coppia di doppiette Fabbri completamente prive di incisioni con bascule tartarugate con tonalità marroni.

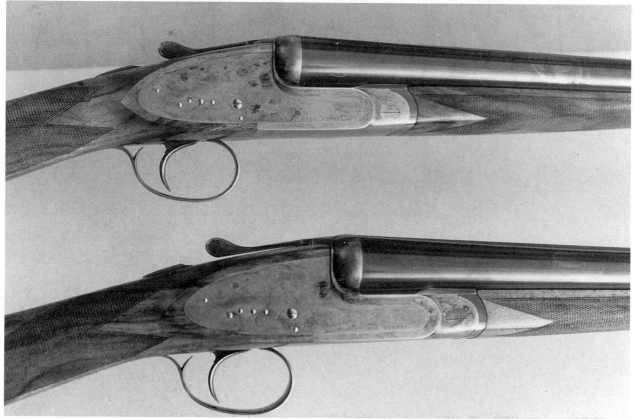

Arma parzialmente aperta che mostra il rampone posteriore di generose dimensioni.

La vista dall'alto evidenzia linee armoniche ed equilibrio di volumi.

Particolare del dispositivo di 'self-opening' montato nella croce.

Doppietta Fabbri con incisione all'inglese eseguita da Angelo Galeazzi. È una delle rare inglesine realizzate da Galeazzi. Notare la morbidezza dei tratti e delle sfumature.

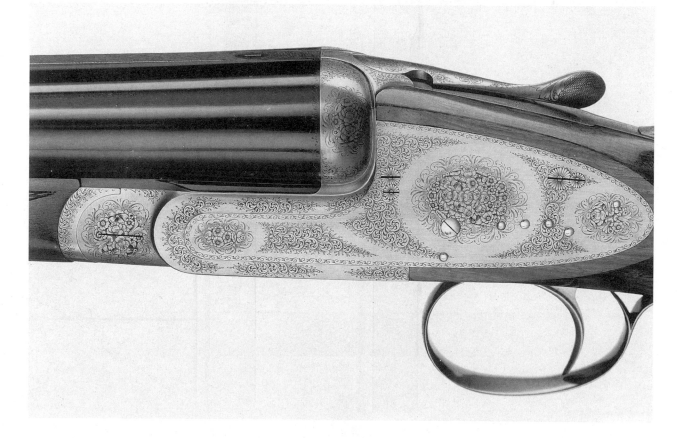

Galleria delle incisioni

A complemento delle incisioni già pubblicate ne inserisco altre inedite particolarmente significative. Una buona incisione è un importante 'vestito' per un'arma fine, pur se come già detto l'arma medesima deve essere ben realizzata dal punto di vista meccanico. Rimane comunque un dato di fatto che l'incisione come viene oggi realizzata in Italia è molto suggestiva e denota un continuo evolversi con idee nuove e nuovi incisori. Questo senza nulla togliere alle forme di incisioni piú tradizionali come inglesine ed ornati che rimangono un punto fermo di classicità e buon gusto per l'arma fine. A chi volesse approfondire il tema delle incisioni suggerisco la lettura dell'altro mio lavoro 'Il grande libro delle incisioni'.

Petto di bascula della stessa arma.

Petto di bascula del sovrapposto James Purdey & Sons illustrato a pag. 27. Incisione di Giancarlo e Stefano Pedretti.

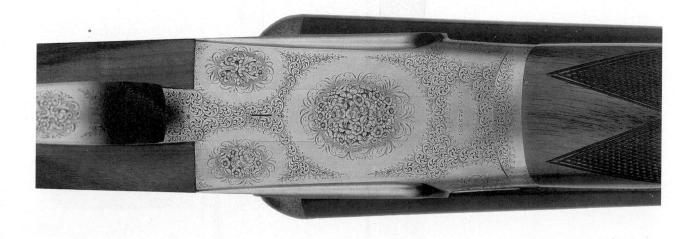

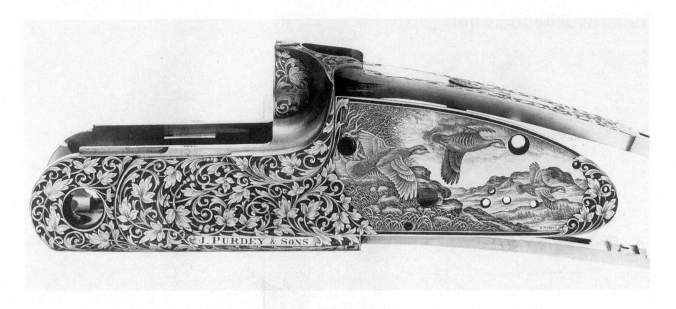

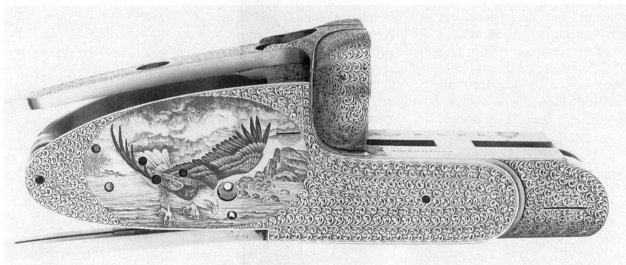

Incisione di G.eS. Pedretti su
sovrapposto Purdey cal. 28.

Inglesina piena con aquila in
ovale. Incisione di G. e S.
Pedretti su doppietta dei F.lli
Piotti.

Petto di bascula della stessa arma.

Scena di caccia con ornato.
Incisione di G. e S. Pedretti su
doppietta dei F.lli Piotti.

Lato opposto della precedente arma. Notare la cura dei particolari e la profondità del paesaggio.

Riporto di beccaccia.

Ornato molto elaborato eseguito
a bulino. Incisione di G. e S.
Pedretti su doppietta di L. Bosis.

Petto di bascula della precedente
arma con mascherone rimesso in oro.

Volo di fagiani maschi con ornato. Inciso per Pachmayr da G. e S. Pedretti.
Costruttore: L. Bosis.

Carica di elefante su petto di bascula di express Heym. Inciso per Pachmayr da G. e S. Pedretti.

811

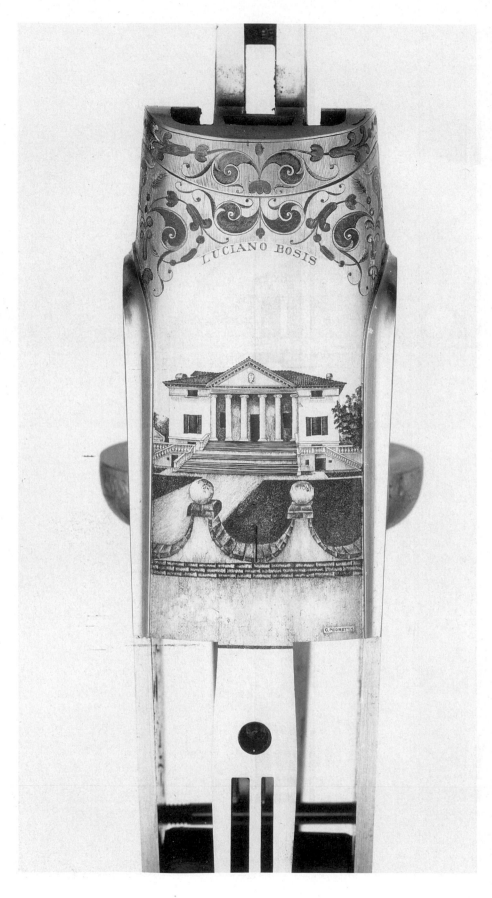

Villa del Palladio con ornato
d'epoca. Incisori: G. e S.
Pedretti. Costruttore: L. Bosis.

Vista laterale della precedente
doppietta.

Altro lato dell'arma. Esecuzione
a bulino con la tecnica del punto.

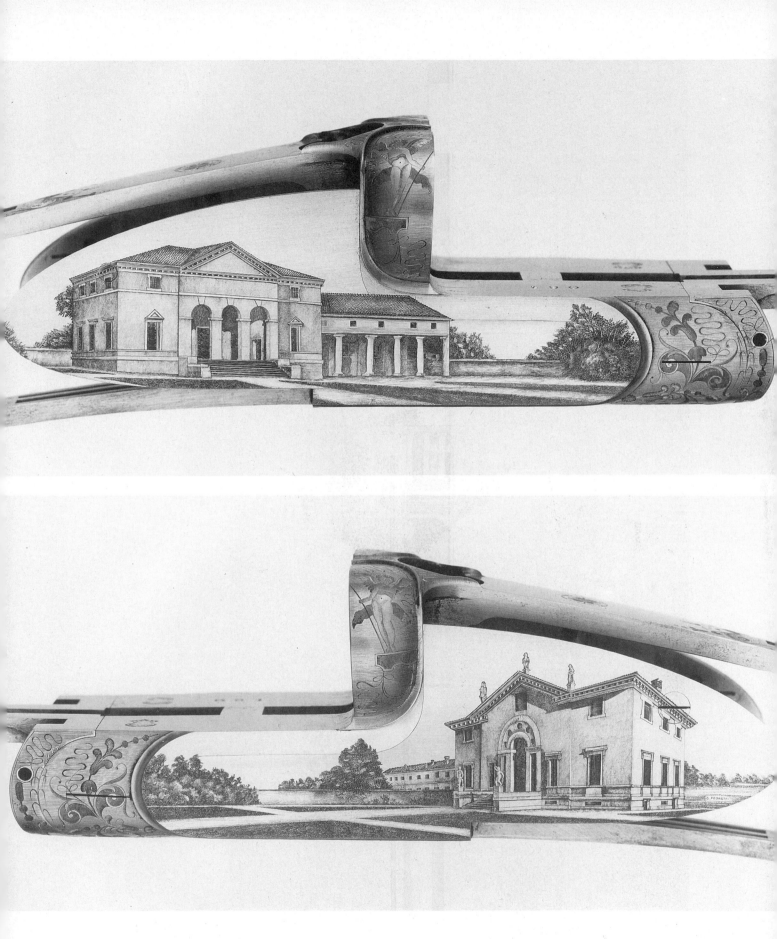

Starna in volo in ovale.
Incisione di Parravicini su doppietta
di L. Bosis.

Incisione di M. Torcoli su coppia
di sovrapposti Fabbri.

Volo di starne con pointer in ferma.
Notare l'intreccio della
vegetazione con l'ornato.

815

Petto di bascula della precedente arma.

Volo di anatre con paesaggio che continua fino ad oltre il perno cerniera.

Cane in palude. Incisione di M. Torcoli su sovrapposto Fabbri.

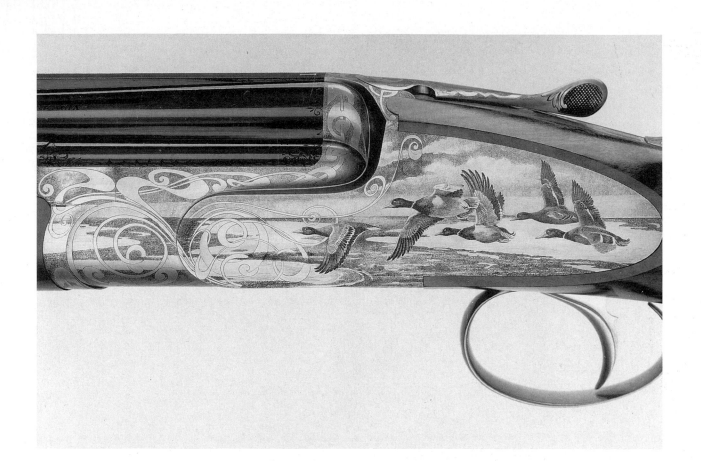

Bel volo di codoni.

Cartella di doppietta incisa da Aldo Rizzini. Stile originale nel disegno complessivo.

Incisione di Aldo Rizzini con soluzione di ornato riempitivo semplice ma efficace.

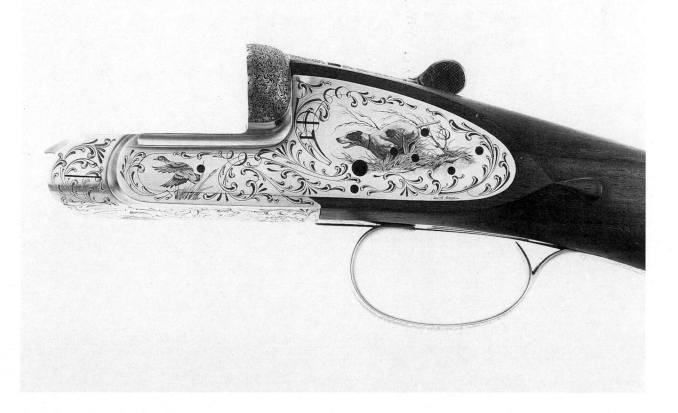

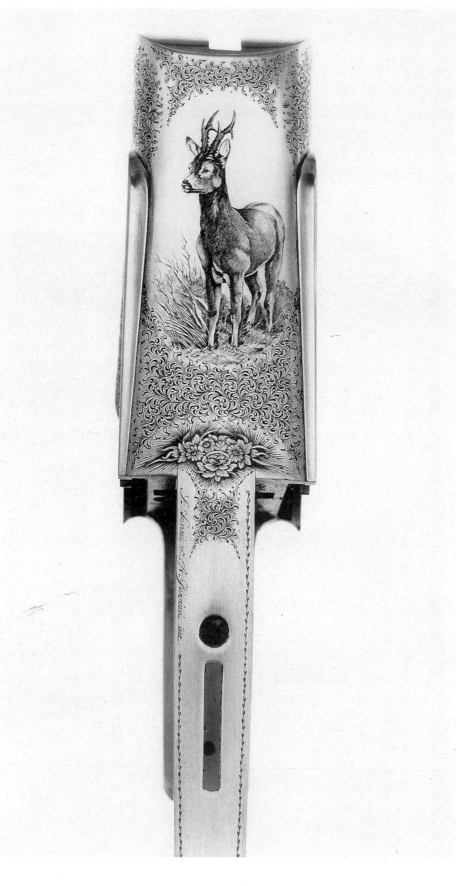

Capriolo su petto di bascula
contornato da inglesina.
Incisori: S. Venzi e A. Rizzini.
Costruttore: Perugini & Visini.

Coppia di cani in ferma. Buono
l'effetto e l'esecuzione
dell'inglesina.
Incisore: Aldo Rizzini.
Costruttore: Perugini & Visini.

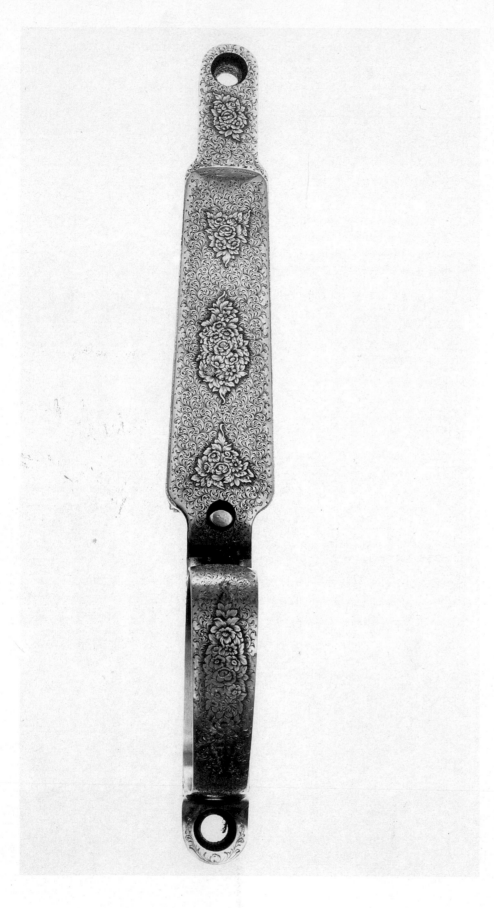

Inglesina e bouquet di fiori
realizzati da Aldo Rizzini.

Anatre in palude. Incisione di
Claudio Cremini su doppietta di
S. Lucchini.

822

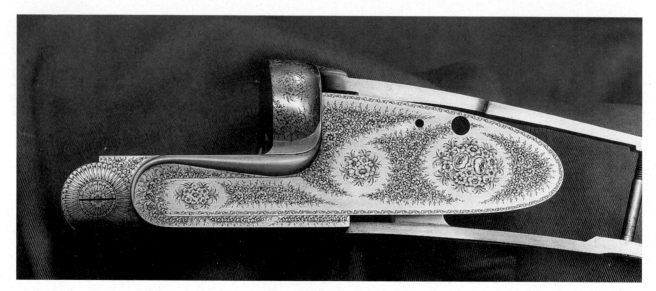

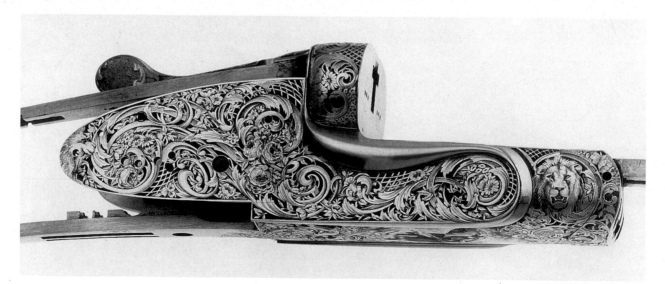

Classica inglesina tipo Purdey
esaguita da Naida Zanetti su
doppietta L. Bosis.

Express di Abbiatico & Salvinelli
con incisione all'inglese. Lavoro
della Creative Art.

Ornato elaborato su express a
cura della Creative Art.

Diana cacciatrice con ornato.
Incisione di Peli (Creative Art).

825

Anatre in palude con ornato.
Incisore: Creative Art.
Costruttore: Bottega dell'Artigiano.

Altro lato della precedente arma.

Gruppo di fagiani in ambiente
collinoso. Incisione della
Creative Art su sovrapposto
Abbiatico & Salvinelli.

Altro lato della precedente arma.

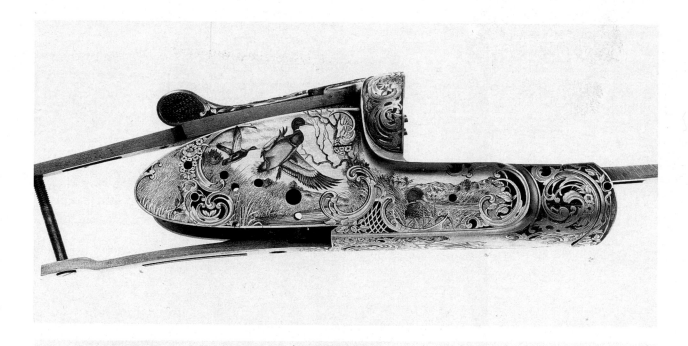

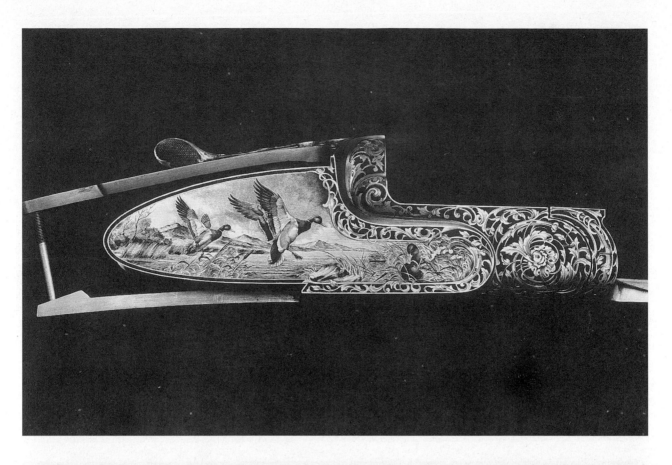

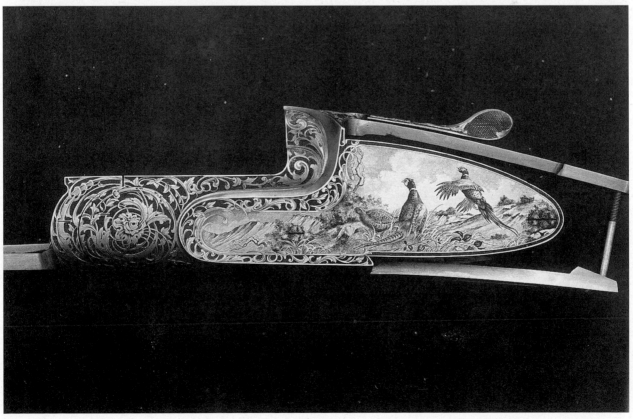

827

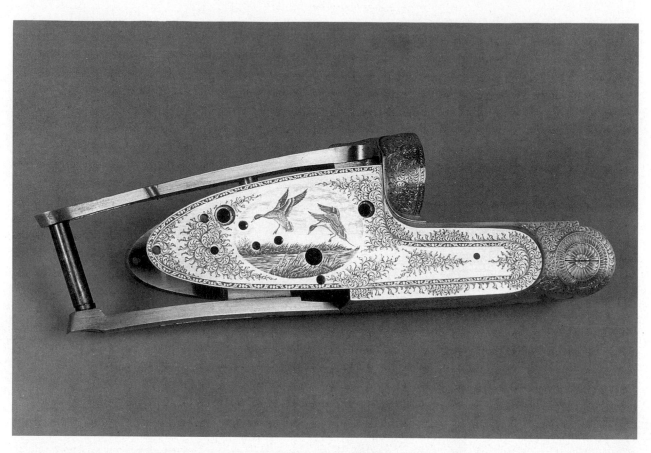

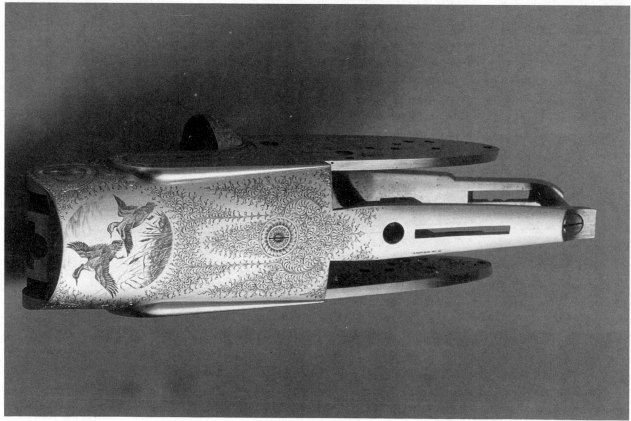

Anatre in ovale con contorno di
inglesina.
Incisione di S. Muffolini.

Petto di bascula della stessa arma.

Altro lato che ben evidenzia
l'eleganza di questo lavoro.

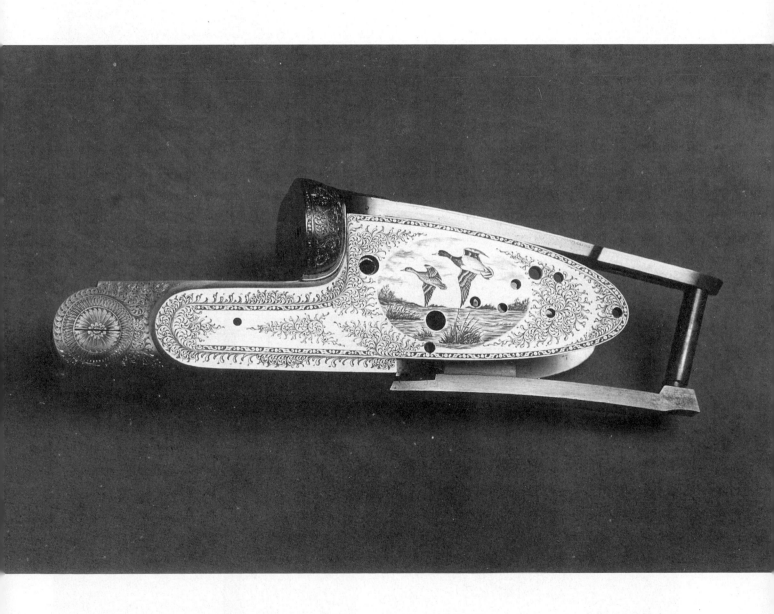

Incisione di S. Muffolini su
sovrapposto G. Fanfarillo
(Alatri).

Diverse soluzioni di incisioni su
petti di bascula a cura di S.
Muffolini su doppiette F.lli
Rizzini (Magno).

Incisione particolare e moderna
realizzata da Angelo Galeazzi su
sovrapposto S.A.B.

Petto di basculla della precedente arma.

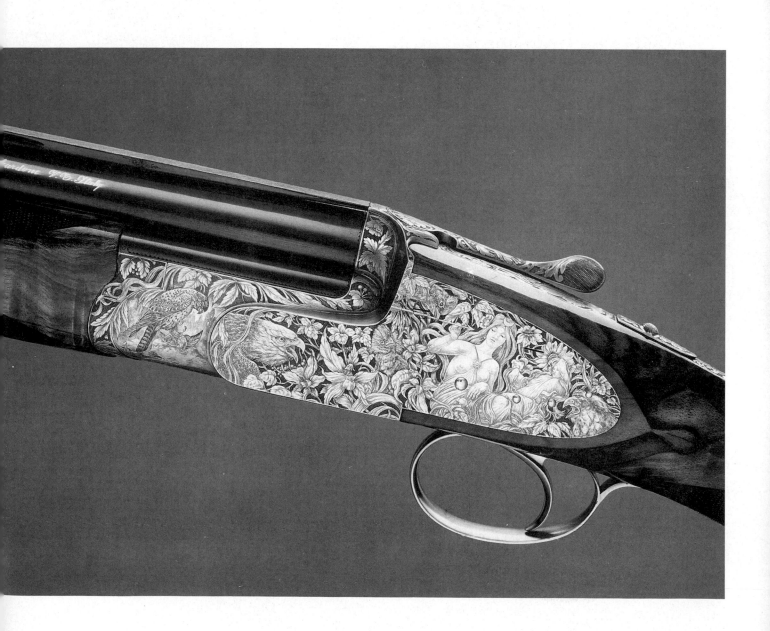

Marchi di fabbrica

	BANCO NAZIONALE DI PROVA GARDONE V.T.
MARCHIO DEPOSITATO	DITTA
	PIETRO BERETTA
	BERNARDELLI VINCENZO
	GITTI. U.& C.
	MINO ARTURO
	ARMERIA FORTUNA
	GITTI PIERINO
	AGOGERI. P.& C.
	SALVINELLI & TANFOGLIO
	A.ZOLI/&C.
	F.lli DAFFINI
	MAROCCHI- A.& C.
	CALZONI BATTISTA
	BERTUZZI ELIA
	DAFFINI ANNIBALE
	BETTINZOLI PIERINO
	F.lli MARCHI
	BELLERI LUIGI
	BERTELLA DOMENICO
	TIMPINI ANGELO
	GITTI GIUSEPPE
	ARMERIA DIANA
	FRASCIO VITTORIO
	PEDRETTI GIUSEPPE
	VARISCHI ERMETE
	LANCELLOTTI ANGELO
	GAMBA BATTISTA
	BENETTI ISIDORO

	BANCO NAZIONALE DI PROVA GARDONE V.T.
MARCHIO DEPOSITATO	DITTA
	F.N. ARMI
	S. I. E. BREDA
	FRANCHI LUIGI
	DESENZANI ENRICO
	GALAFASSI RODOLFO
	PEVERELLI LUIGI
	TANFOGLIO UMBERTO
	CARLO RIVA
	PIETRO FAVERZANI
	BRICONI ENRICO
	DAFFINI LAT.& F
	ANELOTTI & GUALLA
	USANZA BRUNO
	USANZA ALFREDO
	BALESTRA ALVARO
	SPADA BATTISTA
	BERTANI GIOVANNI
	TANFOGLIO GIOVANNI
	BONSI GIUSEPPE
	PINTOSSI GIOVANNI
	MAROCCHI STEFANO
	BOLOGNINI ANGELO
	S. I. VERA
	CASTELLANI EMILIO
	BOLOGNA ANGELO
	BIGNOTTI GIOVANNI
	ZILIANI GIUSEPPE

	BANCO NAZIONALE DI PROVA GARDONE V.T.
MARCHIO DEPOSITATO	DITTA
	LIVIO FELICE
	BENZONI ANGELO
	MASSI. &. TODESCATO
	RAVIZZA CARLO
	FAINI GIOVANNI
	DAFFINI EMILIANO
	GHIDINI BRUNO
	P. LORENZOTTI
	PINI SANTO
	LA SOVRAPPOSTI
	BRUNORI EGIDIO
	FALDA ARTURO
	DAFFINI GIUSEPPE
	CONCARI GIOVANNI
	F.lli MARCHINA
	R. PINTO
	PEDRAZZINI EUGENIO
	RAPETTI LUIGI
	SALVINELLI MARIO e F.llo
	TANFOGLIO FRANCESCO
	NAPAFINI MARIA
	PASOTTI DOMENICO
	RAMPINI e ABBIATICO
	PELIZZARI ANGELO
	SORDIGLIONI UGO
	GELAIN TULLIO
	BIETROSATO GIUSEPPE

	BANCO NAZIONALE DI PROVA GARDONE V.T.
MARHIO DEPOSITATO	DITTA
	BELLERI ANTONIO
	TALENTI GIUSEPPE
	MANIFATTURA VALTROMPIA
	AGOGERI ANGELO
	MIZZOLI BRUNO
	MANCINI BRANDO
	FRATELLI BAZZANA
	BRUNELLI FRANCESCO
	TANFOGLIO BATTISTA
	COCCOLI PIETRO
	PINTOSSI PASQUA
	ANELOTTI EMILIO
	SALVINELLI GIOVANNI
	LUCCHINI STEFANO
	BERETTA ALBERTO
	PINTOSSI ANGELA
	MORETTI PIETRO
	FACCHETTI FRANCO
	GOTTARDI G.BATTISTA
	BATTAGLIOLA LUIGI
	BERTUZZI NICOLA
	ZAPPA ENRICO
	DI NOIA ANTONIO
	DI MAGGIO GUGLIELMO
	FRATELLI SABATTI
	SALVINELLI ENRICO
	GHIDINELLI EMILIA

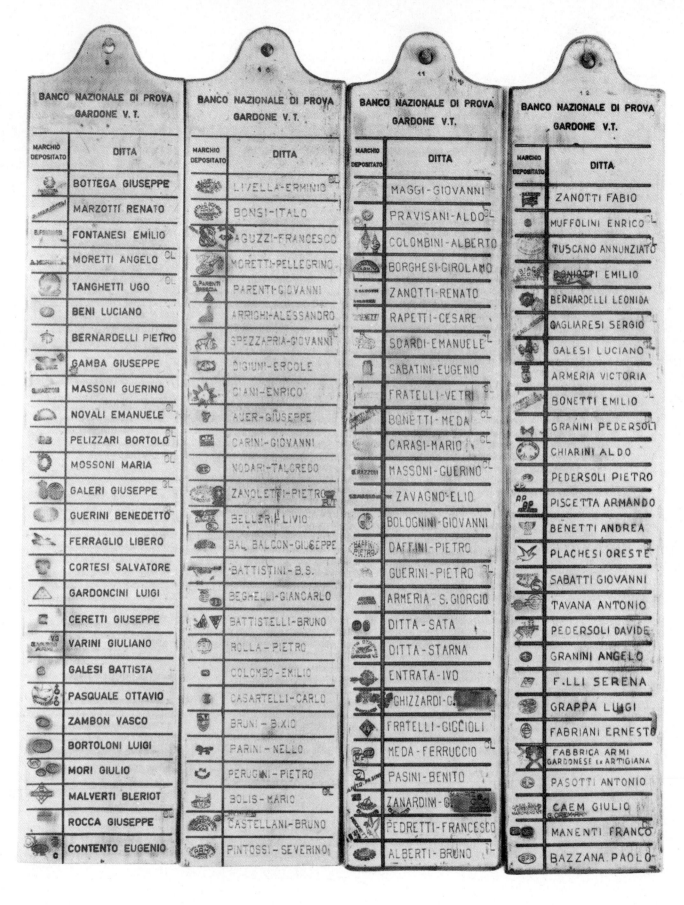

BANCO NAZIONALE DI PROVA GARDONE V.T.		BANCO NAZIONALE DI PROVA GARDONE V.T.		BANCO NAZIONALE DI PROVA GARDONE V.T.		BANCO NAZIONALE DI PROVA GARDONE V.T.	
MARCHIO DEPOSITATO	DITTA	MARCHIO DEPOSITATO	DITTA	MARCHIO DEPOSITATO	DITTA	MARCHIO DEPOSITATO	DITTA
	BOTTEGA GIUSEPPE		LIVELLA-ERMINIO		MAGGI-GIOVANNI		ZANOTTI FABIO
	MARZOTTI RENATO		BONSI-ITALO		PRAVISANI-ALDO		MUFFOLINI ENRICO
	FONTANESI EMILIO		AGUZZI-FRANCESCO		COLOMBINI-ALBERTO		TUSCANO ANNUNZIATO
	MORETTI ANGELO		MORETTI-PELLEGRINO		BORGHESI-GIROLAMO		BONIOTTI EMILIO
	TANGHETTI UGO		PARENTI-GIOVANNI		ZANOTTI-RENATO		BERNARDELLI LEONIDA
	BENI LUCIANO		ARRIGHI-ALESSANDRO		RAPETTI-CESARE		GAGLIARESI SERGIO
	BERNARDELLI PIETRO		SPEZZAPRIA-GIOVANNI		SOARDI-EMANUELE		GALESI LUCIANO
	GAMBA GIUSEPPE		DIGIUNI-ERCOLE		SABATINI-EUGENIO		ARMERIA VICTORIA
	MASSONI GUERINO		CIANI-ENRICO		FRATELLI-VETRI		BONETTI EMILIO
	NOVALI EMANUELE		AUER-GIUSEPPE		BONETTI-MEDA		GRANINI PEDERSOLI
	PELIZZARI BORTOLO		CARINI-GIOVANNI		CARASI-MARIO		CHIARINI ALDO
	MOSSONI MARIA		NODARI-TALOREDO		MASSONI-GUERINO		PEDERSOLI PIETRO
	GALERI GIUSEPPE		ZANOLETTI-PIETRO		ZAVAGNO-ELIO		PISCETTA ARMANDO
	GUERINI BENEDETTO		BELLERI-LIVIO		BOLOGNINI-GIOVANNI		BENETTI ANDREA
	FERRAGLIO LIBERO		BAL.BALCON-GIUSEPPE		DAFFINI-PIETRO		PLACHESI ORESTE
	CORTESI SALVATORE		BATTISTINI-B.S.		GUERINI-PIETRO		SABATTI GIOVANNI
	GARDONCINI LUIGI		BEGHELLI-GIANCARLO		ARMERIA-S.GIORGIO		TAVANA ANTONIO
	CERETTI GIUSEPPE		BATTISTELLI-BRUNO		DITTA-SATA		PEDERSOLI DAVIDE
	VARINI GIULIANO		ROLLA-PIETRO		DITTA-STARNA		GRANINI ANGELO
	GALESI BATTISTA		COLOMBO-EMILIO		ENTRATA-IVO		F.LLI SERENA
	PASQUALE OTTAVIO		CASARTELLI-CARLO		GHIZZARDI-G.		GRAPPA LUIGI
	ZAMBON VASCO		BRUNI-BIXIO		FRATELLI-GIGLIOLI		FABRIANI ERNESTO
	BORTOLONI LUIGI		PARINI-NELLO		MEDA-FERRUCCIO		FABBRICA ARMI GARDONESE ex ARTIGIANA
	MORI GIULIO		PERUGINI-PIETRO		PASINI-BENITO		PASOTTI ANTONIO
	MALVERTI BLERIOT		BOLIS-MARIO		ZANARDINI-G.		CAEM GIULIO
	ROCCA GIUSEPPE		CASTELLANI-BRUNO		PEDRETTI-FRANCESCO		MANENTI FRANCO
	CONTENTO EUGENIO		PINTOSSI-SEVERINO		ALBERTI-BRUNO		BAZZANA PAOLO

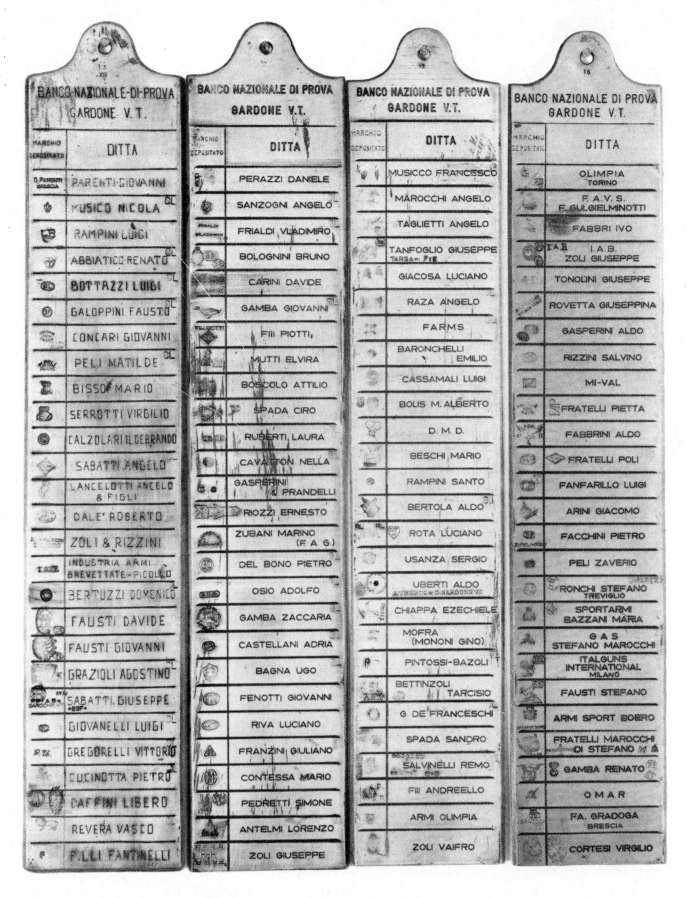

BANCO NAZIONALE DI PROVA GARDONE V.T.		BANCO NAZIONALE DI PROVA GARDONE V.T.		BANCO NAZIONALE DI PROVA GARDONE V.T.		BANCO NAZIONALE DI PROVA GARDONE V.T.	
MARCHIO DEPOSITATO	DITTA	MARCHIO DEPOSITATO	DITTA	MARCHIO DEPOSITATO	DITTA	MARCHIO DEPOSITATO	DITTA
	PARENTI GIOVANNI		PERAZZI DANIELE		MUSICCO FRANCESCO		OLIMPIA TORINO
	MUSICO NICOLA		SANZOGNI ANGELO		MAROCCHI ANGELO		F.A.V.S. F. GULGIELMINOTTI
	RAMPINI LUIGI		FRIALDI VLADIMIRO		TAGLIETTI ANGELO		FABBRI IVO
	ABBIATICO RENATO		BOLOGNINI BRUNO		TANFOGLIO GIUSEPPE TARGA - F1B		I.A.B. ZOLI GIUSEPPE
	BOTTAZZI LUIGI		CARINI DAVIDE		GIACOSA LUCIANO		TONOLINI GIUSEPPE
	GALOPPINI FAUSTO		GAMBA GIOVANNI		RAZA ANGELO		ROVETTA GIUSEPPINA
	CONCARI GIOVANNI		F.lli PIOTTI		FARMS		GASPERINI ALDO
	PELI MATILDE		MUTTI ELVIRA		BARONCHELLI EMILIO		RIZZINI SALVINO
	BISSO MARIO		BOSCOLO ATTILIO		CASSAMALI LUIGI		MI-VAL
	SERROTTI VIRGILIO		SPADA CIRO		BOLIS M. ALBERTO		FRATELLI PIETTA
	CALZOLARI ILDEBRANDO		RUBERTI LAURA		D. M. D.		FABBRINI ALDO
	SABATTI ANGELO		CAVATTON NELLA		BESCHI MARIO		FRATELLI POLI
	LANCELOTTI ANGELO & FIGLI		GASPERINI & PRANDELLI		RAMPINI SANTO		FANFARILLO LUIGI
	DALE' ROBERTO		RIOZZI ERNESTO		BERTOLA ALDO		ARINI GIACOMO
	ZOLI & RIZZINI		ZUBANI MARINO (F. A. G.)		ROTA LUCIANO		FACCHINI PIETRO
	INDUSTRIA ARMI BREVETTATE - PICCOLLO		DEL BONO PIETRO		USANZA SERGIO		PELI ZAVERIO
	BERTUZZI DOMENICO		OSIO ADOLFO		UBERTI ALDO A. UBERTI * D.GARDONE V.T.		RONCHI STEFANO TREVIGLIO
	FAUSTI DAVIDE		GAMBA ZACCARIA		CHIAPPA EZECHIELE		SPORTARMI BAZZANI MARIA
	FAUSTI GIOVANNI		CASTELLANI ADRIA		MOFRA (MONONI GINO)		GAS STEFANO MAROCCHI
	GRAZIOLI AGOSTINO		BAGNA UGO		PINTOSSI-BAZOLI		ITALGUNS INTERNATIONAL MILANO
	SABATTI GIUSEPPE		FENOTTI GIOVANNI		BETTINZOLI TARCISIO		FAUSTI STEFANO
	GIOVANELLI LUIGI		RIVA LUCIANO		G. DE' FRANCESCHI		ARMI SPORT BOERO
	GREGORELLI VITTORIO		FRANZINI GIULIANO		SPADA SANDRO		FRATELLI MAROCCHI DI STEFANO
	CUCINOTTA PIETRO		CONTESSA MARIO		SALVINELLI REMO		GAMBA RENATO
	DAFFINI LIBERO		PEDRETTI SIMONE		F.lli ANDREELLO		O M A R
	REVERA VASCO		ANTELMI LORENZO		ARMI OLIMPIA		FA. GRADOGA BRESCIA
	F.LLI FANTINELLI		ZOLI GIUSEPPE		ZOLI VAIFRO		CORTESI VIRGILIO

839

BANCO NAZIONALE DI PROVA GARDONE V.T.	
MARCHIO DEPOSITATO	DITTA
	PRANDELLI TERESA
	SABATTI LUIGI
	F.lli GHITTI
	TODESCATO ADONE
	FILINI GIROLAMO
	DE MICHELI LUIGI
	GIACOSA LUCIANO
	RUSCONE CARLO
	MAFFI LUIGI
	BONSI GIOVANNI
	BONOMI GIOVANNI
	DAFFINI CATERINA
	ING·DOTT GIUSEPPE ROSATI
	SERENA FRANCESCO
	S.I.BREDA ROMA
	VASINI PIETRO
	BUFFOLI PER.IND. GIUSEPPE
	M.A.V.I.
	TONOLINI ANDREA
	PELI GIOVANNI
	BOLIS BATTISTA
	RAG. NEGRO VITTORIO
	CARINI FRANCESCO
	TIMPINI PIETRO
	A.D'ACUNZO
	JOANNES VIRGILIO
	PELLICARDI EMILIA

BANCO NAZIONALE DI PROVA GARDONE V. T.	
MARCHIO DEPOSITATO	DITTA
	TONOLINI GIUSEPPE
	BASSOTTI ATTILIO
	RUBAGOTTI ANGELO
	SOC. ARMI BRESCIANE
	BALDI ARNALDO
	PIACENTINI CARLO
	IND. ARMI GALESI
	PINTOSSI e ZANARDINI
	GIACOMELLI CELESTE
	CALZONI CATERINA
	GIANMATTEI MARIO
	BUFFOLI CARLO
	BRUZZESE FELICE
	GNALI GIACOMO
	MENINI ANDREINA
	CERRAI e PICINALI
	MONTICELLI GUIDO
	BIANCHI ANGELO
	FERRONI QUINTO
	FACCHINI PIETRO
	BELLERI MARIA
	FACCHINI AVELLINO
	FAPPANI FRANCESCO
	REDOLFI ARTURO
	BRESCIANI GIACOMO
	MAGHINI GUIDO

BANCO NAZIONALE DI PROVA GARDONE V. T.	
MARCHIO DEPOSITATO	DITTA
	BENAZZATO ANTONIO
	ALBONICO LUIGI
	LANCELLOTTI FERDINANDO
	GALESI GUERINO
	FABBRICA ARMI BOLOGNA
	SABATTI ATTILIO
	GREGORELLI BENIAMINO
	MARTINELLI VITTORIO
	RUNCI GIUSEPPINA
	FRATELLI TOSCHI
	MANNINI ITALO
	GERMANI AURELIO
	GUERINI GIACOMINA
	GIACOMELLI PIETRO
	BETTENI VITTORIO
	MARGINI RICCARDO
	FRASSINE LUIGI
	ARINI ANGELO
	PIO LIPPI BRUNI
	BERTUZZI GIULIA & FIGLIO
	AMBROGI ANGELO GIUSEPPE
	TORCOLI ETTORE
	CASARTELLI CARLO
	PASINETTI ANGELO
	FAUSTI LUIGI
	PASQUALINI VITTORIO

BANCO NAZIONALE DI PROVA GARDONE V.T.	
MARCHIO DEPOSITATO	DITTA
	BELLADONNA TERSILIO
	FORMICA GIUSEPPE
	PEDRONI GIOVANNI
	ZAMBONARDI ALDO
	NATALI ADELINO
	BONSI-FERRAGLIO
	NOVALI EMANUELE
	RUSCHETTA PIERINO
	BOTTI G.VITTORIO
	GARDONCINI GIUSEPPINA
	MARCHETTINI RINALDO
	BIACCHI PIERINA
	GUERINI PIERINO
	VERONESI ASTORRE
	BAGNOLI ROMUALDO
	ZOLI ANGELO
	ARMAIUOLI GARDONESI
	SCALFI ITALO
	ZANETTI ANTONIO
	BROGLIA VIRGINIA
	GITTI UMBERTO
	BARAGLIA A.
	FABBRIZIOLI MARIO
	COTELLI FRANCESCO
	MACARRO FERRUCCIO
	MASSI FAUSTO
	GARGANI FEDELE

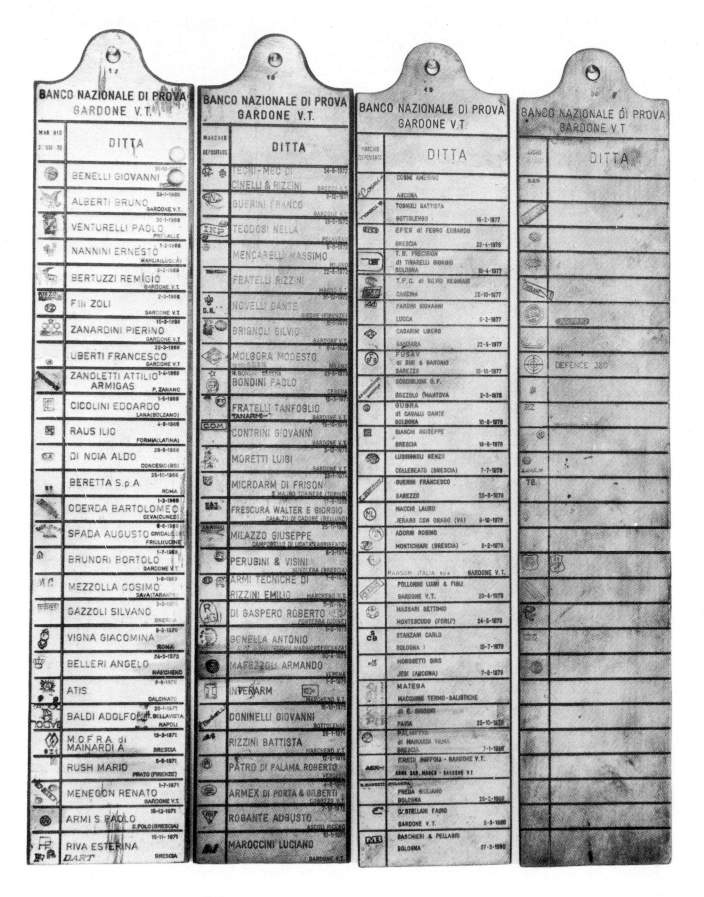

BANCO NAZIONALE DI PROVA GARDONE V.T.			BANCO NAZIONALE DI PROVA GARDONE V.T.			BANCO NAZIONALE DI PROVA GARDONE V.T.			BANCO NAZIONALE DI PROVA GARDONE V.T.	
MARCHIO DEPOSITATO	DITTA		MARCHIO DEPOSITATO	DITTA		MARCHIO DEPOSITATO	DITTA		MARCHIO	DITTA
	BENELLI GIOVANNI	31-10-		TECNI-MEC DI CINELLI & RIZZINI	24-8-1972 BROZZO V.T.		COSMI AMERIGO ANCONA		S.25	
	ALBERTI BRUNO	24-1-1958 GARDONE V.T.		GUERINI FRANCO	8-12-1971 GARDONE V.T.		TOGNOLI BATTISTA BOTTOLENGO	18-2-1977		
	VENTURELLI PAOLO	30-1-1958 PREVALLE		TEODOSI NELLA	31-5-1972 POLAVENO		EFES di FEBBO EDGARDO BRESCIA	23-4-1976		
	NANNINI ERNESTO	1-2-1958 MARLIA (LUCCA)		MENCARELLI MASSIMO	8-8-1972 MILANO		T.B. PRECISION di TINARELLI GIORGIO BOLOGNA	18-4-1977		
	BERTUZZI REMIGIO	9-2-1958 GARDONE V.T.		FRATELLI RIZZINI	22-8-1972 MARNO V.T.		T.F.G. di SILVIO REGGIANI CARCINA	25-10-1977		VIGILANT
	F.lli ZOLI	2-3-1958 GARDONE V.T.		NOVELLI DANTE	27-10-1972 PIDONE (FIRENZE)		PARDINI GIOVANNI LUCCA	9-2-1977		SNIPRING
	ZANARDINI PIERINO	15-3-1958 GARDONE V.T.		BRIGNOLI SILVIO	8-4-1973 GARDONE V.T.		CASARINI LIBERO GAMBARA	22-5-1977		
	UBERTI FRANCESCO	22-3-1958 GARDONE V.T.		MOLGORA MODESTO	5-11-1973 MILANO		FUSAV di BINI & BARONIO SAREZZO	13-10-1977		DEFENCE 380
	ZANOLETTI ATTILIO ARMIGAS	1-4-1958 P. ZANANO		R.BONAZ CEENE BONDINI PAOLO	28-11-1973 CEREA		SCODISIONE B.F. BOZZOLO (MANTOVA)	2-3-1978		
	CICOLINI EDOARDO	1-5-1958 LANA (BOLZANO)		FRATELLI TANFOGLIO TANARMI	3-2-1974 GARDONE V.T.		BUBRA di CAVALLI DANTE BOLOGNA	10-8-1978		RZ
	RAUS ILIO	4-8-1958 FORMIA (LATINA)		C.O.M. CONTRINI GIOVANNI	19-10-1974 GARDONE V.T.		BIANCHI GIUSEPPE BRESCIA	19-6-1979		
	DI NOIA ALDO	29-9-1958 CONCESIO (BS)		MORETTI LUIGI	3-12-1973 GARDONE V.T.		LUSSIGNOLI RENZO COLLEBEATO (BRESCIA)	7-7-1979		
BR	BERETTA S.p.A	25-10-1958 ROMA		MICROARM DI FRISON	30-1-1974 S.MAURO TORINESE (TORINO)		GUERINI FRANCESCO SAREZZO	28-8-1979		TB.
	ODERDA BARTOLOMEO	1-3-1969 CEVA (CUNEO)	BA	FRESCURA WALTER E GIORGIO	CALALZO DI CADORE (BELLUNO)		MACCHI LAURO JERAGO CON ORAGO (VA)	8-10-1979		
	SPADA AUGUSTO	6-8-1969 CIVIDALE DEL FRIULI (UDINE)		MILAZZO GIUSEPPE	25-10-1974 CAMPOBELLO DI LICATA (AGRIGENTO)		ADORNI ROSINO MONTICHIARI (BRESCIA)	3-2-1979		
	BRUNORI BORTOLO	1-7-1968 GARDONE V.T.		PERUGINI & VISINI	8-3-1974 NUVOLERA (BRESCIA)					
AC	MEZZOLLA COSIMO	1-8-1969 SAVA (TARANTO)		ARMI TECNICHE DI RIZZINI EMILIO	1-8-1974 MARCHENO V.T.		RANSON ITALIA s.r.l GARDONE V.T. POLLONINI LUIGI & FIGLI GARDONE V.T.	20-4-1979		
	GAZZOLI SILVANO	3-3-1970 BRESCIA		DI GASPERO ROBERTO	8-6-1975 PONTEBBA (UDINE)		MASSARI SETTIMIO MONTESCUDO (FORLÌ)	24-5-1979		
	VIGNA GIACOMINA	6-3-1970 ROMA		GONELLA ANTONIO	ALTE DI MONTECCHIO MAGGIORE (VICENZA)		STANZANI CARLO BOLOGNA	19-7-1979		
	BELLERI ANGELO	24-3-1970 MARCHENO		MAFFEZZOLI ARMANDO	8-5-1975 VERONA		HOROGETTI SIRO JESI (ANCONA)	7-8-1979		
	ATIS	8-6-1970 CALCINATO		INVERARM	16-10-1975 MARCHENO V.T.		MATESA MACCHINE TERMO-BALISTICHE di E. GHISONI PAVIA	25-10-1979		
	BALDI ADOLFO BELLAVISTA	20-1-1971 NAPOLI		DONINELLI GIOVANNI	26-1-1976 BOTTOLENGO		PALMITYO di MAINARDI VILMA BRESCIA	7-1-1980		
	M.O.F.R.A. di MAINARDI A.	13-3-1971 BRESCIA		RIZZINI BATTISTA	11-2-1976 MARCHENO V.T.		EREDI BUFFOLI - GARDONE V.T. ARMI SAN MARCO - GARDONE V.T.			
	RUSH MARIO	5-6-1971 PRATO (FIRENZE)		PATRO DI PALAMA ROBERTO	8-8-1976 VERONA		FREDA GIULIANO BOLOGNA	25-2-1980		
	MENEGON RENATO	1-7-1971 GARDONE V.T.		ARMEX DI PORTA & GILBERTI	8-8-1976 CONZANO V.T.		CASTELLANI FABIO GARDONE V.T.	5-3-1980		
	ARMI S.PAOLO	16-12-1971 S.POLO (BRESCIA)		ROBANTE AUGUSTO	8-8-1976 ASCOLI PICENO		BASCHIERI & PELLAGRI BOLOGNA	27-3-1980		
	RIVA ESTERINA DART	15-11-1971 BRESCIA		MAROCCINI LUCIANO	GARDONE V.T.					

841

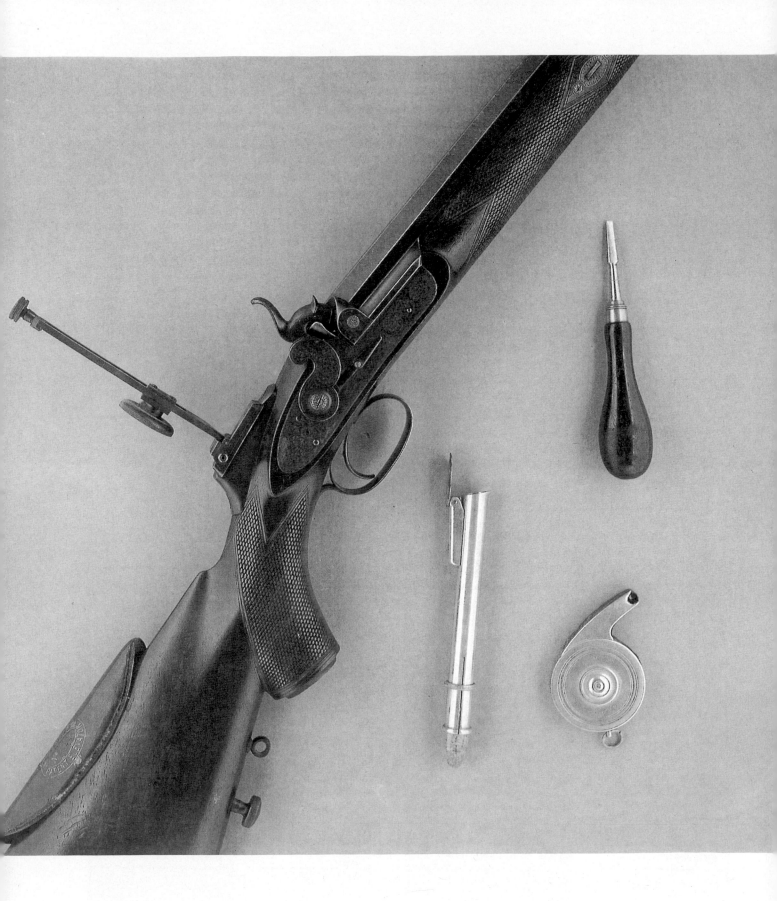

Bibliografia

Abbiatico M., *Le incisioni sulle armi sportive*, Edizioni Artistiche Italiane.

Abbiatico M., *Fra la mia gente*, Edizioni Artistiche Italiane.

Abbiatico M., Lupi e Vaccari, *Grandi incisioni su armi d'oggi*, Editoriale Olimpia.

Lupi G., *Il fucile da caccia a percussione centrale dal 1800 a oggi*, Editoriale Olimpia (4 volumi).

Lupi G., *Grandi fucili da caccia*, Editoriale Olimpia.

Lupi G., *La doppietta italiana*, Editoriale Olimpia.

Lupi G., *Il fucile a cani esterni*, Editoriale Olimpia.

Lupi G., *Toschi e Zanotti - Antichi artisti armaioli*, Editoriale Olimpia.

Negri, *Il fucile da caccia*, Editoriale Olimpia.

Nobili Marco E., *Le armi italiane da caccia e da tiro*, Editoriale Olimpia.

Nobili Marco E., *Il cacciatore moderno*, Edizioni Anthropos.

I libri seguenti potranno essere richiesti alla Tideline Books, P.O. Box 4, Rhyl, North Wales, U.K.:

Akehurst Richard, *Game Gun and Rifles*.

Beaumont Richard, *Purdey's. The Guns and the Family*.
Boothroyd G., *The Shotgun. History and Development*.

Boothroyd G., *Shotgun and Gunsmiths - The Vintage Years*.

Boothroyd G., *Gun Collecting*.

Burrard Major Gerald, *The Modern Shotgun*.
Crawford A. e Whatley P.G., *The History of W.C. Scott - Gunmakers'*.

Greener W.W., *Modern Shotgun*.

The Shooting Field. 150 Years with Holland & Holland.

Wilkinson F., *Sporting Guns*, Arms and Armour Press, London.

Ringraziamenti (thanks to...)

Eva Simontacchi, Giampiero Tagnocchetti, Mr. Nigel Beaumont (Purdey), Suzanne Webb, Firmo Fracassi, Gianfranco Pedersoli, Angelo Galeazzi, Francesco Medici, Claudio Cremini, Creative Art, F.lli Bertuzzi, F.lli Piotti, F.lli Rizzini, Renato Gamba, Stefano e Giancarlo Pedretti, Ivo e Tullio Fabbri, Walter Gioria, Stefano Zanotti, Angelo Buzzini, Adriano Pedretti, Manrico Torcoli, Dott. Baratta (Beretta S.p.A.), Luciano Bosis, Angelo Boniotti, Angelo Buffoli, Gianfranco Badillini, Ugo Sabatti, Fabio Simontacchi, Marco Scipioni, Maurizio Pedrotti, Germano Accanti.

I PICCOLI CALIBRI
NOVITÀ
128 pagg.
Oltre 200 illustrazioni
Formato 21 x 22
Lire 30.000

Libro di estremo interesse per tiratori, cacciatori, hobbisti. Vengono trattate esaurientemente le armi cal. 22LR e le prestazioni delle munizioni in commercio. Si passa quindi ai calibri 22 a percussione centrale sia per caccia che per tiro. Mercato e balistica delle armi ad aria compressa (carabine e pistole) ed infine trattazione dei piccoli calibri ad anima liscia dal cal. 20 al cal. 36 compresi il Flobert ed il 410 magnum.

CACCIARE A PALLA
2ª EDIZIONE
272 pagg.
Oltre 200 illustrazioni
Formato 21 x 28
Lire 32.000

Uscito lo scorso anno ha subito incontrato il favore del mercato risultando la prima edizione esaurita dopo pochi mesi. Questa nuova edizione è stata rivista graficamente con il miglioramento di molte illustrazioni e tabelle. Sono state aggiunte alcune tabelle basistiche ed alcuni calibri introdotti di recente. Libro utile a coloro che si dedicano alla caccia con armi a canna rigata dai cacciatori di cinghiali a quelli di montagna. Notizie utili sulla traiettoria, sull'azzeramento dell'arma, sulle ottiche e sul mercato di armi e munizioni.

IL GRANDE LIBRO DELLE INCISIONI
2ª EDIZIONE
336 pagg.
Oltre 400 illustrazioni
Formato 21 x 28
Lire 60.000

Rispetto alla precedente questa nuova edizione beneficia di una copertina rigida in similpelle con scritte in oro e sovraccoperta a colori. Sono inoltre state aggiunte 32 pagine di incisioni recenti tra le quali da segnalare il 'set of five' della P. Beretta inciso da Angelo Galeazzi. Il libro oltre alla versione in lingua italiana dispone a fronte della traduzione in inglese. Contiene otto tavole a colori. Opera completa utile ad operatori, costruttori, armieri, collezionisti sia di armi che di coltelli.

Per ordinare i volumi scrivere a:

IL VOLO srl   via Bazzini, 14 - 20131 MILANO   Tel./Fax 02/2366643

PRECISAZIONI

Pag. 23 - L'incisione sull'automatico Cosmi è stata realizzata dalla Creative Art e non da G. Pedersoli come indicato.

Pag. 180 - Attualmente il calibro più potente è il 700 Holland & Holland Nitro Express e non il .460 Weatherby Magnum.

Pag. 250 - Incisione di Steduto su sovrapposto Fabbri.

Pag. 288 - Fra gli incisiori non citati vanno aggiunti Stefano e Giancarlo Pedretti, S. Muffolini, Naida Zanetti, Dassa, Badillini, Moretti, Terzi, Parravicini, F. Medici.

Pag. 291 - Nella didascalia in inglese è stato riportato erroneamente il nome di Firmo Fracassi al posto di Claudio Cremini.

Pag. 315 - In fondo: doppietta John Rigby.

Pag. 512 - La doppietta incisa da D. Moretti appartiene alla 'The Renaissance collection' come pure quella illustrata a pag. 331.

Pag. 582 - Verso la fine del 1992 la Pietro Beretta SpA ha ceduto la propria partecipazione azionaria della Perazzi Spa.

Pag. 583 - La doppietta F.lli Piotti illustrata è la versione King 2 e non King 1.

Pag. 597 - Nella didascalia in inglese leggere Val Trompia e non Val Trompis.

Pag. 647 - Le didascalie delle due doppiette debbono essere invertite.

845

FINITO DI STAMPARE
NEL FEBBRAIO 1992
DALLA I.G.P. PIEVE DEL CAIRO (PV)

•

PRINTED IN ITALY